中國國家圖書館編

國家圖書館藏敦煌遺書

第八冊　北敦〇〇五〇三號——北敦〇〇六〇〇號

北京圖書館出版社

圖書在版編目(CIP)數據

國家圖書館藏敦煌遺書·第八册/中國國家圖書館編;任繼愈主編.—北京:北京圖書館出版社,2005.12

ISBN 7-5013-2950-8

Ⅰ.國…　Ⅱ.①中…②任…　Ⅲ.敦煌學—文獻　Ⅳ.K870.6

中國版本圖書館 CIP 數據核字(2005)第 117117 號

ISBN 7-5013-2950-8

9 787501 329502 >

書　名	國家圖書館藏敦煌遺書·第八册
著　者	中國國家圖書館編　任繼愈主編
責任編輯	徐　蜀　孫　彦
封面設計	李　璀

出　版　北京圖書館出版社　(100034　北京西城區文津街 7 號)

發　行　010-66139745　66151313　66175620　66126153

66174391(傳真)　66126156(門市部)

E-mail　cbs@nlc.gov.cn(投稿)　btsfxb@nlc.gov.cn(郵購)

Website　www.nlcpress.com

經　銷　新華書店

印　刷　北京文津閣印務有限責任公司

開　本　八開

印　張　53.75

版　次　2005 年 12 月第 1 版第 1 次印刷

印　數　1-150 册(套)

書　號　ISBN 7-5013-2950-8/K·1233

定　價　990.00 圓

目錄

過於此身真金色无[illegible]功德莊[illegible]
熾盛光明照曜諸相具[illegible]那羅延[illegible]
身入七寶臺上昇虛空去地七多羅樹諸菩
薩衆恭敬圍遶而來詣此娑婆世界耆闍崛
山到已下七寶[illegible]以價直百千瓔珞持至釋
迦牟尼佛所頭面礼足奉上瓔珞而白佛言
世尊淨華宿王智佛問訊世尊少病少惱起
居輕利安樂行不四大調和不世事可忍不
衆生易度不无多貪欲瞋恚愚癡嫉妬慳
慢不无不孝父母不敬沙門邪見不善心不攝
五情不世尊衆生能降伏諸魔怨不久滅度
多寶如來在七寶塔中來聽法不又問訊多
寶如來安隱少惱堪忍久住不世尊我今欲
見多寶佛身唯願世尊示我令見尒時釋迦
牟尼佛語多寶佛是妙音菩薩欲得相見時
多寶佛告妙音言善哉善哉汝能爲供養釋
迦牟尼佛及聽法華經并見文殊師利等故
來至此尒時華德菩薩白佛言世尊是妙音
菩薩種何善根脩何功德有是神力佛告華
德菩薩過去有佛名雲雷音王多陁阿伽度
阿羅呵三藐三佛陁國名現一切世間劫名喜
見妙音菩薩於万二千歲以十万種伎樂供
養雲雷音王佛并奉上八万四千七寶鉢
以是因緣果報今生淨華宿王智佛所有是

德菩[illegible]
阿羅呵三藐三佛陁國名現一切世間劫名喜
見妙音菩薩於万二千歲以十万種伎樂供
養雲雷音王佛并奉上八万四千七寶鉢
以是因緣果報今生淨華宿王智佛所有是
神力華德於汝意云何尒時雲雷音王佛所
妙音菩薩伎[illegible]養奉上寶器者豈異人乎
今此妙音菩薩摩訶薩是華德是妙音菩薩
已曾供養親近无量諸佛久殖德本又值恒
河沙等百千万億那由他佛華德汝但見妙
音菩薩其身在此而是菩薩現種種身處處
爲諸衆生說是經典或現梵王身或現帝釋
身或現自在天身或現大自在天身或現天大將
軍身或現毗沙門天王身或現轉輪聖王身或
現諸小王身或現長者身或現居士身或現
宰官身或現婆羅門身或現比丘比丘尼優
婆塞優婆夷身或現長者居士婦女身或現
宰官婦女身或現婆羅門婦女身或現童男
童女身或現天龍夜叉乾闥婆阿脩羅迦樓
羅緊那羅摩睺羅伽人非人等身而說是經
諸有地獄餓鬼畜生及衆難處皆能救濟乃
至於王後宮變爲女身而說是經華德是妙
音菩薩能救護娑婆世界諸衆生者是妙音
菩薩如是種種變化現身在此娑婆國土爲
諸衆生說是經典於神通變化智慧无所損
減是菩薩以若干智慧明照娑婆世界令一
切衆生各得所知於十方恒河沙世界中亦
復如是若應以聲聞形得度者現聲聞形而

減是菩薩以若干智慧明照娑婆世界令一
切衆生各得所知於十方恒河沙世界中亦
復如是若應以聲聞形得度者現聲聞形而
為說法應以辟支佛形得度者現辟支佛形
而為說法應以菩薩形得度者現菩薩形而
為說法應以佛形得度者即現佛形而為說
法如是種種隨所應度者而為現形乃至應
以滅度而得度者示現滅度華德妙音菩薩
摩訶薩成就大神通智慧之力其事如是
尒時華德菩薩白佛言世尊是妙音菩薩深
種善根世尊是菩薩住何三昧而能如是在
所變現度脫衆生佛告華德菩薩善男子其
三昧名現一切色身妙音菩薩住是三昧中
能如是饒益无量衆生說是妙音菩薩品時
與妙音菩薩俱来者八万四千人皆得現一
切色身三昧此娑婆世界无量菩薩亦得是
三昧及陁羅尼尒時妙音菩薩摩訶薩供養
釋迦牟尼佛及多寶佛塔已還歸本土所經
諸國六種震動雨寶蓮華作百千万億種種
伎樂既到本國與八万四千菩薩圍遶至淨
華宿王智佛所白佛言世尊我到娑婆世界
饒益衆生見釋迦牟尼佛及見多寶佛塔礼
拜供養又見文殊師利法王子菩薩及見藥
王菩薩得勤精進力菩薩勇施菩薩等亦令
是八万四千菩薩得現一切色身三昧說是
妙音菩薩来往品時四万二千天子得无生
法忍華德菩薩得法華三昧
妙法蓮華経觀世音菩薩普門品第二十五

BD00503 號　妙法蓮華經卷七　（20–3）

妙音菩薩来往品時四万二千天子得无生
法忍華德菩薩得法華三昧
妙法蓮華経觀世音菩薩普門品第二十五
尒時无盡意菩薩即從座起偏袒右肩合掌
向佛而作是言世尊觀世音菩薩以何因緣
名觀世音佛告无盡意菩薩善男子若有
无量百千万億衆生受諸苦惱聞是觀世音
菩薩一心稱名觀世音菩薩即時觀其音聲
皆得解脫若有持是觀世音菩薩名者設
入大火火不能燒由是菩薩威神力故若為
大水所漂稱其名号即得淺處若有百千万
億衆生為求金銀琉璃車𤦲馬瑙珊瑚虎珀
真珠等寶入於大海假使黒風吹其船舫漂
墮羅刹鬼國其中若有乃至一人稱觀世音
菩薩名者是諸人等皆得解脫羅刹之難以
是因緣名觀世音若復有人臨當被害稱觀
世音菩薩名者彼所執刀杖尋段段壞而得
解脫若三千大千國土滿中夜叉羅刹欲来惱
人聞其稱觀世音菩薩名者是諸惡鬼尚不
能以惡眼視之况復加害設復有人若有罪若
无罪杻械枷鎖檢繫其身稱觀世音菩薩名
者皆悉斷壞即得解脫若三千大千國土滿
中怨賊有一商主將諸商人賫持重寶經過
險路其中一人作是唱言諸善男子勿得恐
怖汝等應當一心稱觀世音菩薩名号是菩
薩能以无畏施於衆生汝等若稱名者於此
怨賊當得解脫衆商人聞俱發聲言南无觀
世音菩薩稱其名故即得解脫无盡意觀世

BD00503 號　妙法蓮華經卷七　（20–4）

薩能以无畏施於衆生汝等若稱名者於此
怨賊當得解脫衆商人聞俱發聲言南无觀
世音菩薩稱其名故即得解脫无盡意觀世
音菩薩摩訶薩威神之力巍巍如是若有衆
生多於婬欲常念恭敬觀世音菩薩便得離
欲若多瞋恚常念恭敬觀世音菩薩便得離
瞋若多愚癡常念恭敬觀世音菩薩便得離
癡无盡意觀世音菩薩有如是等大威神力
多所饒益是故衆生常應心念若有女人設
欲求男礼拜供養觀世音菩薩便生福德智
慧之男設欲求女便生端正有相之女宿殖
德本衆人愛敬无盡意觀世音菩薩有如是
力若有衆生恭敬礼拜觀世音菩薩福不唐
捐是故衆生皆應受持觀世音菩薩名号无
盡意若有人受持六十二億恒河沙菩薩名
字復盡形供養飲食衣服卧具醫藥於汝意
云何是善男子善女人功德多不无盡意言
甚多世尊佛言若復有人受持觀世音菩薩
名号乃至一時礼拜供養是二人福正等无
異於百千万億劫不可窮盡无盡意受持觀
世音菩薩名号得如是无量无邊福德之利
无盡意菩薩白佛言世尊觀世音菩薩云何
遊此娑婆世界云何而爲衆生說法方便之
力其事云何佛告无盡意菩薩善男子若有
國土衆生應以佛身得度者觀世音菩薩即
現佛身而爲說法應以辟支佛身得度者即
現辟支佛身而爲說法應以聲聞身得度者
聞身而爲說法應以梵王身得度者

現佛身而爲說法應以辟支佛身得度者即
現辟支佛身而爲說法應以聲聞身得度者
即現聲聞身而爲說法應以梵王身得度者
即現梵王身而爲說法應以帝釋身得度
即現帝釋身而爲說法應以自在天身得度
者即現自在天身而爲說法應以大自在天
身得度者即現大自在天身而爲說法應以
天大將軍身得度者即現天大將軍身而爲
說法應以毗沙門身得度者即現毗沙門身
而爲說法應以小王身得度者即現小王身
而爲說法應以長者身得度者即現長者身
而爲說法應以居士身得度者即現居士身
而爲說法應以宰官身得度者即現宰官身
而爲說法應以婆羅門身得度者即現婆羅
門身而爲說法應以比丘比丘尼優婆塞優
婆夷身得度者即現比丘比丘尼優婆塞優
婆夷身而爲說法應以長者居士宰官婆羅
門婦女身得度者即現婦女身而爲說法應
以童男童女身得度者即現童男童女身而
爲說法應以天龍夜叉乾闥婆阿脩羅迦樓
羅緊那羅摩睺羅伽人非人等身得度者即
皆現之而爲說法應以執金剛神得度者即
現金剛神而爲說法无盡意是觀世音菩薩
成就如是功德以種種形遊諸國土度脫衆
生是故汝等應當一心供養觀世音菩薩是
觀世音菩薩摩訶薩於怖畏急難之中能施
无畏是故此娑婆世界皆号之爲施无畏者

觀世音菩薩摩訶薩於怖畏急難之中能施
无畏是故此娑婆世界皆号之為施无畏者
无盡意菩薩白佛言世尊我今當供養觀世
音菩薩即解頸衆寶珠瓔珞價直百千兩金
而以與之作是言仁者受此法施珎寶瓔珞
時觀世音菩薩不肯受之无盡意復白觀世
音菩薩言仁者愍我等故受此瓔珞尒時佛
告觀世音菩薩當愍此无盡意菩薩及四衆
天龍夜叉乾闥婆阿脩羅迦樓羅緊那羅摩
睺羅伽人非人等故受是瓔珞即時觀世音
菩薩愍諸四衆及於天龍人非人等受其瓔
珞分作二分一分奉釋迦牟尼佛一分奉多
寶佛塔无盡意觀世音菩薩有如是自在
神力遊於娑婆世界尒時无盡意菩薩以偈
問曰
世尊妙相具　我今重問彼　佛子何因緣　名為觀世音
具足妙相尊　偈答无盡意　汝聽觀音行　善應諸方所
弘誓深如海　歷劫不思議　侍多千億佛　發大清淨願
我為汝略說　聞名及見身　心念不空過　能滅諸有苦
假使興害意　推落大火坑　念彼觀音力　火坑變成池
或漂流巨海　龍魚諸鬼難　念彼觀音力　波浪不能沒
或在須弥峯　為人所推墮　念彼觀音力　如日虛空住
或被惡人逐　墮落金剛山　念彼觀音力　不能損一毛
或值怨賊遶　各執刀加害　念彼觀音力　咸即起慈心
或遭王難苦　臨刑欲壽終　念彼觀音力　刀尋段段壞
或囚禁枷鎖　手足被杻械　念彼觀音力　釋然得解脫
呪詛諸毒藥　所欲害身者　念彼觀音力　還著於本人
或遇惡羅剎　毒龍諸鬼等　念彼觀音力　時悉不敢害

呪詛諸毒藥　所欲害身者　念彼觀音力　還著於本人
或遇惡羅剎　毒龍諸鬼等　念彼觀音力　時悉不敢害
若惡獸圍遶　利牙爪可怖　念彼觀音力　疾走无邊方
蚖蛇及蝮蝎　氣毒煙火燃　念彼觀音力　尋聲自迴去
雲雷鼓掣電　降雹澍大雨　念彼觀音力　應時得消散
衆生被困厄　无量苦逼身　觀音妙智力　能救世間苦
具足神通力　廣脩智方便　十方諸國土　无剎不現身
種種諸惡趣　地獄鬼畜生　生老病死苦　以漸悉令滅
真觀清淨觀　廣大智慧觀　悲觀及慈觀　常願常瞻仰
无垢清淨光　慧日破諸闇　能伏灾風火　普明照世間
悲體戒雷震　慈意妙大雲　澍甘露法雨　滅除煩惱炎
諍訟經官處　怖畏軍陣中　念彼觀音力　衆怨悉退散
妙音觀世音　梵音海潮音　勝彼世間音　是故須常念
念念勿生疑　觀世音淨聖　於苦惱死厄　能為作依怙
具一切功德　慈眼視衆生　福聚海无量　是故應頂礼
尒時持地菩薩即從坐起前白佛言世尊若
有衆生聞是觀世音菩薩品自在之業普門
示現神通力者當知是人功德不少佛說是普
門品時衆中八万四千衆生皆發无等等阿
耨多羅三藐三菩提心
妙法蓮華經陁羅尼品第廿六
尒時藥王菩薩即從坐起偏袒右肩合掌向
佛而白佛言世尊若善男子善女人有能受
持法華經者若讀誦通利若書寫經卷得
幾所福佛告藥王若有善男子善女人供養
八百万億那由他恒河沙等諸佛於汝意云何
其所得福寧為多不甚多世尊佛言若善男

八百万億那由他恒河沙等諸佛於汝意云何
其所得福寧為多不甚多世尊佛言若善男
子善女人能於是經乃至受持一四句偈讀
誦解義如說修行功德甚多尒時藥王菩薩
白佛言世尊我今當與說法者陀羅尼呪以
守護之即說呪曰
安尒一曼尒二摩祢三摩摩祢四旨隸五遮梨弟
六賒咩羊鳴音七賒履用羊反多瑋八羶輸千反帝九目帝十
目多履十一娑履十二阿瑋娑履十三桑履十四娑
履十五叉裔十六阿叉裔十七阿耆膩十八羶帝十九賒履
二十陀羅尼二十一阿盧伽婆娑蘇奈反簸蔗毗叉膩二十二祢毗剃
二十三阿便哆都餓反邏祢履剃二十四阿亶哆波隸輸地二十五漚
究隸二十六牟究隸二十七阿羅隸二十八波羅隸二十九首迦差初机反
三十阿三磨三履三十一佛馱毗吉利袠帝三十二達磨波利差猜離反
帝三十三僧伽涅瞿沙祢三十四婆舍婆舍輸地三十五曼哆
邏三十六曼哆邏叉夜多三十七郵樓哆憍舍略三十九盧遮反惡叉
邏四十惡叉冶多冶四十一阿婆盧四十二阿摩若荏蔗反那多
夜四十三
世尊是陀羅尼神呪六十二恒河沙等諸佛
所說若有侵毀此法師者則為侵毀是諸佛
已時釋迦牟尼佛讚藥王菩薩言善哉善哉
藥王汝愍念擁護此法師故說是陀羅尼於
諸眾生多所饒益
尒時勇施菩薩白佛言世尊我亦為擁護讀
誦受持法華經者說陀羅尼若此法師得是
陀羅尼若夜叉若羅剎若富單那若吉遮若
鳩槃荼若餓鬼等伺求其短无能得便即於

BD00503號　妙法蓮華經卷七　（20–9）

誦受持法華經者說陀羅尼若此法師得是
陀羅尼若夜叉若羅剎若富單那若吉遮若
鳩槃荼若餓鬼等伺求其短无能得便即於
佛前而說呪曰
座指耋反隸一摩訶座隸二郁枳三目枳四阿隸五
阿羅婆弟六涅隸弟七涅隸多婆弟八伊緻猪履反
柅九韋緻柅十旨緻柅十一涅隸墀柅十二涅隸墀婆
底十三
世尊是陀羅尼神呪恒河沙等諸佛所說亦
皆隨喜若有侵毀此法師者則為侵毀是諸
佛已
尒時毗沙門天王護世者白佛言世尊我亦
為愍念眾生擁護此法師故說是陀羅尼即
說呪曰
阿梨一那梨二㝹那梨三阿那盧四那履五拘
那履六
世尊以是神呪擁護法師我亦自當擁護持
是經者令百由旬内无諸衰患
尒時持國天王在此會中與千万億那由他
乾闥婆眾恭敬圍遶前詣佛所合掌白佛言
世尊我亦以陀羅尼神呪擁護持法華經者
即說呪曰
阿伽祢一伽祢二瞿利三乾陀利四旃陀利五摩蹬耆
六常求利七浮樓莎柅八頞底九
世尊是陀羅尼神呪四十二億諸佛所說若
有侵毀此法師者則為侵毀是諸佛已
尒時有羅剎女等一名藍婆二名毗藍婆三
名曲齒四名華齒五名黑齒六名多髮七名

BD00503號　妙法蓮華經卷七　（20–10）

尒時有羅刹女等一名藍婆二名毗藍婆三
名曲齒四名華齒五名黑齒六名多髮七名
无猒足八名持瓔珞九名睪帝十名奪一切
衆生精氣是十羅刹女与鬼子母并其子及
眷屬俱詣佛所同聲白佛言世尊我等亦欲
擁護讀誦受持法華經者除其衰患若有伺
求法師短者令不得便即於佛前而說呪曰
伊提履一 伊提泯二 伊提履三 阿提履四 伊提履
五 泥履六 泥履七 泥履八 泥履九 泥履十 樓醯
十一 樓醯十二 樓醯十三 樓醯十四 多醯十五 多醯 十六
多醯十七 兜醯十八 㝹醯
寧上我頭上莫惱於法師若夜叉若羅刹若
餓鬼若富單那若吉蔗若毗陁羅若揵馱若
烏摩勒伽若阿跋摩羅若夜叉吉蔗若人吉
蔗若熱病若一日若二日若三日若四日乃
至七日若常熱病若男形若女形若童男
形若童女形乃至夢中亦復莫惱即於佛前
而說偈言
若不順我呪　惱亂說法者　頭破作七分　如阿梨樹枝
如煞父母罪　亦如押油殃　升秤欺誑人　調達破僧罪
犯此法師者　當獲如是殃
諸羅刹女說此偈已白佛言世尊我等亦當
身自擁護受持讀誦脩行是經者令得安隱
離諸衰患消衆毒藥佛告諸羅刹女善哉善
哉汝等但能擁護受持法華經名者福不可
量何況擁護具足受持供養經卷華香瓔珞
末香塗香燒香幡蓋伎樂然種種燈蘇燈油

末香塗香燒香幡蓋伎樂然種種燈蘇燈油
燈諸香油燈蘇摩那華油燈瞻匐華油燈婆
師迦華油燈優婆羅華油燈如是等百千種
供養者睪帝汝等及眷屬應當擁護如是
法師說此陁羅尼呪品時六万八千人得无生
法忍
妙法蓮華經妙莊嚴王本事品第廿七
尒時佛告諸大衆乃往古世過无量无邊不
可思議阿僧祇劫有佛名雲雷音宿王華智
多陁阿伽度阿羅呵三藐三佛陁國名光明
莊嚴劫名憙見彼佛法中有王名妙莊嚴其
王夫人名曰淨德有二子一名淨藏二名淨
眼是二子有大神力福德智慧久脩菩薩所
行之道所謂檀波羅蜜尸波羅蜜羼提波羅
蜜毗梨耶波羅蜜禪波羅蜜般若波羅蜜方
便波羅蜜慈悲喜捨乃至卅七助道法皆悉
明了通達又得菩薩淨三昧日星宿三昧淨
光三昧淨色三昧淨照明三昧長莊嚴三昧
大威德藏三昧於此三昧亦悉通達
尒時彼佛欲引導妙莊嚴王及愍念衆生故
說是法華經時淨藏淨眼二子到其母所合
十指抓掌白言願母往詣雲雷音宿王華智
佛所我等亦當侍從親覲供養礼拜所以者
何此佛於一切天人衆中說法華經宜應聽
受母告子言汝父信受外道深著婆羅門法
汝等應往白父與共俱去淨藏淨眼合十指
爪掌白母我等是法王子而生此耶見家 母

爪掌白母我等是法王子而生此耶見家
告子言汝等當憂念汝父為現神變若得見
者心必清淨或聽我等往至佛所於是二子
念其父故踊在虛空高七多羅樹現種種神
變於虛空中行住坐卧身上出水身下出火
身下出水身上出火或現大身滿虛空中而
復現小小復現大於虛空中滅忽然在地入
地如水履水如地現如是等種種神變令其
父王心淨信解時父見子神力如是心大歡
喜得未曾有合掌向二子言汝等師為是誰
誰之弟子二子白言大王彼雲雷音宿王華
智佛今在七寶菩提樹下法坐上坐於一切
世間天人眾中廣說法華経是我等師我是
弟子父語子言我今亦欲見汝等師可共俱
往於是二子從空中下到其母所合掌白母
父王今已信解堪任發阿耨多羅三藐三菩
提心我等為父已作佛事願母見聽於彼佛
所出家脩道尒時二子欲重宣其意以偈白母
願母放我等　出家作沙門　諸佛甚難值　我等隨佛學
如優曇鉢羅　值佛復難是　脫諸難亦難　願聽我出家
母即告言聽汝出家所以者何佛難值故於
是二子白父母言善哉父母願時往詣雲雷
音宿王華智佛所親覲供養所以者何佛難
得值如優曇鉢羅華又如一眼之龜值浮木
孔而我等宿福深厚生值佛法是故父母當
聽我等令得出家所以者何諸佛難值時亦
難遇彼時妙莊嚴王後宮八万四千人悉皆
堪任受持是法華経淨眼菩薩於法華三昧

孔而我
聽我等令得出家所以者何諸佛難值時亦
難遇彼時妙莊嚴王後宮八万四千人悉皆
堪任受持是法華経淨眼菩薩於法華三昧
久已通達淨藏菩薩已於无量百千万億劫
通達離諸惡趣三昧欲令一切眾生離諸惡
趣故其王夫人得諸佛集三昧能知諸佛秘
密之藏二子如是以方便力善化其父令心
信解好樂佛法於是妙莊嚴王與群臣眷屬
俱淨德夫人與後宮綵女眷屬俱其王二子
與四万二千人俱一時共詣佛所到已頭面
礼足遶佛三帀却住一面尒時彼佛為王說
法示教利喜王大歡
尒時妙莊嚴王及其夫人解頸真珠瓔珞價
直百千以散佛上於虛空中化成四柱寶臺
臺中有大寶床敷百千万天衣其上有佛結
加趺坐放大光明尒時妙莊嚴王作是念佛
身希有端嚴殊特成就第一微妙之色時雲
雷音宿王華智佛告四眾言汝等見是妙莊
嚴王於我前合掌立不此王於我法中作比
丘精勤脩習助佛道法當得作佛号娑羅樹
王國名大光劫名大高王其娑羅樹王佛有
无量菩薩眾及无量聲聞其國平正功德如
是其王即時以國付弟王与夫人二子并諸
眷屬於佛法中出家脩道王出家已於八万
四千歲常勤精進脩行妙法華経過是已後
得一切淨功德莊嚴三昧即昇虛空高七多
羅樹而白佛言世尊此我二子已作佛事以

得一切淨功德莊嚴三昧即昇虛空高七多
羅樹而白佛言世尊此我二子已作佛事以
神通變化轉我邪心令得安住於佛法中得
見世尊此二子者是我善知識為欲發起宿
世善根饒益我故來生我家
尒時雲雷音宿王華智佛告妙莊嚴王言如
是如是如汝所言善男子善女人種善根
故世世得善知識其善知識能作佛事示教
利喜令入阿耨多羅三藐三菩提大王當知
善知識者是大因緣所謂化導令得見佛發
阿耨多羅三藐三菩提心大王汝見此二子
不此二子已曾供養六十五百千万億那由
他恒河沙諸佛親覲恭敬於諸佛所受持法
華經愍念邪見衆生令住正見妙莊嚴王即
從虛空中下而白佛言世尊如來甚希有以
功德智慧故頂上肉髻光明顯照其眼長廣
而紺青色眉間豪相白如珂月齒白齊密常
有光明脣色赤好如頻婆菓尒時妙莊嚴王
讚歎佛如是等无量百千万億功德已於如
來前一心合掌復白佛言世尊未曾有也如
來之法具足成就不可思議微妙功德教戒
所行安隱快善我從今日不復自隨心行不
生邪見憍慢瞋恚諸惡之心說是語已礼佛
而出佛告大衆於意云何妙莊嚴王豈異人
乎今華德菩薩是其淨德夫人今佛前光照
莊嚴相菩薩是哀愍妙莊嚴王及諸眷屬故
於彼中生其二子者今藥王菩薩藥上菩薩

BD00503號　妙法蓮華經卷七　（20-15）

乎今華德菩薩是其淨德夫人今佛前光照
莊嚴相菩薩是哀愍妙莊嚴王及諸眷屬故
於彼中生其二子者今藥王菩薩藥上菩薩
是藥王藥上菩薩成就如此諸大功德已
於无量百千万億諸佛所殖衆德本成就不
可思議諸善功德若有人識是二菩薩名字
者一切世間諸天人民亦應礼拜佛說是妙
莊嚴王本事品時八万四千人遠塵離垢於
諸法中得法眼淨

妙法蓮華經普賢菩薩勸發品第廿八

尒時普賢菩薩以自在神通力威德名聞與
大菩薩无量无邊不可稱數從東方來所經
過國普皆震動雨寶蓮華作无量百千万億
種種伎樂又與无數諸天龍夜叉乾闥婆阿
脩羅迦樓羅緊那羅摩睺羅伽人非人等大
衆圍繞各現威德神通之力到娑婆世界耆
闍崛山中頭面礼釋迦牟尼佛右繞七匝白
佛言世尊我於寶威德上王佛國遥聞此娑
婆世界說法華經與无量无邊百千万億諸
菩薩衆共來聽受唯願世尊當為說之若善
男子善女人於如來滅後云何能得是法華
經佛告普賢菩薩若善男子善女人成就
四法於如來滅後當得是法華經一者為諸
佛護念二者殖諸德本三者入正定聚四者
發救一切衆生之心善男子善女人如是成
就四法於如來滅後必得是經
尒時普賢菩薩白佛言世尊於後五百歲濁

BD00503號　妙法蓮華經卷七　（20-16）

佛護念二者殖諸德本三者入正定聚四者
發救一切衆生之心善男子善女人如是成
就四法於如来滅後必得是經
尒時普賢菩薩白佛言世尊於後五百歲濁
惡世中其有受持是經典者我當守護除其
衰患令得安隱使无伺求得其便者若魔若
魔子若魔女若魔民若為魔所著者若夜叉
若羅剎若鳩槃荼若毗舍闍若吉蔗若富單
那若韋陁羅等諸惱人者皆不得便是人若
行若立讀誦此經我尒時乘六牙白象王與
大菩薩衆俱詣其所而自現身供養守護安
慰其心亦為供養法華經故是人若坐思惟
此經尒時我復乘白象王現其人前其人若
於法華經有所忘失一句一偈我當教之與
共讀誦還令通利
尒時受持讀誦法華經者得見我身甚大歡
喜轉復精進以見我故即得三昧及陁羅尼
名為旋陁羅尼百千万億旋陁羅尼法音方
便陁羅尼得如是等陁羅尼世尊若後世後
五百歲濁惡世中比丘比丘尼優婆塞優婆
夷求索者受持者讀誦者書寫者欲脩習是
法華經於三七日中應一心精進滿三七日
已我當乘六牙白象與无量菩薩而自圍遶
以一切衆生所憙見身現其人前而為說法
示教利喜亦復與其陁羅尼呪得是陁羅尼
故无有非人能破壞者亦不為女人之所
惑亂我身亦自常護是人唯願世尊聽我說
此陁羅尼即於佛前而說呪曰

以一切衆生所憙見身現其人前
示教利喜亦復與其陁羅尼呪得是陁羅尼
故无有非人能破壞者亦不為女人之所
惑亂我身亦自常護是人唯願世尊聽我說
此陁羅尼即於佛前而說呪曰
阿檀地 途賣反 一 檀陁婆地 二 檀陁婆帝 三 檀陁鳩舍隷 四
檀陁脩陁隷 五 脩陁隷 六 脩陁羅婆底 七 佛馱波羶
祢 八 薩婆陁羅尼阿婆多尼 九 薩婆婆沙阿婆多尼
十 脩阿婆多尼 十一 僧伽婆履叉尼 十二 僧伽涅伽陁尼 十三
阿僧祇 十四 僧伽波伽地 十五 帝隷阿惰僧伽兜略 盧遮反 波
羅帝 十六 薩婆僧伽三摩地伽蘭地 十七 薩婆達摩脩
波利剎帝 十八 薩婆薩埵樓馱憍舍略阿㝹伽地 十九
辛阿毗吉利地帝 二十
世尊若有菩薩得聞是陁羅尼者當知普
賢神通之力若法華經行閻浮提有受持者
應作此念皆是普賢威神之力若有受持讀
誦正憶念解其義趣如說行當知是人行普
賢行於无量无邊諸佛所深種善根為諸如
来手摩其頭若但書寫是人命終當生忉利
天上是時八万四千天女作衆伎樂而来迎
之其人即著七寶冠於采女中娛樂快樂何
況受持讀誦正憶念解其義趣如說脩行若
有人受持讀誦解其義趣是人命終為千佛
授手令不恐怖不墮惡趣即往兜率天上弥勒
菩薩所弥勒菩薩有三十二相大菩薩衆
所共圍繞有百千万億天女眷屬而於中生
有如是等功德利益是故智者應當一心自
書若使人書受持讀誦正憶念如說脩行世

所共圍繞有百千万億天女眷属而於中生
有如是等功德利益是故智者應當一心自
書若使人書受持讀誦正憶念如說脩行世
尊我今以神通力守護是經於如來滅後閻
浮提內廣令流布使不斷絶
尒時釋迦牟尼佛讚言善哉善哉普賢汝能
護助是經令多所衆生安樂利益汝已成就不
可思議功德深大慈悲從久遠來發阿耨
多羅三藐三菩提意而能作是神通之願守護
是經我當以神通力守護能受持普賢菩薩
名者普賢若有受持讀誦正憶念脩習書寫
是法華經者當知是人則見釋迦牟尼佛如
從佛口聞此經典當知是人供養釋迦牟尼
佛當知是人佛讚善哉當知是人為釋迦牟
尼佛手摩其頭當知是人為釋迦牟尼佛衣
之所覆如是之人不復貪著世樂不好外道
經書手筆亦復不憙親近其人及諸惡者若
屠兒若畜猪羊鷄狗若獵師若衒賣女色是
人心意質直有正憶念有福德力是人不為
三毒所惱亦復不為嫉妬我慢邪慢增上慢所
惱是人少欲知足能脩普賢之行
普賢若如來滅後後五百歲若有人見受持讀
誦法華經者應作是念此人不久當詣道場
破諸魔衆得阿耨多羅三藐三菩提轉法輪
擊法皷吹法蠡雨法雨當坐天人大衆中師
子法坐上普賢若於後世受持讀誦是經
典者是人不復貪著衣服卧具飮食資生之

BD00503號　妙法蓮華經卷七　（20–19）

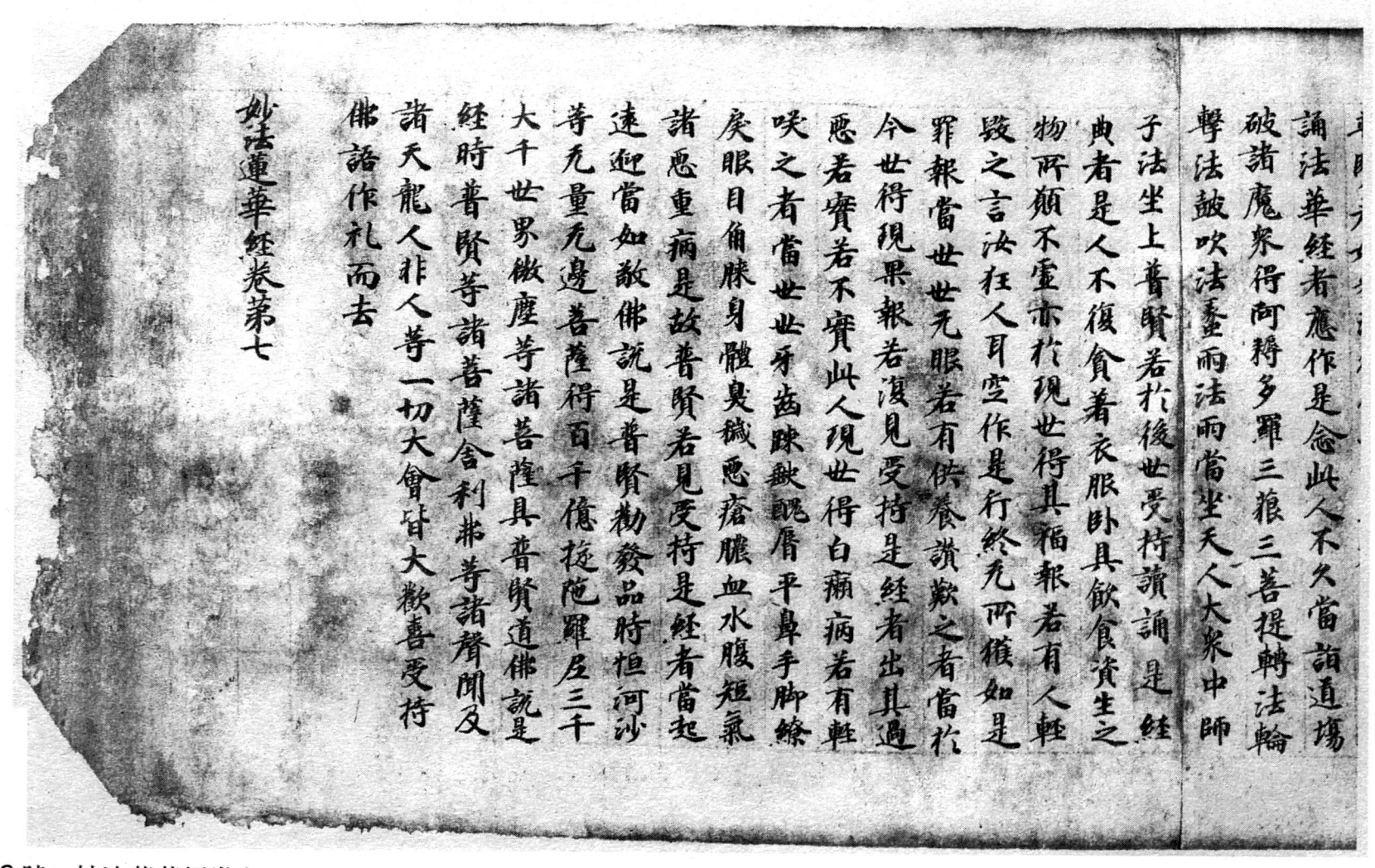

誦法華經者應作是念此人不久當詣道場
破諸魔衆得阿耨多羅三藐三菩提轉法輪
擊法皷吹法蠡雨法雨當坐天人大衆中師
子法坐上普賢若於後世受持讀誦是經
典者是人不復貪著衣服卧具飮食資生之
物所願不虛亦於現世得其福報若有人輕
毀之言汝狂人耳空作是行終无所獲如是
罪報當世世无眼若有供養讚歎之者當於
今世得現果報若復見受持是經者出其過
惡若實若不實此人現世得白癩病若有輕
咲之者當世世牙齒踈缺醜脣平鼻手脚繚
戾眼目角睞身體臭穢惡瘡膿血水腹短氣
諸惡重病是故普賢若見受持是經者當起
遠迎當如敬佛說是普賢勸發品時恒河沙
等无量无邊菩薩得百千萬億旋陁羅尼三千
大千世界微塵等諸菩薩具普賢道佛說是
經時普賢等諸菩薩舍利弗等諸聲聞及
諸天龍人非人等一切大會皆大歡喜受持
佛語作礼而去

妙法蓮華經卷第七

BD00503號　妙法蓮華經卷七　（20–20）

上饌妙……具之
經行及禪窟　種種皆嚴好　若有信解心　受持讀誦書
若復教人書　及供養經卷　散華香末香　以須曼瞻蔔
阿提目多伽　薰油常然之　如是供養者　得无量功德
如虛空无邊　其福亦如是　況復持此經　兼布施持戒
忍辱樂禪定　不瞋不惡口　恭敬於塔廟　謙下諸比丘
……高心　……心　有問難不瞋　隨順為解說
……行　功德不可量　若見此法師　成就如是德
……華散　天衣覆其身　頭面接足礼　生心如佛想
……應作是念　不久詣道樹　得无漏无為　廣利諸人天
其所住止處　經行若坐臥　乃至說一偈　是中應起塔
莊嚴令妙好　種種以供養　佛子住此地　則是佛受用
常在於其中　經行及坐臥
妙法蓮華經隨喜功德品第十八
尒時弥勒菩薩摩訶薩白佛言世尊若有善
男子善女人聞是法華經隨喜者得幾所福
而說偈言
世尊滅度後　其有聞是經　若能隨喜者　為得幾所福
尒時佛告弥勒菩薩摩訶薩阿逸多如來滅
後若比丘比丘尼優婆塞優婆夷及餘智者
若長若幼聞是經隨喜已從法會出至於餘

BD00504號　妙法蓮華經（八卷本）卷六　（6–1）

世尊滅度後　其有聞是經　若能隨喜者　為得幾所福
尒時佛告弥勒菩薩摩訶薩阿逸多如來滅
後若比丘比丘尼優婆塞優婆夷及餘智者
若長若幼聞是經隨喜已從法會出至於餘
處若在僧坊若空閑地若城邑巷陌聚落田
里如其所聞為父母宗親善友知識隨力演
說是諸人等聞已隨喜復行轉教餘人聞已
亦隨喜轉教如是展轉至第五十阿逸多其
第五十善男子善女人隨喜功德我今說之
汝當善聽若四百万億阿僧祇世界六趣四
生眾生卵生胎生濕生化生若有形无形有
想无想非有想非无想无足二足四足多足
如是等在眾生數者有人求福隨其所欲娛
樂之具皆給與之一一眾生　與滿閻浮提
金銀琉璃車𤦲馬瑙珊瑚虎珀諸妙珎寶及象
馬車乘七寶所成宮殿樓閣等是大施主如
是布施滿八十年已而作是念我已施眾生
娛樂之具隨意所欲然此眾生皆已衰老年
過八十髮白面皺將死不久我當以佛法而訓
導之即集此眾生宣布法化示教利喜一
時皆得須陁洹道斯陁含道阿那含道阿羅
漢道盡諸有漏於深禪定皆得自在具八解
脫於汝意云何是大施主所得功德寧為多
不弥勒白佛言世尊是人功德甚多无量无
邊若是施主但施眾生一切樂具功德无量

BD00504號　妙法蓮華經（八卷本）卷六　（6–2）

脫於汝意云何是大施主所得功德寧為多
不彌勒白佛言世尊是人功德甚多无量无
邊若是施主但施眾生一切樂具功德无量
何況令得阿羅漢果佛告彌勒我今分明語
汝是人以一切樂具施於四百万億阿僧祇世
界六種眾生又令得阿羅漢果所得功德不
如是第五十人聞法華經一偈隨喜功德
百分千分百千万億分不及其一乃至筭數
譬喻所不能知阿逸多如是第五十人展轉
聞法華經隨喜功德尚无量无邊阿僧祇何
況最初於會中聞而隨喜者其福復勝无量
无邊阿僧祇不可得比又阿逸多若人為是
經故往詣僧坊若坐若立須臾聽受緣是功
德轉身所生得好上妙象馬車乘珎寶輦轝
及乘天宮若復有人於講法處坐更有人來
勸令坐聽若分座令坐是人功德轉身得帝
釋坐處若梵王坐處若轉輪聖王所坐之處
阿逸多若復有人語餘人言有經名法華可
共往聽即受其教乃至須臾間聞是人功德
轉身得與陀羅尼菩薩共生一處利根智慧
百千万世終不瘖瘂口氣不臭舌常无病口
亦无病齒不垢黑不黃不踈亦不缺落不差
不曲脣不下垂亦不褰縮不麁澀不瘡緊亦
不缺壞亦不喎斜不厚不大亦不黧黑无諸
可惡鼻不匾㔸亦不曲戾面色不黑亦不狹

BD00504號　妙法蓮華經（八卷本）卷六　（6–3）

亦无病齒不垢黑不黃不踈亦不缺落不差
不曲脣不下垂亦不褰縮不麁澀不瘡緊亦
不缺壞亦不喎斜不厚不大亦不黧黑无諸
可惡鼻不匾㔸亦不曲戾面色不黑亦不狹
長亦不窊曲无有一切不可喜相脣舌牙齒
悉皆嚴好鼻脩高直面貌圓滿眉高而長額
廣平正人相具足世世所生見佛聞法信受
教誨阿逸多汝且觀是勸於一人令往聽法
功德如此何況一心聽說讀誦而於大眾為
人分別如說修行尒時世尊欲重宣此義而
說偈言
若人於法會　得聞是經典　乃至於一偈　隨喜為他說
如是展轉教　至于第五十　最後人獲福　今當分別之
如有大施主　供給无量眾　具滿八十歲　隨意之所欲
見彼衰老相　髮白而面皺　齒踈形枯竭　念其死不久
我今應當教　令得於道果　即為方便說　涅槃真實法
世皆不牢固　如水沫泡焰　汝等咸應當　疾生猒離心
諸人聞是法　皆得阿羅漢　具足六神通　三明八解脫
最後第五十　聞一偈隨喜　是人福勝彼　不可為譬喻
如是展轉聞　其福尚无量　何況於法會　初聞隨喜者
若有勸一人　將引聽法華　言此經深妙　千万劫難遇
即受教往聽　乃至須臾聞　斯人之福報　今當分別說
世世无口患　齒不踈黃黑　脣不厚褰缺　无有可惡相
舌不乾黑短　鼻高脩且直　額廣而平正　面目悉端嚴
為人所喜見　口氣无臭穢　優鉢華之香　常從其口出

BD00504號　妙法蓮華經（八卷本）卷六　（6–4）

若有勸一人　將引聽法華　言此經深妙　千万劫難遇
即受教往聽　乃至須臾聞　斯人之福報　今當分別說
世世无口患　齒不踈黃黒　脣不厚褰缺　无有可惡相
舌不乾黒短　鼻高脩且直　額廣而平正　面目悉端嚴
爲人所喜見　口氣无臭穢　優鉢華之香　常從其口出
若故詣僧坊　欲聽法華經　須臾聞歡喜　今當說其福
後生天人中　得妙𠁅馬車　珎寶之輦轝　及乘天宮殿
若於講法處　勸人坐聽經　是福因緣得　釋梵轉輪座
何況一心聽　解說其義趣　如說而脩行　其福不可限

妙法蓮華經法師功德品第十九

介時佛告常精進菩薩摩訶薩若善男子善
女人受持是法華經若讀若誦若解說若書
寫是人當得八百眼功德千二百耳功德八
百鼻功德千二百舌功德八百身功德千二
百意功德以是功德莊嚴六根皆令清淨是
善男子善女人父母所生清淨肉眼見於三
千大千世界內外所有山林河海下至阿鼻
地獄上至有頂亦見其中一切衆生及業因
緣果報生處悉見悉知介時世尊欲重宣此
義而說偈言
若於大衆中　以无所畏心　說是法華經　汝聽其功德
是人得八百　功德殊勝眼　以是莊嚴故　其目甚清淨
父母所生眼　悉見三千界　內外弥樓山　須弥及鐵圍
并諸餘山林　大海江河水　下至阿鼻獄　上至有頂處
其中諸衆生　一切皆悉見　雖未得天眼　肉眼力如是

BD00504號　妙法蓮華經（八卷本）卷六

（6–5）

介時佛告常精進菩薩摩訶薩若善男子善
女人受持是法華經若讀若誦若解說若書
寫是人當得八百眼功德千二百耳功德八
百鼻功德千二百舌功德八百身功德千二
百意功德以是功德莊嚴六根皆令清淨是
善男子善女人父母所生清淨肉眼見於三
千大千世界內外所有山林河海下至阿鼻
地獄上至有頂亦見其中一切衆生及業因
緣果報生處悉見悉知介時世尊欲重宣此
義而說偈言
若於大衆中　以无所畏心　說是法華經　汝聽其功德
是人得八百　功德殊勝眼　以是莊嚴故　其目甚清淨
父母所生眼　悉見三千界　內外弥樓山　須弥及鐵圍
并諸餘山林　大海江河水　下至阿鼻獄　上至有頂處
其中諸衆生　一切皆悉見　雖未得天眼　肉眼力如是
復次常精進若善男子善女人受持此經若
讀若誦若解說若書寫得千二百耳功德以
是清淨耳根聞三千大千世界下至阿鼻地
獄上至有頂其中內外種種語言音聲𠁅聲
馬聲牛聲車聲啼哭聲愁嘆聲螺聲鼓聲鐘

BD00504號　妙法蓮華經（八卷本）卷六

說勿輕未學於是維摩詰不起于座在衆會
前化作菩薩相好光明威德殊勝蔽於衆會
而告之曰汝往上方界分度如四十二恒河沙
佛土有國名衆香佛号香積與諸菩薩方
共坐食汝往到彼如我辭曰維摩詰稽首世
尊足下致敬無量問訊起居少病少惱氣力
安不願得世尊所食之餘當於娑婆世界施
作佛事令此樂小法者得弘大道亦使如來
名聲普聞時化菩薩即於會前昇于上方
舉衆皆見其去到衆香界礼彼佛足又聞其
言維摩詰稽首世尊足下致敬無量問訊起
居少病少惱氣力安不願得世尊所食之餘欲
於娑婆世界施作佛事使此樂小法者得弘
大道亦使如來名聲普聞彼諸大士見化菩
薩歎未曾有今此上人從何所來娑婆世界
為在何許云何名為樂小法者即以問佛佛
告之曰下方度如四十二恒河沙佛土有世界
名娑婆佛号釋迦牟尼今現在於五濁惡
世為樂小法衆生敷演道教彼有菩薩名
維摩詰住不可思議解脫為諸菩薩說法故
遣化來稱揚我名并讚此土令彼菩薩增益
切德彼菩薩言其人何如乃作是化德力无畏
神足若斯佛言甚大一切十方皆遣化往施
作佛事饒益衆生於是香積如來以衆香

BD00505 號　維摩詰所説經卷下　（19–1）

切德彼菩薩言其人何如乃作是化德力无畏
神足若斯佛言甚大一切十方皆遣化往施
作佛事饒益衆生於是香積如來以衆香
鉢盛滿香飯與化菩薩時彼九百万菩薩俱
發聲言我欲詣娑婆世界供養釋迦牟尼佛
并欲見維摩詰等諸菩薩衆佛言可往攝汝身
香無令彼諸衆生起惑著心又當捨汝本形
勿使彼國求菩薩者而自鄙恥又汝於彼莫
懷輕賤而作导想所以者何十方國土皆如虛
空又諸佛為欲化諸樂小法者不盡現其清
淨土耳時化菩薩既受鉢飯與彼九百万菩
薩俱承佛威神及維摩詰力於彼世界忽
然不現須臾之間至維摩詰舍維摩詰即化
作九百万師子之座嚴好如前諸菩薩皆坐
其上化菩薩以滿鉢香飯與維摩詰飯香普
熏毗耶離城及三千大千世界時毗耶離婆羅
門居士等聞是香氣身意快然歎未曾
有於是長者主月蓋從八万四千人來入維摩
詰舍見其室中菩薩甚多諸師子座高廣嚴
好皆大歡喜礼衆菩薩及大弟子却住一面
諸地神虛空神及欲色界諸天聞此香氣亦
皆來入維摩詰舍時維摩詰語舍利弗等諸
大聲聞仁者可食如來甘露味飯大悲所熏
無以限意食之使不消也有異聲聞念是飯
少而此大衆人人當食化菩薩曰勿以聲聞
小德小智稱量如來無量福慧四海有竭此
飯無盡使一切人食摶若須弥乃至一劫猶

BD00505 號　維摩詰所説經卷下　（19–2）

少而此大衆人已嘗食化菩薩曰勿以聲聞
小德小智稱量如来無量福慧四海有竭此
飯無盡使一切人食摶若須弥乃至一劫猶
不能盡所以者何無盡戒定智慧解脫解
脫知見功德具足者所食之餘終不可盡於是
鉢飯悉飽衆會猶故不盡其諸菩薩聲聞
天人食此飯者身安快樂譬如一切樂莊嚴國
諸菩薩也又諸毛孔皆出妙香亦如衆香國
土諸樹之香
尒時維摩詰問衆香菩薩香積如来以何說
法彼菩薩曰我土如来無文字說但以衆香
令諸天人得入律行菩薩各各坐香樹下聞
斯妙香即獲一切德藏三昧得是三昧者菩
薩所有功德皆悉具足彼諸菩薩問維摩詰
今世尊釋迦牟尼以何說法維摩詰言此土
衆生剛强難化故佛為說剛强之語以調伏
之言是地獄是畜生是餓鬼是諸難處是愚
人生處是身邪行是身邪行報是口邪行是
口邪行報是意邪行是意邪行報是煞生是
煞生報是不與取是不與取報是邪婬是邪
婬報是妄語是妄語報是兩舌是兩舌報是
惡口是惡口報是無義語是無義語報是
貪嫉是貪嫉報是瞋惱是瞋惱報是邪見是
邪見報是慳悋是慳悋報是毀戒是毀戒報是
瞋恚是瞋恚報是懈怠是懈怠報是乱意是
亂意報是愚癡是愚癡報是結戒是持戒是
犯戒是應作是不應作是障导是不障导是

瞋恚是瞋恚報是懈怠是懈怠報是乱意是
亂意報是愚癡是愚癡報是結戒是持戒是
犯戒是應作是不應作是障导是不障导是
得罪是離罪是淨是垢是有漏是无漏是
邪道是正道是有為是無為是世間是涅槃以
難化之人心如猨猴故以若干種法制御其
心乃可調伏譬如象馬𢤱悷不調加諸楚毒
乃至徹骨然後調伏如是剛强難化衆生故
以一切苦切之言乃可入律彼諸菩薩聞說是
已皆曰未曾有也如世尊釋迦牟尼佛隱其
無量自在之力乃以貧所樂法度脫衆生
斯諸菩薩亦能勞謙以無量大悲生是佛土
維摩詰言此土菩薩於諸衆生大悲堅固誠
如所言然其一世饒益衆生多於彼國百千
劫行所以者何此娑婆世界有十事善法諸
餘淨土之所無有何等為十以布施攝貧窮
以淨戒攝毀禁以忍辱攝瞋恚以精進攝懈
怠以禪定攝乱意以智慧攝愚癡說除難法
度八難者以大乘法度樂小乘者以諸善根
濟無德者常以四攝成就衆生是為十彼菩
薩曰菩薩成就幾法於此世界行無瘡疣生
于淨土維摩詰言菩薩成就八法於此世界
行無瘡疣生于淨土何等為八饒益衆生而
不望報代一切衆生受諸苦惱所作功德盡
以施之等心衆生謙下無导於諸菩薩視之
如佛所未聞經聞之不疑不與聲聞而相違

以施之等心衆生謙下無㝵於諸菩薩視之
如佛所未聞經聞之不疑不與聲聞而相違
背不嫉彼供不高己利而於其中調伏其心
常省己過不訟彼短恒以一心求諸功德是
爲八維摩詰文殊師利於大衆中說是法時
百千天人皆發阿耨多羅三藐三菩提心十
千菩薩得無生法忍

菩薩行品第十一

是時佛說法於菴羅樹園其地忽然廣博嚴
事一切衆會皆作金色阿難白佛言世尊以
何因緣有此瑞應是處忽然廣博嚴事一切
衆會皆作金色佛告阿難是維摩詰文殊師
利與諸大衆恭敬圍繞發意欲來故先爲此
瑞應於是維摩詰語文殊師利可共見佛與
諸菩薩礼事供養文殊師利言善哉行矣今
正是時維摩詰即以神力持諸大衆并師子
座置於右掌往詣佛所到已著地稽首佛足
右繞七帀一心合掌在一面立其諸菩薩即
皆避座稽首佛足亦繞七帀於一面立諸大
弟子釋梵四天王等亦皆避座稽首佛足在
一面立於是世尊如法慰問諸菩薩已各令
復坐即皆受教衆坐已定佛語舍利弗汝見
菩薩大士自在神力之所爲乎唯然已見汝
意云何世尊我覩其爲不可思議非意所圖
非度所測尒時阿難白佛言世尊今所聞香
自昔未有是爲何香佛告阿難是彼菩薩
[illegible]

BD00505 號　維摩詰所說經卷下　（19–5）

非度所測尒時阿難白佛言世尊今所聞香
自昔未有是爲何香佛告阿難是彼菩薩
毛孔之香於是舍利弗語阿難言我等毛孔亦
出是香阿難言此所從來曰是長者維摩詰
從衆香國取佛餘飯於舍食者一切毛孔皆
香若此阿難問維摩詰是香氣住當久如維
摩詰言至此飯消曰此飯久如當消曰此飯
勢力至于七日然後乃消又阿難若聲聞人
未入正位食此飯者得入正位然後乃消已
入正位食此飯者得心解脫然後乃消若未
發大乘意食此飯者至發意乃消已發意食
此飯者得無生忍然後乃消已得無生忍食
此飯者至一生補處然後乃消譬如有藥名
曰上味其有服者身諸毒滅然後乃消此飯
如是滅除一切諸煩惱毒然後乃消阿難白
佛言未曾有也世尊如此香飯能作佛事佛
言如是如是阿難或有佛土以佛光明而作
佛事有以諸菩薩而作佛事有以佛所化人
而作佛事有以菩提樹而作佛事有以佛衣
服卧具而作佛事有以飯食而作佛事有以
園林臺觀而作佛事有以三十二相八十隨
形好而作佛事有以佛身而作佛事有以虛
空而作佛事衆生應以此緣得入律行有以
夢幻影響鏡中像水中月熱時焰如是等喻
而作佛事有以音聲語言文字而作佛事或
有清淨佛土寂寞無言無說无示無識無作
[illegible]

BD00505 號　維摩詰所說經卷下　（19–6）

夢幻影響鏡中像水中月熱時焰如是等喻
而作佛事有以音聲語言文字而作佛事或
有清淨佛土寂寞無言無說亦無識無作
無為而作佛事如是阿難諸威儀進止諸
所施為無非佛事阿難有此四魔八万四千
諸煩惱門而諸衆生為之疲勞諸佛即以此
法而作佛事是名入一切諸佛法門菩薩入
此門者若見一切淨好佛土不以為喜不貪
不高若見一切不淨佛土不以為憂不㝵不
沒但於諸佛生清淨心歡喜恭敬未曾有也
諸佛如来功德平等為教化衆生故而現佛
土不同阿難汝見諸佛國土地有若干而虛
空无若干也如是見諸佛色身有若干耳其
无㝵慧无若干也阿難諸佛色身威相種性
戒定智慧解脫解脫知見力无所畏不共之
法大慈大悲威儀所行及其壽命說法教化
成就衆生淨佛國土具諸佛法悉皆同等是
故名為三藐三佛陁名為多陁阿伽度名為
佛陁阿難若我廣說此三句義汝以劫壽不
能盡受正使三千大千世界滿中衆生皆如
阿難多聞苐一得念揔持此諸人等以劫之
壽亦不能受如是阿難諸佛阿耨多羅三藐
三菩提无有限量智慧辯才不可思議阿難
白佛言我從今已往不敢自謂以為多聞佛
告阿難勿起退意所以者何我說汝於聲聞
中為最多聞非謂菩薩且止阿難其有智者
不應限度諸菩薩也一切海淵尚可測量菩

中為最多聞非謂菩薩且止阿難其有智者
不應限度諸菩薩也一切海淵尚可測量菩
薩禪定智慧揔持辯才一切功德不可量也
阿難汝等捨置菩薩所行是維摩詰一時所
現神通之力一切聲聞辟支佛於百千劫盡
力變化所不能作
尒時衆香世界菩薩来者合掌白佛言世尊
我等初見此土生下劣想今自悔責捨離是
心所以者何諸佛方便不可思議為度衆生故
随其所應現佛國異唯然世尊願賜少法
還於彼土當念如来佛告諸菩薩有盡无
盡解脫法門汝等當學何謂為盡謂有為法
何謂无盡謂无為法如菩薩者不盡有為不住
无為何謂不盡有為謂不離大慈不捨大悲
深發一切智心而不忽忘教化衆生終不猒倦
於四攝法常念順行護持正法不惜軀命
種諸善根无有疲猒志常安住方便迴向求
法不懈說法无悋勤供諸佛故入生死而无所
畏於諸榮辱心无憂喜不輕未學敬學而
佛墮煩惱者令發正念於遠離樂不以為貴
不著己樂慶於彼樂在諸禪定如地獄想於
生死中如園觀想見来求者為善師想捨諸
所有具一切智想見毀戒人起救護想諸波
羅蜜為父母想道品法為眷屬想發行善根
无有齊限随衆德本而无猒足以諸淨國嚴飾
之事成已佛土行无限施具足相好除一切惡
淨身口意生死无數劫意而有勇聞佛

之事成已佛土行无限施具足相好除一切惡
淨身口意故生死无數劫意而有勇聞佛
无量德志而不倦以智慧劍破煩惱賊出陰界
入荷負衆生永使解脫以大精進摧伏魔軍
常求无念實相智慧行少欲知足而不捨世
間法於出世間法求之无猒不壞威儀而
能隨俗起神通慧引導衆生得念揔持所
聞不忘善別諸根斷衆生疑以樂說辯演法无
㝵淨十善道受天人福脩四无量開梵天道勸
請說法隨喜讚善得佛音聲身口意善得佛
威儀深脩善法所行轉勝以大乘教成菩薩
僧心无放逸不失衆善行如此法是名菩薩
不盡有為何謂菩薩不住无為謂脩學空不
以空為證脩學无相无作不以无相无作為
證脩學无起不以无起為證觀於无常而不
猒善本觀世間苦而不惡生死觀於无我而
誨人不倦觀於寂滅而不永寂滅觀於遠離
而身心脩善觀无所歸而歸趣善法觀於无
生而以生法荷負一切觀於无漏而不斷諸
漏觀无所行而以行法教化衆生觀於空无
而不捨大悲觀正法位而不隨小乘觀諸法
虛妄无牢无人无主无相本願未滿而不虛
福德禪定智慧脩如此法是名菩薩不住无
為又具福德故不住无為具智慧故不盡有
為大慈悲故不住无為滿本願故不盡有為
集法藥故不住无為隨授藥故不盡有為知

集法藥故不住无為隨授藥故不盡有為知
衆生病故不住无為滅衆生病故不盡有為
諸正士菩薩已脩此法不盡有為不住无為
是名盡无盡解脫法門汝等當學尒時彼諸
菩薩聞說是法皆大歡喜以衆妙華若干種
色若干種香散遍三千大千世界供養於佛
及此經法并諸菩薩已稽首佛足歎未曾有
言釋迦牟尼佛乃能於此善行方便言已忽
然不現還到彼國

見阿閦佛品第十二

尒時世尊問維摩詰汝欲見如來為以何等
觀如來乎維摩詰言如自觀身實相觀佛亦
然我觀如來前際不來後際不去今則不住
不觀色不觀色如不觀色性不觀受想行識
不觀識如不觀識性非四大起同於虛空六
入无積眼耳鼻舌身心已過不在三界三垢
已離順三脫門三明與无明等不一相不異
相不自相不他相非无相非取相不此岸不
彼岸不中流而教化衆生觀於寂滅亦不永滅
不此不彼不以此不以彼不可以智知不可以
識識无晦无明无名无相无強无弱非淨
非穢不在方不離方非有為非无為无示无
說不施不慳不戒不犯不忍不恚不進不怠
不定不亂不智不愚不誠不欺不來不去不
出不入一切言語道斷非福田非不福田非應
供養非不應供養非取非捨非有相非无

不定不亂不智不愚不誠不欺不来不去不
出不入一切言語道斷非福田非不福田非應
供養非不應供養非取非捨非有相非无
相同實際等法性不可稱不可量過諸稱量
非大非小非見非聞非覺非知離衆結縛
等諸智同衆生於諸法无分別一切无失无濁
无惱无作无起无生无滅无畏无憂无喜无
猒无著无已有无當有无今有不可以一切言
説分別顯示世尊如来身為若此作如是觀
以斯觀者名為正觀若他觀者名為耶觀
尒時舍利弗問維摩詰汝於何没而来生此
維摩詰言汝所得法有没生乎舍利弗言
无没生也若諸法无没生相云何問言汝於何
没而来生此於意云何譬如幻師幻作男女
寧没生耶舍利弗言无没生也汝豈不聞佛
説諸法如幻相乎荅曰如是若一切法如幻
相者云何問言汝於何没而来生此舍利弗
没者為虛誑法壞敗之相生者為虛誑法相
續之相菩薩雖没不盡善本雖生不長諸惡
是時佛告舍利弗有國名妙喜佛号无動是
維摩詰於彼國没而来生此舍利弗言未曾
有也世尊是人乃能捨清淨土而来樂此多
怒害處維摩詰語舍利弗於意云何日光出
時與冥合乎荅曰不也日光出時則无衆冥
維摩詰言夫日何故行閻浮提荅曰欲以明
照為之除冥維摩詰言菩薩如是雖生不
淨佛土為化衆生不與愚暗而共合也但滅衆

維摩詰言夫日何故行閻浮提荅曰欲以明
照為之除冥維摩詰言菩薩如是雖生不
淨佛土為化衆生不與愚暗而共合也但滅衆
生煩惱暗耳是時大衆渇仰欲見妙喜世界
无動如来及其菩薩聲聞之衆佛知一切衆
會所念告維摩詰言善男子為此衆會現
妙喜國不動如来及諸菩薩聲聞之衆皆欲
見於是維摩詰心念吾當不起于座接妙喜
國鐵圍山川谿谷江河大海泉源須弥諸山
及日月星宿天龍鬼神梵天等宮并諸菩薩
聲聞之衆城邑聚落男女大小乃至无動如
来及菩提樹諸妙蓮華能於十方作佛事者
三道寶階從閻浮提至忉利天以此寶階諸
天来下悉為礼敬无動如来聽受經法閻浮
提人亦登其階上昇忉利見彼諸天妙喜世
界成就如是无量功德上至阿迦尼吒天下
至水際以右手斷取如陶家輪入此世界猶
持華鬘亦一切衆作是念已入於三昧現神
通力以其右手斷取妙喜世界置於此土彼
得神通菩薩及聲聞衆并餘天人俱發聲言
唯然世尊誰取我去願見救護无動佛言非
我所為是維摩神力所作其餘未得神通
者不覺不知己之所往妙喜世界雖入此土
而不增減於是世界亦不迫隘如本无異
尒時釋迦牟尼佛告諸大衆汝等且觀妙喜
世界无動如来其國嚴飾菩薩行淨弟子清
白皆曰唯然已見佛言若菩薩欲得如是清

尒時釋迦牟尼佛告諸大衆汝等且觀妙喜
世界无動如来其國嚴餝菩薩行淨弟子清
白皆曰唯然已見佛言若菩薩欲得如是清
淨佛土當學无動如来所行之道現此妙喜
國時娑婆世界十四那由他人發阿耨多羅
三藐三菩提心皆願生於妙喜佛土釋迦牟
尼佛即記之曰當生彼國時妙喜世界於此
國土所應饒益其事訖已還其本處舉衆
皆見佛告舍利弗汝見此妙喜世界及无動佛
不唯然已見世尊願使一切衆生得清淨土
如无動佛獲神通力如維摩詰 世尊我等快
得善利得見是人親近供養其諸衆生若今
現在若佛滅後聞此經者亦得善利況復聞
已信解受持讀誦解說如法脩行若有手得
是經典者便爲已得法寶之藏若有讀誦解
釋其義如說脩行則爲諸佛之所護念其有
供養如是人者當知則爲供養於佛其有書
持此經卷者當知其室則有如来若聞是經
能隨喜者斯人則爲取一切智若能信解此
經乃至一四句偈爲他說者當知此人即是
受阿耨多羅三藐三菩提記
法供養品第十三
尒時釋提桓因於大衆中白佛言世尊我雖
從佛及文殊師利聞百千經未曾聞此不可
思議自在神通決定實相經典如我解佛所
說義趣若有衆生聞是經典信解受持讀
誦之者必得是法不疑何況如說脩行斯人則

BD00505號　維摩詰所說經卷下　(19–13)

說義趣若有衆生聞是經典信解受持讀
誦之者必得是法不疑何況如說脩行斯人則
爲閉衆惡趣開諸善門常爲諸佛之所護念
降伏外學摧滅魔怨脩治菩提安處道場
履踐如来所行之跡世尊若有受持讀誦如
說脩行者我當與諸眷屬供養給事所在聚落
城邑山林曠野有是經處我亦與諸眷屬聽
受法故共到其所其未信者當令生信其已
信者當爲作護佛言善哉善哉天帝如汝所
說吾助尒喜此經廣說過去未来現在諸佛
不可思議阿耨多羅三藐三菩提是故天帝若
善男子善女人受持讀誦供養是經者則
爲供養去来今佛天帝正使三千大千世界
如来滿中譬如甘蔗竹葦稻麻叢林若有善
男子善女人或一劫或減一劫恭敬尊重讃
歎供養奉諸所安至諸佛滅後以一一全身
舍利起七寶塔縱廣一四天下高至梵天表
剎莊嚴以一切華香瓔珞幢幡伎樂微妙第
一若一劫若減一劫而供養之於天帝意云
何其人殖福寧爲多不釋提桓因言多矣世
尊彼之福德若以百千億劫說不能盡佛告
天帝當知是善男子善女人聞是不可思議
解脫經典信解受持讀誦脩行福多於彼所
以者何諸佛菩提皆從是生菩提之相不可
限量以是因緣福不可量
佛告天帝過去无量阿僧祇劫時世有佛号

BD00505號　維摩詰所說經卷下　(19–14)

限量以是因緣福不可量
佛告天帝過去无量阿僧祇劫時世有佛号
曰藥王如来應供正遍知明行足善逝世間
解无上士調御丈夫天人師佛世尊世界曰
大莊嚴劫名莊嚴佛壽二十小劫其聲聞僧
三十六億那由他菩薩僧有十二億天帝是
時有轉輪聖王名曰寶蓋七寶具足主四天
下王有千子端正勇健能伏怨敵尒時寶蓋
與其眷屬供養藥王如来施諸所安至滿五
劫過五劫已告其千子汝等亦當如我以深
心供養於佛於是千子受父王命供養藥王
如来復滿五劫一切施安其王一子名曰月
蓋獨坐思惟寧有供養殊過此者以佛神力
空中有天曰善男子法之供養勝諸供養即
問何謂法之供養天曰汝可往問藥王如来
當廣為汝說法之供養即時月蓋王子行詣
藥王如来稽首佛足却住一面白佛言世尊
諸供養中法供養勝云何為法供養佛言善
男子法供養者諸佛所說深經一切世間難信
難受微妙難見清淨无染非但分別思惟
之所能得菩薩法藏所攝陁羅尼印印之至
不退轉成就六度善分別義順菩提法衆經
之上入大慈悲離衆魔事及諸邪見順因緣
法无我无人无衆生无壽命空无相无作无
起能令衆生坐於道場而轉法輪諸天龍神
乾闥婆等所共歎譽能令衆生入佛法藏攝
諸賢聖一切智慧說衆菩薩所行之道依於

起能令衆生坐於道場而轉法輪諸天龍神
乾闥婆等所共歎譽能令衆生入佛法藏攝
諸賢聖一切智慧說衆菩薩所行之道依於
諸法實相之義明宣无常苦空无我寂滅之
法能救一切毀禁衆生諸魔外道及貪著者
能使怖畏諸佛賢聖所共稱歎背生死苦示
涅槃樂十方三世諸佛所說若聞如是等經
信解受持讀誦以方便力為諸衆生分別解
說顯示分明守護法故是名法之供養又於
諸法如說脩行隨順十二因緣離諸邪見得
无生忍決定无我无有衆生而於因緣果報
无違无諍離諸我所依於義不依語依於智
不依識依了義經不依不了義經依於法不
依人隨順法相无所入无所歸无明畢竟滅
故諸行亦畢竟滅乃至生畢竟滅故老死亦
畢竟滅作如是觀十二因緣无有盡相不復
起見是名最上法之供養
佛告天帝王子月蓋從藥王佛聞如是法得
柔順忍即解寶衣嚴身之具以供養佛白佛
言世尊如来滅後我當行法供養守護正法
願以威神加哀建立令我得降伏魔怨脩菩薩
行佛知其深心所念而記之曰汝於末後守護
法城天帝時王子月蓋見法清淨聞佛授
記以信出家脩習善法精進不久得五神通
具菩薩道得陁羅尼无斷辯才於佛滅後以
其所得神通摠持辯才之力滿十小劫藥王
如来所轉法輪隨而分布月蓋比丘以護持

記以信出家脩習善法精進不久得五神通
具菩薩道得陁羅尼无斷辯才於佛滅後以
其所得神通揔持辯才之力滿十小劫藥王
如來所轉法輪隨而分布月蓋比丘以護持
法勤行精進即於此身化百万億人於阿耨
多羅三藐三菩提立不退轉十四那由他人
深發聲聞辟支佛心无量衆生得生天上天
帝時王寶蓋豈異人乎今現得佛号寶焰
如來其王千子即賢劫中千佛是也從迦羅
鳩孫䭾為始得佛最後如來号曰樓至月芘
丘則我身是如是天帝當知此要以法供養
於諸供養為上為最第一无比是故天帝當
以法之供養供養於佛
囑累品第十四
於是佛告弥勒菩薩言弥勒我今以是无量
億阿僧祇劫所集阿耨多羅三藐三菩提付
囑於汝如是輩經於佛滅後末世之中汝等
當以神力廣宣流布於閻浮提无令斷絕所
以者何未來世中當有善男子善女人及天
龍鬼神乾闥婆羅剎等發阿耨多羅三藐三
菩提心樂于大法若使不聞如是等經則失善
利如此輩人聞是等經必多信樂發希有心
當以頂受隨衆生所應得利而為廣說弥
勒當知菩薩有二相何謂為二一者好於雜
句文飾之事二者不畏深義如實能入若
好雜句文飾事者當知是為新學菩薩若於
如是无染无著甚深經典无有恐畏能入其

BD00505號　維摩詰所說經卷下　（19-17）

句文飾之事二者不畏深義如實能入若
好雜句文飾事者當知是為新學菩薩若於
如是无染无著甚深經典无有恐畏能入其
中聞已心淨受持讀誦如說脩行當知是為
久脩道行弥勒復有二法名新學者不能決
定於甚深法何等為二一者所未聞深經聞
之驚怖生疑不能隨順毀謗不信而作是言
我初不聞從何所來二者若有護持解說如
是深經者不肯親近供養恭敬或時於中說
其過惡有此二法當知是新學菩薩為自毀
傷不能於深法中調伏其心弥勒復有二法
菩薩雖信解深法猶自毀傷而不能得无生
法忍何等為二一者輕慢新學菩薩而不教
誨二者雖解深法而取相分別是為二法弥
勒菩薩聞說是已白佛言世尊未曾有也如
佛所說我當遠離如斯之惡奉持如來无數
阿僧祇劫所集阿耨多羅三藐三菩提法若
未來世善男子善女人求大乘者當令手得
如是等經與其念力使受持讀誦為他廣說
世尊若後末世有能受持讀誦為他說者當
知是弥勒神力之所建立佛言善哉善哉弥
勒如汝所說佛助尒喜如是一切菩薩合掌
白佛言我等亦於如來滅後十方國土廣宣
流布阿耨多羅三藐三菩提復當開導說
法者令得是經
尒時四天王白佛言世尊在在處處城邑聚
落山林曠野有是經卷讀誦解說者我當

BD00505號　維摩詰所說經卷下　（19-18）

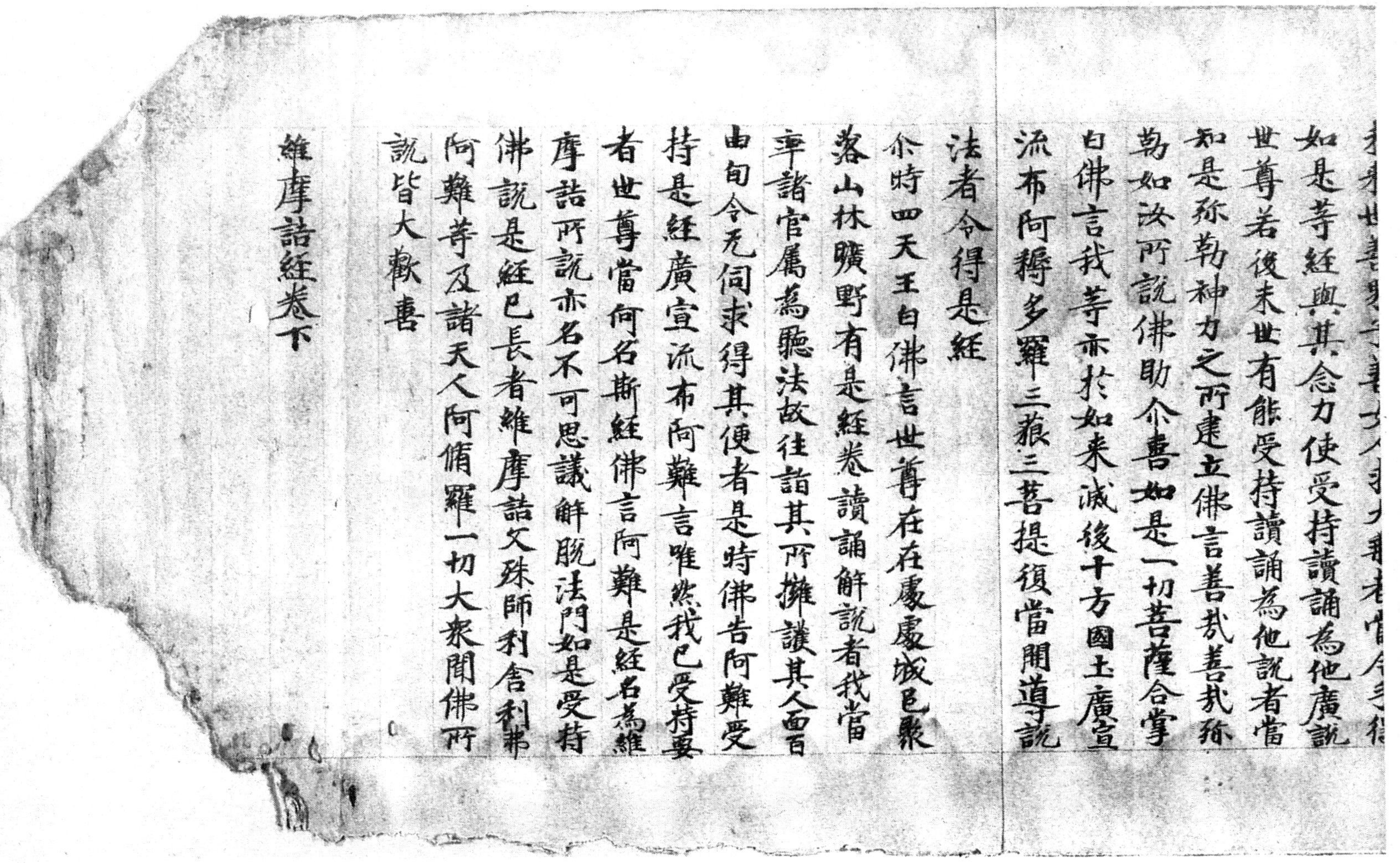

如是等經與其念力使受持讀誦為他廣説
世尊若後末世有能受持讀誦為他説者當
知是旀勒神力之所建立佛言善哉善哉旀
勒如汝所説佛助介喜如是一切菩薩合掌
白佛言我等亦於如来滅後十方國土廣宣
流布阿耨多羅三藐三菩提復當開導説
法者令得是經
介時四天王白佛言世尊在在處處城邑聚
落山林曠野有是經卷讀誦解説者我當
率諸官屬為聽法故往詣其所擁護其人面百
由旬令无伺求得其便者是時佛告阿難受
持是經廣宣流布阿難言唯然我已受持要
者世尊當何名斯經佛言阿難是經名為維
摩詰所説亦名不可思議解脫法門如是受持
佛説是經已長者維摩詰文殊師利舍利弗
阿難等及諸天人阿脩羅一切大衆聞佛所
説皆大歡喜
維摩詰經卷下

BD00505 號　維摩詰所説經卷下　（19–19）

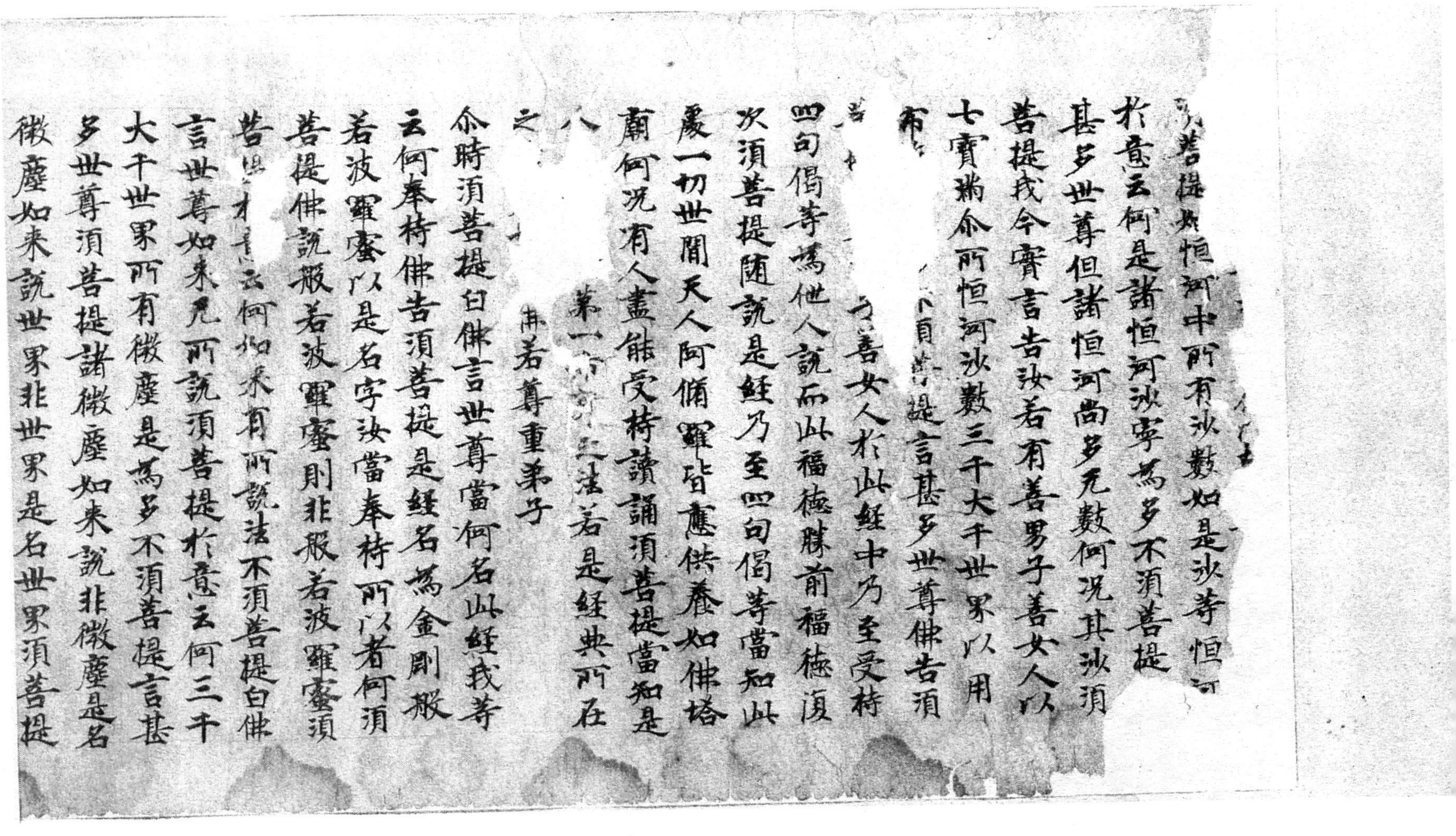

[illegible]菩提如恒河中所有沙數如是沙等恒河
於意云何是諸恒河沙寧為多不須菩提
甚多世尊但諸恒河尚多无數何況其沙須
菩提我今實言告汝若有善男子善女人以
七寶滿介所恒河沙數三千大千世界以用
布[illegible]提言甚多世尊佛告須
菩[illegible]善女人於此經中乃至受持
四句偈等為他人説而此福德勝前福德復
次須菩提隨説是經乃至四句偈等當知此
處一切世間天人阿脩羅皆應供養如佛塔
廟何況有人盡能受持讀誦須菩提當知是
人[illegible]第一[illegible]之法若是經典所在
之[illegible]若尊重弟子
介時須菩提白佛言世尊當何名此經我等
云何奉持佛告須菩提是經名為金剛般
若波羅蜜以是名字汝當奉持所以者何須
菩提佛説般若波羅蜜則非般若波羅蜜須
菩[illegible]云何如来有所説法不須菩提白佛
言世尊如来无所説須菩提於意云何三千
大千世界所有微塵是為多不須菩提言甚
多世尊須菩提諸微塵如来説非微塵是名
微塵如来説世界非世界是名世界須菩提

BD00506 號　金剛般若波羅蜜經　（10–1）

大千世界所有微塵是為多不須菩提言甚
多世尊須菩提諸微塵如来說非微塵是名
微塵如来說世界非世界是名世界須菩提
於意云何可以卅二相見如来不不世世尊不可
以三十二相得見如来何以故如来說卅二相即是
非相是名卅二相須菩提若有善男子善女
人以恒河沙等身命布施若復有人於此經中
乃至受持四句偈等為他人說其福甚多
尒時須菩提聞說是經深解義趣涕淚悲泣
而白佛言希有世尊佛說如是甚深經典我
從昔来所得慧眼未曽得聞如是之經世尊
若復有人得聞是經信心清淨則生實相當
知是人成就第一希有功德世尊是實相者
則是非相是故如来說名實相世尊我今得
聞如是經典信解受持不足為難若當来世
後五百歲其有衆生得聞是經信解受持是
人則為第一希有何以故此人无我相人相衆
生相壽者相所以者何我相即是非相人
相衆生相壽者相即是非相何以故離一切
諸相則名諸佛佛告須菩提如是如是若復
有人得聞是經不驚不怖不畏當知是人甚
為希有何以故須菩提如来說第一波羅蜜
非第一波羅蜜是名第一波羅蜜
須菩提忍辱波羅蜜如来說非忍辱波羅蜜
何以故須菩提如我昔為歌利王割截身體
我於尒時无我相无人相无衆生相无壽者

須菩提忍辱波羅蜜如来說非忍辱波羅蜜
何以故須菩提如我昔為歌利王割截身體
我於尒時无我相无人相无衆生相无壽者
相何以故我於往昔節節支解時若有我相
人相衆生相壽者相應生瞋恨須菩提又念
過去於五百世作忍辱仙人於尒所世无我
相无人相无衆生相无壽者相是故須菩提
菩薩應離一切相發阿耨多羅三藐三菩提
心不應住色生心不應住聲香味觸法生心
應生无所住心若心有住則為非住是故佛
說菩薩心不應住色布施須菩提菩薩為利
益一切衆生應如是布施如来說一切諸相
即是非相又說一切衆生則非衆生須菩提
如来是真語者實語者如語者不誑語者
不異語者須菩提如来所得法此法无實无虛
須菩提若菩薩心住於法而行布施如人入
闇則无所見若菩薩心不住法而行布施如人
有目日光明照見種種色須菩提當来之
世若有善男子善女人能於此經受持讀誦
則為如来以佛智慧悉知是人悉見是人皆
得成就无量无邊功德
須菩提若有善男子善女人初日分以恒河
沙等身布施中日分復以恒河沙等身布施
後日分亦以恒河沙等身布施如是无量百
千万億劫以身布施若復有人聞此經典信

沙等身布施中日分復以恒河沙等身布施
後日分亦以恒河沙等身布施如是无量百
千万億劫以身布施若復有人聞此經典信
心不逆其福勝彼何況書寫受持讀誦為人
解說須菩提以要言之是經有不可思議不
可稱量无邊功德如來為發大乘者說為發
最上乘者說若有人能受持讀誦廣為人說
如來悉知是人悉見是人皆成就不可量不
可稱无有邊不可思議功德如是人等則為
荷擔如來阿耨多羅三藐三菩提何以故須
菩提若樂小法者著我見人見衆生見壽者
見則於此經不能聽受讀誦為人解說須菩
提在在處處若有此經一切世間天人阿脩
羅所應供養當知此處則為是塔皆應恭敬
作礼圍繞以諸華香而散其處
復次須菩提善男子善女人受持讀誦此經
若為人輕賤是人先世罪業應墮惡道以今
世人輕賤故先世罪業則為消滅當得阿耨
多羅三藐三菩提須菩提我念過去无量阿
僧祇劫於然燈佛前得值八百四千万億那
由他諸佛悉皆供養承事无空過者若復有
人於後末世能受持讀誦此經所得功德於
我所供養諸佛功德百分不及一千万億分
乃至算數譬喻所不能及須菩提若善男子
善女人於後末世有受持讀誦此經所得功
德我若具說者或有人聞心則狂亂狐疑不

德我若具說者或有人聞心則狂亂狐疑不
信須菩提當知是經義不可思議果報亦不可思議
尒時須菩提白佛言世尊善男子善女人發
阿耨多羅三藐三菩提心云何應住云何降
伏其心佛告須菩提善男子善女人發阿耨
多羅三藐三菩提者當生如是心我應滅度
一切衆生滅度一切衆生已而无有一衆生實
滅度者何以故若菩薩有我相人相衆生
相壽者相則非菩薩所以者何須菩提實无
有法發阿耨多羅三藐三菩提者須菩提於
意云何如來於然燈佛所有法得阿耨多羅
三藐三菩提不不世世尊如我解佛所說義
佛於然燈佛所无有法得阿耨多羅三藐三
菩提佛言如是如是須菩提實无有法如來
得阿耨多羅三藐三菩提須菩提若有法如
來得阿耨多羅三藐三菩提者然燈佛則不
與我受記汝於來世當得作佛号釋迦牟尼
以實无有法得阿耨多羅三藐三菩提是故
然燈佛與我受記作是言汝於來世當得作
佛号釋迦牟尼何以故如來者即諸法如義
若有人言如來得阿耨多羅三藐三菩提須
菩提實无有法佛得阿耨多羅三藐三菩提
須菩提如來所得阿耨多羅三藐三菩提於是
中无實无虛是故如來說一切法皆是佛法須
菩提所言一切法者即非一切法是故名一

中无實无虛是故如来說一切法皆是佛法須
菩提所言一切法者即非一切法是故名一
切法須菩提辟如人身長大須菩提言世尊
如来說人身長大則為非大身是名大身
須菩提菩薩亦如是若作是言我當滅度
无量衆生則不名菩薩何以故須菩提實
无有法名為菩薩是故佛說一切法无我无
人无衆生无壽者須菩提若菩薩作是言我當
莊嚴佛土是不名菩薩何以故如来說莊嚴
佛土者即非莊嚴是名莊嚴須菩提若菩
薩通達无我法者如来說名真是菩薩
須菩提於意云何如来有肉眼不如是世尊
如来有肉眼須菩提於意云何如来有天眼
不如是世尊如来有天眼須菩提於意云何
如来有慧眼不如是世尊如来有慧眼須菩
提於意云何如来有法眼不如是世尊如来
有法眼須菩提於意云何如来有佛眼不如
是世尊如来有佛眼須菩提於意云何恒河
中所有沙佛說是沙不如是世尊如来說是
沙須菩提於意云何如一恒河中所有沙有
如是等恒河是諸恒河所有沙數佛世界如
是寧為多不甚多世尊佛告須菩提尒所
國土中所有衆生若干種心如来悉知何以故
如来說諸心皆為非心是名為心所以者何
須菩提過去心不可得現在心不可得未来
心不可得須菩提於意云何若有人滿三千

心不可得須菩提於意云何若有人滿三千
大千世界七寶以用布施是人以是因緣得
福多不如是世尊此人以是因緣得福甚多
須菩提若福德有實如来不說得福德多以
福德无故如来說得福德多
須菩提於意云何佛可以具足色身見不不
世世尊如来不應以具足色身見何以故如
来說具足色身即非具足色身是名具足色
身須菩提於意云何如来可以具足諸相見
不不世世尊如来不應以具足諸相見何以
故如来說諸相具足即非具足是名諸相具
足須菩提汝勿謂如来作是念我當有所說
法莫作是念何以故若人言如来有所說法
即為謗佛不能解我所說故須菩提說法者
无法可說是名說法須菩提白佛言世尊佛
得阿耨多羅三藐三菩提為无所得耶如是
如是須菩提我於阿耨多羅三藐三菩提乃
至无有少法可得是名阿耨多羅三藐三菩
提復次須菩提是法平等无有高下是名阿
耨多羅三藐三菩提以无我无人无衆生无
壽者脩一切善法則得阿耨多羅三藐三菩
提須菩提所言善法者如来說非善法是名
善法須菩提若三千大千世界中所有諸須
弥山王如是等七寶聚有人持用布施若人
以此般若波羅蜜經乃至四句偈等受持為
他人說於前福德百分不及一百千万億分

他人說於前福德百分不及一百千万億分
乃至筭數譬喻所不能及
須菩提於意云何汝等勿謂如來作是念我
當度衆生須菩提莫作是念何以故實无有
衆生如來度者若有衆生如來度者如來則
有我人衆生壽者須菩提如來說有我者則
非有我而凡夫之人以為有我須菩提凡夫者
如來說則非凡夫須菩提於意云何可以
卅二相觀如來不須菩提言如是如是以卅
二相觀如來佛言須菩提若以卅二相觀如
來者轉輪聖王則是如來須菩提白佛言世
尊如我解佛所說義不應以卅二相觀如來
尒時世尊而說偈言
若以色見我　以音聲求我　是人行邪道　不能見如來
須菩提汝若作是念如來不以具足相故得
阿耨多羅三藐三菩提須菩提莫作是念如
來不以具足相故得阿耨多羅三藐三菩提
須菩提汝若作是念發阿耨多羅三藐三菩
提者說諸法斷滅相莫作是念何以故發阿
耨多羅三藐三菩提者於法不說斷滅相須
菩提若菩薩以滿恒河沙等世界七寶布施
若復有人知一切法无我得成於忍此菩薩
勝前菩薩所得功德須菩提以諸菩薩不受
福德故須菩提白佛言世尊云何菩薩不受
福德須菩提菩薩所作福德不應貪著是故
說不受福德須菩提若有人言如來若來若
[illegible]

BD00506號　金剛般若波羅蜜經　（10–8）

福德故須菩提白佛言世尊云何菩薩不受
福德須菩提菩薩所作福德不應貪著是故
說不受福德須菩提若有人言如來若來若
去若坐若卧是人不解我所說義何以故如
來者无所從來亦无所去故名如來
須菩提若善男子善女人以三千大千世界
碎為微塵於意云何是微塵衆寧為多不甚
多世尊何以故若是微塵衆實有者佛則
不說是微塵衆所以者何佛說微塵衆則非
微塵衆是名微塵衆世尊如來所說三千大千
世界則非世界是名世界何以故若世界實
有者則是一合相如來說一合相則非一合
相是名一合相須菩提一合相者則是不可說
但凡夫之人貪著其事須菩提若人言佛
說我見人見衆生見壽者見須菩提於意云
何是人解我所說義不世尊是人不解如來
所說義何以故世尊說我見人見衆生見壽
者見即非我見人見衆生見壽者見是名我
見人見衆生見壽者見須菩提發阿耨多羅
三藐三菩提心者於一切法應如是知如是見
如是信解不生法相須菩提所言法相者如
來說即非法相是名法相須菩提若有人
以滿无量阿僧祇世界七寶持用布施若有
善男子善女人發菩薩心者持於此經乃至
四句偈等受持讀誦為人演說其福勝彼
云何為人演說不取於相如如不動何以故
一切有為法　如夢幻泡影　如露亦如電　應作如是觀

BD00506號　金剛般若波羅蜜經　（10–9）

說我見人見衆生見壽者見須菩提於意云
何是人解我所說義不世尊是人不解如来
所說義何以故世尊說我見人見衆生見壽
者見即非我見人見衆生見壽者見是名我
見人見衆生見壽者見須菩提發阿耨多羅
三藐三菩提心者於一切法應如是知如是見
如是信解不生法相須菩提所言法相者如
来說即非法相是名法相須菩提若有人
以滿无量阿僧祇世界七寶持用布施若有
善男子善女人發菩薩心者持於此經乃至
四句偈等受持讀誦為人演說其福勝彼
云何為人演說不取於相如如不動何以故
一切有為法　如夢幻泡影　如露亦如電　應作如是觀
佛說是經已長老須菩提及諸比丘比丘尼
優婆塞優婆夷一切世間天人阿脩羅聞佛
所說皆大歡喜信受奉行
金剛般若波羅蜜經

BD00506 號　金剛般若波羅蜜經　（10–10）

界及意觸意觸為緣所生諸受何以故世尊
意界意界性空乃至意觸為緣所生諸受意
觸為緣所生諸受性空世尊是意界非意
界空是意界空非意界意界不離空空不離
意界意界即是空空即是意界法界乃至
意觸為緣所生諸受亦復如是是故世尊脩
行般若波羅蜜多諸菩薩摩訶薩不應住
意界乃至不應住意觸為緣所諸受世尊
脩行般若波羅蜜多諸菩薩摩訶薩不應住
地界不應住水火風空識界何以故世尊地
界地界性空水火風空識界水火風空識界
性空世尊是地界非地界空是地界空非地
界地界不離空空不離地界地界即是空空
即是地界水火風空識界亦復如是是故世
尊脩行般若波羅蜜多諸菩薩摩訶薩不
應住地界不應住水火風空識界世尊脩行般
若波羅蜜多諸菩薩摩訶薩不應住苦聖諦不
應住集滅道聖諦何以故世尊苦聖諦苦聖
諦性空集滅道聖諦集滅道聖諦性空世尊
是苦聖諦非苦聖諦空是苦聖諦空非苦聖
諦苦聖諦不離空空不離苦聖諦苦聖諦即
是空空即是苦聖諦集滅道聖諦亦復如是
是故世尊脩行般若波羅蜜多諸菩薩摩訶
薩不應住苦聖諦不應住集滅道聖諦世尊
脩行般若波羅蜜多諸菩薩摩訶薩不應住

BD00507 號　大般若波羅蜜多經卷三七　（2–1）

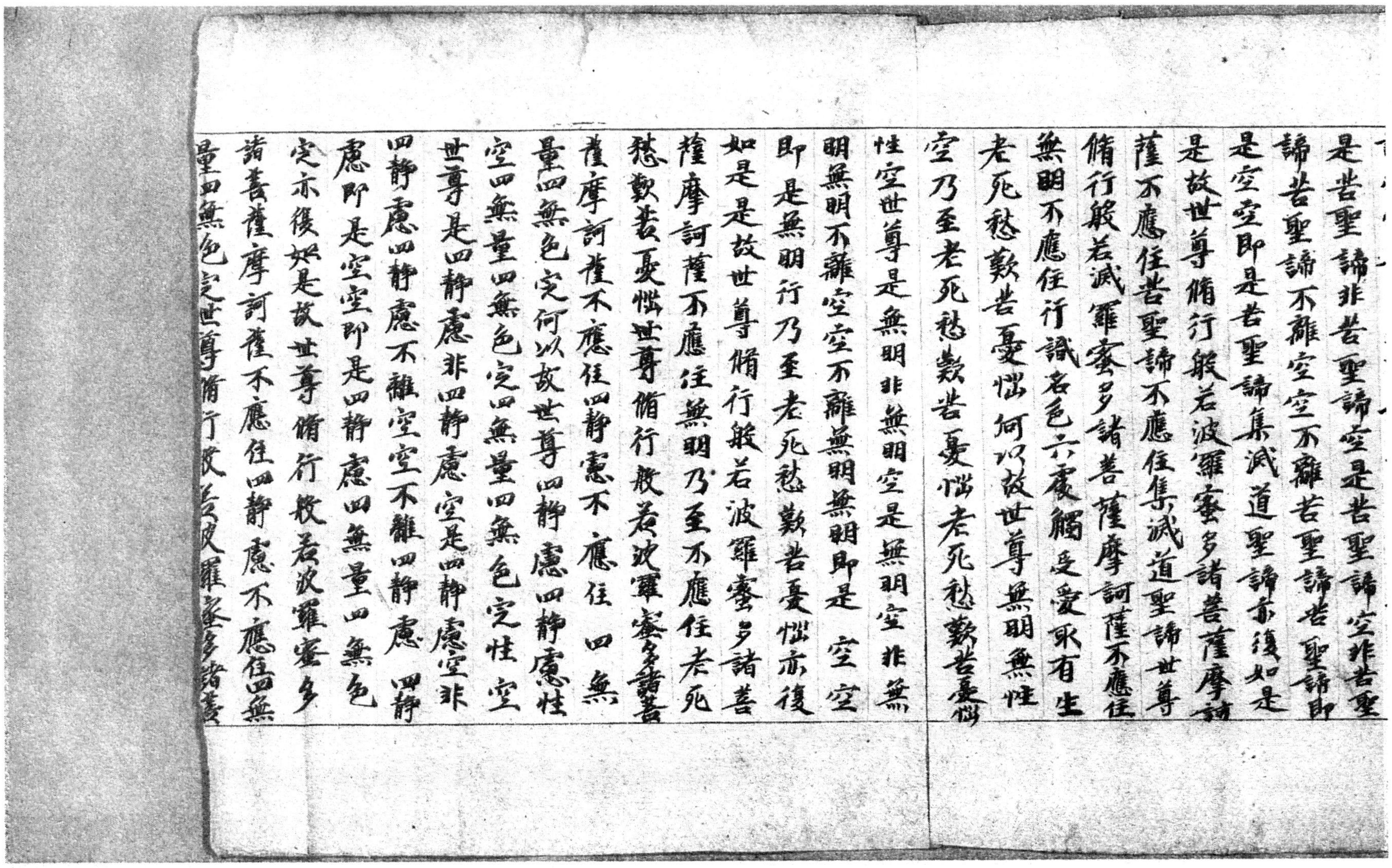

是苦聖諦非苦聖諦空是苦聖諦空非苦聖
諦苦聖諦不離空空不離苦聖諦苦聖諦即
是空空即是苦聖諦集滅道聖諦亦復如是
是故世尊修行般若波羅蜜多諸菩薩摩訶
薩不應住苦聖諦不應住集滅道聖諦世尊
修行般若波羅蜜多諸菩薩摩訶薩不應住
無明不應住行識名色六處觸受愛取有生
老死愁歎苦憂惱何以故世尊無明無性
空乃至老死愁歎苦憂惱老死愁歎苦憂惱
性空世尊是無明非無明空是無明空非無
明無明不離空空不離無明無明即是空空
即是無明行乃至老死愁歎苦憂惱亦復
如是是故世尊修行般若波羅蜜多諸菩
薩摩訶薩不應住無明乃至不應住老死
愁歎苦憂惱世尊修行般若波羅蜜多諸菩
薩摩訶薩不應住四靜慮不應住四無
量四無色定何以故世尊四靜慮四靜慮性
空四無量四無色定四無量四無色定性空
世尊是四靜慮非四靜慮空是四靜慮空非
四靜慮四靜慮不離空空不離四靜慮四靜
慮即是空空即是四靜慮四無量四無色
定亦復如是是故世尊修行般若波羅蜜多
諸菩薩摩訶薩不應住四靜慮不應住四無
量四無色定世尊修行般若波羅蜜多諸菩

BD00507 號　大般若波羅蜜多經卷三七　（2–2）

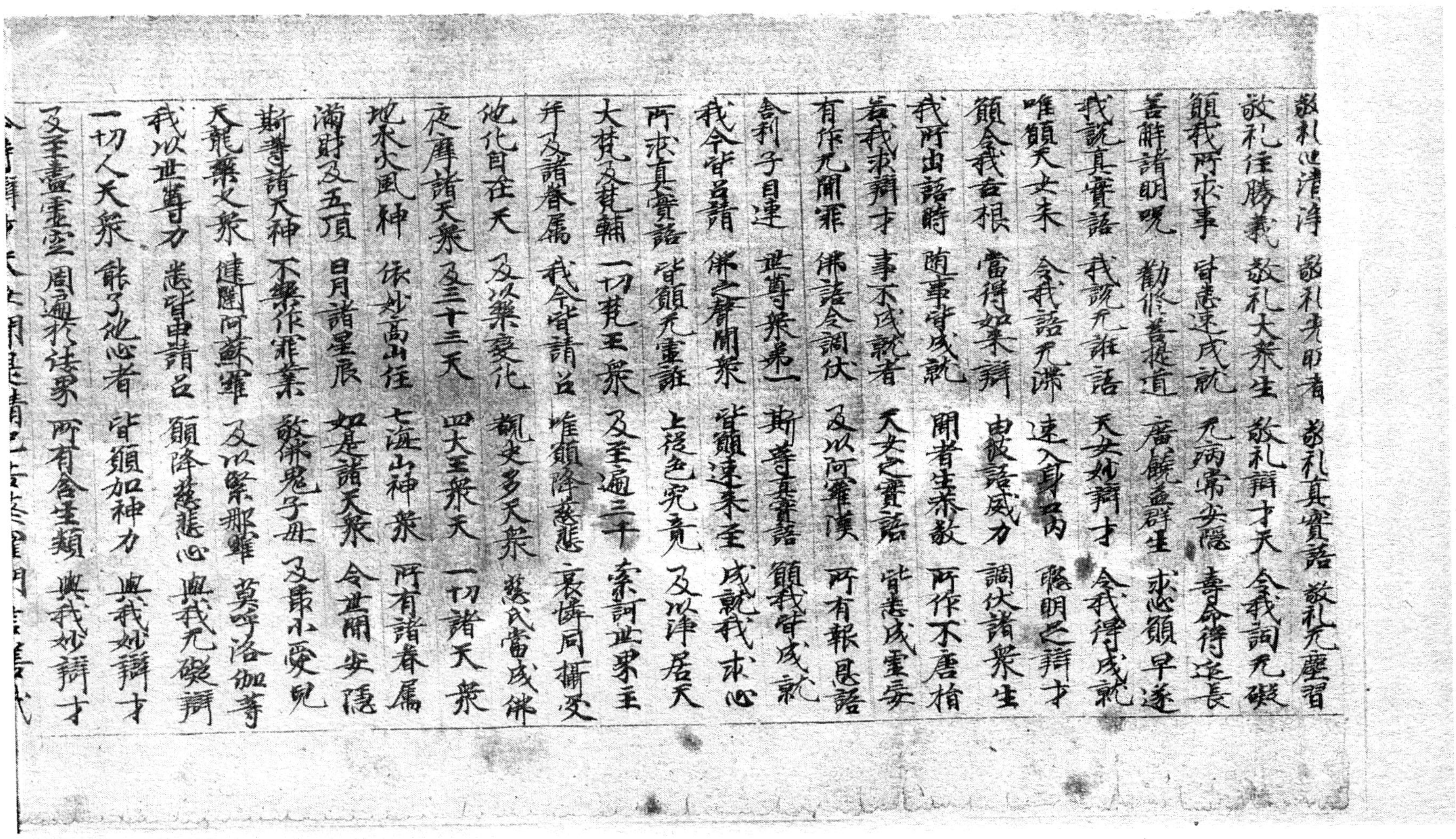

BD00508 號　金光明最勝王經卷八　（16–1）

一切人天衆　能了彼心者　當願加神力　與我妙辯才
乃至盡虛空　周遍於法界　所有含生類　與我妙辯才
尒時辯才天女聞是請已告婆羅門言善哉
大士若有男子女人能依如是呪及呪讚如前
所說受持法式歸敬三寶虔心正念於所求事
皆不唐捐兼復受持讀誦此金光明微妙經
典所願求者无不果遂速得成就除不至心
時婆羅門深心歡喜合掌頂受
尒時佛告辯才天女善哉善哉善女人汝能
流布是妙經王擁護所有受持經者及能利
益一切衆生令得安樂說如是法施與辯才
不可思議得福无量諸發心者速趣菩提
金光明最勝王經大吉祥天女品第十六
尒時大吉祥天女即從座起前礼佛足合掌恭
敬白佛言世尊我若見有苾芻苾芻尼鄔波
索迦鄔波斯迦受持讀誦為人解說是金
光明最勝王經者我當專心恭敬供養此
等法師所謂飲食衣服臥具醫藥及餘一切
所須資具皆令圓滿无有乏少若晝若夜於
此經王所有句義觀察思量安樂而住令此經
典於贍部洲廣行流布為彼有情已於无量
百千佛所種善根者常使得聞不速隱沒復
於无量百千億劫當受人天種種勝樂常得
豐稔永除飢饉一切有情恒受安樂亦得值
遇諸佛世尊於未來世速證无上大菩提果
永絕三塗輪迴苦難世尊我念過去有瑠璃
金山寶花光照吉祥功德海如來應正等覺

遇諸佛世尊於未來世速證无上大菩提果
永絕三塗輪迴苦難世尊我念過去有瑠璃
金山寶花光照吉祥功德海如來應正等覺
十号具足我於彼所種諸善根由彼如來慈
悲愍念威神力故令我今日隨所念處隨所
視方隨所至國能令无量百千万億衆生受
諸快樂乃至所須衣服飲食資生之具金銀
瑠璃車𤦲碼碯珊瑚虎珀真珠等寶悉令充
足若復有人至心讀誦是金光明最勝王經
亦當日日燒衆名香及諸妙花為我供養
彼瑠璃金山寶花光照吉祥功德海如來應
正等覺復當每日於三時中稱念我名別以
香花及諸美食供養於我亦常聽受此妙
經王得如是福而說頌曰
由能如是持經故　自身眷屬離諸衰
所須衣食无乏時　威光壽命難窮盡
能使地味常增長　諸天降雨隨時節
令彼天衆咸歡悅　及以園林穀果神
叢林果樹並滋榮　所有苗稼咸成就
欲求珍財皆滿願　隨所念者遂其心
佛告大吉祥天女善哉善哉汝能如是憶
念昔因報恩供養利益安樂无邊衆生流
布是經功德无盡
金光明最勝王經大吉祥天女增長財物品第十七
尒時大吉祥天女復白佛言世尊北方薜室羅
末拏天王城名有財去城不遠有園名曰妙
花福光中有勝殿七寶所成世尊我常住

尒時大吉祥天女復白佛言世尊北方薜室羅
末拏天王城名有財去城不遠有園名曰妙
花福光中有勝殿七寶所成世尊我常住
彼若復有人欲求五穀日日增多倉庫盈溢
者應當發起敬信之心淨治一室瞿摩塗地
應畫我像種種瓔珞周帀莊嚴當洗浴身
著淨衣服塗以名香入淨室內發心為我每
日三時稱彼佛名及此經名号而申礼敬南謨
瑠璃金山寶花光照吉祥功德海如來持諸
香花及以種種甘美飲食至心奉獻亦以香
花及諸飲食供養我像復持食散擲餘
方施諸神等實言邀請大吉祥天發所求願
若如所言是不虛者於我所請勿令空尒于時
吉祥天女知是事已便生愍念令其宅中財
穀增長即當誦呪請召於我先稱佛名及
菩薩名字一心敬礼
南謨一切十方三世諸佛　南謨寶髻佛
南謨无垢光明寶幢佛　南謨金幢光佛
南謨百金光藏佛　南謨金蓋寶積佛
南謨金花光幢佛　南謨大燈光佛
南謨大寶幢佛　南謨東方不動佛
南謨南方寶幢佛　南謨西方无量壽佛
南謨北方天鼓音佛　南謨妙幢菩薩
南謨金光菩薩　南謨金藏菩薩
南謨常啼菩薩　南謨法上菩薩
南謨善安菩薩

南謨常啼菩薩　南謨法上菩薩
南謨善安菩薩
敬礼如是佛菩薩已次當誦呪請召我大吉祥
天女由此呪力所求之事皆得成就即說呪曰
南謨室唎莫訶天女　怛　姪　他
鉢唎脯㖃拏折囇　三　曼　頞
達唎設泥（去聲下皆同尒）　莫訶毗訶囉揭帝
三曼哆毗曇末泥　莫訶迦里也
鉢唎底瑟侘鉢泥　薩婆頞他娑㺸泥
蘇鉢唎底脯囇　痾耶娜達摩多
莫訶毗俱比帝　莫訶迷咄嚕
鄔波僧呬羝　莫訶頡唎使
蘇僧近（入）里呬羝　三曼多頞他
阿奴波剌泥　莎訶
世尊若人誦持如是神呪請召我時我聞
請已即至其所令願得遂世尊是灌頂法句
定成就句真實之句无虛誑句是平等行於諸
衆生是正善根若有受持讀誦呪者應七日
七夜受八支戒於晨朝時先嚼齒木淨澡漱
已及於晡後香花供養一切諸佛自陳其罪
當為己身及諸含識迴向發願令所希求速
得成就淨治一室或在空閑阿蘭若處瞿摩
為壇燒栴檀香而為供養置一勝座幡蓋莊
嚴以諸名花布列壇內應當至心誦持前
呪希望我至我於尒時即便護念觀察是人来
入其室就座而坐受其供養從是以後當令
彼人於睡夢中得見於我隨所求事以實告

入其室説座而坐受其供養從是以後當令
彼人於睡夢中得見於我隨所求事以實告
知若聚落空澤及僧住處隨所求者皆令圓
滿金銀財寶牛羊穀麥飲食衣服皆得隨
心受諸快樂既得如是勝妙果報當以上分
供養三寶及施於我廣於法會設諸飲食布
列香花既供養已所有供食貿之取直復為供
養我當終身常住於此擁護是人令无闕乏
隨所希求悉皆稱意亦當時時給濟貧乏不
應慳惜獨為己身當讀是經供養不絕當以
此福普施一切迴向菩提願出生死速得解脫
尒時世尊讚言善哉吉祥天女汝能如是流
布此經不可思議自他俱益
金光明最勝王經堅牢地神品第十八
尒時堅牢地神即於衆中從座而起合掌恭
敬而白佛言世尊是金光明最勝王經若現
在世若未來世若在城邑聚落王宮樓觀及
阿蘭若山澤空林有此經王流布之處世尊
我當往詣其所供養恭敬擁護流通若有
方處為說法師敷置高座演說經者我以神
力不現本身在於座所頂戴其足我得聞法
深心歡喜得飡法味增益威光慶悅无量自
身既得如是利益亦令大地深十六万八千
踰繕那至金剛輪際令其地味悉皆增益乃
至四海所有土地亦使肥濃田疇沃壤倍勝常
日亦復令此贍部洲中江河池沼所有諸樹

BD00508 號　金光明最勝王經卷八　　(16–6)

日亦復令此贍部洲中江河池沼所有諸樹
藥草叢林種種花果根莖枝葉及諸苗稼
相可愛樂所樂觀色香具足皆堪受用若諸
有情受用如是勝飲食已長命色力諸根安
隱增益光輝无諸痛惱心慧勇健无不堪能
又此大地凡有所須百千事業悉皆周備世
尊以是因緣諸贍部洲安隱豐樂人民熾盛
無諸衰惱所有衆生皆受安樂既受如是身
心快樂於此經王深加愛敬所在之處皆願受
持供養恭敬尊重讚歎又復於彼說法大師
法座之處悉皆往彼為諸衆生勸請說是
最勝經王何以故世尊由說此經我之自身
并諸眷屬咸蒙利益光輝氣力勇猛威勢
顏容端正倍勝於常世尊我堅牢地神蒙法
味已令贍部洲縱廣七千踰繕那地皆沃壤乃
至如前所有衆生皆受安樂是故世尊時彼
衆生為報我恩應作是念我當必定聽受是
經恭敬供養尊重讚歎作是念已即從住處
城邑聚落舍宅空地詣法會所頂礼法師聽
受是經既聽受已各還本處心生慶喜共作
是言我等今者得聞甚深无上妙法即是攝
受不可思議功德之聚由經力故我等當值无
量无邊百千俱胝那庾多佛承事供養永
離三塗極苦之處復於未來世百千生中常生
天上及在人間受諸勝樂時彼諸人各還本
處為諸人衆說是經王若一喻一品一昔因緣

BD00508 號　金光明最勝王經卷八　　(16–7)

處為諸人衆說是經王若一品一昔因緣
一如來名一菩薩名一四句頌或復一句為諸
衆生說是經典乃至首題名字世尊隨諸
衆生所住之處其地悉皆沃壤肥濃過於餘
處凡是土地所生之物悉得增長滋茂廣大
令諸衆生受於快樂多饒財好行惠施心
常堅固深信三寶作是語已尒時世尊告堅
牢地神曰若有衆生聞是金光明最勝經王
乃至一句命終之後當得往生三十三天及餘天
處若有衆生為欲供養是經王故莊嚴宅
宇乃至張一傘蓋懸一繒幡由是因緣六天之
上如念受生七寶妙宮隨意受用各各自然
有七千天女共相娛樂日夜常受不可思議
殊勝之樂作是語已尒時堅牢地神白佛言
世尊以是因緣若有四衆昇於法座說是法
時我當晝夜擁護是人自隱其身在於座所
頂戴其足世尊如是經典為彼衆生已於百
千佛所種善根者於贍部洲流布不滅是諸
衆生聽斯經者於未來世无量百千俱胝那
庾多劫天上人中常受勝樂得遇諸佛速成
阿耨多羅三藐三菩提不歷三塗生死之苦
尒時堅牢地神白佛言世尊我有心呪能利
人天安樂一切若有男子女人及諸四衆欲得
親見我真身者應當至心持此陀羅尼隨
其所願皆悉遂心所謂資財珍寶伏藏及求
神通長年妙藥并療衆病降伏怨敵制諸異

神通長年妙藥并療衆病降伏怨敵制諸異
論當持淨室安置道場洗浴身已著鮮潔衣
踞草座上於有舍利尊像之前或有舍利
制底之所燒香散花飲食供養於白月八日布
灑星合即可誦此請召之呪
怛姪他 只里只里 主嚕主嚕 句嚕句嚕
拘柱拘柱 覩柱覩柱 縛訶上 縛訶
伐捨伐捨 莎訶
世尊此之神呪若有四衆誦一百八遍請召
於我我為是人即來赴請又復世尊若有
衆生欲得見我現身共語者亦應如前安
置法式誦此神呪
怛姪他 頞折泥去 頞力剎泥 室尸達 哩
訶訶呬呬漚嚕 伐孋莎訶
世尊若人持此呪時應誦一百八遍并誦前
呪我必現身隨其所願悉得成就終不虛
然若欲誦此呪時先誦護身呪曰
怛姪他 你 室里 末捨羯撥捺撥矩撥
勃地上 勃地孋 底撥婢撥矩句撥
佉婆上 只 里 莎訶
世尊誦此呪時取五色線誦呪二十一遍作
一十一結繫在左髆肘後即便護身无有
所懼若有至心誦此呪者所求必遂我不
妄語我以佛法僧寶而為要契證知是實
尒時世尊告地神曰善哉善哉汝能以是
實語神呪護此經王及說法者以是因緣令
汝獲得无量福報

伏獲得无量福報
金光明最勝王經僧慎尒耶藥叉大將品第十九
尒時僧慎尒耶藥叉大將并與二十八部藥
叉諸神於大衆中皆從座起偏袒右肩右膝
著地合掌向佛白言世尊此金光明最勝
經王若現在世及未來世所在宣揚流布之處
若於城邑聚落山澤空林或王宮殿或僧住
處世尊我僧慎尒耶藥叉大將并與二十八
部藥叉諸神俱詣其所各自隱形隨處擁護
彼說法師令離衰惱常受安樂及聽法者
若男若女童男童女於此經中乃至受持四
句頌或持一句或此經首題名号及此經中一
如來名一菩薩名發心稱念恭敬供養者我
當救護攝受令无災橫離苦得樂世尊何
故我名正了知此之因緣是佛親證我知諸
法我曉一切法隨所有一切法如所有一切諸
法種類體性差別世尊如是諸法我能了知
我有難思智光我有難思智炬我有難思
智行我有難思智聚我於難思智境而
能通達世尊如我於一切法正知正曉正覺
能正觀察世尊以是因緣我藥叉大將名正
了知以是義故我能令彼說法之師言詞辯
了具足莊嚴亦令精氣從毛孔入身力充足
威光勇健難思智光皆得成就得正憶念
无有退屈增益彼身令无衰減諸根安樂常
生歡喜以是因緣爲彼有情已於百千佛所殖
諸善根修福業者於贍部洲廣宣流布不速

BD00508號　金光明最勝王經卷八　（16–10）

无有退屈增益彼身令无衰減諸根安樂常
生歡喜以是因緣爲彼有情已於百千佛所殖
諸善根修福業者於贍部洲廣宣流布不速
隱沒彼諸有情聞是經已得不可思議大智
光明及以无量福智之聚於未來世當受无
量俱胝那庾多劫不可思量人天勝樂常
與諸佛共相值遇速證无上正等菩提閻羅
之界三塗極苦不復經過
尒時正了知藥叉大將白佛言世尊我有陁
羅尼今對佛前親自陳說爲欲饒益憐愍
諸有情故即說呪曰
南謨佛陁引也　南謨達摩引也
南謨因達囉也　南謨折咄喃
莫曷囉闍喃　怛姪他　呬里　呬里
弭里弭里　瞿里　莫訶瞿里　健陁里
莫訶健陁里　達囉弭　雄
莫訶達囉弭里　單荼曲勸馱闍弟去
訶訶訶訶　呬呬呬呬呬
呼呼呼呼呼　漢魯曇謎瞿曇謎
者者者者　只只只只只主主主主
旃荼稱之鉢攞　尸揭囉上尸揭囉
嗢底瑟侘　呬　薄伽梵僧慎尒耶莎訶
若復有人於此明呪能受持者我當給與資
生樂具飲食衣服花果珍異或求男女童男
童女金銀珍寶諸瓔珞具我皆供給隨所願
求令无闕乏此之明呪有大威力若誦呪時
我當速至其所令无障礙隨意成就若持此

BD00508號　金光明最勝王經卷八　（16–11）

我當速至其所令无障礙隨意成就若持此
呪時應知其法先畫一鋪僧慎尒耶藥叉形
像高四五尺手執鉾鑞於此像前作四方壇
安四滿瓶蜜水或沙糖水塗香秣香燒香及
諸花鬘又於壇前作地火爐中安炭火以蘇
摩芥子燒於爐中口誦前呪一百八遍一遍
一燒乃至我藥叉大將自來現身問呪人曰
尒何所須意所求者即以事荅我即隨言於
所求事皆令滿足或須金銀及諸伏藏或欲
神仙乘空而去或求天眼通或知他心事於一切
有情隨意自在令斷煩惱速得解脫皆得成就
尒時世尊告正了知藥叉大將曰善哉善哉
汝能如是利益一切衆生說此神呪擁護正
法福利无邊

金光明最勝王經王法正論品第廿

尒時此大地神女名曰堅牢於大衆中從座而
起頂礼佛足合掌恭敬白佛言世尊於諸國
中為人王者若无正法不能治國安養衆生
及以自身長居勝位唯願世尊慈悲哀愍
當為我說王法正論治國之要令諸人王得
聞法已如說修行正化於世能令勝位永保安
寧國内居人咸蒙利益
尒時世尊於大衆中告堅牢地神曰汝當諦
聽過去有王名力尊幢其王有子名曰妙幢
受灌頂位未久之頃尒時父王告妙幢言有
王法正論名天主教法我於昔時受灌頂位
而為國主我之父王名智力尊幢為我說是

BD00508號　金光明最勝王經卷八　（16–12）

而為國主我之父王名智力尊幢為我說是
王法正論我依此論於二万歲善治國土我
不曾憶起一念心行於非法汝於今日亦應
如是勿以非法而治於國云何名為王法正
論汝今善聽當為汝說尒時力尊幢王即
為其子以妙伽他說正論曰
我說王法論　利安諸有情　為斷世間疑　滅除衆過失
一切諸天主　及以人中王　當生歡喜心　合掌聽我說
往昔諸天衆　集在金剛山　四王從座起　請問於大梵
梵王最勝尊　天中大自在　願哀愍我等　為斷諸疑惑
云何處人世　而得名為天　復以何因緣　号名曰天子
云何生人間　獨得為人主　云何在天上　復得作天王
如是護世間　問彼梵王已　尒時梵天王　即便為彼說
護世汝當知　為利有情故　問我治國法　我說應善聽
由先善業力　生天得作王　若在於人中　統領為人主
諸天共加護　然後入母胎　既至母胎中　諸天復守護
雖生在人世　尊勝故名天　由諸天護持　亦得名天子
三十三天主　分力助人王　及一切諸天　亦資自在力
除滅諸非法　惡業令不生　教有情修善　使得生天上
人及蘇羅衆　并揵闥婆等　羅刹旃荼羅　悉皆資半力
父母資半力　令捨惡修善　諸天共護持　示其善惡報
若造善惡業　令我現世中　諸天共護持　示其善惡報
國造　惡業　王捨不禁制　斯非順正理　治擯當如法
若見惡不遮　非法便滋長　遂令王國内　姦詐日增多
王見國中人　造惡不遮止　三十三天衆　咸生忿怒心
因此損國政　諂偽行世間　被他怨敵侵　破壞其國主

BD00508號　金光明最勝王經卷八　（16–13）

若見惡不遮　非法便滋長　遂令王國內　姦詐日增多
王見國中人　造惡不遮止　三十三天眾　咸生忿怒心
因此損國政　諂偽行世間　被他怨敵侵　破壞其國土
居家及資具　積財皆散失　種種諂誑生　更互相侵奪
由正法得王　而不行其法　國人皆破散　如象踏蓮池
惡風起无恒　暴雨非時下　妖星多變怪　日月蝕无光
五穀眾花果　苗實皆不成　國土遭饑饉　由王捨王法
若王捨正法　以惡法化人　諸天處本宮　見已生憂惱
彼諸天王眾　共作如是言　此王作非法　惡黨相親附
王位不久安　諸天皆忿恨　由彼懷忿故　其國當敗亡
以非法教人　流行於國內　鬪諍多姧偽　疾疫生眾苦
天主不護念　餘天咸捨棄　國土當滅亡　王身受苦厄
父母及妻子　兄弟并姊妹　俱遭愛別離　乃至身亡歿
變怪流星墮　二日俱時出　他方怨賊來　國人遭喪亂
國所重大臣　枉橫而身死　所愛象馬等　亦復皆散失
處處有兵戈　人多非法死　惡鬼來入國　疾疫遍流行
國中最大臣　及以諸輔相　其心懷諂佞　並悉行非法
見行非法者　而生於愛敬　於行善法人　苦楚而治罰
由愛敬惡人　治罰善人故　星宿及風雨　皆不以時行
有三種過生　正法當隱沒　眾生无光色　地肥皆下沉
由敬惡輕善　復有三種過　非時降霜雹　飢疫苦流行
穀稼諸果實　滋味皆損減　於其國土中　眾生多疾病
國中諸樹林　先生甘美果　由斯皆損減　苦澀无滋味
先有妙園林　可愛遊戲處　忽然皆枯悴　見者生憂惱
稻麥諸果實　美味漸消亡　食時心不喜　何能長諸大
眾生光色減　勢力盡衰微　食噉雖復多　不能令飽足
於其國界中　所有眾生類　少力无勢力　所作不堪能

BD00508號　金光明最勝王經卷八　（16–14）

穀稼諸果實　滋味皆損減　於其國土中　眾生多疾病
國中諸樹林　先生甘美果　由斯皆損減　苦澀无滋味
先有妙園林　可愛遊戲處　忽然皆枯悴　見者生憂惱
稻麥諸果實　美味漸消亡　食時心不喜　何能長諸大
眾生光色減　勢力盡衰微　食噉雖復多　不能令飽足
於其國界中　所有眾生類　少力无勢力　所作不堪能
國人多疾患　眾苦逼其身　鬼魅遍流行　隨處生羅剎
若王作非法　親近於惡人　令三種世間　因斯受衰損
如是无邊過　出在於國中　皆由見惡人　棄捨不治擯
由諸天加護　得作於國王　而不以正法　守護於國界
若人修善行　當得生天上　若造惡業者　死必墮三塗
若王見國人　縱其造過失　三十三天眾　皆生熱惱心
不順諸天教　及以父母言　此是非法人　非王非孝子
若於自國中　見行非法者　如法當治罰　不應生捨棄
是故諸天眾　皆護持此王　以滅諸惡法　能修善根故
王於此世中　必招於現報　由於善惡業　亦捨勸眾生
為示善惡報　故得作人王　諸天共護持　一切咸隨喜
由自利利他　治國以正法　見有諂佞者　應當如法治
假使失王位　及以害命緣　終不行惡法　見惡而捨棄
害中極重者　无過失國位　皆因諂佞人　為此當治罰
若有諂誑人　當失於國位　由斯損王政　如象入花園
天主皆瞋恨　阿蘇羅亦然　以彼為人王　不以法治國
是故應如法　治罰於惡人　以善化眾生　不順於非法
寧捨於身命　不隨非法友　於親及非親　平等觀一切
若為正法王　國內无偏黨　法王有名稱　普聞三界中
三十三天眾　歡喜作是言　贍部洲法王　彼即是我子
以善化眾生　正法治於國　勸行於正法　當令生我宮

BD00508號　金光明最勝王經卷八　（16–15）

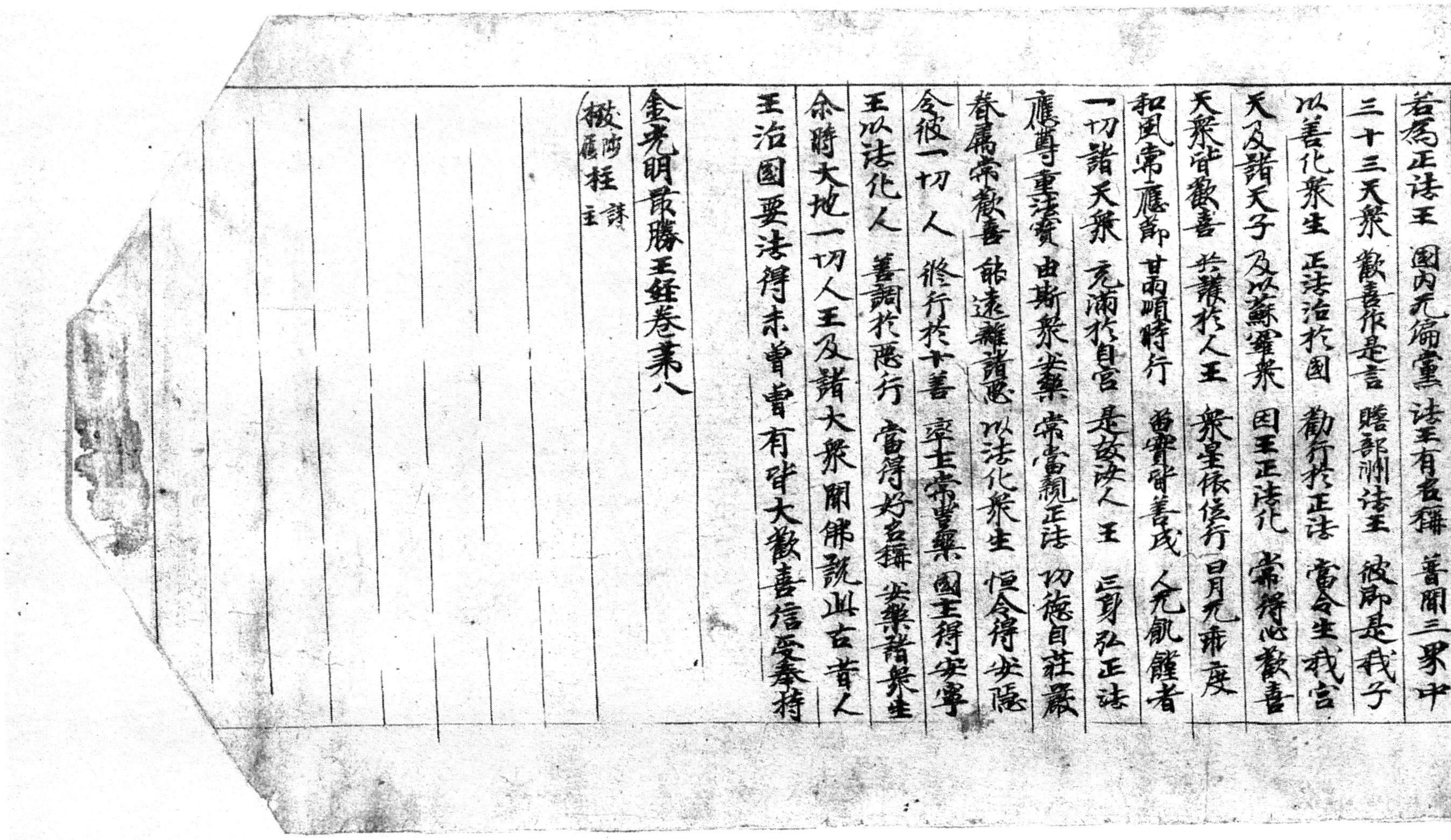

若為正法王　國內無偏黨　法王有名稱　普聞三界中
三十三天衆　歡喜作是言　贍部洲法王　彼即是我子
以善化衆生　正法治於國　勸行於正法　當令生我宮
天及諸天子　及以蘇羅衆　因王正法化　常得心歡喜
天衆皆歡喜　共護於人王　衆星依位行　日月無乖度
和風常應節　甘雨順時行　苗實皆善成　人無飢饉者
一切諸天衆　充滿於自宮　是故汝人王　亡身弘正法
應尊重法寶　由斯衆安樂　常當親正法　功德自莊嚴
眷屬常歡喜　能遠離諸惡　以法化衆生　恒令得安隱
令彼一切人　修行於十善　率土常豐樂　國土得安寧
王以法化人　善調於惡行　當得好名稱　安樂諸衆生
尒時大地一切人王及諸大衆聞佛說此古昔人
王治國要法得未曾曾有皆大歡喜信受奉持

金光明最勝王經卷第八

檢校防護經主謙

BD00508號　金光明最勝王經卷八　（16–16）

未幸

BD00508號背　雜寫　（1–1）

各以衣裓盛衆妙華供養他方十万億佛即
以食時還到本國飯食經行舍利弗極樂國
土成就如是功德莊嚴
復次舍利弗彼國常有種種奇妙雜色之鳥
白鵠孔雀鸚鵡舍利迦陵頻伽共命之鳥是
諸衆鳥晝夜六時出和雅音其音演暢五根
五力七菩提分八聖道分如是等法其土衆
生聞是音已皆悉念佛念法念僧舍利弗汝
勿謂此鳥實是罪報所生所以者何彼佛國
土无三惡趣舍利弗其佛國土尚无三惡道
之名何況有實是諸衆鳥皆是阿弥陁佛欲令
法音宣流變化所作舍利弗彼佛國土微風
吹動諸寶行樹及寶羅網出微妙音譬如百
千種樂同時俱作聞是音者皆自然生念佛
法念僧之心舍利弗其佛國土成就如是
功德莊嚴舍利弗於汝意云何彼佛何故号
阿弥陁舍利弗彼佛光明无量照十方國无所
鄣㝵是故号為阿弥陁又舍利弗彼佛壽命
及其人民无量无邊阿僧祇劫故名阿弥陁
舍利弗阿弥陁佛成佛已來於今十劫又舍
利弗彼佛有无量无邊聲聞弟子皆阿羅漢
非是筭數之所能知諸菩薩亦如是舍利弗
彼佛國土成就如是功德莊嚴
又舍利弗極樂國土衆生生者皆是阿鞞䟦

BD00509 號 1　阿彌陀經　（5–1）

非是筭數之所能知諸菩薩亦如是舍利弗
彼佛國土成就如是功德莊嚴
又舍利弗極樂國土衆生生者皆是阿鞞䟦
致其中多有一生補處其數甚多非是筭數
所能知之但可以无量无邊阿僧祇劫說舍
利弗衆生聞者應當發願願生彼國所以者
何得與如是諸上善人俱會一處舍利弗不
可以少善根福德因緣得生彼國舍利弗若有
善男子善女人聞說阿弥陁佛執持名号若一
日若二日若三日若四日若五日若六日若七
日一心不亂其人臨命終時阿弥陁佛與諸聖
衆現在其前是人終時心不顛倒即得往生
阿弥陁佛極樂國土舍利弗我見是利故說
此言若有衆生聞是說者應當發願生彼國土
舍利弗如我今者讚歎阿弥陁佛不可思議功
德東方亦有阿閦鞞佛須弥相佛大須弥佛
須弥光佛妙音佛如是等恒河沙數諸佛各於
其國出廣長舌相遍覆三千大千世界說誠
實言汝等衆生當信是稱讚不可思議功德
一切諸佛所護念經舍利弗南方世界有日月燈佛
名聞光佛大焰肩佛須弥燈佛无量精進佛如
是等恒河沙數諸佛各於其國出廣長舌相遍
覆三千大千世界說誠實言汝等衆生當信是稱
讚不可思議功德一切諸佛所護念經舍利弗西
方世界有无量壽佛无量相佛无量幢佛大光
佛大明佛寶相佛淨光佛如是等恒河沙數諸佛
各於其國出廣長舌相遍覆三千大千世界說
誠實言汝等衆生當信是稱讚不可思議功德

BD00509 號 1　阿彌陀經　（5–2）

各於其國出廣長舌相遍覆三千大千世界說
誠實言汝等衆生當信是稱讚不可思議
功德一切諸佛所護念經
舍利弗北方世界有焰肩佛最勝音佛難沮
佛日生佛網明佛如是等恒河沙數諸佛各於
其國出廣長舌相遍覆三千大千世界說誠
實言汝等衆生當信是稱讚不可思議功德
一切諸佛所護念經
舍利弗下方世界有師子佛名聞佛名光佛
達摩佛法幢佛持法佛如是等恒河沙數諸
佛各於其國出廣長舌相遍覆三千大千世
界說誠實言汝等衆生當信是稱讚不可思
議功德一切諸佛所護念經
舍利弗上方世界有梵音佛宿王佛香上佛
香光佛大焰肩佛雜色寶華嚴身佛娑羅樹
王佛寶華德佛見一切義佛如須弥山佛如
是等恒河沙數諸佛各於其國出廣長舌相
遍覆三千大千世界說誠實言汝等衆生當
信是稱讚不可思議功德一切諸佛所護念
經
舍利弗於汝意云何何故名一切諸佛所護念
經舍利弗若有善男子善女人聞是諸佛所
說名及經名者是諸善男子善女人皆為一切
諸佛共所護念皆得不退轉於阿耨多羅三
藐三菩提是故舍利弗汝等皆當信受我語
及諸佛所說舍利弗若有人已發願今發願
當發願欲生阿弥陀佛國者是諸人等皆得

BD00509號1　阿彌陀經　（5–3）

及諸佛所說舍利弗若有人已發願今發願
當發願欲生阿弥陀佛國者是諸人等皆得
不退轉於阿耨多羅三藐三菩提於彼國土
若已生若今生若當生是故舍利弗諸善男
子善女人若有信者應當發願生彼國土
舍利弗如我今者稱讚諸佛不可思議功德
彼諸佛等亦稱說我不可思議功德而作是
言釋迦牟尼佛能為甚難希有之事能於娑
婆國土五濁惡世劫濁見濁煩惱濁衆生濁
命濁中得阿耨多羅三藐三菩提為諸衆生
說是一切世間難信之法舍利弗當知我於五
濁惡世行此難事得阿耨多羅三藐三菩提
為一切世間說此難信之法是為甚難佛說
此經已舍利弗及諸比丘一切世間天人阿
脩羅等聞佛所說歡喜信受
阿弥陀佛說呪曰
那上謨上菩上陁夜藥可反下同那謨馱囉摩夜那謨
僧伽夜那摩阿弭多婆上夜跢丁可反下同他伽多
夜阿上阿囉上訶上毠三藐三菩陁夜跢姪
他阿上弭剎上毠阿弭剎都婆鞞菩迷反下同阿弭
剎跢三婆鞞上阿弭剎跢鞞迦嚩毠伽弭你
伽伽那晳居移反剎底迦上絮婆上囉皤波跛叉
楚我反焰迦絮一切惡業盡娑婆訶
呪中諸口傍字皆依本音轉舌言之無口
者依字讀

BD00509號1　阿彌陀經　（5–4）

説是一切世間難信之法舍利弗當知我於五
濁悪世行此難事得阿耨多羅三藐三菩提
爲一切世間説此難信之法是爲甚難佛説
此經已舍利弗及諸比丘一切世間天人阿
脩羅等聞佛所説歡喜信受
阿弥陁佛説呪曰
那上謨上菩上陁夜蘇可反下同 那謨馱羅摩夜那謨
僧伽夜那摩阿弭多婆上夜跢丁可反下同 他伽多
夜阿上阿羅上訶上羝三藐三菩陁夜跢姪
他阿上弭唎上羝阿弭唎都婆鞞菩婆反下同 阿弭
唎跢三婆鞞上阿弭唎跢鞞迦囒羝伽弭你
伽伽那砮居移反 唎底迦上㮈婆上囉皤波跛又
焰是我反 迦㮈一切悪業盡 娑婆訶
呪中諸口傍字皆依本音轉舌言之無口
者依字讀

BD00509 號 2　阿彌陀佛説呪　　（5–5）

佛告持世菩薩汝行詣維摩詰問疾持世白
佛言世尊我不堪任詣彼問疾所以者何憶
念我昔住於淨室時魔波旬從萬二千天女
狀如帝釋鼓樂絃歌來詣我所與其眷屬
稽首我足合掌恭敬於一面立我意謂是帝
釋而語之言善來憍尸迦雖福應有不當自
恣當觀五欲无常以求善本於身命財而脩堅
法即語我言正士受是萬二千天女可備掃
灑我言憍尸迦无以此非法之物要我沙門
釋子此非我宜所言未訖時維摩詰來謂我
言非帝釋也是爲魔來嬈固汝耳即語魔言
是諸女等可以與我如我應受魔即驚懼念
維摩詰將无惱我欲隱形去而不能隱盡其神力
亦不得去即聞空中聲曰波旬以女與之乃
可得去魔以畏故俛仰而與尒時維摩詰語諸
女言魔以汝等與我今汝皆當發阿耨多
羅三藐三菩提心即隨所應而爲説法令發
道意復言汝等已發道意有法樂可以自
娛不應復樂五欲樂也天女即問何謂法
樂荅言樂常信佛樂欲聽法樂供養衆
樂離五欲樂觀五陰如怨賊樂觀四大如毒
虵樂觀内入如空聚樂隨護道意樂饒益
衆生樂敬養師樂廣行施樂堅持戒樂忍辱
柔和樂勤集善根樂禪定不亂樂離垢明慧
樂廣菩提心樂降伏衆魔樂斷諸煩惱樂

BD00510 號　維摩詰所説經卷上　　（3–1）

娛不應復樂五欲樂也天女即問何謂法
樂答言樂常信佛樂欲聽法樂供養衆
樂離五欲樂觀五陰如怨賊樂觀四大如毒
虵樂觀内入如空聚樂隨護道意樂饒益
衆生樂敬養師樂廣行施樂堅持戒樂忍辱
柔和樂勤集善根樂禪定不亂樂離垢明慧
樂廣菩提心樂降伏衆魔樂斷諸煩惱樂
淨佛國土樂成就相好故脩諸功德樂莊嚴道場
樂聞深法不畏樂三脫門不樂非時樂近同學
樂於非同學中心无恚礙樂將護惡知識樂
近善知識樂心喜清淨樂脩无量道品之法是
為菩薩法樂於是波旬告諸女言我欲與汝
俱還天宫諸女言以我等與此居士有法樂我
等甚樂不復樂五欲樂也魔言居士可捨此
女一切所有施於彼者是為菩薩維摩詰言
我已捨矣汝便將去令一切衆生得法願具
足指是諸女問維摩詰我等云何止於魔宫
維摩詰言諸姊有法門名无盡燈汝等當學
无盡燈者譬如一燈然百千燈冥者皆明明終
不盡如諸姊夫一菩薩開道百千衆生令
發阿耨多羅三藐三菩提心於其道意亦不
滅盡隨所說法而自增益一切善法是名无
盡燈也汝等雖住魔宫以是无盡燈令无數
天子天女皆發阿耨多羅三藐三菩提心者為
報佛恩亦大饒益一切衆生尒時天女頭
面礼維摩詰足隨魔還宫忽然不現世尊
維摩詰有如是自在神力智慧辯才故我

BD00510 號　維摩詰所說經卷上　（3–2）

淨佛國土樂成就相好故脩諸功德樂莊嚴道場
樂聞深法不畏樂三脫門不樂非時樂近同學
樂於非同學中心无恚礙樂將護惡知識樂
近善知識樂心喜清淨樂脩无量道品之法是
為菩薩法樂於是波旬告諸女言我欲與汝
俱還天宫諸女言以我等與此居士有法樂我
等甚樂不復樂五欲樂也魔言居士可捨此
女一切所有施於彼者是為菩薩維摩詰言
我已捨矣汝便將去令一切衆生得法願具
足指是諸女問維摩詰我等云何止於魔宫
維摩詰言諸姊有法門名无盡燈汝等當學
无盡燈者譬如一燈然百千燈冥者皆明明終
不盡如諸姊夫一菩薩開道百千衆生令
發阿耨多羅三藐三菩提心於其道意亦不
滅盡隨所說法而自增益一切善法是名无
盡燈也汝等雖住魔宫以是无盡燈令无數
天子天女皆發阿耨多羅三藐三菩提心者為
報佛恩亦大饒益一切衆生尒時天女頭
面礼維摩詰足隨魔還宫忽然不現世尊
維摩詰有如是自在神力智慧辯才故我
不任詣彼問疾
佛告長者子汝行詣維摩詰問疾善得白佛言世尊
我不堪任詣彼問疾所以者何憶念我昔自於父舍
…者外道貧窮

BD00510 號　維摩詰所說經卷上　（3–3）

抳十二涅犁墀婆底十三
世尊是陁羅尼神呪恒河沙等諸佛所說亦
皆隨喜若有侵毀此法師者則為侵毀是諸
佛已介時毗沙門天王護世者白佛言世尊
我亦為愍念衆生擁護此法師故說是陁羅
尼即說呪曰
阿梨一 那梨二 㝹那梨三 阿那盧四 那履五
拘那履六
世尊以是神呪擁護法師我亦自當擁護持
是經者令百由旬內无諸衰患介時持國天
王在此會中與千万億那由他乹闥婆衆恭
敬圍繞前詣佛所合掌白佛言世尊我亦以
陁羅尼神呪擁護持法華經者即說呪曰
阿伽祢一 伽祢二 瞿利三 乹陁利四 栴陁利五
摩蹬耆六 常求利七 浮樓莎抳八 頞底九
世尊是陁羅尼神呪四十二億諸佛所說若
有侵毀此法師者則為侵毀是諸佛已介時
有羅剎女等一名藍婆二名毗藍婆三名曲
齒四名華齒五名黑齒六名多髮七名无猒
足八名持瓔珞九名睪帝十名奪一切衆生
精氣是十羅剎女與鬼子母并其子及眷屬
俱詣佛所同聲白佛言世尊我等亦欲擁護
讀誦受持法華經者除其衰患若有伺求

BD00511 號　妙法蓮華經卷七

（11–1）

精氣是十羅剎女與鬼子母并其子及眷屬
俱詣佛所同聲白佛言世尊我等亦欲擁護
讀誦受持法華經者除其衰患若有伺求
法師短者令不得便即於佛前而說呪曰
伊提履一 伊提泯二 伊提履三 阿提履四 伊
提履五 泥履六 泥履七 泥履八 泥履九 泥履
十 樓醯十一 樓醯十二 樓醯十三 樓醯十四 多醯十五 多
醯十六 多醯十七 兜醯十八 㝹醯十九
寧上我頭上莫惱於法師若夜叉若羅剎若
餓鬼若富單那若吉蔗若毗陁羅若犍馱若
烏摩勒伽若阿跋摩羅若夜叉吉蔗若人吉
蔗若熱病若一日若二日若三日若四日若至
七日若常熱病若男形若女形若童男形
若童女形乃至夢中亦復莫惱即於佛前而
說偈言
若不順我呪　惱亂說法者　頭破作七分　如阿梨樹枝
如殺父母罪　亦如壓油殃　斗秤欺誑人　調達破僧罪
犯此法師者　當獲如是殃
諸羅剎女說此偈已白佛言世尊我等亦當
身自擁護受持讀誦脩行是經者令得安隱
離諸衰患消衆毒藥佛告諸羅剎女善哉善
哉汝等但能擁護受持法華名者福不可量
何況擁護具足受持供養經卷華香瓔珞末
香塗香燒香幡蓋伎樂然種種燈蘇燈油燈
諸香油燈蘇摩那華油燈瞻蔔華油燈婆師
迦華油燈優鉢羅華油燈如是等百千種供

BD00511 號　妙法蓮華經卷七

（11–2）

香塗香燒香幡蓋伎樂然種種燈蘇燈油燈
諸香油燈蘇摩那華油燈瞻蔔華油燈婆師
迦華油燈優鉢羅華油燈如是等百千種供
養者罣帝汝等及眷屬應當擁護如是法師
說是陁羅尼品時六万八千人得无生法忍

妙法蓮華經妙莊嚴王本事品第二十七

尒時佛告諸大衆乃往古世過无量无邊不
可思議阿僧祇劫有佛名雲雷音宿王華智
多陁阿伽度阿羅呵三藐三佛陁國名光明
莊嚴劫名憙見彼佛法中有王名妙莊嚴其
王夫人名曰淨德有二子一名淨藏二名淨
眼是二子有大神力福德智慧久脩菩薩所
行之道所謂檀波羅蜜尸羅波羅蜜羼提波
羅蜜毗梨耶波羅蜜禪波羅蜜般若波羅蜜
方便波羅蜜慈悲喜捨乃至三十七助道法
皆悉明了通達又得菩薩淨三昧日星宿三
昧淨光三昧淨色三昧淨照明三昧長莊嚴
三昧大威德藏三昧於此三昧亦悉通達尒
時彼佛欲引導妙莊嚴王及愍念衆生故說
是法華經時淨藏淨眼二子到其母所合十
指爪掌白言願母往詣雲雷音宿王華智佛
所我等亦當侍從親近供養礼拜所以者何
此佛於一切天人衆中說法華經宜應聽受
母告子言汝父信受外道深著婆羅門法汝
等應往白父與共俱去淨藏淨眼合十指爪
掌白母我等是法王子而生此邪見家母告
子言汝等當憂念汝父爲現神變若得見者

BD00511號　妙法蓮華經卷七

(11–3)

掌白母我等是法王子而生此邪見家母告
子言汝等當憂念汝父爲現神變若得見者
心必清淨或聽我等往至佛所於是二子念
其父故踊在虛空高七多羅樹現種種神變
於虛空中行住坐卧身上出水身下出火身
下出水身上出火或現大身滿虛空中而復
現小小復現大於空中滅忽然在地入地如
水履水如地現如是等種種神變令其父王
心淨信解時父見子神力如是心大歡喜得
未曾有合掌向子言汝等師爲是誰誰之弟
子二子白言大王彼雲雷音宿王華智佛今
在七寶菩提樹下法座上坐於一切世間天
人衆中廣說法華經是我等師我是弟子父
語子言我今亦欲見汝等師可共俱往於是
二子從空中下到其母所合掌白母父王今
已信解堪任發阿耨多羅三藐三菩提心我
等爲父已作佛事願母見聽於彼佛所出家
脩道尒時二子欲重宣其意以偈白母
願母放我等　出家作沙門　諸佛甚難值　我等隨佛學
如優曇波羅　值佛復難是　脫諸難亦難　願聽我出家
母即告言聽汝出家所以者何佛難值故於
是二子白父母言善哉父母願時往詣雲雷
音宿王華智佛所親近供養所以者何佛難
得值如優曇波羅華又如一眼之龜值浮木
孔而我等宿福深厚生值佛法是故父母當
聽我等令得出家所以者何諸佛難值時亦

BD00511號　妙法蓮華經卷七

(11–4)

聽我等令得出家所以者何諸佛難值時亦
難遇彼時妙莊嚴王後宮八万四千人皆悉
堪任受持是法華經淨眼菩薩於法華三昧
久已通達淨藏菩薩已於无量百千万億劫
通達離諸惡趣三昧欲令一切衆生離諸惡
趣故其王夫人得諸佛集三昧能知諸佛祕
密之藏二子如是以方便力善化其父令心
信解好樂佛法於是妙莊嚴王與羣臣眷屬
俱淨德夫人與後宮采女眷屬俱其王二子
與四万二千人俱一時共詣佛所到已頭面
礼足繞佛三帀却住一面尒時彼佛為王說
法示教利喜王大歡悅尒時妙莊嚴王及其
夫人解頸真珠瓔珞價直百千以散佛上於
虛空中化成四柱寶臺臺中有大寶牀敷百
千万天衣其上有佛結加趺坐放大光明尒
時妙莊嚴王作是念佛身希有端嚴殊特成
就第一微妙之色時雲雷音宿王華智佛告
四衆言汝等見是妙莊嚴王於我前合掌立
不此王於我法中作比丘精勤脩習助佛道
法當得作佛号娑羅樹王國名大光劫名大
高王其娑羅樹王佛有无量菩薩衆及无量
聲聞其國平正功德如是其王即時以國付
弟與夫人二子并諸眷屬於佛法中出家脩
道王出家已於八万四千歲常勤精進脩行
妙法華經過是已後得一切淨功德莊嚴三
昧即昇虛空高七多羅樹而白佛言世尊此

BD00511號　妙法蓮華經卷七　（11–5）

妙法華經過是已後得一切淨功德莊嚴三
昧即昇虛空高七多羅樹而白佛言世尊此
我二子已作佛事以神通變化轉我邪心令
得安住於佛法中得見世尊此二子者是我
善知識為欲發起宿世善根饒益我故來生
我家尒時雲雷音宿王華智佛告妙莊嚴王
言如是如是如汝所言若善男子善女人種善
根故世世得善知識其善知識能作佛事
示教利喜令入阿耨多羅三藐三菩提大王
當知善知識者是大因緣所謂化導令得見
佛發阿耨多羅三藐三菩提心大王汝見此二
子不此二子已曾供養六十五百千万億
那由他恒河沙諸佛親近恭敬於諸佛所受
持法華經愍念邪見衆生令住正見妙莊嚴
王即從虛空中下而白佛言世尊如來甚希
有以功德智慧故頂上肉髻光明顯照其眼
長廣而紺青色眉間毫相白如珂月齒白齊
密常有光明脣色赤好如頻婆果尒時妙莊
嚴王讚歎佛如是等无量百千万億功德已
於如來前一心合掌復白佛言世尊未曾有
世如來之法具足成就不可思議微妙功德
教戒所行安隱快善我從今日不復自隨心
行不生邪見憍慢瞋恚諸惡之心說是語已
礼佛而出佛告大衆於意云何妙莊嚴王豈
異人乎今華德菩薩是其淨德夫人今佛前
光照莊嚴相菩薩是哀愍妙莊嚴王及諸眷

BD00511號　妙法蓮華經卷七　（11–6）

與人乎今華德菩薩是其淨德夫人今佛前
光照莊嚴相菩薩是哀愍妙莊嚴王及諸眷
屬故於彼中生其二子者今藥王菩薩藥上
菩薩是是藥王藥上菩薩成就如此諸大功
德已於无量百千万億諸佛所殖眾德本成
就不可思議諸善功德若有人識是二菩薩
名字者一切世間諸天人民亦應礼拜佛說
是妙莊嚴王本事品時八万四千人遠塵離
垢於諸法中得法眼淨

妙法蓮華經普賢菩薩勸發品第二十八

尒時普賢菩薩以自在神通威德名聞與大
菩薩无量无邊不可稱數從東方來所經諸
國普皆震動雨寶蓮華作无量百千万億種
種伎樂又與无數諸天龍夜叉乾闥婆阿脩羅
迦樓羅緊那羅摩睺羅伽人非人等大眾
圍繞各現威德神通之力到娑婆世界耆闍
崛山中頭面礼釋迦牟尼佛右繞七帀白佛
言世尊我於寶威德上王佛國遙聞此娑婆
世界說法華經與无量无邊百千万億諸菩
薩眾共來聽受唯願世尊當為說之若善男
子善女人於如來滅後云何能得是法華經
佛告普賢菩薩若善男子善女人成就四法
於如來滅後當得是法華經一者為諸佛護
念二者殖眾德本三者入正定聚四者發救
一切眾生之心善男子善女人如是成就四
法於如來滅後必得是經尒時普賢菩薩白

BD00511 號　妙法蓮華經卷七　（11–7）

法於如來滅後必得是經尒時普賢菩薩白
佛言世尊於後五百歲濁惡世中其有受
持是經典者我當守護除其衰患令得安隱
使无伺求得其便者若魔若魔子若魔女若
魔民若為魔所著者若夜叉若羅剎若鳩槃
荼若毗舍闍若吉蔗若富單那若韋陀羅等諸
惱人者皆不得便是人若行若立讀誦此經
我尒時乘六牙白象王與大菩薩眾俱詣其
所而自現身供養守護安慰其心亦為供養
法華經故是人若坐思惟此經尒時我復乘
白象王現其人前其人若於法華經有所忘
失一句一偈我當教之與共讀誦還令通利
尒時受持讀誦法華經者得見我身甚大歡
喜轉復精進以見我故即得三昧及陁羅尼
名為旋陁羅尼百千万億旋陁羅尼法音方
便陁羅尼得如是等陁羅尼世尊若後世後
五百歲濁惡世中比丘比丘尼優婆塞優婆
夷求索者受持者讀誦者書寫者欲脩習是
法華經於三七日中應一心精進滿三七日
已我當乘六牙白象與无量菩薩而自圍繞
以一切眾生所憙見身現其人前而為說法
示教利喜亦復與其陁羅尼呪得是陁羅尼
故无有非人能破壞者亦不為女人之所惑
亂我身亦自常護是人唯願世尊聽我說此
陁羅尼呪即於佛前而說呪曰
阿檀地途賣反一　檀陁婆地二　檀陁婆帝三　檀陁
鳩舍隸四　修陁隸五　修陁隸六

BD00511 號　妙法蓮華經卷七　（11–8）

乱我身亦自常護是人唯願世尊聽我說此
陁羅尼即於佛前而說呪曰
阿檀地（途賣反）一 檀陁婆地二 檀陁婆帝三 檀陁
鳩舍隸四 檀陁脩陁隸五 脩陁隸六 脩陁羅
婆底七 佛䭾波羶祢八 薩婆陁羅尼阿婆多
尼九 薩婆婆沙阿婆多尼十 脩阿婆多尼十一
僧伽婆履叉尼十二 僧伽涅伽陁尼十三 阿僧祇十四
僧伽波伽地十五 帝隸阿惰僧伽兜略（盧遮反）
波羅帝十六 薩婆僧伽三摩地伽蘭地十七 薩婆
達磨脩波利刹帝十八 薩婆薩埵樓䭾憍舍
略阿㝹伽地十九 辛阿毗吉利地帝二十
世尊若有菩薩得聞是陁羅尼者當知普賢
神通之力若法華經行閻浮提有受持者應
作此念皆是普賢威神之力若有受持讀誦
正憶念解其義趣如說脩行當知是人行普
賢行於无量无邊諸佛所深種善根為諸如
來手摩其頭若但書冩是人命終當生忉利
天上是時八万四千天女作衆伎樂而來迎
之其人即著七寶冠於婇女中娛樂快樂何
況受持讀誦正憶念解其義趣如說脩行若
有人受持讀誦解其義趣是人命終為千佛
授手令不恐怖不墮惡趣即往兜率天上彌
勒菩薩所彌勒菩薩有三十二相大菩薩衆
所共圍繞有百千万億天女眷屬而於中生
有如是等功德利益是故智者應當一心自
書若使人書受持讀誦正憶念如說脩行世
尊我今以神通力守護是經於如來滅後閻

BD00511號　妙法蓮華經卷七

（11–9）

所共圍繞有百千万億天女眷屬而於中生
有如是等功德利益是故智者應當一心自
書若使人書受持讀誦正憶念如說脩行世
尊我今以神通力守護是經於如來滅後閻
浮提內廣令流布使不斷絶尒時釋迦牟尼
佛讚言善哉善哉普賢汝能護助是經令多
所衆生安樂利益汝已成就不可思議功德
深大慈悲從久遠來發阿耨多羅三藐三菩
提意而能作是神通之願守護是經我當以
神通力守護能受持普賢菩薩名者普賢若
有受持讀誦正憶念脩習書冩是法華經者
當知是人則見釋迦牟尼佛如從佛口聞此
經典當知是人供養釋迦牟尼佛當知是人
佛讚善哉當知是人為釋迦牟尼佛手摩其
頭當知是人為釋迦牟尼佛衣之所覆如是
之人不復貪著世樂不好外道經書手筆亦
復不憙親近其人及諸惡者若屠兒若畜猪
羊雞狗若獵師若衒賣女色是人心意質直
有正憶念有福德力是人不為三毒所惱亦
不為嫉妬我慢邪慢增上慢所惱是人少欲
知足能脩普賢之行普賢若如來滅後後五
百歲若有人見受持讀誦法華經者應作是
念此人不久當詣道場破諸魔衆得阿耨多
羅三藐三菩提轉法輪擊法鼓吹法螺雨法
雨當坐天人大衆中師子法座上普賢若於
後世受持讀誦是經典者是人不復貪著衣
服卧具飲食資生之物所願不虛亦於現世

BD00511號　妙法蓮華經卷七

（11–10）

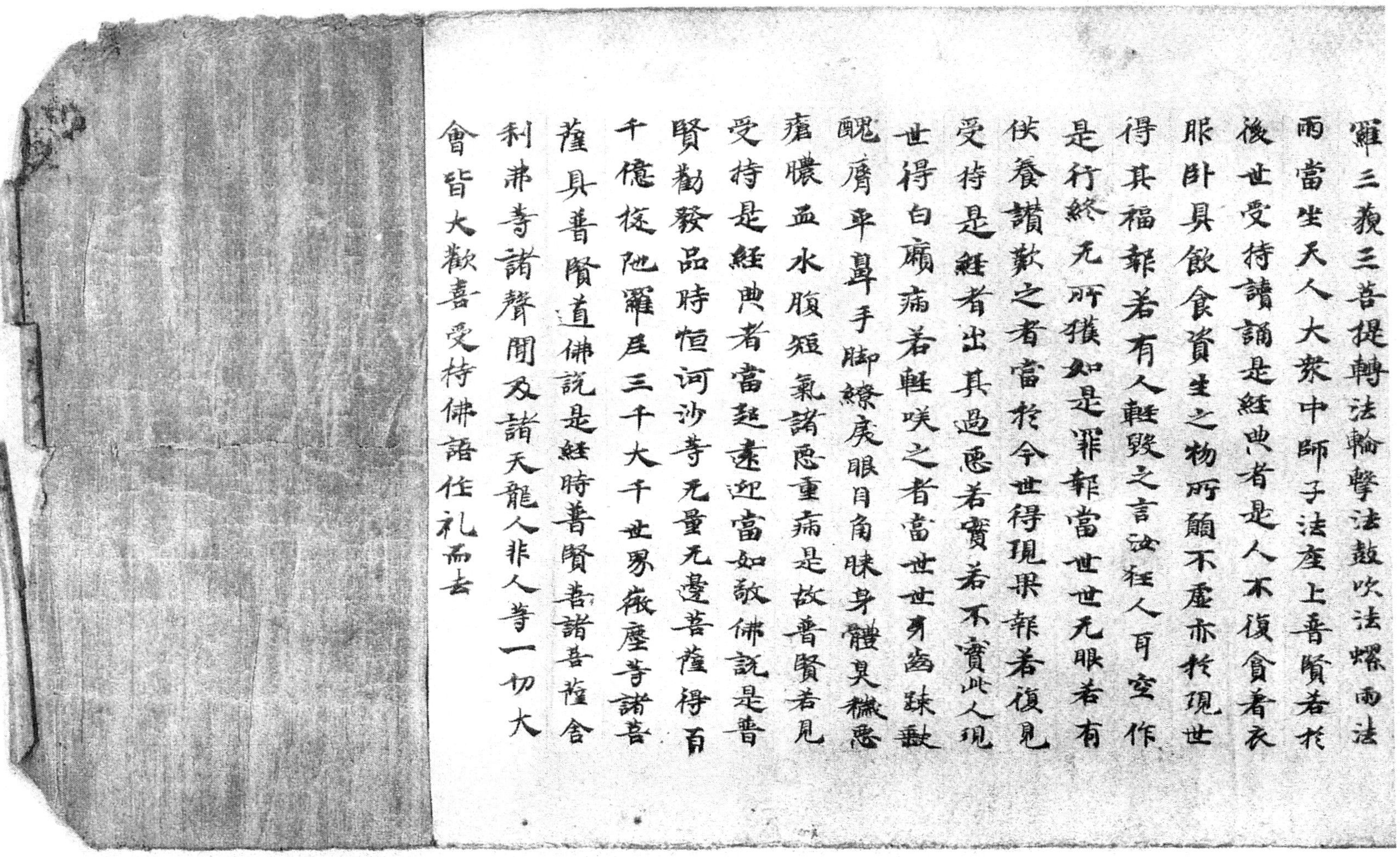
羅三藐三菩提轉法輪擊法鼓吹法螺雨法
雨當坐天人大衆中師子法座上普賢若於
後世受持讀誦是經典者是人不復貪著衣
服卧具飲食資生之物所願不虛亦於現世
得其福報若有人輕毀之言汝狂人耳空作
是行終无所獲如是罪報當世世无眼若有
供養讚歎之者當於今世得現果報若復見
受持是經者出其過惡若實若不實此人現
世得白癩病若輕笑之者當世世牙齒踈缺
醜脣平鼻手脚繚戾眼目角睞身體臭穢惡
瘡膿血水腹短氣諸惡重病是故普賢若見
受持是經典者當起遠迎當如敬佛說是普
賢勸發品時恒河沙等无量无邊菩薩得百
千億旋陀羅尼三千大千世界微塵等諸菩
薩具普賢道佛說是經時普賢等諸菩薩舍
利弗等諸聲聞及諸天龍人非人等一切大
會皆大歡喜受持佛語作礼而去

BD00511 號　妙法蓮華經卷七　（11–11）

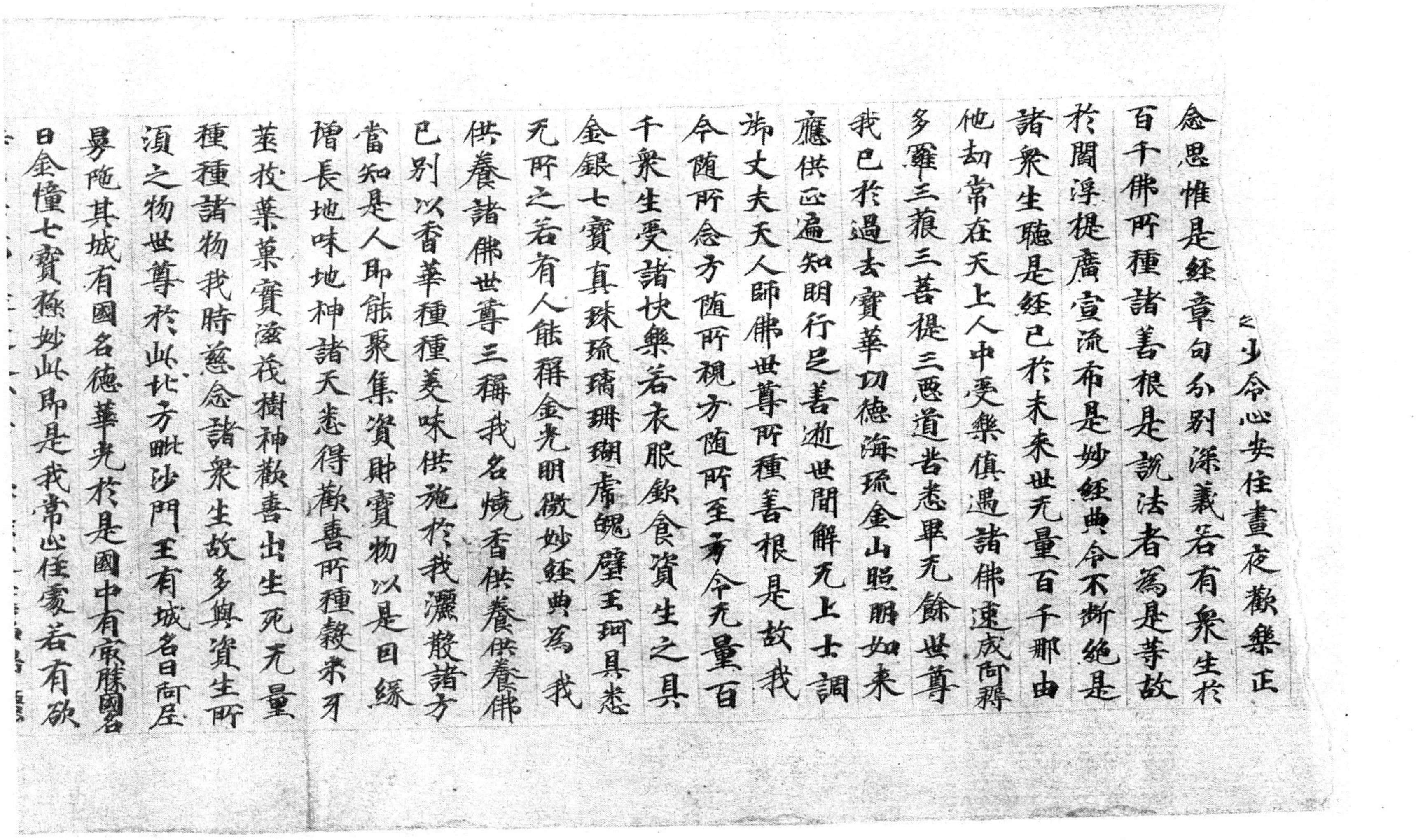
之少命心安住晝夜歡樂正
念思惟是經章句分別深義若有衆生於
百千佛所種諸善根是說法者爲是等故
於閻浮提廣宣流布是妙經典令不斷絶是
諸衆生聽是經已於未來世无量百千那由
他劫常在天上人中受樂值遇諸佛速成阿耨
多羅三藐三菩提三惡道苦悉畢无餘世尊
我已於過去寶華功德海琉金山照明如來
應供正遍知明行足善逝世間解无上士調
御丈夫天人師佛世尊所種善根是故我
今隨所念方隨所視方隨所至方令无量百
千衆生受諸快樂若衣服飲食資生之具
金銀七寶真珠琉璃珊瑚虎魄璧玉珂貝悉
无所乏若有人能稱金光明微妙經典爲我
供養諸佛世尊三稱我名燒香供養供養佛
已別以香華種種美味供施於我灑散諸方
當知是人即能聚集資財寶物以是因緣
增長地味地神諸天悉得歡喜所種穀米牙
莖枝葉菓實滋茂樹神歡喜出生无量
種種諸物我時慈念諸衆生故多與資生所
須之物世尊於此北方毗沙門王有城名曰阿尼
曼陁其城有國名德華光於是國中有最勝園名
曰金幢七寶極妙此即是我常所住處若有欲

BD00512 號　金光明經卷二　（4–1）

莖枝葉菓寶滋茂樹神歡喜出生死无量
種種諸物我時慈念諸衆生故多與資生所
須之物世尊於此北方毗沙門王有城名曰阿尼
曼陁其城有國名德華光於是國中有㝡勝園名
日金幢七寶極妙此即是我常止住處若有欲
得財寶增長是人當於自所住處應淨掃灑
洗浴其身著鮮白衣妙香塗身為我至心三
稱彼佛寶華琉璃世尊名号礼拜供養燒香
散華亦當三稱金光明經至誠發願别以香
華種種美味供施於我散灑諸方尒時當
說如是章句
波利富樓那遮利　三曼陁達舍尼
摩訶毗訶羅伽帝　三曼陁毗陁那伽帝
摩呵迦梨波帝　波　婆　祢
薩　婆三曼　陁　脩鉢梨富　隸
阿夜那達摩帝　摩訶毗鼓畢帝
摩訶彌勒簸僧祇帝　醯帝徙三博祇悕帝
三曼陁阿　咃　阿㝹　婆羅尼
是灌頂章句畢定吉祥真實不虛等行
衆生及中善根應當受持讀誦通利七日七
夜受持八戒朝暮淨心香華供養十方諸佛常
為己身及諸衆生迴向具足向耨多羅三藐三
菩提作是誓願令我所求皆得吉祥自於所
居房舍屋宅淨潔掃除若自住處若阿蘭
若處以香泥塗地燒微妙香敷淨好坐以種
種華香布散其地以待於我我於尒時如一念

居房舍屋宅淨潔掃除若自住處若阿蘭
若處以香泥塗地燒微妙香敷淨好坐以種
種華香布散其地以待於我我於尒時如一念
傾入其室宅即坐其座從此日夜令此居處
若村邑若僧坊若露處无所乏少若錢若金
若珎寶若牛羊若穀米一切所須即得具足
悉受快樂若能以此所作善根㝡勝之分迴
與我者我當終身不遠其人於所作處至心
讃念隨其所求令得成就應當至心礼如是
等諸佛世尊其名曰寶勝如來无垢熾寶光
明王相如來金炎光明如來金百光明照藏
如來金山寶蓋如來金華炎光相如來大炬
如來寶相如來亦應敬礼信相菩薩金光明
菩薩金藏菩薩常悲菩薩法上菩薩亦應
敬礼東方阿閦如東南方寶相如來西方无
量壽佛北方微妙聲佛
金光明經堅牢地神品第九
尒時地神堅牢白佛言世尊是金光明經若
現在世若未來世在在處處若城邑聚落
若山澤空處若王宮宅世尊隨是經典所流布
處是地分中敷師子座令說法者坐其座上廣
演宣說是妙經典我當在中常作宿衛隱蔽
其身於法座下頂戴其足我聞法已得服甘
露无上法味增益身力而此大地深十六万
八千由旬從金剛際至海地上悉得衆味增
長具足豐壤肥濃過於今日以是之故閻
浮提內藥草樹木根莖枝葉華菓滋茂

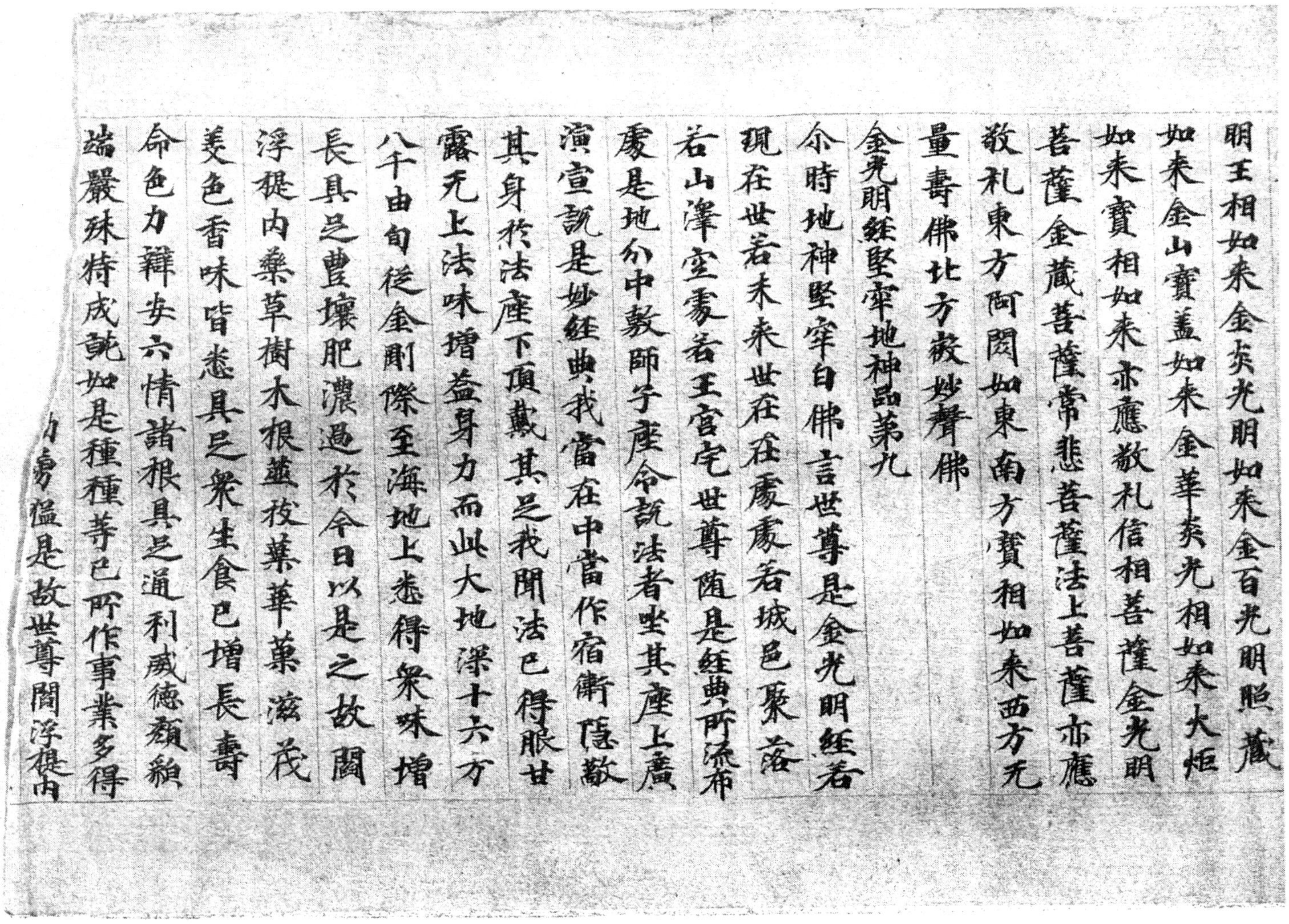
明王相如來金焰光明如來金百光明照藏
如來金山寶蓋如來金華焰光相如來大炬
如來寶相如來亦應敬礼信相菩薩金光明
菩薩金藏菩薩常悲菩薩法上菩薩亦應
敬礼東方阿閦如東南方寶相如來西方无
量壽佛北方微妙聲佛
金光明經堅牢地神品第九
尒時地神堅牢白佛言世尊是金光明經若
現在世若未來世在在處處若城邑聚落
若山澤空處若王宮宅世尊隨是經典所流布
處是地分中敷師子座令說法者坐其座上廣
演宣說是妙經典我當在中常作宿衛隱蔽
其身於法座下頂戴其足我聞法已得服甘
露无上法味增益身力而此大地深十六万
八千由旬從金剛際至海地上悉得眾味增
長具足豐壤肥濃過於今日以是之故閻
浮提內藥草樹木根莖枝葉華菓滋茂
美色香味皆悉具足眾生食已增長壽
命色力辯安六情諸根具足通利威德顏貌
端嚴殊特成就如是種種等已所作事業多得
勿易猛是故世尊閻浮提內

BD00512 號　金光明經卷二　　（4–4）

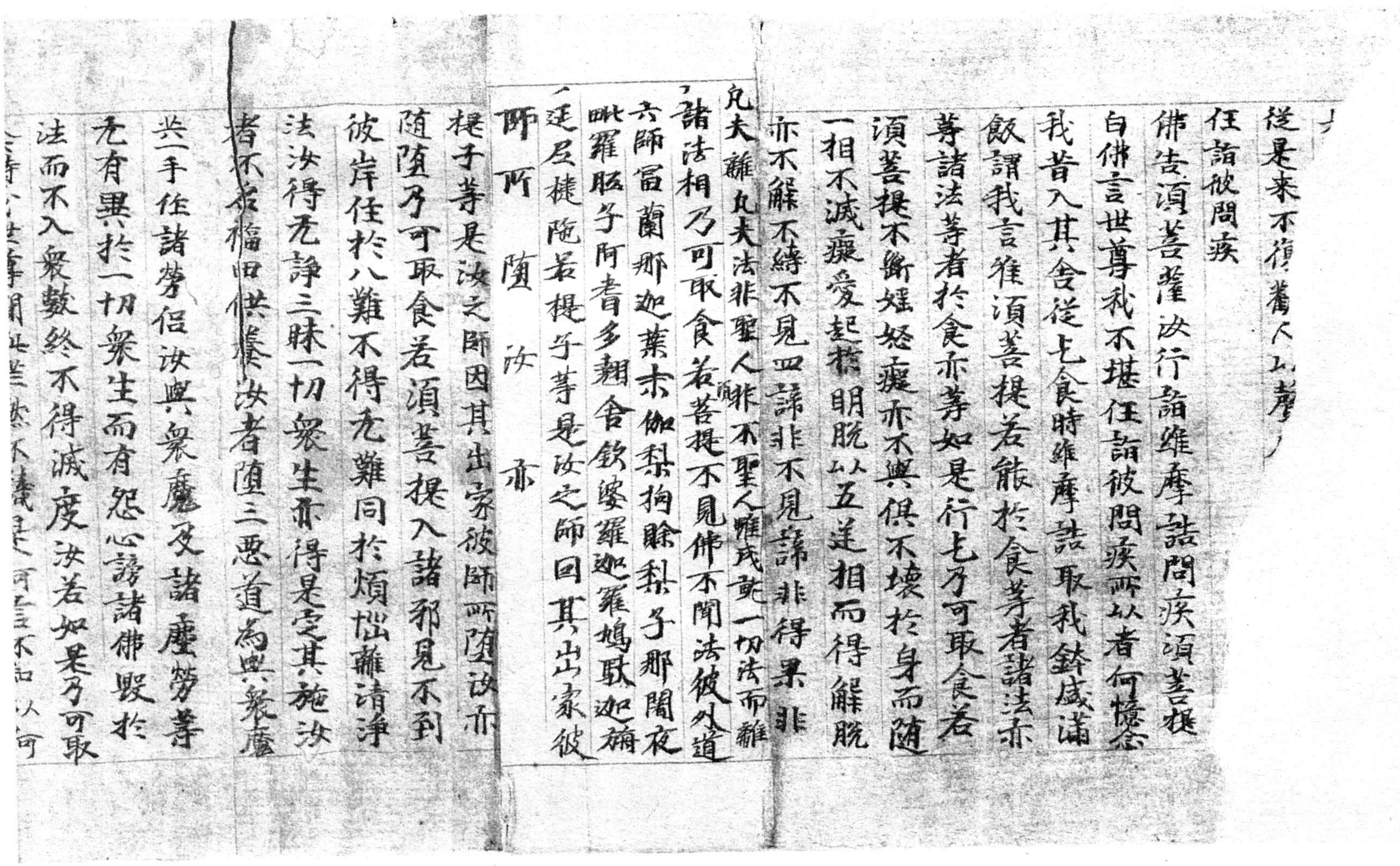
從是來不復舊人以摩
任詣彼問疾
佛告須菩薩汝行詣維摩詰問疾須菩提
白佛言世尊我不堪任詣彼問疾所以者何憶念
我昔入其舍從乞食時維摩詰取我鉢盛滿
飯謂我言唯須菩提若能於食等者諸法亦
等諸法等者於食亦等如是行乞乃可取食若
須菩提不斷婬怒癡亦不與俱不壞於身而隨
一相不滅癡愛起於明脫以五逆相而得解脫
亦不解不縛不見四諦非不見諦非得果非
凡夫離凡夫法非聖人非不聖人雖成就一切法而離
諸法相乃可取食若須菩提不見佛不聞法彼外道
六師富蘭那迦葉末伽梨拘賒梨子那闍夜
毗羅胝子阿耆多翅舍欽婆羅迦羅鳩馱迦旃
延尼揵陀若提子等是汝之師因其出家彼
師所　隨　汝　亦
提子等是汝之師因其出家彼師所墮汝亦
隨墮乃可取食若須菩提入諸邪見不到
彼岸住於八難不得无難同於煩惱離清淨
法汝得无諍三昧一切眾生亦得是定其施汝
者不名福田供養汝者墮三惡道為與眾魔
共一手作諸勞侶汝與眾魔及諸塵勞等
无有異於一切眾生而有怨心謗諸佛毀於
法而不入眾數終不得滅度汝若如是乃可取
食時我世尊聞此茫然不識是何言不知以何

BD00513 號　維摩詰所說經卷上　　（3–1）

共一手作諸勞侶汝與衆魔及諸塵勞等
无有異於一切衆生而有怨心謗諸佛毀於
法而不入衆數終不得滅度汝若如是乃可取
食時我世尊聞此茫然不識是何言不知以何
荅便置鉢欲出其舍維摩詰言唯須菩提
取鉢勿懼於意云何如來所作化人若以是事
詰寧有懼不我言不也維摩詰言一切諸法如幻
化相汝今不應有所懼也所以者何一切言說不離
是相至於智者不著文字故无所懼何以故文字
性離无有文字是則解脫解脫相者則諸法也
維摩詰說是法時二百天子得法眼淨故我
不任詣彼問疾
佛告富樓那彌多羅尼子汝行詣維摩詰問
疾富樓那白佛言世尊我不堪任詣彼問疾
所以者何憶念我昔於大林中在一樹下為諸
新學比丘說法時維摩詰來謂我言唯
富樓那先當入定觀此人心然後說法无以穢
食置於寶器當知是比丘心之所念无以瑠璃
同彼水精汝不能知衆生根原无得發起以
小乘法彼自无瘡勿傷之也欲行大道莫示
小徑无以大海內於牛跡无以日光等彼螢
火唯富樓那此比丘久發大乘心中忘此意
如何以小乘法而教導之我觀小乘智慧
微淺猶如盲人不能分別一切衆生根之利
鈍時維摩詰即入三昧令此比丘自識宿命曾
於五百佛所殖衆德本迴向阿耨多羅三藐三
菩提即時豁然還得本心於是諸比丘稽首

BD00513 號　維摩詰所說經卷上　（3–2）

新學比丘說法時維摩詰來謂我言唯
富樓那先當入定觀此人心然後說法无以穢
食置於寶器當知是比丘心之所念无以瑠璃
同彼水精汝不能知衆生根原无得發起以
小乘法彼自无瘡勿傷之也欲行大道莫示
小徑无以大海內於牛跡无以日光等彼螢
火唯富樓那此比丘久發大乘心中忘此意
如何以小乘法而教導之我觀小乘智慧
微淺猶如盲人不能分別一切衆生根之利
鈍時維摩詰即入三昧令此比丘自識宿命曾
於五百佛所殖衆德本迴向阿耨多羅三藐三
菩提即時豁然還得本心於是諸比丘稽首
礼維摩詰足時維摩詰因為說法於阿
耨多羅三藐三菩提不復退轉我念聲聞不
觀人根不應說法是故不任詣彼問疾
佛告摩訶迦旃延汝行詣維摩詰問疾迦
旃延白佛言世尊我不堪任詣彼問疾所以
者何憶念昔者佛為諸比丘略說法要我即於
後敷演其義謂无常義苦義空義无我
寂滅義時維摩詰來謂我言唯迦旃延
實相法迦旃延諸法畢竟不生
所起是苦義

BD00513 號　維摩詰所說經卷上　（3–3）

從道場來我問道場者何所是荅曰直心是
道場无虛假故發行是道場能辦事故深心
是道場增益功德故菩提心是道場无錯謬
布施是道場不望報故持戒是道場得願具
故忍辱是道場於諸衆生心无礙故精進
是道場不懈退故禪定是道場心調柔故智
慧是道場現見諸法故慈是道場等衆生故
悲是道場忍疲苦故喜是道場悅樂法故捨
是道場憎愛斷故神通是道場成就六通故
解脫是道場能背捨故方便是道場教化衆
生故四攝是道場攝衆生故多聞是道場
如聞行故伏心是道場正觀諸法故卅七品是
道場捨有為法故諦是道場不誑世間故緣
起是道場无明乃至老死皆无盡故諸煩惱
是道場知如實故衆生是道場知无我故一切
法是道場知諸法空故降魔是道場不傾動
故三界是道場无所趣故師子吼是道場无
所畏故力无畏不共法是道場无諸過故三
明是道場无餘礙故一念知一切法是道場
成就一切智故如是善男子菩薩若應諸波
羅蜜教化衆生諸有所作舉足下足當知
皆從道場來住於佛法矣說是法時五百天

BD00514 號　維摩詰所說經卷上　（7–1）

所畏故力无畏不共法是道場无諸過故三
明是道場无餘礙故一念知一切法是道場
成就一切智故如是善男子菩薩若應諸波
羅蜜教化衆生諸有所作舉足下足當知
皆從道場來住於佛法矣說是法時五百天
人皆發阿耨多羅三藐三菩提心故我不任
詣彼問疾
佛告持世菩薩汝行詣維摩詰問疾持世白
佛言世尊我不堪任詣彼問疾所以者何憶
念我昔住於靜室時魔波旬從萬二千天女
狀如帝釋鼓樂絃歌來詣我所與其眷屬稽
首我足合掌恭敬於一面立我意謂是帝
釋而語之言善來憍尸迦雖福應有不當自
恣當觀五欲无常以求善本於身命財而脩堅
法即語我言正士受是萬二千天女可備掃
灑我言憍尸迦无以此非法之物要我沙門釋
子此非我宜所言未訖時維摩詰來謂我言
非帝釋也是為魔來嬈固汝耳即語魔
言是諸女等可以與我如我應受魔即驚懼
念維摩詰將无惱我欲隱形去而不能隱盡
其神力亦不得去即聞空中聲曰波旬以女與
之乃可得去魔以畏故俛仰而與尒時維摩
詰語諸女言魔以汝等與我今汝皆當發阿
耨多羅三藐三菩提心即隨所應而為說法
令發道意復言汝等已發道意有法樂可以
自娛不應復樂五欲樂也天女即問何謂法

BD00514 號　維摩詰所說經卷上　（7–2）

耨多羅三藐三菩提心即隨所應而為說法
令發道意復言汝等已發道意有法樂可以
自娛不應復樂五欲樂也天女即問何謂法
樂荅言樂常信佛樂欲聽法樂供養衆樂
離五欲樂觀五陰如怨賊樂觀四大如毒虵樂觀
內入如空聚樂隨護道意樂饒益衆生樂敬
養師樂廣行施樂堅持戒樂忍辱柔和樂
勤集善根樂禪定不亂樂離垢明慧樂廣
菩提心樂降伏衆魔樂斷諸煩惱樂淨佛國
土樂成就相好故脩諸功德樂莊嚴道場樂聞
深法不畏樂三脫門不樂非時樂近同學樂
於非同學中心无恚礙樂將護惡知識樂近
善知識樂心喜清淨樂脩无量道品之法是
為菩薩法樂於是波旬告諸女我欲與汝
俱還天宮諸女言以我等與此居士有法樂
我等甚樂不復樂五欲樂也魔言居士可捨
此女一切所有施於彼者是為菩薩維摩詰
言我已捨矣汝便將去令一切衆生得法願具
足於是諸女問維摩詰我等云何止於魔宮
維摩詰言諸姊有法門名无盡燈汝等
當學无盡燈者譬如一燈然百千燈冥者皆
明明終不盡如是諸姊夫一菩薩開道百千衆
生令發阿耨多羅三藐三菩提心於其道意
亦不滅盡隨所說法而自增益一切善法是
名无盡燈也汝等雖住魔宮以是无盡燈令

BD00514 號　維摩詰所說經卷上　（7–3）

生令發阿耨多羅三藐三菩提心於其道意
亦不滅盡隨所說法而自增益一切善法是
名无盡燈也汝等雖住魔宮以是无盡燈令
无數天子天女皆發阿耨多羅三藐三菩提
心者為報佛恩亦大饒益一切衆生令時天
女頭面禮維摩詰足隨魔還宮忽然不現
世尊維摩詰有如是自在神力智慧辯才
故我不任詣彼問疾
佛告長者子善得汝行詣維摩詰問疾善德
白佛言世尊我不堪任詣彼問疾所以者何
憶念我昔自於父舍設大施會供養一切沙
門婆羅門及諸外道貧窮下賤孤露乞人期
滿七日時維摩詰來入會中謂我言長者子
夫大施會不當如汝所設當為法施之會何
用是財施會為我言居士何謂法施之會法
施會者无前无後一時供養一切衆生是名
法施之會曰何謂也謂以菩提起於慈心以救衆
生起大悲心以持正法起於喜心以攝智慧
行於捨心以攝慳貪起檀波羅蜜以化犯戒
起尸波羅蜜以无我法起羼提波羅蜜以
離身心相起毗梨波羅蜜以菩提相起禪
波羅蜜以一切智起般若波羅蜜教化衆生
而起於空不捨有為法而起无相示現受生
而起无作護持正法起方便力以度衆生起
四攝法以敬事一切起除慢法於身命財起三

BD00514 號　維摩詰所說經卷上　（7–4）

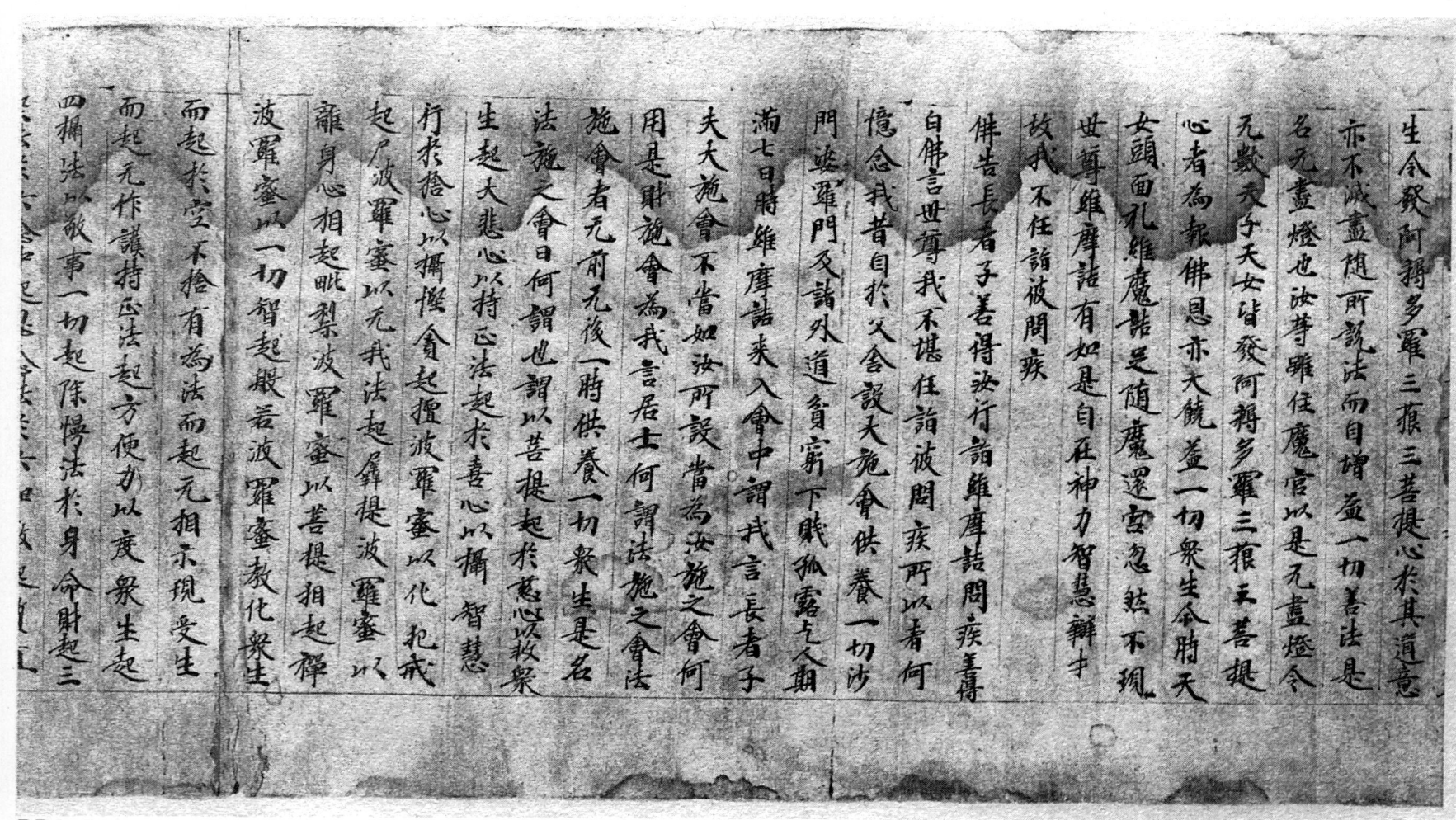

而起於空不捨有為法而起无相示現受生
而起无作護持正法起方便力以度衆生起
四攝法以敬事一切起除慢法於身命財起三
堅法於六念中起思念法於六和敬起質直
心正行善法起於淨命心淨觀喜近賢聖
不憎惡人起調伏心以出家法起於淨心以如
說行起於多聞以无諍法起空閑處起向
佛慧起於宴坐解衆生縛起脩行地以具
相好及淨佛土起福德業知一切衆生心念
如應說法起於智業知一切法不取不捨入一
相門起於慧業斷一切煩惱一切鄣礙一切
不善法起一切善業以得一切智慧一切
善法起於一切助佛道法如是善男子是為
法施之會若菩薩住是法施會者為大施主
亦為一切世間福田世尊維摩詰說是法時
婆羅門衆中二百人皆發阿耨多羅三藐三
菩提心我時心得清淨嘆未曾有稽首礼維
摩詰足即解瓔珞價直百千以上之不肯取我
言居士願必納受隨意所與維摩詰乃受
瓔珞分作二分持一分施此會中一最下乞人
持一分奉彼難勝如來一切衆會皆見光明
國土難勝如來又見珠瓔在彼佛上變成
四柱寶臺四面嚴飾不相鄣蔽時維摩詰
現神變已作是言若施主等心施一最下乞
人猶如如來福田之相无所分別等于大悲不
求果報是則名曰具足法施城中一最下乞人

BD00514號　維摩詰所說經卷上　（7–5）

四柱寶臺四面嚴飾不相鄣蔽時維摩詰
現神變已作是言若施主等心施一最下乞
人猶如如來福田之相无所分別等于大悲不
求果報是則名曰具足法施城中一最下乞人
見是神力聞其所說即發阿耨多羅三藐三
菩提心故我不任詣彼問疾如是諸菩薩各
各向佛說其本緣稱述維摩詰所言皆曰
不任詣彼問疾

維摩詰經卷上

BD00514號　維摩詰所說經卷上　（7–6）

BD00514號　維摩詰所說經卷上　（7–7）

義
无以生滅心行說
不滅是无常義五受陰洞達空无所起
諸法究竟无所有是空義於我无我而不二
是无我義法本不然今則无滅是寂滅義說
是法時彼諸比丘心得解脫故我不任詣彼問疾
佛告阿那律汝行詣維摩詰問疾阿那律白佛
言世尊我不堪任詣彼問疾所以者何憶念我
昔於一處經行時有梵王名曰嚴淨與萬
梵俱放淨光明來詣我所稽首作礼問我
言幾何阿那律天眼所見我即答言仁者吾
見此釋迦牟尼佛土三千大千世界如觀掌
中菴摩勒果時維摩詰來謂我言唯阿那
律天眼所見為作相耶无作相耶假使作相則
與外道五通等若无作相即是无為不應有
見世尊我時嘿然彼諸梵聞其言得未曾有
即為作礼而問曰世孰有真天眼者維摩詰
言有佛世尊得真天眼常在三昧悉見諸佛
國不以二相於是嚴淨梵王及其眷屬五百
梵天皆發阿耨多羅三藐三菩提心礼維摩
詰足忽然不現故我不任詣彼問疾
佛告優波離汝行詣維摩詰問疾優波離白
佛言世尊我不堪任詣彼問疾所以者何憶
念昔者有二比丘犯律行以為恥不敢問佛来
問我言唯優波離我等犯律誠以為恥不敢

BD00515號　維摩詰所說經卷上　（4–1）

[illegible]
詣足忽然不現故我不任詣彼問疾
佛告優波離汝行詣維摩詰問疾優波離白
佛言世尊我不堪任詣彼問疾所以者何憶
念昔者有二比丘犯律行以為恥不敢問佛来
問我言唯優波離我等犯律誠以為恥不敢
問佛願解疑悔得免斯咎我即為其如法
解說時維摩詰来謂我言唯優波離无重
增此二比丘罪當直除滅勿擾其心所以者何
彼罪性不在內不在外不在中間如佛所說
心垢故衆生垢心淨故衆生淨心亦不在內
不在外不在中間如其心然罪垢亦然諸法
亦然不出於如如優波離以心相得解脫時
寧有垢不我言不也維摩詰一切衆生心相
无垢亦復如是唯優波離妄相是垢无妄
想是淨顛倒是垢无顛是淨取我是垢不
取我是淨優波離一切法生滅不住如幻如
電諸法不相待乃至一念不住諸法皆妄見
如夢如焰如水中月如鏡中像以妄想生其
知此者是名奉律其知此者是善名解於是
二比丘言上智哉是優波離所不及持律之
上而不能說我答言自捨如来未有聲聞及
菩薩能制其樂說之辯其智慧明達為
若此也時二比丘疑悔即除發阿耨多羅三
藐三菩提心作是願言令一切衆生皆得是辯
故我不任詣彼問疾
佛告羅睺羅汝行詣維摩詰問疾羅睺羅白
佛言世尊我不堪任詣彼問疾所以者何憶

故我不任詣彼問疾
佛告羅睺羅汝行詣維摩詰問疾羅睺羅白
佛言世尊我不堪任詣彼問疾所以者何憶
念昔時毗耶離諸長者子来詣我所稽首作
礼問我言唯羅睺羅汝佛之子捨轉輪王位
出家為道其出家者有何等利我即如法為說
出家功德之利時維摩詰来謂我言唯羅
睺羅不應說出家功德之利所以者何无利
无功德是為出家有為法者可說有利有功
德夫出家者為无為法无為法中无利无功
德羅睺羅夫出家者无彼无此亦无中間離
六十二見處於涅槃智者所受聖所行處降伏
衆魔度五道淨五眼得五力立五根不惱於
彼離衆雜惡摧諸外道超越假名出淤泥无
繫著无我所无所受无擾亂內懷喜護彼意
隨禪定離衆過若能如是是真出家於是維
摩詰語諸長者子汝等於正法中宜共出家
所以者何佛世難值諸長者子言居士我聞
佛言父母不聽不得出家維摩詰言然汝等
便發阿耨多羅三藐三菩提心是即出家是
即具足尒時三十二長者子皆發阿耨多羅三
藐三菩提心故我不任詣彼問疾
佛告阿難汝行詣維摩詰問疾阿難白佛言
世尊我不堪任詣彼問疾所以者何憶念昔
時世尊身小有疾當用牛乳我即持鉢詣大
婆羅門家門下立時維摩詰来謂我言唯阿
難何為晨朝持鉢住此我言居士世尊身小

世尊我不堪任詣彼問疾所以者何憶念昔
時世尊身小有疾當用牛乳我即持鉢詣大
婆羅門家門下立時維摩詰來謂我言唯阿
難何為晨朝持鉢住此我言居士世尊身小
有疾當用牛乳故來至此維摩詰言止止阿
難莫作是語如來身者金剛之體諸惡已斷
衆善普會當有何疾當有何惱嘿往阿難
勿謗如來莫使異人聞此麁言无令大威德諸
天及他方淨土諸來菩薩得聞斯語阿難轉
輪聖王以少福故尚得无病豈况如來无量福會
普勝者哉行矣阿難勿使我等受斯恥也
外道梵志若聞此語當作是念何名為師自
疾不能救而能救諸疾人可密速去勿使人聞
當知阿難諸如來身即是法身非思欲身佛
為世尊過於三界佛身无漏諸漏已盡佛身
无為不墮諸數如此之身當有何疾時我世
尊實懷慚愧得无近佛而謬聽耶即聞空中
聲曰阿難如居士言但為佛出五濁惡世現行
斯法度脫衆生行矣阿難取乳勿慚世尊維
摩詰智慧辯才為若此也是故不任詣彼問
疾如是五百大弟子各各向佛說其本緣稱述
維摩詰所言皆曰不任詣彼問疾

BD00515 號　維摩詰所說經卷上　（4–4）

[illegible]也世尊諸[illegible]
國土若點不點盡末為塵一塵一劫彼佛
滅度已來復過是數无量无邊百千万億阿
僧祇劫我以如來知見力故觀彼久遠猶若今
日尒時世尊欲重宣此義而說偈言
我念過去世　无量无邊劫　有佛兩足尊　名大通智勝
如人以力磨　三千大千土　盡此諸地種　皆悉以為墨
過於千國土　乃下一塵點　如是展轉點　盡此諸塵墨
如是諸國土　點與不點等　復盡末為塵　一塵為一劫
此諸微塵數　其劫復過是　彼佛滅度來　如是无量劫
如來无礙智　知彼佛滅度　及聲聞菩薩　如見今滅度
諸比丘當知　佛智淨微妙　无漏无所礙　通達无量劫
佛告諸比丘大通智勝佛壽五百四十万億那由
他劫其佛本坐道場破魔軍已垂得阿耨多
羅三藐三菩提而諸佛法不現在前如是小劫乃
至十小劫結跏趺坐身心不動而諸佛法猶不在前
尒時忉利諸天先為彼佛於菩提樹下敷師子
座高一由旬佛於此座當得阿耨多羅三
藐三菩提適坐此座時諸梵天王雨衆天華
面百由旬香風時來吹去萎華更雨新者如
是不絕滿十小劫供養於佛乃至滅度常雨

BD00516 號　妙法蓮華經卷三　（4–1）

尒時忉利諸天先為彼佛於菩提樹下敷師子
座高一由旬佛於此座當得阿耨多羅三
藐三菩提適坐此座時諸梵天王雨眾天華
面百由旬香風時来吹去萎華更雨新者如
是不絕滿十小劫供養於佛乃至滅度常雨
此華四王諸天為供養佛常擊天鼓其餘諸
天作天伎樂滿十小劫至于滅度亦復如是諸
比丘大通智勝佛過十小劫諸佛之法乃現在
前成阿耨多羅三藐三菩提其佛未出家時
有十六子其第一者名曰智積諸子各有種種
珍異玩好之具聞父得成阿耨多羅三藐三菩提
皆捨所珍往詣佛所諸母涕泣而隨送之其祖
轉輪聖王與一百大臣及餘百千万億人民皆
共圍繞隨至道場咸欲親近大通如来供養
恭敬尊重讚歎到已頭面禮足繞佛畢已一心
合掌瞻仰世尊以偈頌曰
大威德世尊　為度眾生故　於无量億歲　尒乃得成佛
諸願已具足　善哉吉无上　世尊甚希有　一坐十小劫
身體及手足　靜然安不動　其心常惔怕　未曾有散亂
究竟永寂滅　安住无漏法　今者見世尊　安隱成佛道
我等得善利　稱慶大歡喜　眾生常苦惱　盲瞑无導師
不識苦盡道　不知求解脫　長夜增惡趣　減損諸天眾
從冥入於冥　永不聞佛名　今佛得最上　安隱无漏法
我等及天人　為得最大利　是故咸稽首　歸命无上尊
尒時十六王子偈讚佛已勸請世尊轉於法輪咸

從冥入於冥　永不聞佛名　今佛得最上　安隱无漏法
我等及天人　為得最大利　是故咸稽首　歸命无上尊
尒時十六王子偈讚佛已勸請世尊轉於法輪咸
作是言世尊說法多所安隱憐愍饒益諸天人
民重說偈曰
世雄无等倫　百福自莊嚴　得无上智慧　願為世間說
度脫於我等　及諸眾生類　為分別顯示　令得是智慧
若我等得佛　眾生亦復然　世尊知眾生　深心之所念
亦知所行道　又知智慧力　欲樂及修福　宿命所行業
世尊悉知已　當轉无上輪
佛告諸比丘大通智勝佛得阿耨多羅三藐三
菩提時十方各五百万億諸佛世界六種震動
其國中間幽冥之處日月威光所不能照而皆
大明其中眾生各得相見咸作是言此中云何忽
生眾生又其國界諸天宮殿乃至梵宮六種
震動大光普照遍滿世界勝諸天光尒時東
方五百万億諸國土中梵天宮殿光明照曜倍
於常明諸梵天王各作是念今者宮殿光明
昔所未有以何因緣而現此相是時諸梵天王即
各相詣共議此事而彼眾中有大梵天王名救
一切為諸梵眾而說偈言
我等諸宮殿　光明昔未有　此是何因緣　宜各共求之
為大德天生　為佛出世間　而此大光明　遍照於十方
尒時五百万億國土諸梵天王與宮殿俱各以
衣裓盛諸天華共詣西方推尋是相見大通智

一切為諸梵衆而説偈言
我等諸宮殿 光明昔未有 此是何因緣 宜各共求之
為大德天王 為佛出世間 而此大光明 遍照於十方
尒時五百万億國土諸梵天王與宮殿俱各以
衣裓盛諸天華共詣西方推尋是相見大通智
勝如來處于道場菩提樹下坐師子座諸天
龍王乾闥婆緊那羅摩睺羅伽人非人等恭敬
圍繞及見十六王子請佛轉法輪即時諸梵天王
頭面礼佛繞百千帀即以天華而散佛上其所散
華如須弥山并以供養佛菩提樹高十由旬華
供養已各以宮殿奉上彼佛而作是言唯見哀愍
饒益我等所獻宮殿願垂納處時諸梵天王
即於佛前一心同聲以偈頌曰
世尊甚希有 難可得值遇 具无量功德 能救護一切
天人之大師 哀愍於世間 十方諸衆生 普皆蒙饒益
我等所從來 五百万億國 捨深禪定樂 為供養佛故
我等先世福 宮殿甚嚴飾 今以奉世尊 唯願哀納受
尒時諸梵天王偈讚佛已各作是言唯願世尊
轉於法輪度脫衆生開涅槃道時諸梵天王一
心同聲而説偈言

BD00516 號　妙法蓮華經卷三　（4–4）

現身　　宰官婆羅
門婦女身得度者即　女身而為説法應以
童男童女身得度者即現童男童女身而
為説法應以天龍夜叉乾闥婆阿脩羅迦樓
羅緊那羅摩睺羅伽人非人等身得度者
即皆現之而為説法應以執金剛神得度者即
現執金剛神而為説法无盡意是觀世音菩
薩成就如是功德以種種形遊諸國土度脫
衆生是故汝等應當一心供養觀世音菩薩
是觀世音菩薩摩訶薩於怖畏急難之中
能施无畏是故此娑婆世界皆号之為施无畏
者无盡意菩薩白佛言世尊我今當供養
觀世音菩薩即解頸衆寶珠瓔珞價直百千兩
金而以與之作是言仁者受此法施珎寶瓔
珞時觀世音菩薩不肯受之无盡意復白觀
世音菩薩言仁者愍我等故受此瓔珞
尒時佛告觀世音菩薩當愍此无盡意菩薩
及四衆天龍夜叉乾闥婆阿脩羅迦樓羅緊
那羅摩睺羅伽人非人等故受是瓔珞即時
觀世音菩薩愍諸四衆及於天龍人非人等
受其瓔珞分作二分一分奉釋迦牟尼佛一

BD00517 號　觀世音經　（3–1）

受其瓔珞分作二分一分奉釋迦牟尼佛一
分奉多寶佛塔无盡意觀世音菩薩有如是
自在神力遊於娑婆世界尒時无盡意菩薩
以偈問曰
世尊妙相具　我今重問彼　佛子何因緣　名為觀世音
具足妙相尊　偈答无盡意　汝聽觀音行　善應諸方所
弘誓深如海　歷劫不思議　侍多千億佛　發大清淨願
我為汝略說　聞名及見身　心念不空過　能滅諸有苦
假使興害意　推落大火坑　念彼觀音力　火坑變成池
或漂流巨海　龍魚諸鬼難　念彼觀音力　波浪不能沒
或在須弥峯　為人所推墮　念彼觀音力　如日虛空住
或被惡人逐　墮落金剛山　念彼觀音力　不能損一毛
或值怨賊繞　各執刀加害　念彼觀音力　咸即起慈心
或遭王難苦　臨刑欲壽終　念彼觀音力　刀尋段段壞
或囚禁枷鎖　手足被杻械　念彼觀音力　釋然得解脫
呪咀諸毒藥　所欲害身者　念彼觀音力　還著於本人
或遇惡羅剎　毒龍諸鬼等　念彼觀音力　時悉不敢害
若惡獸圍遶　利牙爪可怖　念彼觀音力　疾走无邊方
蚖蛇及蝮蝎　氣毒煙火然　念彼觀音力　尋聲自迴去
雲雷鼓掣電　降雹澍大雨　念彼觀音力　應時得消散
眾生被困厄　无量苦逼身　觀音妙智力　能救世間苦
具足神通力　廣修智方便　十方諸國土　无剎不現身
種種諸惡趣　地獄鬼畜生　生老病死苦　以漸悉令滅
真觀清淨觀　廣大智慧觀　悲觀及慈觀　常願常瞻仰
无垢清淨光　慧日破諸闇　能伏災風火　普明照世間

BD00517 號　觀世音經

（3–2）

眾生被困厄　无量苦逼身　觀音妙智力　能救世間苦
具足神通力　廣修智方便　十方諸國土　无剎不現身
種種諸惡趣　地獄鬼畜生　生老病死苦　以漸悉令滅
真觀清淨觀　廣大智慧觀　悲觀及慈觀　常願常瞻仰
无垢清淨光　慧日破諸闇　能伏災風火　普明照世間
悲體戒雷震　慈意妙大雲　澍甘露法雨　滅除煩惱焰
諍訟經官處　怖畏軍陣中　念彼觀音力　眾怨悉退散
妙音觀世音　梵音海潮音　勝彼世間音　是故須常念
念念勿生疑　觀世音淨聖　於苦惱死厄　能為作依怙
具一切功德　慈眼視眾生　福聚海无量　是故應頂禮
尒時持地菩薩即從坐起前白佛言世尊若
有眾生聞是觀世音菩薩品自在之業普門示
現神通力者當知是人功德不少佛說是普
門品時眾中八万四千眾生皆發无等等阿
耨多羅三藐三菩提心

BD00517 號　觀世音經

（3–3）

心以鈍根故不能讀
五情諸根諸垢煩惱勢力盛故自持戒律有
羸損故當知尒時不宜脩定宜應脩智是名
菩薩知時非時善男子若有菩薩定慧二法
不平等者當知尒時不宜脩捨二法若等則
宜脩之是名菩薩知時非時善男子若有菩
薩脩集定慧起煩惱者當知尒時不宜脩捨
應讀誦書寫解說十二部經念佛念法念
僧念戒念天念捨是名脩捨善男子若有菩
薩脩集如是三法相者以是因緣得无相涅
槃師子吼言世尊无十相故名大涅槃為无
相者復以何緣名為无生无出无作屋宅洲
安歸隱滅度涅槃寂靜无諸病苦无所有耶
佛言善男子无因緣故故名无生以无為故
故名无出无造業故故名无作不入五見故
名屋宅離四暴水故名為洲調衆生故故名
歸依壞結賊故故名安隱諸結火滅故名滅
度離覺觀故故名涅槃遠憒閙故名為寂靜
永斷必死故名无病一切无故名无所有善
男子若菩薩摩訶薩作是觀時即得明了見
於佛性師子吼言世尊菩薩摩訶薩成就幾
法能見如是无相涅槃至无所有佛言善男

BD00518 號　大般涅槃經（南本）卷二九　　（4–1）

永斷必死故名无病一切无故名无所有善
男子若菩薩摩訶薩作是觀時即得明了見
於佛性師子吼言世尊菩薩摩訶薩成就幾
法能見如是无相涅槃至无所有佛言善男
子菩薩摩訶薩成就十法則能明見涅槃无
相至无所有何等為十一者信心具足云何
名為信心具足深信佛法衆僧是常十方諸
佛方便示現一切衆生及一闡提悉有佛性
不信如来生老病死及脩苦行提婆達多真
實破僧出佛身血如来畢竟入於涅槃正法
滅盡是名菩薩信心具足二者淨戒具足云
何名為淨戒具足善男子若有菩薩自言戒
淨雖不與彼女人和合見女人時或共嘲調
言語戲笑如是菩薩成就欲法毀破淨戒汙
辱梵行令戒雜穢不得名為淨戒具足復有
菩薩自言戒淨雖不與彼女人身合嘲調戲
咲於壁鄣外遥聞女人瓔珞環釧種種諸聲
心生愛著如是菩薩成就欲法毀破淨戒汙
辱梵行令戒雜穢不得名為淨戒具足復有
菩薩自言戒淨雖復不與女人和合言語嘲
調聽其音聲然見男子隨逐女時或見女人隨
逐男時便生貪着如是菩薩成就欲法毀破
淨戒汙辱梵行令戒雜穢不得名為淨戒具
足復有菩薩自言戒淨雖復不與女人和合
言語嘲調聽其音聲見男女相隨然為生天
受五欲樂如是菩薩成就欲法毀破淨戒汙
辱梵行令戒雜穢不得名為淨戒具足善男

BD00518 號　大般涅槃經（南本）卷二九　　（4–2）

言語賙調聽其音聲見男女相隨然為生天
受五欲樂如是菩薩成就欲法毀破淨戒汙
辱梵行令戒雜穢不得名為淨戒具足善男
子若有菩薩清淨持戒而不為戒不為尸波
羅蜜不為衆生不為利養不為菩提不為涅
槃不為聲聞辟支佛唯為究竟上第一義故護持
禁戒善男子是名菩薩淨戒具足三者親近
諸善知識善知識者若有能說信戒多聞布施智
慧令人受行是名菩薩善知識也四者樂於
寂靜寂靜者所謂身心寂靜觀察諸法甚深
法界是名寂靜五者精進精進者所謂繫心
觀四聖諦設頭火然終不放捨是名精進六
念具……足者……謂念佛念法念僧念
……捨是名念具足七者濡語濡語者
……實語妙語先意問訊時語真語是名濡
……謂受樂正法常樂演
……敷揚令其流布
……八者……思惟義者為
諍訟
若見有人……用飲食臥具醫藥
求資生而供養之所須
為護法故不惜身命是名護法九者菩薩摩
訶薩有見同學同戒有所乏少轉從他乞薰
鉢染衣瞻病所須衣服飲食臥具房舍而供
給之十者……是智慧智慧者所謂觀於如來
常樂我淨一切衆生悉有佛性觀法二相所
謂空不空常无常樂无樂我无我淨不淨異
法可斷異法不可斷異法從緣生異法從緣

BD00518號　大般涅槃經（南本）卷二九　（4–3）

諍訟
若見有人……用飲食臥具醫藥
求資生而供養之所須……思惟義者為
為護法故不惜身命是名護法九者菩薩摩
訶薩有見同學同戒有所乏少轉從他乞薰
鉢染衣瞻病所須衣服飲食臥具房舍而供
給之十者……是智慧智慧者所謂觀於如來
常樂我淨一切衆生悉有佛性觀法二相所
謂空不空常无常樂无樂我无我淨不淨異
法可斷異法不可斷異法從緣生異法從緣
見異法從緣果異法非緣果是名具足智慧
菩薩具足十法則能明見涅槃
佛先告純陁汝今已得見
成阿耨多羅三藐三菩提
經中說若施畜生得百倍
報施持戒者百千倍報
得无量報施四向者及
无量報施不退菩薩及
畜

BD00518號　大般涅槃經（南本）卷二九　（4–4）

足敵自然降伏尚不敢來至其國界豈復得
有兵戈相罰
尒時佛告四天王善哉善哉汝等四王乃能擁
護如是經典我於過去百千俱胝那庾多劫
脩諸苦行得阿耨多羅三藐三菩提證一切
智今說是法若有人王受持是經恭敬供
養者為消衰患令其安隱亦復擁護城邑聚
落乃至怨賊悉令退散亦令一切贍部洲內
所有諸王永無衰惱鬪諍之事四王當知此
贍部洲八万四千城邑聚落八万四千諸人
王等各於其國受諸快樂皆得自在所有財
寶豐足受用不相侵奪隨彼宿因而受其報
不起惡念貪求他國咸生少欲利樂之心無
有鬪戰繫縛等苦其土人民自然愛樂上下
和穆猶如水乳情相愛重歡喜遊戲慈悲謙
讓增長善根以是因緣此贍部洲安隱豐樂
人民熾盛大地沃壤寒暑調和時不乖序日
月星宿常度無虧風雨隨時離諸災橫資
產財寶皆悉豐盈心無慳鄙常行惠施具十
善業若人命終多生天上增益天衆大王若
未來世有諸人王聽受是經恭敬供養并受
經四部之衆尊重稱讚復欲安樂饒益汝
等及諸眷屬無量百千諸藥叉衆是故彼王
常當聽受是妙經王由得聽此正法之水甘
露上味增益汝等身心勢力精進勇猛福德

BD00519號　金光明最勝王經卷六　（16–1）

等及諸眷屬無量百千諸藥叉衆是故彼王
常當聽受是妙經王由得聽此正法之水甘
露上味增益汝等身心勢力精進勇猛福德
威光悉令充滿是諸人王若能至心聽受是
經則為廣大希有供養供養於我釋迦牟尼應
正等覺若供養我則是供養過去未來現在
百千俱胝那庾多佛若能供養三世諸佛則
得無量不可思議功德之聚以是因緣汝等
應當擁護彼王后妃眷屬令無衰惱及宮宅
神常受安樂功德難思是諸國土所有人民
亦受種種五欲之樂一切惡事皆令消殄
尒時四天王白佛言世尊於未來世若有人
王樂聽如是金光明經為欲擁護自身后妃
王子乃至內宮諸婇女等城邑宮殿皆得第
一不可思議最上歡喜寂靜安樂於現世中
王位尊高自在昌盛常得增長復欲攝受無
量無邊難思福聚於自國土令無怨敵及諸
憂惱災厄事者世尊如是人王不應放逸令
心散亂當生恭敬至誠慇重聽受如是最勝
經王欲聽之時先當莊嚴最上宮室王所愛
重顯敞之處香水灑地散衆名花安置師子
殊勝法座以諸珍寶而為校飾張施種種寶
蓋幢幡燒無價香奏諸音樂其王尒時當淨
澡浴以香塗身著新淨衣及諸瓔珞坐小卑
座不生高舉捨自在位離諸憍慢端心正念
聽是經王於法師所起大師想復於宮內后
妃王子婇女眷屬生慈愍心喜悅相視和顏

BD00519號　金光明最勝王經卷六　（16–2）

聽是經王於法師所起大師想復於宮内后
妃王子婇女眷屬生慈愍心喜悅相視和顏
軟語於自身心大喜充遍作如是念我今獲
得難思殊勝廣大利益於此經王盛興供養
既敷設已見法師至當起虔敬讚仰之心尒
時佛告四天王不應如是不迎法師時彼人
王應著純淨鮮潔之衣種種瓔珞以為嚴飾
自持白蓋及以香花備整軍儀盛陳音樂步
出城闕迎彼法師運想虔恭為吉祥事四王
以何因緣令彼人王親作如是恭敬供養由
彼人王舉足下足步步即是恭敬供養承事
尊重百千万億那庾多諸佛世尊復得超越
如是劫數生死之苦復於來世如是數劫當
受輪王殊勝尊位隨其步步亦於現世福德
增長自在為王感應難思衆所欽重當於无
量百千億劫人天受用七寶宮殿所在生處
常得為王增益壽命言詞辯了人天信受无
所畏懼有大名稱咸共瞻仰天上人中受勝
妙樂獲大力勢有大威德身相奇妙端嚴无
比值天人師遇善知識成就具足无量福聚
四王當知彼諸人王見如是等種種无量功
德利益故應自往奉迎法師若一踰繕那乃
至百千踰繕那於說法師應生佛想還至城
已作如是念今日釋迦牟尼如來應正等覺
入我宮中受我供養為我說法我聞法已即
於阿耨多羅三藐三菩提不復退轉即是值
遇百千万億那庾多諸佛世尊我於今日即

BD00519號　金光明最勝王經卷六　（16–3）

於阿耨多羅三藐三菩提不復退轉即是值
遇百千万億那庾多諸佛世尊我於今日即
是種種廣大殊勝上妙樂具供養過去未來
現在諸佛我於今日即是永拔琰魔王界地
獄餓鬼傍生之苦便為已種无量百千万億
轉輪聖王釋梵天主善根種子當令无量百
千万億衆生出生死苦得涅槃樂積集无量
无邊不可思議福德之聚後宮眷屬及諸人
民皆蒙安樂國土清泰无諸災厄毒害惡人
他方怨敵不來侵擾遠離憂患四王當知時
彼人王應作如是尊重正法亦於受持是妙
經典苾芻苾芻尼鄔波索迦鄔波斯迦供養
恭敬尊重讚歎所獲善根先以勝福施与汝
等及諸眷屬彼之人王有大福德善業因緣
於現世中得大自在增益威光吉祥妙相皆
悉莊嚴一切怨敵能以正法而摧伏之尒時
四天王白佛言世尊若有人王能作如是恭
敬正法聽此經王并於四衆持經之人恭敬
供養尊重讚歎時彼人王欲為我等生歡
喜故當在一邊近於法座香水灑地散衆
名花安置處所設四王座我與彼王共聽正
法其王所有自利善根亦以福分施及我等
世尊時彼人王請說法者昇座之時便為
我等燒衆名香供養是經世尊時彼香烟於
一念頃上昇虛空即至我等諸天宮殿於虛
空中變成香蓋我等天衆聞彼妙香香有金
光照曜我等所居宮殿乃至梵宮及以帝釋
大辯才天大吉祥天堅牢地神正了知大將二

BD00519號　金光明最勝王經卷六　（16–4）

[illegible]
空中變成香蓋我等天眾聞彼妙香香有金
光照曜我等所居宮殿乃至梵宮及以帝釋
大辯才天大吉祥天堅牢地神正了知大將二
十八部諸藥叉神大自在天金剛密主寶賢
大將訶利底母五百眷屬无熱惱池龍王大
海龍王所居之處世尊如是等眾於自宮殿
見彼香烟一剎那頃變成香蓋聞香芬馥覩
色光明遍至一切諸天神宮佛告四天王是香
光明非但至此宮殿變成香蓋放大光明由
彼人王手執香爐燒眾名香供養經時其香
烟氣於一念頃遍至三千大千世界百億日
月百億妙高山王百億四洲於此三千大千
世界一切天龍藥叉健闥婆阿蘇羅揭路荼
緊那羅莫呼洛伽宮殿之所於虛空中充滿
而住種種香烟變成雲蓋其蓋金色普照天
宮如是三千大千世界所有種種香雲香蓋
皆是金光明最勝王經威神之力是諸人王
手持香爐供養經時種種香氣非但遍此三
千大千世界於一念頃遍十方无量无邊恒
河沙等百千万億諸佛國土於諸佛上虛空
之中變成香蓋金色普照亦復如是時彼
諸佛聞此妙香覩斯雲蓋及以金色於十方
界恒河沙等諸佛世尊現神變已彼諸世尊
悉共觀察異口同音讚法師曰善哉善哉汝
大丈夫能廣流布如是甚深微妙經典則為
成就无量无邊不可思議福德之聚若有聽
聞如是經者所獲功德其量甚多何況書寫
受持讀誦為他敷演如說脩行何以故善男

BD00519 號　金光明最勝王經卷六　（16–5）

大丈夫能廣流布如是甚深微妙經典則為
成就无量无邊不可思議福德之聚若有聽
聞如是經者所獲功德其量甚多何況書寫
受持讀誦為他敷演如說脩行何以故善男
子若有眾生聞此金光明最勝王經者即於
阿耨多羅三藐三菩提不復退轉
尒時十方有百千俱胝那庾多无量无數恒
河沙等諸佛剎土彼諸剎土一切如來異口同
音於法座上讚彼法師言善哉善哉善男子
汝於來世以精勤力當脩无量百千苦行具
足資糧超諸聖眾出過三界為最勝尊
當坐菩提樹王之下殊勝座嚴能救三千大千
世界有緣眾生善能摧伏可畏形儀諸魔軍
眾覺了諸法最勝清淨甚深无上正等菩提
善男子汝當坐於金剛之座轉於无上諸佛
所讚十二妙行甚深法輪能擊无上最大法
鼓能吹无上極妙法螺能建无上殊勝法幢
能然无上極明法炬能降无上甘露法雨能
斷无量煩惱怨結能令无量百千万億那庾
多有情度於无涯可畏大海解脫生死无際
輪迴值遇无量百千万億那庾多佛
尒時四天王復白佛言世尊是金光明最勝
王經能於未來現在成就如是无量功德是故
人王若得聞是微妙經典即是已於百千万
億无量佛所種諸善根於彼人王我當護念
復見无量福德利故我等四王及餘眷屬无
量百千万億諸神於自宮殿見是種種香烟
雲蓋神變之時我當隱蔽不現其身為聽
法故當至是王清淨嚴[illegible]之

BD00519 號　金光明最勝王經卷六　（16–6）

雲蓋神變之時我當隱蔽不現其身為聽
法故當至是王清淨嚴飾所止宮殿講法之
處如是乃至梵宮帝釋大辯才天大吉祥天
堅牢地神正了知神大將二十八部諸藥叉
神大自在天金剛密主寶賢大將訶利底母
五百眷屬无熱惱池龍王大海龍王无量百千
万億那庾多諸天藥叉如是等衆為聽法
故皆不現身至彼人王殊勝宮殿莊嚴高座
說法之所世尊我等四王及餘眷屬藥叉諸
神皆當一心共彼人王為善知識因是无上
大法施主以甘露味充足於我是故我等當
護是王除其衰患令得安隱及其宮殿城
邑國土諸惡災變悉令消滅尒時四天王俱
共合掌白佛言世尊若有人王於其國土雖有
此經未嘗流布心生捨離不樂聽聞亦不供
養尊重讚嘆見四部衆持經之人亦復不
能尊重供養遂令我等及餘眷屬无量諸天
不得聞此甚深妙法背甘露味失正法流无有
威光及以勢力增長惡趣損減人天墜生死河
乖涅槃路世尊我等四王并諸眷屬及藥叉
等見如斯事捨其國土无擁護心非但我等
捨棄是王亦有无量守護國土諸大善神悉
皆捨去既捨離已其國當有種種災禍喪失
國位一切人衆皆无善心唯有繫縛殺害瞋
諍互相讒諂枉及无辜疾疫流行彗星數出
兩日並現薄蝕无恒黑白二虹表不祥相星
流地動井內發聲暴雨惡風不依時節常遭
飢饉苗實不成多有他方怨賊侵掠國內人

兩日並現薄蝕无恒黑白二虹表不祥相星
流地動井內發聲暴雨惡風不依時節常遭
飢饉苗實不成多有他方怨賊侵掠國內人
民受諸苦惱土地无有可樂之處世尊我等
四王及与无量百千天神并護國土諸舊善
神遠離去時生如是等无量百千災怪惡事
世尊若有人王欲護國土常受快樂欲令衆
生咸蒙安隱欲得摧伏一切外敵於自國境
永得昌盛欲令正教流布世間苦惱惡法皆
除滅者世尊是諸國主必當聽受是妙經王
亦應恭敬供養讀誦受持經者我等及餘无
量天衆以是聽法善根威力得服无上甘露
法味增益我等所有眷屬并餘天神皆得勝
利何以故以是人王至心聽受是經典故世尊
如大梵天於諸有情常為宣說世出世論帝
釋復說種種諸論五通神仙亦說諸論世尊
梵天帝釋五通仙人雖有百千俱胝那庾
多無量諸論然佛世尊慈悲哀愍為人天衆
說金光明微妙經典比前所說勝彼百千俱
胝那庾多倍不可為喻何以故由此能令諸
贍部洲所有王等正法化世能与衆生安樂
之事為護自身及諸眷屬令无苦惱又无他
方怨賊侵害所有諸惡悉皆遠去亦令國土
災厄屏除化以正法无有諍訟是故人王各
於國土當然法炬明照无邊增益天衆并諸
眷屬世尊我等四王无量天神藥叉之衆贍
部洲內所有天神以是因緣得服无上甘露
法味獲大威德勢力光明无不具足一切衆

眷屬世尊我等四王無量天神藥叉之衆贍
部洲內所有天神以是因緣得服無上甘露
法味獲大威德勢力光明無不具足一切衆
生皆得安隱復於來世無量百千不可思議
那庾多劫常受快樂復得值遇無量諸佛種
諸善根然後證得阿耨多羅三藐三菩提如
是無量無邊勝利皆是如來應正等覺以大
慈悲過梵衆以大智慧逾帝釋修諸苦行勝
五通仙百千萬億那庾多倍不可稱計爲諸
衆生演說如是微妙經典令贍部洲一切國
主及諸人衆明了世間所有法式治國化人勸
導之事由此經王流通力故普得安樂此等
福利皆是釋迦大師於此經典廣爲流通慈
悲力故世尊以是因緣諸人王等皆應受
持供養恭敬尊重讚歎此妙經王何以故以如
是等不可思議殊勝功德利益一切是故名
曰最勝經王
尒時世尊復告四天王汝等四王及餘眷屬
無量百千俱胝那庾多諸天大衆見彼人王
若能至心聽是經典供養恭敬尊重讚歎者
應當擁護除其衰患能令汝等亦受安樂
若四部衆能廣流布是經王者於人天中廣
作佛事普能利益無量衆生如是之人汝等
四王常當擁護如是四衆勿使他緣共相侵擾
令彼身心寂靜安樂於此經王廣宣流布令
不斷絕利益有情盡未來際
尒時多聞天王從座起而白佛言世尊我有
如意寶珠陁羅尼法若有衆生樂受持者功

BD00519號　金光明最勝王經卷六　　（16–9）

不斷絕利益有情盡未來際
尒時多聞天王從座起而白佛言世尊我有
如意寶珠陁羅尼法若有衆生樂受持者功
德無量我常擁護令彼衆生離苦得樂能成
福智二種資糧欲受持者先當誦此護身之
呪即說呪曰
南謨薜室囉末拏也　莫訶曷囉闍也
怛姪他　囉囉囉囉　矩怒矩怒　區怒區怒
窶怒窶怒　颯縛颯縛　羯囉羯囉　莫訶毗羯喇
莫訶毗羯喇　磨　莫訶曷囉社
曷喇又曷喇又　覩瀉　薩婆薩埵難者莎訶
世尊誦此呪者當以白線呪之七遍一遍一結
繫之肘後其事必成應取諸香所謂安息
栴檀龍腦蘇合多揭羅薰陸皆須等分和
合一處手執香爐燒香供養清淨澡浴著鮮潔
衣於一靜室可誦神呪
請我薜室囉末拏天王即說呪曰
南謨薜室囉末拏也　南謨檀那䭾也
檀泥說囉也(引)　阿揭擦　阿鉢喇弭多檀泥說囉
鉢囉磨迦留尼迦　薩婆薩埵四多振多
麼麼(引)　檀那末拏　碎闍奉揭擦莎訶
此呪誦滿一七遍已次誦本呪欲誦呪時先
當稱名敬禮三寶及薜室囉末拏大王能施
財物令諸衆生所求願滿悉能成就與其安
樂如是禮已次誦薜室羅末拏王如意末
尼寶心神呪能施衆生隨意安樂尒時多聞
天王即於佛前說如意末尼寶心呪曰
南謨曷喇　怛娜　怛喇夜(引)也

BD00519號　金光明最勝王經卷六　　（16–10）

天王即於佛前說如意末尼寶心呪曰
南謨曷喇怛娜 怛喇夜引 也
南謨薜室囉末拏也 莫訶囉闍引 也
怛姪他 呬弭呬弭 弭 蘇母 蘇母
旃荼旃荼 析囉析羅 薩囉 薩囉
羯囉羯囉 枳里枳里 矩嚕 矩嚕
母嚕母嚕 主嚕主嚕 娑大也 頞貪
我名某甲 昵唐頻他 達達覩 莎訶
南謨薜室囉末拏也 莎訶 檀那馱也 莎訶
曼奴喇他 鉢喇脯喇迦引 也 莎訶
受持呪時先誦千遍然後於淨室中瞿摩
塗地作小壇場隨時飲食一心供養常然妙
香令烟不絕誦前心呪晝夜繫心唯自耳聞
勿令他解時有薜室羅末拏王子名禪膩師
現童子形來至其所問言何故須喚我父即
可報言我為供養三寶事須財物願當施与
時禪膩師聞是語已即還父所白其父言今有
善人發至誠心供養三寶少乏財物為斯請
召其父報曰汝可速去日日与彼一百迦利沙波拏
此是根本梵音唯目貝齒而隨方不定或是貝齒或是金銀銅鐵等錢然摩揭陀國現
今通用一迦利沙波拏有一千六百貝齒我可以准知若准物直隨處不定若人持
呪得成就者獲物之時自知其數有本云每日与一百陳那羅即金錢也乃至盡形日日常
得西方求者多有神驗除不至心也
其持呪者見是相已知事得成當須獨處淨
室燒香而臥可於牀邊置一香篋每至曉已
觀其篋中獲所求物每得物時當日即須供
養三寶香花飲食兼施貧乏皆令罄盡不
得停留於諸有情起慈悲念勿生瞋誑諂害
之心若起瞋者即失神驗常可護心勿令瞋
恚又持此呪者於每日中億我多聞天王及男

得停留於諸有情起慈悲念勿生瞋誑諂害
之心若起瞋者即失神驗常可護心勿令瞋
恚又持此呪者於每日中億我多聞天王及男
女眷屬稱揚讚歎恒以十善共相資助令彼
天等福力增明衆善普臻證菩提處彼諸
天衆見是事已皆大歡喜共來擁護持呪之人
又持呪者壽命長遠經无量歲永離三塗常
无災厄亦令獲得如意寶珠及以伏藏神通
自在所願皆成若求官榮无不稱意亦解一
切禽獸之語
世尊若持呪時欲得見我自身現者可於月
八日或十五日於白疊上畫佛形像當用木
膠雜彩莊飾其畫像人為受八戒於佛左邊作
吉祥天女像於佛右邊作我多聞天像并畫
男女眷屬之類安置坐處咸令如法布列花
彩燒衆名香然燈續明晝夜无歇上妙飲食
種種珍奇發慇重心隨時供養受持神呪不
得輕心請召我時應誦此呪
南謨室喇健那也 勃陁 也
南謨薜室囉末拏也 藥叉囉闍引 也莫訶囉闍
阿地囉闍 也 南謨室喇耶㮈
莫訶提鞞 㮈 怛 姪 他
怛囉怛囉 咄嚕咄嚕 末囉 末囉
窣窣吐 窣窣吐 漢 娜 漢 娜
末尼羯諾迦 跋析囉薜瑠 也
目底迦楞訖嘌哆 設喇 囉 㮈
蒱引 薩婆 薩埵 呬哆迦引 摩
薜室羅末 拏 室喇夜提 鼻
跋 瓛 婆引 也

薛室囉末拏　室唎夜提鼻
跋囉婆也　醫四醫四麼
瞿嘌婥瞿嘌婥　秣喇婆秣喇婆
達馱四麼麼　阿目迦那末寫
達里設那迦末寫　達里設南
麼麼末那　鉢喇曷羅大也
莎訶
世尊我若見此誦呪之人復見如是威興
供養即生慈愛歡喜之心我即變身作小兒
形或作老人苾芻之像手持如意末尼寶珠
并持金囊入道場内身現恭敬口稱佛名語
持呪者曰隨汝所求皆令如願或隱林藪或造
寶珠或欲衆人愛寵或求金銀等物欲持諸
呪皆令有驗或欲神通壽命長遠及勝妙
樂无不稱心我今且說如是之事若更求餘
皆隨所願悉得成就寶藏无盡功德无窮
假使日月墜墮于地或可大地有時移轉我此
實語終不虛然常得安隱隨心快樂世尊若
有人能受持讀誦是經王者誦此呪時不假
疲勞法速成就世尊我今為彼貧窮困厄苦惱
衆生說此神呪令獲大利皆得富樂自在无患
乃至盡形我當擁護隨逐是人為除衰厄亦復
令此持金光明最勝王經流通之者及持
呪人於百步内光明照燭我之所有千藥叉
神亦常侍衛隨欲驅使无不遂心我說實語
无有虛誑唯佛證知時多聞天王說此呪已
佛言善哉大王汝能破裂一切衆生貧窮苦
網令得富樂說是神呪復令此經廣行於世

无有虛誑唯佛證知時多聞天王說此呪已
佛言善哉大王汝能破裂一切衆生貧窮苦
網令得富樂說是神呪復令此經廣行於世
時四天王俱從座起偏袒一肩頂禮雙足右膝
著地合掌恭敬以妙伽他讚佛功德
佛面猶如淨滿月　亦如千日放光明
目淨脩廣若青蓮　齒白齊密如珂雪
佛德无邊如大海　无限妙寶積其中
智慧德水鎮恒盈　百千勝定咸充滿
足下輪相皆嚴飾　轂輞千輻悉齊平
手足䩕網遍莊嚴　猶如鵝王相具足
佛身光曜等金山　清淨殊特无倫匹
亦如妙高功德滿　故我稽首佛山王
相好如空不可測　逾於千月放光明
皆如燄幻不思議　故我稽首心无著
尒時四天王讚歎佛已世尊亦以伽他而答之曰
此金光明最勝經　无上十力之所說
汝等四王常擁護　應生勇猛不退心
此妙經寶極甚深　能與一切有情樂
由彼有情安樂故　常得流通贍部洲
於此大千世界中　所有一切有情類
餓鬼傍生及地獄　如是苦趣悉皆除
住此南洲諸國王　及餘一切有情類
由經威力常歡喜　皆蒙擁護得安寧
亦使此中諸有情　除衆病苦无賊盜
賴此國主弘經故　安隱豐樂无違惱
若人聽受此經王　欲求尊貴及財利

使此中諸有情　[illegible]
賴此國主弘經故　安隱豐樂无違惱
若人聽受此經王　欲求尊貴及財利
國主豐樂无違諍　隨心所願悉皆從
能令他方賊退散　於自國界常安隱
由此最勝經王力　離諸苦惱无憂怖
如寶樹王在宅內　能生一切諸樂具
最勝經王亦復然　能與人王勝功德
譬如澄潔清冷水　能除飢渴諸熱惱
最勝經王亦復然　令樂福者心滿足
如人室有妙寶篋　隨所受用悉從心
最勝經王亦復然　福德隨心无所乏
汝等天主及天衆　應當供養此經王
若能依教奉持經　智慧威神皆具足
現在十方一切佛　咸共護念此經王
見有讀誦及受持　稱歎善哉甚希有
若有人能聽此經　身心踊躍生歡喜
常有百千藥叉衆　隨所住處護斯人
於此世界諸天衆　其數无量不思議
悉共聽受此經王　歡喜護持无退轉
若人聽受此經王　威德勇猛常自在
增益一切人天衆　令離衰惱益光明
尒時四天王聞是頌已歡喜踊躍白佛言世
尊我從昔来未曾得聞如是甚深微妙之法
心生悲喜涕淚交流舉身戰動證不思議希
有之事以天曼陁羅花摩訶曼陁羅花而散
佛上作是殊勝供養佛已白佛言世尊我等四
王各有五百藥叉眷屬常當處處擁護

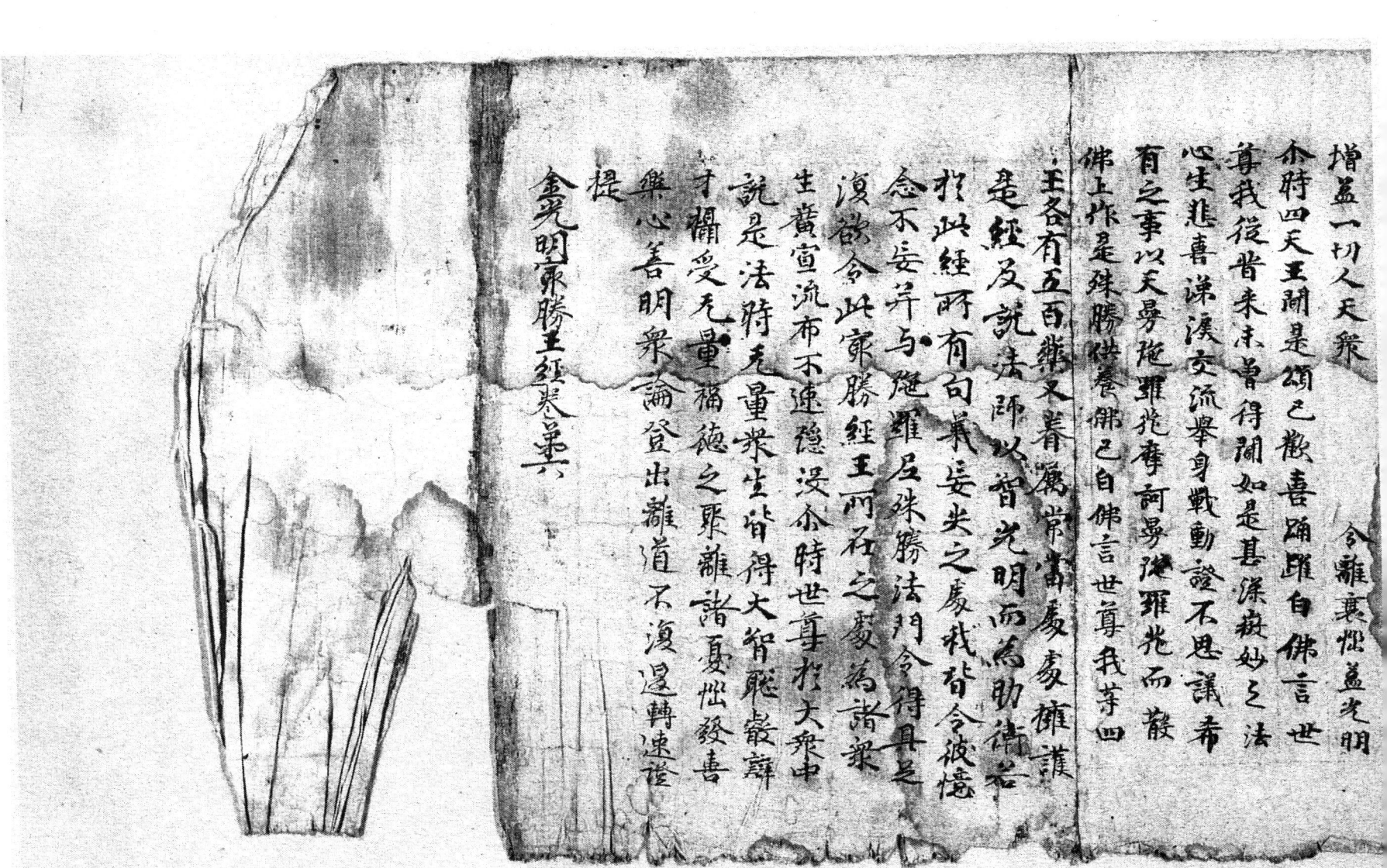

BD00519號　金光明最勝王經卷六

(16–15)

增益一切人天衆　令離衰惱益光明
尒時四天王聞是頌已歡喜踊躍白佛言世
尊我從昔来未曾得聞如是甚深微妙之法
心生悲喜涕淚交流舉身戰動證不思議希
有之事以天曼陁羅花摩訶曼陁羅花而散
佛上作是殊勝供養佛已白佛言世尊我等四
王各有五百藥叉眷屬常當處處擁護
是經及說法師以智光明而為助衛若
於此經所有句義忘失之處我皆令彼憶
念不忘并與陁羅尼殊勝法門令得具足
復欲令此最勝經王所在之處為諸衆
生廣宣流布不速隱沒尒時世尊於大衆中
說是法時无量衆生皆得大智聡叡辯
才攝受无量福德之聚離諸憂惱發喜
樂心善明衆論登出離道不復退轉速證
提

金光明最勝王經卷第六

BD00519號　金光明最勝王經卷六

(16–16)

著亦不見想何況向解得果智證有動搖者
無有是處大德阿難如是比丘無增上慢亦
無戲論遠自他伴捨諸愛著一切愛者非愛
者故離諸攀緣覺觀思惟解脫解脫無有
取者悉皆寂靜因寂靜緣是我身我所身度
到彼岸不見有法解向斷證若有比丘如是
脩行無增上慢平等故解知一切諸法平
等無有上下若善不善可作不可作有漏無
漏若世出世有為無為如是等上下動搖無
不妄想亦不見知如是諸法悉見平等喻如
虛空大德阿難若有比丘如是解者名善
解脫如是比丘無增上慢以是義故如來說
言若有比丘解諸法平等喻如虛空如動
乎虛空無所解著沙門法者亦復如是說是
語時二百比丘悉斷諸漏得於無漏解脫之法
尒時寶上天子問文殊師利云何菩薩無增上
慢願如實說文殊師利言天子若有菩薩一
切智心無等等心三界最勝心過諸聲聞及緣
覺外諸境界以安住心然亦脩行一切善根
為增長故化眾生故攝正法故為餘眾生為
他人說一切智心是心如實解本始平等如
隨所聞其心體性解知一切眾生體性解知
一切諸法體性故解知一切善根體性解知
一切善根體性故解知演說菩薩體性天子

BD00520號　大寶積經（兌廢稿）卷二六　（2–1）

等無有上下若善不善可作不可作有漏無
漏若世出世有為無為如是等上下動搖無
不妄想亦不見知如是諸法悉見平等喻如
虛空大德阿難若有比丘如是解者名善
解脫如是比丘無增上慢以是義故如來說
言若有比丘解諸法平等喻如虛空如動
乎虛空無所解著沙門法者亦復如是說是
語時二百比丘悉斷諸漏得於無漏解脫之法
尒時寶上天子問文殊師利云何菩薩無增上
慢願如實說文殊師利言天子若有菩薩一
切智心無等等心三界最勝心過諸聲聞及緣
覺外諸境界以安住心然亦脩行一切善根
為增長故化眾生故攝正法故為餘眾生為
他人說一切智心是心如實解本始平等如
隨所聞其心體性解知一切眾生體性解知
一切諸法體性故解知一切善根體性解知
一切善根體性故解知演說菩薩體性天子
是菩提薩埵如實說受記復次天子若菩薩
布施隨施與隨所願施及諸餘施一切無
礙施無所依不著無覺無有解無有解故而是
空也若能如是解施體性解施體性故解如

BD00520號　大寶積經（兌廢稿）卷二六　（2–2）

不可得故以無所得
摩地無相三摩地
可得故以無所得
無量四無色定靜
以無所得故
八九次第定十
解脫勝處等至遍處不可得故以無所得而
為方便應脩習九想謂膖脹想膿爛想異赤
想青瘀想啄噉想離散想骸骨想焚燒想滅
壞想如是諸想不可得故以無所得而為方
便應脩習十隨念謂佛隨念法隨念僧隨念
戒隨念捨隨念天隨念入出息隨念厭隨念
死隨念身隨念是諸隨念不可得故以無所
得而為方便應脩習十想謂無常想苦想無
我想不淨想死想一切世間不可樂想厭食
想斷想離想滅想如是諸想不可得故以無
所得而為方便應脩習十一智謂苦智集智
滅智道智盡智無生智法智類智世俗智他
心智如說智如是諸智不可得故以無所得
而為方便應脩習有尋有伺三摩地無尋唯
伺三摩地無尋無伺三摩地三三摩地不可
得故以無所得而為方便應脩習未知當知
根已知根具知根三無漏根不可得故以無
所得而為方便應脩習不淨處觀遍滿處觀
一切智智奢摩地毗鉢舍那四攝事四勝住

BD00521號　大般若波羅蜜多經卷四〇二　（18–1）

根已知根具知根三無漏根不可得故以無
所得而為方便應脩習不淨處觀遍滿處觀
一切智智奢摩地毗鉢舍那四攝事四勝住
三明五眼六神通六波羅蜜多七聖財八大
士覺九有情居智陀羅尼門三摩地門十地
十行十忍二十增上意樂如來十力四無所
畏四無礙解十八佛不共法三十二大士相
八十隨好無忘失法恒住捨性一切智道相
智一切相智一切相微妙智大慈大悲大喜
大捨及餘無量無邊佛法如是諸法不可得
故
復次舍利子若菩薩摩訶薩欲疾證得一切
智智當學般若波羅蜜多欲疾圓滿一切智
道相智一切相智當學般若波羅蜜多欲疾
圓滿一切有情心行相智一切相微妙智當
學般若波羅蜜多欲拔一切煩惱習氣當學
般若波羅蜜多欲入菩薩正性離生當學般
若波羅蜜多欲超聲聞及獨覺地當學般
若波羅蜜多欲住菩薩不退轉地當學般若
波羅蜜多欲得六種殊勝神通當學般若波
羅蜜多欲知一切有情心行所趣差別當學
般若波羅蜜多欲勝一切聲聞獨學智慧作
用當學般若波羅蜜多欲得一切陀羅尼門
三摩地門當學般若波羅蜜多欲以一念隨
喜之心超過一切聲聞獨覺所有布施當學
般若波羅蜜多欲以一念隨喜之心超過一切
聲聞獨覺所有淨戒當學般若波羅蜜多欲

BD00521號　大般若波羅蜜多經卷四〇二　（18–2）

善之心超過一切聲聞獨覺所有布施當學
般若波羅蜜多欲以一念隨喜之心超過一切
聲聞獨覺所有淨戒當學般若波羅蜜多欲
以一念隨喜之心超過一切聲聞獨覺定慧
解脫解脫智見當學般若波羅蜜多欲以一
念隨喜之心超過一切聲聞獨覺靜慮解脫
等持等至及餘善法當學般若波羅蜜多欲
以一念所脩善法超過一切異生聲聞獨覺
善法當學般若波羅蜜多欲行少分布施淨
戒安忍精進靜慮般若爲諸有情方便善巧
迴向無上正等菩提便得無量無邊功德當
學般若波羅蜜多
復次舍利子若菩薩摩訶薩欲令所行布施
淨戒安忍精進靜慮般若波羅蜜多離諸障
閡速得圓滿當學般若波羅蜜多欲得生生
常見諸佛恒聞正法得佛覺悟蒙佛憶念教
誡教授當學般若波羅蜜多欲得佛身具三
十二大丈夫相八十隨好圓滿莊嚴當學般
若波羅蜜多欲得生生常憶宿住終不忘失
大菩提心遠離惡友親近善友恒脩菩薩摩
訶薩行當學般若波羅蜜多欲得生生具大
威力摧衆魔怨伏諸外道當學般若波羅蜜
多欲得生生遠離一切煩惱業障通達諸法
心無罣礙當學般若波羅蜜多欲得生生善
心善願善行相續常無懈廢當學般若波羅
蜜多欲生佛家入童真地常不遠離諸佛菩
薩當學般若波羅蜜多欲得生生具諸相好

BD00521 號　大般若波羅蜜多經卷四〇二　　（18–3）

心善願善行相續常無懈廢當學般若波羅
蜜多欲生佛家入童真地常不遠離諸佛菩
薩當學般若波羅蜜多欲得生生具諸相好
端嚴如佛一切有情見者歡喜發趣無上正
等覺心速能成辦佛地功德當學般若波羅
蜜多欲以種種勝善根力隨意能引上妙供
具供養恭敬尊重讚歎一切如來應正等覺
令諸善根速得圓滿當學般若波羅蜜多欲
滿一切有情所求飲食衣服牀座臥具病緣
醫藥種種花香燈明車乘園林舍宅財穀珎
寶嚴具伎樂及餘種種上妙樂具當學般若
波羅蜜多
復次舍利子若菩薩摩訶薩欲善安立盡虛
空界法界世界一切有情皆令安住布施淨
戒安忍精進靜慮般若波羅蜜多當學般若
波羅蜜多欲得發起一念善心所獲功德乃
至無上正等菩提亦不窮盡當學般若波羅
蜜多欲得十方諸佛世界一切如來應正等
覺及諸菩薩共所稱讚當學般若波羅蜜
多欲一發心即能遍至十方各如殑伽沙界供
養諸佛利樂有情當學般若波羅蜜多欲一
發聲即能遍滿十方各如殑伽沙界讚歎諸
佛教誨有情當學般若波羅蜜多欲一念頃
安立十方殑伽沙等諸佛世界一切有情皆
令習學十善業道受三歸依護持禁戒脩四
靜慮及四無量四無色定獲五神通當學般
若波羅蜜多欲一念頃安立十方殑伽沙等

BD00521 號　大般若波羅蜜多經卷四〇二　　（18–4）

令習學十善業道受三歸依護持禁戒脩四
靜慮及四無量四無色定發五神通當學般
若波羅蜜多欲一念頃安立十方殑伽沙等
諸佛世界一切有情令住大乘脩菩薩行不
毀餘乘當學般若波羅蜜多欲紹佛種令
不斷絕護菩薩家令不退轉嚴淨佛土令速
成辦當學般若波羅蜜多
復次舍利子若菩薩摩訶薩欲安住內空外
空內外空空空大空勝義空有為空無為空
畢竟空無際空散空無散空本性空自共相
空一切法空不可得空無性空自性空無性自
性空當學般若波羅蜜多若菩薩摩訶薩欲
安住一切法真如法界法性不虛妄性不變
異性平等性離生性法定法住實際虛空界
不思議界當學般若波羅蜜多若菩薩摩訶
薩欲覺知一切法盡所有性如所有性無顛
倒無分別當學般若波羅蜜多若菩薩摩訶
薩欲覺知一切法因緣等無間緣所緣緣
增上緣性無所有不可得當學般若波羅蜜
多若菩薩摩訶薩欲覺知一切法如幻如夢
如響如像如光影如陽焰如空花如尋香城
如變化事唯心所現性相皆空當學般若波
羅蜜多若菩薩摩訶薩欲知十方殑伽沙等
三千大千世界大地虛空諸山大海江河池
治澗谷陂湖地水火風諸極微量當學般若
波羅蜜多若菩薩摩訶薩欲折一毛以為百
分取一分毛盡舉三千大千世界大海江河

BD00521 號　大般若波羅蜜多經卷四〇二　（18-5）

治澗谷陂湖地水火風諸極微量當學般若
波羅蜜多若菩薩摩訶薩欲折一毛以為百
分取一分毛盡舉三千大千世界大海江河
池沼澗谷陂湖中水棄置他方無邊世界而
不損害其中有情當學般若波羅蜜多若菩
薩摩訶薩見火劫起遍燒三千大千世界天
地洞然欲以一氣吹令頓滅當學般若波羅
蜜多若菩薩摩訶薩見風劫起三千世界所
依風輪飄擊上涌將吹三千大千世界蘇迷
盧山輪圍山等諸所有物碎如糠麩欲以一指
障彼風力令息不起當學般若波羅蜜多若
菩薩摩訶薩欲於三千大千世界一結加坐
充滿虛空當學般若波羅蜜多若菩薩摩訶
薩欲以一毛羂取三千大千世界妙高山王
輪圍山等諸所有物擲過他方無量無數無
邊世界而不損害其中有情當學般若波羅
蜜多若菩薩摩訶薩欲以一食一花一香一
幢蓋等供養恭敬尊重讚嘆十方各如殑伽沙
界一切如來應正等覺及弟子衆無不充
足當學般若波羅蜜多若菩薩摩訶薩欲等
安立十方各如殑伽沙界諸有情類令住戒
蘊定蘊慧蘊解脫蘊解脫智見蘊或住預流
一來不還阿羅漢果獨覺菩提乃至或令入
無餘依般涅槃界當學般若波羅蜜多
復次舍利子若菩薩摩訶薩脩行般若波羅
蜜多能如實知如是布施得大果報謂如實
知如是布施得生剎帝利大族或生婆羅門

BD00521 號　大般若波羅蜜多經卷四〇二　（18-6）

復次舍利子若菩薩摩訶薩脩行般若波羅
蜜多能如實知如是布施得大果報謂如實
知如是布施得生刹帝利大族或生婆羅門
大族或生長者大族或生居士大族如是布
施得生四大王衆天或生三十三天或生夜
魔天或生都史多天或生樂變化天或生他
化自在天依此布施得初靜慮或第二靜慮
或第三靜慮或第四靜慮依此布施得空無
邊處定或識無邊處定或無所有處定或非
想非非想處定依此布施起四念住乃至八
聖道支得預流果或一來果或不還果或阿
羅漢果或獨覺菩提或得無上正等菩提能
如實知如是淨戒安忍精進靜慮般若得大
果報亦復如是若菩薩摩訶薩脩行般若波
羅蜜多能如實知如是布施方便善巧能滿
布施波羅蜜多如是布施方便善巧能滿淨
戒波羅蜜多如是布施方便善巧能滿安忍
波羅蜜多如是布施方便善巧能滿精進波
羅蜜多如是布施方便善巧能滿靜慮波羅
蜜多如是布施方便善巧能滿般若波羅蜜
多如是淨戒安忍精進靜慮般若方便善巧
皆能圓滿六波羅蜜多
時舍利子白佛言世尊云何菩薩摩訶薩脩
行般若波羅蜜多能如實知如是布施方便
善巧能滿布施乃至般若波羅蜜多如是淨
戒乃至般若方便善巧能滿淨戒乃至靜慮
波羅蜜多佛言舍利子以無所得為方便故

戒乃至般若方便善巧能滿淨戒乃至靜慮
波羅蜜多佛言舍利子以無所得為方便故
謂菩薩摩訶薩行布施時了達一切施者受
者所施物相不可得故能滿布施波羅蜜多
犯無犯相不可得故能滿淨戒波羅蜜多動
不動相不可得故能滿安忍波羅蜜多身心
勤怠不可得故能滿精進波羅蜜多有亂無
亂不可得故能滿靜慮波羅蜜多諸法性相
不可得故能滿般若波羅蜜多是為菩薩摩
訶薩行布施時方便善巧能滿六種波羅蜜
多如是菩薩摩訶薩行淨戒時方便善巧能
滿六種波羅蜜多乃至行般若時方便善巧
能滿六種波羅蜜多
復次舍利子若菩薩摩訶薩欲得過去未來
現在諸佛功德當學般若波羅蜜多若菩薩
摩訶薩欲到一切有為無為法之彼岸當學
般若波羅蜜多若菩薩摩訶薩欲達過去未
來現在諸法真如法界法性無生實際當學
般若波羅蜜多若菩薩摩訶薩欲窮過去未
來現在生不生際當學般若波羅蜜多若菩
薩摩訶薩欲與一切聲聞獨覺而為導首當
學般若波羅蜜多若菩薩摩訶薩欲與一切
如來為親侍者當學般若波羅蜜多若菩薩
摩訶薩欲與一切如來為內眷屬當學般若
波羅蜜多若菩薩摩訶薩欲得大眷屬當學
般若波羅蜜多若菩薩摩訶薩欲得菩薩常
為眷屬當學般若波羅蜜多若菩薩摩訶薩

波羅蜜多若菩薩摩訶薩欲得大眷屬當學
般若波羅蜜多若菩薩摩訶薩欲得菩薩常
為眷屬當學般若波羅蜜多若菩薩摩訶薩
欲清一切施主供養當學般若波羅蜜多若
菩薩摩訶薩欲摧伏慳貪心不起犯戒心除
去恚忿心棄捨懈怠心靜息散亂心遠離惡
慧心當學般若波羅蜜多若菩薩摩訶薩欲
安立一切有情於施性福業事戒性福業事
脩性福業事供侍福業事有依福業事當學
般若波羅蜜多若菩薩摩訶薩欲得五眼所
謂肉眼天眼慧眼法眼佛眼當學般若波羅
蜜多若菩薩摩訶薩欲以天眼盡見十方殑
伽沙等世界諸佛當學般若波羅蜜多若菩
薩摩訶薩欲以天耳盡聞十方殑伽沙等世
界諸佛所說法要當學般若波羅蜜多若菩
薩摩訶薩欲如實知十方各如殑伽沙界一
切諸佛心心所法當學般若波羅蜜多若菩
薩摩訶薩欲得普聞十方世界諸佛說法乃
至無上正等菩提而不斷絕當學般若波羅
蜜多若菩薩摩訶薩欲見過去未來現在十
方一切諸佛國土當學般若波羅蜜多若菩
薩摩訶薩欲於過去未來現在十方諸佛所
說契經應頌授記諷頌自說因緣本事本生
方廣希法譬喻論議諸聲聞等所未曾聞皆
能受持究竟通利當學般若波羅蜜多若菩
薩摩訶薩欲於過去未來現在十方諸佛所
說法門既自受持究竟通利復能為他如實

BD00521 號　大般若波羅蜜多經卷四〇二　　（18–9）

能受持究竟通利當學般若波羅蜜多若菩
薩摩訶薩欲於過去未來現在十方諸佛所
說法門既自受持究竟通利復能為他如實
廣說當學般若波羅蜜多若菩薩摩訶薩欲
於過去未來現在十方諸佛所說法門自如
實行復能勸他如實脩行當學般若波羅蜜
多若菩薩摩訶薩欲於十方殑伽沙等幽闇
世界或世界中間日月所不照處為作光明
當學般若波羅蜜多若菩薩摩訶薩欲於十
方殑伽沙等無量世界其中有情成就邪見
不聞佛名法名僧名而能聞化令起正見聞
三寶名當學般若波羅蜜多若菩薩摩訶薩
欲令十方殑伽沙等世界有情以己威力盲
者能視聾者能聽瘂者能言狂者得念亂者
得定貧者得富露者得衣飢者得食渴者得
飲病者得除愈醜者得端嚴形殘者得具足
根缺者得圓滿迷悶者得醒悟疲頓者得安
泰一切有情等心相向如父如母如兄如弟
如姊如妹如友如親當學般若波羅蜜多若
菩薩摩訶薩欲令十方殑伽沙等世界有情
以己威力在惡趣者皆生善趣當學般若波
羅蜜多若菩薩摩訶薩欲令十方殑伽沙等
世界有情以己威力習惡業者皆脩善業當
學般若波羅蜜多若菩薩摩訶薩欲令十方
殑伽沙等世界有情以己威力諸犯戒者皆
住戒蘊未得定者皆住定蘊有惡慧者皆住
慧蘊無解脫者皆住解脫蘊無解脫智見者

BD00521 號　大般若波羅蜜多經卷四〇二　　（18–10）

住貳蘊未得定者皆住定蘊有惡慧者皆住
慧蘊無解脫者皆住解脫蘊無解脫智見者
皆住解脫智見蘊未見諦者得預流果若一
來果若不還果若阿羅漢果若獨覺菩提若
得無上正等菩提當學般若波羅蜜多若菩
薩摩訶薩欲學諸佛殊勝威儀令諸有情觀
之無猒息一切惡生一切善當學般若波羅
蜜多
復次舍利子菩薩摩訶薩脩行般若波羅蜜
多時作是思惟我何時得如象王視容止庠
然為衆說法欲成斯事當學般若波羅蜜多
菩薩摩訶薩脩行般若波羅蜜多時作是思
惟我何時得身語意業隨智慧行皆悉清淨
欲成斯事當學般若波羅蜜多菩薩摩訶薩
脩行般若波羅蜜多時作是思惟我何時得足
不履地如四指量自在而行欲成斯事當學
般若波羅蜜多菩薩摩訶薩脩行般若波
羅蜜多時作是思惟我何時得無量百千俱
胝那庾多四大王衆天乃至色究竟天供養
恭敬尊重讚嘆導從圍繞詣菩提樹欲成斯
事當學般若波羅蜜多菩薩摩訶薩脩行般
若波羅蜜多時作是思惟我何時得無量百
千俱胝那庾多四大王衆天乃至色究竟天
於菩提樹下以天衣為座欲成斯事當學般
若波羅蜜多菩薩摩訶薩脩行般若波羅蜜
多時作是思惟我何時得菩提樹下結加趺

BD00521號　大般若波羅蜜多經卷四〇二　（18–11）

於菩提樹下以天衣為座欲成斯事當學般
若波羅蜜多菩薩摩訶薩脩行般若波羅蜜
多時作是思惟我何時得菩提樹下結加趺
坐以衆妙相所莊嚴手而撫大地使于地神
并諸眷屬俱時踊現欲成斯事當學般若波
羅蜜多菩薩摩訶薩脩行般若波羅蜜多時
作是思惟我何時得坐菩提樹降伏衆魔證
得無上正等菩提欲成斯事當學般若波羅
蜜多菩薩摩訶薩脩行般若波羅蜜多時作
是思惟我何時得成正覺已行住坐卧隨地
方所悉為金剛欲成斯事當學般若波羅蜜
多菩薩摩訶薩脩行般若波羅蜜多時作是
思惟我何時得捨國出家是日即成無上正
覺還於是日轉妙法輪即令無量無數有情
遠塵離垢生淨法眼復令無量無數有情永
盡諸漏心慧解脫亦令無量無數有情於無
上菩提得不退轉欲成斯事當學般若波羅
蜜多菩薩摩訶薩脩行般若波羅蜜多時作
是思惟我何時得無上菩提無量無數聲聞
菩薩為弟子衆一說法時令無量無數有情
不起于座得阿羅漢果復令無量無數有情
亦不起于座於無上菩提得不退轉欲成斯
事當學般若波羅蜜多菩薩摩訶薩脩行般
若波羅蜜多時作是思惟我何時得壽量無
盡無邊光明相好莊嚴觀者無猒雖復行時
千葉蓮花每承其足而令地上現千輻輪舉

BD00521號　大般若波羅蜜多經卷四〇二　（18–12）

[illegible]
盡無邊光明相好莊嚴觀者無猒雖復行時
千葉蓮花每承其足而令地上現千輻輪舉
步經行大地震動而不擾惱地居有情欲迴
顧時舉身皆轉足之所履盡金剛際如車輪
量地亦隨轉欲成斯事當學般若波羅蜜多
菩薩摩訶薩脩行般若波羅蜜多時作是思
惟我何時得舉身支節皆放光明遍照十方
無邊世界隨所照處為諸有情作大饒益欲
成斯事當學般若波羅蜜多菩薩摩訶薩脩
行般若波羅蜜多時作是思惟我得無上正
等覺時願所居土無有一切貪欲瞋恚愚癡
等名其中有情成就妙慧由斯慧力咸作是思
布施調伏安忍勇進寂靜諦觀離諸放逸
脩行梵行慈悲喜捨不惱有情如餘佛土豈
不善哉欲滿斯願當學般若波羅蜜多菩薩
摩訶薩脩行般若波羅蜜多時作是思惟我
得無上正等覺時化事既周般涅槃後正法
無有滅盡之期常為有情作大利樂欲滿斯
願當學般若波羅蜜多菩薩摩訶薩脩行般
若波羅蜜多時作是思惟我得無上正等覺
時願令十方殑伽沙等世界有情聞我名者
必得無上正等菩提欲滿斯願當學般若波
羅蜜多舍利子諸菩薩摩訶薩若欲成就此
等無量無邊功德當學般若波羅蜜多
復次舍利子若菩薩摩訶薩脩行般若波羅
蜜多既能成辦如是功德尒時三千大千世界

復次舍利子若菩薩摩訶薩脩行般若波羅
蜜多既能成辦如是功德尒時三千大千世界
四大天王皆大歡喜咸作是念我等今者
當以四鉢奉此菩薩如昔天王奉先佛鉢是
時三千大千世界三十三天夜魔天覩史多
天樂變化天他化自在天皆大歡喜咸作是
念我等皆當給侍供養如是菩薩令阿素洛
究黨損減使諸天眾眷屬增益是時三千大
千世界梵眾天梵輔天梵會天大梵天光天
少光天無量光天極光淨天淨天少淨天無
量淨天遍淨天廣天少廣天無量廣天廣果
天無繁天無熱天善現天善見天色究竟天
歡喜欣慶咸作是念我等當請如是菩薩速
證無上正等菩提轉妙法輪利樂一切舍利
子若菩薩摩訶薩脩行般若波羅蜜多增益
六種波羅蜜多時彼世界諸善男子善女人
等皆大歡喜咸作是念我等當為如是菩薩
作父母兄弟妻子眷屬知識朋友時彼世界四
大王眾天乃至色究竟天歡喜慶幸咸作
是念我等當設種種方便令是菩薩離非梵
行從初發心乃至成佛常脩梵行所以者何
若染色欲於生梵天尚能為障況得無上正
等菩提故菩薩斷欲出家脩梵行者能得
無上正等菩提非不斷者
時舍利子白佛言世尊諸菩薩摩訶薩為決
定有父母妻子諸親友耶佛言舍利子或有
[illegible]

時舍利子白佛言世尊諸菩薩摩訶薩為父
定有父母妻子諸親友耶佛言舍利子或有
菩薩具有父母妻子眷屬而修菩薩摩訶薩
行或有菩薩摩訶薩無有妻子從初發心乃
至成佛常修梵行不壞童真或有菩薩摩訶
薩方便善巧示受五欲猒捨出家方得無上
正等菩提舍利子譬如幻師若彼弟子善於
幻術幻作五欲於中自恣共相娛樂於意云
何是幻所作為有實不舍利子言不也世尊
佛言舍利子菩薩摩訶薩亦復如是方便善
巧為欲成熟諸有情故化受五欲然此菩薩
摩訶薩於五欲中深生猒患不為五欲之所
染汙以無量門訶毀諸欲欲為熾然燒身心
故欲為穢惡染自他故欲為魁膾於去來今
常為害故欲為怨敵長夜伺求作衰損故欲
如草炬欲如苦果欲如劍刃欲如火聚欲如
毒器欲如幻惑欲如暗井菩薩摩訶薩以如
是等無量過門訶毀諸欲既善了知諸欲過
失寧有真實受諸欲事但為饒益所化有情
方便善巧示受諸欲

第二分觀照品第三之一

尒時舍利子白佛言世尊諸菩薩摩訶薩應
云何修行般若波羅蜜多佛言舍利子菩薩
摩訶薩修行般若波羅蜜多時應如是觀實
有菩薩不見有菩薩不見菩薩名不見般若
波羅蜜多不見般若波羅蜜多名不見行不
見不行何以故舍利子菩薩自性空菩薩

摩訶薩修行般若波羅蜜多時應如是觀實
有菩薩不見有菩薩不見菩薩名不見般若
波羅蜜多不見般若波羅蜜多名不見行不
見不行何以故舍利子菩薩自性空菩薩名
空所以者何色自性空不由空故色空非色
色不離空空不離色色即是空空即是色受
想行識自性空不由空故受想行識空非受
想行識受想行識不離空空不離受想行識
受想行識即是空空即是受想行識何以故
舍利子此但有名謂為菩提此但有名謂為
薩埵此但有名謂為菩薩此但有名謂之為
空此但有名謂之為色受想行識如是自性
無生無滅無染無淨菩薩摩訶薩如是修行
般若波羅蜜多不見生不見滅不見染不見
淨何以故但假立客名分別於法而起分別
假立客名隨起言說如如言說如是如是生
起執著菩薩摩訶薩修行般若波羅蜜多時
於如是等一切不見由不見故不生執著
復次舍利子菩薩摩訶薩修行般若波羅蜜
多時應如是觀菩薩但有名佛但有名般若
波羅蜜多但有名色但有名受想行識但有
名餘一切法但有名舍利子如我但有名謂
之為我實不可得如是有情命者生者養者
士夫補特伽羅意生儒童作者使作者起者
使起者受者使受者知者見者亦但有名謂
為有情乃至見者實不可得以不可得空故
但隨世俗假立客名諸法亦尒不應執著是

使起者受者使受者知者見者亦但有名謂
爲有情乃至見者實不可得以不可得空故
但隨世俗假立客名諸法亦尒不應執著是
故菩薩摩訶薩脩行般若波羅蜜多時不見
有我乃至見者亦不見有一切法性舍利子
菩薩摩訶薩如是脩行般若波羅蜜多除諸
佛慧一切聲聞獨覺等慧所不能及以不可
得空故所以者何是菩薩摩訶薩於名所名
俱無所得以不觀見無執著故舍利子菩薩
摩訶薩若能如是行般若波羅蜜多名爲善
行般若波羅蜜多
舍利子假使汝及大目揵連滿贍部洲如稻
麻竹葦甘蔗林等所有般若比行般若波羅
蜜多菩薩摩訶薩般若百分不及一千分不
及一百千分不及一俱胝分不及一百俱胝分
不及一千俱胝分不及一百千俱胝分不
及一數分筭分計分喻分乃至鄔波尼敎曇
分亦不及一何以故是菩薩摩訶薩般若能
使一切有情趣般涅槃一切聲聞獨覺般若
不如是故又舍利子脩行般若波羅蜜多菩
薩摩訶薩於一日中所脩般若一切聲聞獨
覺般若所不及故舍利子置贍部洲假使汝
及大目揵連滿四大洲如稻麻竹葦甘蔗林
等所有般若比行般若波羅蜜多菩薩摩訶
薩般若百分不及一千分不及一百千分不
及一乃至鄔波尼敎曇分亦不及一何以故
是菩薩摩訶薩般若能使一切有情趣般涅

BD00521 號　大般若波羅蜜多經卷四〇二　（18-17）

薩般若百分不及一千分不及一百千分不
及一乃至鄔波尼敎曇分亦不及一何以故
是菩薩摩訶薩般若能使一切有情趣般涅
槃一切聲聞獨覺般若不如是故又舍利子
脩行般若波羅蜜多菩薩摩訶薩於一日中
所脩般若一切聲聞獨覺般若所不及故舍
利子置四大洲假使汝及大目揵連滿一三千
大千世界如稻麻竹葦甘蔗林等所有般
若比行般若波羅蜜多菩薩摩訶薩般若百
分不及一千分不及一百千分不及一乃至
鄔波尼敎曇分亦不及一何以故是菩薩摩
訶薩般若能使一切有情趣般涅槃一切聲
聞獨覺般若不如是故又舍利子脩行般若
波羅蜜多菩薩摩訶薩於一日中所脩般若
一切聲聞獨覺般若所不及故舍利子置一
三千大千世界假使汝及大目揵連充滿十
方殑伽沙等諸佛世界如稻麻竹葦甘蔗林等
所有般若比行般若波羅蜜多菩薩摩訶
薩般若百分不及一千分不及一百千分不
及一乃至鄔波尼敎曇分亦不及一何以故
是菩薩摩訶薩般若能使一切有情趣般涅
槃一切聲聞獨覺般若不如是故又舍利子
脩行般若波羅蜜多菩薩摩訶薩於一日中
所脩般若一切聲聞獨覺般若所不及故

大般若波羅蜜多經卷第四百二

BD00521 號　大般若波羅蜜多經卷四〇二　（18-18）

大聖轉法輪　顯示諸法相　度苦惱衆生　令得大歡喜
衆生聞此法　得道若生天　諸惡道減少　忍善者增益
尒時大通智勝如來默然許之又諸比丘南
方五百萬億國土諸大梵王各自見宮殿光
明照曜昔所未有歡喜踊躍生希有心即各
相詣共議此事以何因緣我等宮殿有此光
曜而彼衆中有一大梵天王名曰妙法為諸
梵衆而說偈言
我等諸宮殿　光明甚威曜　此非无因緣　是相宜求之
過於百千劫　未曾見是相　為大德天生　為佛出世間
尒時五百萬億諸梵天王與宮殿俱各以衣
裓盛諸天華共詣北方推尋是相見大通智
勝如來處于道場菩提樹下坐師子座諸天
龍王乾闥婆緊那羅摩睺羅伽人非人等恭
敬圍繞及見十六王子請佛轉法輪時諸梵
天王頭面礼佛繞百千帀即以天華而散佛
上所散之華如須弥山并以供養佛菩提樹
華供養已各以宮殿奉上彼佛而作是言唯
見哀愍饒益我等所獻宮殿願垂納受尒時
諸梵天王即於佛前一心同聲以偈頌曰
世尊甚難見　破諸煩惱者　過百三十劫　今乃得一見
諸飢渴衆生　以法雨充滿　昔所未曾見　无量智慧者
如優曇鉢羅　今日乃值遇　我等諸宮殿　蒙光故嚴飾

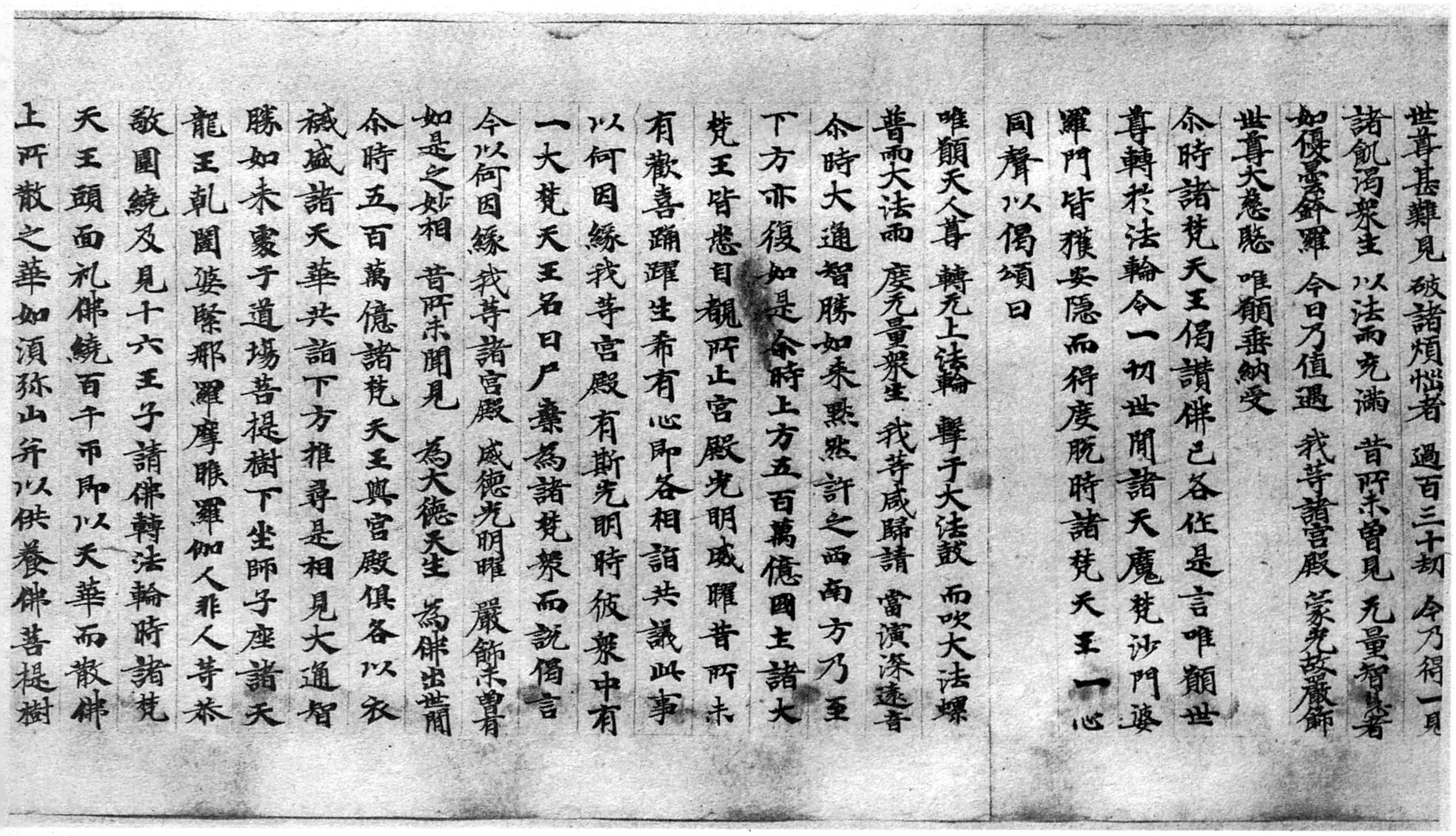

世尊甚難見　破諸煩惱者　過百三十劫　今乃得一見
諸飢渴衆生　以法雨充滿　昔所未曾見　无量智慧者
如優曇鉢羅　今日乃值遇　我等諸宮殿　蒙光故嚴飾
世尊大慈愍　唯願垂納受
尒時諸梵天王偈讚佛已各作是言唯願世
尊轉於法輪令一切世間諸天魔梵沙門婆
羅門皆獲安隱而得度脫時諸梵天王一心
同聲以偈頌曰
唯願天人尊　轉无上法輪　擊于大法鼓　而吹大法螺
普雨大法雨　度无量衆生　我等咸歸請　當演深遠音
尒時大通智勝如來默然許之西南方乃至
下方亦復如是尒時上方五百萬億國土諸大
梵王皆悉自覩所止宮殿光明威曜昔所未
有歡喜踊躍生希有心即各相詣共議此事
以何因緣我等宮殿有斯光明時彼衆中有
一大梵天王名曰尸棄為諸梵衆而說偈言
今以何因緣　我等諸宮殿　威德光明曜　嚴飾未曾有
如是之妙相　昔所未聞見　為大德天生　為佛出世間
尒時五百萬億諸梵天王與宮殿俱各以衣
裓盛諸天華共詣下方推尋是相見大通智
勝如來處于道場菩提樹下坐師子座諸天
龍王乾闥婆緊那羅摩睺羅伽人非人等恭
敬圍繞及見十六王子請佛轉法輪時諸梵
天王頭面礼佛繞百千帀即以天華而散佛
上所散之華如須弥山并以供養佛菩提樹

敬圍繞及見十六王子請佛轉法輪即時諸梵
天王頭面礼佛繞百千帀即以天華而散佛
上所散之華如須弥山并以供養佛菩提樹
華供養已各以宮殿奉上彼佛而作是言唯
見哀愍饒益我等所獻宮殿願垂納處時諸
梵天王即於佛前一心同聲以偈頌曰
善哉見諸佛　救世之聖尊　能於三界獄　勉出諸衆生
普智天人尊　哀愍群萌類　能開甘露門　廣度於一切
於昔无量劫　空過无有佛　世尊未出時　十方常暗瞑
三惡道增長　阿脩羅亦盛　諸天衆轉減　死多墮惡道
不從佛聞法　常行不善事　色力及智慧　斯等皆減少
罪業因緣故　失樂及樂想　住於耶見法　不識善儀則
不蒙佛所化　常墮於惡道　佛為世間眼　久遠時乃出
哀愍諸衆生　故現於世間　超出成正覺　我等甚欣慶
及餘一切衆　喜歎未曾有　我等諸宮殿　蒙光故嚴飾
今以奉世尊　唯垂哀納受　願以此功德　普及於一切
我等與衆生　皆共成佛道
尒時五百萬億諸梵天王偈讚佛已各白佛
言唯願世尊轉於法輪多所安隱多所度脫
時諸梵天王而說偈言
世尊轉法輪　擊甘露法鼓　度苦惱衆生　開示涅槃道
唯願受我請　以大微妙音　哀愍而敷演　无量劫習法
尒時大通智勝如來受十方諸梵天王及十
六王子請即時三轉十二行法輪若沙門婆
羅門若天魔梵及餘世間所不能轉謂是苦

BD00522號　妙法蓮華經卷三　（11–3）

六王子請即時三轉十二行法輪若沙門婆
羅門若天魔梵及餘世間所不能轉謂是苦
是苦集是苦滅是苦滅道及廣說十二因緣
法无明緣行行緣識識緣名色名色緣六入六
入緣觸觸緣受受緣愛愛緣取取緣有有
緣生生緣老死憂悲苦惱无明滅則行滅行
滅則識滅識滅則名色滅名色滅則六入滅六
入滅則觸滅觸滅則受滅受滅則愛滅愛滅
則取滅取滅則有滅有滅則生滅生滅則老
死憂悲苦惱滅佛於天人大衆之中說是法
時六百萬億那由他人以不受一切法故而
於諸漏心得解脫皆得深妙禪定三明六通
具八解脫第二第三第四說法時千萬億
恒河沙那由他等衆生亦以不受一切法故
而於諸漏心得解脫從是已後諸聲聞衆无
量无邊不可稱數尒時十六王子皆以童子
出家而為沙弥諸根通利智慧明了已曾供
養百千萬億諸佛淨脩梵行求阿耨多羅三
藐三菩提俱白佛言世尊是諸无量千萬億
大德聲聞皆已成就世尊亦當為我等說阿
耨多羅三藐三菩提法我等聞已皆共脩學
世尊我等志願如來知見深心所念佛自證
知尒時轉輪聖王所將衆中八萬億人見十
六王子出家亦求出家王即聽許尒時彼佛
受沙弥請過二萬劫已乃於四衆之中說是

BD00522號　妙法蓮華經卷三　（11–4）

知尒時轉輪聖王所將衆中八萬億人見十
六王子出家亦求出家王即聽許尒時彼佛
受沙弥請過二萬劫已乃於四衆之中說是
大乘經名妙法蓮華教菩薩法佛所護念說
是經已十六沙弥為阿耨多羅三藐三菩提
故皆共受持諷誦通利說是經時十六菩薩
沙弥皆悉信受聲聞衆中亦有信解其餘衆
生千萬億種皆生疑惑佛說是經於八千劫
未曾休廢說此經已即入靜室住於禪定八
萬四千劫是時十六菩薩沙弥知佛入室寂
然禪定各昇法座亦於八萬四千劫為四部
衆廣說分別妙法華經一一皆度六百萬億
那由他恒河沙等衆生示教利喜令發阿耨
多羅三藐三菩提心大通智勝佛過八萬四
千劫已從三昧起往詣法座安詳而坐普告
大衆是十六菩薩沙弥甚為希有諸根通利
智慧明了已曾供養无量千萬億數諸佛於
諸佛所常脩梵行受持佛智開示衆生令入
其中汝等皆當數數親近而供養之所以者
何若聲聞辟支佛及諸菩薩能信是十六菩
薩所說經法受持不毀者是人皆當得阿耨
多羅三藐三菩提如來之慧佛告諸比丘是
十六菩薩常樂說是妙法蓮華經一一菩薩
所化六百萬億那由他恒河沙等衆生世世
所生與菩薩俱從其聞法悉皆信解以此因

BD00522號　妙法蓮華經卷三　（11–5）

所化六百萬億那由他恒河沙等衆生世世
所生與菩薩俱從其聞法悉皆信解以此因
緣得值四萬億諸佛世尊于今不盡諸比丘
我今語汝彼佛弟子十六沙弥今皆得阿耨
多羅三藐三菩提於十方國土現在說法有
无量百千萬億菩薩聲聞以為眷屬其二沙
弥東方作佛一名阿閦在歡喜國二名須弥
頂東南方二佛一名師子音二名師子相南
方二佛一名虛空住二名常滅西南方二佛
一名帝相二名梵相西方二佛一名阿弥陀
二名度一切世間苦惱西北方二佛一名多
摩羅跋栴檀香神通二名須弥相北方二佛
一名雲自在二名雲自在王東北方佛名壞
一切世間怖畏第十六我釋迦牟尼佛於娑
婆國土成阿耨多羅三藐三菩提諸比丘我
等為沙弥時各各教化无量百千萬億恒河
沙等衆生從我聞法為阿耨多羅三藐三菩
提此諸衆生于今有住聲聞地者我常教化
阿耨多羅三藐三菩提是諸人等應以是法
漸入佛道所以者何如來智慧難信難解尒
時所化无量恒河沙等衆生者汝等諸比丘
及我滅度後未來世中聲聞弟子是也我滅
度後復有弟子不聞是經不知不覺菩薩所
行自於所得功德生滅度想當入涅槃我於
餘國作佛更有異名是人雖生滅度之想入

BD00522號　妙法蓮華經卷三　（11–6）

行自於所得功德生滅度想當入涅槃我於
餘國作佛更有異名是人雖生滅度之想入
於涅槃而於彼土求佛智慧得聞是經唯以
佛乘而得滅度更无餘乘除諸如來方便説
法諸比丘若如來自知涅槃時到衆又清淨
信解堅固了達空法深入禪定便集諸菩薩
及聲聞衆為説是經世間无有二乘而得滅
度唯一佛乘得滅度耳比丘當知如來方便
深入衆生之性知其志樂小法深著五欲為
是等故説於涅槃是人若聞則便信受譬如
五百由旬險難悪道曠絶无人怖畏之處若
有多衆欲過此道至珎寶處有一導師聡慧
明達善知險道通塞之相將導衆人欲過此
難所將人衆中路懈退白導師言我等疲極
而復怖畏不能復進前路猶遠今欲退還導
師多諸方便而作是念此等可愍云何捨大
珎寶而欲退還作是念已以方便力於險道
中過三百由旬化作一城告衆人言汝等勿
怖莫得退還今此大城可於中止隨意所作
若入是城快得安隱若能前至寶所亦可得
去是時疲極之衆心大歡喜歎未曾有我等
今者免斯悪道快得安隱於是衆人前入化
城生已度想生安隱想尒時導師知此人衆
既得止息无復疲惓即滅化城語衆人言汝

BD00522號　妙法蓮華經卷三

（11-7）

城生已度想生安隱想尒時導師知此人衆
既得止息无復疲惓即滅化城語衆人言汝
等去來寶處在近向者大城我所化作為止
息耳諸比丘如來亦復如是今為汝等作大
導師知諸生死煩惱悪道險難長遠應去應
度若衆生但聞一佛乘者則不欲見佛不欲
親近便作是念佛道長遠久受勤苦乃可得
成佛知是心怯弱下劣以方便力而於中道為
止息故説二涅槃若衆生住於二地如來尒
時即便為説汝等所作未辦汝所住地近於
佛慧當觀察籌量所得涅槃非真實也但
是如來方便之力於一佛乘分別説三如彼
導師為止息故化作大城既知息已而告之
言寶處在近此城非實我化作耳尒時世尊
欲重宣此義而説偈言
大通智勝佛　十劫坐道場　佛法不現前　不得成佛道
諸天神龍王　阿脩羅衆等　常雨於天華　以供養彼佛
諸天擊天鼓　并作衆伎樂　香風吹萎華　更雨新好者
過十小劫已　乃得成佛道　諸天及世人　心皆懷踊躍
彼佛十六子　皆與其眷屬　千萬億圍繞　俱行至佛所
頭面礼佛足　而請轉法輪　聖師子法雨　充我及一切
世尊甚難值　久遠時一現　為覺悟群生　震動於一切
東方諸世界　五百萬億國　梵宮殿光曜　昔所未曾有
諸梵見此相　尋來至佛所　散華以供養　并奉上宮殿

BD00522號　妙法蓮華經卷三

（11-8）

世尊甚難值 久遠時一現 為覺悟群生 震動於一切
東方諸世界 五百萬億國 梵宮殿光曜 昔所未曾有
諸梵見此相 尋來至佛所 散華以供養 并奉上宮殿
請佛轉法輪 以偈而讚歎 佛知時未至 受請默然坐
三方及四維 上下亦復尒 散華奉宮殿 請佛轉法輪
世尊甚難值 願以大慈悲 廣開甘露門 轉无上法輪
无量慧世尊 受彼眾人請 為宣種種法 四諦十二緣
无明至老死 皆從生緣有 如是眾過患 汝等應當知
宣暢是法時 六百萬億姟 得盡諸苦際 皆成阿羅漢
第二說法時 千萬恒沙眾 於諸法不受 亦得阿羅漢
從是後得道 其數无有量 萬億劫筭數 不能得其邊
時十六王子 出家作沙弥 皆共請彼佛 演說大乘法
我等及營從 皆當成佛道 願得如世尊 慧眼第一淨
佛知童子心 宿世之所行 以无量因緣 種種諸譬喻
說六波羅蜜 及諸神通事 分別真實法 菩薩所行道
說是法華經 如恒河沙偈 彼佛說經已 靜室入禪定
一心一處坐 八萬四千劫 是諸沙弥等 知佛禪未出
為无量億眾 說佛无上慧 各各坐法座 說是大乘經
於佛宴寂後 宣揚助法化 一一沙弥等 所度諸眾生
有六百萬億 恒河沙等眾 彼佛滅度後 是諸聞法者
在在諸佛土 常與師俱生 是十六沙弥 具足行佛道
今現在十方 各得成正覺 尒時聞法者 各在諸佛所
其有住聲聞 漸教以佛道 我在十六數 曾亦為汝說
是故以方便 引汝趣佛慧 以是本因緣 今說法華經
令汝入佛道 慎勿懷驚懼 譬如險惡道 迥絕多毒獸

BD00522號　妙法蓮華經卷三　（11-9）

其有住聲聞 漸教以佛道 我在十六數 曾亦為汝說
是故以方便 引汝趣佛慧 以是本因緣 今說法華經
令汝入佛道 慎勿懷驚懼 譬如險惡道 迥絕多毒獸
又復无水草 人所怖畏處 无數千萬眾 欲過此險道
其路甚曠遠 經五百由旬 時有一導師 強識有智慧
明了心決定 在險濟眾難 眾人皆疲惓 而白導師言
我等今頓乏 於此欲退還 導師作是念 此輩甚可愍
如何欲退還 而失大珍寶 尋時思方便 當設神通力
化作大城郭 莊嚴諸舍宅 周帀有園林 渠流及浴池
重門高樓閣 男女皆充滿 即作是化已 慰眾言勿懼
汝等入此城 各可隨所樂 諸人既入城 心皆大歡喜
皆生安隱想 自謂已得度 導師知息已 集眾而告言
汝等當前進 此是化城耳 我見汝疲極 中路欲退還
故以方便力 權化作此城 汝今勤精進 當共至寶所
我亦復如是 為一切導師 見諸求道者 中路而懈廢
不能度生死 煩惱諸險道 故以方便力 為息說涅槃
言汝等苦滅 所作皆已辦 既知到涅槃 皆得阿羅漢
尒乃集大眾 為說真實法 諸佛方便力 分別說三乘
唯有一佛乘 息處故說二 今為汝說實 汝所得非滅
為佛一切智 當發大精進 汝證一切智 十力等佛法
具三十二相 乃是真實滅 諸佛之導師 為息說涅槃
既知是息已 引入於佛慧

妙法蓮華經卷第三

BD00522號　妙法蓮華經卷三　（11-10）

化作大城郭　莊嚴諸舍宅　周帀有園林　渠流及浴池
重門高樓閣　男女皆充滿　即作是化已　慰衆言勿懼
汝等入此城　各可隨所樂　諸人既入城　心皆大歡喜
皆生安隱想　自謂已得度　導師知息已　集衆而告言
汝等當前進　此是化城耳　我見汝疲極　中路欲退還
故以方便力　權化作此城　汝今勤精進　當共至寶所
我亦復如是　為一切導師　見諸求道者　中路而懈廢
不能度生死　煩惱諸險道　故以方便力　為息說涅槃
言汝等苦滅　所作皆已辦　既知到涅槃　皆得阿羅漢
尒乃集大衆　為說真實法　諸佛方便力　分別說三乘
唯有一佛乘　息處故說二　今為汝說實　汝所得非滅
為佛一切智　當發大精進　汝證一切智　十力等佛法
具三十二相　乃是真實滅　諸佛之導師　為息說涅槃
既知是息已　引入於佛慧

妙法蓮華經卷第三

BD00522 號　妙法蓮華經卷三　　(11–11)

所照為明是為一未曾有難得之法此室入
者不為諸垢之所惱也是為二未曾有難得
之法此室常有釋梵四天王他方菩薩來會
不絕是為三未曾有難得之法此室常說六
波羅蜜不退轉法是為四未曾有難得之法
此室常作天人第一之樂弦出无量法化之聲
是為五未曾有難得之法此室有四大藏
衆寶積滿周窮濟之求得无盡是為六未曾
有難得之法此室釋迦牟尼佛阿弥陁佛阿
閦佛寶德寶焰寶月寶嚴難勝師子響一切
利成如是等十方无量諸佛是上人念時即
皆為來廣說諸佛秘要法藏說已還去是為
七未曾有難得之法此室一切諸天嚴飾宮
殿諸佛淨土皆於中現是為八未曾有難得
之法舍利弗此室常現八未曾有難得之法
誰有見斯不思議事而復樂於聲聞法乎
舍利弗言汝何以不轉女身天曰我從十二
年來求女人相了不可得當何所轉譬如幻
師化作幻女若有人問何以不轉女身是人
為正問不舍利弗言不也幻无定相當何所
轉天曰一切諸法亦復如是无有定相云何
乃問不轉女身即時天女以神通力變舍利
[illegible]可

BD00523 號　維摩詰所說經卷中　　(2–1)

衆寶積滿周窮濟之求得无盡是為六未曾
有難得之法此室釋迦牟尼佛阿彌陁佛阿
閦佛寶德寶焰寶月寶嚴難勝師子響一切
利成如是等十方无量諸佛是上人念時即
皆為來廣說諸佛秘要法藏說已還去是為
七未曾有難得之法此室一切諸天嚴飾宮
殿諸佛淨土皆於中現是為八未曾有難得
之法舍利弗此室常現八未曾有難得之法
誰有見斯不思議事而復樂於聲聞法乎
舍利弗言汝何以不轉女身天曰我從十二
年來求女人相了不可得當何所轉譬如幻
師化作幻女若有人問何以不轉女身是人
為正問不舍利弗言不也幻无定相當何所
轉天曰一切諸法亦復如是无有定相云何
乃問不轉女身即時天女以神通力變舍利
弗令如天女天自化身如舍利弗而問言何
以不轉女身舍利弗以天女像而荅言我今
不知何轉而變為女身天曰舍利弗若能轉
此女身則一切女人亦當能轉如舍利弗非
女而現女身一切女人亦復如是雖現女身
而非女也是故佛說一切諸法非男非女即

BD00523 號　維摩詰所說經卷中　　（2–2）

滅所滅寂滅現前忽然超越世出世
世間十方圓明證二殊勝一者上合十方諸
佛本妙覺心與佛如來同一慈力二者下合
十方一切六道衆生學諸衆生同一悲仰
世尊由我供養觀音如來蒙彼如來授我
如幻聞薰聞脩金剛三昧與佛如來同慈力
故令我身成卅二應入諸國土世尊若諸菩
薩入三摩地進脩无漏勝解現圓我現佛身
而為說法令其解脫若諸有學寂靜妙明
勝妙現圓我於佛現獨覺身而為說法令
其解脫若諸有學斷十二緣緣斷勝性勝妙
現圓我於彼前現緣覺身而為說法令其解
脫若諸有學得四諦空脩道入滅勝性現圓我
於彼前現聲聞身而為說法令其解脫若諸
衆生欲心明悟不犯欲塵欲身清淨我於彼前
前現梵王身而為說法令其解脫若諸衆生
欲為天主統領諸天我於彼前現帝釋身而
為說法令其成就若諸衆生欲身自在遊行
十方我於彼前現自在天身而為說法令其成
就若諸衆生欲身自在飛行虛空我於彼前
現大自在天身而為說法令其成就若諸衆
生愛統鬼神救護國土我於彼前現天大將軍
身而為說法令其成就若諸衆生愛統世界
保護衆生我於彼前現四天王身而為說

BD00524 號　大佛頂如來密因修證了義諸菩薩萬行首楞嚴經卷六　　（12–1）

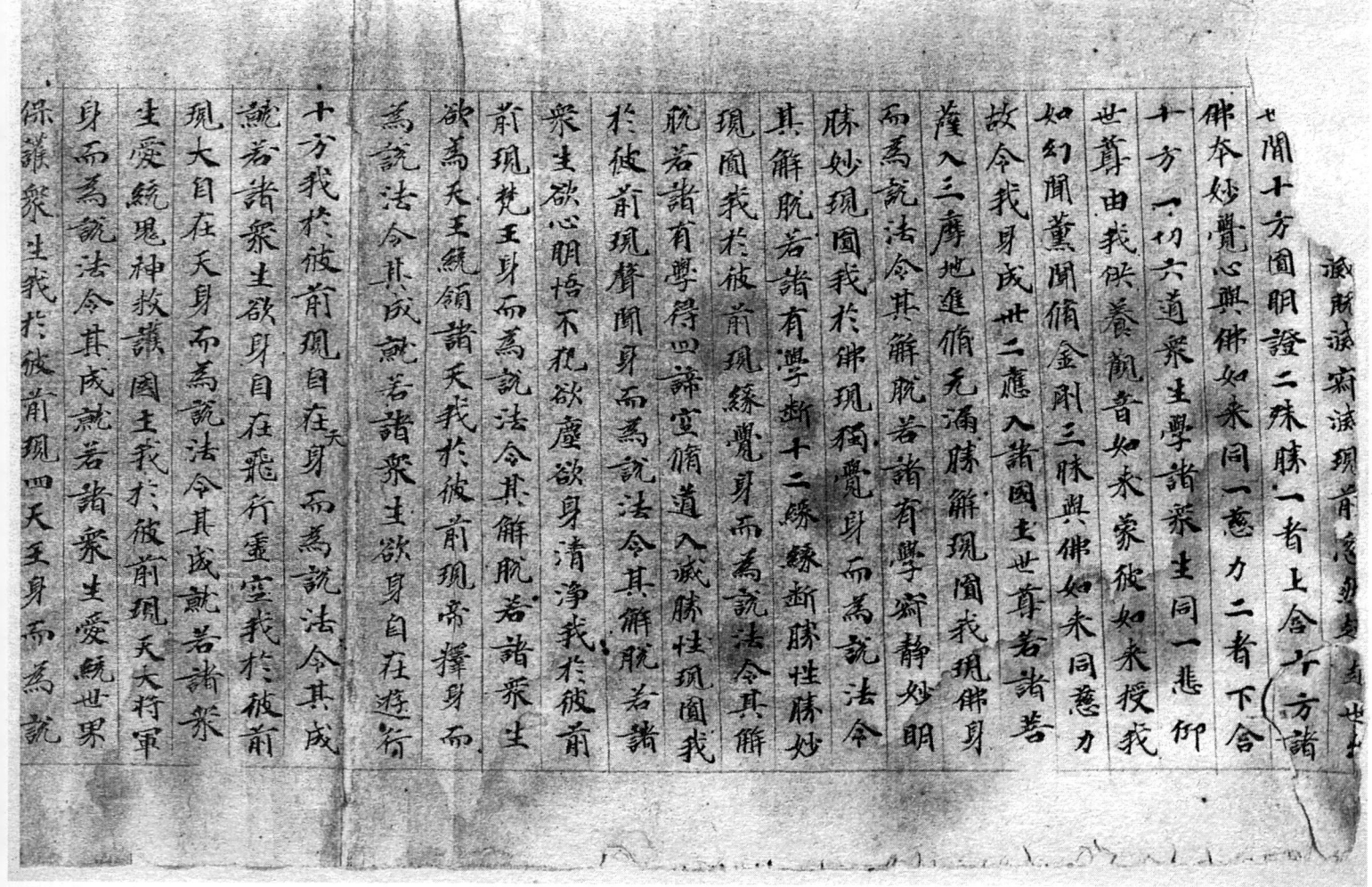

生愛統鬼神救護國土我於彼前現天大將軍
身而為說法令其成就若諸衆生愛統世界
保護衆生我於彼前現四天王身而為說
法令其成就若諸衆生愛生天宮駈使鬼神
我於彼前現四天王國太子身而為說法令
其成就若諸衆生樂為人王我於現前現人
王身而為說法令其成就若諸衆生愛主族
姓世間推讓我於彼前現長者身而為說法
令其成就若諸衆生愛談名言清淨其居我
於彼前現居士身而為說法令其成就若諸衆
生愛治國土剖斷邦邑我於彼前現宰官
身而為說法令其成就若諸衆生愛諸數
術攝衛自居我於彼前現婆羅門身而為說
法令其成就若有男子好學出家持諸戒律
我於彼前現比丘身而為說法令其成就若
有女子好學出家持諸禁戒我於彼前現比
丘尼身而為說法令其成就若有男子樂持五
戒我於彼前現優婆塞身而為說法令其成就
若復女子五戒自居我於彼前現優婆夷身
而為說法令其成就若有女人內政立身以脩
家國我於彼前現女主身及國夫人命婦大
家而為說法令其成就若有衆生不壞男
根我於彼前現童男身而為說法令其成就
若有處女愛樂處身不求侵暴我於彼前現
童女身而為說法令其成就若有諸天樂出
天倫我現天身而為說法令其成就若有諸
龍樂出龍倫我現龍身而為說法令其成就
若有藥叉樂度本倫我於彼前現藥叉身

BD00524 號　大佛頂如來密因修證了義諸菩薩萬行首楞嚴經卷六　（12–2）

天倫我現天身而為說法令其成就若有諸
龍樂出龍倫我現龍身而為說法令其成就
若有藥叉樂度本倫我於彼前現藥叉身
而為說法令其成就若乾闥婆樂脫其倫我
於彼前現乾闥婆身而為說法令其成就若
阿脩羅樂脫其倫我於彼前現阿脩羅身
而為說法令其成就若緊陁羅樂脫其倫我
於彼前現緊陁羅身而為說法令其成就若
摩呼羅伽樂脫其倫我於彼前現摩呼羅
身而為說法令其成就若諸衆生樂人脩人
我現人身而為說法令其成就若諸非人有形无
形有想无想樂度其倫我於彼前皆現其身而
為說法令其成就是名妙淨卅二應入國土身
皆以三昧聞薰聞脩无作妙力自在成就世
尊我復以此聞薰聞脩金剛三昧无作妙力
與諸十方三世六道一切衆生同悲仰故令諸
衆生於我身心獲十四種无畏功德一者由我
不自觀音以觀觀者令彼十方苦惱衆生觀
其音聲即得解脫二者知見旋復令諸衆生
設入大火火不能燒三者觀聽旋復令諸
衆生大水所漂水不能溺四者斷滅妄想心
无煞害令諸衆生入諸鬼國鬼不能害五者
薰聞成聞六根銷復同於聲德能令衆生臨
被害刀段段壞使其兵戈猶如割水亦如吹光
性无搖動六者聞薰精明明遍法界則諸幽
暗性不能令衆生藥叉羅剎鳩槃茶鬼及毗
舍遮富單那等雖近其傍目不能視七者
音性圓銷觀聽返入離諸塵妄能令衆生

BD00524 號　大佛頂如來密因修證了義諸菩薩萬行首楞嚴經卷六　（12–3）

暗性不能令衆生藥叉羅剎鳩槃荼鬼及毗
舍遮富單那等雖近其傍目不能視七者
音性圓銷觀聽返入離諸塵妄能令衆生
禁繫枷鏁所不能著八者滅音圓聞遍生
慈力能令衆生經過嶮路賊不能劫九者
熏聞離塵色所不劫能令一切多婬衆生遠離
貪欲十者純音无塵根境圓融无對所對
能令一切忿恨衆生離諸嗔恚十一者銷塵
旋明法界身心猶如瑠璃朗徹无礙能令一
切昏鈍性鄣諸阿顛迦永離癡暗十二者融
形復聞不動道場涉入世間不壞世界能遍
十方供養微塵諸佛如來各各佛邊為法王
子能令法界无子衆生欲求男者誕生福德
智慧之男十三者六根圓通明照无二含十方
界立大圓鏡空如來藏承順十方微塵如來
秘密法門受領无失能令法界无子衆生欲求
女者誕生端正福德柔順衆人愛敬有相之女
十四者此三千大千世界百億日月現住世
間諸法王子有六十二恒河沙數脩法垂範
教化衆生隨順衆生方便智慧各各不同
由我所得圓通本根發妙耳門然後身心微
妙含容遍周法界能令衆生持我名号與彼
共持六十二恒河沙諸法王子二人福德正等
无異世尊我一号名與彼衆多名号无異
由我脩習得真圓通是名十四施无畏力福
備衆生
世尊我又獲是圓通脩證无上道故又能
善獲四不思議无作妙德一者由我初獲妙妙

BD00524號　大佛頂如來密因修證了義諸菩薩萬行首楞嚴經卷六　（12–4）

備衆生
世尊我又獲是圓通脩證无上道故又能
善獲四不思議无作妙德一者由我初獲妙妙
聞心心精遺聞見聞覺知不能分隔成一圓融
清淨寶覺故我能現衆多妙容能說无
邊秘密神呪其中或現一首三首五首七首
九首十一首如是乃至一百八首千首萬首
八万四千爍迦羅首二臂四臂八臂十臂十二
臂十四十六十八廿至廿四如是乃至一百八
臂千臂万臂八万四千母陁羅二目三目四
目九目如是乃至一百八目千目万目八万四
千清淨寶目或慈或威或定或慧救護
衆生得大自在二者由我聞思脫出六塵
如聲度垣不能為礙故我妙能現一一形
誦一一呪其形其呪能以无畏施諸衆生是故
十方微塵國土皆名我為施无畏者三者
由我脩習本妙圓通清淨本根所遊世界
皆令衆生捨身珍寶求我哀愍四者我得
佛心證於究竟能以珍寶種種供養十方
如來傍及法界六道衆生求妻得妻求
子得子求三昧得三昧求長壽得長壽如
是乃至求大涅槃得大涅槃佛問圓通我從
耳門圓照三昧緣心自在因入流相得三摩提
成就三昧緣心自在入流相得三摩提成就菩
提斯為第一世尊彼佛如來歎我善得圓
通法門於大會中授記我為觀世音由
我觀聽十方圓明故名觀音遍十方界
尒時世尊於師子座從其五體同放寶光遠

BD00524號　大佛頂如來密因修證了義諸菩薩萬行首楞嚴經卷六　（12–5）

我觀聽十方圓明故名觀音遍十方界
尒時世尊於師子座從其五體同放寶光遠
灌十方微塵如來及法王子諸菩薩頂彼諸
如來亦於五體同放寶光從微塵方來灌佛
頂并灌會中諸大菩薩及阿羅漢林木池沼
皆演法音交光相羅如寶絲網是諸大衆
得未曾有一切普獲金剛三昧即時天雨百
寶蓮花青黃赤白間錯紛糅十方虛空成七寶
色此娑婆界大地山河俱時不現唯見十方
微塵國土合成一界梵唄詠歌自然敷奏於
是如來告文殊師利法王子汝今觀此廿五无
學諸大菩薩及阿羅漢各說最初成道方
便皆言修習真實圓通彼等修行實无優
劣前後差別我今欲令阿難開悟廿五行誰
當其根兼我滅後此界衆生入菩薩乘求
无上道何方便門得易成就文殊師利法王
子奉佛慈旨即從座起頂禮佛足承佛威
神說偈對佛
覺海性澄圓　圓澄覺无妙　无明照生所　所立照性亡
迷妄有虛空　依空立世界　想澄成國土　知覺乃衆生
空生大覺中　如海一漚發　有漏微塵國　皆從空所生
漚滅空本无　況復諸三有　歸无性无二　方便有多門
聖性无不通　順逆皆方便　初心入三昧　遲速不同倫
色想結成塵　精了不能徹　如何不明徹　於是獲圓通
音聲雜語言　但依名句味　一非含一切　云何獲圓通
香以合中知　離則无无有　不恒其所覺　云何獲圓通
味性非本然　要以味時有　其覺不恒一　云何獲圓通

BD00524 號　大佛頂如來密因修證了義諸菩薩萬行首楞嚴經卷六　（12–6）

香以合中知　離則无无有　不恒其所覺　云何獲圓通
味性非本然　要以味時有　其覺不恒一　云何獲圓通
觸以所觸明　无所不明觸　合離性非定　云何獲圓通
法稱為內塵　憑塵必有所　能所非遍涉　云何獲圓通
見性雖洞然　明前不明後　四維虧一半　云何獲圓通
鼻息出入通　現前无交氣　支離匪涉入　云何獲圓通
舌非入无端　因味生覺了　味亡了无有　云何獲圓通
身與所觸同　各非圓覺觀　涯量不冥會　云何獲圓通
知根雜亂思　湛了終无見　想念不可脫　云何獲圓通
識見雜三和　詰本稱非相　自體先无定　云何獲圓通
心聞洞十方　生于大因力　初心不能入　云何獲圓通
鼻想本權機　秖令攝心住　住成心所住　云何獲圓通
說法弄音文　開悟先成者　名句非无漏　云何獲圓通
持犯但束身　非身无所束　无非遍一切　云何獲圓通
神通本宿因　何關法分別　念緣非離物　云何獲圓通
若以地性觀　堅礙非通達　有為非聖性　云何獲圓通
若以水性觀　想念非真實　如如非覺觀　云何獲圓通
若以火性觀　厭有非真離　非初心方便　云何獲圓通
若以風性觀　動寂非无對　對非无上覺　云何獲圓通
若以空性觀　昏鈍先非覺　无覺異菩提　云何獲圓通
若以識性觀　觀識非常住　存心乃虛妄　云何獲圓通
諸行是无常　念性无生滅　因果今殊感　云何獲圓通
我今白世尊　佛出娑婆界　此方真教體　清淨在音聞
欲取三摩提　實以聞中入　離苦得解脫　良哉觀世音
於恒沙劫中　入微塵佛國　得大自在力　无畏施衆生
妙音觀世音　梵音海潮音　救世悉安寧　出世獲常住
我今啓如來　如觀音所說　譬如人靜居　十方俱擊鼓

BD00524 號　大佛頂如來密因修證了義諸菩薩萬行首楞嚴經卷六　（12–7）

於恒沙劫中　入微塵佛國　得大自在力　无畏施衆生
妙音觀世音　梵音海潮音　救世悉安寧　出世獲常住
我今啓如來　如觀音所說　譬如人靜居　十方俱擊鼓
十處一時聞　此則圓真實　目非觀障外　口鼻亦復然
身以合方知　心念紛无緒　隔垣聽音響　遐邇俱可聞
五根所不齊　是則通真實　音聲性動靜　聞中為有无
无聲號无聞　非實聞无性　聲无既无滅　聲有亦非生
生滅二圓離　是則常真實　縱令在夢想　不為不思无
覺觀出思惟　身心不能及　今此娑婆國　聲論得宣明
衆生迷本聞　循聲故流轉　阿難縱強記　不免落邪思
豈非隨所淪　旋流獲无妄　阿難汝諦聽　我承佛威力
宣說金剛王　如幻不思議　佛母真三昧　汝聞微塵佛
一切秘密門　欲漏不先除　畜聞成過誤　將聞持佛佛
何不自聞聞　聞非自然生　因聲有名字　旋聞與聲脫
能脫欲誰名　一根既返源　六根成解脫　見聞如幻翳
三界若空花　聞復翳根除　塵銷覺圓淨　淨極光通達
寂照含虛空　却來觀世間　猶如夢中事　摩登伽在家
誰能留汝形　如世巧幻師　幻作諸男女　雖見諸根動
要以一機抽　息機歸寂然　諸幻成无性　六根亦如是
元依一精明　分成六和合　一處成休復　六用皆不成
塵垢應念銷　成圓明淨妙　餘塵尚諸學　明極即如來
大衆及阿難　旋汝倒聞機　反聞聞自性　性成无上道
圓通實如是　此是微塵佛　一路涅槃門　過去諸如來
斯門已成就　現在諸菩薩　今各入圓明　未來脩學人
當依如是法　我亦從中證　非唯觀世音　誠如佛世尊
詢我諸方便　以救諸末劫　求出世間人　成就涅槃心
觀世音為最　自餘諸方便　皆是佛威神　即事捨塵勞
[illegible]

BD00524號　大佛頂如來密因修證了義諸菩薩萬行首楞嚴經卷六　（12–8）

[illegible]
詢我諸方便　以救諸末劫　求出世間人　成就涅槃心
觀世音為最　自餘諸方便　皆是佛威神　即事捨塵勞
非是長脩學　淺深同說法　頂礼如來藏　无漏不思議
願加被未來　於此門无惑　方便易成就　堪以教阿難
及末劫沉淪　但以此根脩　圓通超餘者　真實心如是
於是阿難及諸大衆身心了然得大開示觀
佛菩提及大涅槃猶如有人因事遠遊未得
歸還明了其家所歸道路普會大衆天龍八
部有學二乘及一切新發心菩薩其數凡有
十恒河沙皆得本心遠塵離垢獲法眼淨性
比丘尼聞說偈已成阿羅漢无量衆生皆發
无等等阿耨多羅三藐三菩提心
阿難整衣服於大衆中合掌頂礼心跡圓明
悲欣交集欲益未來諸衆生故稽首白佛大
悲世尊我今已悟成佛法門是中脩行得无
疑惑常聞如來說如是言自未得度先度人
者菩薩發心自覺已圓能覺他者如來應世
我雖未度願度末劫一切衆生世尊此諸衆
生去佛漸遠邪師說法如恒河沙欲攝其心
入三摩地云何令其安立道場遠諸魔事於
菩提心得无退屈
尒時世尊於大衆中稱讚阿難善哉善哉如
汝所問安立道場救護衆生末劫沉溺汝今
諦聽當為汝說阿難大衆唯然奉教
佛告阿難汝常聞我毗柰耶中宣說脩行三
決定義所謂攝心為戒因戒生定因定發慧
是則名為三无漏學阿難云何攝心我名為

BD00524號　大佛頂如來密因修證了義諸菩薩萬行首楞嚴經卷六　（12–9）

決定義所謂攝心為戒因戒生定因定發慧
是則名為三无漏學阿難云何攝心我名為
戒若諸世界六道衆生其心不婬則不隨其
生死相續汝脩三昧本出塵勞婬心不除塵
不可出縱有多智禪定現前如不斷婬必落魔
道上品魔王中品魔民下品魔女彼等諸魔亦
有徒衆各各自謂成无上道我滅度後末法
之中多此魔民熾盛世間廣行貪婬為善
知識令諸衆生落愛見坑失菩提路汝教世
人脩三摩地先斷心婬是名如來先佛世尊第一
決定清淨明誨是故阿難若不斷婬脩禪定者
如蒸沙石欲其成飯經百千劫秖名熱沙何
以故此非飯本石沙成故汝以婬身求佛妙
果縱得妙悟皆是婬根根本成婬輪轉三途
必不能出如來涅槃何路脩證必使婬機
身心俱斷斷性亦无於佛菩提斯可希冀
如我此說名為佛說不如此說即波旬說
阿難又諸世界六道衆生其心不煞則不
隨其生死相續汝脩三昧本出塵勞煞心
不除塵不可出縱有多知禪慧現前如不斷煞
必落神道上品之人為大力鬼中品為飛行夜
叉諸鬼帥等下品尚為地行羅剎彼諸鬼神
亦有徒衆各各自謂成无上道我滅度後末
法之中多此神鬼熾盛世間自言食宍得菩
提路阿難我令比丘食五淨宍此宍皆我
神力化生本无命根汝婆羅門地多蒸濕加
以沙石草菜不生我以大悲神力所加因大
慈悲假名為宍汝得其味奈何如來滅度之

BD00524號　大佛頂如來密因修證了義諸菩薩萬行首楞嚴經卷六　（12–10）

以沙石草菜不生我以大悲神力所加因大
慈悲假名為宍汝得其味奈何如來滅度之
後食衆生宍名為釋子汝等當知是食宍人
縱得心開似三摩地皆大羅剎報終必沉生死
苦海非佛弟子如是之人相煞相吞相食未已
云何是人得出三界汝教世人脩三摩地次斷
煞生是名如來先佛世尊第二決定清淨明
誨是故阿難若不斷煞脩禪定者譬如有
人自塞其耳高聲大叫求人不聞此等名
為欲隱彌露清淨比丘及諸菩薩於歧路
行不踏生草況以手拔云何大悲取諸衆生
血肉充食若諸比丘不服東方絲綿絹帛及
是此土靴履裘毳乳酪醍醐如是比丘於世
真脫酬還宿債不遊三界何以故服其身分
皆為彼緣如人食其地中百穀足不離地必
使身心於諸衆生若身身分身心二途不服不
食我說是人真解脫者如我此說名為佛說
不如此說即波旬說
阿難又復世界六道衆生其心不偷則不隨
其生死相續汝脩三昧本出塵勞偷心不除
塵不可出縱有多智禪定現前如不斷偷
必落邪道上品精靈中品妖魅下品邪人諸
魅所著彼等羣邪亦有徒衆各各自謂成
无上道我滅度後末法之中多此妖邪熾盛
世間潛匿姦欺稱善知識各自謂已得上人法
詃佛記是人永殞善根无復知見沉三苦海
不成三昧我滅度後勅諸菩薩及阿羅漢應
身生彼末法之中作種種形度諸輪轉或作沙

BD00524號　大佛頂如來密因修證了義諸菩薩萬行首楞嚴經卷六　（12–11）

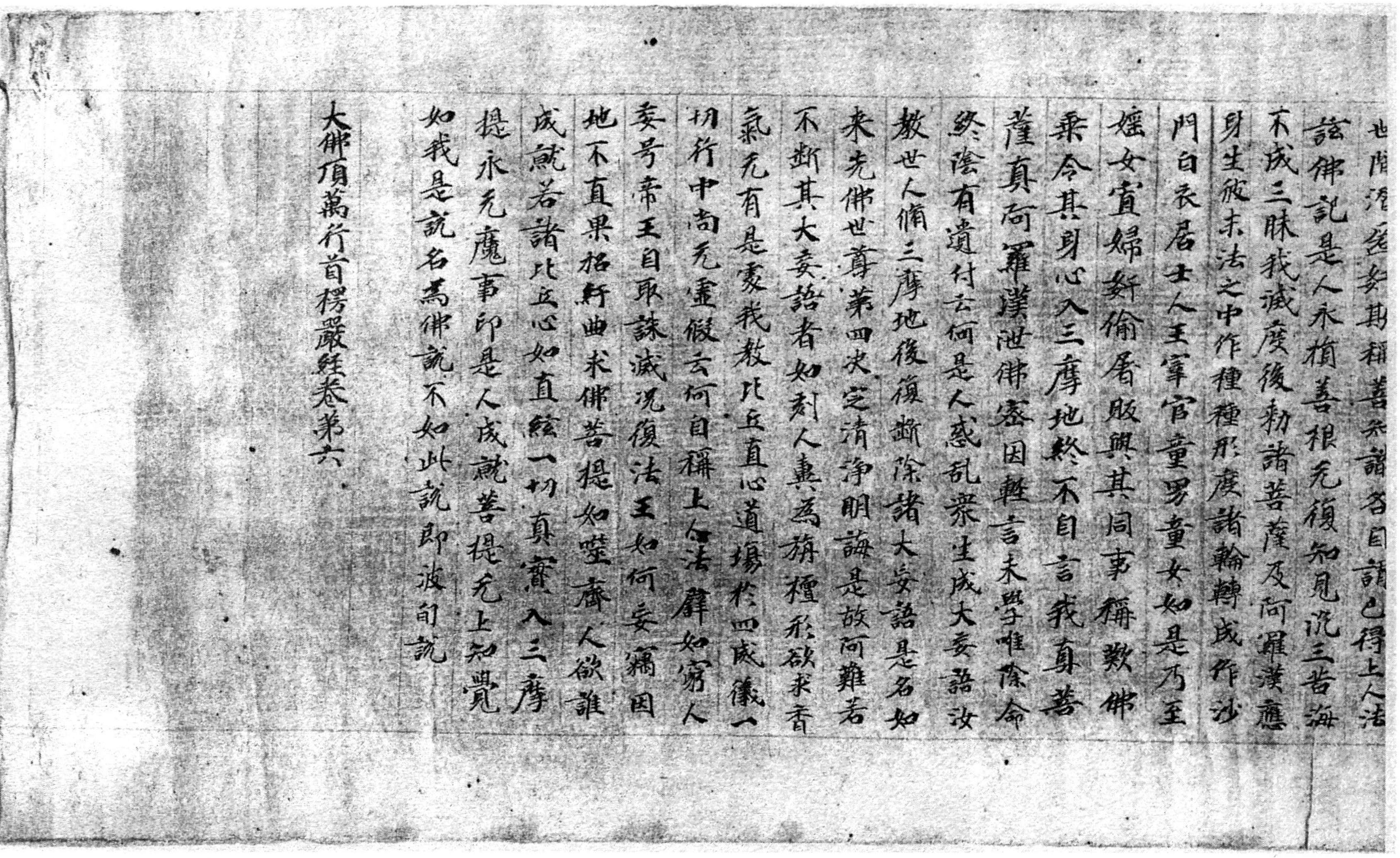

世間淨名多聞稱善知識各自謂已得上人法
誑佛記是人永殞善根无復知見沉三苦海
不成三昧我滅度後勑諸菩薩及阿羅漢應
身生彼末法之中作種種形度諸輪轉或作沙
門白衣居士人王宰官童男童女如是乃至
婬女寡婦姦偷屠販與其同事稱歎佛
乘令其身心入三摩地終不自言我真菩
薩真阿羅漢泄佛密因輕言未學唯除命
終陰有遺付云何是人惑亂眾生成大妄語汝
教世人脩三摩地後復斷除諸大妄語是名如
來先佛世尊第四決定清淨明誨是故阿難若
不斷其大妄語者如刻人糞為旃檀形欲求香
氣无有是處我教比丘直心道場於四威儀一
切行中尚无虛假云何自稱上人法譬如窮人
妄號帝王自取誅滅況復法王如何妄竊因
地不直果招紆曲求佛菩提如噬齊人欲誰
成就若諸比丘心如直絃一切真實入三摩
提永无魔事印是人成就菩提无上知覺
如我是說名為佛說不如此說即波旬說

大佛頂萬行首楞嚴經卷第六

BD00524 號　大佛頂如來密因修證了義諸菩薩萬行首楞嚴經卷六　（12–12）

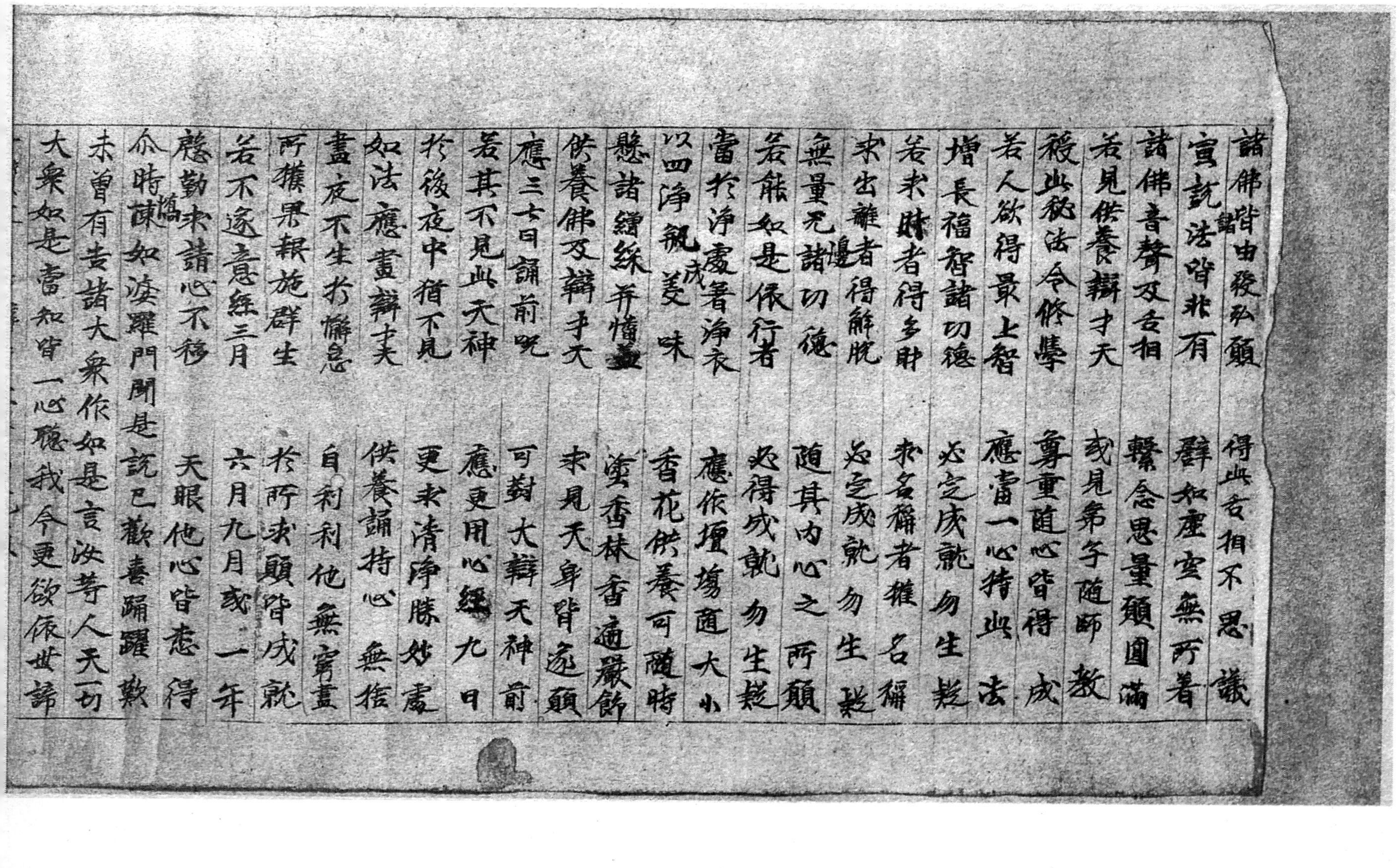

諸佛皆由發弘願　得此舌相不思議
宣說諸法皆非有　譬如虛空無所著
諸佛音聲及舌相　繫念思量願圓滿
若見供養辯才天　或見弟子隨師教
授此祕法令修學　尊重隨心皆得成
若人欲得最上智　應當一心持此法
增長福智諸功德　必定成就勿生疑
若求財者得多財　求名稱者獲名稱
求出離者得解脫　必定成就勿生疑
無量無邊諸功德　隨其內心之所願
若能如是依行者　必得成就勿生疑
當於淨處著淨衣　應作壇場隨大小
以四淨瓶成美味　香花供養可隨時
懸諸繒綵幷幡蓋　塗香末香遍嚴飾
供養佛及辯才天　求見天身皆遂願
應三七日誦前呪　可對大辯天神前
若其不見此天神　應更用心經九日
於後夜中猶不見　更求清淨勝妙處
如法應晝辯才天　供養誦持心無捨
晝夜不生於懈怠　自利利他無窮盡
所獲果報施群生　於所求願皆成就
若不遂意經三月　六月九月或一年
慇懃求請心不移　天眼他心皆悉得
尒時憍陳如婆羅門聞是說已歡喜踊躍歎
未曾有告諸大眾作如是言汝等人天一切
大眾如是當知皆一心聽我今更欲依世諦

BD00525 號　金光明最勝王經卷七　（5–1）

爾時憍陳如婆羅門聞是說已，歡喜踊躍，歎未曾有，告諸大眾作如是言：汝等人天一切大眾，如是當知，皆一心聽，我今更欲依世諦法讚彼勝妙辯才天女。即說頌曰：

敬禮天女那羅延　於世界中得自在
我今讚歎彼尊者　皆如往昔仙人說
吉祥成就心安隱　聰明慚愧有名聞
為母能生於世間　勇猛常行大精進
於軍陣處戰恒勝　長養調伏心慈忍
現為閻羅之長姊　常著青色野蠶衣
好醜容儀皆具有　眼目能令見者怖
無量勝行超世間　歸信之人咸攝受
或在山巖深險處　或居坎窟及河邊
或在大樹諸叢林　天女多依此中住
假使山林野人輩　亦常供養於天女
以孔雀羽作幢旗　於一切時常護世
師子虎狼恒圍遶　牛羊雞等亦相依
振大鈴鐸出音聲　頻陀山眾皆聞響
或執三戟頭圓髮　左右恒持日月旗
黑月九日十一日　於此時中當供養
或現婆藪大天妹　見有鬬戰心常愍
觀察一切有情中　天女最勝無過者
權現牧牛歡喜女　與天戰時常得勝
能久安住於世間　亦為和忍及暴惡
大婆羅門四明法　幻化呪等悉皆通
於天仙中得自在　能為種子及大地
諸天女等集會時　如大海潮必來集

大婆羅門四明法　幻化呪等悉皆通
於天仙中得自在　能為種子及大地
諸天女等集會時　如大海潮必來應
於諸龍神藥叉眾　咸為上首能調伏
於諸女中最梵行　出言猶如世間主
於王住處如蓮花　若在河津喻橋栰
面貌猶如盛滿月　具足多聞作依處
辯才勝出若高峯　念者皆與為洲渚
阿蘇羅等諸天眾　咸共稱讚其功德
乃至千眼帝釋主　以殷重心而觀察
眾生若有希求事　悉能令彼速得成
亦令聰辯具聞持　於大地中為第一
於此十方世界中　如大燈明常普照
乃至神鬼諸禽獸　咸皆遂彼所求心
於諸女中若山峯　同昔仙人久住世
如少女天常離欲　實語猶如大世主
普見世間差別類　乃至欲界諸天宮
唯有天女獨稱尊　不見有情能勝者
若於戰陣恐怖處　或見墮在火坑中
河津險難賊盜時　悉能令彼除怖畏
或被王法所枷縛　或為怨讎行殺害
若能專注心不移　決定解脫諸憂苦
於善惡人皆擁護　慈悲愍念常現前
是故我以至誠心　稽首歸依大天女
爾時婆羅門復以呪讚天女曰
敬禮敬禮世間尊　於諸母中最為勝
三種世間咸供養　面貌容儀人樂觀
種種妙德以嚴身　目如脩廣青蓮葉

敬礼敬礼世間尊　於諸世中最為勝
三種世間咸供養　面貌容儀人樂觀
種種妙德以嚴身　目如脩廣青蓮葉
福智光明名稱滿　譬如無價末尼珠
我今讚歎最勝者　悉能成辦所求心
真實功德妙吉祥　譬如蓮花極清淨
身色端嚴皆樂見　（衆）樂相希有不思議
能放無垢智光明　於諸念中為最勝
猶如師子獸中上　常以八臂自莊嚴
各持弓箭刀矟斧　長杵鐵輪并羂索
端正樂觀如滿月　言詞無滯出和音
若有衆生心願求　善士隨念令圓滿
帝釋諸天咸供養　皆共稱讚可歸依
衆德能生不思議　一切時中起恭敬
莎訶　此上呪頌是呪亦是讚　若持呪時必須誦之
若欲祈請辯才天　依此呪讚言詞句
晨朝清淨至誠誦　於所求事悉隨心
爾時佛告婆羅門：善哉善哉汝能（如）是，利
益衆生施與安樂讚彼天女請求加護獲福
無邊
此品呪法有略有廣或開或合前後不同梵
本既多但依一譯後勘者知之

金光明經卷第七

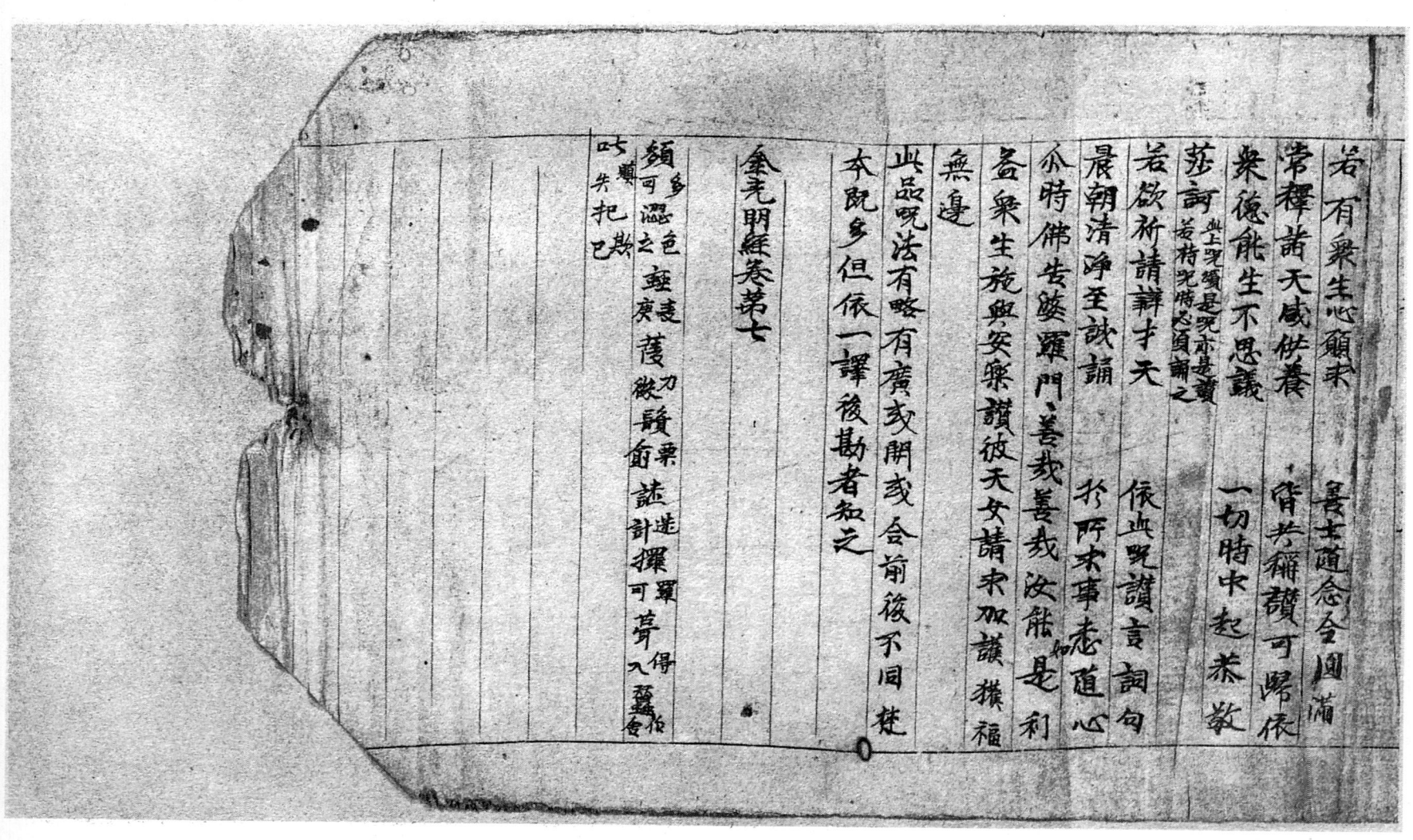

頞多可　澀色之　蜒麦庚　薩刀徽　韻栗俞　誐逝計　擺羅可　萼得入　蘊伍含
㕧斯失　把已

BD00525 號　金光明最勝王經卷七　（5–4）

若有衆生心願求　善士隨念令圓滿
帝釋諸天咸供養　皆共稱讚可歸依
衆德能生不思議　一切時中起恭敬
莎訶　此上呪頌是呪亦是讚　若持呪時必須誦之
若欲祈請辯才天　依此呪讚言詞句
晨朝清淨至誠誦　於所求事悉隨心
爾時佛告婆羅門：善哉善哉汝能（如）是，利
益衆生施與安樂讚彼天女請求加護獲福
無邊
此品呪法有略有廣或開或合前後不同梵
本既多但依一譯後勘者知之

金光明經卷第七

頞多可　澀色之　蜒麦庚　薩刀徽　韻栗俞　誐逝計　擺羅可　萼得入　蘊伍含
㕧斯失　把已

BD00525 號　金光明最勝王經卷七　（5–5）

……亦如是誦……
受持是戒已　轉受諸眾生　諦……
波羅提木叉　大眾心諦信　汝是……
常作如是信　戒品已具足　一切……
眾生受佛戒　即入諸佛位　位同大覺已
大眾皆恭敬　至心聽我誦
尒時釋迦牟尼佛初坐菩提樹下成无上正覺初
薩波羅提木叉孝順父母師僧三寶孝順至道之法孝
名為戒亦名制止即口放无量光明是時百万億大眾
諸菩薩十八梵六欲天子十六大國王合掌至心聽佛
誦一切諸佛大乘戒告諸菩薩言我今半月半月自誦諸佛
法戒汝等一切發心菩薩亦誦乃至十發趣十長養十金剛
十地諸菩薩亦誦是故戒光從口出有緣非无因故光
光非青黃赤白黑非色非心非有非无非因果法是諸
佛之本原行菩薩道之根本是大眾諸佛子之根
本是故佛子應受持應讀誦善學佛子諦聽若
受佛戒者國王王子百官宰相比丘比丘尼十八梵六欲
子庶民黃門婬男婬女奴婢八部鬼神金剛神畜生乃至
變化人但解法師語盡受得戒皆名第一清淨者佛告
諸佛子言有十重波羅提木叉若受菩薩戒不誦此戒
者非菩薩非佛種子我亦如是誦一切菩薩已學一切菩
薩當學一切菩薩今學我已略說菩薩波羅提木叉
相貌應當學敬心奉持

BD00526 號　梵網經盧舍那佛說菩薩心地戒品第十卷上　（11–1）

者非菩薩非佛種子我亦如是誦一切菩薩已學一切菩
薩當學一切菩薩今學我已略說菩薩波羅提木叉
相貌應當學敬心奉持
佛告佛子若自殺教人殺方便殺讚歎殺見作隨喜乃
至咒殺殺因殺緣殺法殺業乃至一切有命者不得故殺
是菩薩應起常住慈悲心孝順……
快意殺生者是菩薩波羅夷罪
若佛子自盜教人盜方便盜盜因盜緣盜法盜業
盜乃至鬼神有主劫賊物一切財物一針一草不得故
盜而菩薩應生佛性孝順慈悲心常助一切人生福生
樂而反更盜人財物者是菩薩波羅夷罪
若佛子自婬教人婬乃至一切女人不得故婬婬因婬緣
婬業乃至畜生女諸天鬼神女及非道行婬
而菩薩應生孝順心救度一切眾生淨法與人而反
更起一切人婬不擇畜生乃至母女姊妹六親行婬无慈
悲心者是菩薩波羅夷罪
若佛子自妄語教人妄語方便妄語妄語因妄語
緣妄語法妄語業乃至不見言見見言不見身心妄
語而菩薩常生正語亦生一切眾生正語正見而反更
起一切眾生邪語邪見邪業者是菩薩波羅夷罪
若佛子自酤酒教人酤酒酤酒因酤酒緣酤酒法酤
酒業一切酒不得酤是酒起罪因緣而菩薩應生一切
眾生明達之慧而反更生眾生顛倒之心是菩薩波羅
夷罪
若佛子口自說出家在家菩薩比丘比丘尼罪過教人
說罪過罪過因罪過緣罪過法罪過業而菩薩聞
外道惡人及二乘惡人說佛法中非法非律常生悲心

BD00526 號　梵網經盧舍那佛說菩薩心地戒品第十卷上　（11–2）

說罪過罪過因罪過緣罪過法罪過業而菩薩聞
外道惡人及二乘惡人說佛法中非法非律常生悲心
教化是惡人輩令生大乘善信而菩薩反更自說
佛法中罪過者是菩薩波羅夷罪
若佛子口自讚毀他亦教人自讚毀他毀他因毀他緣
毀他法毀他業而菩薩應代一切衆生受加毀辱惡事
自向己好事與他人若自揚己德隱他人好事令他人受
毀者是菩薩波羅夷罪
若佛子自慳教人慳慳因慳緣慳法慳業而菩薩見一
切貧窮人來乞者隨前人所須一切給與而菩薩以惡心瞋
心乃至不施一錢一針一草有求法者而不爲說
一句一偈一微塵許法而反更加於逆罵辱者是菩薩波
羅夷罪
若佛子自瞋教人瞋瞋因瞋緣瞋法瞋業而菩薩應生一
切衆生中善根无諍之事常生悲心而反更於一切衆生
中乃至於非衆生以惡口罵辱加以手打及以刀杖意猶
不息前人求悔善言懺謝猶瞋不解者是菩薩波羅夷罪
若佛子自謗三寶教人謗三寶謗因謗緣謗法謗業
而菩薩見外道及以惡人一言謗佛音聲如三百鉾刺心
況口自謗不生信心孝順心而反更助惡人邪見人謗者是
菩薩波羅夷罪
善學諸人者是菩薩十波羅提木叉應當於中不
應一一犯如微塵許何況具足犯十戒若有犯者不得
現身發菩薩心亦失國王位失轉輪王位失十發趣十
長養十金剛十地佛性常住妙果一切皆失墮三惡
道中二劫三劫不聞父母三寶名字以是不應一一犯汝

BD00526 號　梵網經盧舍那佛說菩薩心地戒品第十卷上　（11–3）

長養十金剛十地佛性常住妙果一切皆失墮三惡
道中二劫三劫不聞父母三寶名字以是不應一一犯汝
等一切諸菩薩今學當學已學如是十戒應當學
敬心奉持八万威儀品當廣明
佛告諸菩薩言已說十波羅提木叉竟四十八輕今當說
若佛子欲受國王位時受轉輪王位時百官受位時
應先受菩薩戒一切鬼神救護王身百官之身諸
佛歡喜既得戒已生孝順心恭敬心見上座和上阿
闍梨大同學同見同行者應起承迎禮拜問訊而
菩薩反更生憍心慢心癡心不起承迎禮拜一一不如法供
養以自賣身國城男女七寶百物而供給之若不爾者犯輕垢罪
若佛子故飲酒而生酒過失无量若自身手過酒器與
人五百世无手何況自飲不得教一切人飲及一切衆生
飲酒況自飲酒若故自飲教人飲者犯輕垢罪
若佛子故食肉一切肉不得食斷大慈悲佛性種子一
切衆生見而捨去是故一切菩薩不得食一切衆生肉食
肉得无量罪若故食者犯輕垢罪
若佛子不得食五辛大蒜革葱慈葱蘭葱興渠
是五種一切食中不得食若故食者犯輕垢罪
若佛子見一切衆生犯八戒五戒十戒毀禁七逆八難一切
犯戒罪應教懺悔而菩薩不教懺悔共住同僧利
養而共布薩一衆住說戒而不舉其罪不教悔過者
犯輕垢罪
若佛子見大乘法師大乘同學同見同行者
來入僧房舍宅城邑若百里千里來者即起迎
來送去禮拜日日三時禮拜日食三兩金百味飲食

BD00526 號　梵網經盧舍那佛說菩薩心地戒品第十卷上　（11–4）

來入僧房舍宅城邑若百里千里來者即起迎
來送去礼拜日日三時礼拜日食三兩黃金百味飲食
床座醫藥供事法師一切所須盡給與之常請法師
三時說法日日三時礼拜不生瞋心患惱之心為法
滅身請法若不尒者犯輕垢罪
若佛子一切處有講法毗尼經律大宅舍中講法
處是新學菩薩應持經律卷至法師所聽受諮
若聞山林樹下僧地房中一切說法處悉至聽受
若不至彼聽受者犯輕垢罪
若佛子心背大乘常住經律言非佛說而受持二乘
聲聞外道惡見一切禁戒邪見經律者犯輕垢罪
若佛子見一切疾病人常應供養如佛无異八福田中
看病福田第一福田若父母師僧弟子病諸根不具百
種病苦惱皆養令差而菩薩以惡心瞋恨不至僧房中
城邑曠野山林道路中見病不救濟者犯輕垢罪
若佛子不得畜一切刀杖弓箭鉾斧鬪戰之具及惡網
羅殺生之器一切不得畜而菩薩乃至殺父母尚不加報
況殺一切衆生若故畜刀杖者犯輕垢罪
如是十戒應當學敬心奉持下六品中廣開
佛言佛子為利養惡心故通國使命軍陣合會興
師相伐殺无量衆生而菩薩不得入軍中往來況
故作國賊若故作者犯輕垢罪
若佛子故販賣良人奴婢六畜市易棺材板木盛
死之具尚不應作況教人作者犯輕垢罪
若佛子以惡心故无事謗他良人善人法師師僧國王
貴人言犯七逆十重於父母兄弟親六中應生孝順

BD00526號　梵網經盧舍那佛說菩薩心地戒品第十卷上　（11–5）

若佛子以惡心故无事謗他良人善人法師師僧國王
貴人言犯七逆十重於父母兄弟親六中應生孝順
心慈悲心而反更加於逆害墮不如意處者犯輕垢罪
若佛子以惡心故放大火燒山林曠野四月乃至九月
放火若燒他人屋宅城邑僧房田木及鬼神
官物一切有主物不得故燒若故燒者犯輕垢罪
若佛子自佛弟子及外道惡人六親一切善知識應一一教
受持大乘經律教解義理使發菩提心十發趣心十長
養心十金剛心三十心中一一解其次第法用而菩薩以惡心
瞋心橫教他二乘聲聞經律外道邪見論等者犯輕垢罪
若佛子應以好心先學大乘威儀經律廣開解義味
見後新學菩薩有百里千里來求大乘經律應如
法為說一切苦行若燒身燒臂燒指若不燒身臂指供
養諸佛非出家菩薩乃至餓虎狼師子一切餓鬼
悉應捨身肉手足而供養之然後一一次第為說正
法使心開意解而菩薩為利養故應答不答倒說
經律文字无前无後謗三寶說者犯輕垢罪
若佛子自為飲食錢物利養名譽故親近國王王子
大臣百官恃作形勢乞索打拍牽挽橫取錢物一切求
利名為惡求多求教他人求都无慈心无孝順心者犯輕垢罪
若佛子學誦戒者日日六時持菩薩戒解其義理佛性
之性而菩薩不解一句一偈戒律因緣詐言能解者即
為自欺誑亦欺誑他人一一不解一切法而為他人作師
受戒者犯輕垢罪
若佛子以惡心故見持戒比丘手捉香爐行菩薩行
而鬪遘兩頭謗欺賢人无惡不造者犯輕垢罪

BD00526號　梵網經盧舍那佛說菩薩心地戒品第十卷上　（11–6）

若佛子以惡心故見持戒比丘手捉香鑪行菩薩行
而鬪遘兩頭謗欺賢人无惡不造者犯輕垢罪
若佛子以慈心故行放生業一切男子是我父一切女人是
我母我生生无不從之受生故六道衆生皆是我
父母而殺而食者即殺我父母亦殺我故身一切地水
是我先身一切火風是我本體故常行放生業生
生受生若見世人殺畜生時應方便救護解其苦
難常教化講說菩薩戒救度衆生若父母兄弟死亡
之日應請法師講說經律福資亡者得見諸佛生
人天上若不尒者犯輕垢罪
如是十戒應當學敬心奉持如滅罪品中已明一一戒
佛言佛子以瞋報瞋以打報打若殺父母兄弟六親不
得加報若國主為他人殺者亦不得加報殺生報生
不順孝道尚不畜奴婢打拍罵辱日日起三業口罪況故
作七逆之罪而出家菩薩无慈報酬乃至六親中
若故作者犯輕垢罪
若佛子初始出家未有所解而自恃聰明有智或高
貴年宿或恃大姓高門大解大福富饒財七寶以此憍
慢而不諮受先學法師經律其法師者或小姓年少
卑門貧窮諸根不具而實有德一切經律盡解而新
學菩薩不得觀法師種性而不來諮受法師第一義
諦者犯輕垢罪
若佛子佛滅度後欲以好心受菩薩戒時於諸佛菩
薩形像前自誓受戒當七日佛前懺悔得見好相便
得受戒若不得好相當以二七三七乃至一年要見好
相得好相已便得佛菩薩形像前受戒若不得好相
雖佛菩薩形像前受戒不名得戒若先受菩薩戒法師
前受戒時不須要見好相是法師師相授故不須好

雖佛菩薩形像受戒不名得戒若先受菩薩戒法師
前受戒時不須要見好相是法師師相授故不須好
相是以法師前受戒即得戒以生重心故若千里內无
能受戒師得佛菩薩形像前受得戒而要見好相
若法師自倚解經律大乘學戒與國王太子百官以
為善友而新學菩薩來問若經義律義輕心惡心慢
心不一一好答問者犯輕垢罪
若佛子有佛經律大乘法正見正性正法身而不能
勤學修習而捨七寶反學邪見二乘外道俗典阿毗曇
雜論書記是斷佛性障道因緣非行菩薩道者若
故作者犯輕垢罪
若佛子佛滅度後為說法主為僧房主教化主坐禪主
行來主應生慈心善和鬪諍守護三寶物莫无度用如
自己有而反亂衆鬪諍恣心用三寶物者犯輕垢罪
若佛子先在僧房中後見客菩薩比丘來入僧房舍宅
城邑國王宅舍中乃至夏坐安居處及大會中先住僧
應迎來送去飲食供養房舍卧具繩床事事給與
若无有物應自賣身及男女身供給所須悉以與之若
檀越來請衆僧客僧有利養分僧房主應次第差
客僧受請而先住僧獨受請而不差客僧房主得
无量罪畜生无異非沙門非釋種姓者犯輕垢罪
若佛子一切不得受別請利養入己而此利養屬十方僧而
別受請即取十方僧物入己及八福田中諸佛聖人一一師僧
父母病人物自己用故犯輕垢罪
若佛子有出家菩薩在家菩薩及一切檀越請僧福田
求願之時應入僧坊中問知事人今欲次第請者即得十
方賢聖僧而世人別請五百羅漢菩薩僧不如僧次一凡夫
僧若別請僧者是外道法七佛无別請法不順孝道
若故別請僧者犯輕垢罪

方賢聖僧而世人別請五百羅漢僧不如僧次一凡夫
僧若別請僧者是外法七佛无別請法不順孝道
若故別請僧者犯輕垢罪
若佛子以惡心故爲利養販賣男女色自手作食自
磨自舂占相男女解夢吉凶是男是女呪術工巧
□方法和合百種毒藥千種毒藥蛇毒生金
毒都无慈心若故作者犯輕垢罪
以惡心故自身謗三寶詐現親附口便說空
爲白衣通致男女交會婬色作諸縛着於六
年三長齋月作殺生劫道破齋犯戒者犯輕垢罪
如是十戒應當學敬心奉持制戒品中廣解
佛言佛子佛滅度後於惡世中若見外道一切惡人劫
賊賣佛菩薩父母形像販賣經律販賣比丘比丘尼亦
賣發心菩薩或爲官使與一切人作奴婢者而菩薩見
事是已應生慈心方便救護處處教化取物贖佛菩
薩形像及比丘比丘尼一切經律若不贖者犯輕垢罪
若佛子不得畜刀杖弓箭販賣輕秤小斗因官形勢
取人財物害心繫縛破壞成功長養猫狸猪狗若
故養者犯輕垢罪
若佛子以惡心故觀一切男女等鬪軍陣兵衆劫賊等鬪
亦不得聽吹貝鼓角琴瑟箏笛箜篌歌叫伎樂之聲
不得樗蒲圍碁波羅塞戲彈碁六博拍毱擲石投壺
八道行城爪鏡蓍草楊枝鉢盂髑髏而作卜筮不得作
盜賊使命一一不得作若故作者犯輕垢罪
若佛子護持禁戒行住坐臥日夜六時讀誦是戒
猶如金剛如帶持浮囊欲度大海如草繫比丘常
生大乘信自知我是未成之佛諸佛是已成之佛
發菩提心念念不去心若起一念二乘外道心者犯輕垢罪

BD00526號　梵網經盧舍那佛說菩薩心地戒品第十卷上　（11–9）

猶如金剛如帶持浮囊欲度大海如草繫比丘常
生大乘信自知我是未成之佛諸佛是已成之佛
發菩提心念念不去心若起一念二乘外道心者犯輕垢罪
若佛子常應發一切願孝順父母師僧三寶常願得
好師同學善友知識常教我大乘經律十發趣十長
養十金剛十地使我開解如法循行堅持佛戒寧捨
身命念念不去心若一切菩薩不發是願者犯輕垢罪
若佛子發十大願已持佛禁戒作是願言寧以此身投大
熾然猛火大坑刀山終不毀犯三世諸佛經律與一切女
人作不淨行復作是願寧以熱鐵羅網千重周匝纏
身終不破戒之身受信心檀越一切衣服復作是願
寧此口呑熱鐵丸及大流猛火經百千劫終不以破戒之
口食信心檀越百味飲食復作是願寧以此身臥大
火羅網熱鐵地上終不以破戒之身受信心檀越百種
床座復作是願寧以此身受三百鉾刺身終不以破戒
之身受信心檀越百味醫藥復作是願寧以此身
投熱鐵鑊終不以破戒之身受信心檀越千種房舍
屋宅園林田地復作是願寧以鐵槌打碎此身
至足令如微塵終不以破戒之身受信
礼拜復作是願寧以百千熱鐵刀鉾挑
不以破戒之身心視他好色復作是願
錐遍身揬刺耳根經一劫二劫終不以
好音聲復作是願寧以百千刃刀割
不以破戒之心貪嗅諸香復作是願寧
割斷其舌終不破以戒之心食人百味淨
願寧以利斧斬斫其身終不以破戒之心貪
復作是願願一切衆生悉得成佛而菩

BD00526號　梵網經盧舍那佛說菩薩心地戒品第十卷上　（11–10）

投熱鐵鑊終不以破戒之身受信心檀越千種床
屋宅園林田地復作是願寧以鐵㮶打碎此身從頭
至足令如微塵終不以破戒之身受信
礼拜復作是願寧以百千熱鐵刀鉾挑
不以破戒之身心視他好色復作是願
錐遍身擴刺耳根經一劫二劫終不以
好音聲復作是願寧以百千刃刀割
不以破戒之心貪着諸香復作是願寧
割斷其舌終不破以戒之心食人百味淨
願寧以利斧斬斫其身終不以破戒之心貪著
復作是願願一切衆生悉得成佛而菩薩
發是願者犯輕垢罪
若佛子常應二時頭陁冬夏坐禪結夏安居
枝澡豆三衣瓶鉢
火燧鑷子繩

BD00526 號　梵網經盧舍那佛說菩薩心地戒品第十卷上　（11–11）

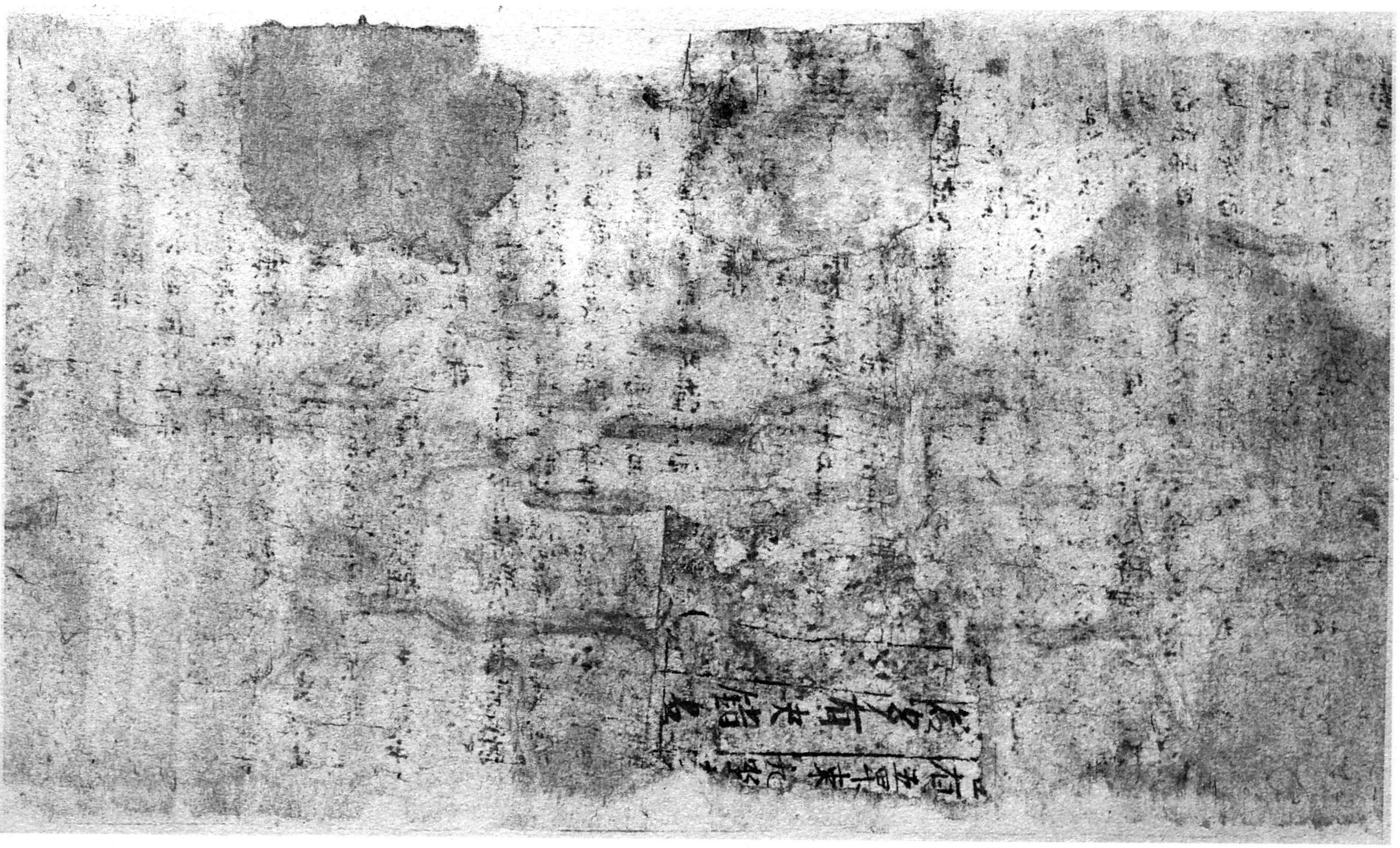

BD00526 號背　待考殘片　（2–1）

BD00526號背　待考殘片　　（2–2）

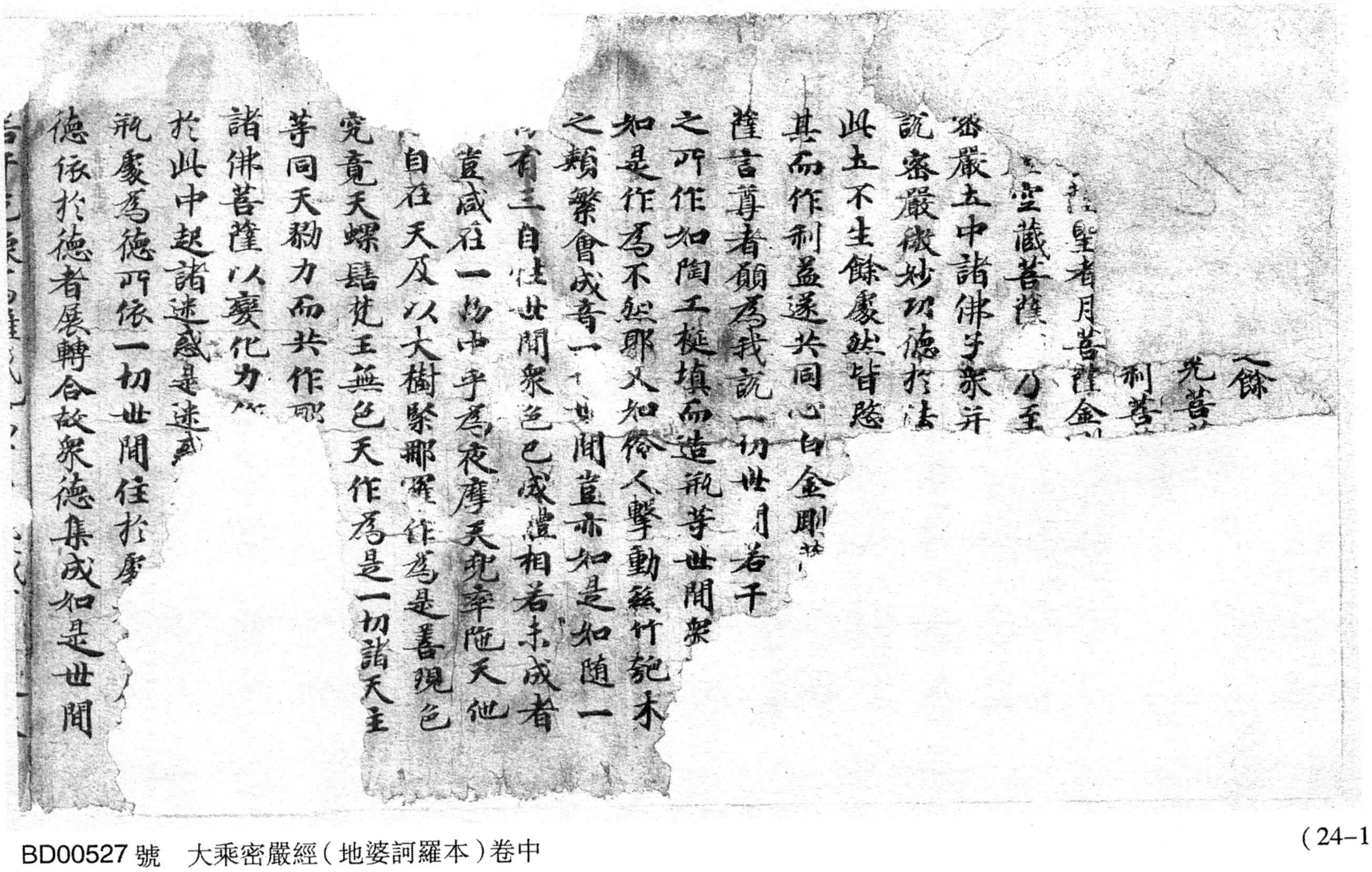

BD00527號　大乘密嚴經（地婆訶羅本）卷中　　（24–1）

氣豪爲德所依一切世間住於豪
德依於德者展轉合故衆德集成如是世間
若干色像爲誰惑亂爲有作耶惑有言是大
天王那羅延天自在天作惑謂力沙迦拏提
劫比羅仙自力而作惑有妄執從於勝性
然及時無明愛業而得生起諸天仙等及餘一
切衆世定人悉懷疑惑焉
如熱時燄如乾闥婆城
如虵二首如起屍行亦如火
中垂髮旋火輪耶尒時金剛藏菩薩復言曰
以偈荅曰
世間衆色像 不從能作生 非是雉鞞羅 因陁羅等作
非大梵會 祠祭之福果 此從所无因 乎爲无定義
復非無有 能持世間因 所謂阿賴耶 第八丈夫識
運動於一切 如輪轉衆瓶 如油遍在麻 塩中有醎味
如無常性 普遍於諸色 沉麝等…
非能作所作 遠離諸外道 一異…
不可得分別 定心无礙者 內智…
即無有餘識 譬如海波浪 與海雖不異 海…
亦不可言一 譬如修定者 內定清淨心 神通自在人
所有諸通慧 觀行者自見 非餘之所了 藏識亦如是
轉識同行 佛及諸佛子 定者常觀見 藏識於世
如線貫珠 亦如車有輪 隨於業風轉 陶師運輪杖
器成隨所用 藏識與諸界 共力无不成 內外諸世間

BD00527 號　大乘密嚴經（地婆訶羅本）卷中　（24–2）

器成隨所用 藏識與諸界 共力无不成 內外諸世間
彌綸悉周遍 譬如衆星像 布列在…
運行常不息 如空中鳥跡 求之不
鵝鴨而進退 藏識亦如是 不離自他身 如海…
如空含万像 藏識亦如是 蘊藏諸習氣 譬如水中月
及以諸蓮花 與水不相離 不爲水所著 藏識亦須然
習氣莫能染 如目有瞳子 眼終不自見 藏識住於身
藏諸種子 遍持受煖識 如雲覆世間 業用增不停
衆生莫能見 世間妄分別 見牛等有角 不了角非有
因言兔角无 分析至微塵 求角无所有 要待…
而起於无見 有法本自无 无見何
展轉互相因 有无二法中 不應起
能覺即不生 譬如旋火輪 翳幻等衆事 皆因少所見
而生是諸覺 若離於所因 此覺即无有 名想互相繫
習氣无有邊 一切諸分別 與意而俱起 證於真實境
氣心不生 從於无始來 沉迷諸妄境 戲論而熏
生於種種心 能取及所取 衆生心自性 瓶衣等諸相
離心无所有 一切唯有覺 所覺義皆无 能覺所覺性
自然如是轉 習氣擾濁心 凡愚不能見 如…
波浪无停 心爲境風動 識浪生…
自內而執取 …分別 庶物依以生 藏識亦須然
衆境之依處 …手 還自摩捫身 亦如象以鼻
取水自霑沐 復似諸嬰兒 以口含其指 如是自心
現境還自緣 是心之境界 普遍於三有 久修觀行者

BD00527 號　大乘密嚴經（地婆訶羅本）卷中　（24–3）

現境還自緣　是心之境界　普遍於三有　久修觀行者
而能善通達　內外諸世間　一切唯心識
尒時金剛藏菩薩摩訶薩說此語竟默然而
坐住無處所微妙之禪遊法界門入諸佛境
見有无量佛子當來此國住於
起放大光明其光普照欲色无色
是光明中復見无量殊勝佛土有无量佛好
相好莊嚴隨諸世間之所欲樂而為利益皆
使受持密嚴名号彼諸佛子手相觀察而作
是言密嚴佛土能淨衆福滅一切罪諸觀行
人所住之處於諸佛國最上无比我等聞名
心咸悅樂可共俱往時諸佛子各從所住而來
此國尒時淨居諸天與阿迦尼吒螺
會一處咸於此土佛及菩薩生
王言天主我等今者咸興是念何時當得
侍天王詣密嚴土尒時梵王聞是語已與諸
天衆遶即同行中路持迴反知所適梵王先
悟作是思惟密嚴佛國觀行之境若非其人
何階可至非是欲色无色諸天及外道神通
所能往詣我今云何而來至此復自念言或
共中天假吾威力而能亟往作是念已發聲
命即時見有无量諸佛在於道
時螺髻梵王即白佛言世尊我等今者當
所作而能速詣密嚴佛土佛告之言汝可退
還所以者何密嚴佛國觀行之境得正定之人

BD00527 號　大乘密嚴經（地婆訶羅本）卷中　（24–4）

所作而能速詣密嚴佛土佛告之言汝可退
還所以者何密嚴佛國觀行之境得正定人
之所住處於諸佛剎最勝无比非有色者所
能往詣時螺髻梵王聞佛說已諸與天衆尋
還天宮尒時淨居諸天共相議言螺髻梵王
有大威力而不能往當知此土最為殊勝但是
得如幻三昧諸觀行人所行之境
嚴功德其聲展轉靡不傳聞尒時
來此會者聞是語已益加欣敬白金剛藏菩
薩摩訶薩言我等於法深懷渴慕唯願大明
明為我宣說金剛藏言佛所說法誰能具演
唯除如來之所護念夫如來者於觀行中最
勝自在所有境界不可思議云何可為非觀
行人開示演說時持進菩薩及須夜摩諸佛
子等復共同聲請言速說尒時神
文殊師利菩薩慈氏菩薩緊那羅
無量諸菩薩衆復作是言善哉仁者願速為
說是時復有无量諸天於虛空中作天伎樂
同心勸請當尒之時螺髻梵王承佛威力而
來此會向金剛藏菩薩摩訶薩而說偈言
今此諸大會　嚴飾未曾有　悉是尊弟子　聽慧无等倫
皆於尊者處　渴仰而求法　我今猶未知　所問為何等
為問憍羅娑　勝鬘及頂生　乃至盛年馬　車
為問甘蔗種　十弓持國王　欲色无色中　人天
為問菩薩行　獨覺及聲聞　乃至阿脩羅　星像等衆論

BD00527 號　大乘密嚴經（地婆訶羅本）卷中　（24–5）

爲居憍尸迦 勝臨及頂生 乃至盛年馬
爲聞甘蔗種 十弓持國王 欲色无色中 人天并与仙
爲聞菩薩行 獨覺及聲聞 乃至阿脩羅 星像等衆論
惟願如其事 次第而演說 我等及天人 一心咸聽受
尒時金剛藏菩薩摩訶薩告諸大衆汝豈不
聞螺髻梵王淨居天衆及諸佛子勤心請法
尒時解脫月菩薩無盡慧菩薩虛空王菩薩
持世菩薩得大勢菩薩觀自在菩薩寶
薩天冠菩薩金剛手菩薩寂靜慧菩薩寶手
菩薩及餘無量諸億土中俱來佛子咸共瞻
仰金剛藏尊而說偈言
過去及未來 如來清淨智 尊於佛觀受 明了心不疑
此衆皆樂聞 願尊時演說
尒時金剛藏三時王普觀大衆以偈荅曰
如來所說法 非我具能演 唯除佛菩薩 威神之所護
我今至心礼 自在清淨宮 摩尼寶藏殿 佛
我以敬心說 如來清淨智 紹隆佛種姓 汝等應聽受
非說過去等 最勝諸王法 但示於密嚴 如來之種姓
佛智甚微妙 牟尼勝功德 正觀之所行 離諸心妄計
是故非我力 能演此甚深 但以佛威神 從佛而聽受
此智最微妙 是諸三昧兆 佛在密嚴中 正受而開演
遠離諸言說 及以一切見 若有若無等 如是四種邊
是名最清淨 中道之妙理 密嚴諸定者 於此能觀察
離著而轉依 速入如來地
尒時會中諸佛子衆聞金剛藏菩薩摩訶薩

BD00527 號　大乘密嚴經（地婆訶羅本）卷中　（24–6）

是名最清淨 中道之妙理 密嚴諸定者 於此能觀察
離著而轉依 速入如來地
尒時會中諸佛子衆聞金剛藏菩薩摩訶薩
說是偈已稽首恭敬而白之言我等於法深
生愛樂如渴思瓊漿如蜂念蜜今此會中諸佛
子衆於深定智皆得自在有大神力王諸世界
願聞如來所說之法唯願尊者以梵音聲因陁
羅聲及以如來衆所悅可深遠之音演殊勝
義令得顯了金剛藏菩薩言如來所說言
真實希有難見譬如空中無樹等物而見其
影甚爲希有如來所說希有亦然如空中風
及以鳥跡無能見者牟尼所說種種義趣難
可得見亦復如是世間之法有智慧者能以
譬喻分明顯說佛口所宣過諸譬喻非言所
及我之所見譬如夢境乾闥婆城今此會中
諸觀行者有大智慧於真實義已得
今云何能爲是人說不思議諸佛境界雖然
當承如來威神之力爲衆宣述汝諸佛子咸
應諦聽如來所說文義相應出過心意非喻
所及譬如妙華衆蜂覽採先至之者取其精
粹後來至者但味其餘如是如來得法精粹
我味其餘爲衆說耳即說偈言
天中天境界 增悅諸明智 非心口所能 度量分別
爲欲普降伏 世間憍慢心 示同人之形 佛相甚嚴飾
圓光及輪輻 種種皆成就 遊處諸宮殿 人天具所瞻
如日時中 常於密嚴主 而於諸世界 現生及涅槃

BD00527 號　大乘密嚴經（地婆訶羅本）卷中　（24–7）

為欲普降伏　世間憍慢心　亦同人之形　佛相莊嚴飾
圓光及輪輻　種種皆成就　遊處諸宮殿　人天具所瞻
如來四時中　常依密嚴住　而於諸世界　現生及涅槃
淳善少減時　惡生及濁亂　隨諸衆生
業用無暫停　密嚴恒不動　密嚴無垢

惡生濁亂時　顯示如來相　譬如淨滿月　影遍於衆水
如是諸色像　普現於世間　如來淨智境　智者
以諸衆生類　所樂各不同　佛以種種身　隨宜而應化
或見大自在　或見毗紐天　或見迦毗羅　住空而說法
或見毗陁者　或復見常行　或見娑旦那　鳩摩及尸棄
羅睺歎部等　及至堅那羅　甘蔗月種王　一切所瞻仰
金剛等衆寶　乃至於鉐錫　皆由佛威力　隨應而出生
天女及龍女　乾闥婆之女　治容而進趣　不能惑其心
欲界中諸境　如來已降伏　色無色亦然　無有能
無想諸定者　未離於惑纏　非安非清淨　退墮而流轉
有身者所生　非如密嚴國　密嚴微妙土　清淨福為嚴
解脫知見人　最勝之依處　十種大自在　力通三昧法
如佛而嚴飾　意生之妙身　修行於十地　施等波羅蜜
衆相以莊嚴　其身甚清淨　遠離於分別　亦非無覺了
無有我意根　慧根常悅樂　施等諸功德　淨業悉圓滿
得佛勝所依　密嚴之淨國　此土最微妙　不以日月
諸佛及菩薩　舒光而普照　其光甚威曜　逾於百千日
無有晝夜時　亦無老死患　密嚴最勝處　諸天所希仰
最上修行者　地地而進修　了知一切法　皆以心為性

無有晝夜時　亦無老死患　密嚴最勝處　諸天所希仰
最上修行者　地地而進修　了知一切法　皆以心為性
善說阿賴耶　三性法無我　其身轉清淨　而來生此國

大乘密嚴經胎生品第三

尒時金剛藏菩薩摩訶薩復告螺髻梵王言
天主當知衆生之身九物為性有為衆相
共遷動大種諸色微塵之聚以諸不淨精血
合成為無量業常所纏覆譬如毒樹扶踈蓊
欝貪恚及癡而共增長餘於九月或十月餘
業力驅馳生機運動從於產門倒首而出煩
冤逼迫受無量苦天主此諸衆生或從人中
或從畜生餓鬼羅剎阿脩羅等而來生此或有
曾作轉輪聖王乃至天中威力自在或是持
呪外道仙人并其眷屬或修禪者退失禪定
從如是等處而生此中既生之已諸根長大隨
所親近宿習因緣而造諸業復因此業輪迴諸
趣若有智者遇善知識聞法思惟而得解悟不
著文字分別入三解脫門見法真理最上清
淨最上上清淨而來住此密嚴佛國於無量
億諸佛土中隨宜應現天主如是生者永得
解脫生死險趣名為丈夫名為智者亦復說
名天中之天諸佛子衆所共圍遶天主胎藏之
身虛偽不實非自性生亦非無明愛業所生
何以故無明愛業因相而有若能了達悉滅
無餘亦無名字及以分別斯人即生密嚴佛

何以故無明愛業因相而有若能了達悉滅
无餘亦无名字及以分別斯人即生密嚴佛
土天主若諸定者住於三昧心有攀緣即為
色聲之所誑惑而生取著不能堅固此即名
為散動之道是三昧力生於欲界及色无色
乃至無想衆生之處是人即為三昧所縛若
住三昧善調其心離能所取離二取已心即
不生是名真實觀行之者若欲生於密嚴佛
國當住此真實三昧

大乘密嚴經顯示自作品第四

尒時金剛藏菩薩摩訶薩復告螺髻梵天王
言天主心有八種或復有九與无明俱為世
間因世間悉是心心法現是心心法及以諸根
根生滅流轉為无明等之所變異其根本心
堅固不動天主世間因緣有十二分若根若境
能生所生剎那壞滅從於梵世至非非想皆因
緣起唯有如來離諸因緣天主內外世間動不
動法皆如瓶等壞滅為性天主諸識微細遷
流速疾是佛境界非諸世間仙人外道所能
知見衆仙外道為愛所纏不能了知心相差
別天主假使有人勉意勤行歌讚祠祀毗陁
之法而際於火經於一月或滿四月如是一
歲至于千歲生於梵境終亦退還天主汝不
知耶三毗陁行所得之果譬如芭蕉性不堅
固天主密嚴佛土是諸如來解脫之處從智

知耶三毗陁行所得之果譬如芭蕉性不堅
固天主密嚴佛土是諸如來解脫之處從智
之得若樂解脫應善修行天主密嚴中人無
有眷屬生死之患其心不為諸業習氣之所
染著如蓮花出水如虛空無塵如日月高昇
淨無雲翳一切諸佛恒共攝受沐淨戒流飲
智慧液得真實解度衆生身中諸界五蘊識
等衆法皆無所有眼色為緣而生於識譬如
因木火得熾然天主一切境界隨妄識轉如
鐵動移逐於慈石又如陽燄乾闥婆城是諸
渴愛愚細所取此中無有能造等物但是凡
夫心之變異天主如乾城之中人衆往來馳
騖所作見而非實衆生之身進止云為亦復
如是如夢中所見寤即非有世間之人見蘊
等法覺心明照本來寂靜天主地等和合微塵
之聚若離於心即无所得世間諸物可持舉
等執非大種之所合成譬如風淡病緣或亂
見種種物又如起屍无能作者世間諸法悉
亦如是汝諸佛子應懃觀察天主一切世間
動植之物譬如水沫共聚成形瓶衣等想同
於陽燄苦樂諸受猶如浮泡行如芭蕉中无
有堅識如幻事虛偽不實天主三界之中動
不動法同於夢境迷心所現亦如幻事乾闥
婆城但誑愚夫若諸佛子於如是法能正覺
知心無所畏以智慧火焚燒一切諸患因緣

不動法同於夢境迷心所現亦如幻事乾闥
婆城但誑愚夫若諸佛子於如是法能正覺
知心無所畏以智慧火焚燒一切諸惑因緣
即生妙樂密嚴之五天主一切世間皆无有
相相為繫縛无相即解相是心境心境不實
真實之法是智境界遠離衆相非心所行天
主一切諸相是三界法色聲等法名之為相諸
根境界一切衆生繫縛之因若能於相而不
貪著衆縛悉除安樂自在
尒時寶髻菩薩摩訶薩在大衆中坐殊妙座
座向金剛藏菩薩摩訶薩而作是言尊者於
諸億佛國菩薩衆中最為上首成最上智了
所智法无量悉擅皆已明見在瑜祇衆能淨
彼疑善攝知衆身之本趣能於一劫或一劫
餘以妙音詞演而不倦何故不為諸人等說離
諸違順似非似真實之法令諸智者心淨无
疑捨蘊因緣疾得解脫法與非法是蘊因緣
生於此身及後身故智能脫苦愛為堅縛尊
者衆生之心因色與明作意等緣馳散於境
其心速疾難可覺知无明愛業以之濁亂尊
者衆生身中種種諸法意為先導意最速疾
意為殊勝隨所法與意相應彼法皆以意為
其性如摩尼珠顯現衆形如是之義仁何不
說又如衆色摩尼之寶隨所相應種種明現
仁亦如是具如來像住自在宮諸佛子衆所

其性如摩尼珠顯現衆形如是之義仁何不
說又如衆色摩尼之寶隨所相應種種明現
仁亦如是具如來像住自在宮諸佛子衆所
共圍遶亦應如是隨宜說法
尒時金剛藏菩薩摩訶薩言密嚴佛土是最
寂靜是大涅槃是妙解脫是淨法界亦是智
慧及以神通諸觀行者所止之處本來常住
不壞不滅水不能濡風不能燥非如瓶等勤
力所成尋復破壞非諸似因及不似因之所成
立何以故宗及諸分是不定法諸宗及因各
差別故密嚴佛土是轉依識超分別心非諸
妄情所行之境密嚴佛土是如來處無始无
終非微塵生非自性生非樂欲生不從摩醯
首羅而生亦非無明愛業所生但是无功用智
之所生起出過欲界及色无色无想天中闇
冥之網密嚴佛土阿若悉擅非因明者所量
境界亦非勝性自在聲論毗陁如是等宗之
所顯示乃至於資糧位智慧之力不能照了
唯是如來十地所修清淨智境諸仁者一切
凡夫迷於世間於業非業我今當說業非業
義令諸定者獲於安樂即說偈言　吱　吱
內外一切物　所見唯自心　衆生心二性　能取及所取
心體有二門　即心見衆物　凡夫性迷惑　於自不能了
所見衆境界　皆是自所為　瓶等相現前　求之悉无體

心體有二門 即心見眾物 凡夫性迷惑 於自不能了
所見眾境界 皆是自所為 瓶等相現前 求之悉無體
諸仙智微劣 不能明了知 捨於真實理 而行分別路
是心有二性 如鏡含眾像 亦如水現月 翳者見毛輪
毛輪瓔珞珠 此皆無所有 但從病翳眼 若斯而顯現
瓶衣皆自識 眾生亦復然 虛妄計著人 不知恒執取
眾生及瓶等 種種諸形相 內外雖不同 一切從心起
此密嚴妙定 非餘之所有 若有能修行 出過於眾地
或生欲自在 及以色界天 乃至無想宮 阿迦尼吒處
空識無所有 非想非非想 如是諸地中 漸次除貪欲
住彼非究竟 尋來生密嚴 佛子眾圍遶 自在而遊戲
汝應修此定 何為著親屬 眷屬相羅縛 輪迴生死因
男女相耽愛 精血共和合 如蟲生臭泥 此中生亦爾
九月或十月 諸根漸成就 時至出母胎 譬如蟲蠕動
從此而長大 乃至心了知 我觀諸眾生 生生悉如此
父母無有數 妻子亦復然 一切諸世間 無處不周遍
譬如石女人 夢已忽生子 捧對方歡樂 尋又見其亡
悲哀不自勝 忽然從睡覺 不見有其子 初生及後終
又夢山川中 田野村城邑 人眾悉充滿 共營諸業務
彼此互相見 猶如世所為 及從於睡覺 一切皆非有
復有多欲人 夢瞻於女色 姿容極姝麗 服玩皆珍綺
在夢極歡娛 覺已即無見 一切世間事 當知悉如是
王位及軍旅 父母等宗親 但誑於凡夫 體性皆非實
汝於如是定 何故不勤修 無量諸聲聞 獨覺及菩薩
在於空閑處 山林恒寂靜 或住於乳海 及以摩羅延

王位及軍旅 父母等宗親 但誑於凡夫 體性皆非實
汝於如是定 何故不勤修 無量諸聲聞 獨覺及菩薩
在於空閑處 山林恒寂靜 或住於乳海 及以摩羅延
須彌與頻陀 摩醯因陀羅 雞羅娑剎師 乃至雪山等
或在劫波樹 波利耶多羅 拘鞞羅樹下 半住波羅上
食閻浮果味 及諸不死食 具足諸神通 而常修此觀
過去未來世 常坐於蓮花 結跏身不動 正定恒觀察
諸根善調攝 不散於眾境 譬如鳥得鈎 離欲而三昧
世間若出世 一切諸定中 佛定淨無垢 貪愛皆除遣
遍處無色定 無想等禪中 見日月蓮花 水火虛空相
若離是分別 其心不動搖 即於三昧中 見無量諸佛
一時共舒手 以水灌其頂 如是入佛地 一切皆明覺
具足眾色身 隨宜而普現 力通諸自在 三昧陀羅尼
如是等功德 莫不皆成就 分析於諸色 乃至觀微塵
自性無所有 譬如彪菟角 無分無分者 蘊有蘊亦然
同於幻所作 一切皆如是 此中無業果 亦無作業人
無能作世間 設有非能作 能作待於作 何名能作人
此言成過失 說者非清淨 若謂云何有 水輪與地輪
及眾生世間 次第而安布 諸趣各差別 彼此互往來
誰復作諸根 隨情取於境 此等皆分別 展轉而變異
同於乳酪蘊 如是生住滅 若業若非業 於斯生妄計
定者常觀此 如夢與乾城 眾生無始來 戲論所熏習
生起於分別 種種眾過咎 諸根猶如幻 境界同於夢
能作作及業 定者不分別 智慧微劣者 妄生諸惡見
計有於能作 作一切世間 或謂摩尼珠 金銀等眾礦

生起於分別　種種衆過咎　諸相猶如幻　境界同於夢
能作作及業　定者不分別　智慧微少者　妄生諸惡見
計有於能作　作一切世間　或謂摩尼珠　金銀等衆礦
鳥獸色差別　剡端纖以利　此等誰所爲　當知無作者
世間非勝性　微塵等緣作　亦非無有因　自然而得有
或心妄計者　不知其體性　爲業爲非業　如是而分別
如毒入於乳　隨變與相應　諸法亦復然　分別常俱起
法性非是生　亦非是滅壞　或者不能了　種種異分別
定者應觀察　世間唯積聚　若業若非業　於此物思惟
諸趣呼來往　譬如於日月　在空无所依　隨風而運轉
業性甚微隱　密嚴者能見　修行觀行人　不爲其所縛
譬如火燒木　須臾作灰燼　智火焚業薪　當知亦如是
又如燈破闇　一念盡無餘　諸業之闇冥　多劫所熏聚
牟尼智燈照　刹那悉除滅

大乘密嚴經分別觀行品第五

尒時金剛藏菩薩摩訶薩復告大衆諸仁者
譬如有人在空閑地以泥瓦草木眥之成宇
既而諦觀一一物中無舍可得又如多柏共
合成拳離柏求拳即無所有軍徒車乘城邑山
林瓶衣等物一切皆是和合所成智者觀之悉
如夢事凡夫身宅亦復如是諸界積集譬如
高山危脆不安同於朽屋不生不滅非自非他
如乾闥婆城如影如雲如陽燄如繢像雖可
現覩性常清淨遠離一切有无分別如盲與
跛相假而行無決定性乃至分析至於微塵但

如乾闥婆城如影如雲如陽燄如繢像雖可
現覩性常清淨遠離一切有无分別如盲與
跛相假而行無決定性乃至分析至於微塵但
有虛名都无實物若諸定者作是思惟即於
色聲等法不生覺念離覺念已心得休息泰
然解脫不受諸有常樂修行甚深禪定諸天
仙等端正女人而來供養如觀夢事不生除
著身雖在此諸仙外道持呪之人乃至梵天
不能見頂是人不久生摩尼寶藏宮殿之中
遊戲神通具諸功德此觀行法是大心者所
行境界仁應速廣大之心大心之人疾得生
於光明宮殿離諸貪欲瞋恚愚癡乃至當詣
密嚴佛土此土廣博微妙寂靜无諸老死衰
惱之患遠離衆相非識所行妄計之人所不
能得諸仁者此土清淨觀行所居若懷希仰
當勤修習斷貪瞋癡離我我所何以故貪等
煩惱取諸境界若於取境即二覺生如有女人
端正可喜有多欲者見已生着欲心迷乱若
行若坐飲食睡眠専想思惟更無餘念彼女
容相常現於心此心即爲境界淤泥之所濁乱
是故於境不應貪著諸仁者譬如有人見牛
鹿山羊有角之獸即於彪兔生無角解若使
不見牛等有角於彪兔等決定不生無角之
見世間妄見悉亦如是忘有所得起有分別
後求其體不可得故便言諸法決定是無乃

不見牛等有角於彪菟等決定不生無角之
見世間妄見悉亦如是忘有所得起有分別
後求其體不可得故便言諸法決定是無乃
至未離分別之心常生如是不平等覺諸仁
者應以智慧察諦觀察心之所行一切境界
皆如妄計見牛菟等若諸佛子作如是觀隨
其意樂或生人中為轉輪王有大威力騰空
來往或生日月星宿之宮四天王天三十三
天夜摩天兜率陁天乃至自在天主摩尼藏
殿或生色界梵身等天修行定者十梵之處
无煩无熱善見善現阿迦尼吒空處識處
无所有處非想非非想處住於彼已漸除貪
欲從此而生清淨佛五常遊妙定至真解脫
尒時金剛藏菩薩摩訶薩復說偈言
如因瓶破　而成於瓦　剎那各別　恒是无常
因種生牙　牙生種壞　又如陶匠　以泥作瓶
泥是奢摩　瓶如其色　若復兼用　餘色泥作
火燒變已　各離色生　箭竹生蔥　角生於蘇
不淨之處　蠅生於蟲　世間之中　有果似因
或有諸物　不似因者　皆因變壞　而有果生
微塵等因　體不變壞　不應妄作　如是分別
無能作我　內我勝我　亦無我意　境界諸根
和合為因　而生於識　智者方便　善知衆地
破煩惱等　一切諸魔　世有貪愛　如淡得蜜
貪愛若除　衆縛悉解　如地螫物　瞋毒亦然

破煩惱等　一切諸魔　世有貪愛　如淡得蜜
貪愛若除　衆縛悉解　如地螫物　瞋毒亦然
生死趣中　多所惱害　諸仁若欲　令彼除盡
宜各勤心　修行觀行

大乘密嚴經阿賴耶建立品第六

尒時金剛藏菩薩摩訶薩復告衆言諸仁者
我念昔曾蒙佛與力而得妙定廓然明見十
方國土修世定人及佛菩薩所住之處於如
是處中密嚴佛國土安樂第一諸佛菩薩數
如微塵處蓮花藏我於尒時心瞻仰尋從定
出即自見身與諸菩薩在密嚴土復於尒時
見解脫藏住在宮中其量大小如一指節色
相明潔如阿怛斯花亦如空中清淨滿月我
時見已便生念言此為是誰而有如是不思
議事作是念時即見我身在其身內於中普
見一切世間尒時蓮花藏中無量菩
薩以佛神力亦如是見咸生是念此為希
有不可思議時天中天所為事畢還攝神力諸
菩薩等悉復如故我時見此希有事已知諸菩
薩種種變現是佛境界不可思議諸仁者如來
昔為菩薩之時從初歡喜至法雲地得陁羅
尼句義無盡及首楞嚴等諸大三昧意生之
身八種自在如應而現遊戲神通名稱光明
如是等一切功德悉已成就轉復清淨遠成

身八種自在如應而現遊戲神通名稱光明
如是等一切功德悉已成就轉復清淨逺成
正覺住密嚴土隨宜變化佛及菩薩種種色
像自然周遍一切世間轉妙法輪令諸衆生
速滅癡闇修行善法或有菩薩見佛身相尸
利娑蹉等具足莊嚴自然光明猶如盛火與
諸菩薩住如蓮華清淨之宮常遊定以為安
樂或見大樹緊那羅王現百千億種種變化
如月光明遍諸國土或見无量佛子智慧
善巧衆相莊嚴頂飾寶冠身佩瓔珞住兜率
陁天等諸天之宮或見普賢有大威力得一
切智無礙辯才身相光明獨无輪比所居宮
殿如淨滿月雖住密嚴正定之海而現衆色
像靡不周遍一切賢聖所共稱譽无量天仙
乾闥婆等國王王子并其眷屬圍繞侍衛
或復見有觀行之師諸佛子衆所共圍繞住
禪寂靜猶如睡眠而離昏沉懈怠等過悉曾
侍奉无量諸佛或復有見為大導師降神
誕生出家苦行一心正受乃至涅槃於虛
空中行住坐卧現諸神變令閻浮提至色究
竟諸天人等莫不瞻仰諸仁者諸佛體性唯
佛所知佛之智慧最上無比如釋迦牟尼人
中師子之所已得汝諸佛子咸當得之是故仁等
應生淨信信為佛體必當解脫斯人或作轉
輪聖王及諸小王乃至或至梵天等宮而為天

BD00527號　大乘密嚴經（地婆訶羅本）卷中　（24–20）

中師子之所已得汝諸佛子咸當得之是故仁等
應生淨信信為佛體必當解脫斯人或作轉
輪聖王及諸小王乃至或至梵天等宮而為天
主是諸佛子轉復精進於蓮花藏清淨佛土
與諸菩薩蓮花化生入一乘道離貪等習乃
至降伏欲界天魔夫精進者志無怯弱光隆
佛家王諸國土諸仁等若欲作佛當淨佛種性
淨種姓已必為如來之所授記成无上覺利
益一切諸修行者譬如大地與諸衆生而作所
依又如良醫善調衆藥周行城邑普心救療
亦如是平等教化心無分別設有衆生割截
肌膚心亦不動諸仁者内外境界心之所行皆
唯是識惑亂而見此中無我亦无我所能害
所害及以害具一切皆是意識境界依阿賴
耶如是分別譬如有人置珠日中或因鑽燧而
生於火此火非是珠燧所生亦非人作心意
識亦復如是根境作意和合而生此性非如
陽燄夢幻迷惑所取亦不同龜龜之毛及以
兔角如霹靂火為從水生為從電生為雲生
耶無能定知此所從生如見陶師造於瓶等
欲等心法與心共生亦復如是諸仁者心之
體性不可思議密嚴中人善能知見諸仁者
一切衆阿賴耶識本來而有圓滿清淨出過
於世同於涅槃譬如明月現衆國土世間之
人見有虧盈而月體性未曾增減藏識亦

BD00527號　大乘密嚴經（地婆訶羅本）卷中　（24–21）

一切衆阿賴耶識本來而有圓滿清淨出過
於世同於涅槃譬如明月現衆國土世間之
人見有虧盈而月體性未曾增減藏識亦
尒普現一切衆生界中性常圓潔不增不
減無智之人妄生計著若有於此能正了知
即得無漏轉依差別此差別法得者甚難如
月在空中性恒明潔藏識亦尒於轉識境界
習氣之中而常清淨如河中有木隨流漂轉而
木與流體相各別藏識亦尒諸識習氣雖常
與俱不爲所雜諸仁者阿賴耶識恒與一切染淨
之法而作所依是諸聖人現法樂住三昧之
境人天等趣諸佛國土悉以爲因常與諸乘
而作種性若能了悟即成佛道諸仁者一切
衆生有具功德威力自在乃至有生險難之
處阿賴耶識恒住其中作所依止此是衆生
无始時界諸業習氣能自增長亦能增長
餘之七識由是凡夫執爲所作能作內我諸
仁者意在身中如風速轉業風吹動遍在諸
根七識同時如浪而起外道所計勝性微塵
自在時等悉是清淨阿賴耶識諸仁者阿賴
耶識由先業力及愛爲因成就世間若干品
類妄計之人執爲作者此識體相微細難知
未見真實心迷不了於根境意而生愛著尒
時金剛藏菩薩摩訶薩復說偈言
汝等諸佛子　云何不見聞　藏識體清淨　衆身所依止

未見真實心迷不了於根境意而生愛著尒
時金剛藏菩薩摩訶薩復說偈言
汝等諸佛子　云何不見聞　藏識體清淨　衆身所依止
或具三十二　佛相及輪王　或爲種種形　世間皆悉見
譬如淨空月　衆星所環遶　諸識阿賴耶　如是身中住
譬如欲天主　侍衛遊寶宮　江海等諸神　水中而自在
藏識處於世　當知亦復然　如地生衆物　是心多所現
譬如日天子　赫弈乘寶宮　旋遶須彌山　周流照天下
諸天世人等　見之而礼敬　藏識佛地中　其相亦如是
十地行衆行　顯發大乘業　普與衆生樂　常讚於如來
在於菩薩身　是則名菩薩　佛與諸菩薩　皆是賴耶名
佛及諸佛子　已受當受記　廣大阿賴耶　而成於正覺
密嚴諸定者　與妙定相應　能於阿賴耶　明了而觀見
佛及辟支佛　聲聞諸異道　見理无怯人　所觀皆此識
種種諸識境　皆從心所變　瓶衣等衆物　如是性皆无
悉依阿賴耶　衆生迷惑見　以諸習氣故　所取能取轉
此性非如幻　陽焰及毛輪　非生非不生　非空亦非有
譬如長短等　離一即皆无　智者觀幻事　此皆唯幻術
未曾有一物　與幻而同起　幻焰及毛輪　和合而可見
離一无和合　過未亦非有　幻事毛輪等　在在諸物相
此皆悉變異　无體亦無名　世中迷惑人　其心不自在
妄說有能幻　幻成種種物　幻師執凡等　所作衆物類
動轉若去來　此見皆非實　如鐵因慈石　所向而轉移
藏識亦如是　隨於分別轉　一切諸世間　无處不周遍
如日摩尼寶　無思及分別　此識遍諸處　見之謂流轉

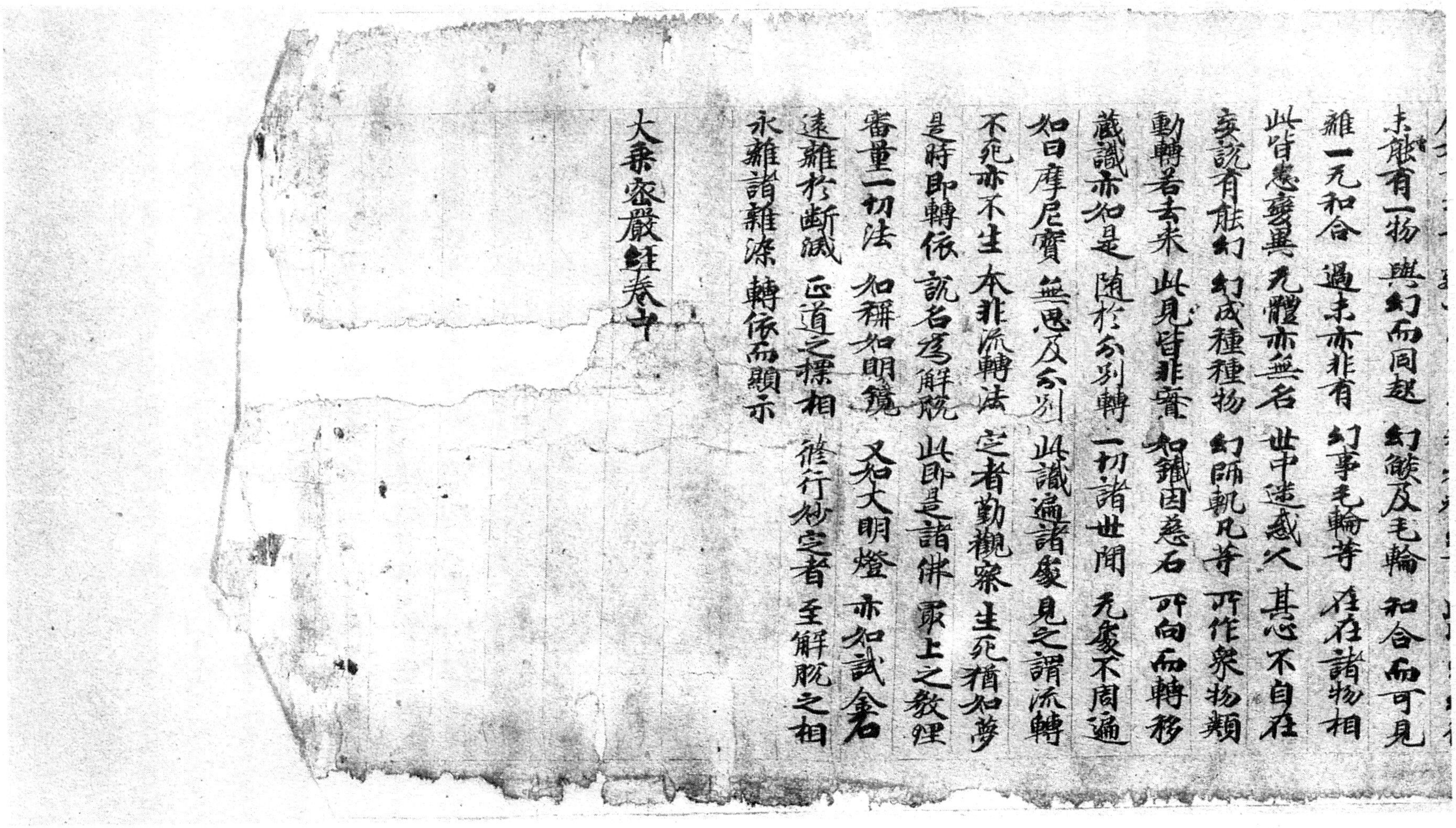
未能有一物　與幻而同起　幻燄及毛輪　和合而可見
離一无和合　過未亦非有　幻事毛輪等　在在諸物相
此皆惡變異　无體亦無名　世中迷惑人　其心不自在
妄說有能幻　幻成種種物　幻師執凡等　所作衆物類
動轉若去來　此見皆非實　如鐵因慈石　所向而轉移
藏識亦如是　隨於分別轉　一切諸世間　无處不周遍
如日摩尼寶　無思及分別　此識遍諸處　見之謂流轉
不死亦不生　本非流轉法　定者勤觀察　生死猶如夢
是時即轉依　說名為解脫　此即是諸佛　最上之教理
審量一切法　如稱如明鏡　又如大明燈　亦如試金石
遠離於斷滅　正道之標相　修行妙定者　至解脫之相
永離諸雜染　轉依而顯示

大乘密嚴經卷中

BD00527 號　大乘密嚴經（地婆訶羅本）卷中　（24–24）

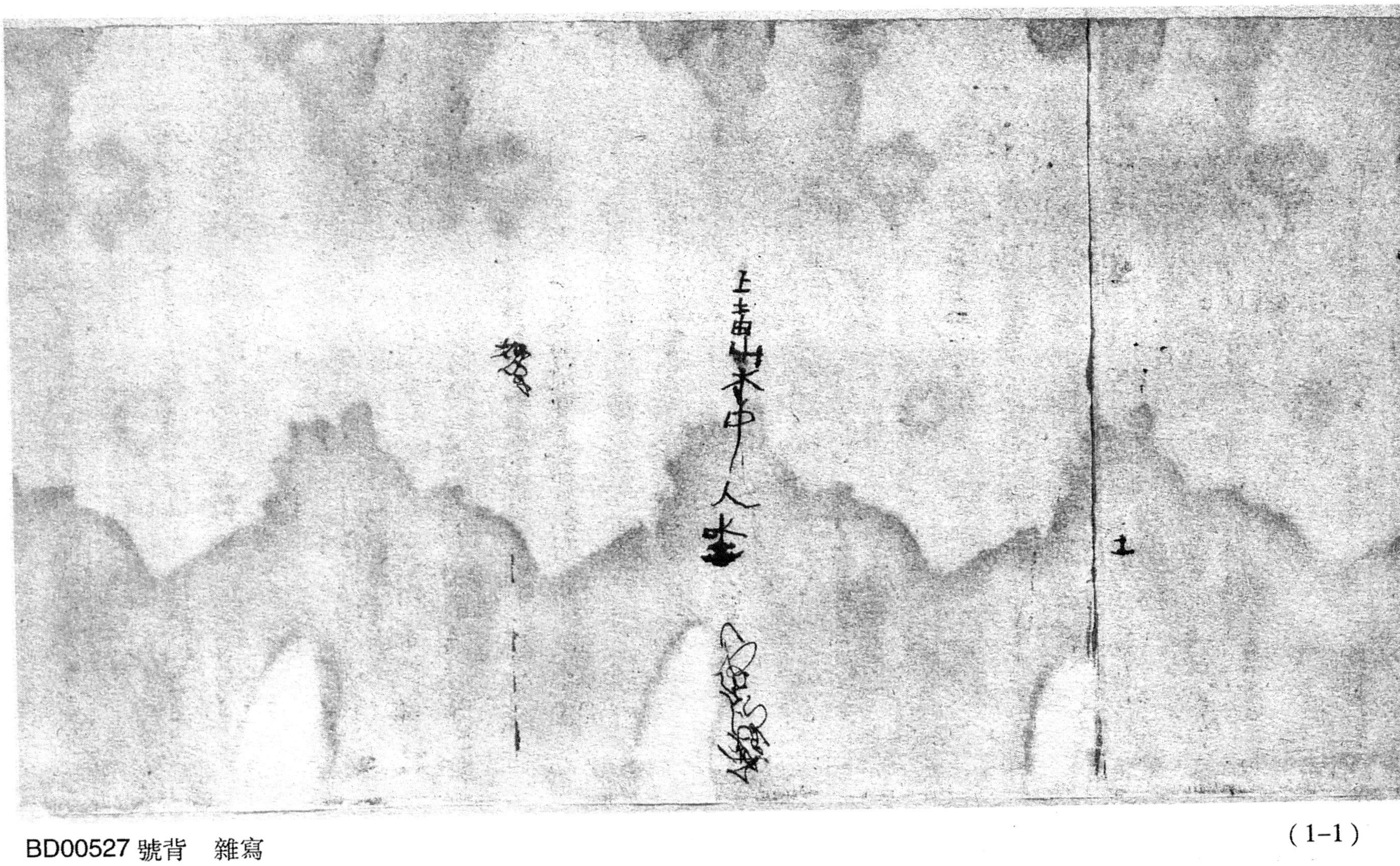

BD00527 號背　雜寫　（1–1）

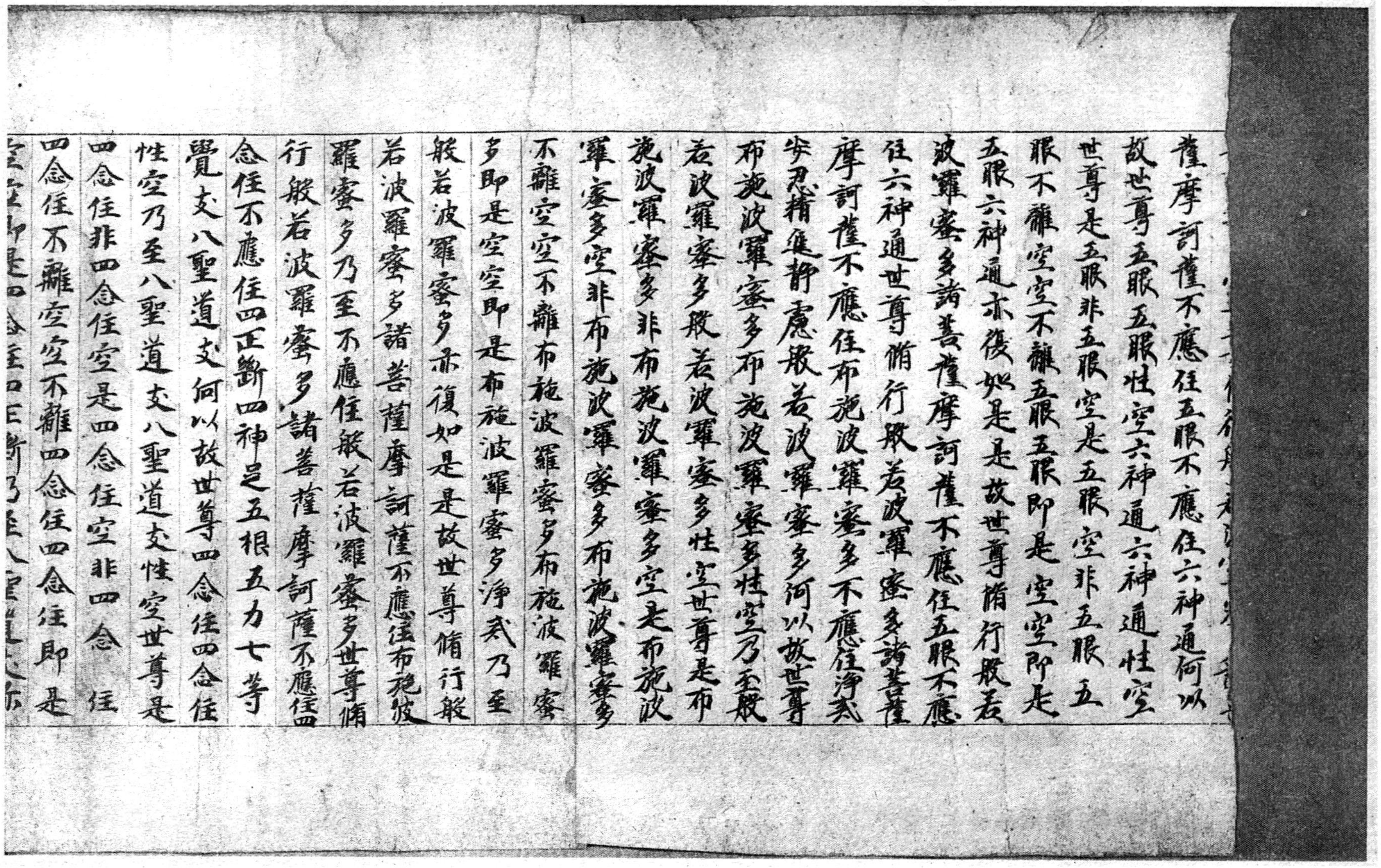

薩摩訶薩不應住五眼不應住六神通何以
故世尊是五眼五眼性空六神通六神通性空
世尊是五眼非五眼空非五眼五
眼不離空空不離五眼五眼即是空空即是
五眼六神通亦復如是是故世尊脩行般若
波羅蜜多諸菩薩摩訶薩不應住五眼不應
住六神通世尊脩行般若波羅蜜多諸菩薩
摩訶薩不應住布施波羅蜜多不應住淨戒
安忍精進靜慮般若波羅蜜多何以故世尊
布施波羅蜜多布施波羅蜜多性空乃至般
若波羅蜜多般若波羅蜜多性空世尊是布
施波羅蜜多非布施波羅蜜多空是布施波
羅蜜多空非布施波羅蜜多布施波羅蜜多
不離空空不離布施波羅蜜多布施波羅蜜
多即是空空即是布施波羅蜜多淨戒乃至
般若波羅蜜多亦復如是是故世尊脩行般
若波羅蜜多諸菩薩摩訶薩不應住布施波
羅蜜多乃至不應住般若波羅蜜多世尊脩
行般若波羅蜜多諸菩薩摩訶薩不應住四
念住不應住四正斷四神足五根五力七等
覺支八聖道支何以故世尊四念住四念住
性空乃至八聖道支八聖道支性空世尊是
四念住非四念住空是四念住空非四念住
四念住不離空空不離四念住四念住即是

BD00528 號　大般若波羅蜜多經卷三七　（2–1）

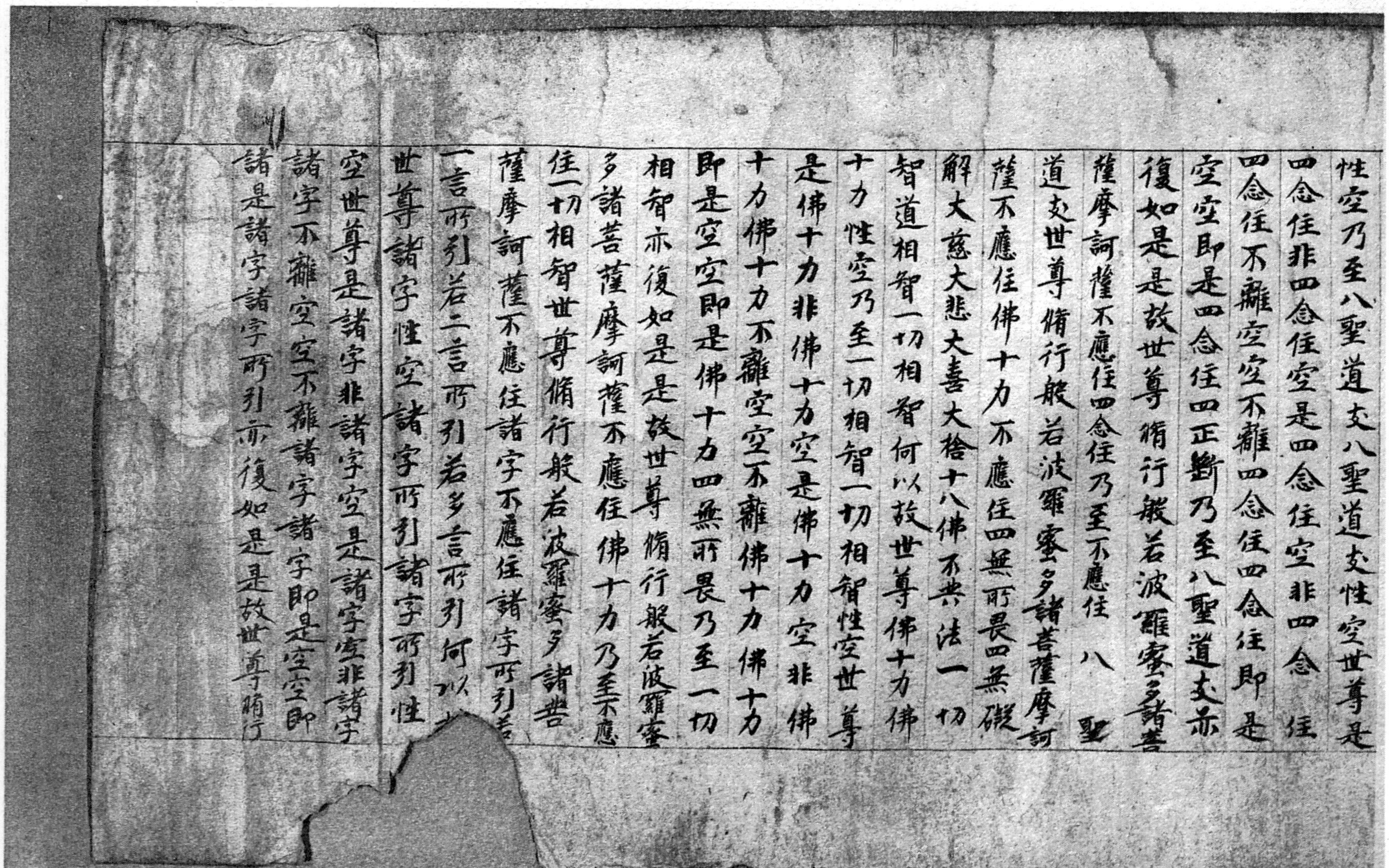

性空乃至八聖道支八聖道支性空世尊是
四念住非四念住空是四念住空非四念住
四念住不離空空不離四念住四念住即是
空空即是四念住四正斷乃至八聖道支亦
復如是是故世尊脩行般若波羅蜜多諸菩
薩摩訶薩不應住四念住乃至不應住八聖
道支世尊脩行般若波羅蜜多諸菩薩摩訶
薩不應住佛十力不應住四無所畏四無礙
解大慈大悲大喜大捨十八佛不共法一切
智道相智一切相智何以故世尊佛十力佛
十力性空乃至一切相智一切相智性空世尊
是佛十力非佛十力空是佛十力空非佛
十力佛十力不離空空不離佛十力佛十力
即是空空即是佛十力四無所畏乃至一切
相智亦復如是是故世尊脩行般若波羅蜜
多諸菩薩摩訶薩不應住佛十力乃至不應
住一切相智世尊脩行般若波羅蜜多諸菩
薩摩訶薩不應住諸字不應住諸字所引若
一言所引若二言所引若多言所引何以
世尊諸字諸字性空諸字所引諸字所引性
空世尊是諸字非諸字空是諸字空非諸字
諸字不離空空不離諸字諸字即是空空即
是諸字諸字所引亦復如是是故世尊脩行

BD00528 號　大般若波羅蜜多經卷三七　（2–2）

復有二謂内及外此中何者是外因緣法
從種生芽從芽生葉從葉生莖從莖生
從穗生花從花生實若无有種芽即不生乃至若无有
花實亦不生有種芽生如是有花實亦得生彼種亦
不作是念我能生芽芽亦不作是念我從種生乃至花亦
不作是念我能生實實亦不作是念我從花生雖然有
種故而芽得生如是有花故實即而能成就應如是
觀外因緣法因相應義
應云何觀外因緣法緣相應義謂六界和合故以何六
界和合所謂地水火風空時界等和合外因緣法而得
生起應如是觀外因緣法緣相應義
地界者能持於種水界者潤漬於種火界者能暖於
種風界者動搖於種空界者不障於種時則能變
種子若无此衆緣種則不能而生於芽若具外地界
无不具足如是乃至水火風空時等无不具足一切和
合種子滅時而芽得生
此中地界不作是念我能任種子如是水界亦不作是念
我能潤漬於種火界亦不作是念我能暖於種子風界
亦不作念我能動搖於種空界亦不作念我能不障於
種時亦不作念我能變於種子種子亦不作是念我
能生芽芽亦不作是念我今從此衆緣而生雖然有此
衆緣而種滅時芽即得生如是有花之時實即得生
彼芽亦非自作亦非他作非自他俱作非自在作亦非時

BD00529號　大乘稻竿經　　（7-1）

能生芽芽亦不作是念我今從此衆緣而生雖然有此
衆緣而種滅時芽即得生如是有花之時實即得生
彼芽亦非自作亦非他作非自他俱作非自在作亦非時
變非自性生亦非无因而生雖然地水火風空時界等和合
種滅之時而芽得生是故應如是觀外因緣法緣相應義
應以五種觀彼外因緣法何等爲五不常不斷不移從於
小因而生大果與彼相似云何不常爲芽與種各别異故
彼芽非種非種壞時而芽得生亦非不滅而得生起種壞
之時而芽得生是故不常云何不斷非過去種壞而生
於芽亦非不滅而得生起種子亦壞當爾之時如秤高下
而芽得生是故不斷云何不移芽與種别芽非種故是故
不移云何小因而生大果從小種子而生大果是故從於小因
而生大果云何與彼相似如所植種生彼果故是故與彼
相似是以五種觀外因緣之法
如是内因緣法亦以二種而得生起云何爲二所謂因相應緣相應
何者是内因緣法因相應義所謂始從无明緣行乃至生
緣老死若无明不生行亦不有乃至若无有生老死非有
如是有无明故行乃得生乃至有生故老死得有无明亦
不作是念我能生行行亦不作是念我從无明而生乃至
作是念有生故老死得有无明亦不作是念我能生行行亦不
作念我從无明而生乃至生亦不作是念我能生於老
死老死亦不作念我從生有雖然有无明故行乃得生
如是有生故老死得有是故應如是觀内因緣法因相應
義
應云何觀内因緣法緣相應事爲六界和
合故以何六界和合所謂地水火風空識界等和合故
應如是觀内因緣法緣相應事
何者是内因緣法地界之相爲此身中作堅硬者名爲

BD00529號　大乘稻竿經　　（7-2）

合故以何六界和合所謂地水火風空識界等和合故
應如是觀內因緣法緣相應事
何者是內因緣法地界之相為此身中作堅硬者名為
地界為令此身而聚集者名為水界能消身所食
飲嚼噉者名為火界為此身中作內外出入息者名
為風界為此身中作虛通者名為空界五識身相
應及有漏意識猶如束蘆能成就此身名色芽
者名為識界若無此衆緣身則不生若內地界
無不具足如是乃至水火風空識界等無不具
是一切和合身即得生
彼地界亦不作是念我能而作身中堅硬之事
水界亦不作是念我能為身而作聚集火界
亦不作念我能而消身所食飲嚼噉之事風
界亦不作念我能作內外出入息空界亦不作念我
能而作身中虛通之事識界亦不念我能成就此
身名色之芽身亦不作是念我從此衆緣而生雖然
有此衆緣之時身即得生彼地界亦非是我非是衆
生非命者非生者非儒童非作者非男非女非黃門
非自在非我所亦非餘等如是乃至水界火界風界空
界識界亦非是我非是衆生非命者（非生者）非儒童非作
者非男非女非黃門（非自在）非我所亦非餘等
何者是無明於此六界起於一想一合想常想堅牢
想不壞想安樂想衆生命生者養育士夫人儒童作
者我我所想等及餘種種無知此是無明有無明故於諸
境界起貪瞋癡於（諸）境界起貪瞋癡者此是無明緣行
而於諸事能了別者名之為識與識俱生四取蘊者
此是名色依名色諸根名為六入三法和合名之為觸覺
受觸者名之為受於受貪著名之為愛增長愛者

而於諸事能了別者名之為識與識俱生四取蘊者
此是名色依名色諸根名為六入三法和合名之為觸覺
受觸者名之為受於受貪著名之為愛增長愛者
名之為取從取而生能生業者名之為有而從彼因所生
之蘊名之為生生已蘊成熟者名之為老老已蘊滅壞者
名之為死臨終之時內具貪著及熱惱者名之為愁從
愁而生諸言辭者名之為嘆五識身受苦者名之為
苦作意意識受諸苦者名之為憂具如是等及隨
煩惱者名之為惱大黑闇故故名無明造作故名諸行了
別故名識相依故名名色為生門故名六入觸故名觸受
故名受渴故名愛取故名取生後有故名有生蘊故名
生蘊熟故名老蘊壞故名死愁故名愁嘆故名嘆惱身
故名苦惱心故名憂煩惱故名惱復次不了真性顛倒無
無知名為無明如是有無明故能成三行所謂福行罪
行不動行從於福行而生福行識者此是無明緣行從
於罪行而生罪行識者此則名為行緣識從於不動行而
生不動行識者此則名為識緣名色名色增長故從六
入門中能成事者此是名色緣六入（從於六入）而生六聚觸者
此是六入緣觸從於所觸而生彼受者此則名為觸
緣受了別受已而生染愛耽著者此則名為受緣愛
知已而生染愛耽著故不欲遠離好色及於安樂而
生願樂者此是愛緣取生願樂已從身口意造
後有業者此是取緣有從於彼業所生蘊者此是
有緣生生已諸蘊成熟及滅壞者此則名為生緣老
死是故彼因緣十二支法互相為因互相為緣非常非
無常非有為非無為非無因非無緣非有受非盡法
非壞法非滅法從無始已來如瀑流水而無斷絕雖然此

死是故彼因緣十二支法互相為因互相為緣非常非
无常非有為非无為非无因非无緣非有受非盡法
非壞法非滅法從无始已來如暴流水而无斷絕雖然此
因緣十二支法互相為因互相為緣非常非无常非
有為非无為非无因非无緣非有受非盡法非壞法
非滅法從无始已來如暴流水而无斷絕有其四支能攝
十二因緣之法云何為四所謂无明、愛、業、識。識者以種
子性為因業者以田性為因无明及愛以煩惱性為因此
中業及煩惱生種子之識業則能作種子識田愛
則能潤種子之識无明能殖種子之識若无此眾緣
種子之識而不能成彼業亦不作念我今能作種子
識田愛亦不作念我能潤於種子之識无明亦不作念
我今能殖種子之識彼種子識作念我今從此眾緣而
生雖然種子之識依彼業田及愛所潤无明糞壅所生
之處入於母胎能生名色之芽彼名色芽亦非自作亦非
他作非自他俱作非自在化亦非時變非自性生非假作者
亦非无因而生雖然父母和合時及餘緣和合之時无我
之法无我我所猶如虛空彼諸幻法因及眾緣无不具足
故依彼生處入於母胎則能成就執受種子之識名色之芽
如眼識生時若具五緣而則得生云何為五所謂依眼色
明空依作意故眼識得生此中眼則能作眼識所依色則
能作眼識之境明則能為顯現之事空則能為不鄣之
事作意能為思念之事若无此眾緣眼識不生若
內入眼无不具足如是乃至色明空作意無不具足之一切
和合之時眼識得生　彼眼亦不作是念我今能為眼識
所依色亦不作念我今能作眼識之境明亦不作念我
今能作顯現之事作意亦不作念我今能為眼識所思

BD00529號　大乘稻竿經　（7–5）

和合之時眼識得生　彼眼亦不作是念我今能為眼識
所依色亦不作念我今能作眼識之境明亦不作念我
今能作顯現之事作意亦不作念我今能為眼識所思
彼眼亦不作念我是從此眾緣而有雖然有此眾
緣眼識得生乃至諸餘根等應如是知
復次無有少法而從此世移至他世雖然因及眾緣無
不具足之故業果亦現譬如明鏡之中現其面像雖彼
面像不移鏡中因及眾緣无不具足之故面像亦現如是
無有少許從於此滅生其餘處因及眾緣無不具足之故
業果亦現譬如月輪從此四万二千由旬而行彼月
輪形像現其有水小器中者彼月輪亦不從彼移至
於有水之器雖然因及眾緣無不具足之故月輪亦現如是
無有少許從於此滅而生餘處因及眾緣无不具足之故
業果亦現譬如其火因及眾緣若不具足而不能然因
及眾緣具足之時方可得然如是無我我所猶如虛空
依彼幻法因及眾緣無不具足之故所生之處入於胎母
則能成就種子之識業及煩惱所生名色之芽是故
應如是觀內因緣法　應以五種觀內
因緣法云何為五不常不斷不移從於小因而生大果與
彼相似云何不常所謂彼後滅蘊與彼生分各異為後
滅蘊非生分故彼後滅蘊亦滅生分亦得現故是故不常
云何不斷非依後滅蘊滅壞之時生分得有亦非不滅彼後
滅蘊亦滅當尒之時生分之蘊如秤高下而得生故是故不
斷云何不移為諸有情從非眾同分處能生眾同分處故
是故不移云何從於小因而生大果作於小業感大異熟是
故從於小因而生大果如所作因感彼果故與彼相似是故
應五種觀因緣法

BD00529號　大乘稻竿經　（7–6）

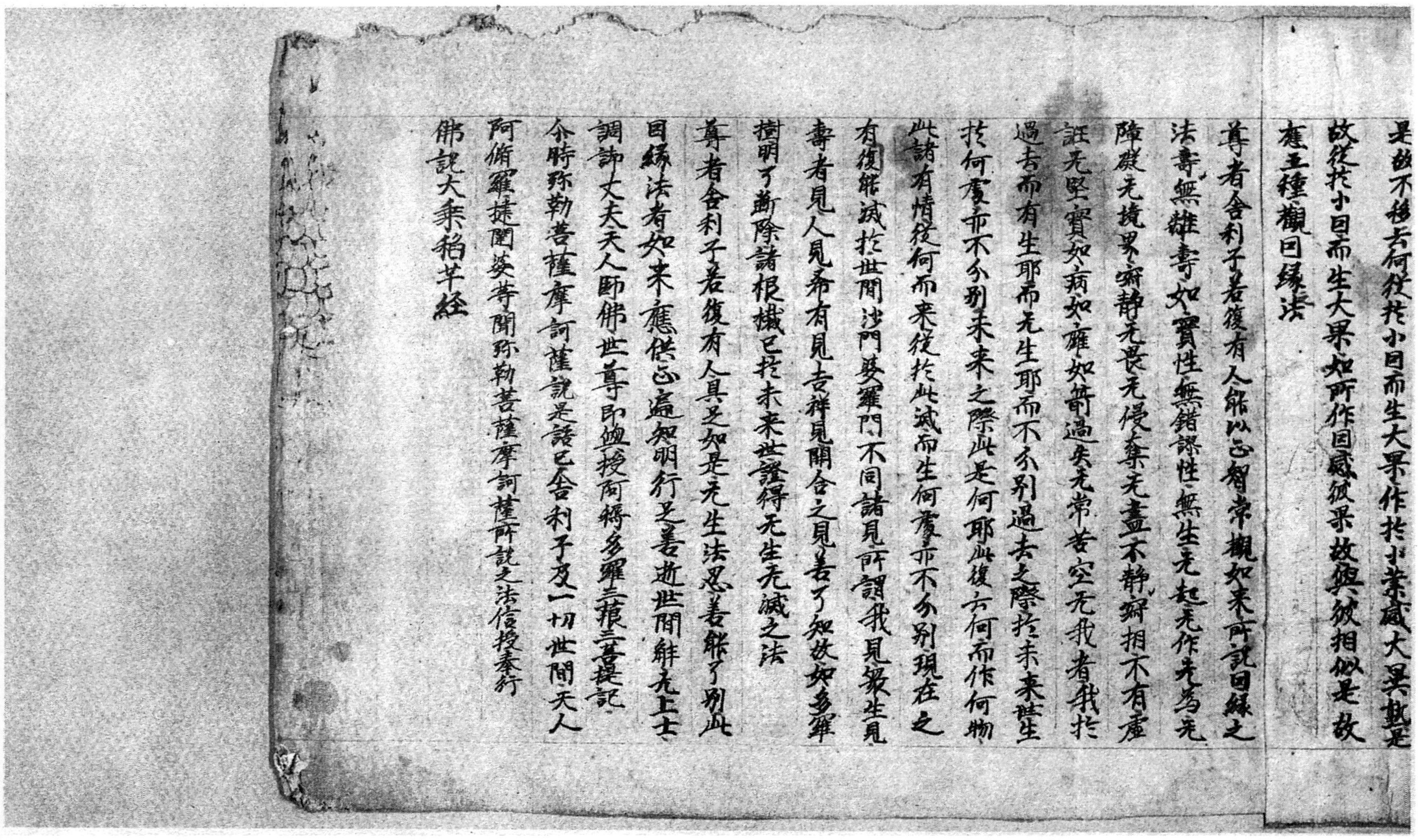

是故不後云何從於小因而生大果作於小業感大果報是
故從於小因而生大果如所作因感彼果故與彼相似是故
應五種觀因緣法
尊者舍利子若復有人能以正智常觀如來所說因緣之
法壽無命離壽如實性無錯謬性無生無起無作無為無
障礙無境界寂靜無畏無侵奪無盡不靜寂相不有虛
誑無堅實如病如癰如箭過失無常苦空無我者我於
過去而有生耶而無生耶而不分別過去之際於未來世生
於何處而不分別未來之際此是何耶此復云何而作何物
此諸有情從何而來從於此滅而生何處亦不分別現在之
有復能滅於世間沙門婆羅門不同諸見所謂我見眾生見
壽者見人見希有見吉祥見開合之見善了知故如多羅
樹斷其頭斷除諸根識已於未來世證得無生無滅之法
尊者舍利子若復有人具足如是無生法忍善能了別此
因緣法者如來應供正遍知明行足善逝世間解無上士
調御丈夫天人師佛世尊即與授阿耨多羅三藐三菩提記
爾時彌勒菩薩摩訶薩說是語已舍利子及一切世間天人
阿修羅揵闥婆等聞彌勒菩薩摩訶薩所說之法信授奉行
佛說大乘稻芉經

BD00529 號　大乘稻芉經　（7–7）

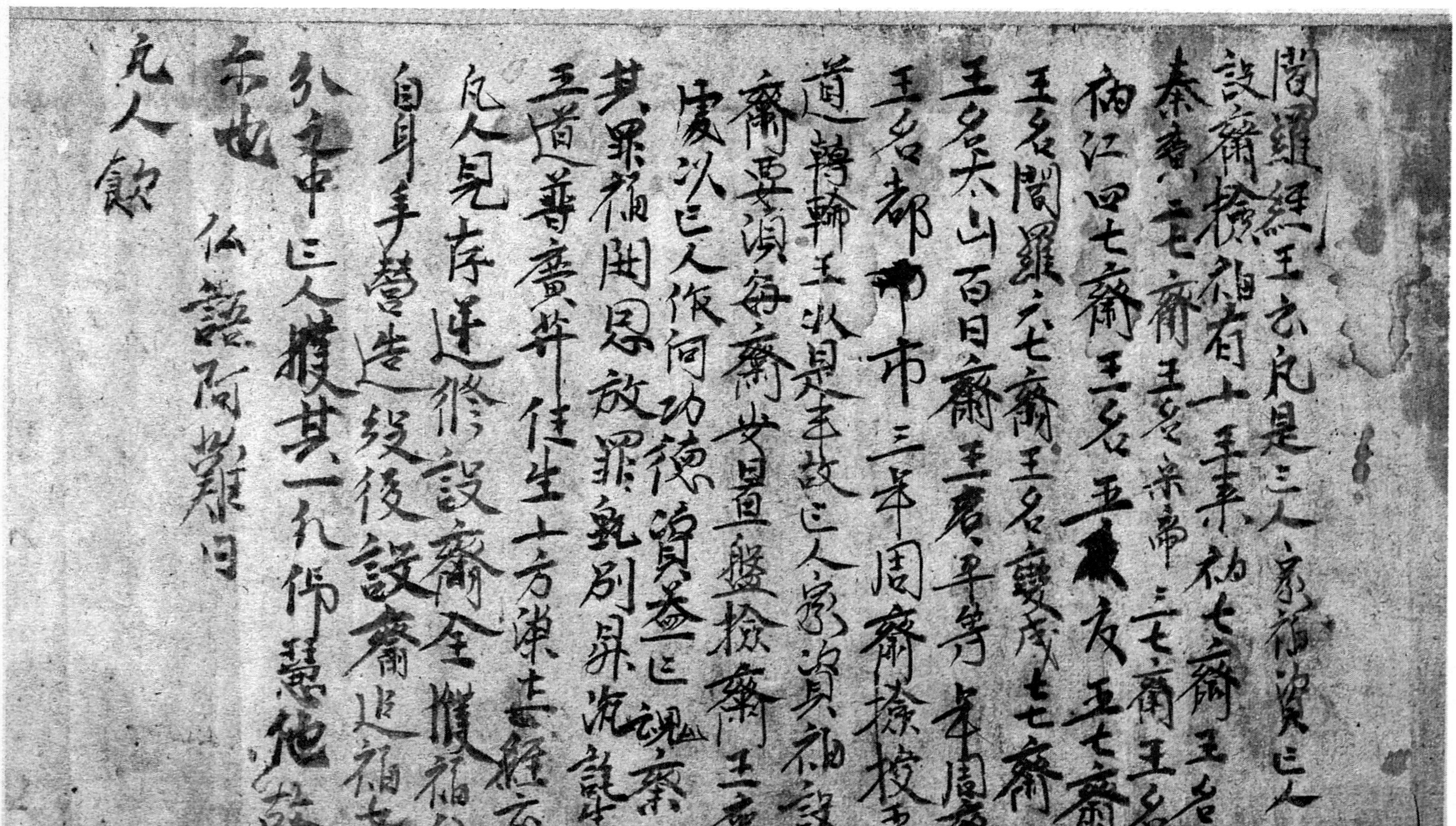

閻羅經云凡是亡人家資亡人
設齋檢福有十王第一七齋王名
秦廣二七齋王名宋帝三七齋王名
初江四七齋王名五官王五七齋
王名閻羅六七齋王名變成七七齋
王名太山百日齋王名平等一年周齋
王名都市三年周齋檢校王
道轉輪王以是十王故亡人家資福設
齋要須每齋必須置盤檢齋王主
處以亡人作何功德資益亡魂索
其罪福開恩放罪免別昇沈論生
王道善處并往生十方淨土經云
凡人見存逆修設齋全獲福分
自身手營造設後設齋追福七分
分之中亡人獲其一分佛慈他故
亦也　佛語阿難曰
凡人欲

BD00529 號背　十王齋與逆修往生齋（擬）　（1–1）

名吴
菩薩白佛
遊此娑婆世界云何
力其事云何佛告无
國土衆生應以佛身得度
現佛身而為說法應以
現辟支佛身而為說法應
即現聲聞身而為說法
即現梵王身而為說法應以
即現帝釋身而為說法應以自在
者即現自在天身而為說法應以大自在天
身得度者即現大自在天身而為說法應以
天大將軍身得度者即現天大將軍身而為
說法應以毗沙門身得度者即現毗沙門身
而為說法應以小王身得度者即現小王身而
為說法應以長者身得度者即現長者身
而為說法應以居士身得度者即現居士身
而為說法應以宰官身得度者即現宰官身
而為說法應以婆羅門身得度者即現婆羅
門身而為說法應以比丘比丘尼優婆塞優
婆夷身得度者即現比丘比丘尼優婆塞優
婆夷身而為說法應以長者居士宰官婆羅
門婦女身得度者即現婦女身而為說法應

BD00530號　觀世音經　（4–1）

婆夷身得度者即現比丘比丘尼優婆塞優
婆夷身而為說法應以長者居士宰官婆羅
門婦女身得度者即現婦女身而為說法應
以童男童女身得度者即現童男童女身而
為說法應以天龍夜叉乾闥婆阿脩羅迦樓
羅緊那羅摩睺羅伽人非人等身得度者即
皆現之而為說法應以執金剛神得度者即
現執金剛神而為說法无盡意是觀世音菩
如是功德以種種形遊諸國土度脫
故汝等應當一心供養觀世音菩薩
菩薩摩訶薩於怖畏急難之中能施
此娑婆世界皆号之為施无畏者
菩薩白佛言世尊我今當供養觀世
薩即解頸衆寶珠瓔珞價直百千兩金
而以與之作是言仁者受此法施珎寶瓔珞時
觀世音菩薩不肯受之无盡意復白觀世音
菩薩言仁者愍我等故受此瓔珞尒時佛
告觀世音菩薩當愍此无盡意菩薩及四衆
天龍夜叉乾闥婆阿脩羅迦樓羅緊那羅摩
睺羅伽人非人等故受是瓔珞即時觀世音菩
薩愍諸四衆及於天龍人非人等受其瓔珞
分作二分一分奉釋迦牟尼佛一分奉多寶
佛塔无盡意觀世音菩薩有如是自在神
力遊於娑婆世界尒時无盡意菩薩以偈問曰
世尊妙相具　我今重問彼　佛子何因緣　名為觀世音

BD00530號　觀世音經　（4–2）

力遊於娑婆世界尒時无盡意菩薩以偈問曰
世尊妙相具 我今重問彼 佛子何因緣 名為觀世音
具足妙相尊 偈荅无盡意 汝聽觀音行 善應諸方所
弘誓深如海 歷劫不思議 侍多千億佛 發大清淨願
我為汝略說 聞名及見身 心念不空過 能滅諸有苦
假使興害意 推落大火坑 念彼觀音力 火坑變成池
或漂流巨海 龍魚諸鬼難 念彼觀音力 波浪不能沒
或在須弥峯 為人所推墮 念彼觀音力 如日虛空住
或被惡人逐 墮落金剛山 念彼觀音力 不能損一毛
或值怨賊遶 各執刀加害 念彼觀音力 咸即起慈心
或遭王難苦 臨刑欲壽終 念彼觀音力 刀尋段段壞
或囚禁枷鏁 手足被杻械 念彼觀音力 釋然得解脫
呪咀諸毒藥 所欲害身者 念彼觀音力 還著於本人
或遇惡羅剎 毒龍諸鬼等 念彼觀音力 時悉不敢害
若惡獸圍遶 利牙爪可怖 念彼觀音力 疾走无邊方
蚖虵及蝮蠍 氣毒烟火然 念彼觀音力 尋聲自迴去
雲雷鼓掣電 降雹澍大雨 念彼觀音力 應時得消散
衆生被困厄 无量苦逼身 觀音妙智力 能救世間苦
具足神通力 廣脩智方便 十方諸國土 无剎不現身
種種諸惡趣 地獄鬼畜生 生老病死苦 以漸悉令滅
真觀清淨觀 廣大智慧觀 悲觀及慈觀 常願常瞻仰
无垢清淨光 慧日破諸闇 能伏災風火 普明照世間
悲體戒雷震 慈意妙大雲 澍甘露法雨 滅除煩惱焰
諍訟經官處 怖畏軍陣中 念彼觀音力 衆怨悉退散
妙音觀世音 梵音海潮音 勝彼世間音 是故須常念

BD00530 號　觀世音經　（4–3）

具足神通力 廣脩智方便 十方諸國土 无剎不現身
種種諸惡趣 地獄鬼畜生 生老病死苦 以漸悉令滅
真觀清淨觀 廣大智慧觀 悲觀及慈觀 常願常瞻仰
无垢清淨光 慧日破諸闇 能伏災風火 普明照世間
悲體戒雷震 慈意妙大雲 澍甘露法雨 滅除煩惱焰
諍訟經官處 怖畏軍陣中 念彼觀音力 衆怨悉退散
妙音觀世音 梵音海潮音 勝彼世間音 是故須常念
念念勿生疑 觀世音淨聖 於苦惱死厄 能為作依怙
具一切功德 慈眼視衆生 福聚海无量 是故應頂礼
尒時持地菩薩即從座起前白佛言世尊若
有衆生聞是觀世音菩薩品自在之業普
門示現神通力者當知是人功德不少佛說是
普門品時衆中八万四千衆生皆發无等等
阿耨多羅三藐三菩提心

BD00530 號　觀世音經　（4–4）

般若波羅蜜多相應
復次舍利子諸菩薩摩訶薩脩行般若波羅
蜜多不觀一切智與眼界若相應若不相應
何以故尚不見有眼界況觀一切智與眼界
若相應若不相應不觀一切智與耳鼻舌身
意界若相應若不相應何以故尚不見有耳
鼻舌身意界況觀一切智與耳鼻舌身意界
若相應若不相應舍利子諸菩薩摩訶薩脩
行般若波羅蜜多與如是法相應故當言與
般若波羅蜜多相應
復次舍利子諸菩薩摩訶薩脩行般若波羅
蜜多不觀一切智與色界若相應若不相應
何以故尚不見有色界況觀一切智與色界
若相應若不相應不觀一切智與聲香味觸
法界若相應若不相應何以故尚不見有聲
香味觸法界況觀一切智與聲香味觸法界
若相應若不相應舍利子諸菩薩摩訶薩脩
行般若波羅蜜多與如是法相應故當言與
般若波羅蜜多相應
復次舍利子諸菩薩摩訶薩脩行般若波羅
蜜多不觀一切智與眼識界若相應若不相應
何以故尚不見有眼識界況觀一切智與眼
識界若相應若不相應不觀一切智與耳

BD00531 號　大般若波羅蜜多經卷五　（3–1）

蜜多不觀一切智與眼識界若相應若不相應
何以故尚不見有眼識界況觀一切智與眼
識界若相應若不相應不觀一切智與耳
鼻舌身意識界若相應若不相應何以故
尚不見有耳鼻舌身意識界況觀一切智與
耳鼻舌身意識界若相應若不相應舍利子
諸菩薩摩訶薩脩行般若波羅蜜多與如是
法相應故當言與般若波羅蜜多相應
復次舍利子諸菩薩摩訶薩脩行般若波羅
蜜多不觀一切智與眼界觸若相應若不相應
何以故尚不見有眼界觸況觀一切智與眼界觸
若相應若不相應不觀一切智與耳鼻舌身
意界觸若相應若不相應何以故尚不見有耳
鼻舌身意界觸況觀一切智與耳鼻舌身意界觸
若相應若不相應舍利子諸菩薩摩訶薩脩
行般若波羅蜜多與如是法相應故當言與
般若波羅蜜多相應
復次舍利子諸菩薩摩訶薩脩行般若波羅
蜜多不觀一切智與眼觸為緣所生諸受若相
應若不相應何以故尚不見有眼觸為緣所
生諸受況觀一切智與眼觸為緣所生諸受
若相應若不相應不觀一切智與耳鼻舌
身意觸為緣所生諸受若相應若不相應何
以故尚不見有耳鼻舌身意觸為緣所生諸
受況觀一切智與耳鼻舌身意觸為緣所生
諸受若相應若不相應舍利子諸菩薩摩

BD00531 號　大般若波羅蜜多經卷五　（3–2）

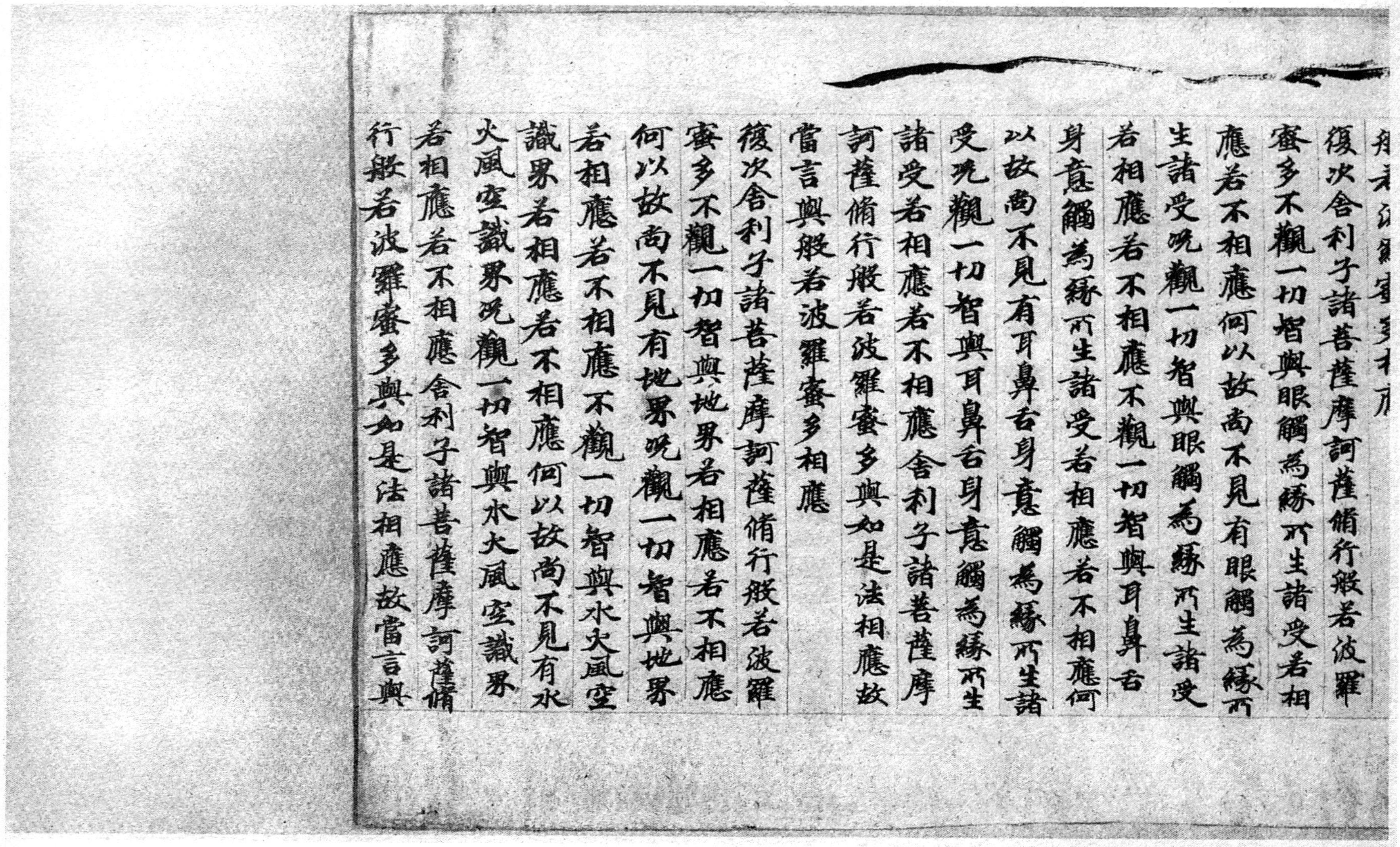

般若波羅蜜多經卷
復次舍利子諸菩薩摩訶薩脩行般若波羅
蜜多不觀一切智與眼觸為緣所生諸受若相
應若不相應何以故尚不見有眼觸為緣所
生諸受況觀一切智與眼觸為緣所生諸受
若相應若不相應不觀一切智與耳鼻舌
身意觸為緣所生諸受若相應若不相應何
以故尚不見有耳鼻舌身意觸為緣所生諸
受況觀一切智與耳鼻舌身意觸為緣所生
諸受若相應若不相應舍利子諸菩薩摩
訶薩脩行般若波羅蜜多與如是法相應故
當言與般若波羅蜜多相應
復次舍利子諸菩薩摩訶薩脩行般若波羅
蜜多不觀一切智與地界若相應若不相應
何以故尚不見有地界況觀一切智與地界
若相應若不相應不觀一切智與水火風空
識界若相應若不相應何以故尚不見有水
火風空識界況觀一切智與水火風空識界
若相應若不相應舍利子諸菩薩摩訶薩脩
行般若波羅蜜多與如是法相應故當言與

BD00531 號　大般若波羅蜜多經卷五　　(3–3)

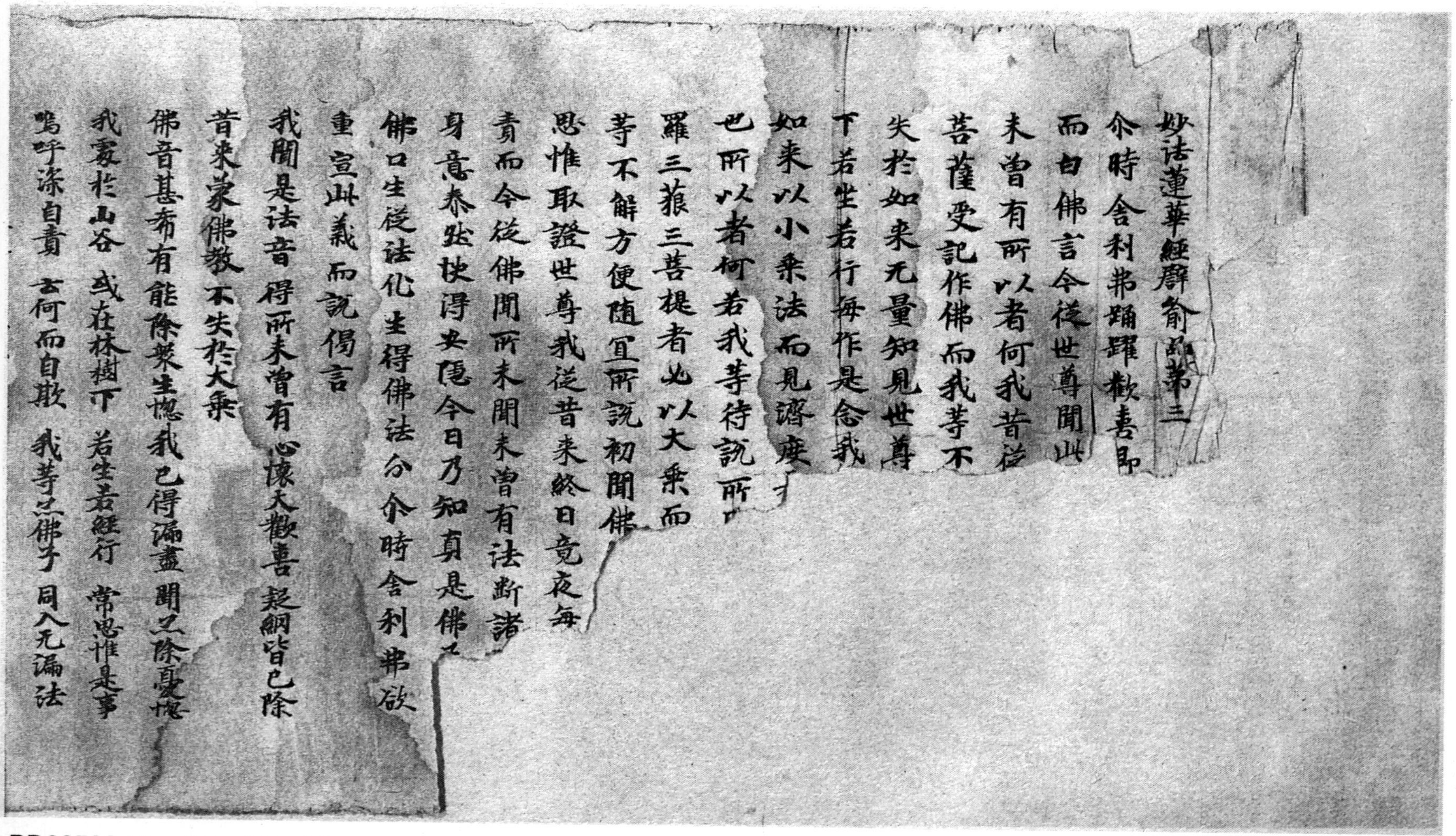

妙法蓮華經譬喻品第三
尒時舍利弗踊躍歡喜即
而白佛言今從世尊聞此
未曾有所以者何我昔從
菩薩受記作佛而我等不
失於如來无量知見世尊
下若坐若行每作是念我
如來以小乘法而見濟度
也所以者何若我等待說所
羅三藐三菩提者必以大乘而
等不解方便隨宜所說初聞佛
思惟取證世尊我從昔來終日竟夜每
責而今從佛聞所未聞未曾有法斷諸
身意泰然快得安隱今日乃知真是佛
佛口生從法化生得佛法分尒時舍利弗欲
重宣此義而說偈言
我聞是法音　得所未曾有　心懷大歡喜　疑網皆已除
昔來蒙佛教　不失於大乘
佛音甚希有　能除衆生惱　我已得漏盡　聞亦除憂惱
我處於山谷　或在林樹下　若坐若經行　常思惟是事
嗚呼深自責　云何而自欺　我等亦佛子　同入无漏法

BD00532 號　妙法蓮華經卷二　　(27–1)

佛音甚希有 能除衆生惱 我已得漏盡 聞亦除憂惱
我處於山谷 或在林樹下 若坐若經行 常思惟是事
嗚呼深自責 云何而自欺 我等亦佛子 同入无漏法
不能於未來 演說无上道
金色三十二 十力諸解脫 同共一法中 而不得此事
八十種妙好 十八不共法 如是等功德 而我皆已失
我獨經行時 見佛在大衆 名聞滿十方 廣饒益衆生
自惟失此利 我為自欺誑
我常於日夜 每思惟是事 欲以問世尊 為失為不失
我常見世尊 稱讚諸菩薩 以是於日夜 籌量如此事
今聞佛音聲 隨宜而說法 无漏難思議 令衆至道場
我本著邪見 為諸梵志師 世尊知我心 拔邪說涅槃
我悉除邪見 於空法得證 尒時心自謂 得至於滅度
而今乃自覺 非是實滅度
若得作佛時 具三十二相 天人夜叉衆 龍神等恭敬
是時乃可謂 永盡滅无餘
佛於大衆中 說我當作佛 聞如是法音 疑悔悉已除
初聞佛所說 心中大驚疑 將非魔作佛 惱亂我心耶
佛以種種緣 譬喻巧言說 其心安如海 我聞疑網斷
佛說過去世 无量滅度佛 安住方便中 亦皆說是法
現在未來佛 其數无有量 亦以諸方便 演說如是法
如今者世尊 從生及出家 得道轉法輪 亦以方便說
世尊說實道 波旬无此事 以是我定知 非是魔作佛
我墮疑網故 謂是魔所為
聞佛柔軟音 深遠甚微妙 演暢清淨法 我心大歡喜

世尊說實道 波旬无此事 以是我定知 非是魔作佛
我墮疑網故 謂是魔所為
聞佛柔軟音 深遠甚微妙 演暢清淨法 我心大歡喜
疑悔永已盡 安住實智中 我定當作佛 為天人所敬
轉无上法輪 教化諸菩薩
尒時佛告舍利弗 吾今於天人沙門婆羅門
等大衆中說 我昔曾於二萬億佛所 為无上
道故 常教化汝 汝亦長夜隨我受學 我以方
便引導汝故 生我法中 舍利弗 我昔教汝志
願佛道 汝今悉忘 而便自謂已得滅度 我今
還欲令汝憶念本願所行道故 為諸聲聞說
是大乘經 名妙法蓮華教菩薩法佛所護念
舍利弗 汝於未來世 過无量无邊不可思議
劫 供養若干千萬億佛 奉持正法 具足菩薩
所行之道 當得作佛 號日華光如來應供正
遍知明行足善逝世間解无上士調御丈夫
天人師佛世尊 國名離垢 其土平正 清淨嚴
飾 安隱豐樂 天人熾盛 瑠璃為地 有八交道
黃金為繩 以界其側 其傍各有七寶行樹 常
有華菓 華光如來亦以三乘教化衆生 舍利
弗 彼佛出時 雖非惡世 以本願故 說三乘法
其劫名大寶莊嚴 何故名曰大寶莊嚴 其國
中以菩薩為大寶故 彼諸菩薩 无量无邊 不
可思議 筭數譬喻所不能及 非佛智力无能
知者 若欲行時 寶華承足 此諸菩薩 非初發
意 皆久殖德本 於无量百千萬億佛所淨修

知者若欲行時寶華承足此諸菩薩非初發
意皆久殖德本於无量百千萬億佛所淨脩
梵行恒為諸佛之所稱嘆常脩佛慧具大神
通善知一切諸法之門質直无偽志念堅固
如是菩薩充滿其國舍利弗華光佛壽十二
小劫除為王子未作佛時其國人民壽八小
劫華光如来過十二小劫授堅滿菩薩阿耨
多羅三藐三菩提記告諸比丘是堅滿菩薩
次當作佛號曰華足安行多陁阿伽度阿羅
訶三藐三佛陁其佛國土亦復如是舍利弗
是華光佛滅度之後正法住世三十二小劫
像法住世亦三十二小劫尒時世尊欲重宣
此義而說偈言
舍利弗来世　成佛普智尊　號名曰華光　當度无量眾
供養无數佛　具足菩薩行　十力等功德　證於无上道
過无量劫已　劫名大寶嚴　世界名離垢　清淨无瑕穢
以瑠璃為地　金繩界其道　七寶雜色樹　常有華菓實
彼國諸菩薩　志念常堅固　神通波羅蜜　皆已悉具足
於无數佛所　善學菩薩道　如是等大士　華光佛所化
佛為王子時　棄國捨世榮　於冣末後身　出家成佛道
華光佛住世　壽十二小劫　其國人民眾　壽命八小劫
佛滅度之後　正法住於世　三十二小劫　廣度諸眾生
正法滅盡已　像法三十二
舍利廣流布　天人普供養　華光佛所為　其事皆如是

BD00532號　妙法蓮華經卷二　（27–4）

正法滅盡已　像法三十二
舍利廣流布　天人普供養　華光佛所為　其事皆如是
其兩足聖尊　冣勝无倫疋　彼即是汝身　冝應自欣慶
尒時四部眾比丘比丘尼優婆塞優婆夷天
龍夜叉乾闥婆阿脩羅迦樓羅緊那羅摩睺
羅伽等大眾見舍利弗於佛前受阿耨多羅
三藐三菩提記心大歡喜踊躍无量各各脫
身所著上衣以供養佛釋提桓因梵天王等
與无數天子亦以天妙衣天曼陁羅華摩訶
曼陁羅華等供養於佛所散天衣住虛空中
而自迴轉諸天伎樂百千萬種於虛空中一
時俱作雨眾天華而作是言佛昔於波羅柰
初轉法輪今乃復轉无上冣大法輪尒時諸
天子欲重宣此義而說偈言
昔於波羅柰　轉四諦法輪　分別說諸法　五眾之生滅
今復轉冣妙　无上大法輪　是法甚深奧　少有能信者
我等從昔来　數聞世尊說　未曾聞如是　深妙之上法
世尊說是法　我等皆隨喜　大智舍利弗　今得受尊記
我等亦如是　必當得作佛　於一切世間　冣尊无有上
佛道叵思議　方便隨冝說　我所有福業　今世若過世
及見佛功德　盡迴向佛道
尒時舍利弗白佛言世尊我今无復疑悔親
於佛前得受阿耨多羅三藐三菩提記是諸
千二百心自在者昔住學地佛常教化言我
法能離生老病死究竟涅槃是學无學人亦

BD00532號　妙法蓮華經卷二　（27–5）

千二百心自在者昔住學地佛常教化言我
法能離生老病死究竟涅槃是學无學人亦
各自以離我見及有无見等謂得涅槃而今
於世尊前聞所未聞皆墮疑惑善哉世尊願
為四衆說其因緣令離疑悔尒時佛告舍利
弗我先不言諸佛世尊以種種因緣譬喻言
辭方便說法皆為阿耨多羅三藐三菩提耶
是諸所說皆為化菩薩故然舍利弗今當復
以譬喻更明此義諸有智者以譬喻得解舍
利弗若國邑聚落有大長者其年衰邁財富
无量多有田宅及諸僮僕其家廣大唯有一
門多諸人衆一百二百乃至五百人止住其
中堂閣朽故墻壁頽落柱根腐敗梁棟傾危
周匝俱時欻然火起焚燒舍宅長者諸子若
十二十或至三十在此宅中長者見是大火
從四面起即大驚怖而作是念我雖能於此
所燒之門安隱得出而諸子等於火宅內樂
著嬉戲不覺不知不驚不怖火來逼身苦痛
切己心不厭患无求出意舍利弗是長者作
是思惟我身手有力當以衣裓若以机案從
舍出之復更思惟是舍唯有一門而復狹小
諸子幼稚未有所識戀著戲處或當墮落為
火所燒我當為說怖畏之事此舍已燒宜時
疾出无令為火之所燒害作是念已如所思
惟具告諸子汝等速出父雖憐愍善言誘喻
而諸子等樂著嬉戲不肯信受不驚不畏了

BD00532 號　妙法蓮華經卷二　（27–6）

疾出无令為火之所燒害作是念已如所思
惟具告諸子汝等速出父雖憐愍善言誘喻
而諸子等樂著嬉戲不肯信受不驚不畏了
无出心亦復不知何者是火何者為舍云何
為失但東西走戲視父而已尒時長者即作
是念此舍已為大火所燒我及諸子若不時
出必為所焚我今當設方便令諸子等得免
斯害父知諸子先心各有所好種種珍玩奇
異之物情必樂著而告之言汝等所可玩好
希有難得汝若不取後必憂悔如此種種羊
車鹿車牛車今在門外可以遊戲汝等於此
火宅宜速出來隨汝所欲皆當與汝尒時諸
子聞父所說珍玩之物適其願故心各勇銳
互相推排競共馳走爭出火宅是時長者見
諸子等安隱得出皆於四衢道中露地而坐
无復鄣礙其心泰然歡喜踊躍時諸子等各
白父言父先所許玩好之具羊車鹿車牛車
願時賜與舍利弗尒時長者各賜諸子等一
大車其車高廣衆寶莊校周匝欄楯四面懸
鈴又於其上張設幰蓋亦以珍奇雜寶而嚴
飾之寶繩絞絡垂諸華纓重敷綩綖安置丹
枕駕以白牛膚色充潔形體姝好有大筋力
行步平正其疾如風又多僕從而侍衛之所
以者何是大長者財富无量種種諸藏悉皆
充溢而作是念我財物无極不應以下劣小

BD00532 號　妙法蓮華經卷二　（27–7）

以者何是大長者財富无量種種諸藏悉皆
充溢而作是念我財物无極不應以下劣小
車與諸子等今此幼童皆是吾子愛无偏黨
我有如是七寶大車其數无量應當等心各
各與之不宜差別所以者何以我此物周給
一國猶尚不匱何況諸子是時諸子各乘大
車得未曾有非本所望舍利弗於汝意云何
是長者等與諸子珎寶大車寧有虛妄不舍
利弗言不也世尊是長者但令諸子得免火
難全其軀命非為虛妄何以故若全身命便
為已得玩好之具况復方便於彼火宅而拔
濟之世尊若是長者乃至不與冣小一車猶
不虛妄何以故是長者先作是意我以方便
令子得出以是因緣无虛妄也何况長者自
知財富无量欲饒益諸子等與大車佛告舍
利弗善哉善哉如汝所言舍利弗如來亦復
如是則為一切世間之父於諸怖畏衰惱憂
患无明闇蔽永盡无餘而悉成就无量知見
力无所畏有大神力及智慧力具足方便智
慧波羅蜜大慈大悲常无懈惓恒求善事利
益一切而生三界朽故火宅為度衆生生老
病死憂悲苦惱愚癡闇蔽三毒之火教化令
得阿耨多羅三藐三菩提見諸衆生為生老
病死憂悲苦惱之所燒煑亦以五欲財利故
受種種苦又以貪著追求故現受衆苦後受

病死憂悲苦惱之所燒煑亦以五欲財利故
受種種苦又以貪著追求故現受衆苦後受
地獄畜生餓鬼之苦若生天上及在人間貧
窮困苦愛別離苦怨憎會苦如是等種種諸
苦衆生沒在其中歡喜遊戲不覺不知不驚
不怖亦不生厭不求解脫於此三界火宅東
西馳走雖遭大苦不以為患舍利弗佛見此
已便作是念我為衆生之父應拔其苦難與
无量无邊佛智慧樂令其遊戲舍利弗如來
復作是念若我但以神力及智慧力捨於方
便為諸衆生讚如來知見力无所畏者衆生
不能以是得度所以者何是諸衆生未免生
老病死憂悲苦惱而為三界火宅所燒何由
能解佛之智慧舍利弗如彼長者雖復身手
有力而不用之但以慇懃方便免濟諸子火
宅之難然後各與珎寶大車如來亦復如是
雖有力无所畏而不用之但以智慧方便於
三界火宅拔濟衆生為說三乘聲聞辟支佛
佛乘而作是言汝等莫得樂住三界火宅勿
貪麁弊色聲香味觸也若貪著生愛則為所
燒汝速出三界當得三乘聲聞辟支佛佛乘
我今為汝保任此事終不虛也汝等但當懃
脩精進如來以是方便誘進衆生復作是言
汝等當知此三乘法皆是聖所稱歎自在无
繫无所依求乘是三乘以无漏根力覺道禪

汝等當知此三乘法皆是聖所稱嘆自在无
繫无所依求乘是三乘以无漏根力覺道禪
定解脫三昧等而自娛樂便得无量安隱快
樂舍利弗若有衆生内有智性從佛世尊聞
法信受慇懃精進欲速出三界自求涅槃是
名聲聞乘如彼諸子為求羊車出於火宅若
有衆生從佛世尊聞法信受慇懃精進求自
然慧樂獨善寂深知諸法因緣是名辟支佛
乘如彼諸子為求鹿車出於火宅若有衆生
從佛世尊聞法信受懃脩精進求一切智佛
智自然智无師智如來知見力无所畏愍念
安樂无量衆生利益天人度脫一切是名大
乘菩薩求此乘故名為摩訶薩如彼諸子為
求牛車出於火宅舍利弗如彼長者見諸子
等安隱得出火宅到无畏處自惟財富无量
等以大車而賜諸子如來亦復如是為一切
衆生之父若見无量億千衆生以佛教門出
三界苦怖畏險道得涅槃樂如來尒時便作
是念我有无量无邊智慧力无畏等諸佛法
藏是諸衆生皆是我子等與大乘不令有人
獨得滅度皆以如來滅度而滅度之是諸衆
生脫三界者悉與諸佛禪定解脫等娛樂之
具皆是一相一種聖所稱嘆能生淨妙第一
之樂舍利弗如彼長者初以三車誘引諸子
然後但與大車寶物莊嚴安隱第一然彼長

之樂舍利弗如彼長者初以三車誘引諸子
然後但與大車寶物莊嚴安隱第一然彼長
者无虛妄之咎如來亦復如是无有虛妄初
說三乘引導衆生然後但以大乘而度脫之
何以故如來有无量智慧力无所畏諸法之
藏能與一切衆生大乘之法但不盡能受舍
利弗以是因緣當知諸佛方便力故於一佛
乘分別說三佛欲重宣此義而說偈言

譬如長者　有一大宅　其宅久故　而復頓弊
堂舍高危　柱根摧朽　梁棟傾斜　基陛頹毀
墻壁圮坼　泥塗褫落　覆苫亂墜　椽梠差脫
周障屈曲　雜穢充遍　有五百人　止住其中
鵄梟鵰鷲　烏鵲鳩鴿　蚖蛇蝮蠍　蜈蚣蚰蜒
守宮百足　狖狸鼷鼠　諸惡虫輩　交橫馳走
屎尿臭處　不淨流溢　蜣蜋諸虫　而集其上
狐狼野干　咀嚼踐蹋　嚌齧死屍　骨肉狼藉
由是群狗　競來搏撮　飢羸慞惶　處處求食
鬪諍齟掣　嘊喍嗥吠　其舍恐怖　變狀如是
處處皆有　魑魅魍魎　夜叉惡鬼　食噉人肉
毒虫之屬　諸惡禽獸　孚乳產生　各自藏護
夜叉競來　爭取食之　食之既飽　惡心轉熾
鬪諍之聲　甚可怖畏　鳩槃荼鬼　蹲踞土埵
或時離地　一尺二尺　往返遊行　縱逸嬉戲
捉狗兩足　撲令失聲　以腳加頸　怖狗自樂
復有諸鬼　其身長大　裸形黑瘦　常住其中

撮狗兩足　撲令失聲　以脚加頸　怖狗自樂
復有諸鬼　其身長大　裸形黑瘦　常住其中
發大惡聲　叫呼求食　復有諸鬼　其咽如針
復有諸鬼　首如牛頭　或食人肉　或復噉狗
頭髮蓬亂　殘害兇險　飢渴所逼　叫喚馳走
夜叉餓鬼　諸惡鳥獸　飢急四向　窺看窓牖
如是諸難　恐畏無量　是朽故宅　屬于一人
其人近出　未久之間　於後宅舍　忽然火起
四面一時　其焰俱熾　棟梁椽柱　爆聲振裂
摧折墮落　墻壁崩倒　諸鬼神等　揚聲大叫
鵰鷲諸鳥　鳩槃荼等　周章惶怖　不能自出
惡獸毒虫　藏竄孔穴　毗舍闍鬼　亦住其中
薄福德故　為火所逼　共相殘害　飲血噉肉
野干之屬　並已前死　諸大惡獸　競來食噉
臰烟熢㶿　四面充塞　蜈蚣蚰蜒　毒虵之類
為火所燒　爭走出穴　鳩槃荼鬼　隨取而食
又諸餓鬼　頭上火然　飢渴熱惱　周章悶走
其宅如是　甚可怖畏　毒害火災　衆難非一
是時宅主　在門外立　聞有人言　汝諸子等
先因遊戲　來入此宅　稚小無知　歡娛樂著
長者聞已　驚入火宅　方宜救濟　令無燒害
告喻諸子　說衆患難　惡鬼毒虫　災火蔓莛
衆苦次第　相續不絕　毒虵蚖蝮　及諸夜叉
鳩槃荼鬼　野干狐狗　鵰鷲鵄梟　百足之屬
飢渴惱急　甚可怖畏　此苦難處　况復大火

鳩槃荼鬼　野干狐狗　鵰鷲鵄梟　百足之屬
飢渴惱急　甚可怖畏　此苦難處　况復大火
諸子無知　雖聞父誨　猶故樂著　嬉戲不已
是時長者　而作是念　諸子如此　益我愁惱
今此舍宅　無一可樂　而諸子等　耽湎嬉戲
不受我教　將為火害　即便思惟　設諸方便
告諸子等　我有種種　珎玩之具　妙寶好車
羊車鹿車　大牛之車　今在門外　汝等出來
吾為汝等　造作此車　隨意所樂　可以遊戲
諸子聞說　如此諸車　即時奔競　馳走而出
到於空地　離諸苦難　長者見子　得出火宅
住於四衢　坐師子座　而自慶言　我今快樂
此諸子等　生育甚難　愚小無知　而入險宅
多諸毒虫　魑魅可畏　大火猛焰　四面俱起
而此諸子　貪樂嬉戲　我已救之　令得脫難
是故諸人　我今快樂
尒時諸子　知父安坐　皆詣父所　而白父言
願賜我等　三種寶車　如前所許　諸子出來
當以三車　隨汝所欲　今正是時　唯垂給與
長者大富　庫藏衆多　金銀瑠璃　車𤥭馬瑙
以衆寶物　造諸大車　莊校嚴飾　周匝蘭楯
四面懸鈴　金繩交絡　真珠羅網　張施其上
金華諸瓔　處處垂下　衆綵雜飾　周匝圍繞
柔軟繒纊　以為茵蓐　上妙細㲲　價直千億
鮮白淨潔　以覆其上　有大白牛　肥壯多力

鮮白淨潔　以覆其上　有大白牛　肥壯多力
形體姝大　以駕寶車　多諸儐從　而侍衛之
以是妙車　等賜諸子　諸子是時　歡喜踊躍
乘是寶車　遊於四方　嬉戲快樂　自在无㝵
告舍利弗　我亦如是　衆聖中尊　世間之父
一切衆生　皆是吾子　深著世樂　无有慧心
三界无安　猶如火宅　衆苦充滿　甚可怖畏
常有生老　病死憂患　如是等火　熾然不息
如來已離　三界火宅　寂然閑居　安處林野
今此三界　皆是我有　其中衆生　悉是吾子
而今此處　多諸患難　唯我一人　能為救護
雖復教詔　而不信受　於諸欲染　貪著深故
以是方便　為說三乘　令諸衆生　知三界苦
開示演說　出世間道　是諸子等　若心決定
具足三明　及六神通　有得緣覺　不退菩薩
汝舍利弗　我為衆生　以此譬喻　說一佛乘
汝等若能　信受是語　一切皆當　成得佛道
是乘微妙　清淨第一　於諸世間　為无有上
佛所悅可　一切衆生　所應稱讚　供養禮拜
无量億千　諸力解脫　禪定智慧　及佛餘法
得如是乘　令諸子等　日夜劫數　常得遊戲
與諸菩薩　及聲聞衆　乘此寶乘　直至道場
以是因緣　十方諦求　更无餘乘　除佛方便
告舍利弗　汝諸人等　皆是吾子　我則是父
汝等累劫　衆苦所燒　我皆濟拔　令出三界

BD00532號　妙法蓮華經卷二　（27-14）

與諸菩薩　及聲聞衆　乘此寶乘　直至道場
以是因緣　十方諦求　更无餘乘　除佛方便
告舍利弗　汝諸人等　皆是吾子　我則是父
汝等累劫　衆苦所燒　我皆濟拔　令出三界
我雖先說　汝等滅度　但盡生死　而實不滅
今所應作　唯佛智慧
若有菩薩　於是衆中　能一心聽　諸佛實法
諸佛世尊　雖以方便　所化衆生　皆是菩薩
若人小智　深著愛欲　為此等故　說於苦諦
衆生心喜　得未曾有　佛說苦諦　真實无異
若有衆生　不知苦本　深著苦因　不能暫捨
為是等故　方便說道　諸苦所因　貪欲為本
若滅貪欲　无所依止　滅盡諸苦　名第三諦
為滅諦故　脩行於道　離諸苦縛　名得解脫
是人於何　而得解脫　但離虛妄　名為解脫
其實未得　一切解脫　佛說是人　未實滅度
斯人未得　无上道故　我意不欲　令至滅度
我為法王　於法自在　安隱衆生　故現於世
汝舍利弗　我此法印　為欲利益　世間故說
在所遊方　勿妄宣傳
若有聞者　隨喜頂受　當知是人　阿惟越致
若有信受　此經法者　是人已曾　見過去佛
恭敬供養　亦聞是法　若人有能　信汝所說
則為見我　亦見於汝　及比丘僧　并諸菩薩
斯法華經　為深智說　淺識聞之　迷惑不解

BD00532號　妙法蓮華經卷二　（27-15）

則爲見我 亦見於汝 及比丘僧 并諸菩薩
斯法華經 爲深智說 淺識聞之 迷惑不解
一切聲聞 及辟支佛 於此經中 力所不及
汝舍利弗 尚於此經 以信得入 况餘聲聞
其餘聲聞 信佛語故 隨順此經 非己智分
又舍利弗 憍慢懈怠 計我見者 莫說此經
凡夫淺識 深著五欲 聞不能解 亦勿爲說
若人不信 毀謗此經 則斷一切 世間佛種
或復顰蹙 而懷疑惑 汝當聽說 此人罪報
若佛在世 若滅度後 其有誹謗 如斯經典
見有讀誦 書持經者 輕賤憎嫉 而懷結恨
此人罪報 汝今復聽
其人命終 入阿鼻獄 具足一劫 劫盡更生
如是展轉 至无數劫 從地獄出 當墮畜生
若狗野干 其形頋瘦 黧黮疥癩 人所觸嬈
又復爲人 之所惡賤 常困飢渴 骨肉枯竭
生受楚毒 死被瓦石 斷佛種故 受斯罪報
若作駱駝 或生驢中 身常負重 加諸杖捶
但念水草 餘无所知 謗斯經故 獲罪如是
有作野干 來入聚落 身體疥癩 又无一目
爲諸童子 之所打擲 受諸苦痛 或時致死
於此死已 更受蟒身 其形長大 五百由旬
聾騃无足 蜿轉腹行 爲諸小虫 之所唼食
晝夜受苦 无有休息 謗斯經故 獲罪如是
若得爲人 諸根闇鈍 矬陋攣躄 盲聾背傴
有所言說 人不信受 口氣常臭 鬼魅所著

BD00532號　妙法蓮華經卷二　(27–16)

若得爲人 諸根闇鈍 矬陋攣躄 盲聾背傴
有所言說 人不信受 口氣常臭 鬼魅所著
貧窮下賤 爲人所使 多病痟瘦 无所依怙
雖親附人 人不在意 若有所得 尋復忘失
若脩醫道 順方治病 更增他疾 或復致死
若自有病 无人救療 設服良藥 而復增劇
若他反逆 抄劫竊盜 如是等罪 横羅其殃
如斯罪人 永不見佛 衆聖之王 說法教化
如斯罪人 常生難處 狂聾心亂 永不聞法
於无數劫 如恒河沙 生輒聾瘂 諸根不具
常處地獄 如遊園觀 在餘惡道 如己舍宅
駝驢猪狗 是其行處 謗斯經故 獲罪如是
若得爲人 聾盲瘖瘂 貧窮諸衰 以自莊嚴
水腫乾痟 疥癩癰疽 如是等病 以爲衣服
身常臭處 垢穢不淨 深著我見 增益瞋恚
婬欲熾盛 不擇禽獸 謗斯經故 獲罪如是
告舍利弗 謗斯經者 若說其罪 窮劫不盡
以是因緣 我故語汝 无智人中 莫說此經
若有利根 智慧明了 多聞強識 求佛道者
如是之人 乃可爲說 若人曾見 億百千佛
殖諸善本 深心堅固 如是之人 乃可爲說
若人精進 常脩慈心 不惜身命 乃可爲說
若人恭敬 无有異心 離諸凡愚 獨處山澤
如是之人 乃可爲說
又舍利弗 若見有人 捨惡知識 親近善友
如是之人 乃可爲說 若見佛子 持戒清潔

BD00532號　妙法蓮華經卷二　(27–17)

又舍利弗　若見有人　捨惡知識　親近善友
如是之人　乃可為說　若見佛子　持戒清潔
如淨明珠　求大乘經　如是之人　乃可為說
若人无瞋　質直柔軟　常愍一切　恭敬諸佛
如是之人　乃可為說
復有佛子　於大眾中　以清淨心　種種因緣
譬喻言辭　說法无导　如是之人　乃可為說
若有比丘　為一切智　四方求法　合掌頂受
但樂受持　大乘經典　乃至不受　餘經一偈
如是之人　乃可為說
如人至心　求佛舍利　如是求經　得已頂受
其人不復　志求餘經　亦未曾念　外道典籍
如是之人　乃可為說
告舍利弗　我說是相　求佛道者　窮劫不盡
如是等人　則能信解　汝當為說　妙法華經

妙法蓮華經信解品第四

尒時慧命須菩提摩訶迦旃延摩訶迦葉摩
訶目揵連從佛所聞未曾有法世尊授舍利
弗阿耨多羅三藐三菩提記發希有心歡
喜踊躍即從座起整衣服偏袒右肩右膝著地
一心合掌曲躬恭敬瞻仰尊顏而白佛言我
等居僧之首年並朽邁自謂已得涅槃无所
堪任不復進求阿耨多羅三藐三菩提世尊
往昔說法既久我時在座身體疲懈但念空
无相无作於菩薩法遊戲神通淨佛國土成

堪任不復進求阿耨多羅三藐三菩提世尊
往昔說法既久我時在座身體疲懈但念空
无相无作於菩薩法遊戲神通淨佛國土成
就眾生心不喜樂所以者何世尊令我等出
於三界得涅槃證又今我等年已朽邁於佛
教化菩薩阿耨多羅三藐三菩提不生一念
好樂之心我等今於佛前聞授聲聞阿耨多
羅三藐三菩提記心甚歡喜得未曾有不謂
於今忽然得聞希有之法深自慶幸獲大善
利无量珍寶不求自得世尊我等今者樂說
譬喻以明斯義譬若有人年既幼稚捨父逃
逝久住他國或十二十至五十歲年既長大
加復窮困馳騁四方以求衣食漸漸遊行遇
向本國其父先來求子不得中止一城其家
大富財寶无量金銀琉璃珊瑚虎珀頗梨珠
等其諸倉庫悉皆盈溢多有僮僕臣佐吏民
象馬車乘牛羊无數出入息利乃遍他國商
估賈客亦甚眾多時貧窮子遊諸聚落經歷
國邑遂到其父所止之城父每念子與子離
別五十餘年而未曾向人說如此事但自思
惟心懷悔恨自念老朽多有財物金銀珍寶
倉庫盈溢无有子息一旦終沒財物散失无
所委付是以慇懃每憶其子復作是念我若
得子委付財物坦然快樂无復憂慮世尊尒
時窮子傭賃展轉遇到父舍住立門側遙見
其父踞師子床寶几承足諸婆羅門剎利居

得子委付財物坦然快樂无復憂慮世尊尒
時窮子傭賃展轉遇到父舍住立門側遥見
其父踞師子床寳机承足諸婆羅門刹利居
士皆恭敬圍繞以真珠瓔珞價直千萬莊嚴
其身吏民僮僕手執白拂侍立左右覆以寶
帳垂諸華幡香水灑地散衆名華羅列寶物
出内取與有如是等種種嚴飾威德特尊窮
子見父有大勢力即懷恐怖悔來至此竊作
是念此或是王或是王等非我傭力得物之
處不如往至貧里肆力有地衣食易得若久
住此或見逼迫强使我作作是念已疾走而
去時富長者於師子座見子便識心大歡喜
即作是念我財物庫藏今有所付我常思念
此子无由見之而忽自來甚適我願我雖年
朽猶故貪惜即遣傍人急追將還尒時使者
疾走往捉窮子驚愕稱怨大喚我不相犯何
為見捉使者執之逾急强牽將還于時窮子
自念无罪而被囚執此必定死轉更惶怖悶
絶躄地父遥見之而語使言不須此人勿强
將來以冷水灑面令得醒悟莫復與語所以
者何父知其子志意下劣自知豪貴為子所
難審知是子而以方便不語他人云是我子
使者語之我今放汝隨意所趣窮子歡喜得
未曾有從地而起往至貧里以求衣食尒時
長者將欲誘引其子而設方便密遣二人形

BD00532號　妙法蓮華經卷二　（27-20）

未曾有從地而起往至貧里以求衣食尒時
長者將欲誘引其子而設方便密遣二人形
色憔悴无威德者汝可詣彼徐語窮子此有
作處倍與汝直窮子若許將來使作若言欲
何所作便可語之雇汝除糞我等二人亦共
汝作時二使人即求窮子既已得之具陳上
事尒時窮子先取其價尋與除糞其父見子
愍而怪之又以他日於窻牖中遥見子身羸
瘦憔悴糞土塵坌汙穢不淨即脫瓔珞細軟
上服嚴飾之具更著麁弊垢膩之衣塵土坌
身右手執持除糞之器狀有所畏語諸作人
汝等勤作勿得懈息以方便故得近其子後
復告言咄男子汝常此作勿復餘去當加汝
價諸有所須瓫器米麵塩酢之屬莫自疑難
亦有老弊使人須者相給好自安意我如汝
父勿復憂慮所以者何我年老大而汝少壯
汝常作時无有欺怠瞋恨怨言都不見汝有
此諸惡如餘作人自今已後如所生子即時
長者更與作字名之為兒尒時窮子雖欣此
遇猶故自謂客作賤人由是之故於二十年
中常令除糞過是已後心相體信入出无難
然其所止猶在本處世尊尒時長者有疾自
知將死不久語窮子言我今多有金銀珍寶
倉庫盈溢其中多少所應取與汝悉知之我
心如是當體此意所以者何今我與汝便為

BD00532號　妙法蓮華經卷二　（27-21）

倉庫盈溢其中多少所應取與汝悉知之我
心如是當體此意所以者何今我與汝便為
不異宜加用心无令漏失尒時窮子即受教
勑領知衆物金銀珎寶及諸庫藏而无希取
一飡之意然其所止故在本處下劣之心亦
未能捨復經少時父知子意漸已通泰成就
大志自鄙先心臨欲終時而命其子并會親
族國王大臣剎利居士皆悉已集即自宣言
諸君當知此是我子我之所生於某城中捨
吾逃走跉跰辛苦五十餘年其本字某我名
某甲昔在本城懷憂推覓忽於此間遇會
得之此實我子我實其父今我所有一切財物
皆是子有先所出內是子所知世尊是時窮
子聞父此言即大歡喜得未曾有而作是念
我本无心有所希求今此寶藏自然而至世
尊大富長者則是如來我等皆似佛子如來
常說我等為子世尊我等以三苦故於生死
中受諸熱惱迷惑无知樂著小法今日世尊
令我等思惟蠲除諸法戲論之糞我等於中
勤加精進得至涅槃一日之價既得此已心
大歡喜自以為足便自謂言於佛法中勤精進
故所得弘多然世尊先知我等心著弊欲樂
於小法便見縱捨不為分別汝等當有如來
知見寶藏之分世尊以方便力說如來智惠
我等從佛得涅槃一日之價以為大得於此

BD00532號　妙法蓮華經卷二　（27–22）

知見寶藏之分世尊以方
我等從佛得涅槃一日之價以為大得於此
大乘无有志求我等又因如來智惠為諸菩
薩開示演說而自於此无有志願所以者何
佛知我等心樂小法以方便力隨我等說而
我等不知真是佛子今我等方知世尊於佛
智惠无所悋惜所以者何我等昔來真是佛
子而但樂小法若我等有樂大之心佛則為
我說大乘法於此經中唯說一乘而昔於菩
薩前毀呰聲聞樂小法者然佛實以大乘教
化是故我等說本无心有所希求今法王
大寶自然而至如佛子所應得者皆已得之
尒時摩訶迦葉欲重宣此義而說偈言
我等今日　聞佛音教　歡喜踊躍　得未曾有
佛說聲聞　當得作佛　无上寶聚　不求自得
譬如童子　幼稚无識　捨父逃逝　遠到他國
周流諸國　五十餘年　其父憂念　四方推求
求之既疲　頓止一城　造立舍宅　五欲自娛
其家巨富　多諸金銀　車𤦲馬瑙　真珠瑠璃
象馬牛羊　輦輿車乘　田業僮僕　人民衆多
出入息利　乃遍他國　商估賈人　无處不有
千萬億衆　圍繞恭敬　常為王者　之所愛念
群臣豪族　皆共宗重　以諸緣故　往來者衆
豪富如是　有大力勢　而年朽邁　益憂念子
夙夜惟念　死時將至　癡子捨我　五十餘年
庫藏諸物　當如之何

BD00532號　妙法蓮華經卷二　（27–23）

豪冨如是　有大力勢　而年朽邁　益憂念子
夙夜惟念　死時將至　癡子捨我　五十餘年
庫藏諸物　當如之何
尒時窮子　求索衣食　從邑至邑　從國至國
或有所得　或无所得　飢餓羸瘦　體生瘡癬
漸次經歷　到父住城　傭賃展轉　遂至父舍
尒時長者　於其門內　施大寶帳　處師子座
眷屬圍遶　諸人侍衛
或有計筭　金銀寶物　出內財產　注記券疏
窮子見父　豪貴尊嚴　謂是國王　若國王等
驚怖自怪　何故至此
復自念言　我若久住　或見逼迫　強驅使作
思惟是已　馳走而去　借問貧里　欲往傭作
長者是時　在師子座　遙見其子　默而識之
即勅使者　追捉將來　窮子驚喚　迷悶躄地
是人執我　必當見殺　何用衣食　使我至此
長者知子　愚癡狹劣　不信我言　不信是父
即以方便　更遣餘人　眇目矬陋　无威德者
汝可語之　云當相雇　除諸糞穢　倍與汝價
窮子聞之　歡喜隨來　為除糞穢　淨諸房舍
長者於牖　常見其子　念子愚劣　樂為鄙事
於是長者　著弊垢衣　執除糞器　往到子所
方便附近　語令勤作
既益汝價　并塗足油　飲食充足　薦席厚暖
如是苦言　汝當勤作　又以軟語　若如我子

BD00532 號　妙法蓮華經卷二　（27–24）

既益汝價　并塗足油　飲食充足　薦席厚暖
如是苦言　汝當勤作　又以軟語　若如我子
長者有智　漸令入出　經二十年　執作家事
示其金銀　真珠頗梨　諸物出入　皆使令知
猶處門外　止宿草菴　自念貧事　我无此物
父知子心　漸已曠大　欲與財物　即聚親族
國王大臣　刹利居士　於此大眾　說是我子
捨我他行　經五十歲　自見子來　已二十年
昔於某城　而失是子　周行求索　遂來至此
凡我所有　舍宅人民　悉以付之　恣其所用
子念昔貧　志意下劣　今於父所　大獲珍寶
并及舍宅　一切財物　甚大歡喜　得未曾有
佛亦如是　知我樂小　未曾說言　汝等作佛
而說我等　得諸无漏　成就小乘　聲聞弟子
佛勅我等　說最上道　脩習此者　當得成佛
我承佛教　為大菩薩　以諸因緣　種種譬喻
若干言辭　說无上道
諸佛子等　從我聞法　日夜思惟　精勤脩習
是時諸佛　即授其記　汝於來世　當得作佛
一切諸佛　秘藏之法　但為菩薩　演其實事
而不為我　說斯真要
如彼窮子　得近其父　雖知諸物　心不希取
我等雖說　佛法寶藏　自无志願　亦復如是
我等內滅　自謂為足　唯了此事　更无餘事
我等若聞　淨佛國土　教化眾生　都无欣樂

BD00532 號　妙法蓮華經卷二　（27–25）

我等雖說　佛法寶藏　自无志願　亦復如是
我等內滅　自謂為足　唯了此事　更无餘事
我等若聞　淨佛國土　教化衆生　都无欣樂
所以者何　一切諸法　皆悉空寂　无生无滅
无大无小　无漏无為　如是思惟　不生喜樂
我等長夜　於佛智慧　无貪无著　无復志願
而自於法　謂是究竟
我等長夜　脩習空法　得脫三界　苦惱之患
住最後身　有餘涅槃　佛所教化　得道不虛
則為已得　報佛之恩
我等雖為　諸佛子等　說菩薩法　以求佛道
而於是法　永无願樂
導師見捨　觀我心故　初不勸進　說有實利
如富長者　知子志劣　以方便力　柔伏其心
然後乃付　一切財物
佛亦如是　現希有事　知樂小者　以方便力
調伏其心　乃教大智
我等今日　得未曾有　非先所望　而今自得
如彼窮子　得无量寶
世尊我今　得道得果　於无漏法　得清淨眼
我等長夜　持佛淨戒　始於今日　得其果報
法王法中　久脩梵行　今得无漏　无上大果
我等今者　真是聲聞　以佛道聲　令一切聞
我等今者　真阿羅漢　於諸世間　天人魔梵
普於其中　應受供養

BD00532 號　妙法蓮華經卷二

法王法中　久脩梵行　今得无漏　无上大果
我等今者　真是聲聞　以佛道聲　令一切聞
我等今者　真阿羅漢　於諸世間　天人魔梵
普於其中　應受供養
世尊大恩　以希有事　憐愍教化　利益我等
无量億劫　誰能報恩
手足供給　頭頂礼敬　一切供養　皆不能報
若以頂戴　兩肩荷負　於恒沙劫　盡心恭敬
又以美饍　无量寶衣　及諸卧具　種種湯藥
牛頭栴檀　及諸珍寶　以起塔廟　寶衣布地
如斯等事　以用供養　於恒沙劫　亦不能報
諸佛希有　无量无邊　不可思議　大神通力
无漏无為　諸法之王　能為下劣　忍于斯事
取相凡夫　隨宜而說　諸佛於法　得最自在
知諸衆生　種種欲樂　及其志力　隨所堪任
以无量喻　而為說法
隨諸衆生　宿世善根　又知成熟　未成熟者
種種籌量　分別知已　於一乘道　隨宜說三

妙法蓮華經卷第二

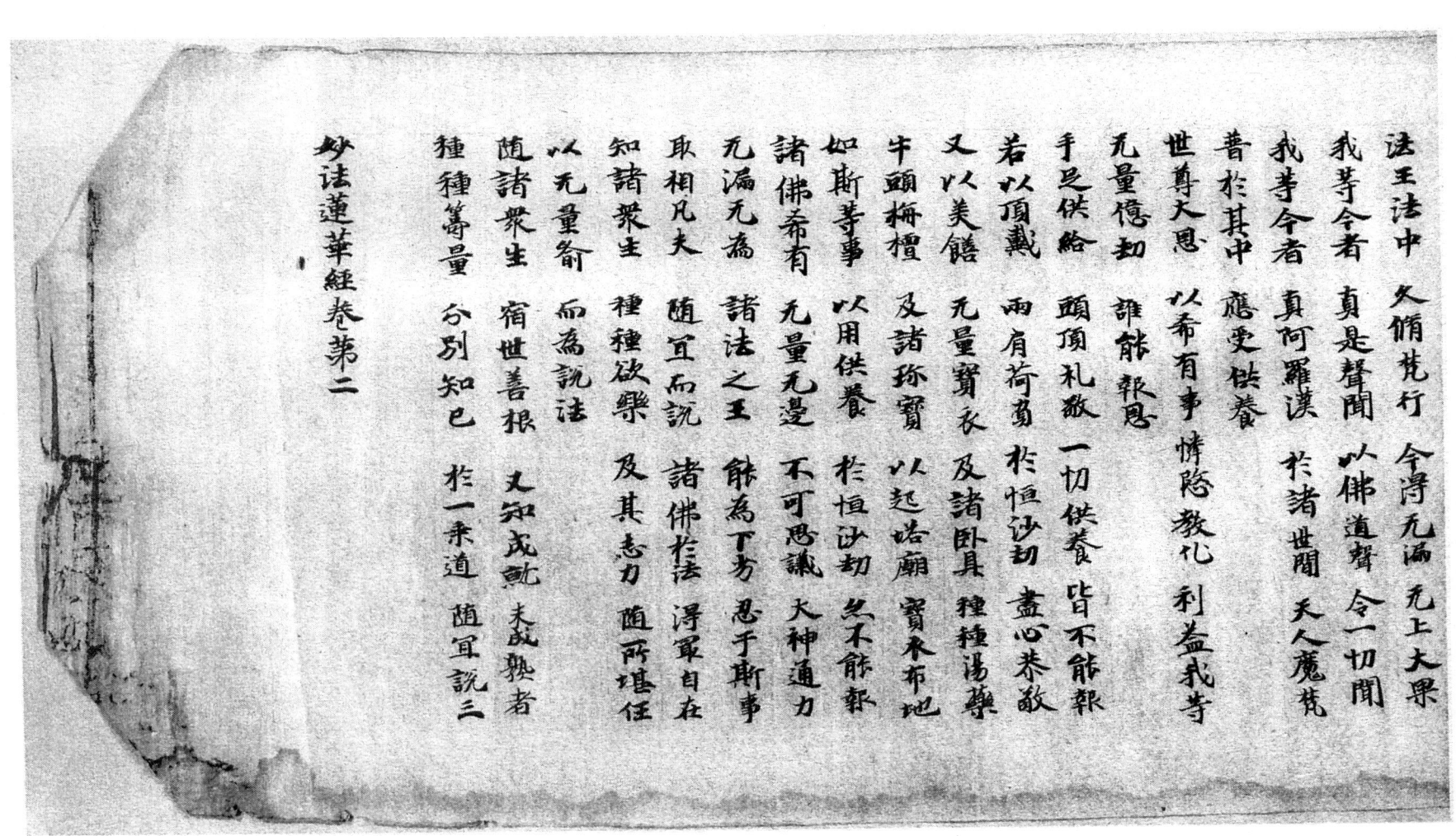

BD00532 號　妙法蓮華經卷二

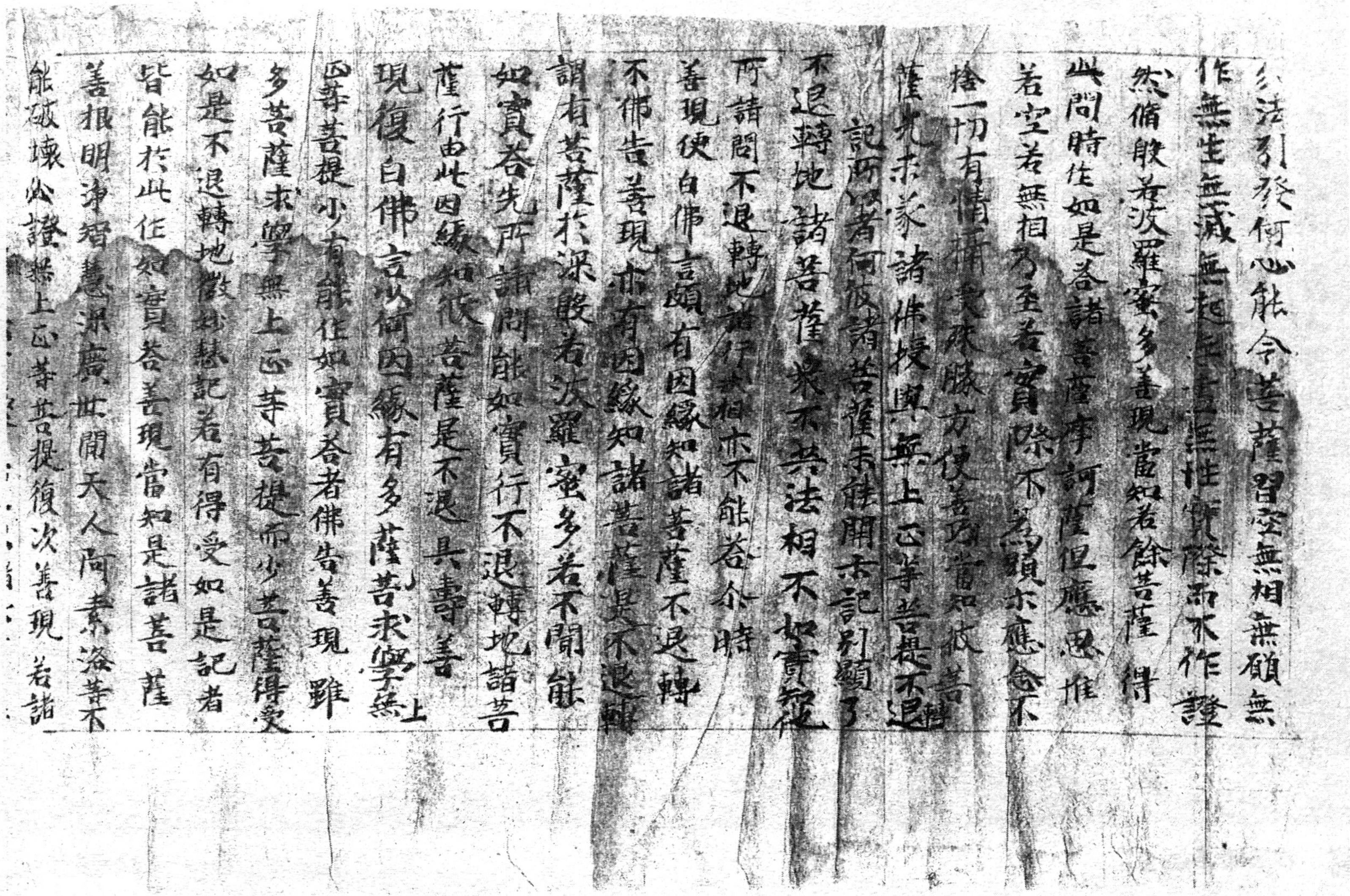

多法引發何心能令菩薩習空無相無願無
作無生無滅無起無盡無性實際而不作證
然脩般若波羅蜜多善現當知若餘菩薩得
此問時作如是答諸菩薩摩訶薩但應思惟
若空若無相乃至若實際不爲顯示應念不
捨一切有情攝受殊勝方便善巧當知彼菩
薩先未蒙諸佛授與無上正等菩提不退轉
記所以者何彼諸菩薩未能開示記別顯了
不退轉地諸菩薩衆不共法相不如實從
所請問不退轉地諸行狀相亦不能答尒時
善現便白佛言頗有因緣知諸菩薩不退轉
不佛告善現亦有因緣知諸菩薩是不退轉
謂有菩薩於深般若波羅蜜多若不聞能
如實答先所請問能如實行不退轉地諸菩
薩行由此因緣知彼菩薩是不退具壽善
現復白佛言以何因緣有多菩薩求學無上
正等菩提少有能住如實答者佛告善現雖
多菩薩求學無上正等菩提而少菩薩得受
如是不退轉地微妙懸記若有得受如是記者
皆能於此作如實答善現當知是諸菩薩
善根明淨智慧深廣世間天人阿素洛等不
能破壞必證無上正等菩提復次善現若諸

BD00533 號　大般若波羅蜜多經（兌廢稿）卷五五一　（2–1）

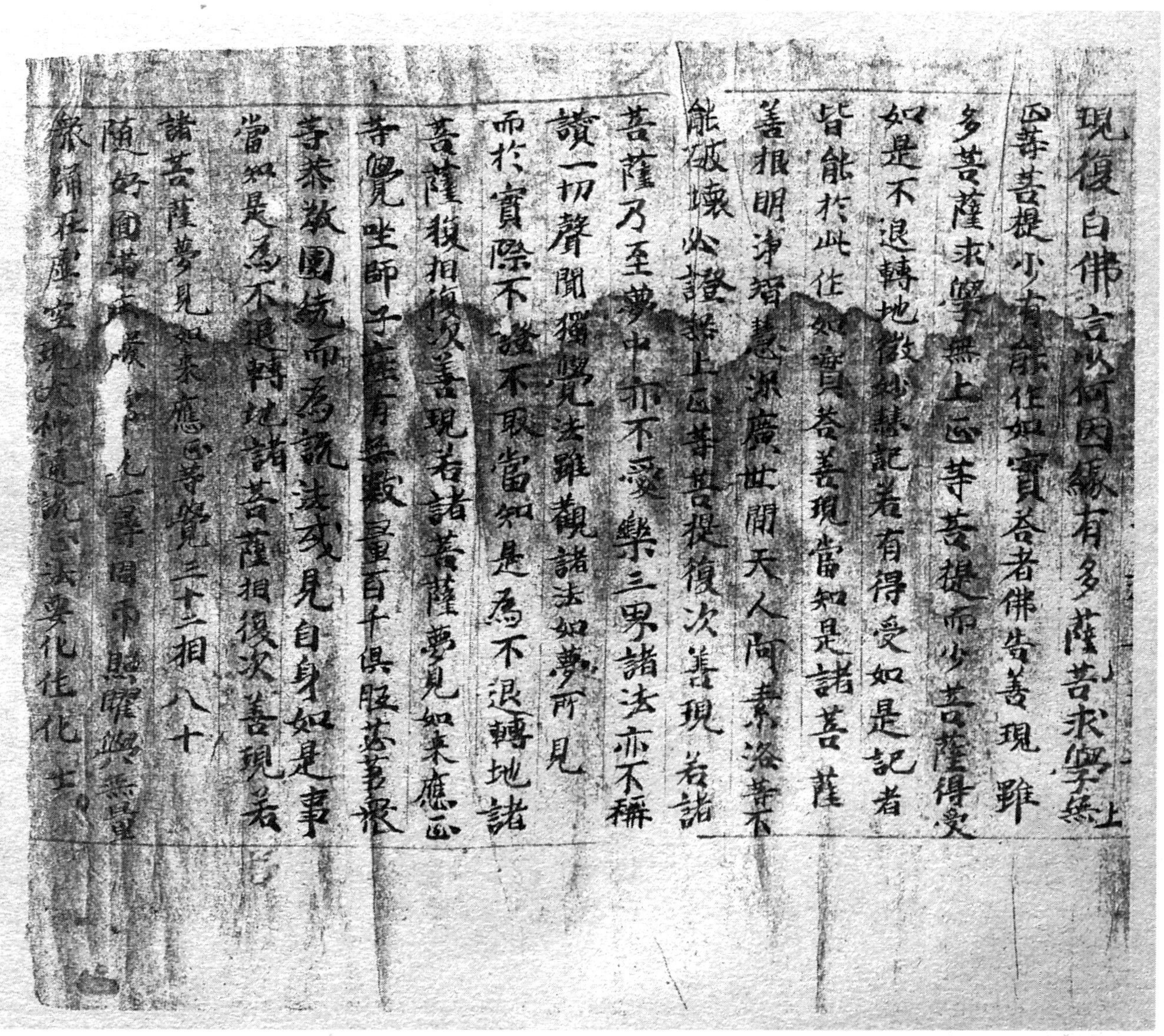

現復白佛言以何因緣有多菩薩求學無上
正等菩提少有能住如實答者佛告善現雖
多菩薩求學無上正等菩提而少菩薩得受
如是不退轉地微妙懸記若有得受如是記者
皆能於此作如實答善現當知是諸菩薩
善根明淨智慧深廣世間天人阿素洛等不
能破壞必證無上正等菩提復次善現若諸
菩薩乃至夢中亦不愛樂三界諸法亦不稱
讚一切聲聞獨覺法雖觀諸法如夢所見
而於實際不證不取當知是爲不退轉地諸
菩薩相復次善現若諸菩薩夢見如來應正
等覺坐師子座有無數量百千俱胝苾芻衆
等恭敬圍繞而爲說法或見自身如是事
當知是爲不退轉地諸菩薩相復次善現若
諸菩薩夢見如來應正等覺三十二相八十
隨好圓滿莊嚴身光一尋周帀照曜與無量
衆俱在虛空現大神通說正法要化作化士

BD00533 號　大般若波羅蜜多經（兌廢稿）卷五五一　（2–2）

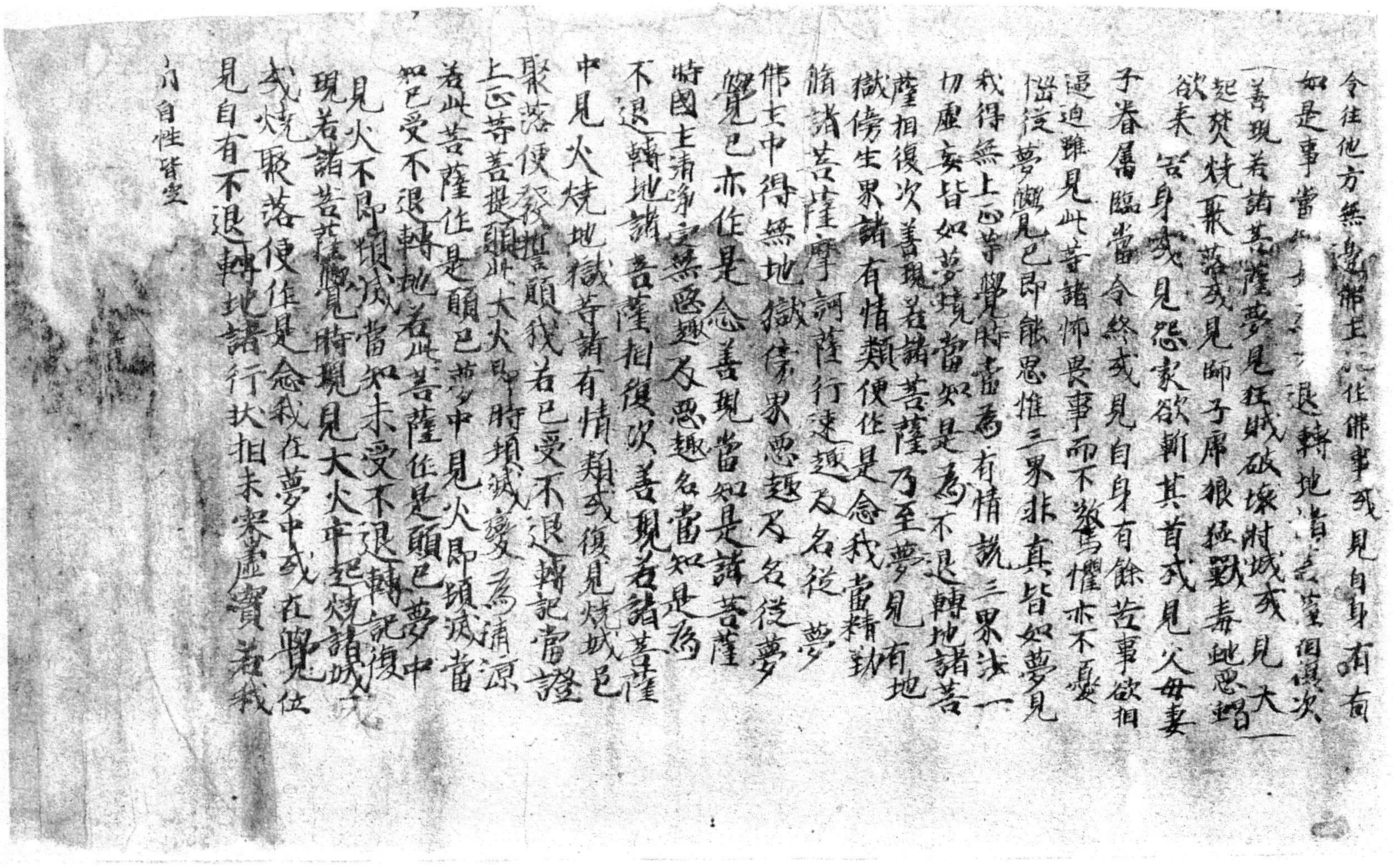
令往他方無邊佛土[illegible]作佛事或見自身有[illegible]
如是事當[illegible]退轉地諸菩薩相復次
善現若諸菩薩夢見狂賊破壞城或見大[illegible]
起焚燒聚落或見師子虎狼猛獸毒蛇惡[illegible]
欲來害身或見怨家欲斬其首或見父母妻
子眷屬臨當命終或見自身有餘苦事欲相
逼迫雖見此等諸怖畏事而不驚懼亦不憂
惱從夢覺已即能思惟三界非真皆如夢見
我得無上正等覺時當為有情說三界法一
切虛妄皆如夢境當知是為不退轉地諸菩
薩相復次善現若諸菩薩乃至夢見有地
獄傍生界諸有情類便作是念我當精勤
脩諸菩薩摩訶薩行速趣及名從夢
佛土中得無地獄傍生界惡趣及名從夢
覺已亦作是念善現當知是諸菩薩
時國土清淨無惡趣及惡趣名當知是為
不退轉地諸菩薩相復次善現若諸菩薩
中見火燒地獄等諸有情類或復見燒城邑
聚落便發誓願我若已受不退轉記當證
上正等菩提願此大火時頓滅變為清涼
若此菩薩作是願已夢中見火即頓滅當
知已受不退轉地若此菩薩作是願已夢中
見火不即頓滅當知未受不退轉記復
現若諸菩薩覺時見大火卒起焚燒諸城
或燒聚落便作是念我在夢中或在覺位
見自有不退轉地諸行狀相未審虛實若我
[illegible]自性皆空

BD00533 號背　雜寫　（1–1）

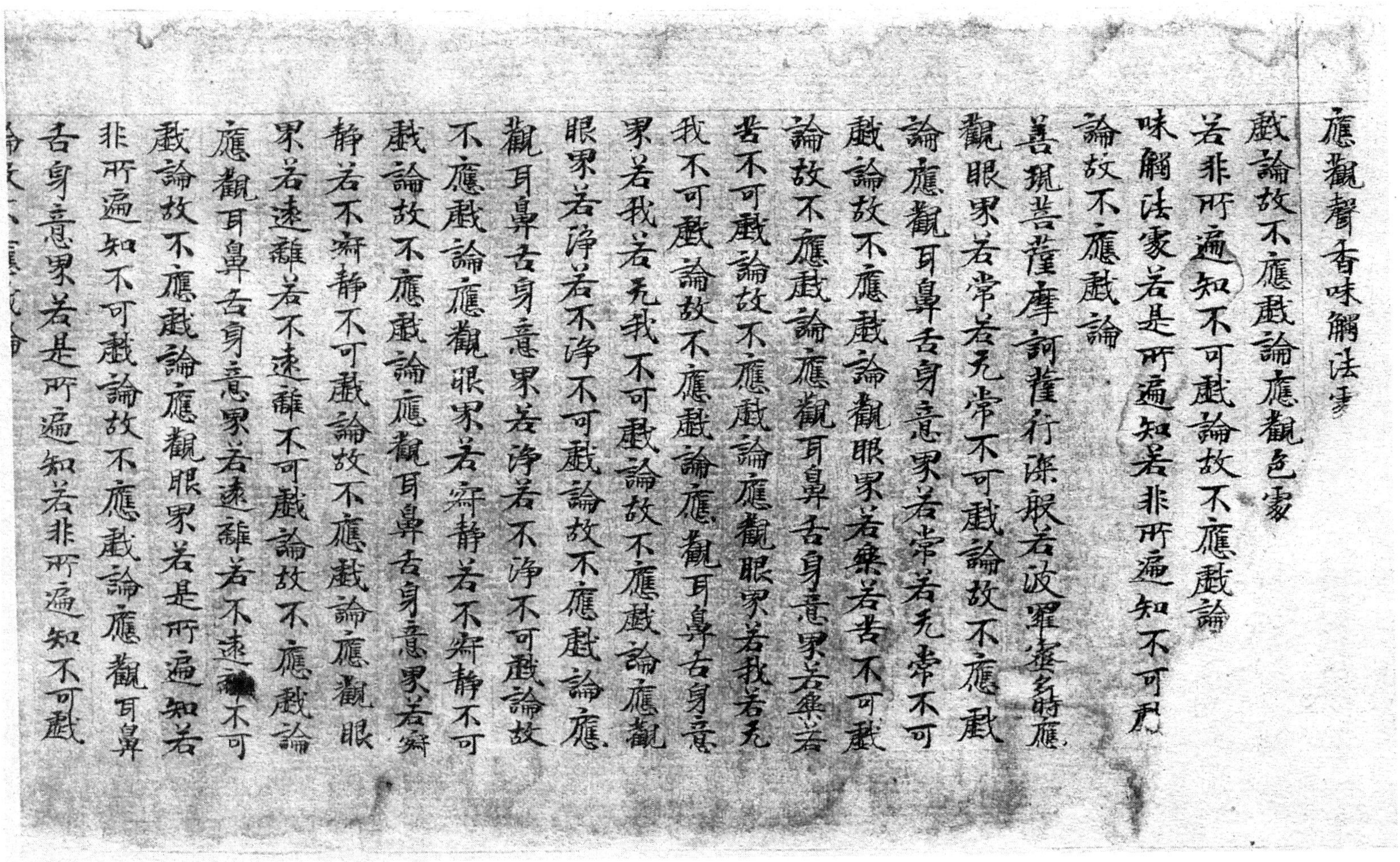
應觀聲香味觸法處
戲論故不應戲論應觀色處
若非所遍知不可戲論故不應戲論
味觸法處若是所遍知若非所遍知不可戲
論故不應戲論
善現菩薩摩訶薩行深般若波羅蜜多時應
觀眼界若常若無常不可戲論故不應戲
論應觀耳鼻舌身意界若常若無常不可
戲論故不應戲論應觀眼界若樂若苦不可戲
論故不應戲論應觀耳鼻舌身意界若樂若
苦不可戲論故不應戲論應觀眼界若我若無
我不可戲論故不應戲論應觀耳鼻舌身意
界若我若無我不可戲論故不應戲論應觀
眼界若淨若不淨不可戲論故不應戲論應
觀耳鼻舌身意界若淨若不淨不可戲論故
不應戲論應觀眼界若寂靜若不寂靜不可
戲論故不應戲論應觀耳鼻舌身意界若寂
靜若不寂靜不可戲論故不應戲論應觀眼
界若遠離若不遠離不可戲論故不應戲論
應觀耳鼻舌身意界若遠離若不遠離不可
戲論故不應戲論應觀眼界若是所遍知若
非所遍知不可戲論故不應戲論應觀耳鼻
舌身意界若是所遍知若非所遍知不可戲
論故不應戲論

BD00534 號　大般若波羅蜜多經卷三六八　（2–1）

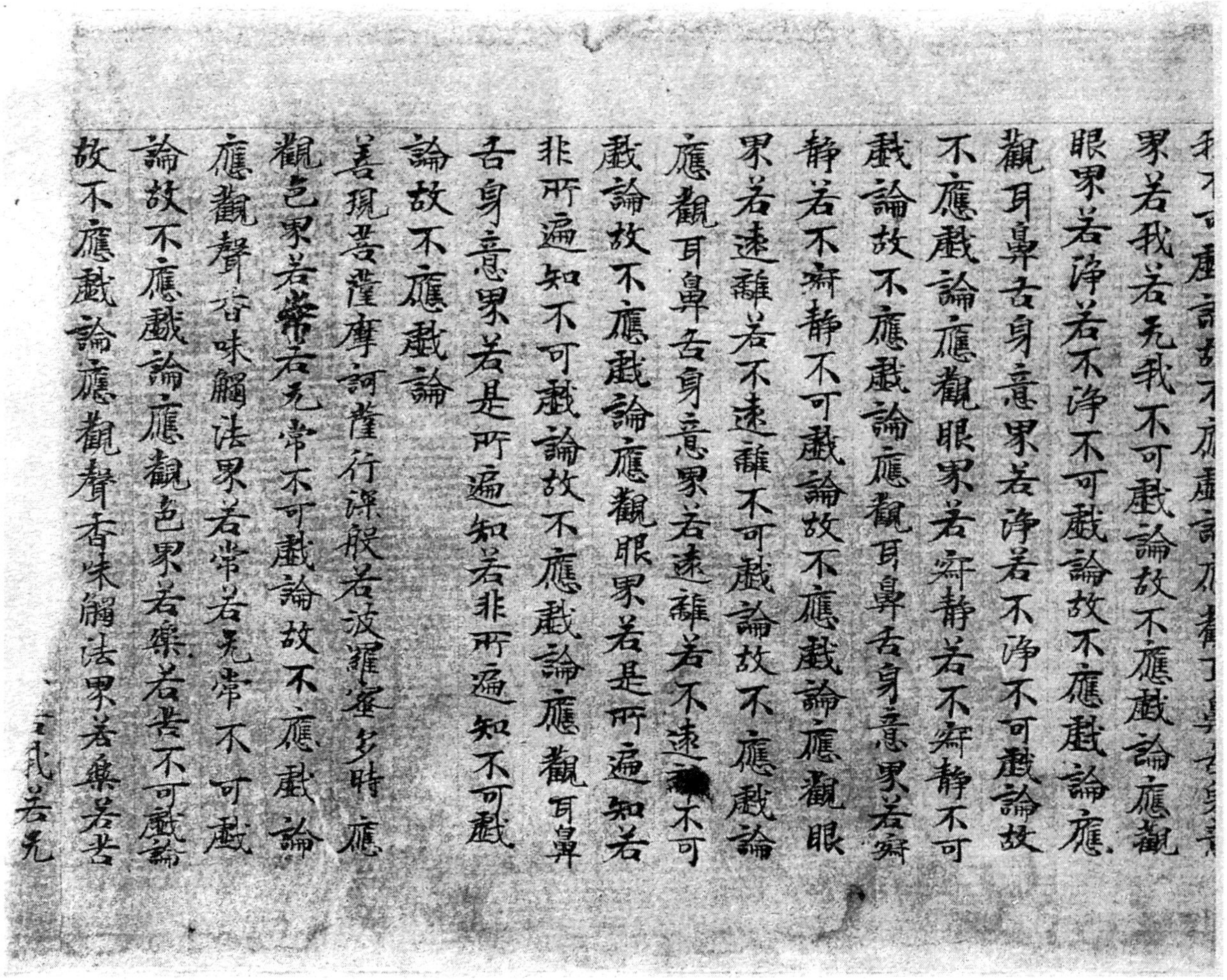

我不可戲論故不應戲論應觀耳鼻舌身意
界若我若无我不可戲論故不應戲論應觀
眼界若淨若不淨不可戲論故不應戲論應
觀耳鼻舌身意界若淨若不淨不可戲論故
不應戲論應觀眼界若寂靜若不寂靜不可
戲論故不應戲論應觀耳鼻舌身意界若寂
靜若不寂靜不可戲論故不應戲論應觀眼
界若遠離若不遠離不可戲論故不應戲論
應觀耳鼻舌身意界若遠離若不遠離不可
戲論故不應戲論應觀眼界若是所遍知若
非所遍知不可戲論故不應戲論應觀耳鼻
舌身意界若是所遍知若非所遍知不可戲
論故不應戲論
善現菩薩摩訶薩行深般若波羅蜜多時應
觀色界若常若无常不可戲論故不應戲論
應觀聲香味觸法界若常若无常不可戲
論故不應戲論應觀色界若樂若苦不可戲論
故不應戲論應觀聲香味觸法界若樂若苦
……若无

BD00534 號　大般若波羅蜜多經卷三六八　（2–2）

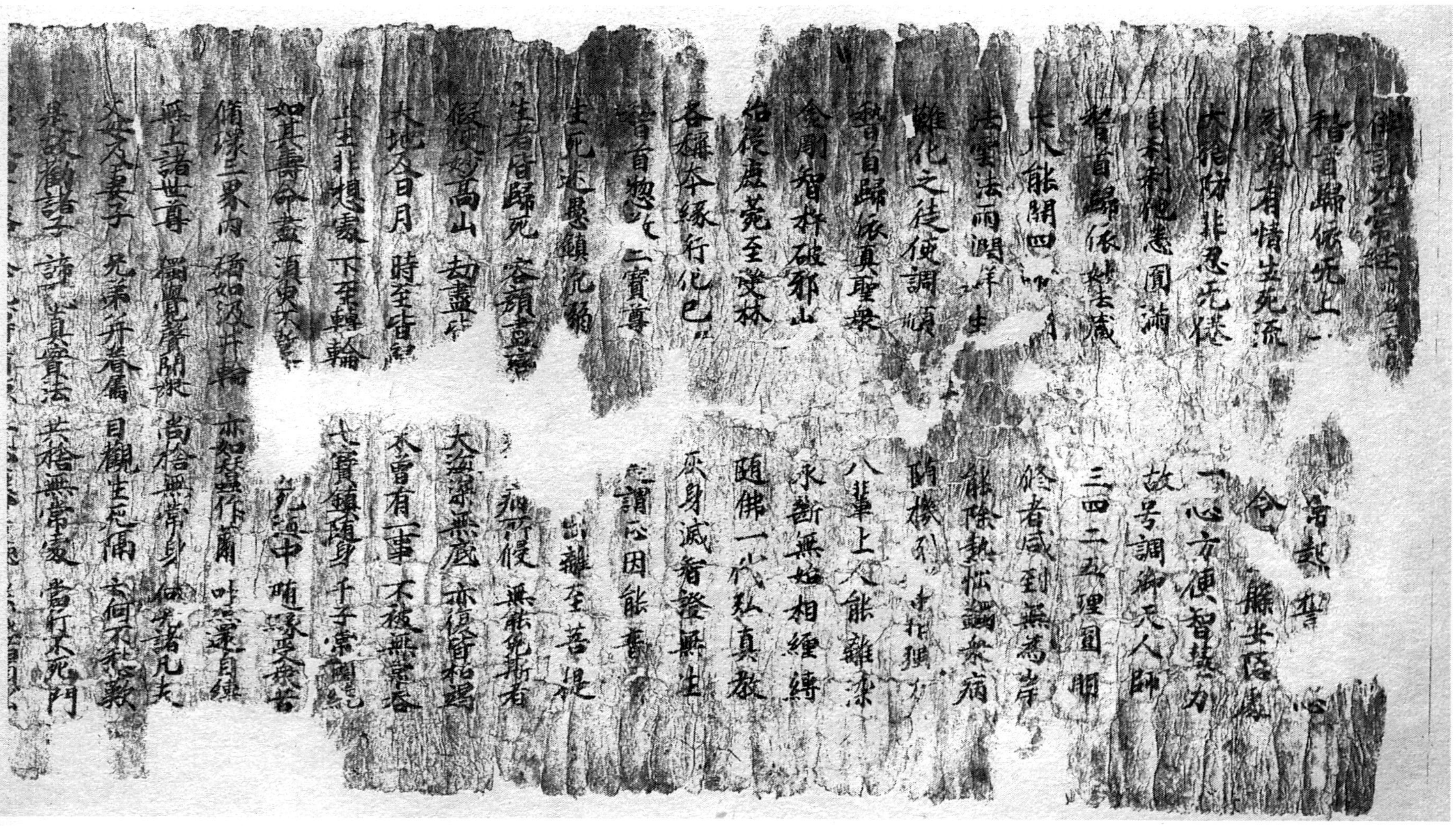

BD00535 號　無常經　（4–1）

無上諸世尊　獨覺聲聞衆　尚捨無常身　何况諸凡夫
父母及妻子　兄弟并眷屬　目觀生死隔　云何不愁歎
是故勸諸人　諦聽真實法　共捨無常處　當行不死門
佛教如甘露　除熱得清涼　一心應善聽　能滅諸煩惱
如是我聞一時薄伽梵在室羅伐城逝多林
給孤獨園尒時佛告諸苾芻有三種法於諸
世間是不可愛是不光澤是不可念是不稱
意何者為三謂老病死汝諸苾芻此老病死於
諸世間實不可愛實不光澤實不可念實不
稱意若老病死世間無者如來應正等覺不
出於世為諸衆生說所證法及調伏事是故
應知此老病死於諸世間是不可愛是不光
澤是不可念是不稱意由此三事如來應正
等覺出現於世為諸衆生說所證法及調伏
事尒時世尊重說頌曰
外事莊彩咸歸壞　內身衰變亦同然
唯有勝法不滅亡　諸有智人應善察
此老病死皆共嫌　形儀醜惡極可猒
少年容貌暫時住　不久咸悉成枯悴
假使壽命滿百年　終歸不免無常逼
老病死苦常隨逐　恒与衆生作無利
尒時世尊說是經已諸苾芻衆天龍藥叉揵
達婆阿蘇洛等皆大歡喜信受奉行
常求諸欲境　不行於善事　云何保形命　不見死來侵
命根氣欲盡　支節悉分離　衆苦与死俱　此時徒歎恨
兩目俱翻上　死刀隨業下　意想並慞惶　無能相救濟

BD00535號　無常經　（4–2）

常求諸欲境　不行於善事　云何保形命　不見死來侵
命根氣欲盡　支節悉分離　衆苦与死俱　此時徒歎恨
兩目俱翻上　死刀隨業下　意想並慞惶　無能相救濟
長喘連胸急　短氣喉中乾　死王催伺命　親屬徒相守
諸識皆昏昧　行入險城中　親知咸棄捨　任彼繩牽去
將至琰魔王　隨業而受報　勝因生善道　惡業墮泥犁
明眼无過慧　黑闇不過癡　病不越怨家　大怖无過死
有生皆必死　造罪苦切身　當勤策三業　恒修於福智
眷屬皆捨去　財貨任他將　但持自善根　險道充粮食
譬如路傍樹　暫息非久停　車馬及妻兒　不久皆如是
譬如群宿鳥　夜聚旦隨飛　死去別親知　乖離亦如是
唯有佛菩提　是真歸仗處　依經我略說　知者善應思
天阿蘇羅藥叉等　來聽法者應至心
擁護佛法使長存　各各勤行世尊教
諸有聽徒來至此　或在地上或居空
常於人世起慈心　晝夜自身依法住
願諸世界常安隱　无邊福智益群生
所有罪業並消除　遠離衆苦歸圓寂
恒用戒香塗瑩體　常持定服以資身
菩提妙花遍莊嚴　隨所住處常安樂
初後讚歎乃是尊者馬鳴取經意而集造
中是正經金口所說事有三開故名三啓

佛說无常經一

BD00535號　無常經　（4–3）

所有罪業並消除　遠離衆苦歸圓寂
恒用戒香塗瑩體　常持定服以資身
菩提妙花遍莊嚴　隨所住處常安樂
初後讚歎乃是尊者馬鳴取經意而集造
中是正經金口所說事有三開故名三啟

佛說无常經一

BD00535 號　無常經　（4–4）

當知直心是菩薩淨土菩薩成佛時不諂衆
生來生其國深心是菩薩淨土菩薩成佛時
具足功德衆生來生其國發大乘心是菩薩淨
土菩薩成佛時大乘衆生來生其國布施是
菩薩淨土菩薩成佛時一切能捨衆生來生
其國持戒是菩薩淨土菩薩成佛時行十善
道滿願衆生來生其國忍辱是菩薩淨土菩
薩成佛時三十二相莊嚴衆生來生其國精
進是菩薩淨土菩薩成佛時勤脩一切功德
衆生來生其國禪定是菩薩淨土菩薩成
佛時攝心不亂衆生來生其國智慧是菩薩
淨土菩薩成佛時正定衆生來生其國四无量心
是菩薩淨土菩薩成佛時成就慈悲喜捨衆
生來生其國四攝法是菩薩淨土菩薩成佛
時解脫所攝衆生來生其國方便是菩薩淨
土菩薩成佛時於一切法方便无礙衆生來
生其國卅七道品是菩薩淨土菩薩成佛
時念處正勤神足根力覺道衆生來生其
國迴向心是菩薩淨土菩薩成佛時得一切
具足功德國土說除八難是菩薩淨土菩薩
成佛時國土无有三惡八難自守戒行不譏
彼闕是菩薩淨土菩薩成佛時國土无有犯
禁之名十善是菩薩淨土菩薩成佛時命不

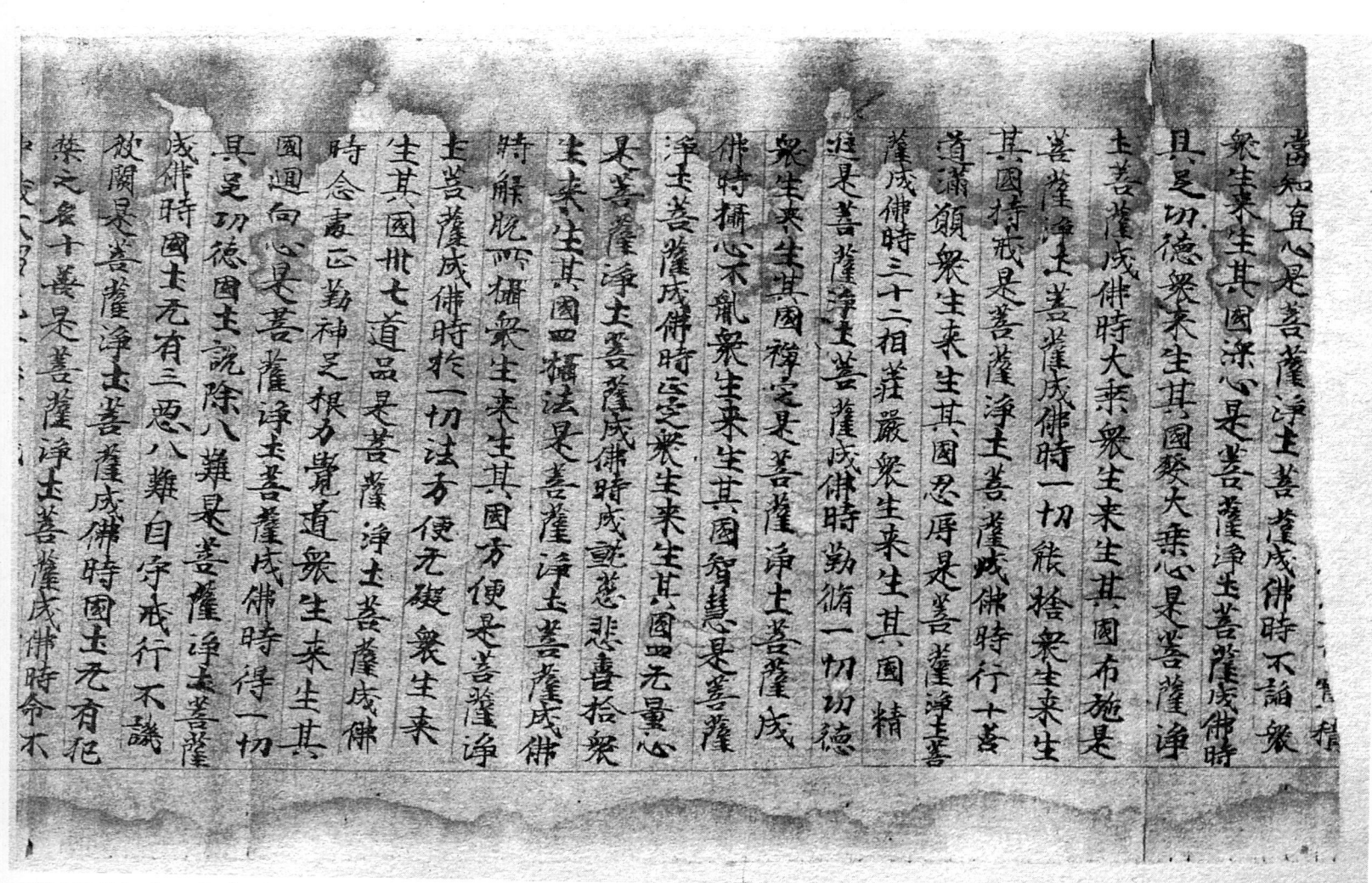

BD00536 號　維摩詰所說經卷上　（3–1）

成佛時國土无有三惡八難自守戒行不譏
彼闕是菩薩淨土菩薩成佛時國土无有犯
禁之名十善是菩薩淨土菩薩成佛時命不
中夭大冨梵行所言誠諦常以軟語眷屬
不離善和諍訟言必饒益不嫉不恚正見
衆生來生其國如是寶積菩薩隨其直心則
能發行隨其發行則得深心隨其深心則意
調伏隨意調伏則如說行隨如說行則能迴
向隨其迴向則有方便隨其方便則成就衆
生隨成就衆生則佛土淨隨佛土淨則說法
淨隨說法淨則智慧淨隨智慧淨則其心淨
隨其心淨則一切功德淨是故寶積若菩薩
欲得淨土當淨其心隨其心淨則佛土淨
尒時舍利弗承佛威神作是念若菩薩心淨
則佛土淨者我世尊本為菩薩時意豈不淨
而是佛土不淨若此佛知其念即告之言於
意云何日月豈不淨耶而盲者不見對曰不
也世尊是盲者過非日月咎舍利弗衆生罪
故不見如來佛國嚴淨非如來咎舍利弗我
見此土清淨而汝不見尒時螺髻梵王語舍
利弗勿作是意謂此佛土以為不淨所以者
何我見釋迦牟尼佛土清淨譬如自在天宮
舍利弗言我見此土丘陵坑坎荊蕀沙礫土
石諸山穢惡充滿螺髻梵言仁者心有高下
不依佛慧故見此土為不淨耳舍利弗菩薩
於一切衆生悉皆平等深心清淨依佛智慧
則能見此佛土清淨於佛以足指案地即時

BD00536號　維摩詰所說經卷上

（3–2）

見此土清淨而汝不見尒時螺髻梵王語舍
利弗勿作是意謂此佛土以為不淨所以者
何我見釋迦牟尼佛土清淨譬如自在天宮
舍利弗言我見此土丘陵坑坎荊蕀沙礫土
石諸山穢惡充滿螺髻梵言仁者心有高下
不依佛慧故見此土為不淨耳舍利弗菩薩
於一切衆生悉皆平等深心清淨依佛智慧
則能見此佛土清淨於佛以足指案地即時
三千大千世界若干百千珍寶嚴飾譬如
寶莊嚴佛无量功德寶莊嚴土一切大衆歎
未曾有而皆自見坐寶蓮華佛告舍利弗
汝且觀是佛土嚴淨舍利弗言唯然世尊本
所不見本所不聞今佛國土嚴淨悉現佛語
舍利弗我佛國土常淨若此為欲度斯下劣
人故示是衆惡不淨土耳譬如諸天共寶器
食隨其福德飯色有異如是舍利弗若人
心淨便見此土功德莊嚴當佛現此國土嚴淨
之時寶積所將五百長者子皆得无生法
忍八万四千人發阿耨多羅三藐三菩提心佛
攝神足於是世界還復如故求聲聞乘三
万二千天及人知有為法皆悉无常遠
[illegible]淨八千比丘不受諸法漏盡

BD00536號　維摩詰所說經卷上

（3–3）

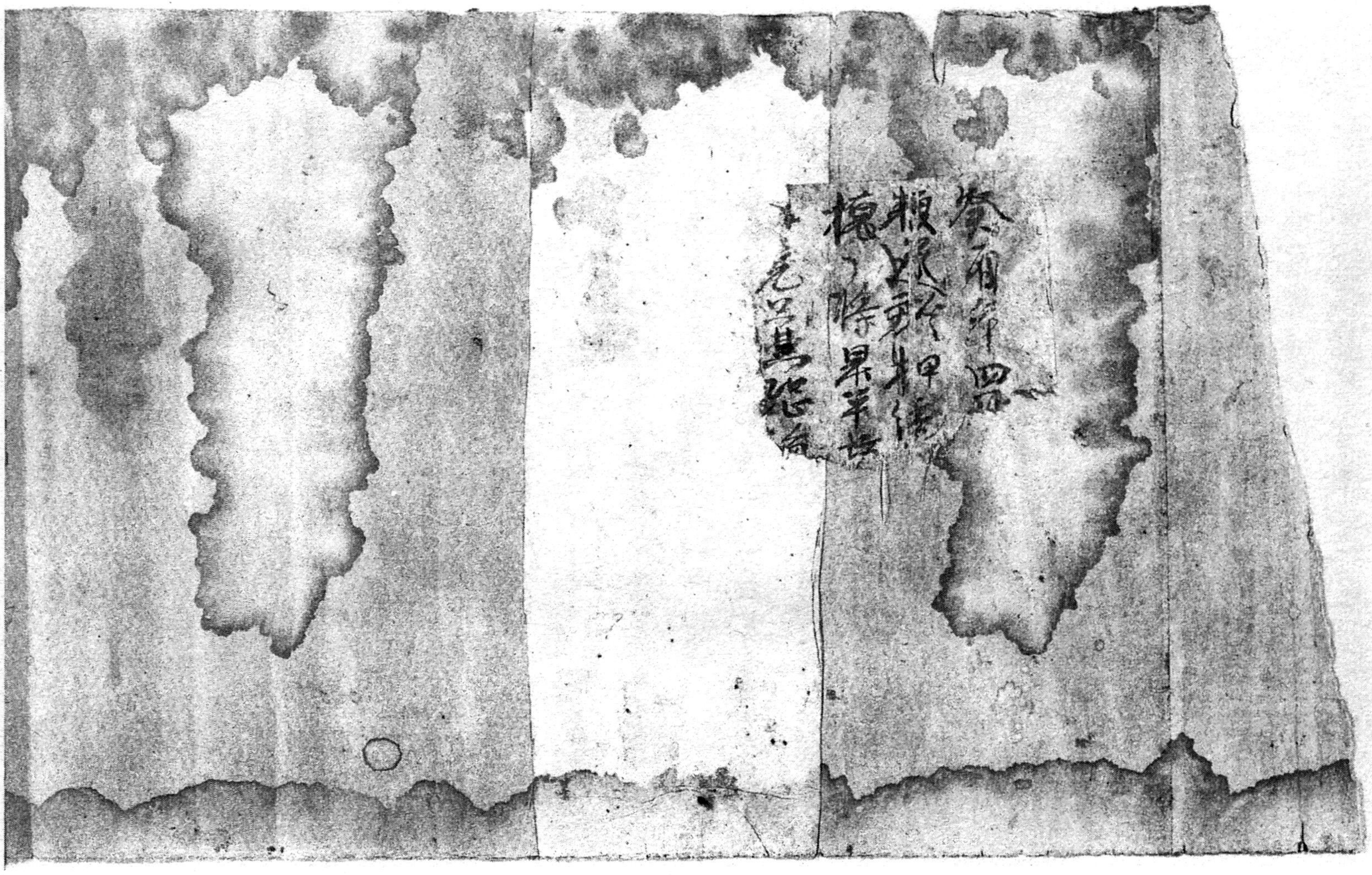

BD00536 號背　便物歷（擬）　　　　（1–1）

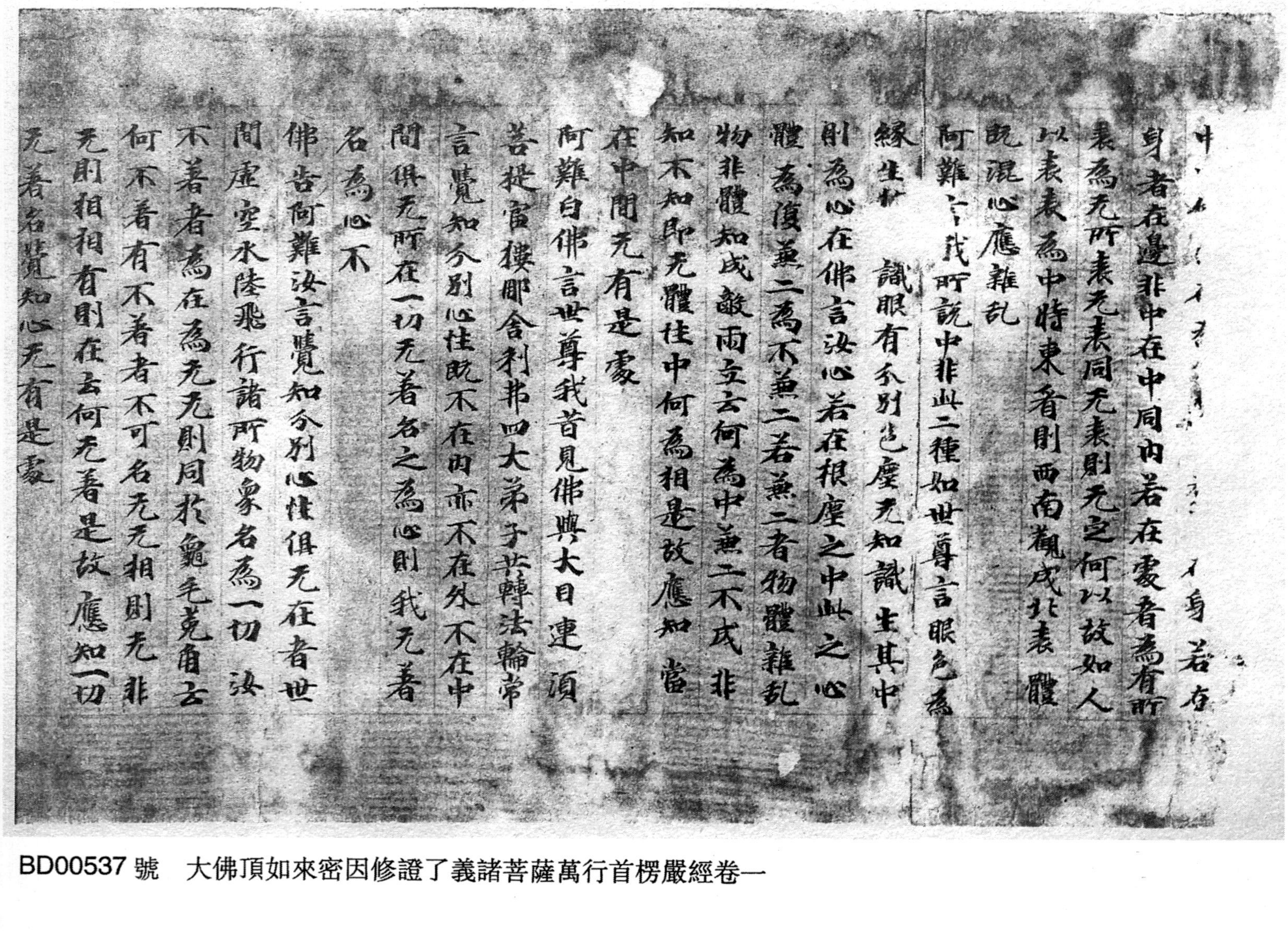

身者在邊非中在中同內若在處者為有所
表為无所表无表同无表則无之何以故如人
以表表為中時東看則西南觀成北表體
既混心應雜亂
阿難言我所說中非此二種如世尊言眼色為
緣生於識眼有分別色塵无知識生其中
則為心在佛言汝心若在根塵之中此之心
體為復兼二為不兼二若兼二者物體雜亂
物非體知成敵兩立云何為中兼二不成非
知不知即无體性中何為相是故應知當
在中間无有是處
阿難白佛言世尊我昔見佛與大目連須
菩提富樓那舍利弗四大弟子共轉法輪常
言覺知分別心性既不在內亦不在外不在中
間俱无所在一切无著名之為心則我无著
名為心不
佛告阿難汝言覺知分別心性俱无在者世
間虛空水陸飛行諸所物象名為一切汝
不著者為在為无无則同於龜毛兔角云
何不著有不著者不可名无无相則无非
无則相相有則在云何无著是故應知一切
无著名覺知心无有是處

BD00537 號　大佛頂如來密因修證了義諸菩薩萬行首楞嚴經卷一　　　　（8–1）

何不著有不著者不可名无无相則无非
无則相相有則在云何无著是故應知一切
无著名覺知心无有是處
尒時阿難在大衆中即從座起偏袒右肩右
膝著地合掌恭敬而白佛言我是如來最小
之弟蒙佛慈愛雖今出家猶恃憍憐所以多
聞未得无漏不能折伏娑毗羅呪為彼所轉
溺於婬舍當由不知真際所指唯願世尊大慈
哀愍開示我等奢摩他路令諸闡提隳彌
戾車作是語已五體投地及諸大衆傾渴翹
佇欽聞示誨
尒時世尊從其面門放種種光其光晃耀如
百千日普佛世界六種震動如是十方微塵國
土一時開現佛之威神令諸世界合成一界
其世界中所有一切諸大菩薩皆住本國合
掌承聽
佛告阿難一切衆生從无始來種種顛倒業
種自然如惡叉聚諸修行人不能得成无上
菩提乃至別成聲聞緣覺及成外道諸天魔
王及魔眷屬皆由不知二種根本錯亂修習
猶如煮沙欲成嘉饌縱經塵劫終不能得云
何二種阿難一者无始生死根本則汝今者與
諸衆生用攀緣心為自性者二者无始菩
提涅槃元清淨體則汝今者識精元明能
生諸緣所遺失者由諸衆生遺此本明雖終日
行而不自覺枉入諸趣
阿難汝今欲知奢摩他路願出生死今復問

BD00537號　大佛頂如來密因修證了義諸菩薩萬行首楞嚴經卷一　（8–2）

行而不自覺枉入諸趣
阿難汝今欲知奢摩他路願出生死今復問
汝即時如來舉金色臂屈五輪指語阿難
言汝今見不阿難言見佛言汝何所見阿難言
我見如來舉臂屈指為光明拳耀我心目
佛言汝將誰見阿難言我與大衆同將眼見
佛告阿難汝今答我如來屈指為光明拳耀
汝心目汝目可見以何為心當我拳耀阿難言
如來現今徵心所在而我以心推窮尋逐即能
推者我將為心
佛言咄阿難此非汝心阿難矍然避座合掌起
立白佛此非我心當名何等佛告阿難此是
前塵虛妄相想惑汝真性由汝无始至于
今生認賊為子失汝元常故受輪轉
阿難白佛言世尊我佛寵弟心愛佛故令我
出家我心何獨供養如來乃至遍歷恒沙國
土承事諸佛及善知識發大勇猛行諸一切難
行法事皆用此心縱令謗法永退善根亦因此
心若此發明不是心者我乃无心同諸土木
離此覺知更无所有云何如來說此非心我
實驚怖兼此大衆无不疑惑唯垂大悲
開示未悟
尒時世尊開示阿難及諸大衆欲令心入无生
法忍於師子座摩阿難頂而告之言如來
常說諸法所生唯心所現一切因果世界微塵
因心成體阿難若諸世界一切所有其中乃至
草葉縷結詰其根元咸有體性縱令虛空

BD00537號　大佛頂如來密因修證了義諸菩薩萬行首楞嚴經卷一　（8–3）

法忍於師子座摩阿難頂而告之言如來
常說諸法所生唯心所現一切因果世界微塵
因心成體阿難若諸世界一切所有其中乃至
草葉縷結詰其根元咸有體性縱令虛空
亦有名貌何況清淨妙淨明心性一切心而自
无體若汝執悋分別覺觀所了知性必為心
者此心即應離諸一切色香味觸諸塵事
業別有全性如汝今者承聽我法此則因聲
而有分別縱滅一切見聞覺知內守幽閑猶
為法塵分別影事我非勑汝執為非心但汝
於心微細揣摩若離前塵有分別性即真
汝心若分別性離塵无體斯則前塵分別影
事塵非常住若變滅時此心則同龜毛兔
角則汝法身同於斷滅其誰修證无生法忍
即時阿難與諸大眾默然自失佛告阿難世
間一切諸修學人現前雖成九次第定不得
漏盡成阿羅漢皆由執此生死妄想誤為真
實是故汝今雖得多聞不成聖果阿難聞已
重復悲淚五體投地長跪合掌而白佛言自
我從佛發心出家恃佛威神常自思惟无勞
我修將謂如來惠我三昧不知身心本不相
代失我本心雖身出家心不入道譬如窮子
捨父逃逝今日乃知雖有多聞若不修行與
不聞等如人說食終不能飽世尊我等今者
二障所纏良由不知寂常心性唯願如來哀愍
窮露發妙明心開我道眼
即時如來從胸卍字涌出寶光其光晃昱有

窮露發妙明心開我道眼
即時如來從胸卍字涌出寶光其光晃昱有
百千色十方微塵普佛世界一時周遍遍灌
十方所有寶剎諸如來頂旋至阿難及諸大
眾告阿難言吾今為汝建大法幢亦令十
方一切眾生獲妙微密性淨明心得清淨眼阿
難汝先答我見光明拳此拳光明因何所有
云何成拳汝將誰見阿難言由佛全體閻浮
檀金赩如寶山清淨所生故有光明我　實
眼觀五輪指端屈握示人故有拳相
佛告阿難如來今日實言告汝諸有智者要
以譬喻而得開悟阿難譬如我拳若无我手
不成我拳若无汝眼不成汝見以汝眼根例
我拳理其義均不阿難言唯然世尊既无我
眼不成我見例如來拳事義相類
佛言阿難汝言相類是義不然何以故如无手
人拳畢竟滅彼无眼者非見全无所以者何
汝試於途詢問盲人汝何所見彼諸盲人必
來答汝我今眼前唯見黑暗更无他矚以是
義觀前塵自暗見何虧損
阿難言諸盲眼前唯覩黑暗云何成見佛告阿
難諸盲无眼唯觀黑暗與有眼人處於暗
室二黑有別為无有別如是世尊此暗中人
與彼群盲二黑校量曾无有異阿難若无
眼人全見前黑忽得眼光還於前塵見種種
色名眼見者彼暗中人全見前黑忽獲燈光
亦於前塵見種種色應名燈見若燈見者燈

色名眼見者彼暗中人全見前黑忽獲燈光
亦於前塵見種種色應名燈見若燈見者燈
能有見自不名燈又則燈觀何關汝事是故
當知燈能顯色如是見者是眼非燈眼能顯
色如是見性是心非眼
阿難雖復得聞是言與諸大衆口已默然心未
開悟猶冀如來慈音宣示合掌清心佇佛悲
誨
尒時世尊舒兜羅綿網相光手開五輪指誨
勑阿難及諸大衆我初成道於鹿園中為
阿若多五比丘等及汝四衆言一切衆生不
成菩提及阿羅漢皆由客塵煩惱所誤汝
等當時因何開悟今成聖果
時憍陳那起立白佛我今長老於大衆中獨
得解名因悟客塵二字成果世尊譬如行客
投寄旅亭或宿或食食宿事畢俶裝前
途不遑安住若實主人自无攸往如是思惟
不住名客住名主人以不住者名為客義
又如新霽清暘昇天光入隙中發明空中諸
有塵相塵質搖動虛空寂然如是思惟澄寂名
空搖動名塵以搖動者名為客義佛言如是
即時如來於大衆中屈五輪指屈已復開開已
又屈謂阿難言汝今何見阿難言我見如來
百寶輪掌衆中開合佛告阿難汝見我手
衆中開合為是我手有開有合為復汝見有
開有合阿難言世尊寶手衆中開合我見如

BD00537號　大佛頂如來密因修證了義諸菩薩萬行首楞嚴經卷一　（8–6）

百寶輪掌衆中開合佛告阿難汝見我手
衆中開合為是我手有開有合為復汝見有
開有合阿難言世尊寶手衆中開合我見如
來手自開合非我見性自開自合佛言誰動
誰靜阿難言佛手不住而我見性尚无有靜
誰為无住佛言如是
如來於是從輪掌中飛一寶光在阿難右即
時阿難迴首右辨又放一光在阿難左阿難
又則迴首左辨佛告阿難汝頭今日何因搖
動阿難言我見如來出妙寶光來我左右
故左右觀頭自搖動阿難汝辨佛光左右動
頭為汝頭動為復見動世尊我頭自動而我
見性尚无有止誰為搖動佛言如是
於是如來普告大衆若復衆生以搖動者名
之為塵以不住者名之為客汝觀阿難頭自動
搖見无所動又汝觀我手自開合見无舒
卷云何汝今以動為身以動為境從始洎
終念念生滅遺失真性顛倒行事性心失
真認物為己輪迴是中自取流轉

大佛頂經卷第一

BD00537號　大佛頂如來密因修證了義諸菩薩萬行首楞嚴經卷一　（8–7）

頭為汝頭動為復見動世尊我頭自動而我
見性高无有止誰為搖動佛言如是
於是如來普告大眾若復眾生以搖動者名
之為塵以不住者名之為客汝觀阿難頭自動
搖見无所動又汝觀我手自開合見无舒
卷云何汝今以動為身以動為境從始洎
終念念生滅遺失真性顛倒行事性心失
真認物為己輪迴是中自取流轉

大佛頂經卷第一

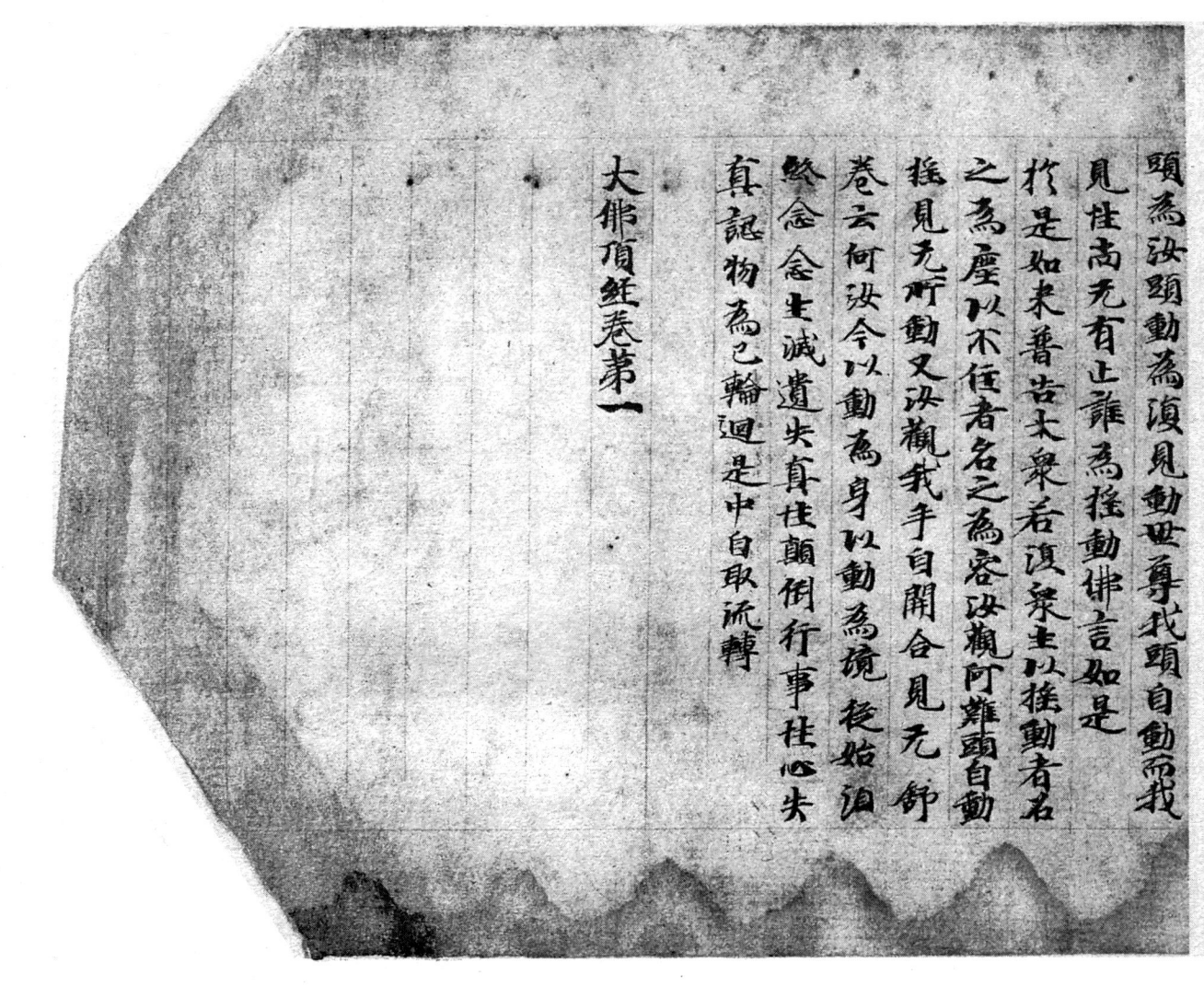

BD00537 號　大佛頂如來密因修證了義諸菩薩萬行首楞嚴經卷一　（8–8）

長菩薩弥勒菩薩文殊師[illegible]
[illegible]等三萬二千人俱
復有万梵天王尸棄等從
所而聽法復有万二千天帝亦
在會坐并餘大威力諸天龍神
阿脩羅迦樓羅緊那羅摩睺羅
會坐諸比丘比丘尼優婆塞
會坐彼時佛與无量百千之眾
法譬如須弥山王顯于大海安
蔽於一切諸來大眾
尒時毗耶離城有長者子名曰寶積與五
子俱持七寶蓋來詣佛所頭面礼足各以
供養佛佛之威神令諸寶蓋合成一蓋遍覆三
千大千世界而此世界廣長之相悉於中現
又此三千大千世界諸須弥山雪山目真隣陀
山摩訶目真隣陀山香山寶山金山黑山鐵圍
山大鐵圍山大海江河川流泉源及日月星辰
天宮龍宮諸尊神宮悉現於寶蓋中又十方諸
佛諸佛說法亦現於寶蓋中尒時一切大眾覩佛
神力嘆未曾有合掌礼佛瞻仰尊顏目不暫捨
長者子寶積即於佛前以偈頌曰
目淨脩廣如青蓮　心淨已度諸禪定
久積淨業稱无量　導眾以寂故稽首

BD00538 號　維摩詰所說經卷上　（4–1）

長者子寶積即於佛前以偈頌曰
目淨脩廣如青蓮　心淨已度諸禪定
久積淨業稱无量　導衆以寂故稽首
既見大聖以神變　普現十方无量土
其中諸佛演說法　於是一切悉見聞
法王法力超群生　常以法財施一切
能善分別諸法相　於第一義而不動
已於諸法得自在　是故稽首此法王
說法不有亦不无　以因緣故諸法生
无我无造无受者　善惡之業亦不亡
始在佛樹力降魔　得甘露滅覺道成
已无心意无受行　而悉摧伏諸外道
三轉法輪於大千　其輪本來常清淨
天人得道此爲證　三寶於是現世間
以斯妙法濟群生　一受不退常寂然
度老病死大醫王　當禮法海德无邊
毀譽不動如須弥　於善不善等以慈
心行平等如虛空　孰聞人寶不敬承
今奉世尊此微蓋　於中現我三千界
諸天龍神所居宮　乾闥婆等及夜叉
悉見世間諸所有　十力哀現是化變
衆覩希有皆歎佛　今我稽首三界尊
大聖法王衆所歸　淨心觀佛靡不欣
各見世尊在其前　斯則神力不共法
佛以一音演說法　衆生隨類各得解
皆謂世尊同其語　斯則神力不共法
佛以一音演說法　衆生各各隨所解

BD00538號　維摩詰所說經卷上　（4–2）

皆謂世尊同其語　斯則神力不共法
佛以一音演說法　衆生各各隨所解
普得受行獲其利　斯則神力不共法
佛以一音演說法　或有恐畏或歡喜
或生厭離或斷疑　斯則神力不共法
稽首十力大精進　稽首已得无所畏
稽首住於不共法　稽首一切大導師
稽首能斷衆結縛　稽首已到於彼岸
稽首能度諸世間　稽首永離生死道
悉知衆生來去相　善於諸法得解脫
不著世間如蓮花　常善入於空寂行
達諸法相无罣礙　稽首如空無所依
尒時長者子寶積說此偈已白佛言世尊是
五百長者子皆已發阿耨多羅三藐三菩提
心願聞得佛國土清淨唯願世尊說諸菩薩
淨土之行佛言善哉寶積乃能爲諸菩薩
問於如來淨土之行諦聽諦聽善思念之當
爲汝說於是寶積及五百長者子受教而聽
佛言寶積衆生之類是菩薩佛土所以者何
菩薩隨所化衆生而取佛土隨所調伏衆生
而取佛土隨諸衆生應以何國入佛智慧而
取佛土隨諸衆生應以何國起菩薩根而取
佛土所以者何菩薩取於淨國皆爲饒益諸
衆生故譬如有人欲於空地造立宮室隨意
无礙若於虛空終不能成菩薩如是爲成就
衆生故願取佛國願佛國者非於空也

BD00538號　維摩詰所說經卷上　（4–3）

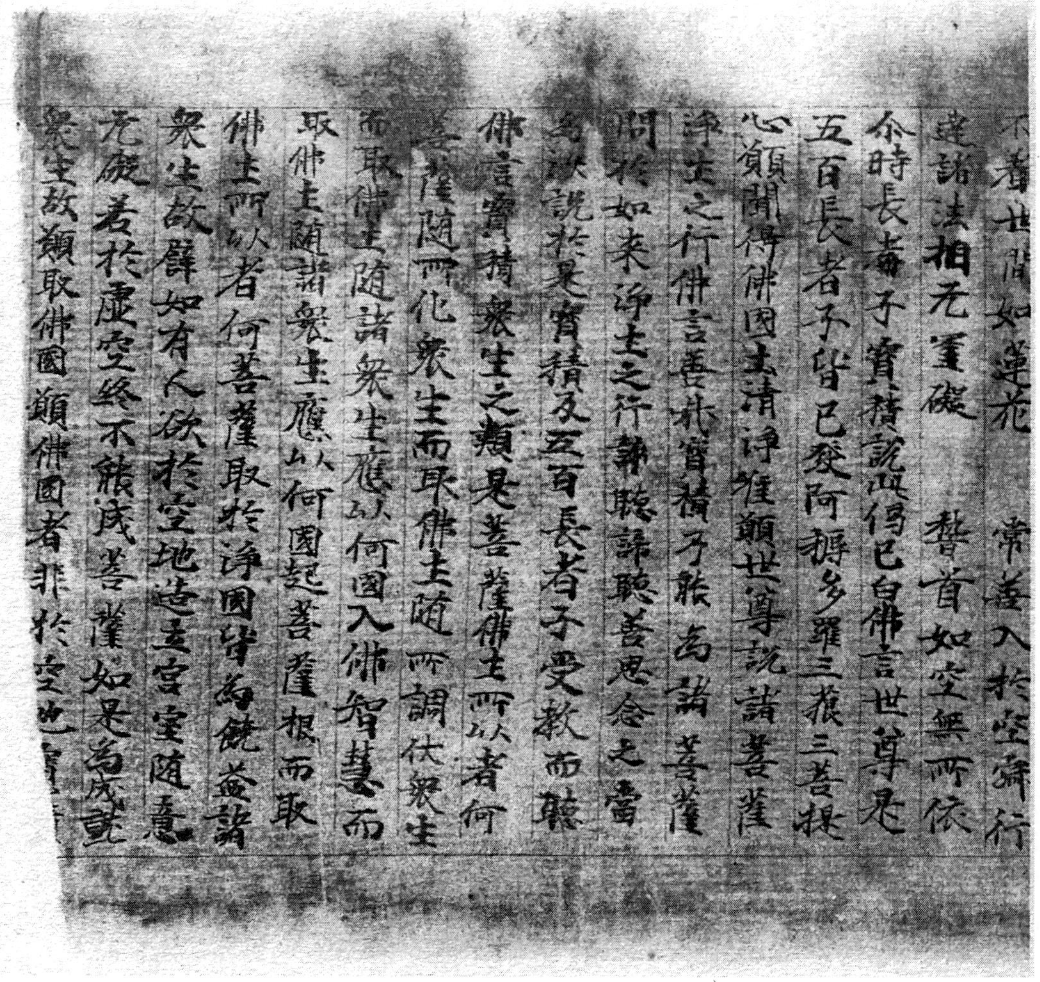

不着世間如蓮花　常善入於空寂行
達諸法相无罣礙　稽首如空無所依
尒時長者子寶積說此偈已白佛言世尊是
五百長者子皆已發阿耨多羅三藐三菩提
心願聞得佛國土清淨唯願世尊說諸菩薩
淨土之行佛言善哉寶積乃能為諸菩薩
問於如來淨土之行諦聽諦聽善思念之當
為汝說於是寶積及五百長者子受教而聽
佛言寶積衆生之類是菩薩佛土所以者何
菩薩隨所化衆生而取佛土隨所調伏衆生
而取佛土隨諸衆生應以何國入佛智慧而
取佛土隨諸衆生應以何國起菩薩根而取
佛土所以者何菩薩取於淨國皆為饒益諸
衆生故譬如有人欲於空地造立宮室隨意
无礙若於虚空終不能成菩薩如是為成就
衆生故願取佛國願佛國者非於空地

BD00538號　維摩詰所說經卷上　（4–4）

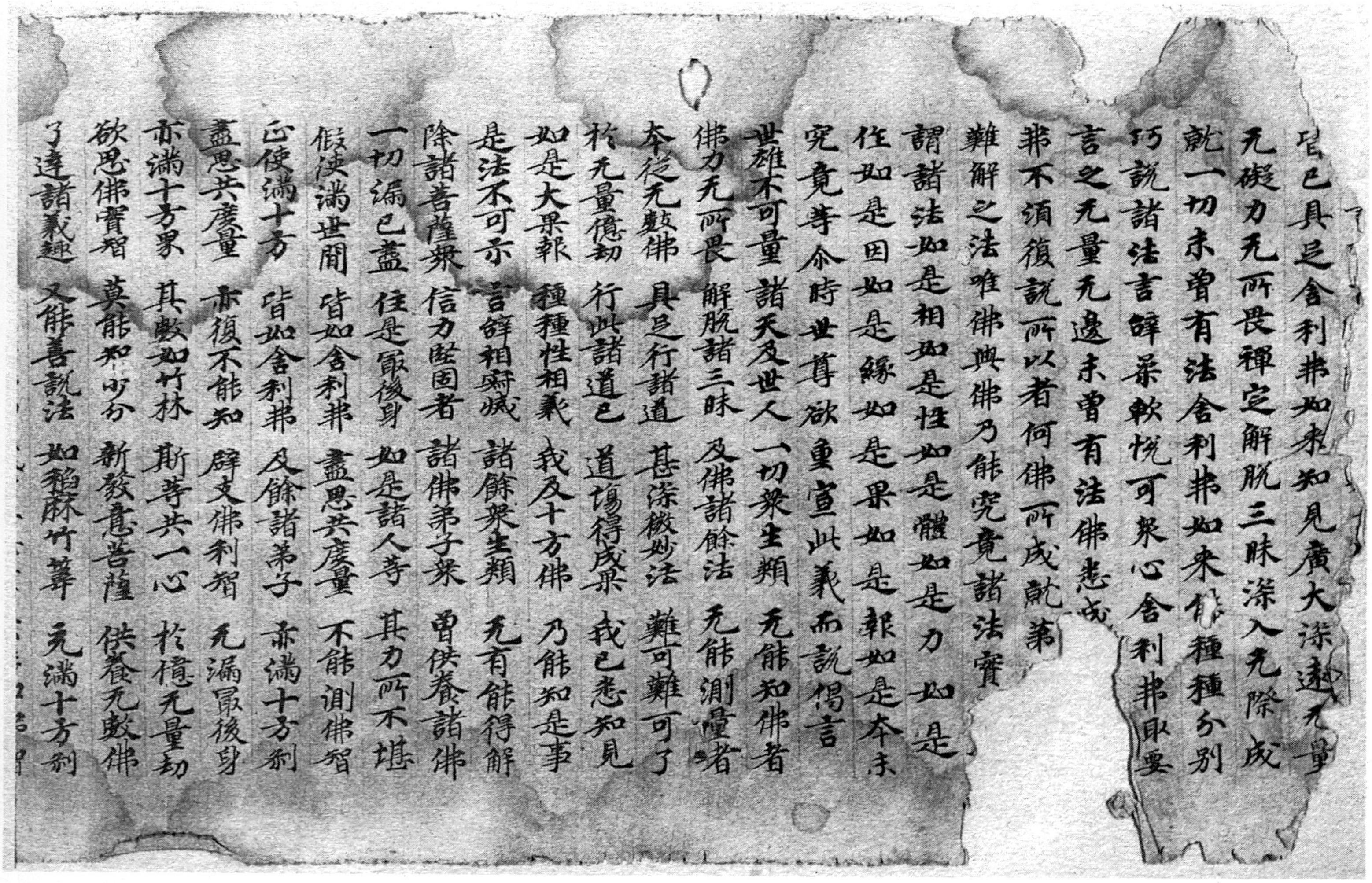

皆已具足舍利弗如來知見廣大深遠无量
无礙力无所畏禪定解脫三昧深入无際成
就一切未曾有法舍利弗如來能種種分別
巧說諸法言辭柔軟悅可衆心舍利弗取要
言之无量无邊未曾有法佛悉成
弗不須復說所以者何佛所成就第
難解之法唯佛與佛乃能究竟諸法實
謂諸法如是相如是性如是體如是力如是
作如是因如是緣如是果如是報如是本末
究竟等尒時世尊欲重宣此義而說偈言
世雄不可量　諸天及世人　一切衆生類　无能知佛者
佛力无所畏　解脫諸三昧　及佛諸餘法　无能測量者
本從无數佛　具足行諸道　甚深微妙法　難可難可了
於无量億劫　行此諸道已　道場得成果　我已悉知見
如是大果報　種種性相義　我及十方佛　乃能知是事
是法不可示　言辭相寂滅　諸餘衆生類　无有能得解
除諸菩薩衆　信力堅固者　諸佛弟子衆　曾供養諸佛
一切漏已盡　住是最後身　如是諸人等　其力所不堪
假使滿世間　皆如舍利弗　盡思共度量　不能測佛智
正使滿十方　皆如舍利弗　及餘諸弟子　亦滿十方剎
盡思共度量　亦復不能知　辟支佛利智　无漏最後身
亦滿十方界　其數如竹林　斯等共一心　於億无量劫
欲思佛實智　莫能知少分　新發意菩薩　供養无數佛
了達諸義趣　又能善說法　如稻麻竹葦　充滿十方剎

BD00539號　妙法蓮華經卷一　（11–1）

欲思佛實智　莫能知少分　新發意菩薩　供養无數佛
了達諸義趣　又能善說法　如稻麻竹葦　充滿十方剎
一心以妙智　於恒河沙劫　咸皆共思量　不能知佛智
不退諸菩薩　其數如恒沙　一心共思求　亦復不能知
又告舍利弗　无漏不思議　甚深微妙法　我今已具得
唯我知是相　十方佛亦然　舍利弗當知　諸佛語无異
於佛所說法　當生大信力　世尊法久後　要當說真實
告諸聲聞眾　及求緣覺乘　我令脫苦縛　逮得涅槃者
佛以方便力　示以三乘教　眾生處處著　引之令得出
尒時大眾中有諸聲聞漏盡阿羅漢阿若憍
陳如等千二百人及發聲聞辟支佛心比丘
比丘尼優婆塞優婆夷各作是念今者世尊
何故慇懃稱歎方便而作是言佛所得法甚
深難解有所言說意趣難知一切聲聞辟支
佛所不能及佛說一解脫義我等亦得此法
到於涅槃而今不知是義所趣尒時舍利弗
知四眾心疑自亦未了而白佛言世尊何因
何緣慇懃稱歎諸佛第一方便甚深微妙難
解之法我自昔來未曾從佛聞如是說今者
四眾咸皆有疑唯願世尊敷演斯事世尊何
故慇懃稱歎甚深微妙難解之法尒時舍利
弗欲重宣此義而說偈言
慧日大聖尊　久乃說是法　自說得如是　力无畏三昧
禪定解脫等　不可思議法　道場所得法　无能發問者
我意難可測　亦无能問者　无問而自說　稱歎所行道
智慧甚微妙　諸佛之所得　无漏諸羅漢　及求涅槃者
今皆墮疑網　佛何故說是　其求緣覺者　比丘比丘尼

BD00539號　妙法蓮華經卷一　（11-2）

智慧甚微妙　諸佛之所得　无漏諸羅漢　及求涅槃者
今皆墮疑網　佛何故說是　其求緣覺者　比丘比丘尼
諸天龍鬼神　及乾闥婆等　相視懷猶豫　瞻仰兩足尊
是事為云何　願佛為解說　於諸聲聞眾　佛說我第一
我今自於智　疑惑不能了　為是究竟法　為是所行道
佛口所生子　合掌瞻仰待　願出微妙音　時為如實說
諸天龍神等　其數如恒沙　求佛諸菩薩　大數有八万
又諸万億國　轉輪聖王至　合掌以敬心　欲聞具足道
尒時佛告舍利弗止止不須復說若說是事
一切世間諸天及人皆當驚疑舍利弗重白
佛言世尊唯願說之唯願說之所以者何是
會无數百千万億阿僧祇眾生曾見諸佛諸
根猛利智慧明了聞佛所說則能敬信尒時
舍利弗欲重宣此義而說偈言
法王无上尊　唯說願勿慮　是會无量眾　有能敬信者
佛復止舍利弗若說是事一切世間天人阿
脩羅皆當驚疑增上慢比丘將墜於大坑
尒時世尊重說偈言
止止不須說　我法妙難信　諸增上慢者　聞必不敬信
尒時舍利弗重白佛言世尊唯願
說之今此會中如我等比百千万億世世已
曾從佛受化如此人等必能敬信長夜安隱
多所饒益尒時舍利弗欲重宣此義而說偈
言
无上兩足尊　願說第一法　我為佛長子　唯垂分別說
是會无量眾　能敬信此法　佛已曾世世　教化如是事
皆一心合掌　欲聽受佛語　我等千二百　及餘求佛者

BD00539號　妙法蓮華經卷一　（11-3）

无上兩足尊　願說第一法　我為佛長子　唯垂分別說
是會无量衆　能敬信此法　佛已曾世世　教化如是等
皆一心合掌　欲聽受佛語　我等千二百　及餘求佛者
願為此衆故　唯垂分別說　是等聞此法　則生大歡喜
尒時世尊告舍利弗汝已慇懃三請豈得不
說汝今諦聽善思念之吾當為汝分別解說
說此語時會中有比丘比丘尼優婆塞優婆
夷五千人等即從座起礼佛而退所以者何
此輩罪根深重及增上慢未得謂得未證謂
證有如此失是以不住世尊嘿然而不制止
尒時佛告舍利弗我今此衆无復枝葉純有
貞實舍利弗如是增上慢人退亦佳矣汝今
善聽當為汝說舍利弗言唯然世尊願樂欲
聞佛告舍利弗如是妙法諸佛如來時乃說
之如優曇鉢華時一現耳舍利弗汝等當信
佛之所說言不虛妄舍利弗諸佛隨宜說法
意趣難解所以者何我以无數方便種種因
緣譬喻言辭演說諸法是法非思量分別之
所能解唯有諸佛乃能知之所以者何諸佛
世尊唯以一大事因緣故出現於世舍利弗
云何名諸佛世尊唯以一大事因緣故出現
於世諸佛世尊欲令衆生開佛知見使得清
淨故出現於世欲示衆生佛知見故出現於
世欲令衆生悟佛知見故出現於世欲令衆
生入佛知見道故出現於世舍利弗是為諸
佛以一大事因緣故出現於世佛告舍利弗
諸佛如來但教化菩薩諸有所作常為一事
唯以佛之知見示悟衆生舍利弗如來但以

BD00539號　妙法蓮華經卷一　（11–4）

諸佛如來但教化菩薩諸有所作常為一事
唯以佛之知見示悟衆生舍利弗如來但以
一佛乘故為衆生說法无有餘乘若二若三
舍利弗一切十方諸佛法亦如是舍利弗過
去諸佛以无量无數方便種種因緣譬喻言
辭而為衆生演說諸法是法皆為一佛乘故
是諸衆生從諸佛聞法究竟皆得一切種智
舍利弗未來諸佛當出於世亦以无量无數
方便種種因緣譬喻言辭而為衆生演說諸
法是法皆為一佛乘故是諸衆生從佛聞法
究竟皆得一切種智舍利弗現在十方无量
百千万億佛土中諸佛世尊多所饒益安樂
衆生是諸佛亦以无量无數方便種種因緣
譬喻言辭而為衆生演說諸法是法皆為一
佛乘故是諸衆生從佛聞法究竟皆得一切
種智舍利弗是諸佛但教化菩薩欲以佛之
知見示衆生故欲以佛之知見悟衆生故欲
令衆生入佛之知見故舍利弗我今亦復如
是知諸衆生有種種欲深心所著隨其本性
以種種因緣譬喻言辭方便力故而為說法
舍利弗如此皆為得一佛乘一切種智故舍
利弗十方世界中尚无二乘何況有三舍利
弗諸佛出於五濁惡世所謂劫濁煩惱濁衆
生濁見濁命濁如是舍利弗劫濁亂時衆生
垢重慳貪嫉妬成就諸不善根故諸佛以方
便力於一佛乘分別說三舍利弗若我弟子
自謂阿羅漢辟支佛者不聞不知諸佛如來
但教化菩薩事此非佛弟子非阿羅漢非辟

BD00539號　妙法蓮華經卷一　（11–5）

便於一佛乘分別說三舍利弗若我弟子
自謂阿羅漢辟支佛者不聞不知諸佛如來
但教化菩薩事此非佛弟子非阿羅漢非辟
支佛又舍利弗是諸比丘比丘尼自謂已得
阿羅漢是最後身究竟涅槃便不復志求阿
耨多羅三藐三菩提當知此輩皆是增上慢
人所以者何若有比丘實得阿羅漢若不信
此法无有是處除佛滅度後現前无佛所以
者何佛滅度後如是等經受持讀誦解義者
是人難得若遇餘佛於此法中便得決了舍
利弗汝等當一心信解受持佛語諸佛如來
言无虛妄无有餘乘唯一佛乘尒時世尊欲
重宣此義而說偈言
比丘比丘尼　有懷增上慢　優婆塞我慢　優婆夷不信
如是四衆等　其數有五千　不自見其過　於戒有缺漏
護惜其瑕疵　是小智已出　衆中之糟糠　佛威德故去
斯人尠福德　不堪受是法　此衆无枝葉　唯有諸貞實
舍利弗善聽　諸佛所得法　无量方便力　而為衆生說
衆生心所念　種種所行道　若干諸欲性　先世善惡業
佛悉知是已　以諸緣譬喻　言辭方便力　令一切歡喜
或說修多羅　伽陁及本事　本生未曾有　亦說於因緣
譬喻并祇夜　優波提舍經　鈍根樂小法　貪著於生死
於諸无量佛　不行深妙道　衆苦所惱亂　為是說涅槃
我設是方便　令得入佛慧　未曾說汝等　當得成佛道
所以未曾說　說時未至故　今正是其時　決定說大乘
我此九部法　隨順衆生說　入大乘為本　以故說大乘
有佛子心淨　柔軟亦利根　无量諸佛所　而行深妙道
為此諸佛子　說是大乘經　我記如是人　來世成佛道

有佛子心淨　柔軟亦利根　无量諸佛所　而行深妙道
為此諸佛子　說是大乘經　我記如是人　來世成佛道
以深心念佛　修持淨戒故　此等聞得佛　大喜充遍身
佛知彼心行　故為說大乘　聲聞若菩薩　聞我所說法
乃至於一偈　皆成佛无疑　十方佛土中　唯有一乘法
无二亦无三　除佛方便說　但以假名字　引導於衆生
說佛智慧故　諸佛出於世　唯此一事實　餘二則非真
終不以小乘　濟度於衆生　佛自住大乘　如其所得法
定慧力莊嚴　以此度衆生　自證无上道　大乘平等法
若以小乘化　乃至於一人　我則墮慳貪　此事為不可
若人信歸佛　如來不欺誑　亦无貪嫉意　斷諸法中惡
故佛於十方　而獨无所畏　我以相嚴身　光明照世間
无量衆所尊　為說實相印　舍利弗當知　我本立誓願
欲令一切衆　如我等无異　如我昔所願　今者已滿足
化一切衆生　皆令入佛道　若我遇衆生　盡教以佛道
无智者錯亂　迷惑不受教　我知此衆生　未曾修善本
堅著於五欲　癡愛故生惱　以諸欲因緣　墜墮三惡道
輪迴六趣中　備受諸苦毒　受胎之微形　世世常增長
薄德少福人　衆苦所逼迫　入邪見稠林　若有若无等
依止此諸見　具足六十二　深著虛妄法　堅信不可捨
我慢自矜高　諂曲心不實　於千万億劫　不聞佛名字
亦不聞正法　如是人難度　是故舍利弗　我以設方便
說諸盡苦道　示之以涅槃　我雖說涅槃　是亦非真滅
諸本從本來　常自寂滅相　佛子行道已　來世得作佛
我有方便力　開示三乘法　一切諸世尊　皆說一乘道
今此諸大衆　皆應除疑惑　諸佛語无異　唯一无二乘
過去无數劫　无量滅度佛　百千万億種　其數不可量
如是諸世尊　種種緣譬喻　无數方便力　演說諸法相

今此諸大衆 皆應除疑惑 諸佛語无異 唯一无二乘
過去无數劫 无量滅度佛 百千万億種 其數不可量
如是諸世尊 種種緣譬喻 无數方便力 演說諸法相
是諸世尊等 皆說一乘法 化无量衆生 令入於佛道
又諸大聖主 知一切世間 天人群生類 深心之所欲
更以異方便 助顯第一義 若有衆生類 值諸過去佛
若聞法布施 或持戒忍辱 精進禪智等 種種脩福德
如是諸人等 皆已成佛道 諸佛滅度已 若人善軟心
如是諸衆生 皆已成佛道 諸佛滅度已 供養舍利者
起万億種塔 金銀及頗梨 車𤦲與馬瑙 玫瑰瑠璃珠
清淨廣嚴飾 莊校於諸塔 或有起石廟 栴檀及沈水
木櫁并餘材 塼瓦泥土等 若於曠野中 積土成佛廟
乃至童子戲 聚沙為佛塔 如是諸人等 皆已成佛道
若人為佛故 建立諸形像 刻彫成衆相 皆已成佛道
或以七寶成 鍮鉐赤白銅 白鑞及鉛錫 鐵木及與泥
或以膠漆布 嚴飾作佛像 如是諸人等 皆已成佛道
綵畫作佛像 百福莊嚴相 自作若使人 皆已成佛道
乃至童子戲 若草木及筆 或以指爪甲 而畫作佛像
如是諸人等 漸漸積功德 具足大悲心 皆已成佛道
但化諸菩薩 度脫无量衆 若人於塔廟 寶像及畫像
以華香幡蓋 敬心而供養 若使人作樂 擊鼓吹角貝
簫笛琴箜篌 琵琶鐃銅鈸 如是衆妙音 盡持以供養
或以歡喜心 歌唄頌佛德 乃至一小音 皆已成佛道
若人散亂心 乃至以一華 供養於畫像 漸見无數佛
或有人禮拜 或復但合掌 乃至舉一手 或復小低頭
以此供養像 漸見无量佛 自成无上道 廣度无數衆
入无餘涅槃 如薪盡火滅 若人散亂心 入於塔廟中
一稱南无佛 皆已成佛道 於諸過去佛 在世或滅後

BD00539 號　妙法蓮華經卷一　　（11–8）

入无餘涅槃 如薪盡火滅 若人散亂心 入於塔廟中
一稱南无佛 皆已成佛道 於諸過去佛 在世或滅後
若有聞是法 皆已成佛道 未來諸世尊 其數无有量
是諸如來等 亦方便說法 一切諸如來 以无量方便
度脫諸衆生 入佛无漏智 若有聞法者 无一不成佛
諸佛本誓願 我所行佛道 普欲令衆生 亦同得此道
未來世諸佛 雖說百千億 无數諸法門 其實為一乘
諸佛兩足尊 知法常无性 佛種從緣起 是故說一乘
是法住法位 世間相常住 於道場知已 導師方便說
天人所供養 現在十方佛 其數如恒沙 出現於世間
安隱衆生故 亦說如是法 知第一寂滅 以方便力故
雖示種種道 其實為佛乘 知衆生諸行 深心之所念
過去所習業 欲性精進力 及諸根利鈍 以種種因緣
譬喻亦言辭 隨應方便說 今我亦如是 安隱衆生故
以種種法門 宣示於佛道 我以智慧力 知衆生性欲
方便說諸法 皆令得歡喜 舍利弗當知 我以佛眼觀
見六道衆生 貧窮无福慧 入生死險道 相續苦不斷
深著於五欲 如犛牛愛尾 以貪愛自蔽 盲瞑无所見
不求大勢佛 及與斷苦法 深入諸邪見 以苦欲捨苦
為是衆生故 而起大悲心 我始坐道場 觀樹亦經行
於三七日中 思惟如是事 我所得智慧 微妙最第一
衆生諸根鈍 著樂癡所盲 如斯之等類 云何而可度
尒時諸梵王 及諸天帝釋 護世四天王 及大自在天
并餘諸天衆 眷屬百千万 恭敬合掌禮 請我轉法輪
我即自思惟 若但讚佛乘 衆生沒在苦 不能信是法
破法不信故 墜於三惡道 我寧不說法 疾入於涅槃
尋念過去佛 所行方便力 我今所得道 亦應說三乘
作是思惟時 十方佛皆現 梵音慰喻我 善哉釋迦文

BD00539 號　妙法蓮華經卷一　　（11–9）

破法不信故　墜於三惡道　我寧不說法　疾入於涅槃
尋念過去佛　所行方便力　我今所得道　亦應說三乘
作是思惟時　十方佛皆現　梵音慰喻我　善哉釋迦文
第一之導師　得是无上法　隨諸一切佛　而用方便力
我等亦皆得　最妙第一法　為諸衆生類　分別說三乘
少智樂小法　不自信作佛　是故以方便　分別說諸果
雖復說三乘　但為教菩薩　舍利弗當知　我聞聖師子
深淨微妙音　喜稱南无佛　復作如是念　我出濁惡世
如諸佛所說　我亦隨順行　思惟是事已　即趣波羅柰
諸法寂滅相　不可以言宣　以方便力故　為五比丘說
是名轉法輪　便有涅槃音　及以阿羅漢　法僧差別名
從久遠劫來　讚示涅槃法　生死苦永盡　我常如是說
舍利弗當知　我見佛子等　志求佛道者　无量千万億
咸以恭敬心　皆來至佛所　曾從諸佛聞　方便所說法
我即作是念　所以出於世　為說佛慧故　今正是其時
舍利弗當知　鈍根小智人　著相憍慢者　不能信是法
今我喜无畏　於諸菩薩中　正直捨方便　但說无上道
菩薩聞是法　疑網皆已除　千二百羅漢　悉亦當作佛
如三世諸佛　說法之儀式　我今亦如是　說无分別法
諸佛興出世　懸遠值遇難　正使出于世　說是法復難
无量无數劫　聞是法亦難　能聽是法者　斯人亦復難
譬如優曇華　一切皆愛樂　天人所希有　時時乃一出
聞法歡喜讚　乃至發一言　則為已供養　一切三世佛
是人甚希有　過於優曇華　汝等勿有疑　我為諸法王
普告諸大衆　但以一乘道　教化諸菩薩　无聲聞弟子
汝等舍利弗　聲聞及菩薩　當知是妙法　諸佛之祕要
以五濁惡世　但樂著諸欲　如是等衆生　終不求佛道

BD00539號　妙法蓮華經卷一　　（11–10）

今我喜无畏　於諸菩薩中　正直捨方便　但說无上道
菩薩聞是法　疑網皆已除　千二百羅漢　悉亦當作佛
如三世諸佛　說法之儀式　我今亦如是　說无分別法
諸佛興出世　懸遠值遇難　正使出于世　說是法復難
无量无數劫　聞是法亦難　能聽是法者　斯人亦復難
譬如優曇華　一切皆愛樂　天人所希有　時時乃一出
聞法歡喜讚　乃至發一言　則為已供養　一切三世佛
是人甚希有　過於優曇華　汝等勿有疑　我為諸法王
普告諸大衆　但以一乘道　教化諸菩薩　无聲聞弟子
汝等舍利弗　聲聞及菩薩　當知是妙法　諸佛之祕要
以五濁惡世　但樂著諸欲　如是等衆生　終不求佛道
當來世惡人　聞佛說一乘　迷惑不信受　破法墮惡道
有慚愧清淨　志求佛道者　當為如是等　廣讚一乘道
舍利弗當知　諸佛法如是　以万億方便　隨宜而說法
其不習學者　不能曉了此　汝等既已知　諸佛世之師
隨宜方便事　无復諸疑惑　心生大歡喜　自知當作佛

妙法蓮華經卷第一

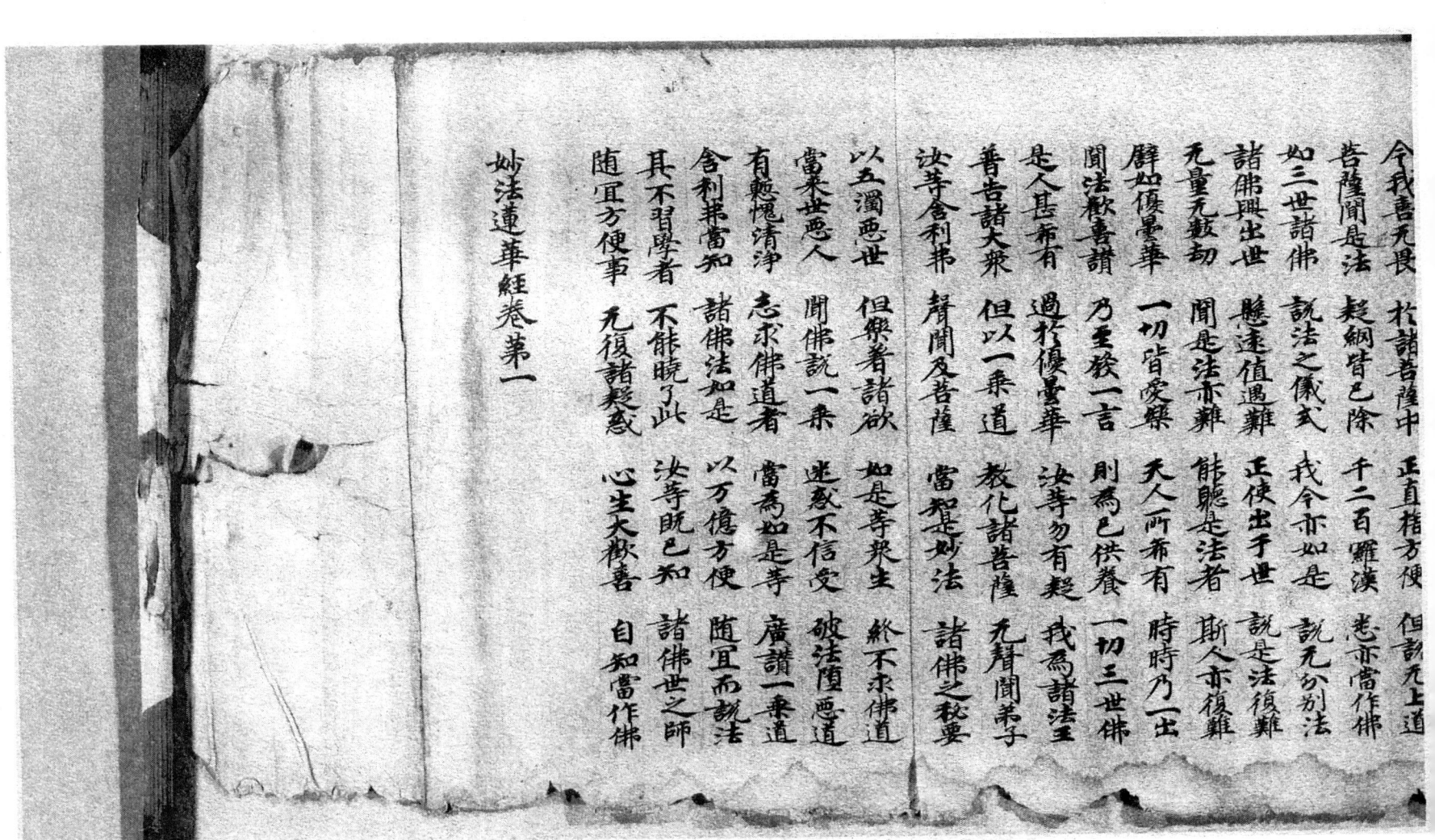

BD00539號　妙法蓮華經卷一　　（11–11）

念　說法因緣　願成佛道　令衆亦尒
是則大利　安樂供養　我滅度後　若有比丘
能演說斯　妙法華經　心无嫉恚　諸惱障礙
亦无憂愁　及罵詈者　又无怖畏　加刀杖等
亦无擯出　安住忍故　智者如是　善修其心
能住安樂　如我上說　其人功德　千万億劫
筭數譬喻　說不能盡
又文殊師利菩薩摩訶薩於後末世法欲滅
時受持讀誦斯經典者无懷嫉妬諂誑之心
亦勿輕罵學佛道者求其長短若比丘比丘
尼優婆塞優婆夷求聲聞者求辟支佛者求
菩薩道者无得惱之令其疑悔語其人言汝
等去道甚遠終不能得一切種智所以者何
汝是放逸之人於道懈怠故又亦不應戲論
諸法有所諍競當於一切衆生起大悲想於
諸如來起慈父想於諸菩薩起大師想於十
方諸大菩薩常應深心恭敬礼拜於一切衆
生平等說法以順法故不多不少乃至深愛
法者亦不為多說文殊師利是菩薩摩訶薩
於後末世法欲滅時有成就是第三安樂行
者說是法時无能惱亂得好同學共讀誦是
經亦得大衆而來聽受聽已能持持已能誦
誦已能說說已能書若使人書供養經卷恭
敬尊重讚歎尒時世尊欲重宣此義而說偈言

BD00540號　妙法蓮華經卷五　（3-1）

方諸大菩薩常應深心恭敬礼拜於一切衆
生平等說法以順法故不多不少乃至深愛
法者亦不為多說文殊師利是菩薩摩訶薩
於後末世法欲滅時有成就是第三安樂行
者說是法時无能惱亂得好同學共讀誦是
經亦得大衆而來聽受聽已能持持已能誦
誦已能說說已能書若使人書供養經卷恭
敬尊重讚歎尒時世尊欲重宣此義而說偈言
若欲說是經　當捨嫉恚慢　諂誑邪偽心　常脩質直行
不輕蔑於人　亦不戲論法　不令他疑悔　云汝不得佛
是佛子說法　常柔和能忍　慈悲於一切　不生懈怠心
十方大菩薩　愍衆故行道　應生恭敬心　是則我大師
於諸佛世尊　生无上父想　破於憍慢心　說法无障礙
第三法如是　智者應守護　一心安樂行　无量衆所敬
又文殊師利菩薩摩訶薩於後末世法欲滅
時有持法華經者於在家出家人中生大慈
心於非菩薩人中生大悲心應作是念如是
之人則為大失如來方便隨宜說法不聞不
知不覺不問不信不解其人雖不問不信不
解是經我得阿耨多羅三藐三菩提時隨在
何地以神通力智慧力引之令得住是法中
文殊師利是菩薩摩訶薩於如來滅後有成
就此第四法者說是法時无有過失常為比
丘比丘尼優婆塞優婆夷國王王子大臣人
民婆羅門居士等供養恭敬尊重讚歎虛空
諸天為聽法故亦常隨侍若在聚落城邑空

BD00540號　妙法蓮華經卷五　（3-2）

第三法如是　智者應守護　一心安樂行　无量衆所敬
又文殊師利菩薩摩訶薩於後末世法欲滅
時有持法華經者於在家出家人中生大慈
心於非菩薩人中生大悲心應作是念如是
之人則為大失如來方便隨宜說法不聞不
知不覺不問不信不解其人雖不問不信不
解是經我得阿耨多羅三藐三菩提時隨在
何地以神通力智慧力引之令得住是法中
文殊師利是菩薩摩訶薩於如來滅後有成
就此第四法者說是法時无有過失常為比
丘比丘尼優婆塞優婆夷國王王子大臣人
民婆羅門居士等供養恭敬尊重讚歎虛空
諸天為聽法故亦常隨侍若在聚落城邑空
閑林中有人來欲難問者諸天晝夜常為法
故而衛護之能令聽者皆得歡喜所以者何
此經是一切過去未來現在諸佛神力所護
故文殊師利是法華經於无量國中
字不可得聞何況得見受持讀誦文
譬如強力轉輪聖王欲以威勢降
諸小王不順其命時轉輪王
討伐王見兵衆戰有功
賜或與田宅聚
或與

BD00540 號　妙法蓮華經卷五　（3–3）

輕是菩薩摩訶薩聞彼惡魔說其過去當來
功德及說現在親友自身名等差別兼讚種
種殊勝善根歡喜踊躍生增上慢凌蔑毀罵
諸餘菩薩尒時惡魔知其闇鈍增上慢凌
蔑他人復告之言汝定成就殊勝功德過去
如來應正等覺已授汝記汝於无上正等菩
提定當證得不復退轉已有如是瑞相現前
是時惡魔為娆彼故或矯化作苾芻形像或
矯化作居士形像或矯化作父母親友人非
人等形像現前高聲唱言善哉大士乃能成
就如是功德過去諸佛久已授汝大菩提記
汝於无上正等菩提已不退轉所以者何諸
不退轉地菩薩摩訶薩勝功德相汝皆具有
應自尊重勿生疑惑時此菩薩聞彼語已增
上慢心轉復堅固善現如我所說實得不退
轉菩薩摩訶薩諸行狀相是菩薩摩訶薩實
皆未有善現當知是菩薩摩訶薩魔所執持
為魔所娆不得自在所以者何是菩薩摩訶
薩於得不退轉菩薩摩訶薩諸行狀相實皆
未有但聞惡魔矯說其德及名字等生增上
慢凌蔑毀罵諸餘菩薩是故善現若菩薩摩
訶薩欲證无上正等菩提應善覺知諸惡魔
事勿為欺誑生憍慢心復次善現有菩薩摩

BD00541 號　大般若波羅蜜多經卷四五三　（2–1）

如來應正等覺已授汝記汝於无上正等菩
提定當證得不復退轉已有如是瑞相現前
是時惡魔為嬈彼故或矯化作苾芻形像或
矯化作居士形像或矯化作父母親友人非
人等形像現前高聲唱言善哉大士乃能成
就如是功德過去諸佛久已授汝大菩提記
汝於无上正等菩提已不退轉所以者何諸
不退轉地菩薩摩訶薩勝功德相汝皆具有
應自尊重勿生疑惑時此菩薩聞彼語已增
上憍心轉復堅固善現如我所說實得不退
轉菩薩摩訶薩諸行狀相是菩薩摩訶薩實
皆非有善現當知是菩薩摩訶薩魔所執持
為魔所嬈不得自在所以者何是菩薩摩訶
薩於得不退轉菩薩摩訶薩諸行狀相實皆
未有但聞惡魔矯說其德及名字等生增上
憍凌蔑毀罵諸餘菩薩是故善現若菩薩摩
訶薩欲證无上正等菩提應善覺知諸惡魔
事勿為欺誑生憍慢心復次善現有菩薩摩
訶薩魔所執持為魔所嬈但聞虛名而生憍
慢所以者何是菩薩摩訶薩先未脩學布施
波羅蜜多乃至般若波羅蜜多先未安住內
空乃至无性自性空先未安住真如乃至不
思議界先未安住苦集滅道聖諦先未脩學

BD00541 號　大般若波羅蜜多經卷四五三　（2–2）

師利問維摩詰言菩薩應云何慰喻有疾
菩薩維摩詰言說身无常不說厭離於身
說身有苦不說樂於涅槃說身无我而說教導
衆生說身空寂不說畢竟寂滅說悔先罪而
不說入於過去以己之疾愍於彼疾當識宿
世无數劫苦當念饒益一切衆生憶所脩福
念於淨命勿生憂惱常起精進當作醫王
療治衆病菩薩應如是慰喻有疾菩薩令其
歡喜文殊師利言居士有疾菩薩云何調伏其
心維摩詰言有疾菩薩應作是念今我此病
皆從前世妄想顛倒諸煩惱生无有實法誰
受病者所以者何四大合故假名為身四大
无主身亦无我又此病起皆由著我是故於
我不應生著既知病本即除我想及衆生想
當起法想應作是念但以衆法合成此身起
唯法起滅唯法滅又此法者各不相知起時不
言我起滅時不言我滅彼有疾菩薩為滅
法想當作是念此法想者亦是顛倒顛倒者
即是大患我應離之云何為離離我我所云
何離我我所謂離二法云何離二法謂不念
內外諸法行於平等云何平等謂我等涅槃
等所以者何我及涅槃此二皆空以何為空
但以名字故空如此二法无決定性得是平
等无有餘病唯有空病空病亦空是有病菩

BD00542 號　維摩詰所說經卷中　（3–1）

即是大患我應離之云何離之離我我所云
何離我我所謂離二法云何離二法謂不念
內外諸法行於平等云何平等謂我等涅槃
等所以者何我及涅槃此二皆空以何為空
但以名字故空如此二法无決定性得是平
等无有餘病唯有空病空病亦空是有病菩
薩以无所受而受諸受未具佛法亦不滅受
而取證也設身有苦當念惡趣眾生起大悲
心我既調伏亦當調伏一切眾生但除其病而
不除法為斷病本而教導之何謂病本謂有
攀緣從有攀緣則有病本何所攀緣謂之
三界云何攀緣以无所得若无所得則无攀
緣何謂无所得謂離二見何謂二見謂內見
外見是无所得文殊師利是為有疾菩薩
調伏其心為斷老病死苦是菩薩菩提若不如
是己所脩治為无慧利譬如勝怨乃可為勇
如是兼除老病死者菩薩之謂也彼有疾菩
薩應復作是念如我此病非真非有眾生
病亦非真非有作是觀時於諸眾生若起愛見
大悲即應捨離所以者何菩薩斷除客塵煩惱
而起大悲愛見悲者則於生死有疲厭心若
能離此无有疲厭在在所生不為愛見之
所覆也所生无縛能為眾生說法解縛如佛所
說若自有縛能解彼縛无有是處若自无縛
能解彼縛斯有是處是故菩薩不應起縛何
謂縛何謂解貪著禪味是菩薩縛以方便生
是菩薩解又无方便慧縛有方便慧解无慧

BD00542 號　維摩詰所說經卷中　（3–2）

如是兼除老病死者菩薩之謂也彼有疾菩
薩應復作是念如我此病非真非有眾生
病亦非真非有作是觀時於諸眾生若起愛見
大悲即應捨離所以者何菩薩斷除客塵煩惱
而起大悲愛見悲者則於生死有疲厭心若
能離此无有疲厭在在所生不為愛見之
所覆也所生无縛能為眾生說法解縛如佛所
說若自有縛能解彼縛无有是處若自无縛
能解彼縛斯有是處是故菩薩不應起縛何
謂縛何謂解貪著禪味是菩薩縛以方便生
是菩薩解又无方便慧縛有方便慧解无慧
方便縛有慧方便解何謂无方便慧縛謂菩
薩以愛見心莊嚴佛土成就眾生於空无相
无作法中而自調伏是名无方便慧縛何謂有
方便慧解謂不以愛見心莊嚴佛土成就眾
生於空无相无作法中以自調伏而不疲厭
是名有方便慧解何謂无慧方便縛謂菩
薩住貪欲瞋恚邪見等諸煩惱而殖眾德本
是名无慧方便縛何謂有慧方便解謂離諸

BD00542 號　維摩詰所說經卷中　（3–3）

尒時
食於其
飯食訖收衣鉢洗足
已敷座而坐　時長老須菩提在大衆中
即從座起偏袒右肩右膝著地合掌恭
敬而白佛言希有世尊如来善護念諸
菩薩善付囑諸菩薩世尊善男子善女
三菩提心應云何住
云何降伏其心佛言善哉善哉須菩提如汝
所說如来善護念諸菩薩善付囑諸菩薩
汝今諦聽當為汝說善男子善女人發阿
耨多羅三藐三菩提心應如是住如是降
伏其心唯然世尊願樂欲聞　佛告須菩提
諸菩薩摩訶薩應如是降伏其心所有一
切衆生之類若卵生若胎生若濕生若化生
若有色若無色若有想若無想若非有想
若非無想我皆令入無餘涅槃而滅度之如是
滅度無量無數無邊衆生實無衆生得滅
度者何以故須菩提若菩薩有我相人相

BD00543 號　金剛般若波羅蜜經　　（6–1）

若非無想我皆令入無餘涅槃而滅度之如是
滅度無量無數無邊衆生實無衆生得滅
度者何以故須菩提若菩薩有我相人相
衆生相壽者相即非菩薩
復次須菩提菩薩於法應無所住行於布施
所謂不住色布施不住聲香味觸法布施
須菩提菩薩應如是布施不住於相何以故
若菩薩不住相布施其福德不可思量須
菩提於意云何東方虛空可思量不不也
世尊須菩提南西北方四維上下虛空可思
量不不也世尊須菩提菩薩無住相布施福
德亦復如是不可思量須菩提菩薩但應如
所教住須菩提於意云何可以身相見如来不
不也世尊不可以身相得見如来何以故如来
所說身相即非身相佛告須菩提凡所有相
皆是虛妄若見諸相非相則見如来須菩提
白佛言世尊頗有衆生得聞如是言說章
句生實信不佛告須菩提莫作是說如来
滅後後五百歲有持戒修福者於此章句能
生信心以此為實當知是人不於一佛二佛三四
五佛而種善根已於無量千萬佛所種諸善
根聞是章句乃至一念生淨信者須菩提如
来悉知悉見是諸衆生無復我相人相衆生
[illegible]

BD00543 號　金剛般若波羅蜜經　　（6–2）

根聞是章句乃至一念生淨信者須菩提如
来悉知悉見是諸衆生無復我相人相衆生
相壽者相無法相亦無非法相何以故是諸衆
生若心取相則為着我人衆生壽者若取法
相即着我人衆生壽者何以故若取非法相
即着我人衆生壽者是故不應取法不應
取非法以是義故如来常說汝等比丘知我說
法如筏喻者法尚應捨何況非法
須菩提於意云何如来得阿耨多羅三藐三
菩提耶如来有所說法耶須菩提言如我解佛
所說義無有定法名阿耨多羅三藐三菩提亦
無有定法如来可說何以故如来所說法皆不
可取不可說非法非非法所以者何一切賢聖
皆以無為法而有差別
須菩提於意云何若人滿三千大千世界七寶
以用布施是人所得福德寧為多不須菩提
言甚多世尊何以故是福德即非福德性是
故如来說福德多若復有人於此經中受持乃至
四句偈等為他人說其福勝彼何以故須菩提一
切諸佛及諸佛阿耨多羅三藐三菩提法皆從
此經出須菩提所謂佛法者即非佛法
須菩提於意云何須陁洹能作是念我得須陁
洹果不須菩提言不也世尊何以故須陁洹名為

BD00543號　金剛般若波羅蜜經　（6–3）

此經出須菩提所謂佛法者即非佛法
須菩提於意云何須陁洹能作是念我得須陁
洹果不須菩提言不也世尊何以故須陁洹名為
入流而無所入不入聲香味觸法是名須陁洹須菩
提於意云何斯陁含能作是念我得斯陁含果
不須菩提言不也世尊何以故斯陁含名一往来
而實無往来是名斯陁含須菩提於意云何阿
那含能作是念我得阿那含果不須菩提言
不也世尊何以故阿那含名為不来而實無来
是故名阿那含須菩提於意云何阿羅漢能
作是念我得阿羅漢道不須菩提言不也
世尊何以故實無有法名阿羅漢世尊若阿
羅漢作是念我得阿羅漢道即為着我人衆生
壽者世尊佛說我得無諍三昧人中最為第一是
弟一離欲阿羅漢我不作是念我是離欲阿羅
漢世尊我若作是念我得阿羅漢道世尊則不說
須菩提是樂阿蘭那行者以須菩提實無所行
而名須菩提是樂阿蘭那行　佛告須菩提
於意云何如来昔在然燈佛所於法有所得不世
尊如来在然燈佛所於法實無所得須菩提於
意云何菩薩莊嚴佛土不不也世尊何以故莊
嚴佛土者則非莊嚴是名莊嚴是故須菩提諸
菩薩摩訶薩應如是生清淨心不應住色生心

BD00543號　金剛般若波羅蜜經　（6–4）

意云何菩薩莊嚴佛土不不也世尊何以故莊
嚴佛土者則非莊嚴是名莊嚴是故須菩提諸
菩薩摩訶薩應如是生清淨心不應住色生心
不應住聲香味觸法生心應無所住而生其心須菩
提譬如有人身如須弥山王於意云何是身為大不
須菩提言甚大世尊何以故佛說非身是名大身
須菩提如恒河中所有沙數如是沙等恒河於意
云何是諸恒河沙寧為多不須菩提言甚多
世尊但諸恒河尚多無數何況其沙須菩提我
今實言告汝若有善男子善女人以七寶滿尒
所恒河沙數三千大千世界以用布施得福多不
須菩提言甚多世尊佛告須菩提若有善
男子善女人於此經中乃至受持四句偈等為他
人說而此福德勝前福德復次須菩提隨說是經
乃至四句偈等當知此處一切世間天人阿脩羅
皆應供養如佛塔廟何況有人盡能受持讀誦
須菩提當知是人成就最上第一希有之法若
是經典所在之處則為有佛若尊重弟子
尒時須菩提白佛言世尊當何名此經我等云
何奉持佛告須菩提是經名為金剛般若波
羅蜜以是名字汝當奉持所以者何須菩提
佛說般若波羅蜜則非若般波羅蜜是名般若
波羅蜜須菩提於意云何如來有所說法

BD00543 號　金剛般若波羅蜜經　（6–5）

須菩提言甚大世尊何以故佛說非身是名大身
須菩提如恒河中所有沙數如是沙等恒河於意
云何是諸恒河沙寧為多不須菩提言甚多
世尊但諸恒河尚多無數何況其沙須菩提我
今實言告汝若有善男子善女人以七寶滿尒
所恒河沙數三千大千世界以用布施得福多不
須菩提言甚多世尊佛告須菩提若有善
男子善女人於此經中乃至受持四句偈等為他
人說而此福德勝前福德復次須菩提隨說是經
乃至四句偈等當知此處一切世間天人阿脩羅
皆應供養如佛塔廟何況有人盡能受持讀誦
須菩提當知是人成就最上第一希有之法若
是經典所在之處則為有佛若尊重弟子
尒時須菩提白佛言世尊當何名此經我等云
何奉持佛告須菩提是經名為金剛般若波
羅蜜以是名字汝當奉持所以者何須菩提
佛說般若波羅蜜則非若般波羅蜜是名般若
波羅蜜須菩提於意云何如來有所說法不須菩

BD00543 號　金剛般若波羅蜜經　（6–6）

葦伊蘭水沫芭蕉之樹是身无常念念不住
猶如電光暴水幻炎亦如畫水隨畫隨合是
身易壞猶如河岸臨峻大樹是身不久當為
狐狼鴟梟鵰鷲烏鵲餓狗之所食噉誰有智
者當樂此身寧以牛跡盛大海水不能具說
是身无常不淨臭穢寧丸大地使如棗等漸
漸轉小猶葶藶子乃至微塵不能具說是身
過患是故當捨如棄涕唾以是因緣諸優婆
夷以空无相无願之法常修其心深樂諮受
大乘經典聞已亦能為他演說護持本願毀
呰女身甚可患厭性不堅牢心常修集如是
正觀破壞生死无際輪轉渴仰大乘既自充
足復能充足餘渴仰者深樂大乘守護大乘
雖現女身實是菩薩善能隨順一切世間度
未度者解未解者紹三寶種使不斷絕於未
來世當轉法輪以大莊嚴而自莊嚴堅持禁
戒皆悉成就如是功德於諸眾生生大悲心
平等无二如視一子亦於晨朝日初出時各
相謂言今日宜應至雙樹間諸優婆夷所設
供具倍勝於前持至佛所稽首佛足遶百千
迊而白佛言世尊我等今者為佛及僧辦諸
供具唯願如來哀受我供如來默然而不許
可諸優婆夷不果所願心懷惆悵却住一面

供具倍勝於前持至佛所稽首佛足遶百千
迊而白佛言世尊我等今者為佛及僧辦諸
供具唯願如來哀受我供如來默然而不許
可諸優婆夷不果所願心懷惆悵却住一面
尒時復有四恒河沙毗耶離城諸離車等男
女大小妻子眷屬及閻浮提諸王眷屬為求
法故善修戒行威儀具足摧伏異學壞正法
者常相謂言我等當以金銀倉庫為令甘露
无盡正法深奧之藏久住於世願令我等常
得修學若有誹謗佛正法者當斷其舌復作
是願若有出家毀禁戒者我當罷令還俗策
使有能深樂護持正法我當敬重如事父母
若有眾僧能修正法我當隨喜令得勢力常
欲樂聞大乘經典聞已亦能為人廣說皆悉
成就如是功德其名曰淨无垢藏離車子淨
不放逸離車子恒水无垢淨德離車子如是
等各相謂言仁等今可速往佛所所辦供養
種種具足一一離車各嚴八万四千大象八
万四千四馬寶車八万四千明月寶珠天木
栴檀沉水薪束種種各有八万四千一一象
前有寶幢幡蓋其蓋小者周迊縱廣滿一由
旬幡最短者長三十由旬寶幢甲者高百由
旬持如是等供養之具往至佛所稽首佛足
遶百千迊而白佛言世尊我等今者為佛及
僧辦諸供具唯願如來哀受我供如來默然
而不許可諸離車等不果所願心懷愁惱以
佛神力去地七多羅樹於虛空中默然而住

僧辦諸供具唯願如來哀受我供如來默然
而不許可諸離車等不果所願心懷愁惱以
佛神力去地七多羅樹於虛空中默然而住
尒時復有五恒河沙大臣長者敬重大乘若
有異學謗正法者是諸人等力能摧伏猶如
雹雨摧折草木其名曰日光長者護世長者
護法長者如是之等而為上首所設供具五倍
於前俱共往詣娑羅雙樹間稽首佛足遶百
千迊而白佛言世尊我等今者為佛及僧設
諸供具唯願哀愍受我等供如來默然而不
受之諸長者等不果所願心懷愁惱以佛神
力去地七多羅樹於虛空中默然而住
尒時復有毗耶離王及其後宮夫人眷屬閻
浮提內所有諸王除阿闍世并及城邑聚落
人民其名曰月无垢王等各嚴四兵欲往佛
所是一一王各有一百八十万億人民眷屬
是諸車兵駕以象馬象有六牙馬疾如風莊
嚴供具六倍於前寶蓋之中有極小者周迊
縱廣滿八由旬幡極短者十六由旬寶幢卑
者三十六由旬是諸王等皆悉安住於正法中
惡賤邪法敬重大乘深樂大乘憐愍衆生等
如一子所持飲食香氣流布滿四由旬亦於
晨朝日初出時持是種種上妙甘饍詣雙樹
間至如來所而白佛言世尊我等為佛及比
丘僧設是供具唯願如來哀愍受我最後供
養如來知時亦不許可是諸王等不果所願

BD00544號　大般涅槃經（北本）卷一　（7–3）

間至如來所而白佛言世尊我等為佛及比
丘僧設是供具唯願如來哀愍受我最後供
養如來知時亦不許可是諸王等不果所願
心懷愁惱却住一面
尒時復有七恒河沙諸王夫人唯除阿闍世
王夫人為度衆生現受女身常觀身行以空
无相无願之法熏修其心其名曰三界妙夫
人愛德夫人如是等諸王夫人皆悉安住於
正法中修行禁戒威儀具足憐愍衆生等如
一子各相謂言今宜速往詣世尊所諸王夫
人所設供養七倍於前香華寶幢繒綵幡蓋
上妙飲食寶蓋小者周迊縱廣十六由旬幡
蓋短者三十六由旬寶幢卑者六十八由旬
飲食香氣周遍流布滿八由旬持如是等供
養之具往如來所稽首佛足遶百千迊而白
佛言世尊我等為佛及比丘僧設是供具唯
願如來哀愍受我最後供養如來知時默然
不受時諸夫人不果所願心懷愁惱自拔頭
髮搥胸大哭猶如新喪所愛之子却住一面
默然而住
尒時復有八恒河沙諸天女等其名曰廣目
天女而為上首作如是言汝等諸姊諦觀諦觀
是諸大衆所設種種上妙供具欲供如來及
比丘僧我等亦當如是嚴設微妙供具供養
如來如來受已當入涅槃諸姊諸佛如來出
世甚難最後供養亦復倍難若佛涅槃世間

BD00544號　大般涅槃經（北本）卷一　（7–4）

比丘僧我等亦當如是嚴設微妙供具供養
如來如來受已當入涅槃諸佛如來出
世甚難最後供養亦復倍難若佛涅槃世間
空虛是諸天女受樂大乘欲聞大乘聞已亦
能為人廣說渴仰大乘既自充足復能充足
餘渴仰者守護大乘若有異學憎嫉大乘勢
能摧滅如雹摧草護持戒行威儀具足善能
隨順一切世間度未度者脫未脫者於未來
世當轉法輪紹三寶種使不斷絕修學大乘
以大莊嚴而自莊嚴成就如是无量功德等
慈衆生如視一子亦於晨朝日初出時各
取種種天木香等倍於人間所有香木其木
香氣能滅人中種種臭穢白車白蓋駕四白
馬一一車上皆張白帳其帳四邊懸諸金鈴
種種香華寶幢幡蓋上妙甘饍種種妓樂敷
師子座其座四足純紺琉璃於其座後各各
皆有七寶倚床一一座前復有金机復以七
寶而為燈樹種種寶珠以為燈明散妙天華
遍布其地是諸天女設是供已心懷哀感涕
淚交流生大苦惱亦為利益安樂衆生成就
大乘第一空行顯發如來方便密教亦為不
斷種種說法往詣佛所稽首佛足遶百千匝
而白佛言世尊唯願如來哀受我等最後供
養如來知時默然不受諸天女等不果所願
心懷愁惱却在一面默然而住
尒時復有九恒河沙諸龍王等住於四方其

BD00544號　大般涅槃經（北本）卷一　（7–5）

養如來知時默然不受諸天女等不果所願
心懷愁惱却在一面默然而住
尒時復有九恒河沙諸龍王等住於四方其
名曰和脩吉龍王難陁龍王婆難陁龍王而
為上首是諸龍王亦於晨朝日初出時設諸
供具倍於人天持至佛所稽首佛足遶百千
匝而白佛言唯願如來哀受我等最後供養
如來知時默然不受是諸龍王不果所願心
懷愁惱却住一面
尒時復有十恒河沙諸鬼神王毗沙門王
而為上首各相謂言仁等今者可速詣佛所
設供具倍於諸龍持詣佛所稽首佛足遶百
千匝而白佛言唯願如來哀受我等最後供
養如來知時默然不許是諸鬼神王不果所
願心懷愁惱却住一面
尒時復有二十恒河沙金翅鳥王降怨鳥王
而為上首復有三十恒河沙乾闥婆王那羅
延王而為上首復有四十恒河沙緊那羅王
善見王而為上首復有五十恒河沙摩睺羅
伽王大善見王而為上首復有六十恒河沙
阿脩羅王睒婆利王而為上首復有七十恒
河沙陁那婆王无垢河水王跋提達多王等
而為上首復有八十恒河沙羅剎王可畏
王而為上首捨離惡心更不食人於怨憎中
生慈悲心其形醜陋以佛神力皆悉端正復
有九十恒河沙樹林神王樂香王而為上首

BD00544號　大般涅槃經（北本）卷一　（7–6）

千通而白佛言唯願如來哀受我等最後供
養如來知時默然不許是諸鬼神王不果所
願心懷愁惱却住一面
尒時復有二十恒河沙金翅鳥王降怨鳥王
而為上首復有三十恒河沙乾闥婆王那羅
延王而為上首復有四十恒河沙緊那羅王
善見王而為上首復有五十恒河沙摩睺羅
伽王大善見王而為上首復有六十恒河沙
阿脩羅王睒婆利王而為上首復有七十恒
河沙陁那婆王无垢河水王跋提達多王等
而為上首復有八十恒河沙菩羅刹王可畏
王而為上首捨離惡心更不食人於怨憎中
生慈悲心其形醜陋以佛神力皆悉端正復
有九十恒河沙樹林神王藥香王而為上首
復有千恒河沙持呪王大幻持呪王而為上
首復有一億恒河沙貪色鬼魅善見王而為
上首復有百億恒河沙天諸婇女藍婆女欝
婆尸女帝路沾女毗舍佉女而為上首復有
千億恒河沙地諸鬼王白濕王而為上首復
有十万億恒河沙等諸天子及諸天王四天
王等復有十万億恒河沙等四方風神吹諸

BD00544號　大般涅槃經（北本）卷一　（7–7）

於斯大地
於此贍部洲　田疇諸果
由此經威力　日月所照處　星辰不失度　風雨皆順時
遍此贍部洲　國土咸豐樂　隨有此經處　殊勝倍餘方
若此金光明　經典流布處　有能講誦者　悉得如上福
尒時大吉祥天女及諸天等聞佛所說皆大
歡喜於此經王及受持者一心擁護令無
憂惱常得安樂
金光明最勝王經授記品第廿三
尒時如來於大衆中廣說法已欲為妙幢菩
薩及其二子銀幢銀光授阿耨多羅三藐三
菩提記時有十千天子最勝光明而為上首
俱從三十三天來至佛所頂礼佛足却坐一
面聽佛說法尒時佛告妙幢菩薩言汝於來
世過無量無數百千万億那庾多劫已於金
光明世界當成阿耨多羅三藐三菩提号金
寶山王如來應正遍知明行足善逝世間解
無上士調御丈夫天人師佛世尊出現於世
時此如來般涅槃後所有教法亦皆滅盡時
彼長子名曰銀幢即於此界次補佛處世
界尒時轉名淨幢當得作佛名曰金幢光如
來應正遍知明行足善逝世間解無上士調御
丈夫天人師佛世尊時此如來般涅槃後所有
教法亦皆滅盡次子銀光即補佛處還於此
界當得作佛号曰金光明如來應正遍知明

BD00545號　金光明最勝王經卷九　（3–1）

光明世界當成阿耨多羅三藐三菩提號金
寶山王如來應正遍知明行足善逝世間解
無上士調御丈夫天人師佛世尊出現於世
時此如來般涅槃後所有教法亦皆滅盡時
彼長子名曰銀幢即於此界次補佛處世
界尒時轉名淨幢當得作佛名曰金幢光如
來應正遍知明行足善逝世間解無上士調御
丈夫天人師佛世尊時此如來般涅槃後所有
教法亦皆滅盡次子銀光即補佛處還於此
界當得作佛號曰金光明如來應正遍知明
行足善逝世間解无上士調御丈夫天人師
佛世尊是時十千天子聞三大士得授記已
復聞如是最勝王經心生歡喜清淨无垢猶
如虛空尒時如來知是十千人天子善根熟
即便與授大菩提記汝等天子於當來世過
无量无數百千万億那庾多劫於最勝因陁
羅尼高幢世界得成阿耨多羅三藐三菩提
同一種姓又同一名号曰面目清淨優鉢羅香
山十号具足如是次第十千諸佛出現於世
尒時菩提樹神白佛言世尊是十千天子從三
十三天為聽法故來詣佛所云何如來便
與授記當得成佛世尊我未曾聞是諸天子
具足脩習六波羅蜜難行苦行捨於手足頭
目髓惱眷屬妻子象馬車乘奴婢僕使宮殿
園林金銀琉璃硨磲碼碯珊瑚虎珀璧玉珂
貝飲食衣服卧具醫藥如餘無量百千菩
薩以諸供具供養過去无數百千万億那庾
多佛如是菩薩各經无量无邊劫數然後方
得受菩提記世尊是諸天子以何因緣脩何

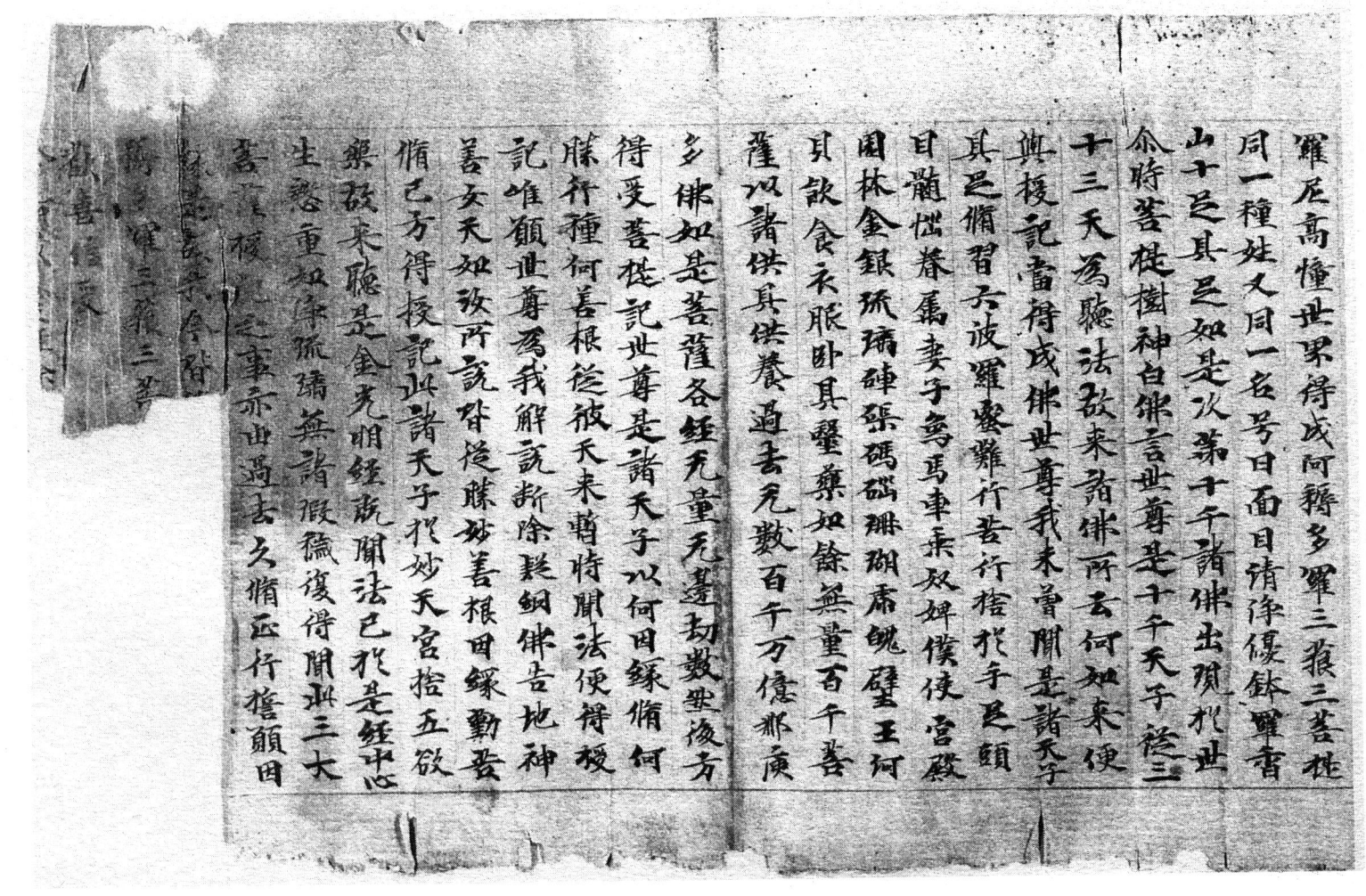

BD00545號　金光明最勝王經卷九　（3–2）

羅尼高幢世界得成阿耨多羅三藐三菩提
同一種姓又同一名号曰面目清淨優鉢羅香
山十号具足如是次第十千諸佛出現於世
尒時菩提樹神白佛言世尊是十千天子從三
十三天為聽法故來詣佛所云何如來便
與授記當得成佛世尊我未曾聞是諸天子
具足脩習六波羅蜜難行苦行捨於手足頭
目髓惱眷屬妻子象馬車乘奴婢僕使宮殿
園林金銀琉璃硨磲碼碯珊瑚虎珀璧玉珂
貝飲食衣服卧具醫藥如餘無量百千菩
薩以諸供具供養過去无數百千万億那庾
多佛如是菩薩各經无量无邊劫數然後方
得受菩提記世尊是諸天子以何因緣脩何
勝行種何善根從彼天來暫時聞法便得授
記唯願世尊為我解說斷除疑網佛告地神
善女天如汝所說皆從勝妙善根因緣勤苦
脩已方得授記此諸天子於妙天宮捨五欲
樂故來聽是金光明經既聞法已於是經中心
生慇重如淨琉璃無諸瑕穢復得聞此三大
菩薩授記之事亦由過去久脩正行誓願因
[illegible]今皆
[illegible]羅三藐三菩
[illegible]喜信受

BD00545號　金光明最勝王經卷九　（3–3）

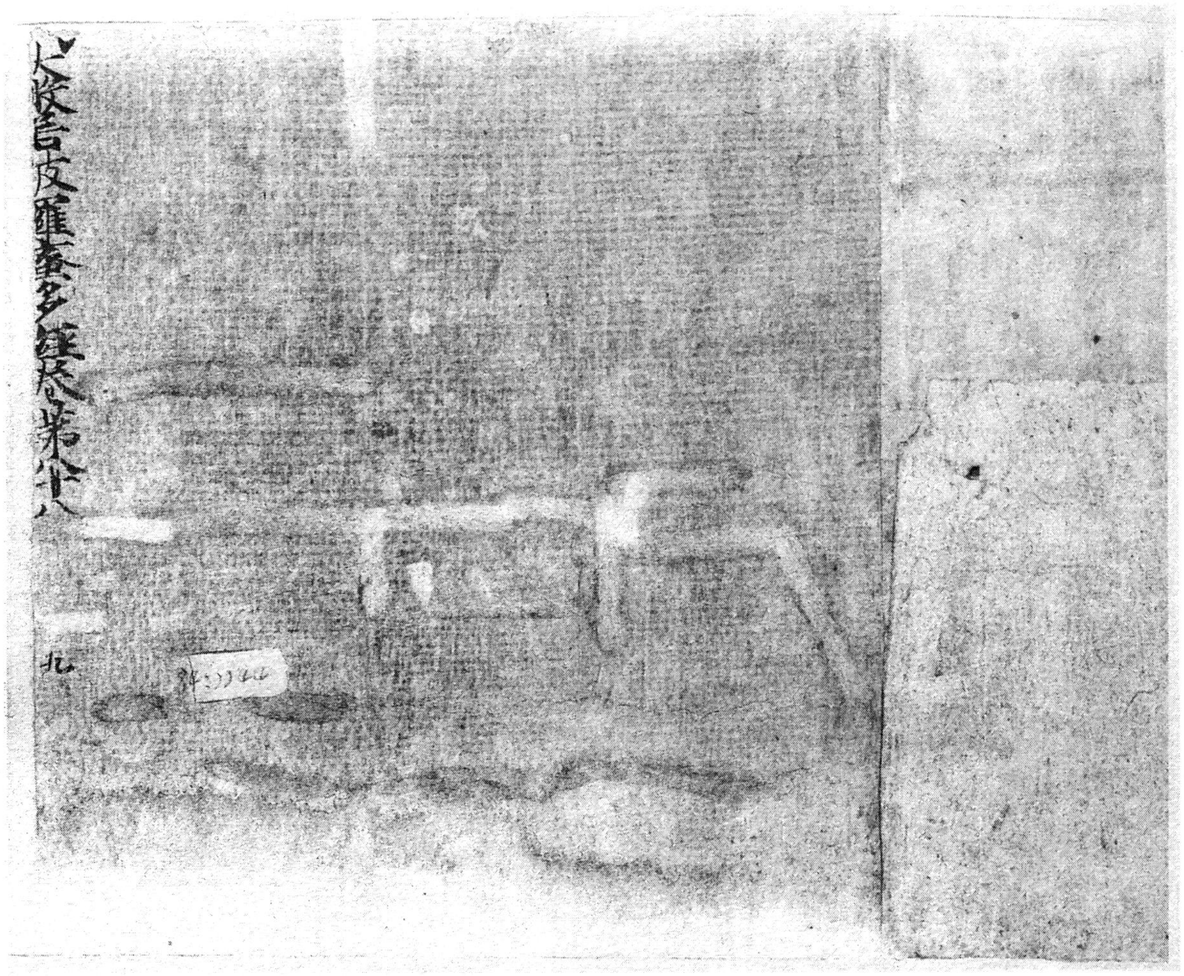

BD00546 號背　大般若波羅蜜多經卷八八護首　　（1–1）

BD00546 號　大般若波羅蜜多經卷八八　　（4–1）

舍利子菩薩摩訶薩如是學時不為色處攝
受壞滅故學不為聲香味觸法處攝受壞滅
故學如是如是舍利子菩薩摩訶薩如是學
時不為眼界攝受壞滅故學不為色界眼識
界及眼觸眼觸為緣所生諸受攝受壞滅故
學如是如是舍利子菩薩摩訶薩如是學時
不為耳界攝受壞滅故學不為聲界耳識界
及耳觸耳觸為緣所生諸受攝受壞滅故學
如是如是舍利子菩薩摩訶薩如是學時不
為鼻界攝受壞滅故學不為香界鼻識界及
鼻觸鼻觸為緣所生諸受攝受壞滅故學如
是如是舍利子菩薩摩訶薩如是學時不為
舌界攝受壞滅故學不為味界舌識界及舌
觸舌觸為緣所生諸受攝受壞滅故學如是
如是舍利子菩薩摩訶薩如是學時不為身
界攝受壞滅故學不為觸界身識界及身觸
身觸為緣所生諸受攝受壞滅故學如是如
是舍利子菩薩摩訶薩如是學時不為意界
攝受壞滅故學不為法界意識界及意觸意
觸為緣所生諸受攝受壞滅故學如是如是
舍利子菩薩摩訶薩如是學時不為地界攝
受壞滅故學不為水火風空識界攝受壞滅
故學如是如是舍利子菩薩摩訶薩如是學
時不為苦聖諦攝受壞滅故學不為集滅道
聖諦攝受壞滅故學如是如是舍利子菩薩
摩訶薩如是學時不為无明攝受壞滅故學
不為行識名色六處觸受愛取有生老死愁

聖諦攝受壞滅故學如是如是舍利子菩薩
摩訶薩如是學時不為无明攝受壞滅故學
不為行識名色六處觸受愛取有生老死愁
歎苦憂惱攝受壞滅故學如是如是舍利子
菩薩摩訶薩如是學時不為內空攝受壞滅
故學不為外空內外空空空大空勝義空有
為空无為空畢竟空无際空散空无變異空
本性空自相空共相空一切法空不可得空
无性空自性空无性自性空攝受壞滅故學
如是如是舍利子菩薩摩訶薩如是學時不
為真如攝受壞滅故學不為法界法性不虛
妄性不變異性平等性離生性法定法住實
際虛空界不思議界攝受壞滅故學
如是如是舍利子菩薩摩訶薩如是學時不
為布施波羅蜜多攝受壞滅故學不為淨戒
安忍精進靜慮般若波羅蜜多攝受壞滅故
學如是如是舍利子菩薩摩訶薩如是學時
不為四靜慮攝受壞滅故學不為四无量四
无色定攝受壞滅故學如是如是舍利子菩
薩摩訶薩如是學時不為八解脫攝受壞滅
故學不為八勝處九次第定十遍處攝受壞
滅故學如是如是舍利子菩薩摩訶薩如是
學時不為四念住攝受壞滅故學不為四正
斷四神足五根五力七等覺支八聖道支攝
受壞滅故學如是如是舍利子菩薩摩訶薩
如是學時不為空解脫門攝受壞滅故學不
為无相无願解脫門攝受壞滅故學如是如

受壞滅故學如是如是舍利子菩薩摩訶薩
如是學時不為空解脫門攝受壞滅故學不
為无相无願解脫門攝受壞滅故學如是如
是舍利子菩薩摩訶薩如是學時不為五眼
攝受壞滅故學不為六神通攝受壞滅故學
如是如是舍利子菩薩摩訶薩如是學時不
為佛十力攝受壞滅故學不為四无所畏四
无礙解大慈大悲大喜大捨十八佛不共法
攝受壞滅故學如是如是舍利子菩薩摩訶
薩如是學時不為无忘失法攝受壞滅故學
不為恒住捨性攝受壞滅故學如是如是舍
利子菩薩摩訶薩如是學時不為一切智攝
受壞滅故學不為道相智一切相智攝受壞
滅故學如是如是舍利子菩薩摩訶薩如是
學時不為一切陁羅尼門攝受壞滅故學不
為一切三摩地門攝受壞滅故學如是如是
舍利子菩薩摩訶薩如是學時不為預流攝
受壞滅故學不為一來不還阿羅漢攝受壞
滅故學如是如是舍利子菩薩摩訶薩如是
學時不為預流向預流果攝受壞滅故學不
為一來向一來果不還向不還果阿羅漢向
阿羅漢果攝受壞滅故學如是如是舍利子
菩薩摩訶薩如是學時不為獨覺攝受壞滅
故學不為獨覺向獨覺果攝受壞滅故學如
是如是舍利子菩薩摩訶薩如是學時不為
菩薩摩訶薩攝受壞滅故學不為三藐三佛
陁攝受壞滅故學如是如是舍利子菩薩摩

BD00546 號　大般若波羅蜜多經卷八八　（4–4）

於是二子念
虛空高七多羅樹現種種神變
於虛空中行住坐卧身上出水身下出火身
下出水身上出火或現大身滿虛空中而復
現小小復現大於空中滅忽然在地入地如
水履水如地現如是等種種神變令其父王
心淨信解時父見子神力如是心大歡喜得
未曾有合掌向子言汝等師為是誰誰之弟
子二子白言大王彼雲雷音宿王華智佛今
在七寶菩提樹下法座上坐於一切世間天
人衆中廣說法華經是我等師我是弟子父
語子言我今亦欲見汝等師可共俱往於是
二子從空中下到其母所合掌白母父王今
已信解堪任發阿耨多羅三藐三菩提心我
等為父已作佛事願母見聽於彼佛所出家
脩道尒時二子欲重宣其意以偈白母
願母放我等　出家作沙門　諸佛甚難值　我等隨佛學
如優曇波羅　值佛復難是　脫諸難亦難　願聽我出家
母即告言聽汝出家所以者何佛難值故於
是二子白父母言善哉父母願時往詣雲雷
音宿王華智佛所親近供養所以者何佛難
得值如優曇波羅華又如一眼之龜值浮木
孔而我等宿福深厚生值佛法是故父母當
[illegible]

BD00547 號　妙法蓮華經卷七　（9–1）

音宿王華智佛所親近供養所以者何佛難
得值如優曇波羅華又如一眼之龜值浮木
孔而我等宿福深厚生值佛法是故父母當
聽我等令得出家所以者何諸佛難值時亦
難遇彼時妙莊嚴王後宮八万四千人皆悉
堪任受持是法華經淨眼菩薩於法華三昧
久已通達淨藏菩薩已於无量百千万億劫
通達離諸惡趣三昧欲令一切衆生離諸惡
趣故其王夫人得諸佛習三昧能知諸佛秘
密之藏二子如是以方便力善化其父令心
信解好樂佛法於是妙莊嚴王與群臣眷屬
俱淨德夫人與後宮采女眷屬俱其王二子
與四万二千人俱一時共詣佛所到已頭面
礼足繞佛三帀却住一面尒時彼佛為王説
法示教利喜王大歡悅尒時妙莊嚴王及其
夫人解頸真珠瓔珞價直百千以散佛上於
虛空中化成四柱寶臺臺中有大寶床敷百
千万天衣其上有佛結跏趺坐放大光明尒時
妙莊嚴王作是念佛身希有端嚴殊特成
就第一微妙之色時雲雷音宿王華智佛告
四衆言汝等見是妙莊嚴王於我前合掌立
不此王於我法中作比丘精勤脩習助佛道
法當得作佛号娑羅樹王國名大光劫名大
高王其娑羅樹王佛有无量菩薩衆及无量
聲聞其國平正功德如是其王即時以國付
弟與夫人二子并諸眷屬於佛法中出家脩
道王出家已於八万四千歲常勤精進脩行

BD00547 號　妙法蓮華經卷七

（9–2）

聲聞其國平正功德如是其王即時以國付
弟與夫人二子并諸眷屬於佛法中出家脩
道王出家已於八万四千歲常勤精進脩行
妙法華經過是已後得一切淨功德莊嚴三
昧即升虛空高七多羅樹而白佛言世尊此
我二子已作佛事以神通變化轉我邪心令
得安住於佛法中得見世尊此二子者是我
善知識為欲發起宿世善根饒益我故來生
我家尒時雲雷音宿王華智佛告妙莊嚴王
言如是如是如汝所言若善男子善女人種
善根故世世得善知識其善知識能作佛事
示教利喜令入阿耨多羅三藐三菩提大王
當知善知識者是大因緣所謂化導令得見
佛發阿耨多羅三藐三菩提心大王汝見此
二子不此二子已曾供養六十五百千万億
那由他恒河沙諸佛親近恭敬於諸佛所受
持法華經愍念耶見衆生令住正見妙莊嚴
王即從虛空中下而白佛言世尊如來甚希
有以功德智慧故頂上肉髻光明顯照其眼
長廣而紺青色眉間毫相白如珂月齒白齊
密常有光明脣色赤好如頻婆菓尒時妙莊
嚴王讚歎佛如是等无量百千万億功德已
於如來前一心合掌復白佛言世尊未曾有
也如來之法具足成就不可思議微妙功德
教戒所行安隱快善我從今日不復自隨心
行不生耶見憍慢瞋恚諸惡之心説是語已
礼佛而出佛告大衆於意云何妙莊嚴王豈

BD00547 號　妙法蓮華經卷七

（9–3）

敎我所行安隱快善我從今日不復自隨心
行不生耶見憍慢瞋恚諸惡之心說是語已
礼佛而出佛告大衆於意云何妙莊嚴王豈
異人乎今華德菩薩是其淨德夫人今佛前
光照莊嚴相菩薩是哀愍妙莊嚴王及諸眷
屬故於彼中生其二子者今藥王菩薩藥上
菩薩是是藥王藥上菩薩成就如此諸大功
德已於无量百千万億諸佛所殖衆德本成
就不可思議諸善功德若有人識是二菩薩
名字者一切世間諸天人民亦應礼拜佛說
是妙莊嚴王本事品時八万四千人遠塵離
垢於諸法中得法眼淨

妙法蓮華經普賢菩薩勸發品第二十八

尒時普賢菩薩以自在神通威德名聞與大
菩薩无量无邊不可稱數從東方來所經諸
國普皆震動雨寶蓮華作无量百千万億種
種伎樂又與无數諸天龍夜叉乾闥婆阿脩
羅迦樓羅緊那羅摩睺羅伽人非人等大衆
圍繞各現威德神通之力到娑婆世界耆闍
崛山中頭面礼釋迦牟尼佛右繞七帀白佛
言世尊我於寶威德上王佛國遙聞此娑婆
世界說法華經與无量无邊百千万億諸菩
薩衆共來聽受唯願世尊當為說之若善男
子善女人於如來滅後云何能得是法華經
佛告普賢菩薩若善男子善女人成就四法
於如來滅後當得是法華經一者為諸佛護
念二者殖衆德本三者入正定聚四者發救

佛告普賢菩薩若善男子善女人成就四法
於如來滅後當得是法華經一者為諸佛護
念二者殖衆德本三者入正定聚四者發救
一切衆生之心善男子善女人如是成就四
法於如來滅後必得是經尒時普賢菩薩白
佛言世尊於後五百歲濁惡世中其有受持
是經典者我當守護除其衰患令得安隱使
无伺求得其便者若魔若魔子若魔女若魔
民若為魔所著者若夜叉若羅刹若鳩槃荼
若毗舍闍若吉蔗若富單那若韋陁羅等諸
惱人者皆不得便是人若行若立讀誦此經
我尒時乘六牙白象王與大菩薩衆俱詣其
所而自現身供養守護安慰其心亦為供養
法華經故是人若坐思惟此經尒時我復乘
白象王現其人前其人若於法華經有所忘
失一句一偈我當教之與共讀誦還令通利
尒時受持讀誦法華經者得見我身甚大歡
喜轉復精進以見我故即得三昧及陁羅尼
名為旋陁羅尼百千万億旋陁羅尼法音方
便陁羅尼得如是等陁羅尼世尊若後世後
五百歲濁惡世中比丘比丘尼優婆塞優婆
夷求索者受持者讀誦者書寫者欲修習是
法華經於三七日中應一心精進滿三七日
已我當乘六牙白象與无量菩薩而自圍繞
以一切衆生所憙見身現其人前而為說法
示教利喜亦復與其陁羅尼呪得是陁羅尼
故无有非人能破壞者亦不為女人之所惑
[illegible]

示教利喜亦復與其陁羅尼呪得是陁羅尼
故无有非人能破壞者亦不為女人之所惑
亂我身亦自常護是人唯願世尊聽我說此
陁羅尼即於佛前而說呪曰
阿檀地途賣反一 檀陁婆地二 檀陁婆帝三 檀地
鳩舍隸四 檀陁脩陁隸五 脩陁隸六 脩陁羅
婆底七 佛駄波羶祢八 薩婆陁羅尼阿婆多
尼九 薩婆婆沙阿婆多尼十 脩阿婆多尼十一
僧伽婆履叉尼十二 僧伽涅伽陁尼十三 阿僧祇十四
僧伽波伽地十五 帝隸阿惰僧伽兜略 盧遮反 阿羅帝
波羅帝十六 薩婆僧伽三摩地伽蘭地十七 薩婆
達磨脩波利刹帝十八 薩婆薩埵樓駄憍舍略
阿㝹伽地十九 辛阿毗吉利地帝二十
世尊若有菩薩得聞是陁羅尼者當知普賢
神通之力若法華經行閻浮提有受持者應
作此念皆是普賢威神之力若有受持讀誦
正憶念解其義趣如說脩行當知是人行普
賢行於无量无邊諸佛所深種善根為諸如
来手摩其頭若但書寫是人命終當生忉利
天上是時八万四千天女作衆伎樂而来迎
之其人即著七寶冠於采女中娛樂快樂何
況受持讀誦正憶念解其義趣如說脩行若
有人受持讀誦解其義趣是人命終為千佛
授手令不恐怖不墮惡趣即往兜率天上祢
勒菩薩所祢勒菩薩有三十二相大菩薩衆
所共圍繞有百千万億天女眷屬而於中生
有如是等功德利益是故智者應當一心自

BD00547 號　妙法蓮華經卷七　（9–6）

授手令不恐怖不墮惡趣即往兜率天上祢
勒菩薩所祢勒菩薩有三十二相大菩薩衆
所共圍繞有百千万億天女眷屬而於中生
有如是等功德利益是故智者應當一心自
書若使人書受持讀誦正憶念如說脩行世
尊我今以神通力守護是經於如来滅後閻
浮提內廣令流布使不斷絕尒時釋迦牟尼
佛讚言善哉善哉普賢汝能護助是經令多
所衆生安樂利益汝已成就不可思議功德
深大慈悲從久遠来發阿耨多羅三藐三菩
提意而能作是神通之願守護是經我當以
神通力守護能受持普賢菩薩名者普賢若
有受持讀誦正憶念脩習書寫是法華經者
當知是人則見釋迦牟尼佛如從佛口聞此
經典當知是人供養釋迦牟尼佛當知是人
佛讚善哉當知是人為釋迦牟尼佛手摩其
頭當知是人為釋迦牟尼佛衣之所覆如是
之人不復貪著世樂不好外道經書手筆亦
復不憙親近其人及諸惡者若屠兒若畜猪
羊雞狗若獵師若衒賣女色是人心意質直
有正憶念有福德力是人不為三毒所惱亦
不為嫉妬我慢邪慢增上慢所惱是人少欲
知足能脩普賢之行普賢若如来滅後後五
百歲若有人見受持讀誦法華經者應作是
念此人不久當詣道場破諸魔衆得阿耨多
羅三藐三菩提轉法輪擊法鼓吹法螺雨法
而當坐天人大衆中師子法座上普賢若於

BD00547 號　妙法蓮華經卷七　（9–7）

百歲若有人見受持讀誦是經典者應作是
念此人不久當詣道場破諸魔衆得阿耨多
羅三藐三菩提轉法輪擊法鼓吹法螺雨法
雨當坐天人大衆中師子法座上普賢若於
後世受持讀誦是經典者是人不復貪著衣
服卧具飲食資生之物所願不虚亦於現世
得其福報若有人輕毀之言汝狂人耳空作
是行終无所獲如是罪報當世世无眼若有
供養讚歎之者當於今世得現果報若復見
受持是經者出其過惡若實若不實此人現
世得白癩病若輕咲之者當世世牙齒踈缺
醜脣平鼻手脚繚戾眼目角睞身體臭穢惡
瘡膿血水腹短氣諸惡重病是故普賢若見
受持是經典者當起遠迎當如敬佛說是普
賢勸發品時恒河沙等无量无邊菩薩得百
千億旋陁羅尼三千大千世界微塵等諸菩
薩具普賢道佛說是經時普賢等諸菩薩舍
利弗等諸聲聞及諸天龍人非人等一切大
會皆大歡喜受持佛語作礼而去

妙法蓮華經卷第七

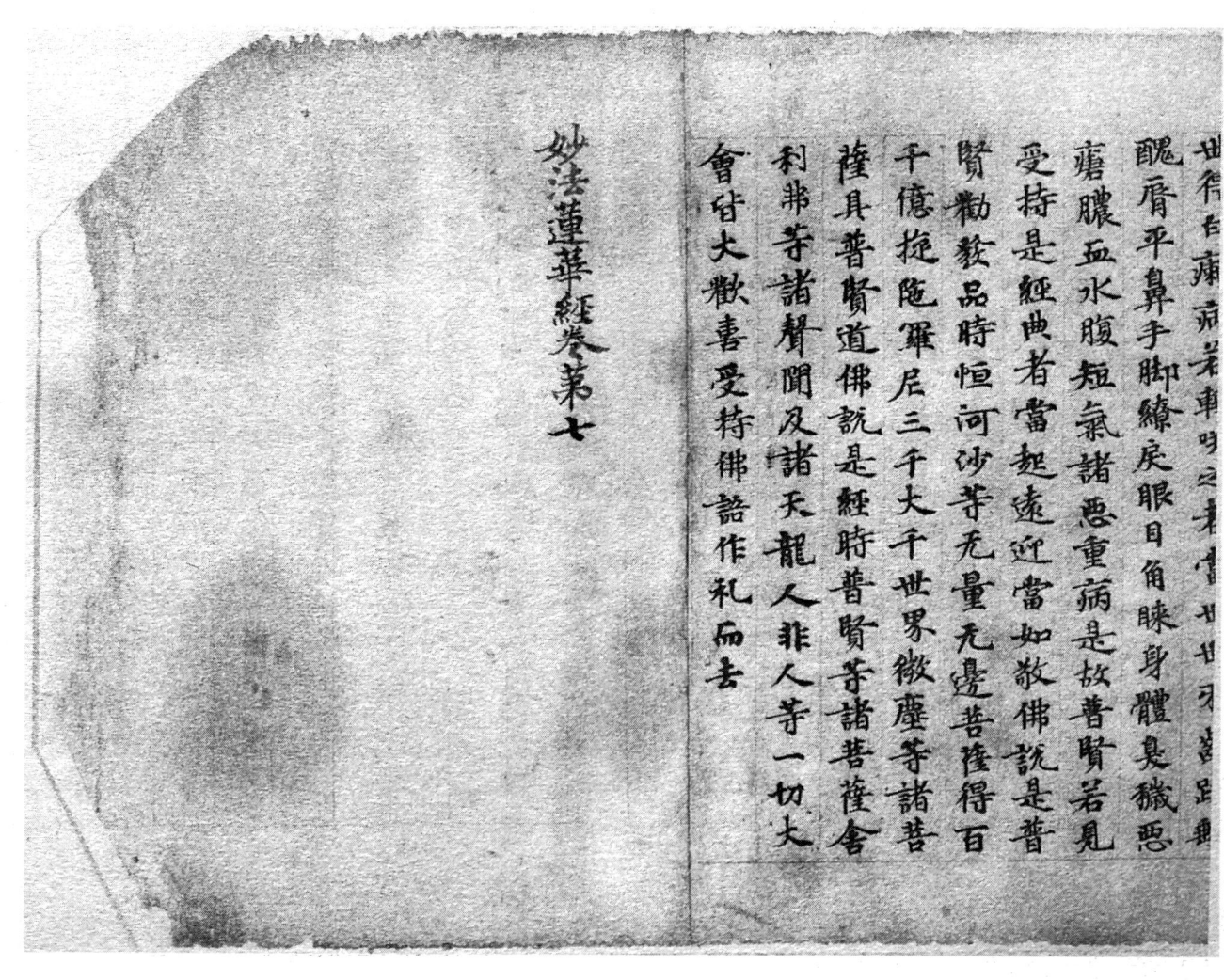

BD00547號　妙法蓮華經卷七　（9–8）

世得白癩病若輕咲之者當世世牙齒踈缺
醜脣平鼻手脚繚戾眼目角睞身體臭穢惡
瘡膿血水腹短氣諸惡重病是故普賢若見
受持是經典者當起遠迎當如敬佛說是普
賢勸發品時恒河沙等无量无邊菩薩得百
千億旋陁羅尼三千大千世界微塵等諸菩
薩具普賢道佛說是經時普賢等諸菩薩舍
利弗等諸聲聞及諸天龍人非人等一切大
會皆大歡喜受持佛語作礼而去

妙法蓮華經卷第七

BD00547號　妙法蓮華經卷七　（9–9）

四分戒本疏卷第三
諸大德是九十波逸提法半月半月說戒
說儀及陳戒本上敘開清淨此標文也　初約
言總相者一約身口分別二約自他兩業三
制不同六約三部同異七就下衆任運初身口者
卅一戒身業成犯三有廿九戒身口合犯口共諸
得道說法過五六婢罵輙教說教十日藥
苐發僧同羯磨悔呵戒無根謗等是
覆藏屋住衣屋坐過受別衆三益十非時殘宿不受外道食藥請
卑陣十如非時食咽者豈非道名身業以既不餘類可殊第三受
戲過洗擊懸白色三衣二面打搏突入等是　身口合犯廿九者但以為三
一有兩戒身口四作業並身犯謂屏露二就具身口看身教身作業並教
作業者謂時不自舉身兩業不教人舉口四業界內界犯並非並身犯
七戒口家四業並身犯謂覆藏麤罪見論身心犯見聞住犯以是通名身業
未即成罪若發露無過由口四不發露故心地覆藏過夜便犯是名假業
並身犯餘有六戒廿有口業往法本自無過由口四故身往前事而得其
謂背請之食二入聚輙者不与欲是等假口四業並身犯　苐三有廿戒口
作並身犯於內位四有十九戒自口作業假發身是中若論自往唯身心犯若
教人遙說如教壞地言雖了了未即犯提要假前人身業地教者方往是名
自口作業假他身餘皆類然教人壞生種地牽他出房用蟲水无事驚他
衣盔鉢畜生驅他聚出餘蟲水違使村已衣与尼投賣高床下不苐
無等戒是苐二有四戒自身假他口謂索食戒等受戒不輙身聽屏聽如等受
食戒若尼不捨但尔直食本自无犯假尼口讚食方成犯戒等受戒和上尼
提假羯磨竟餘者可知苐三有五戒自身口假他如四與索美食未言
戒自身口假他口假隨衆舉撫身口兩業假僧住白又須實可欲發也　之不

BD00548號　四分律戒本疏卷三

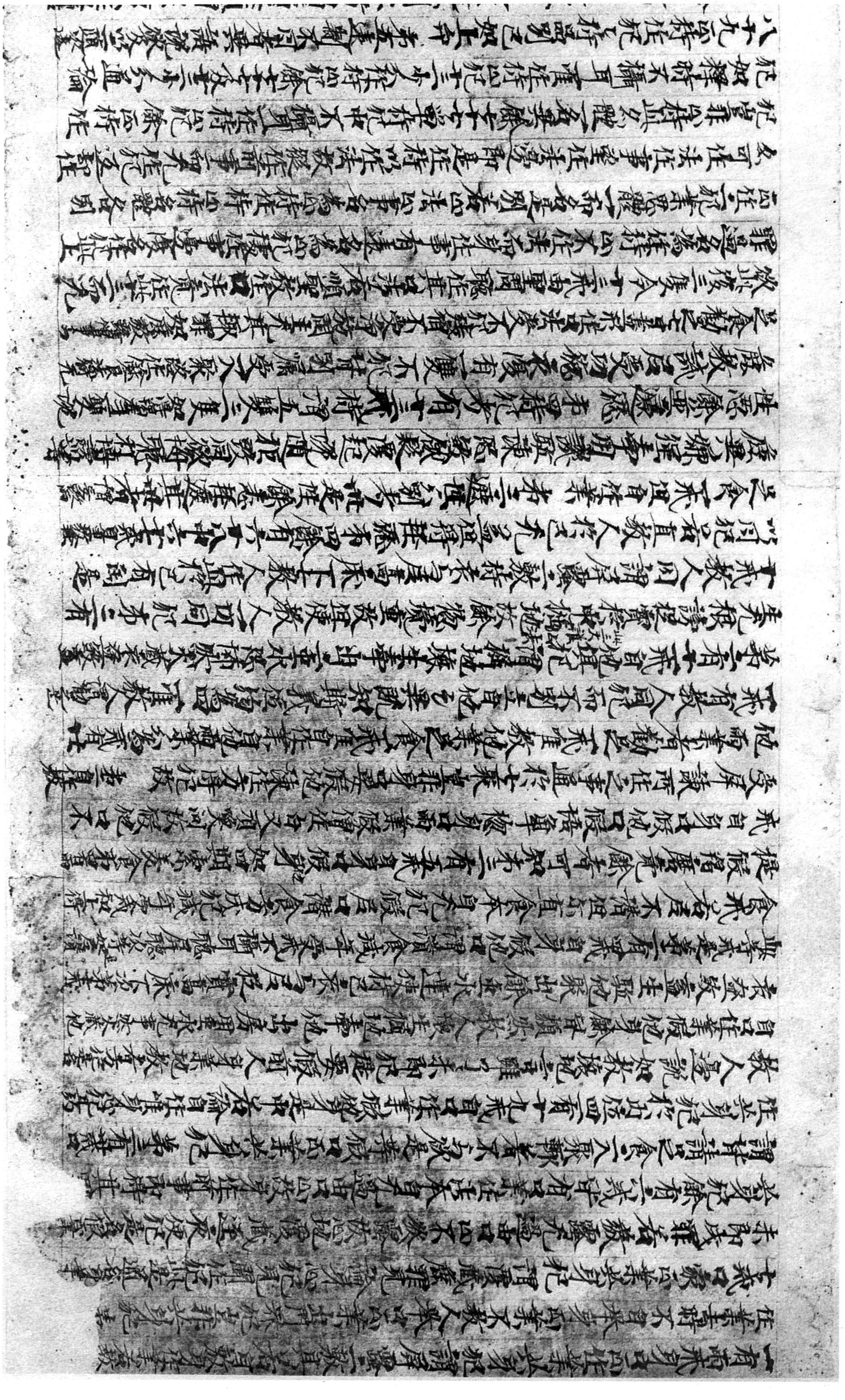

（3–2）

提假覆磨覆磨者可知第三有五戒身口假身如四與索美食[illegible]
戒自身口假他口假語单復身口兩業彼僧任白又須嘿可故假他口不
受屏諫兩任之事通於七眾豈非身口要假他語任方得犯故　第三自作教
他兩業者勸足之一戒唯教他業足之食一戒唯自作業自他兩業合為戒有廿
一戒有教人同犯而不別立自他之異既知斯義合為四一唯教人謂勸足
第二有十一戒自他俱犯謂掘地壞生草[illegible]不放捨[illegible]
生無根謗從實得申掘地故餘物處處重故但使教人一切同犯第三有
十一戒教人同謂屏露二敷持衣與尼高床下七教人作與於己有問是
以同犯若直教人於己無益但得輕罪第四餘有六十八中六十七戒自量[illegible]
之食一戒但自作業　第三遮性分別者少十是性餘悉輕遮其理者[illegible]
虛妄嫌罵奪用發殺[illegible]疑覆起說道根殺同故悔罵打搏[illegible]
性惡餘並遮惡　第四持犯者有十三戒持謂五雙三隻如[illegible]說
廣教誡尼受功德衣復有一雙不犯并別眾受入聚落[illegible]
足之食勸足之七日藥非時作已非時受入不犯殘宿不受[illegible]戒同主無其擧罪如[illegible]
欲此後三隻今十三戒由聖開聽任其口法若順聖教任口法竟任此十三而無
罪過名為作持止不作法而身作事有違名為止犯積作事違復名作犯此上
兩作二犯業思體一而名是別者止法止事名為止持作持止持名體各別
名可作法作事望住法邊即是作持以作法故縱作前事而無作犯返卻住
犯豈非止持此名體一名異餘七十七單持犯中不攝具二作持止犯餘兩持住
犯如釋持不攝耳唯作持止犯十三少分作持止犯餘七十七及十三少分通論
八十九兩持作犯止持品別已如上辨　第五遠制不同者異語說發[illegible]遮
僧制餘遠佛制通而言之並是佛制但謗惱屢要須僧眾若不作法[illegible]
法作無可違故言遠僧制得罪　第六二部同異者二種不同一有三戒有無不同
謂擧教日暮教戒師大僧則有尼無可知二有十三戒輕重不同謂[illegible]
[illegible]

薩恒作是念我不應住苦聖諦亦不應住集
滅道聖諦何以故苦聖諦非能住非所住集
滅道聖諦亦非能住非所住故善現是菩薩
摩訶薩能與六種波羅蜜多常共相應不相
捨離善現若菩薩摩訶薩恒作是念我不應
住四靜慮亦不應住四无量四无色定何以
故四靜慮非能住非所住四无量四无色定
亦非能住非所住故善現是菩薩摩訶薩能
與六種波羅蜜多常共相應不相捨離善現
若菩薩摩訶薩恒作是念我不應住八解脫
亦不應住八勝處九次第定十遍處何以故
八解脫非能住非所住八勝處九次第定十
遍處亦非能住非所住故善現是菩薩摩訶
薩能與六種波羅蜜多常共相應不相捨離
善現若菩薩摩訶薩恒作是念我不應住四
念住亦不應住四正斷四神足五根五力七
等覺支八聖道支何以故四念住非能住非
所住四正斷乃至八聖道支亦非能住非所
住故善現是菩薩摩訶薩能與六種波羅蜜
多常共相應不相捨離善現若菩薩摩訶薩
恒作是念我不應住空解脫門亦不應住无相
无願解脫門何以故空解脫門非能住非
所住无相无願解脫門亦非能住非所住故
善現是菩薩摩訶薩能與六種波羅蜜多常
共相應不相捨離善現若菩薩摩訶薩恒作

BD00549 號　大般若波羅蜜多經卷三五六　（3–1）

所住无相无願解脫門亦非能住非所住故
善現是菩薩摩訶薩能與六種波羅蜜多常
共相應不相捨離善現若菩薩摩訶薩恒作
是念我不應住五眼亦不應住六神通何以
故五眼非能住非所住六神通亦非能住非
所住故善現是菩薩摩訶薩能與六種波羅
蜜多常共相應不相捨離善現若菩薩摩訶
薩恒作是念我不應住佛十力亦不應住四
无所畏四无礙解大慈大悲大喜大捨十八
佛不共法何以故佛十力非能住非所住四无
所畏乃至十八佛不共法亦非能住非所
住故善現是菩薩摩訶薩能與六種波羅蜜
多常共相應不相捨離善現若菩薩摩訶薩
恒作是念我不應住无忘失法亦不應住恒
住捨性何以故无忘失法非能住非所住恒
住捨性亦非能住非所住故善現是菩薩摩
訶薩能與六種波羅蜜多常共相應不相捨
離善現若菩薩摩訶薩恒作是念我不應住
一切智亦不應住道相智一切相智何以故
一切智非能住非所住道相智一切相智亦
非能住非所住故善現是菩薩摩訶薩能與
六種波羅蜜多常共相應不相捨離善現若
菩薩摩訶薩恒作是念我不應住一切陁羅
尼門亦不應住一切三摩地門何以故一切
陁羅尼門非能住非所住一切三摩地門亦
非能住非所住故善現是菩薩摩訶薩能與
六種波羅蜜多常共相應不相捨離

BD00549 號　大般若波羅蜜多經卷三五六　（3–2）

[illegible]
尼門亦不應任一切三摩地門何以故一切
陀羅尼門非能任非所任一切三摩地門亦
非能任非所任故善現是菩薩摩訶薩能與
六種波羅蜜多常共相應不相捨離
善現若菩薩摩訶薩恒作是念我不應任預
流果亦不應任一來不還阿羅漢果何以故
預流果非能任非所任一來不還阿羅漢果亦
非能任非所任故善現是菩薩摩訶薩能
與六種波羅蜜多常共相應不相捨離善現
若菩薩摩訶薩恒作是念我不應任獨覺菩
提何以故獨覺菩提非能任非所任故善現
是菩薩摩訶薩能與六種波羅蜜多常共相
應不相捨離善現若菩薩摩訶薩恒作是念
我不應任一切菩薩摩訶薩行何以故一切
菩薩摩訶薩行非能任非所任故善現是菩
薩摩訶薩能與六種波羅蜜多常共相應不
相捨離善現若菩薩摩訶薩恒作是念我不
應任諸佛无上正等菩提何以故諸佛无上
正等菩提非能任非所任故善現是菩薩摩
訶薩能與六種波羅蜜多常共相應不相捨
離善現若菩薩摩訶薩能以如是无任方便
脩行六種波羅蜜多是菩薩摩訶薩速證无
三

BD00549號　大般若波羅蜜多經卷三五六　（3–3）

普得受行獲其利　斯則神力不共[illegible]
佛以一音演說法　或有恐畏或歡[illegible]
或生猒離或斷疑　斯則神力不共法
稽首十力大精進　稽首已得无所畏
稽首住於不共法　稽首一切大導師
稽首能斷衆結縛　稽首已到於彼岸
稽首能度諸世間　稽首永離生死道
悉知衆生來去相　善於諸法得解脫
不著世間如蓮華　常善入於空寂行
達諸法相无罣閡　稽首如空无所依
尒時長者子寶積說此偈已白佛言世尊是
五百長者子皆已發阿耨多羅三藐三菩提
心願聞得佛國土清淨唯願世尊說諸菩薩
淨土之行佛言善哉寶積乃能為諸菩薩問
於如來淨土之行諦聽諦聽善思念之當為
汝說於是寶積及五百長者子受教而聽佛
言寶積衆生之類是菩薩佛土所以者何菩
薩隨所化衆生而取佛土隨所調伏衆生而
取佛土隨諸衆生應以何國入佛智慧而取
佛土隨諸衆生應以何國起菩薩根而取佛
土所以者何菩薩取於淨國皆為饒益諸衆
生故譬如有人欲於空地造立宮室隨意无
㝵若於虛空終不能成菩薩如是為成就衆
生故願取佛國願取佛國者非於[illegible]

BD00550號　維摩詰所說經卷上　（7–1）

生所以者何菩薩取於淨國皆為饒益諸衆
生故譬如有人欲於空地造立宮室隨意无
㝵若於虛空終不能成菩薩如是為成就衆
生故願取佛國願取佛國者非於空也寶積
當知直心是菩薩淨土菩薩成佛時不諂衆
生來生其國深心是菩薩淨土菩薩成佛時
具足功德衆生來生其國大乘心是菩薩淨
土菩薩成佛時大乘衆生來生其國布施是
菩薩淨土菩薩成佛時一切能捨衆生來生
其國持戒是菩薩淨土菩薩成佛時行十善
道滿願衆生來生其國忍辱是菩薩淨土菩
薩成佛時三十二相莊嚴衆生來生其國精
進是菩薩淨土菩薩成佛時勤脩一切功德
衆生來生其國禪定是菩薩淨土菩薩成佛時
攝心不亂衆生來生其國智慧是菩薩淨土菩
薩成佛時正定衆生來生其國四无量心是
菩薩淨土菩薩成佛時成就慈悲喜捨衆
生來生其國四攝法是菩薩淨土菩薩成佛
時解脫所攝衆生來生其國方便是菩薩淨
土菩薩成佛時於一切法方便无㝵衆生來
生其國三十七道品是菩薩淨土菩薩成佛
時念處正勤神足根力覺道衆生來生其國
迴向心是菩薩淨土菩薩成佛時得一切具足
功德國土說除八難是菩薩淨土菩薩成佛
時國土无有三惡八難自守戒行不譏彼闕
是菩薩淨土菩薩成佛時國土无有犯禁之

BD00550 號　維摩詰所說經卷上　（7–2）

功德國土說除八難是菩薩淨土菩薩成佛
時國土无有三惡八難自守戒行不譏彼闕
是菩薩淨土菩薩成佛時國土无有犯禁之
名十善是菩薩淨土菩薩成佛時命不中夭
大富梵行所言誠諦常以軟語眷屬不離善
和諍訟言必饒益不嫉不恚正見衆生來生
其國如是寶積菩薩隨其直心則能發行隨
其發行則得深心隨其深心則意調伏隨意
調伏則如說行隨如說行則能迴向隨其迴
向則有方便隨其方便則成就衆生隨成就
衆生則佛土淨隨佛土淨則說法淨隨說法
淨則智慧淨隨智慧淨則其心淨隨其心淨
則一切功德淨是故寶積若菩薩欲得淨土
當淨其心隨其心淨則佛土淨
尒時舍利弗承佛威神作是念若菩薩心淨則
佛土淨者我世尊本為菩薩時意豈不淨
而是佛土不淨若此佛知其念即告之言於
意云何日月豈不淨耶而盲者不見對曰不
也世尊是盲者過非日月咎舍利弗衆生罪
故不見如來佛國嚴淨非如來咎舍利弗我
此土淨而汝不見尒時螺髻梵王語舍利弗
勿作是意謂此佛土以為不淨所以者何我
見釋迦牟尼佛土清淨譬如自在天宮舍利
弗言我見此土丘陵坑坎荊棘沙礫土石諸山
穢惡充滿螺髻梵言仁者心有高下不依佛
慧故見此土為不淨[illegible]

BD00550 號　維摩詰所說經卷上　（7–3）

此土淨而汝不見尒時螺髻梵王語舍利弗
勿作是意謂此佛土以為不淨所以者何我
見釋迦牟尼佛土清淨譬如自在天宮舍利
弗言我見此土丘陵坑坎荊棘沙礫土石諸山
穢惡充滿螺髻梵言仁者心有高下不依佛
慧故見此土為不淨耳舍利弗菩薩於一
切衆生悉皆平等深心清淨依佛智慧則
能見此佛土清淨於是佛以足指按地即時
三千大千世界若干百千珎寶嚴飾譬如寶
莊嚴佛无量功德寶莊嚴土一切大衆歎未
曾有而皆自見坐寶蓮華佛告舍利弗汝且
觀是佛土嚴淨舍利弗言唯然世尊本所不
見本所不聞今佛國土嚴淨悉現佛語舍利
弗我佛國土常淨若此為欲度斯下劣人故
示是衆惡不淨土耳譬如諸天共寶器食隨
其福德飯色有異如是舍利弗若人心淨便
見此土功德莊嚴當佛現此國土嚴淨之時
寶積所將五百長者子皆得无生法忍八万
四千人發阿耨多羅三藐三菩提心佛攝神
足於是世界還復如故求聲聞乘三万二千天
及人知有為法皆悉无常遠塵離垢得法眼
淨八千比丘不受諸法漏盡意解

方便品第二

尒時毗耶離大城中有長者名維摩詰已曾
供養无量諸佛深殖善本得无生忍辯才无

足於是世界還復如故求聲聞乘三万二千天
及人知有為法皆悉无常遠塵離垢得法眼
淨八千比丘不受諸法漏盡意解
方便品第二
尒時毗耶離大城中有長者名維摩詰已曾
供養无量諸佛深殖善本得无生忍辯才无
閡遊戲神通逮諸揔持獲无所畏降魔勞怨
入深法門善於智度通達方便大願成就明了
衆生心之所趣又能分別諸根利鈍久於佛
道心已純淑決定大乘諸有所作能善思
量住佛威儀心大如海諸佛咨嗟弟子釋梵
世主所敬欲度人故以善方便居毗耶離資
財无量攝諸貧民奉戒清淨攝諸毀禁以忍
調行攝諸恚怒以大精進攝諸懈怠一心禪
寂攝諸亂意以決定慧攝諸无智雖為白衣
奉持沙門清淨律行雖處居家不著三界
示有妻子常脩梵行現有眷屬常樂遠離雖
服寶飾而以相好嚴身雖復飲食而以禪悅
為味若至博弈戲處輒以度人受諸異道不
毀正信雖明世典常樂佛法一切見敬為供
養中最執持正法攝諸長幼一切治生諧偶
雖獲俗利不以喜悅遊諸四衢饒益衆生入
治政法救護一切入講論處導以大乘入諸
學堂誘開童蒙入諸婬舍示欲之過入諸酒
肆能立其志若在長者長者中尊為說勝

雖獲俗利不以喜悅遊諸四衢饒益衆生入
治政法救護一切入講論處導以大乘入諸
學堂誘開童蒙入諸婬舍示欲之過入諸酒
肆能立其志若在長者長者中尊爲說勝
法若在居士居士中尊斷其貪着若在刹利
刹利中尊教以忍辱若在婆羅門婆羅門中
尊除其我慢若在大臣大臣中尊教以正法若
在王子王子中尊示以忠孝若在内官内官中
尊化正宮女若在庶民庶民中尊令興福力
若在梵天梵天中尊誨以勝慧若在帝釋帝
釋中尊示現无常若在護世護世中尊護諸
衆生長者維摩詰以如是等无量方便饒益
衆生其以方便現身有疾以其疾故國王大
臣長者居士婆羅門等及諸王子并餘官
屬无數千人皆往問疾其往者維摩詰因以
身疾廣爲說法諸仁者是身无常无强无力
无堅速朽之法不可信也爲苦爲惱衆病所
集諸仁者如此身明智者所不怙是身如聚
沫不可撮摩是身如泡不得久立是身如炎
從渴愛生是身如芭蕉中无有堅是身如幻
從顛倒起是身如夢爲虛妄見是身如影從
業緣現是身如響屬諸因緣是身如浮雲
須臾變滅是身如電念念不住是身无主爲如
地是身无我爲如火是身无壽爲如風是身无
人爲如水是身不實四大爲家是身爲空離
我我所是身无知如草木瓦礫是身无作風

BD00550 號　維摩詰所說經卷上　（7–6）

无堅速朽之法不可信也爲苦爲惱衆病所
集諸仁者如此身明智者所不怙是身如聚
沫不可撮摩是身如泡不得久立是身如炎
從渴愛生是身如芭蕉中无有堅是身如幻
從顛倒起是身如夢爲虛妄見是身如影從
業緣現是身如響屬諸因緣是身如浮雲
須臾變滅是身如電念念不住是身无主爲如
地是身无我爲如火是身无壽爲如風是身无
人爲如水是身不實四大爲家是身爲空離
我我所是身无知如草木瓦礫是身无作風
力所轉是身不淨穢惡充滿是身爲虛僞
雖假以澡浴衣食必歸磨滅是身爲灾百一
病惱是身如丘井爲老所逼是身无定爲要當
死是身如毒虵如怨賊如空聚陰界諸入所
共合成諸仁者此可患厭當樂佛身所以者
何佛身者即法身也從无量功德智慧生從
戒定慧解脫解脫知見生從慈悲喜捨生
從布施持戒忍辱柔和勤行精進禪定解脫
三昧多聞智慧諸波羅蜜生從方便生從六
通生從三明生從三十七道品生從止觀生從
无所畏十八不共法生從斷一切不善
逸生

BD00550 號　維摩詰所說經卷上　（7–7）

BD00550 號背　便粟歷（擬）　　（1–1）

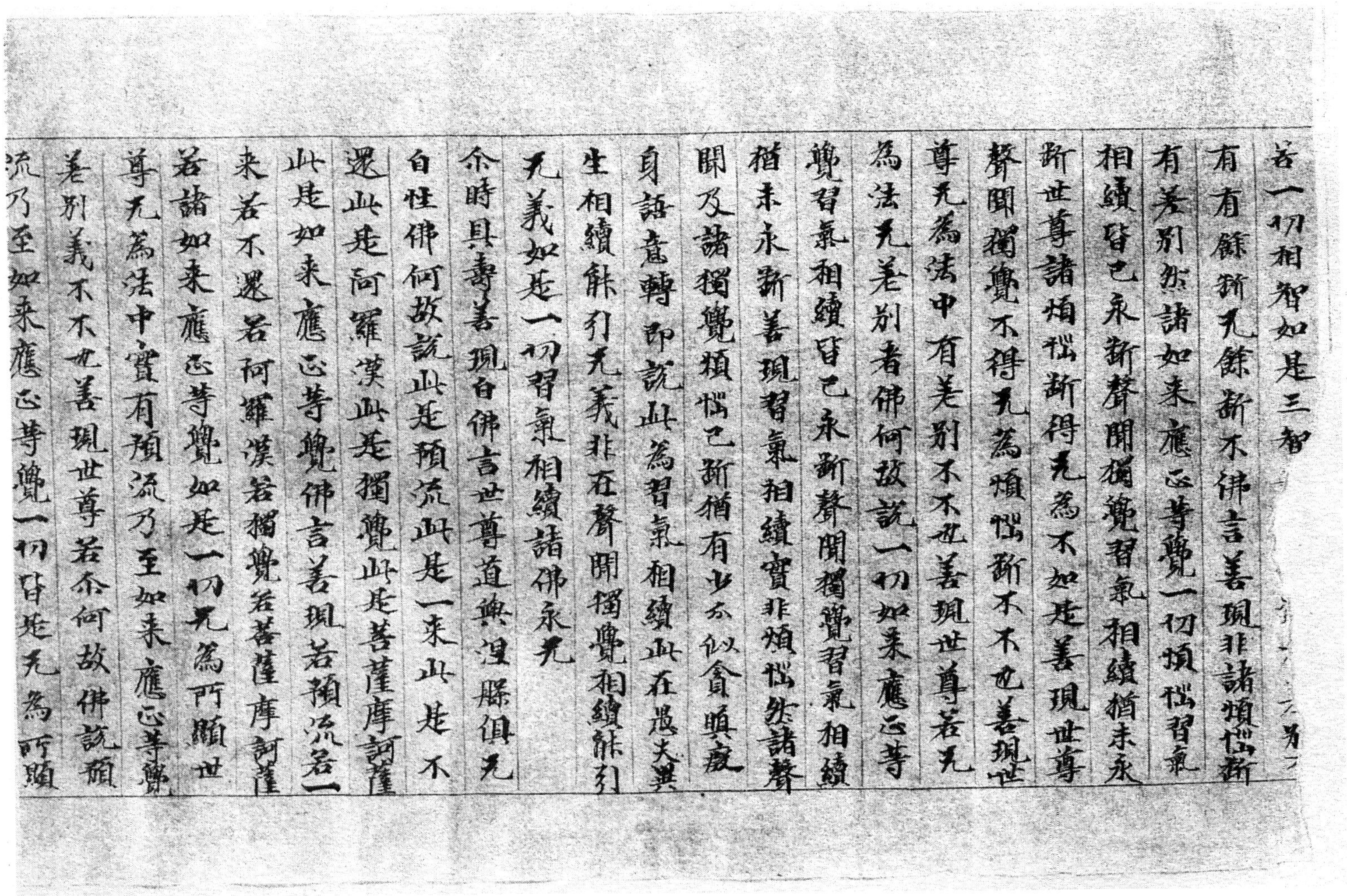

若一切相智如是三智
有有餘斷无餘斷不佛言善現非諸煩惱斷
有差別然諸如來應正等覺一切煩惱習氣
相續皆已永斷聲聞獨覺習氣相續猶未永
斷世尊諸煩惱斷得无為不如是善現世尊
聲聞獨覺不得无為煩惱斷不不也善現世
尊无為法中有差別不不也善現世尊若无
為法无差別者佛何故說一切如來應正等
覺習氣相續皆已永斷聲聞獨覺習氣相續
猶未永斷善現習氣相續實非煩惱然諸聲
聞及諸獨覺煩惱已斷猶有少分似貪瞋癡
身語意轉即說此為習氣相續此在愚夫異
生相續能引无義非在聲聞獨覺相續能引
无義如是一切習氣相續諸佛永无
尒時具壽善現白佛言世尊道與涅槃俱无
自性佛何故說此是預流此是一來此是不
還此是阿羅漢此是獨覺此是菩薩摩訶薩
此是如來應正等覺佛言善現若預流若一
來若不還若阿羅漢若獨覺若菩薩摩訶薩
若諸如來應正等覺如是一切无為所顯世
尊无為法中實有預流乃至如來應正等覺
差別義不不也善現世尊若尒何故佛說預
流乃至如來應正等覺一切皆是无為所顯

BD00551 號　大般若波羅蜜多經卷三六三　　（12–1）

若諸如來應正等覺如是一切无為所顯世
尊无為法中實有預流乃至如來應正等覺
差別義不不也善現世尊若尒何故佛說預
流乃至如來應正等覺一切皆是无為所顯
善現我依世俗言說顯示不依勝義非勝義
中可有顯示何以故善現非勝義中有語言
路或分別慧或復二種然彼彼邊斷立彼彼
後際具壽善現白佛言世尊既一切法自相
皆空前際尚无況有後際如何可立有後際
耶佛言善現如是如是如汝所說諸所有法
自相皆空前際尚无況有後際立後際有之
无是處然諸有情不能解了諸所有法自相
皆空為饒益彼方便為說此是前際此是後
際然一切法自相空中前際後際俱不可得如
是善現菩薩摩訶薩達一切法自相空已
應行般若波羅蜜多善現若菩薩摩訶薩達
一切法自相皆空脩行般若波羅蜜多於諸
法中无所執著謂不執著內法外法善法非
善法世間法出世間法有漏法无漏法有為
法无為法若聲聞法若獨覺法若菩薩法若
如來法如是一切皆不執著
具壽善現白佛言世尊如來常說般若波羅
蜜多般若波羅蜜多以何義故名為般若波
羅蜜多佛言善現如是般若波羅蜜多到一
切法究竟彼岸故名般若波羅蜜多復次善
現由此般若波羅蜜多一切聲聞獨覺菩薩
及諸如來應正等覺能到彼岸故名般若波

切法究竟彼岸故名般若波羅蜜多復次善
現由此般若波羅蜜多一切聲聞獨覺菩薩
及諸如來應正等覺能到彼岸故名般若波
羅蜜多復次善現一切如來應正等覺及諸
菩薩摩訶薩衆用是般若波羅蜜多依勝義
理分析諸法如析諸色至極微量猶不見有
少實可得故名般若波羅蜜多復次善現於
此般若波羅蜜多包含真如真際法界故名
般若波羅蜜多復次善現非此般若波羅蜜
多有少分法若合若散若有色若无色若有
見若无見若有對若无對若有漏若无漏若
有為若无為所以者何善現如是般若波羅
蜜多无色无見无對一相所謂无相故名般
若波羅蜜多復次善現如是般若波羅蜜多
能生一切殊勝善法能發一切智慧辯才能
引一切世出世樂故名般若波羅蜜多復次善
現如是般若波羅蜜多甚深堅實不可動
壞若菩薩摩訶薩行是般若波羅蜜多一切
惡魔及彼眷屬聲聞獨覺外道梵志惡友怨
讎皆不能壞何以故善現由此般若波羅蜜
多辯一切法自相皆空諸惡魔等皆不可得
故名般若波羅蜜多善現諸菩薩摩訶薩應
如實行如是般若波羅蜜多甚深義趣
復次善現若菩薩摩訶薩欲行般若波羅蜜
多甚深義趣應行无常義苦義空義无我義
應行苦智義集智義滅智義道智義應行法
智義類智義世俗智義他心智義應行盡智

多甚深義趣應行无常義苦義空義无我義
應行苦智義集智義滅智義道智義應行法
智義類智義世俗智義他心智義應行盡智
義无生智義如說智義善現諸菩薩摩訶薩
爲行般若波羅蜜多甚深義趣應行般若波
羅蜜多具壽善現白佛言世尊以甚深般若
波羅蜜多中義與非義俱不可得云何菩薩
摩訶薩爲行般若波羅蜜多甚深義趣應行
般若波羅蜜多佛言善現菩薩摩訶薩爲
行般若波羅蜜多甚深義趣應作是念我不應
行貪欲義非義我不應行瞋恚義非義我不
應行愚癡義非義我不應行邪見義非義我
不應行邪定義非義我不應行諸惡見趣義
非義所以者何善現貪欲瞋恚愚癡邪見邪
定見趣眞如實際不與諸法爲義非義復次
善現菩薩摩訶薩爲行般若波羅蜜多甚深
義趣應作是念我不應行色義非義我不應
行受想行識義非義我不應行眼處義非義
我不應行耳鼻舌身意處義非義我不應行
色處義非義我不應行聲香味觸法處義非
義我不應行眼界義非義我不應行耳鼻舌
身意界義非義我不應行色界義非義我不
應行聲香味觸法界義非義我不應行眼識
界義非義我不應行耳鼻舌身意識界義非
義我不應行眼觸義非義我不應行耳鼻舌
身意觸義非義我不應行眼觸爲緣所生諸
受義非義我不應行耳鼻舌身意觸爲緣所

BD00551號　大般若波羅蜜多經卷三六三　（12–4）

義我不應行眼觸義非義我不應行耳鼻舌
身意觸義非義我不應行眼觸爲緣所生諸
受義非義我不應行耳鼻舌身意觸爲緣所
生諸受義非義我不應行地界義非義我不
應行水火風空識界義非義我不應行无明
義非義我不應行行識名色六處觸受愛取
有生老死愁歎苦憂惱義非義我不應行布
施波羅蜜多義非義我不應行淨戒安忍精進
靜慮般若波羅蜜多義非義我不應行內空
義非義我不應行外空內外空空空大空勝
義空有爲空无爲空畢竟空无際空散空无
變異空本性空自相空共相空一切法空不可
得空无性空自性空无性自性空義非義我
不應行眞如義非義我不應行法界法性不
虛妄性不變異性平等性離生性法定法住
實際虛空界不思議界義非義我不應行四
念住義非義我不應行四正斷四神足五根
五力七等覺支八聖道支義非義我不應行
苦聖諦義非義我不應行集滅道聖諦義非
義我不應行四靜慮義非義我不應行四无
量四无色定義非義我不應行八解脫義非
義我不應行八勝處九次第定十遍處義非
義我不應行一切三摩地門義非義我不應
行一切陀羅尼門義非義我不應行空解脫
門義非義我不應行无相无願解脫門義非
義我不應行五眼義非義我不應行六神通
義非義我不應行

BD00551號　大般若波羅蜜多經卷三六三　（12–5）

門義非義我不應行无相无願解脫門義非
義我不應行五眼義非義我不應行六神通
義非義我不應行佛十力義非義我不應行
四无所畏四无礙解大慈大悲大喜大捨十八
佛不共法義非義我不應行无忘失法義
非義我不應行恒住捨性義非義我不應行
一切智義非義我不應行道相智一切相智
義非義我不應行預流果義非義我不應行
一來不還阿羅漢果義非義我不應行獨覺
菩提義非義我不應行一切菩薩摩訶薩行
義非義我不應行諸佛无上正等菩提義非
義所以者何善現如來得无上正等菩提時
不見有法能與少法為義非義善現如來出
世若不出世諸法法性法住法定法尒常住
无法於法為義非義如是善現菩薩摩訶薩
應離義非義常行般若波羅蜜多甚深義趣
具壽善現白佛言世尊何故般若波羅蜜多
不與諸法為義非義佛言善現甚深般若波
羅蜜多於有為法及无為法俱无所作非思
非怨无益无損是故般若波羅蜜多不與諸
法為義非義具壽善現復白佛言世尊豈不
諸佛及佛弟子一切賢聖皆以无為為第一
義佛言善現如是如是如汝所說佛及弟子
一切賢聖皆以无為為第一義然无為法不
與諸法為益為損善現譬如虛空真如不與
諸法為益為損菩薩摩訶薩甚深般若波羅
蜜多亦復如是不與諸法為益為損是故般若

諸法為益為損菩薩摩訶薩甚深般若波羅
蜜多亦復如是不與諸法為益為損是故般若
波羅蜜多不與諸法為義非義具壽善現白
佛言世尊菩薩摩訶薩豈不要學甚深无
為般若波羅蜜多乃能證得一切智智佛言
善現如是如是如汝所說菩薩摩訶薩要學
甚深无為般若波羅蜜多乃能證得一切智
智不以二法而為方便世尊為以不二法得
不二法耶不也善現世尊為以二法得不二
法耶不也善現世尊若无二法不以二法不
二法得菩薩摩訶薩云何當得一切智智善
現二不二法俱不可得是故所得一切智智
非有所得故得亦非无所得故得有所得法
无所得法不可得故若如是知乃能證得一
切智智

初分實說品第六十二

尒時具壽善現白佛言世尊如是般若波羅
蜜多極為甚深世尊諸菩薩摩訶薩不得
有情亦復不得有情施設而為有情求趣无上
正等菩提甚為難事世尊譬如有人欲於无
色无見无對无所依止空中種樹彼為難
諸菩薩摩訶薩亦復如是不得有情亦復不
得有情施設而為有情求趣无上正等菩提
甚為難事佛言善現如是如是如汝所說如
是般若波羅蜜多極為甚深諸菩薩摩訶薩
不得有情亦復不得有情施設而為有情求

是般若波羅蜜多極為甚深諸菩薩摩訶薩
不得有情亦復不得有情施設而為有情求
趣无上正等菩提甚為難事善現諸菩薩摩
訶薩雖不見有真實有情及彼施設而諸有
情愚癡顛倒執為實有輪迴生死受苦无窮
為度彼故求趣无上正等菩提得菩提已斷
彼我執及令解脫生死衆苦善現譬如有人
良田種樹是人雖復不見此樹根莖枝葉花
菓受者而種樹已隨時溉灌勤守護之此樹
後時漸得生長枝葉花菓皆悉茂盛衆生受
用愈疾癃安善現諸菩薩摩訶薩亦復如是
雖不見有有情佛果而為有情求趣无上正
等菩提漸次脩行布施淨戒安忍精進靜慮
般若波羅蜜多既圓滿已證得无上正等菩
提令諸有情受用佛樹諸葉花菓各得饒益
善現當知葉饒益者謂諸有情因此佛樹脫
惡趣苦花饒益者謂諸有情因此佛樹或生
刹帝利大族或生婆羅門大族或生長者大
族或生居士大族或生四大王衆天或生三
十三天或生夜摩天或生覩史多天或生樂
變化天或生他化自在天或生梵衆天或生
梵輔天或生梵會天或生大梵天或生光天
或生少光天或生无量光天或生極光淨天
或生淨天或生少淨天或生无量淨天或生
遍淨天或生廣天或生少廣天或生无量廣
天或生廣果天或生无煩天或生无熱天或

BD00551號　大般若波羅蜜多經卷三六三　（12–8）

遍淨天或生廣天或生少廣天或生无量廣
天或生廣果天或生无煩天或生无熱天或
生善現天或生善見天或生色究竟天或生
空无邊處天或生識无邊處天或生无所有
處天或生非想非非想處天菓饒益者謂諸
有情因此佛樹或住預流果或住一來果或
住不還果或住阿羅漢果或住獨覺菩提或
住无上正等菩提是諸有情得成佛已復用
佛樹諸葉花菓饒益有情令諸有情脫惡趣
苦得人天樂漸次安立令入三乘般涅槃界
謂聲聞乘般涅槃界或獨覺乘般涅槃界或
无上乘般涅槃界善現是菩薩摩訶薩雖作
如是大饒益事而都不見真實有情得涅槃
者唯見妄想衆苦寂滅如是善現諸菩薩摩
訶薩脩行般若波羅蜜多不得有情及彼施
設然為除彼我執顛倒求趣无上正等菩提
由此因緣甚為難事
尒時具壽善現白佛言世尊當知菩薩摩訶
薩即是如來應正等覺何以故世尊因諸菩
薩摩訶薩故便能永斷一切地獄亦能永斷
一切傍生亦能永斷一切鬼界亦能永斷一切
无暇亦能永斷一切貧窮亦能永斷一切
劣趣亦能永斷一切欲界色无色界佛言善現
如是如是如汝所說應知菩薩摩訶薩即
是如來應正等覺善現若无菩薩摩訶薩教
趣无上正等菩提世間則无過去未來現在

BD00551號　大般若波羅蜜多經卷三六三　（12–9）

是如來應正等覺善現若无菩薩摩訶薩
趣无上正等菩提世間則无過去未來現在
諸佛證得无上等菩提亦无獨覺出現於
世亦无阿羅漢出現於世亦无不還出現於
世亦无一來出現於世亦无預流出現於世
亦无有能永斷地獄亦无有能永斷傍生亦
无有能永斷鬼界亦无有能永斷无暇亦无
有能永斷貧窮亦无有能永斷苦趣亦无有
能永斷欲界色无色界是故善現如汝所說
當知菩薩摩訶薩即是如來應正等覺者如
是如是應知菩薩摩訶薩即是如來應正等
覺何以故善現若由此真如施設如來即由
此真如施設獨覺若由此真如施設獨覺即
由此真如施設聲聞若由此真如施設聲聞
即由此真如施設一切賢聖若由此真如施
設一切賢聖即由此真如施設色若由此真
如施設色即由此真如施設受想行識若由
此真如施設受想行識即由此真如施設眼
處若由此真如施設眼處即由此真如施設
耳鼻舌身意處若由此真如施設耳鼻舌身
意處即由此真如施設色處若由此真如施
設色處即由此真如施設聲香味觸法處若
由此真如施設聲香味觸法處即由此真如
施設眼界若由此真如施設眼界即由此真
如施設耳鼻舌身意界若由此真如施設耳
鼻舌身意界即由此真如施設色界若由此
真如施設色界即由此真如施設聲香味觸

BD00551號　大般若波羅蜜多經卷三六三　（12–10）

設色處即由此真如施設聲香味觸法處若
由此真如施設聲香味觸法處即由此真如
施設眼界若由此真如施設眼界即由此真
如施設耳鼻舌身意界若由此真如施設耳
鼻舌身意界即由此真如施設色界若由此
真如施設色界即由此真如施設聲香味觸
法界若由此真如施設聲香味觸法界即由
此真如施設眼識界若由此真如施設眼識
界即由此真如施設耳鼻舌身意界若由
此真如施設耳鼻舌身意識界即由此真如
施設眼觸若由此真如施設眼觸即由此真
如施設耳鼻舌身意觸若由此真如施設耳
鼻舌身意觸即由此真如施設眼觸為緣所
生諸受若由此真如施設眼觸為緣所生諸
受即由此真如施設耳鼻舌身意觸為緣所
生諸受若由此真如施設耳鼻舌身意觸為
緣所生諸受即由此真如施設地界

大般若波羅蜜多經卷第三百六十三

BD00551號　大般若波羅蜜多經卷三六三　（12–11）

界即由此真如施設耳鼻舌身意界若由
此真如施設耳鼻舌身意識界即由此真如
施設眼觸若由此真如施設眼觸即由此真
如施設耳鼻舌身意觸若由此真如施設耳
鼻舌身意觸即由此真如施設眼觸為緣所
生諸受若由此真如施設眼觸為緣所生諸
受即由此真如施設耳鼻舌身意觸為緣所
生諸受若由此真如施設耳鼻舌身意觸為
緣所生諸受即由此真如施設地界

大般若波羅蜜多經卷第三百六十三

BD00551 號　大般若波羅蜜多經卷三六三　（12–12）

羅蜜不退轉法是為四未曾有難得之法此室
常作天人第一之樂絃出无量法化之聲是
為五未曾有難得之法此室常有四大藏眾寶
積滿周窮濟乏求得无盡是為六未曾有難
得之法此室釋迦牟尼佛阿弥陁佛阿閦佛
寶德寶焰寶月寶嚴難勝師子響一切利
成如是等十方无量諸佛是上人念時即皆為
來廣說諸佛秘要法藏說已還去是為七未
曾有難得之法此室一切諸天嚴飾宮殿諸
佛淨土皆於中現是為八未曾有難得之法
舍利弗此室常現八未曾有難得之法誰有
見斯不可思議事而復樂於聲聞法乎
舍利弗言汝何以不轉女身天曰我從十二
年來求女人相了不可得當何所轉譬如幻
師化作幻女若有人問何以不轉女身是人
為正問不舍利弗言不也幻无定相當何所
轉天曰一切諸法亦復如是无有定相云何
乃問不轉女身即時天女以神通力變舍
利弗令如天女天自化身如舍利弗而問言何
以不轉女身舍利弗以天女像而荅曰我今
不知何轉而變為女身天曰舍利弗若能轉
此女身則一切女人亦當能轉如舍利弗非
女而現女身一切女人亦復如是雖現女身
而非女也是故佛說一切諸法非男非女即

BD00552 號　維摩詰所說經卷中　（4–1）

此女身則一切女人亦當能轉如舍利弗非
女而現女身一切女人亦復如是雖現女身
而非女也是故佛說一切諸法非男非女即
時天女還攝神力舍利弗身還復如故天問
舍利弗女身色相今何所在舍利弗言女身
色相无在无不在天曰一切諸法亦復如是
无在无不在夫无在无不在者佛所說也
舍利弗問天汝於此沒當生何所天曰佛化
所生吾如彼生曰佛化所生非沒生也天曰
衆生猶然無沒生也舍利弗問天汝久如當
得阿耨多羅三藐三菩提天曰如舍利弗還
為凡夫我乃當成阿耨多羅三藐三菩提舍
利弗言我作凡夫无有是處天曰我得阿耨
多羅三藐三菩提亦无是處所以者何菩提
无住處是故无有得者舍利弗言今諸佛得
阿耨多羅三藐三菩提已得當得今得如恒
河沙皆謂何乎天曰皆以世俗文字數故說
有三世非謂菩提有去來今天曰舍利弗汝
得阿羅漢道耶曰无所得故而得天曰諸佛
菩薩亦復如是无所得故而得尒時維摩詰
語舍利弗是天女曾已供養九十二億佛已
能遊戲菩薩神通所願具足得无生忍住不
退轉以本願故隨意能現教化衆生

佛道品第八

尒時文殊師利問維摩詰言菩薩云何通達
佛道維摩詰言菩薩行於非道是爲通達

佛道品第八

尒時文殊師利問維摩詰言菩薩云何通達
佛道維摩詰言菩薩行於非道是爲通達
佛道又問云何菩薩行於非道荅曰若菩薩
行五无間而无惱恚至于地獄无諸罪垢至
于畜生无有无明憍慢等過至于餓鬼而具
足功德行色无色界道不以爲勝亦行貪欲
離諸染著亦行瞋恚於諸衆生无有恚礙亦
行愚癡而以智慧調伏其心亦行慳貪而捨
內外所有不惜身命亦行毀禁而安住淨戒
乃至小罪猶懷大懼亦行瞋恚而常慈忍亦
行懈怠而勤脩功德亦行亂意而常念定亦
行愚癡而通達世間出世間慧亦行諂偽而
善方便隨諸經義亦行憍慢而於衆生猶如
橋梁亦行諸煩惱而心常清淨亦入於魔而
順佛智慧不隨他教亦入聲聞而爲衆生說
未聞法亦入辟支佛而成就大悲教化衆生
亦入貧窮而有寶手功德无盡亦入刑殘而
具諸相好以自莊嚴亦入下賤而生佛種姓
中具諸功德亦入羸劣醜陋而得那羅延身
一切衆生之所樂見亦入老病而永斷病
根超越死畏亦有資生而恒觀无常實无
所貪亦有妻妾婇女而常遠離五欲淤泥現於
訥鈍而成就辯才總持无失亦入邪濟而以正
濟度諸衆生現遍入諸道而斷其因緣現於
涅槃而不斷生死文殊師利菩薩能如是行

乃至小罪猶懷大懼亦行瞋恚而常慈忍亦
行懈怠而懃脩功德亦行亂意而常念定亦
行愚癡而通達世間出世間慧亦行諂偽而
善方便隨諸經義亦行憍慢而於衆生猶如
橋梁亦行諸煩惱而心常清淨亦入於魔而
順佛智慧不隨他教亦入聲聞而為衆生說
未聞法亦入辟支佛而成就大悲教化衆生
亦入貧窮而有寶手功德无盡亦入刑殘而
具諸相好以自莊嚴亦入下賤而生佛種姓
中具諸功德亦入羸劣醜陋而得那羅延身
一切衆生之所樂見亦入老病而永斷病
根超越死畏亦有資生而恒觀无常實无
所貪亦有妻妾婇女而常遠離五欲淤泥現於
訥鈍而成就辯才總持无失亦入邪濟而以正
濟度諸衆生現遍入諸道而斷其因緣現於
涅槃而不斷生死文殊師利菩薩能如是行
於非道是為通達佛道
於是維摩詰問文殊師利何等為如來種文殊
師利言有身為種无明有愛為種貪恚癡
為種四顛倒為種五蓋為種六入為種七識

BD00552號　維摩詰所說經卷中　（4–4）

議念世尊是菩薩摩訶薩云何行四念住時
便為過去未來現在諸佛讚念云何行四正
斷四神足五根五力七等覺支八聖道支時
便為過去未來現在諸佛讚念世尊是菩薩
摩訶薩云何行空解脫門時便為過去未來
現在諸佛讚念云何行无相无願解脫門時
便為過去未來現在諸佛讚念世尊是菩薩
摩訶薩云何行五眼時便為過去未來現在
諸佛讚念云何行六神通時便為過去未來
現在諸佛讚念世尊是菩薩摩訶薩云何行
佛十力時便為過去未來現在諸佛讚念云
何行四无所畏四无礙解大慈大悲大喜大
捨十八佛不共法時便為過去未來現在諸
佛讚念世尊是菩薩摩訶薩云何行无忘失
法時便為過去未來現在諸佛讚念云何行恒
住捨性時便為過去未來現在諸佛讚念
世尊是菩薩摩訶薩云何行一切陀羅尼門
時便為過去未來現在諸佛讚念云何行一
切三摩地門時便為過去未來現在諸佛讚
念世尊是菩薩摩訶薩云何行一切智時便
為過去未來現在諸佛讚念云何行道相智
一切相智時便為過去未來現在諸佛讚念
佛言善現是菩薩摩訶薩行布施波羅蜜多

BD00553號　大般若波羅蜜多經卷三五六　（3–1）

念世尊是菩薩摩訶薩云何行一切智時便
爲過去未來現在諸佛護念云何行道相智
一切相智時便爲過去未來現在諸佛護念
佛言善現是菩薩摩訶薩行布施波羅蜜多
時觀布施波羅蜜多不可得故爲過去未來
現在諸佛護念行淨戒安忍精進靜慮般若
波羅蜜多時觀淨戒乃至般若波羅蜜多不
可得故爲過去未來現在諸佛護念善現是
菩薩摩訶薩行内空時觀内空不可得故爲
過去未來現在諸佛護念行外空内外空空
空大空勝義空有爲空无爲空畢竟空无際
空散空无變異空本性空自相空共相空一
切法空不可得空无性空自性空无性自性
空時觀外空乃至无性自性空不可得故爲
過去未來現在諸佛護念善現是菩薩摩
訶薩行真如時觀真如不可得故爲過去未
來現在諸佛護念行法界法性不虚妄性不
變異性平等性離生性法定法住實際虚空界
不思議界時觀法界乃至不思議界不可得
故爲過去未來現在諸佛護念善現是菩薩
摩訶薩行苦聖諦時觀苦聖諦不可得故爲
過去未來現在諸佛護念行集滅道聖諦時
觀集滅道聖諦不可得故爲過去未來現在
諸佛護念善現是菩薩摩訶薩行四靜慮時
觀四靜慮不可得故爲過去未來現在諸佛
護念行四无量四无色定時觀四无量四无
色定不可得故爲過去未來現在諸佛護念

BD00553號　大般若波羅蜜多經卷三五六　（3–2）

過去未來現在諸佛護念善現是菩薩摩
訶薩行真如時觀真如不可得故爲過去未
來現在諸佛護念行法界法性不虚妄性不
變異性平等性離生性法定法住實際虚空界
不思議界時觀法界乃至不思議界不可得
故爲過去未來現在諸佛護念善現是菩薩
摩訶薩行苦聖諦時觀苦聖諦不可得故爲
過去未來現在諸佛護念行集滅道聖諦時
觀集滅道聖諦不可得故爲過去未來現在
諸佛護念善現是菩薩摩訶薩行四靜慮時
觀四靜慮不可得故爲過去未來現在諸佛
護念行四无量四无色定時觀四无量四无
色定不可得故爲過去未來現在諸佛護念
善現是菩薩摩訶薩行八解脫時觀八解脫
不可得故爲過去未來現在諸佛護念行八
勝處九次第定十遍處時觀八勝處九次第
定十遍處不可得故爲過去未來現在諸佛
護念善現是菩薩摩訶薩行四念住時觀四
念住不可得故爲過去未來現在諸佛護念
行四正斷四神足五根五力七等覺支八聖
道支時觀四正斷乃至八聖道支不可得故
[illegible]佛護念善現是菩薩摩

BD00553號　大般若波羅蜜多經卷三五六　（3–3）

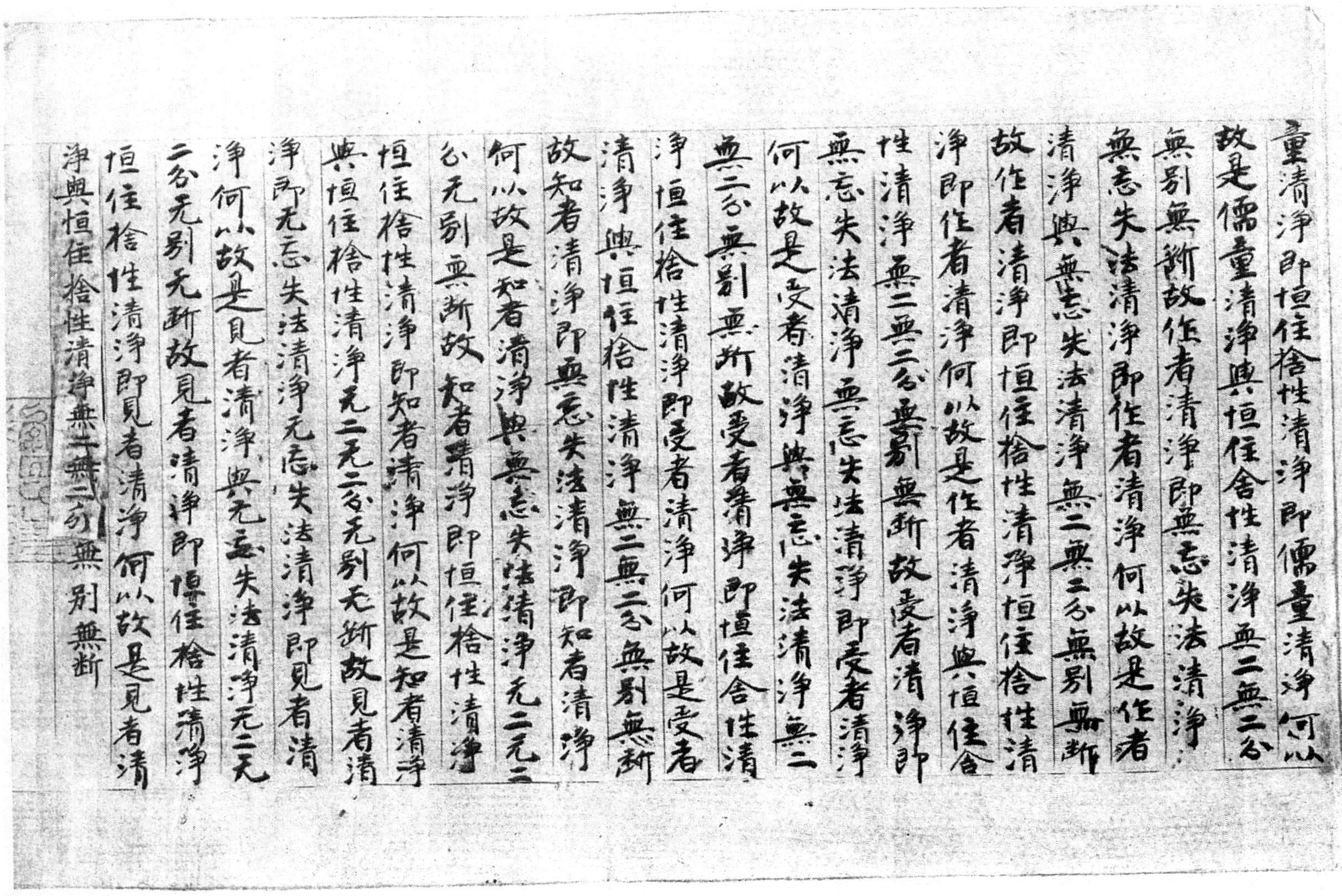
童清淨即儒童清淨何以
故是儒童清淨與恒住舍性清淨無二無二分
無別無斷故作者清淨即無忘失法清淨
無忘失法清淨即作者清淨何以故是作者
清淨與無忘失法清淨無二無二分無別無斷
故作者清淨即恒住捨性清淨恒住捨性清
淨即作者清淨何以故是作者清淨與恒住舍
性清淨無二無二分無別無斷故受者清淨即
無忘失法清淨無忘失法清淨即受者清淨
何以故是受者清淨與無忘失法清淨無二
無二分無別無斷故受者清淨即恒住舍性清
淨恒住捨性清淨即受者清淨何以故是受者
清淨與恒住捨性清淨無二無二分無別無斷
故知者清淨即無忘失法清淨即知者清淨
何以故是知者清淨與無忘失法清淨无二无二
分无別無斷故知者清淨即恒住捨性清淨
恒住捨性清淨即知者清淨何以故是知者清淨
與恒住捨性清淨无二无二分无別无斷故見者清
淨即无忘失法清淨无忘失法清淨即見者清
淨何以故是見者清淨與无忘失法清淨无二无
二分无別无斷故見者清淨即恒住捨性清淨
恒住捨性清淨即見者清淨何以故是見者清
淨與恒住捨性清淨無二無二分無別無斷

BD00554 號 A　大般若波羅蜜多經（兑廢稿）卷一八八　　（2–1）

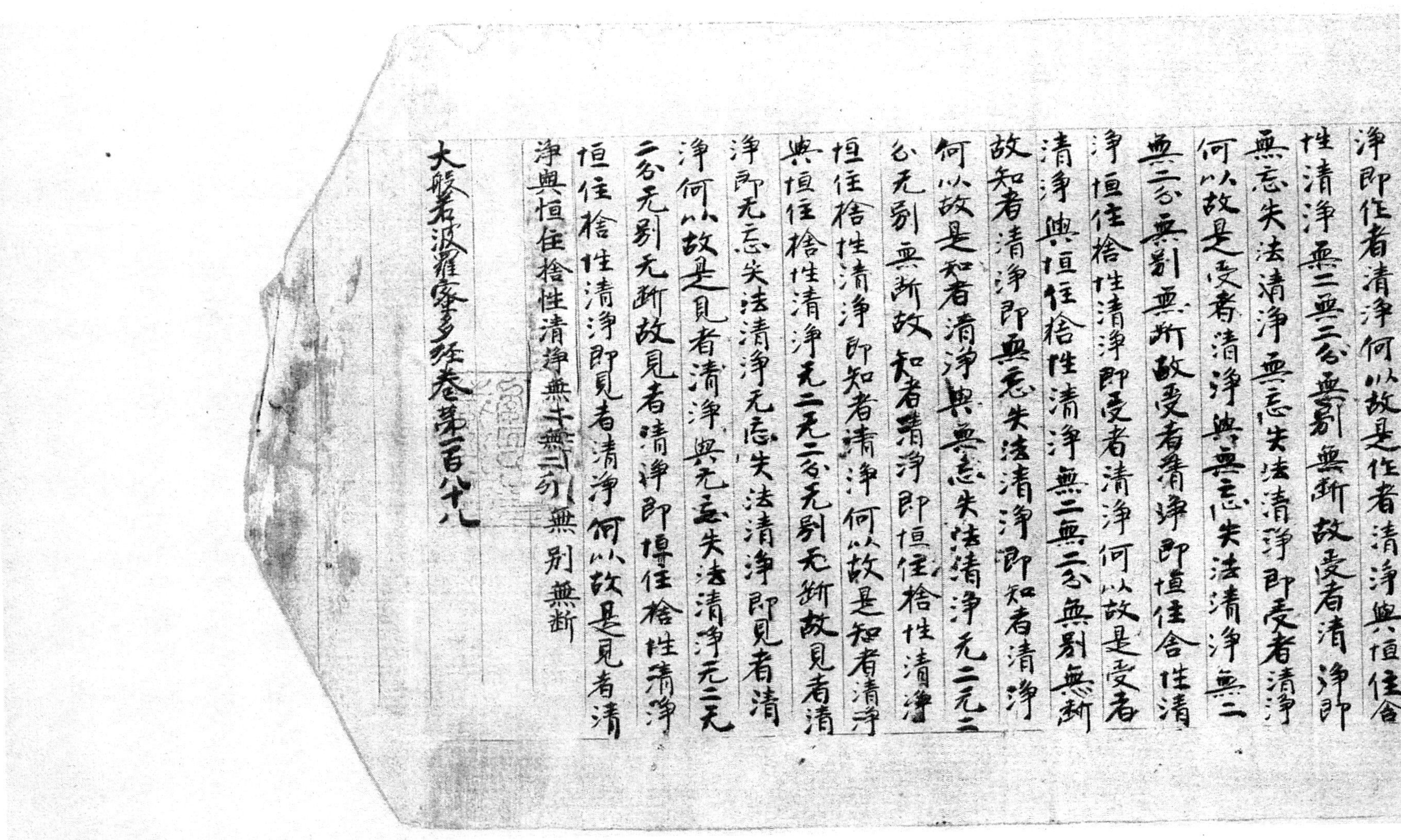
淨即作者清淨何以故是作者清淨與恒住舍
性清淨無二無二分無別無斷故受者清淨即
無忘失法清淨無忘失法清淨即受者清淨
何以故是受者清淨與無忘失法清淨無二
無二分無別無斷故受者清淨即恒住舍性清
淨恒住捨性清淨即受者清淨何以故是受者
清淨與恒住捨性清淨無二無二分無別無斷
故知者清淨即無忘失法清淨即知者清淨
何以故是知者清淨與無忘失法清淨无二无二
分无別無斷故知者清淨即恒住捨性清淨
恒住捨性清淨即知者清淨何以故是知者清淨
與恒住捨性清淨无二无二分无別无斷故見者清
淨即无忘失法清淨无忘失法清淨即見者清
淨何以故是見者清淨與无忘失法清淨无二无
二分无別无斷故見者清淨即恒住捨性清淨
恒住捨性清淨即見者清淨何以故是見者清
淨與恒住捨性清淨無二無二分無別無斷
大般若波羅蜜多經卷第一百八十八

BD00554 號 A　大般若波羅蜜多經（兑廢稿）卷一八八　　（2–2）

一切智智亦離三摩地門離故一切智智亦
離天子當知五眼離故六波羅蜜多亦離六
神通離故六波羅蜜多亦離廣說乃至五眼
離故一切智智亦離六神通離故一切智智
亦離天子當知如來十力離故六波羅蜜多
亦離乃至十八佛不共法離故六波羅蜜多
亦離廣說乃至如來十力離故一切智智亦
離乃至十八佛不共法離故一切智智亦離
天子當知大慈離故六波羅蜜多亦離大悲
大喜大捨離故六波羅蜜多亦離廣說乃至
大慈離故一切智智亦離大悲大喜大捨
離故一切智智亦離天子當知三十二大士相
離故六波羅蜜多亦離八十隨好離故六波
羅蜜多亦離廣說乃至三十二大士相離故
一切智智亦離八十隨好離故一切智智亦
離天子當知无忘失法離故六波羅蜜多亦
離恒住捨性離故六波羅蜜多亦離廣說乃
至无忘失法離故一切智智亦離恒住捨性
離故一切智智亦離天子當知一切智離故
六波羅蜜多亦離道相智一切相智離故六
波羅蜜多亦離廣說乃至一切智離故一切
智智亦離道相智一切相智離故一切智智

BD00554 號 B　大般若波羅蜜多經（兑廢稿）卷五二一　（2–1）

大喜大捨離故六波羅蜜多亦離廣說乃至
大慈離故一切智智亦離大悲大喜大捨
離故一切智智亦離天子當知三十二大士相
離故六波羅蜜多亦離八十隨好離故六波
羅蜜多亦離廣說乃至三十二大士相離故
一切智智亦離八十隨好離故一切智智亦
離天子當知无忘失法離故六波羅蜜多亦
離恒住捨性離故六波羅蜜多亦離廣說乃
至无忘失法離故一切智智亦離恒住捨性
離故一切智智亦離天子當知一切智離故
六波羅蜜多亦離道相智一切相智離故六
波羅蜜多亦離廣說乃至一切智離故一切
智智亦離道相智一切相智離故一切智智
亦離天子當知預流果離故六波羅蜜多亦
離乃至獨覺菩提離故六波羅蜜多亦離廣
說乃至預流果離故一切智智亦離乃至獨
覺菩提離故一切智智亦離天子當知一切
菩薩摩訶薩行離故六波羅蜜多亦離諸佛
无上正等菩提離故六波羅蜜多亦離廣說
乃至一切菩薩摩訶薩行離故一切智智亦

BD00554 號 B　大般若波羅蜜多經（兑廢稿）卷五二一　（2–2）

九

菩薩摩訶薩心亦復如是普能暎奪一切獨覺
聲聞之心如吠瑠璃暎迦遮聚我觀此義作
如是說不退菩薩摩訶薩心於諸聲聞及諸
獨覺永離煩惱无漏之心為最為勝為尊為
高為妙為微妙為上為无上不退菩薩慈
悲俱心能使有情得樂離苦聲聞獨覺慈悲
俱心但有假相尚无實用
又舍利子有阿羅漢永盡諸漏具六神通八
解脫等種種功德能以神通擲此世界置於
餘方而不能令不退菩薩心有轉變又舍利
子有阿羅漢永盡諸漏具六神通八解脫等
種種功德能以神力涸大海水而不能令不
退菩薩心有轉變又舍利子有阿羅漢永盡
諸漏具六神通八解脫等種種功德能以神
力吹碎殑伽沙數世界其中一切所高山王皆
於妥擲而不能令不退菩薩心有轉變又
舍利子有阿羅漢永盡諸漏具六神通八解
脫等種種功德以神通力能吹殑伽沙數世
界大劫火聚猛焰熾然皆令頓滅而不能
令不退菩薩心有轉變由此緣故我作是說
不退菩薩摩訶薩心於諸聲聞及諸獨覺永
離煩惱无漏之心為最為勝為尊為高為妙為
微妙為上為无上時舍利子便白佛言甚奇世
尊希有善逝不退菩薩摩訶薩心真至如是

BD00554 號 C　大般若波羅蜜多經（兑廢稿）卷五八三　（2–1）

九

又舍利子有阿羅漢永盡諸漏具六神通八
解脫等種種功德能以神通擲此世界置於
餘方而不能令不退菩薩心有轉變又舍利
子有阿羅漢永盡諸漏具六神通八解脫等
種種功德能以神力涸大海水而不能令不
退菩薩心有轉變又舍利子有阿羅漢永盡
諸漏具六神通八解脫等種種功德能以神
力吹碎殑伽沙數世界其中一切所高山王皆
於妥擲而不能令不退菩薩心有轉變又
舍利子有阿羅漢永盡諸漏具六神通八解
脫等種種功德以神通力能吹殑伽沙數世
界大劫火聚猛焰熾然皆令頓滅而不能
令不退菩薩心有轉變由此緣故我作是說
不退菩薩摩訶薩心於諸聲聞及諸獨覺永
離煩惱无漏之心為最為勝為尊為高為妙為
微妙為上為无上時舍利子便白佛言甚奇世
尊希有善逝不退菩薩摩訶薩心真至如是
大威神力聲聞獨覺不能轉變尒時佛告舍
利子言如是如是如汝所說何以故舍利子諸
佛世尊其言无二佛所說義皆實不虛汝
應受持廣為他說

BD00554 號 C　大般若波羅蜜多經（兑廢稿）卷五八三　（2–2）

富樓那
不……人中最為第
其種種功德精勤護持助宣我
法示教利喜……解釋佛之正法
梵行者自捨如来无能盡其言
……勿謂富樓那但能護持助宣我法亦於過去
九十億諸佛所護持助宣佛之正法於彼說
法人中亦最第一又於諸佛所說空法明了
通達得四无导智常能審諦清淨說法无
有疑惑具足菩薩神通之力隨其壽命常
脩梵行彼佛世人咸皆謂之實是聲聞而富樓那
以斯方便饒益无量百千眾生又化无量阿僧
祇人令立阿耨多羅三藐三菩提為淨佛土
故常作佛事教化眾生諸比丘富樓那亦於
七佛說法人中而得第一今於我所說法人
中亦為第一於賢劫中當来諸佛說法人中
亦復第一而皆護持助宣佛法亦於未来護
持助宣无量无邊諸佛之法教化饒益无
量眾生令立阿耨多羅三藐三菩提為淨佛土
故常勤精進教化眾生漸漸具足菩薩之道
過无量阿僧祇劫當於此土得阿耨多羅

BD00555號　妙法蓮華經卷四　（31–1）

量眾生令立阿耨多羅三藐三菩提為淨佛土
故常勤精進教化眾生漸漸具足菩薩之道
過无量阿僧祇劫當於此土得阿耨多羅
三藐三菩提号曰法明如来應供正遍知明行
足善逝世間解无上士調御丈夫天人師佛
世尊其佛以恒河沙等三千大千世界為一
佛土七寶為地地平如掌无有山陵谿澗溝
壑七寶臺觀充滿其中諸天宮殿近處虛
空人天交接兩得相見无諸惡道亦无女人一
切眾生皆以化生无有婬欲得大神通身出
光明飛行自在志念堅固精進智慧普皆
金色三十二相而自莊嚴其國眾生常以
二食一者法喜食二者禪悅食有无量阿僧祇
千萬億那由他諸菩薩眾得大神通四无导
智善能教化眾生之類其聲聞眾筭數挍
計所不能知皆得具足六通三明及八解脫
其佛國土有如是等无量功德莊嚴成就劫
名寶明國名善淨其佛壽命无量阿僧祇劫
法住甚久佛滅度後起七寶塔遍滿其國尒
時世尊欲重宣此義而說偈言
諸比丘諦聽　佛子所行道　善學方便故　不可得思議
知眾樂小法　而畏於大智　是故諸菩薩　作聲聞緣覺
以无數方便　化諸眾生類　自說是聲聞　去佛道甚遠

BD00555號　妙法蓮華經卷四　（31–2）

諸比丘諦聽　佛子所行道　善學方便故　不可得思議
知衆樂小法　而畏於大智　是故諸菩薩　作聲聞緣覺
以无數方便　化諸衆生類　自說是聲聞　去佛道甚遠
度脫无量衆　皆悉得成就　雖小欲懈怠　漸當令作佛
內秘菩薩行　外現是聲聞　少欲厭生死　實自淨佛土
示衆有三毒　又現邪見相　我弟子如是　方便度衆生
若我具足說　種種現化事　衆生聞是者　心則懷疑惑
今此富樓那　於昔千億佛　勤修所行道　宣護諸佛法
為求无上慧　而於諸佛所　現居弟子上　多聞有智慧
所說无所畏　能令衆歡喜　未曾有疲倦　而以助佛事
已度大神通　具四无礙智　知諸根利鈍　常說清淨法
演暢如是義　教諸千億衆　令住大乘法　而自淨佛土
未來亦供養　无量无數佛　護助宣正法　亦自淨佛土
常以諸方便　說法无所畏　度不可計衆　成就一切智
供養諸如來　護持法寶藏　其後得成佛　号名曰法明
其國名善淨　七寶所合成　劫名為寶明　菩薩衆甚多
其數无量億　皆度大神通　威德力具足　充滿其國土
聲聞亦无數　三明八解脫　得四无礙智　以是等為僧
其國諸衆生　婬欲皆已斷　純一變化生　具相莊嚴身
法喜禪悅食　更无餘食想　无有諸女人　亦无諸惡道
富樓那比丘　功德悉成滿　當得斯淨土　賢聖衆甚多
如是无量事　我今但略說
尒時千二百阿羅漢心自在者作是念我等

BD00555號　妙法蓮華經卷四　（31–3）

富樓那比丘　功德悉成滿　當得斯淨土　賢聖衆甚多
如是无量事　我今但略說
尒時千二百阿羅漢心自在者作是念我等
歡喜得未曾有若世尊各見授記如餘大弟
子者不亦快乎佛知此等心之所念告摩訶
迦葉是千二百阿羅漢我今當現前次第與
授阿耨多羅三藐三菩提記於此衆中我
大弟子憍陳如比丘當供養六万二千億佛
然後得成為佛号曰普明如來應供正遍知
明行足善逝世間解无上士調御丈夫天人師
佛世尊其五百阿羅漢優樓頻螺迦葉伽耶
迦葉那提迦葉迦留陀夷優陀夷阿㝹樓䭾
離婆多劫賓那薄拘羅周陀莎伽陀等皆
當得阿耨多羅三藐三菩提盡同一号名曰
普明尒時世尊欲重宣此義而說偈言
憍陳如比丘　當見无量佛　過阿僧祇劫　乃成等正覺
常放大光明　具足諸神通　名聞遍十方　一切之所敬
常說无上道　故号為普明　其國土清淨　菩薩皆勇猛
咸昇妙樓閣　遊諸十方國　以无上供具　奉獻於諸佛
作是供養已　心懷大歡喜　須臾還本國　有如是神力
佛壽六万劫　正法住倍壽　像法復倍是　法滅天人憂
其五百比丘　次第當作佛　同号曰普明　轉次而授記
我滅度之後　某甲當作佛　其所化世間　亦如我今日

BD00555號　妙法蓮華經卷四　（31–4）

佛壽六萬劫　正法住倍壽　像法復倍是　法滅天人憂
其五百比丘　次第當作佛　同号曰普明　轉次而授記
我滅度之後　某甲當作佛　其所化世間　亦如我今日
國土之嚴淨　及諸神通力　菩薩聲聞衆　正法及像法
壽命劫多少　皆如上所說　迦葉汝已知　五百自在者
餘諸聲聞衆　亦當復如是　其不在此會　汝當為宣說
尒時五百阿羅漢於佛前得授記已歡喜踊
躍即從座起到於佛前頭面礼足悔過自責
世尊我等常作是念自謂已得究竟滅度今
乃知之如无智者所以者何我等應得如來
智慧而自以小智為足世尊譬如有人至親
友家醉酒而臥是時親友官事當行以
无價寶珠繫其衣裏与之而去其人醉臥都
不覺知起已遊行到於他國為衣食故勤力
求索甚大艱難若少有所得便以為足於後
親友會遇見之而作是言咄哉丈夫何為衣食
乃至如是我昔欲令汝得安樂五欲自恣於
某年月日以无價寶珠繫汝衣裏今故現在
而汝不知勤苦憂惱以求自活甚為癡也汝
今可以此寶貿易所須常可如意无所乏
短佛亦如是為菩薩時教化我等令發
一切智心而尋廢忘不知不覺既得阿羅漢道
自謂滅度資生艱難得少為足一切智願猶

一切智心而尋廢忘不知不覺既得阿羅漢道
自謂滅度資生艱難得少為足一切智願猶
在不失今者世尊覺悟我等作如是言諸比丘汝
等所得非究竟滅我久令汝等種佛善根以
方便故示涅槃相而汝謂為實得滅度世
尊我今乃知實是菩薩得受阿耨多羅三藐
三菩提記以是因緣甚大歡喜得未曾有尒
時阿若憍陳如等欲重宣此義而說偈言
我等聞无上　安隱授記聲　歡喜未曾有　礼无量智佛
今於世尊前　自悔諸過咎　於无量佛寶　得少涅槃分
如无智愚人　便自以為足　譬如貧窮人　往至親友家
其家甚大富　具設諸餚饍　以无價寶珠　繫著內衣裏
默与而捨去　時臥不覺知　是人既已起　遊行詣他國
求衣食自濟　資生甚艱難　得少便為足　更不願好者
不覺內衣裏　有无價寶珠　与珠之親友　後見此貧人
苦切責之已　示以所繫珠　貧人見此珠　其心大歡喜
富有諸財物　五欲而自恣　我等亦如是　世尊於長夜
常愍見教化　令種无上願　我等无智故　不覺亦不知
得少涅槃分　自足不求餘　今佛覺悟我　言非實滅度
得佛无上慧　尒乃為真滅　我今從佛聞　授記莊嚴事
及轉次受決　身心遍歡喜
妙法蓮華經授學无學人記品第九

及轉次受決　　身心遍歡喜

妙法蓮華經授學无學人記品第九

尒時阿難羅睺羅而作是念我等每自思惟
設得授記不亦快乎即從座起到於佛前頭
面礼足俱白佛言世尊我等於此亦應有分
唯有如来我等所歸又我等為一切世間天人
阿脩羅所見知識阿難常為侍者護持法藏
羅睺羅是佛之子若佛見授阿耨多羅三
藐三菩提記者我願既滿衆望亦足尒時
學无學聲聞弟子二千人皆從座起偏袒右
肩到於佛前一心合掌瞻仰世尊如阿
難羅睺羅所願住立一面尒時佛告阿難汝
於来世當得作佛号山海慧自在通王如来應供
遍知明行足善逝世間解无上士調御丈夫天
人師佛世尊當供養六十二億諸佛護持
法藏然後得阿耨多羅三藐三菩提教
化二十千万億恒河沙諸菩薩等令成阿耨多
羅三藐三菩提國名常立勝幡其土清淨瑠璃
為地劫名妙音遍滿其佛壽命无量千万億
阿僧祇劫若人於千万億无量阿僧祇劫中
筭數校計不能得知正法住世倍於壽命像
法住世復倍正法阿難是山海慧自在通王

BD00555號　妙法蓮華經卷四　（31–7）

筭數校計不能得知正法住世倍於壽命像
法住世復倍正法阿難是山海慧自在通王
佛為十方无量千万億恒河沙等諸佛如来
所共讚歎稱其功德尒時世尊欲重宣
此義而說偈言

我今僧中說　阿難持法者　當供養諸佛　然後成正覺
号曰山海慧　自在通王佛　其國土清淨　名常立勝幡
教化諸菩薩　其數如恒沙　佛有大威德　名聞滿十方
壽命无有量　以愍衆生故　正法倍壽命　像法復倍是
如恒河沙等　无數諸衆生　於此佛法中　種佛道因緣

尒時會中新發意菩薩八千人咸作是念我
等尚不聞諸大菩薩得如是記有何因緣而
諸聲聞得如是決尒時世尊知諸菩薩心之
所念而告之曰諸善男子我與阿難等於空
王佛所同時發阿耨多羅三藐三菩提心阿
難常樂多聞我勤精進是故我已得成
阿耨多羅三藐三菩提而難護持我法亦護
将来諸佛法藏教化成就諸菩薩衆其本
願如是故獲斯記阿難於佛前自聞受記
及國土莊嚴所願具足心大歡喜得未曾有即
時憶念過去无量千万億諸佛法藏通達无
导如今所聞亦識本願尒時阿難而說偈言

BD00555號　妙法蓮華經卷四　（31–8）

時憶念過去无量千万億諸佛法藏通達无
㝵如今所聞亦識本願尒時阿難而說偈言
世尊甚希有　令我念過去　无量諸佛法　如今日所聞
我今无復疑　安住於佛道　方便為侍者　護持諸佛法
尒時佛告羅睺羅汝於來世當得作佛号蹈
七寶華如來應供正遍知明行足善逝世間
解无上士調御丈夫天人師佛世尊當供養
十世界微塵等數諸佛如來常為諸佛而
作長子猶如今也是蹈七寶華佛國土莊嚴
壽命劫數所化弟子正法像法亦如山海慧
自在通王如來无異亦為此佛而作長子過
是已後當得阿耨多羅三藐三菩提尒時世
尊欲重宣此義而說偈言
我為太子時　羅睺為長子　我今成佛道　受法為法子
於未來世中　見无量億佛　皆為其長子　一心求佛道
羅睺羅密行　唯我能知之　現為我長子　以示諸眾生
无量千億万　功德不可數　安住於佛法　以求无上道
尒時世尊見學无學二千人其意柔軟寂
然清淨一心觀佛佛告阿難汝見是學无學
二千人不唯然已見阿難是諸人等當供
養五十世界微塵數諸佛如來恭敬尊重護
持法藏末後同時於十方國各得成佛皆同一
号名曰寶相如來應供正遍知明行足善逝
世間解无上士調御丈夫天人師佛世尊壽

BD00555 號　妙法蓮華經卷四　（31–9）

持法藏末後同時於十方國各得成佛皆同一
号名曰寶相如來應供正遍知明行足善逝
世間解无上士調御丈夫天人師佛世尊壽
命一劫國土莊嚴聲聞菩薩正法像法皆悉
同等尒時世尊欲重宣此義而說偈言
是二千聲聞　今於我前住　悉皆與授記　未來當成佛
所供養諸佛　如上說塵數　護持其法藏　後當成正覺
各於十方國　悉同一名号　俱時坐道場　以證无上慧
皆名為寶相　國土及弟子　正法與像法　悉等无有異
咸以諸神通　度十方眾生　名聞普周遍　漸入於涅槃
尒時學无學二千人聞佛授記歡喜踊躍而
說偈言
世尊慧燈明　我聞授記音　心歡喜充滿　如甘露見灌
妙法蓮華經法師品第十
尒時世尊因藥王菩薩告八万大士藥王汝
見是大眾中无量諸天龍王夜叉乾闥婆阿
脩羅迦樓羅緊那羅摩睺羅伽人非人等及
比丘比丘尼優婆塞優婆夷求聲聞者求辟
支佛者求佛道者如是等類咸於佛前聞妙
法華經一偈一句乃至一念隨喜者我皆与
授記當得阿耨多羅三藐三菩提佛告藥王
又如來滅度之後若有人聞妙法華經乃至
一偈一句一念隨喜者我亦与授阿耨多羅

BD00555 號　妙法蓮華經卷四　（31–10）

又如来滅度之後若有人聞妙法華経乃至
一偈一句一念随喜者我亦与授阿耨多羅
三藐三菩提記若復有人受持讀誦解說書
寫妙法経乃至一偈於此経巻敬視如佛
種種供養華香瓔珞末香塗香燒香繒蓋
幢幡衣服伎樂乃至合掌恭敬藥王當知
是諸人等已曾供養十万億佛於諸佛所成
就大願愍衆生故生此人間藥王若有人問何
等衆生於未来世當得作佛應示是諸人等
於未来世必得作佛何以故若善男子善女人
於法華経乃至一句受持讀誦解說書寫種
種供養経巻華香瓔珞末香塗香燒香繒
蓋幢幡衣服伎樂合掌恭敬是人一切世間
所應瞻奉應以如来供養而供養之當知此
人是大菩薩成就阿耨多羅三藐三菩提
哀愍衆生願生此間廣演分別妙法華経何況
盡能受持種種供養者藥王當知是人自捨
清淨業報於我滅度後愍衆生故生於惡世
廣演此経若是善男子善女人我滅度後能
竊為一人說法華経乃至一句當知是人則
如来使如来所遣行如来事何況於大衆中
廣為人說藥王若有惡人以不善心於一劫中
現於佛前常毀罵佛其罪尚輕若人以一惡
言毀呰在家出家讀誦法華経者其罪甚

BD00555 號　妙法蓮華經卷四　（31–11）

廣為人說藥王若有惡人以不善心於一劫中
現於佛前常毀罵佛其罪尚輕若人以一惡
言毀呰在家出家讀誦法華経者其罪甚
重藥王其有讀誦法華経者當知是人以佛
莊嚴而自莊嚴則為如来肩所荷擔其所至
方應随向礼一心合掌恭敬供養尊重讚歎
華香瓔珞末香塗香燒香繒蓋幢幡衣服餚
饍作諸伎樂人中上供而供養之應持天寶而
以散之天上寶聚應以奉獻所以者何是人
歡喜說法須臾聞之即得究竟阿耨多羅
三藐三菩提故尒時世尊欲重宣此義而說偈言
若欲住佛道　成就自然智　常當勤供養　受持法華者
其有欲疾得　一切種智慧　常受持是経　并供養持者
若有能受持　妙法華経者　當知佛所使　愍念諸衆生
諸有能受持　妙法華経者　捨於清淨土　愍衆故生此
當知如是人　自在所欲生　能於此惡世　廣說无上法
應以天華香　及天寶衣服　天上妙寶聚　供養說法者
吾滅後惡世　能持此経者　當合掌礼敬　如供養世尊
上饌衆甘美　及種種衣服　供養是佛子　兾得須臾聞
若能於後世　受持此経者　我遣在人中　行於如来事
若於一劫中　常懷不善心　作色而罵佛　獲无量重罪
其有讀誦持　是法華経者　須臾加惡言　其罪復過彼
有人求佛道　而於一劫中　合掌在我前　以无數偈讚
由是讚佛故　得无量功德　歎美持経者　其福復過彼

BD00555 號　妙法蓮華經卷四　（31–12）

其有讀誦持　是法華経者　須臾加惡言　其罪復過彼
有人求佛道　而於一劫中　合掌在我前　以无數偈讚
由是讚佛故　得无量功德　歎美持経者　其福復過彼
於八十億劫　以最妙色聲　及與香味觸　供養持経者
如是供養已　若得須臾聞　則應自欣慶　我今獲大利
藥王今告汝　我所說諸経　而於此経中　法華最第一
尒時佛復告藥王菩薩摩訶薩我所経說典无量
千万億已說今說當說而於其中此法華経
最為難信難解藥王此経是諸佛祕要之
藏不可分布妄授与人諸佛世尊之所守護從
昔已來未曾顯說而此経者如來現在猶多
怨嫉況滅度後藥王當知如來滅後其能
書持讀誦供養為他人說者如來則為以
衣覆之又為他方現在諸佛之所護念是人有
大信力及志願力諸善根力當知是人與如
來共宿則為如來手摩其頭藥王在在處
處若說若讀若誦若書若経卷所住之處皆
應起七寶塔極令高廣嚴飾不須復安舍利
所以者何此中已有如來全身此塔應以一切華
香瓔珞繒蓋幢幡伎樂歌頌供養恭敬尊重
讚歎若有人得見此塔礼拜供養當知是等
皆近阿耨多羅三藐三菩提藥王多有人在
家出家行菩薩道若不能得見聞讀誦書持
供養是法華経者當知是人未善行菩薩
道若有得聞是経典者乃能善行菩薩之道

BD00555 號　妙法蓮華經卷四　（31–13）

家出家行菩薩道若不能得見聞讀誦書持
供養是法華経者當知是人未善行菩薩
道若有得聞是経典者乃能善行菩薩之道
其有衆生求佛道者若見若聞是法華経聞
已信解受持者當知是人得近阿耨多羅三藐
三菩提藥王譬如有人渴乏須水於彼高原
穿鑿求之猶見乾土知水尚遠施功不已
轉見濕土遂漸至泥其心決定知水必近菩薩
亦復如是若未聞未解未能修習是法華経
當知是人去阿耨多羅三藐三菩提尚遠若得
聞解思惟修習必知得近阿耨多羅三藐三菩
提皆屬此経此経開方便門示真實相是法
華経藏深固幽遠无人能到今佛教化
成就菩薩而為開示藥王若有菩薩聞是法華
経驚疑怖畏當知是為新發意菩薩若聲
聞人聞是経驚疑怖畏當知是為增上慢者
藥王若有善男子善女人如來滅後欲為四
衆說是法華経者云何應說是善男子善
女人入如來室著如來衣坐如來座尒乃應
為四衆廣說斯経如來室者一切衆生中大慈
悲心是如來衣者柔和忍辱心是如來座者
一切法空是安住是中然後以不懈怠心為
諸菩薩及四部衆廣說是法華経藥王我
於餘國遣化人為其集聽法衆亦遣化比丘比

BD00555 號　妙法蓮華經卷四　（31–14）

諸菩薩及四眾廣說是法華經藥王我
於餘國遣化人為其集聽法眾亦遣化比丘比
丘尼優婆塞優婆夷聽其說法是諸化人聞
法信受隨順不逆若說法者在空閑處我時
廣遣天龍鬼神乾闥婆阿脩羅等聽其說
法我雖在異國時時令說法者得見我身
若於此經忘失句逗我還為說令得具足尒時
世尊欲重宣此義而說偈言
欲捨諸懈怠　應當聽此經　是經難得聞　信受者亦難
如人渴須水　穿鑿於高原　猶見乾燥土　知去水尚遠
漸見濕土泥　決定知近水　藥王汝當知　如是諸人等
不聞法華經　去佛智甚遠　若聞是深經　決了聲聞法
是諸經之王　聞已諦思惟　當知此人等　近於佛智慧
若人說此經　應入如來室　著於如來衣　而坐如來座
處眾无所畏　廣為分別說　大慈悲為室　柔和忍辱衣
諸法空為座　處此為說法　若說此經時　有人惡口罵
加刀杖瓦石　念佛故應忍　我千万億土　現淨堅固身
於无量億劫　為眾生說法　若我滅度後　能說此經者
我遣化四眾　比丘比丘尼　及清信士女　供養於法師
引導諸眾生　集之令聽法　若人欲加惡　刀杖及瓦石
則遣變化人　為之作衛護　若說法之人　獨在空閑處
寂寞无人聲　讀誦此經典　我尒時為現　清淨光明身
若忘失章句　為說令通利　若人具是德　或為四眾說
空處讀誦經　皆得見我身　若人在空閑　我遣天龍王

寂寞无人聲　讀誦此經典　我尒時為現　清淨光明身
若忘失章句　為說令通利　若人具是德　或為四眾說
空處讀誦經　皆得見我身　若人在空閑　我遣天龍王
夜叉鬼神等　為作聽法眾　是人樂說法　分別无罣㝵
諸佛護念故　能令大眾喜　若親近法師　速得菩薩道
隨順是師學　得見恒沙佛
妙法蓮華經見寶塔品第十一
尒時佛前有七寶塔高五百由旬縱廣二百
五十由旬從地踊出住在空中種種寶物而
莊校之五千欄楯龕室千万无數幢幡以
為嚴飾垂寶瓔珞寶鈴万億而懸其上四
面皆出多摩羅跋栴檀之香充遍世界其諸
幡蓋以金銀瑠璃車𤦲馬瑙真珠玫瑰七寶合
成高至四天王宮三十三天雨天曼陁羅華供
養寶塔餘諸天龍夜叉乾闥婆阿脩羅迦樓
羅緊那羅摩睺羅伽人非人等千万億眾以
一切華香瓔珞幡蓋伎樂供養寶塔恭敬尊
重讚歎尒時寶塔中出大音聲歎言善哉善哉
釋迦牟尼世尊能以平等大慧教菩薩法
佛所護念妙法華經為大眾說如是如是
釋迦牟尼世尊如所說者皆是真實尒時
四眾見大寶塔住在空中又聞塔中所出音聲皆
得法喜怪未曾有從座而起恭敬合掌却
住一面尒時有菩薩摩訶薩名大樂說知一

四衆見大寶塔住在空中又聞塔中所出音聲皆
得法喜怪未曾有從座而起恭敬合掌却
住一面尒時有菩薩摩訶薩名大樂說知一
切世間天人阿脩羅等心之所疑而白佛言世
尊以何因緣有此寶塔從地踊出又於其中
發是音聲尒時佛告大樂說菩薩此寶塔中
有如來全身乃往過去東方无量千萬億阿
僧祇世界國名寶淨彼中有佛号曰多寶其
佛本行菩薩道時作大誓願若我成佛滅度
之後於十方國土有說法華經處我之塔廟
為聽是經故踊現其前為作證明讚言善
哉彼佛成道已臨滅度時於天人大衆中告諸
比丘我滅度後欲供養我全身者應起一大
塔其佛以神通願力十方世界在在處處若
有說法華經者彼之寶塔皆踊出其前全
身在於塔中讚言善哉善哉大樂說今多寶
如來塔聞說法華經故從地踊出讚言善哉
善哉是時大樂說菩薩以如來神力故白佛言
世尊我等願欲見此佛身佛告大樂說菩
薩摩訶薩是多寶佛有深重願若我寶
塔為聽法華經故出於諸佛前時其有欲
以我身示四衆者彼佛分身諸佛在於十方世界
說法盡還集一處然後我身乃出現耳大樂說
我分身諸佛在於十方世界說法者今應當

BD00555號　妙法蓮華經卷四　（31–17）

說法盡還集一處然後我身乃出現耳大樂說
我分身諸佛在於十方世界說法者今應當
集大樂說白佛言世尊我等亦願欲見世尊分
身諸佛禮拜供養尒時佛放白毫一光即見
東方五百万億那由他恒河沙等國土諸佛
彼諸國土皆以頗梨為地寶樹寶衣以為莊
嚴无數千萬億菩薩充滿其中遍張寶幔寶
網羅上彼國諸佛以大妙音而說諸法及見
无量千萬億菩薩遍滿諸國為衆說法南
西北方四維上下白毫相光所照之處亦復
如是尒時十方諸佛各告衆菩薩言善男子
我今應往娑婆世界釋迦牟尼佛所并供養
多寶如來寶塔時娑婆世界即變清淨瑠
璃為地寶樹莊嚴黃金為繩以界八道无諸
聚落村營城邑大海江河山川林藪燒大寶香
曼陁羅華遍布其地以寶網幔羅覆其上懸
諸寶鈴唯留此會衆移諸天人置於他土是
時諸佛各將一大菩薩以為侍者至娑婆世
界各到寶樹下一一寶樹高五百由旬枝葉華
菓次第莊嚴諸寶樹下皆有師子之座高五
由旬亦以大寶而校飾之尒時諸佛各於此
座結加趺坐如是展轉遍滿三千大千世界
而於釋迦牟尼佛一方所分之身猶故未盡
時釋迦牟尼佛欲容受所分身諸佛故

BD00555號　妙法蓮華經卷四　（31–18）

[illegible]如是展轉遍滿三千大千世界
而於釋迦牟尼佛一方所分之身猶故未盡
時釋迦牟尼佛欲容受所分身諸佛故八方
各更變二百萬億那由他國皆令清淨无有
地獄餓鬼畜生及阿脩羅又移諸天人置於
他土所化之國亦以瑠璃為地寶樹莊嚴樹
高五百由旬枝葉華菓次第嚴餝樹下皆
有寶師子座高五百由旬種種諸寶以為莊校亦
无大海江河及目真隣陀山摩訶目真隣陀
山鐵圍山大鐵圍山須弥山等諸山王通為一
佛國土寶地平正寶交露幔遍覆其上懸
諸幡蓋燒大寶香諸天寶華遍布其地釋迦
牟尼佛為諸佛當來坐故復於八方各更變
二百萬億那由他國皆令清淨无有地獄餓
鬼畜生及阿脩羅又移諸天人置於他土所
化之國亦以瑠璃為地寶樹莊嚴樹高五百
由旬枝葉華菓次第莊嚴樹下皆有寶師子
座高五由旬亦以大寶而挍餝之亦无大海
江河及目真隣陀山摩訶目真隣陀山鐵圍
山大鐵圍山須弥山等諸山王通為一佛國
土寶地平正寶交露幔遍覆其上懸諸幡蓋
燒大寶香諸天寶華遍布其地尒時東方釋
迦牟尼所分之身百千万億那由他恒河沙
等國土中諸佛各各說法來集於此如是次
第十方諸佛皆悉來集坐於八方尒時一一

迦牟尼所分之身百千万億那由他恒河沙
等國土中諸佛各各說法來集於此如是次
第十方諸佛皆悉來集坐於八方尒時一一
方四百万億那由他國土諸佛如來遍滿其
中是時諸佛各在寶樹下坐師子座皆遣
侍者問訊釋迦牟尼佛各賷寶華滿掬而
告之言善男子汝往詣耆闍崛山釋迦牟尼佛
所如我詞曰少病少惱氣力安樂及菩薩聲聞
衆悉安隱不以此寶華散佛供養而作是言
彼某甲佛與欲開此寶塔諸佛遣使亦復如
是尒時釋迦牟尼佛見所分身佛悉已來集
各各坐於師子之座皆聞諸佛與欲同開寶
塔即從座起住虛空中一切四衆起立合掌一
心觀佛於是釋迦牟尼佛以右指開七寶塔
戶出大音聲如却關鑰開大城門即時一切
衆會皆見多寶如來於寶塔中坐師子座
全身不散如入禪定又聞其言善哉善哉釋迦牟
尼佛快說是法華經我為聽是經故而來至
此尒時四衆等見過去无量千万億劫滅度
佛說如是言歎未曾有以天寶華聚散
多寶佛及釋迦牟尼佛上尒時多寶佛於寶
塔中分半座與釋迦牟尼佛而作是言釋迦
牟尼佛可就此座即時釋迦牟尼佛入其塔中
坐其半座結跏趺坐尒時大衆見二如來在七

塔中分半座與釋迦牟尼佛而作是言釋迦
牟尼佛可就此座即時釋迦牟尼佛入其塔中
坐其半座結跏趺坐尒時大衆見二如来在七
寶塔中師子座上結跏趺坐各作是念佛座
高遠惟願如来以神通力令我等輩俱處虛
空即時釋迦牟尼佛以神通力接諸大衆皆
在虛空以大音聲普告四衆誰能於此娑婆國
土廣說妙法華経今正是時如来不久當入
涅槃佛欲以此妙法華経付囑有在尒時
世尊欲重宣此義而說偈言

聖主世尊　雖久滅度　在寶塔中　尚為法来
諸人云何　不勤為法　此佛滅度　无央數劫
處處聽法　以難遇故　彼佛本願　我滅度後
在在所往　常為聽法　又我分身　无量諸佛
如恒沙等　来欲聽法　及見滅度　多寶如来
各捨妙土　及弟子衆　天人龍神　諸供養事
令法久住　故来至此　為坐諸佛　以神通力
移无量衆　令國清淨　諸佛各各　詣寶樹下
如清淨池　蓮華莊嚴　其寶樹下　諸師子座
佛坐其上　光明嚴飾　如夜闇中　然大炬火
身出妙香　遍十方國　衆生蒙薰　喜不自勝
譬如大風　吹小樹枝　以是方便　令法久住
告諸大衆　我滅度後　誰能護持　讀說此経
今於佛前　自說誓言　其多寶佛　雖久滅度

BD00555 號　妙法蓮華經卷四　（31–21）

告諸大衆　我滅度後　誰能護持　讀說此経
今於佛前　自說誓言　其多寶佛　雖久滅度
以大誓願　而師子吼　多寶如来　及與我身
所集化佛　當知此意　諸佛子等　誰能護持
當發大願　令得久住　其有能護　此経法者
則為供養　我及多寶　此多寶佛　處於寶塔
常遊十方　為是経故　亦復供養　諸来化佛
莊嚴光飾　諸世界者　若說此経　則為見我
多寶如来　及諸化佛　諸善男子　各諦思惟
此為難事　宜發大願　諸餘経典　數如恒沙
雖說此等　未足為難　若接須彌　擲置他方
无數佛土　亦未為難　若以足指　動大千界
遠擲他方　亦未為難　若立有頂　為衆演說
无量餘経　亦未為難　若佛滅後　於惡世中
能說此経　是則為難　假使有人　手把虛空
而以遊行　亦未為難　於我滅後　若自書持
若使人書　是則為難　若以大地　置足甲上
昇於梵天　亦未為難　佛滅度後　於惡世中
暫讀此経　是則為難　假使劫燒　擔負乾草
入中不燒　亦未為難　我滅度後　若持此経
為一人說　是則為難　若持八万　四千法藏
十二部経　為人演說　令諸聽者　得六神通
雖能如是　亦未為難　於我滅後　聽受此経

BD00555 號　妙法蓮華經卷四　（31–22）

十二部経 為人演説 令諸聽者 得六神通
雖能如是 亦未為難 於我滅後 聽受此経
問其義趣 是則為難 若人説法 令千万億
无量无數 恒沙衆生 得阿羅漢 具六神通
雖有是益 亦未為難 於我滅後 若能奉持
如斯経典 是則為難 我為佛道 於无量土
從始至今 廣説諸経 而於其中 此経第一
若有能持 則持佛身 諸善男子 於我滅後
誰能受持 讀誦此経 今於佛前 自説誓言
此経難持 若暫持者 我則歡喜 諸佛亦然
如是之人 諸佛亦歎 是則勇猛 是則精進
是名持戒 行頭陀者 則為疾得 无上佛道
能於来世 讀持此経 是真佛子 住淳善地
佛滅度後 能解其義 是諸天人 世間之眼
於恐畏世 能須臾説 一切天人 皆應供養
妙法蓮華経提婆達多品第十二
尒時佛告諸菩薩及天人四衆 五於過去无
量劫中求法華経无有懈惓 於多劫中常作
國王發願求於无上菩提 心不退轉 為欲滿
足六波羅蜜 勤行布施 心无悋惜 象馬七珍
國城妻子奴婢僕從 頭目髓腦身肉手足
不惜軀命 時世人民壽命无量 為於法故捐
捨國位委政太子 擊鼓宣令 四方求法 誰能
為我大乘者 五當終身供給走使 時有仙人

捨國位委政太子 擊鼓宣令 四方求法 誰能
為我大乘者 五當終身供給走使 時有仙人
来白王言 我有大乘 名妙法蓮華経 若不違
我當為宣説 王聞仙言 歡喜踊躍 即随仙人
供給所須 採菓汲水 拾薪設食 乃至以身
而為床坐 身心无倦 于時奉事 経於千歳
法故精勤給使 令无所乏 尒時世尊欲重
宣此義而説偈言
我念過去劫 為求大法故 雖作世國王 不貪五欲樂
槌鍾告四方 誰有大法者 若為我解脱 身當為奴僕
時有阿私仙 来白大王言 我有微妙法 世間所希有
若能脩行者 吾當為汝説 時王聞仙言 心生大喜悦
即便随仙人 供給於所須 採薪及菓蓏 隨時恭敬与
情存妙法故 身心无懈惓 普為諸衆生 勤求於大法
亦不為己身 及以五欲樂 故為大國王 勤求獲此法
遂致得成佛 今故為汝説
佛告諸比丘 尒時王者 則我身是 時仙人者
今提婆達多是 由提婆達多善知識故 令
我具足六波羅蜜 慈悲喜捨 三十二相 八十種
好 紫磨金色 十力 四无所畏 四攝法 十八不
共神通道力 成等正覺 廣度衆生 皆因提婆
達多善知識故 告諸四衆 提婆達多却後過
无量劫 當得成佛 号曰天王如来 應供 正遍

達多善知識故告諸四衆提婆達多却後過
无量劫當得成佛号曰天王如来應供正遍
知明行足善逝世間解无上士調御丈夫天人
師佛世尊世界名天道時天王佛住世二十
中劫廣為衆生說於妙法恒河沙衆生得阿
羅漢果无量衆生發緣覺心恒河沙衆生
發无上道心得无生法忍住不退轉時天王佛
般涅槃後正法住世二十中劫全身舍利起
七寶塔高六十由旬縱廣四十由旬諸天人民
悉以雜華末香燒香塗香衣服瓔珞幢幡
寶蓋伎樂歌頌礼拜供養七寶妙塔无量衆
生得阿羅漢果无量衆生悟辟支佛不可思
議衆生發菩提心至不退轉佛告諸比丘未来
世中若有善男子善女人聞妙法華經提
婆達多品淨心信敬不生疑惑者不墮地獄
餓鬼畜生生十方佛前所生之處常聞此經
若生人天中受勝妙樂若在佛前蓮華化生
於時下方多寶世尊所從菩薩名曰智積白
多寶佛當還本土釋迦牟尼佛告智積曰善
男子且待須臾此有菩薩名文殊師利可
與相見論說妙法可還本土尒時文殊師利
坐千葉蓮華大如車輪俱来菩薩亦坐寶蓮
華從於大海娑竭龍宮自然踊出住虛空中詣

坐千葉蓮華大如車輪俱来菩薩亦坐寶蓮
華從於大海娑竭龍宮自然踊出住虛空中詣
靈鷲山從蓮華下至於佛前頭面敬礼二世
尊足脩敬已畢往智積所共相慰問却坐一
面智積菩薩問文殊師利仁往龍宮所化衆
生其數幾何文殊師利言其數无量不可稱
計非口所宣非心所測且待須臾自當有證
所言未竟无數菩薩坐寶蓮華從海踊出詣
靈鷲山住在虛空此諸菩薩皆是文殊師利
之所化度具菩薩行皆共論說六波羅蜜本
聲聞人在虛空中說聲聞行今皆脩行大乘
空義文殊師利謂智積曰於海所教化其事
如是尒時智積菩薩以偈讚曰
大智德勇健　化度无量衆　今此諸大會　及我皆已見
演暢實相義　開闡一乘法　廣度諸群生　令速成菩提
文殊師利言我於海中唯常宣說妙法華經
智積菩薩問文殊師利言此經甚深微妙諸
經中寶世所希有頗有衆生勤加精進脩行
此經速得佛不文殊師利言有娑竭羅龍王
女年始八歲智慧利根善知衆生諸根行業
得陁羅尼諸佛所說甚深秘藏悉能受持
深入禪定了達諸法於剎那頃發菩提心得
不退轉辯才无㝵慈念衆生猶如赤子功德
具足心念口演微妙廣大慈悲仁讓志意和

不退轉辯才无导慈念衆生猶如赤子功德
具足心念口演微妙廣大慈悲仁讓志意和
雅能至菩提智積菩薩言我見釋迦如來於
无量劫難行苦行積功累德求菩薩道未曾
止息觀三千大千世界乃至无有如芥子許非是
菩薩捨身命處爲衆生故然後乃得成菩
提道不信此女於須臾頃便成正覺言論未
訖時龍王女忽現於前頭面礼敬却住一面
以偈讚曰
深達罪福相　遍照於十方　微妙淨法身　具相三十二
以八十種好　用莊嚴法身　天人所戴仰　龍神咸恭敬
一切衆生類　无不宗奉者　又聞成菩提　唯佛當證知
我闡大乘教　度脫苦衆生
時舍利弗語龍女言汝謂不久得无上道是
事難信所以者何女身垢穢非是法器云
何能得无上菩提佛道懸曠經无量劫勤
苦積行具脩諸度然後乃成又女人身猶
有五障一者不得作梵天王二者帝釋三者魔王
四者轉輪聖王五者佛身云何女身速得成佛
尒時龍女有一寶珠價直三千大千世界持以
上佛佛即受之龍女謂智積菩薩尊者舍
利弗言我獻寶珠世尊納受是事疾不荅
言甚疾女言以汝神力觀我成佛復速於此當
時衆會皆見龍女忽然之間變成男子具

BD00555號　妙法蓮華經卷四　（31–27）

言甚疾女言以汝神力觀我成佛復速於此當
時衆會皆見龍女忽然之間變成男子具
菩薩行即往南方无垢世界坐寶蓮華成
等正覺三十二相八十種好普爲十方一切衆生演
說妙法尒時娑婆世界菩薩聲聞天龍八部
人與非人皆遙見彼龍女成佛普爲時會人
天說法心大歡喜悉遙敬礼无量衆生聞法
解悟得不退轉无量衆生得受道記无垢世
界六反震動娑婆世界三千衆生住不退地三
千衆生發菩薩心而得授記智積菩薩及舍
利弗一切衆會默然信受
妙法蓮華經勸持品第十三
尒時藥王菩薩摩訶薩及大樂說菩薩摩
訶薩與二万菩薩眷屬俱皆於佛前作是
誓言唯願世尊不以爲慮我等於佛滅後當奉
持讀誦說此經典後惡世衆生善根轉少多增
上慢貪利供養增不善根遠離解脫雖難可
教化我等當起大忍力讀誦此經持說書寫
種種供養不惜身命尒時衆中五百阿羅漢
得受記者白佛言世尊我等亦自誓願於異
國土廣說此經復有學无學八千人得授記
者從座而起合掌向佛作是誓言世尊我等
亦當於他國土廣說此經所以者何是娑婆
國中人多弊惡懷增上慢功德淺薄瞋濁諂

BD00555號　妙法蓮華經卷四　（31–28）

者從座而起合掌向佛作是誓言世尊我等
亦當於他國土廣說此經所以者何是娑婆
國中人多弊惡懷增上慢功德淺薄瞋濁諂
曲心不實故尒時佛姨母摩訶波闍波提比
丘尼與學无學比丘尼六千人俱從座而起一心
合掌瞻仰尊顏目不暫捨於時世尊告憍
曇弥何故憂色而視如來汝心將无謂我不說
汝名授阿耨多羅三藐三菩提記耶憍曇弥
我先總說一切聲聞皆已授記今汝欲知記者
將來之世當於六万八千億諸佛法中為大
法師及六千學无學比丘尼俱為法師汝如是
漸漸具菩薩道當得作佛号一切衆生喜
見如來應供正遍知明行足善逝世間解无
上士調御丈夫天人師佛世尊憍曇弥是一切
衆生喜見佛及六千菩薩轉次授記得阿耨
多羅三藐三菩提尒時羅睺羅母耶輸陁羅
比丘尼作是念世尊於授記中獨不說我名
耶輸陁羅汝於來世百千万億諸佛法中脩
菩薩行為大法師漸具佛道於善國中當得
作佛号具足千万光相如來應供正遍知明行足
善逝世間解无上士調御丈夫天人師佛世
尊佛壽无量阿僧祇劫尒時摩訶波闍波
提比丘尼及耶輸陁羅比丘尼并其眷屬皆
大歡喜得未曾有即於佛前而說偈言

尊佛壽无量阿僧祇劫尒時摩訶波闍波
提比丘尼及耶輸陁羅比丘尼并其眷屬皆
大歡喜得未曾有即於佛前而說偈言
世尊導師　安隱天人　我等聞記　心安具足
諸比丘尼說是偈已白佛言世尊我等亦能
於他方國土廣宣此經尒時世尊視八十万
億那由他諸菩薩摩訶薩是諸菩薩皆是
阿惟越致轉不退法輪得諸陁羅尼即從坐
起至於佛前一心合掌而作是念若世尊告勅
我等持說此經者當如佛教廣宣斯法復作
是念佛今黙然不見告勅我當云何時諸
菩薩敬順佛意并欲自滿本願便於佛前
作師子吼而發誓言世尊我等於如來滅後周
旋往返十方世界能令衆生書寫此經受持讀
誦解說其義如法脩行正憶念皆是佛之
威力唯願世尊在於他方遙見守護即時諸
菩薩俱同發聲而說偈言
唯願不為慮　於佛滅度後　恐怖惡世中　我等當廣說
有諸无智人　惡口罵詈等　及加刀杖者　我等皆當忍
惡世中比丘　邪智心諂曲　未得謂為得　我慢心充滿
或有阿練若　納衣在空閑　自謂行真道　輕賤人間者
貪著利養故　與白衣說法　為世所恭敬　如六通羅漢
是人懷惡心　常念世俗事　假名阿練若　好出我等過
而作如是言　此諸比丘等　為貪利養故　說外道論議

[illegible]
是人懷惡心　常念世俗事　假名阿練若　好出我等過
而作如是言　此諸比丘等　為貪利養故　說外道論義
自作此經典　誑惑世間人　為求名聞故　分別說是經
常在大眾中　欲毀我等故　向國王大臣　婆羅門居士
及餘比丘眾　誹謗說我惡　謂是邪見人　說外道論義
我等敬佛故　悉忍是諸惡　為斯所輕言　汝等皆是佛
如此輕慢言　皆當忍受之　濁劫惡世中　多有諸恐怖
惡鬼入其身　罵詈毀辱我　我等敬信佛　當著忍辱鎧
為說是經故　忍此諸難事　我不愛身命　但惜无上道
我等於來世　護持佛所囑　世尊自當知　濁世惡比丘
不知佛方便　隨宜所說法　惡口而顰蹙　數數見擯出
遠離於塔寺　如是等眾惡　念佛告勅故　皆當忍是事
諸聚落城邑　其有求法者　我皆到其所　說佛所囑法
我是世尊使　處眾无所畏　我當善說法　願佛安隱住
我於世尊前　諸來十方佛　發如是誓願　佛自知我心

妙法蓮華經卷第四

BD00555 號　妙法蓮華經卷四　　　　(31–31)

設大施會供養一切沙門婆羅門及[illegible]
下賤孤獨乞人其滿七日維摩詰來入會中謂我
言長者子夫大施會不當如汝所設當為法施之會
何用是財施會為我言居士何謂法施之會法
施會者无前无後一時供養一切眾生是名
法施之會何謂也謂以菩提起於慈心以救
眾生起大悲心以持正法起於喜心以攝智
慧行於捨心以攝慳貪起檀波羅蜜以化犯
戒起尸波羅蜜以无我法起羼提波羅蜜以
離身心相起毗梨耶波羅蜜以菩提相起禪
波羅蜜以一切智起般若波羅蜜教化眾生
而起於空不捨有為法而起无相示現受生
而起无作護持正法起方便力以度眾生起
四攝法以敬事一切起除慢法於身命財起
三堅法於六念中起思念法於和六敬起質直
心正行善法起於淨命心淨歡喜起近賢
聖不憎惡人起調伏心以出家法起於深心
以如說行起於多聞以无諍法起空閑處
趣向佛慧起於宴坐解眾生縛起脩行地
以具相好及淨佛土起福德業知一切眾生心
念如應說法起於智業知一切法不取不捨入
一相門起於慧業斷一切煩惱一切鄣礙一切
不善法起一切善業以得一切智慧一切
善法起於一切助佛道法如是善男子是為
法施之會若菩薩住於法施會者為大施主

BD00556 號　維摩詰所說經卷上　　　　(2–1)

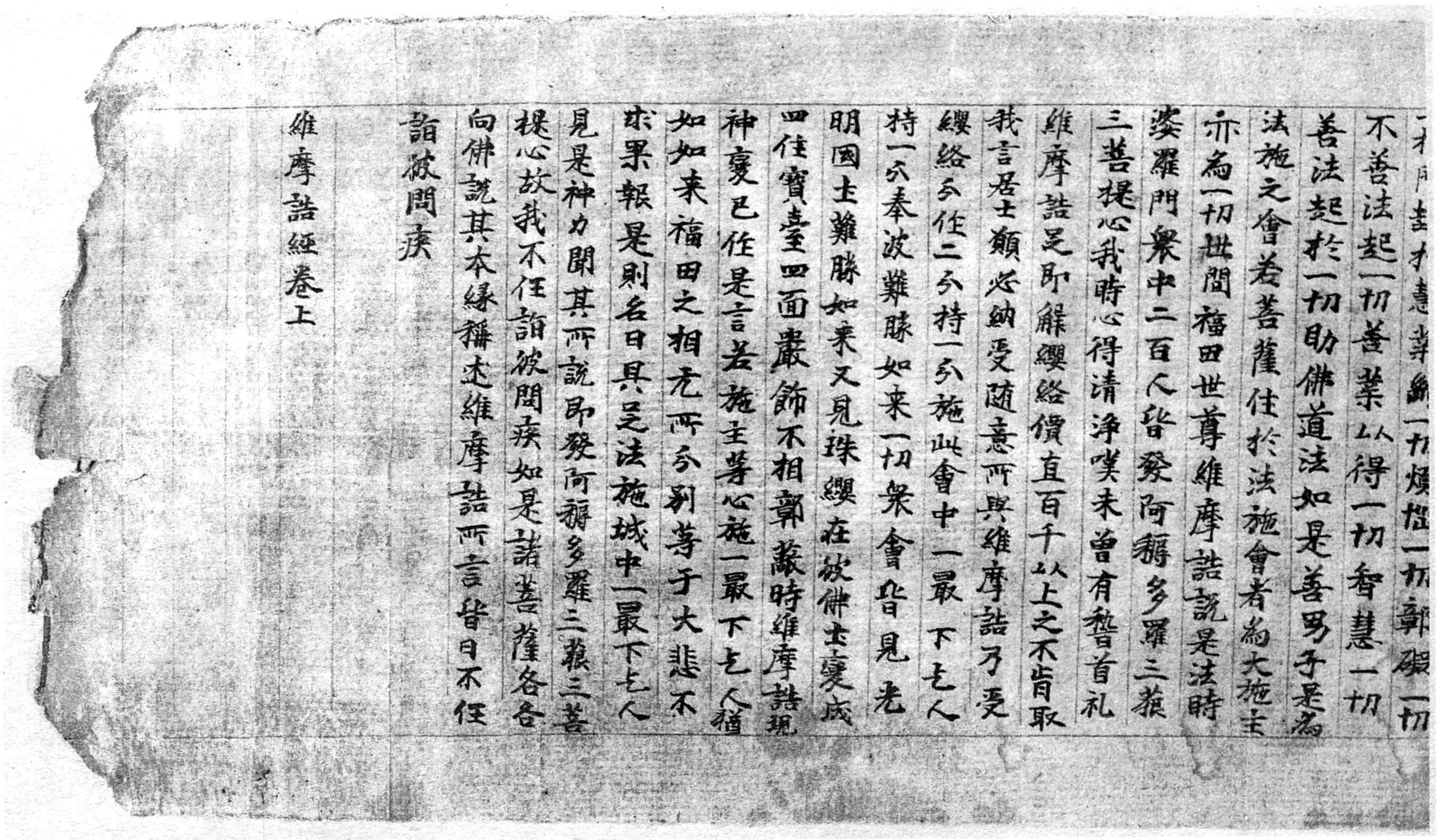

[illegible]慧業斷一切煩惱一切鄣礙一切
不善法起一切善業以得一切智慧一切
善法起於一切助佛道法如是善男子是為
法施之會若菩薩住於法施會者為大施主
亦為一切世間福田世尊維摩詰說是法時
婆羅門衆中二百人皆發阿耨多羅三藐
三菩提心我時心得清淨歎未曾有稽首礼
維摩詰足即解瓔珞價直百千以上之不肯取
我言居士願必納受隨意所與維摩詰乃受
瓔珞分作二分持一分施此會中一最下乞人
持一分奉彼難勝如来一切衆會皆見光
明國土難勝如来又見珠瓔在彼佛上變成
四住寶臺四面嚴飾不相鄣蔽時維摩詰現
神變已作是言若施主等心施一最下乞人猶
如如来福田之相无所分別等于大悲不
求果報是則名曰具足法施城中一最下乞人
見是神力聞其所說即發阿耨多羅三藐三菩
提心故我不任詣彼問疾如是諸菩薩各各
向佛說其本緣稱述維摩詰所言皆曰不任
詣彼問疾

維摩詰經卷上

BD00556 號　維摩詰所說經卷上　　（2–2）

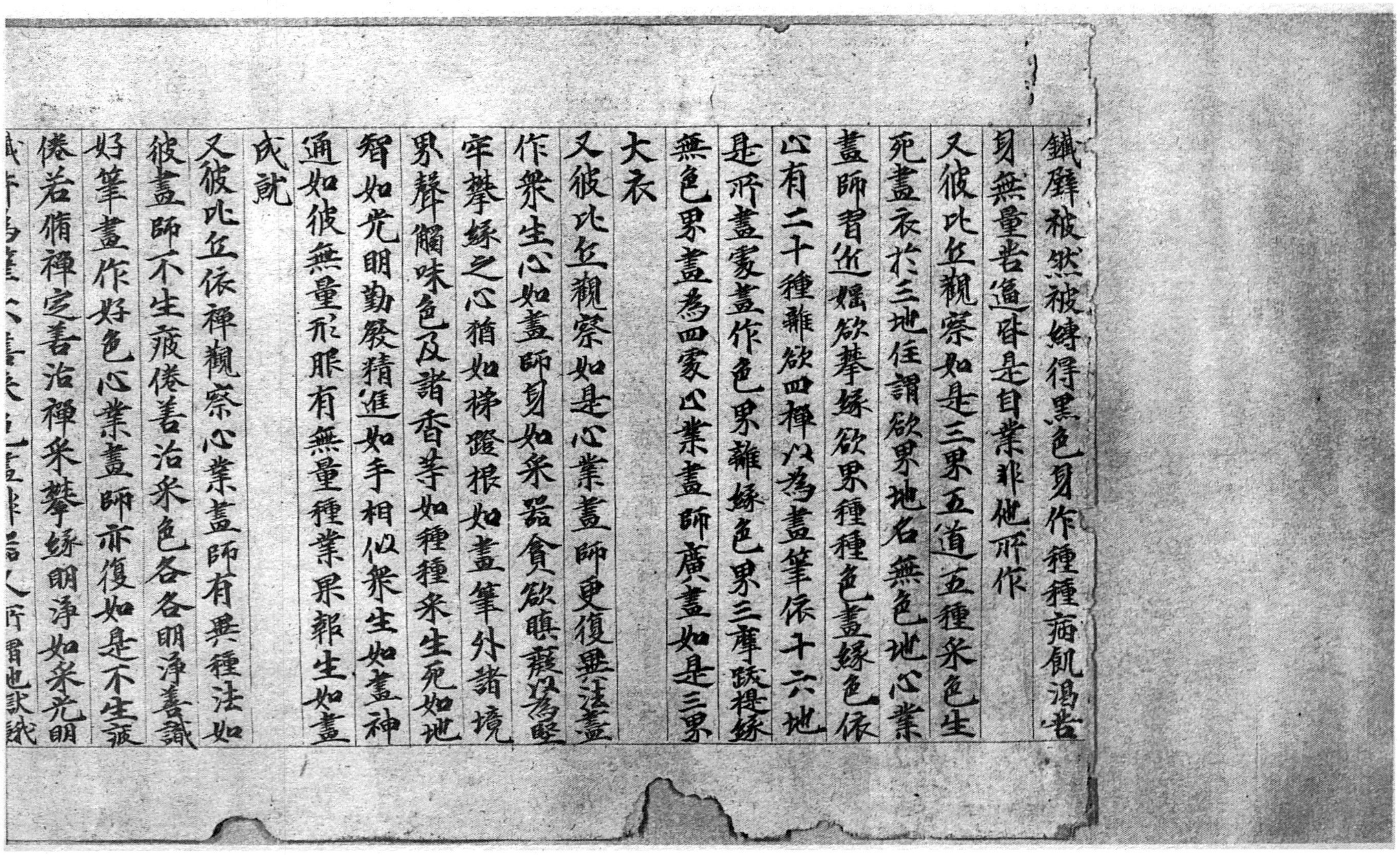

鐵礕被煞被縛得黑色身作種種病飢渴苦
身無量苦逼皆是自業非他所作
又彼比丘觀察如是三界五道五種彩色生
死畫衣於三地住謂欲界地色無色地心業
畫師習近婬欲攀緣欲界種種色畫緣色依
心有二十種離欲四禪以為畫筆依十六地
是所畫處畫作色界離緣色界三摩跋提緣
無色界畫為四處心業畫師廣畫如是三界
大衣
又彼比丘觀察如是心業畫師更復異法畫
作衆生心如畫師身如彩器貪欲瞋癡以為堅
牢攀緣之心猶如梯蹬根如畫筆外諸境
界聲觸味色及諸香等如種種彩生死如地
智如光明勤發精進如手相似衆生如畫神
通如彼無量形服有無量種種業果報生如畫
成就
又彼比丘依禪觀察心業畫師有異種法如
彼畫師不生疲倦善治彩色各各明淨善識
好筆畫作好色心業畫師亦復如是不生疲
倦若脩禪定善治禪彩攀緣明淨如彩光明
[illegible]

BD00557 號 A　正法念處經卷五　　（2–1）

大衣
又彼比丘觀察如是心業畫師更復異法畫
作衆生心如畫師身如彩器貪欲瞋癡以為堅
牢攀緣之心猶如梯蹬根如畫筆外諸境
界聲觸味色及諸香等如種種彩生死如地
智如光明勤發精進如手相似衆生如畫神
通如彼無量形服有無量種業果報生如畫
成就
又彼比丘依禪觀察心業畫師有異種法如
彼畫師不生疲惓善治彩色各各明淨善識
好筆畫作好色心業畫師亦復如是不生疲
惓若脩禪定善治禪彩攀緣明淨如彩光明
鐵杵為筆不善來色畫非器人所謂地獄餓
鬼畜生如是等色非好色畫廣說如前
又彼比丘次復觀察心之獼猴如見獼猴如彼
獼猴躁擾不停種種樹枝華菓林等山谷
巖窟迴之處行不障礙心之獼猴亦復如
是五道差別如種種林地獄畜生餓鬼諸道
猶如彼樹衆生無量如種種枝愛如華葉分
別愛聲諸香味等以為衆菓行三界山身則

BD00557號A　正法念處經卷五　（2–2）

於城邑聚落而常脩禪非禪戒者離禪行戒
離惡戒者惡遣衆惡捨之不為如人醉酒行
不善業智人見之斷酒不飲復有三種戒一
者諂曲戒二者不諂曲戒三者性善戒諂曲
戒者垢染不淨得少果報不諂曲戒者得大
果報性善戒者若心增上則得大果若心劣
弱其果則小復有三種一者因緣持二非因緣
持三者法不應作因緣持者有因緣故讓
持禁戒非因緣者无緣持戒不應作者生於
大姓所不應作讓種姓故復次從緣持戒者
為得佛故以恩勝故其果則大无緣持戒其
果則小不識果故不應作者求世名故其果
亦小生於人中復有三種一者畏師二非畏
師三者畏於惡道畏師持戒名下持戒非畏
三種一者自持戒而不教人二者自行教人三者
於他行捨復有三種一者歡戒二者不歡戒
三者一切歡戒歡戒者初善持戒後則破戒是
名歡戒不歡戒者初中後持常善持戒是名
不歡戒一切歡戒者會諸外道而受齋戒邪
見煞生是名一切歡戒復次比丘觀四種戒何
等為四離口四過一者妄語二者兩舌三者
惡口四者綺語復有五種戒丘五覺界是

BD00557號B　正法念處經卷二五　（2–1）

持三者法不應作因緣持者有因緣故護
持禁戒非因緣者无緣持戒不應作者生於
大姓所不應作護種姓故復次從緣持戒者
為得佛故以恩勝故其果則大无緣持戒其
果則小不識果故不應作者求世名故其果
亦小生於人中復有三種一者畏師二非畏
師三者畏於惡道畏師持戒名下持戒非畏
三種一者自持戒而不教人二者自行教人三者
於他行捨復有三種一者毀戒二者不毀戒
三者一切毀戒毀戒者初善持戒後則破戒是
名毀戒不毀戒者初中後持常善持戒是名
不毀戒一切毀戒者會諸外道而受齋戒邪
見殺生是名一切毀戒復次比丘觀四種戒何
等為四離口四過一者妄語二者兩舌三者
惡口四者綺語復有五種戒正五境界是
名為五復有六種因緣而持禁戒一者畏他求
便二者畏於罰戮三者怖畏四者因緣五者
不觀六者自性復有七種戒謂身三戒口有
四戒比丘如是觀无量持戒眾生畏於惡道
持戒能度如是持戒略說二種一者世間二
者出世間

BD00557號B　正法念處經卷二五　（2–2）

正法念處經天品之廿夜摩天之六　卌一
尒時天王牟脩樓陁須夜摩天共諸天眾諸
天女眾无量百千那由他千諸天大眾諸天
女眾一切皆向山樹具足地處之中伽那山
所一切天眾坐蓮華坐普遍重空上彼山上
見彼天眾有无量種形服莊嚴无量種色无
量功德具足天女而為圍遶彼山中天五欲
功德受諸快樂尒時天王牟脩樓陁如是見
已心甚歡喜共天女眾即便速向山樹具足
地處天眾彼處天眾既見天王牟脩樓陁即
尒速疾共天女眾一切奉迎鼓樂音聲種種
歌儛生歡喜心迭手相近彼此和合遍山頂
上種種歌儛讚歎天王牟脩樓陁共到山上
於彼山上彼此迭手種種音聲娛樂受樂彼
諸天眾如是受樂於長久時上虛空中見天
狗下如是天狗光明等事如前所說尒時天
眾既見如是希有事已而復更生疑慮之心
有天怖畏即尒前近牟脩樓陁夜摩天王依
[illegible]

BD00557號C　正法念處經卷四一　（2–1）

已心甚歡喜共天女衆即便速向山樹具足
地處天衆彼處天衆既見天王牟脩樓陀即
尒速疾共天女衆一切奉迎歡樂音聲種種
歌儛生歡喜心迭手相近彼此和合遍山頂
上種種歌儛讃嘆天王牟脩樓陀共到山上
於彼山上彼此迭手種種音聲娛樂受樂彼
諸天衆如是受樂於長久時上虛空中見天
狗下如是天狗光明等事如前所說尒時天
衆既見如是希有事已而復更生疑慮之心
有天怖畏即尒前近牟脩樓陀夜摩天王依
止附近有向虛空直視觀者有先曾聞彼天
狗者離放逸行共彼天主牟脩樓陀誠心礼
佛復有怖畏入金窟者有依樹者此二種天
无勇无力有天走趣牟脩樓陀夜摩天王求
歸望救此如是見第一希有生疑慮心
尒時天主牟脩樓陀見如是已告天衆言汝
等天衆為知不知如此光明在虛空中臨欲
墮地汝等皆來共中有天先不知者則白天

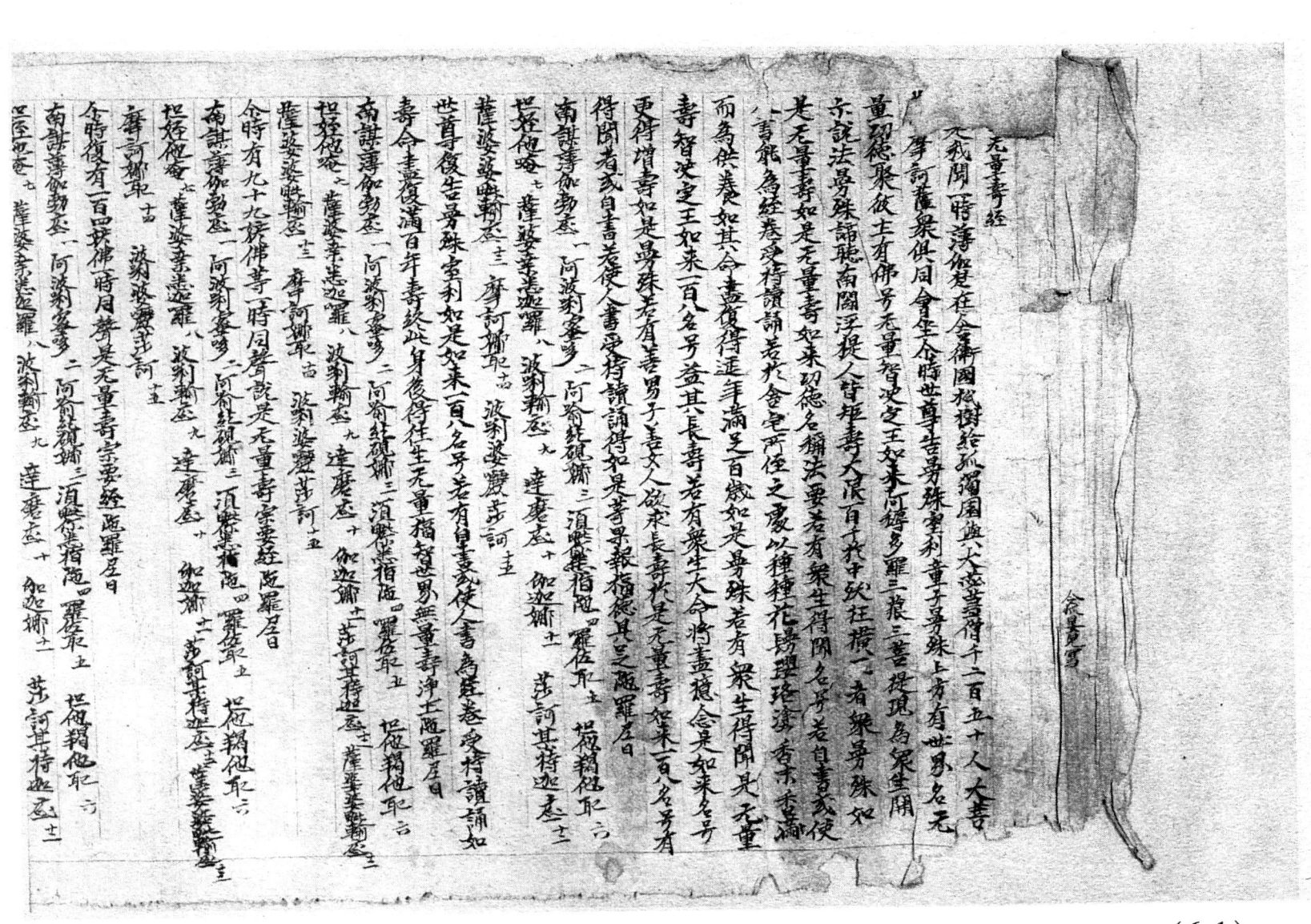

BD00557 號 C　正法念處經卷四一

（2–2）

无量壽經
如是我聞一時薄伽梵在舍衛國祇樹給孤獨園與大苾芻僧千二百五十人大菩
薩摩訶薩衆俱同會坐尒時世尊告曼殊室利童子曼殊上方有世界名无
量功德聚彼土有佛号无量智決定王如來阿耨多羅三藐三菩提現為衆生開
示說法曼殊師聽南閻浮提人皆短壽大限百年於中夭枉橫死者衆曼殊如
是无量壽如是无量壽如來功德名稱法要若有衆生得聞名号若自書或使
人書能為經卷受持讀誦若於舍宅所住之處以種種花鬘瓔珞塗香末香而
為供養如其命盡復得延年滿足百歲如是曼殊若有衆生得聞是无量
壽智決定王如來一百八名号益其長壽若有衆生大命將盡憶念是如來名号
更得增壽如是曼殊若有善男子善女人欲求長壽於是无量壽如來一百八名号有
得聞者或自書若使人書受持讀誦得如是善果報福德具足陁羅尼曰
南謨薄伽勃底一　阿波唎蜜多二　阿喻紇硯那三　須毗你失指陁四　囉佐耶五　怛他羯他耶六
怛姪他唵七　薩婆桑塞迦囉八　波唎輸底九　達磨底十　伽迦娜十一　莎訶其特迦底十二
薩婆婆毗輸底十三　摩訶娜耶十四　波唎婆囉莎訶十五
世尊復告曼殊室利如是如來一百八名号若有自書或使人書為經卷受持讀誦如
壽命盡復滿百年壽終此身後得往生无量福智世界無量壽淨土陁羅尼曰
南謨薄伽勃底一　阿波唎蜜多二　阿喻紇硯那三　須毗你失指陁四　囉佐耶五　怛他羯他耶六
怛姪他唵七　薩婆桑塞迦囉八　波唎輸底九　達磨底十　伽迦娜十一　莎訶其特迦底十二　薩婆桑塞毗輸底十三
薩婆婆毗輸底十三　摩訶娜耶十四　波唎婆囉莎訶十五
尒時有九十九俱胝佛一時同聲說是无量壽宗要經陁羅尼曰
南謨薄伽勃底一　阿波唎蜜多二　阿喻紇硯那三　須毗你失指陁四　囉佐耶五　怛他羯他耶六
怛姪他唵七　薩婆桑塞迦囉八　波唎輸底九　達磨底十　伽迦娜十一　莎訶其特迦底十二　薩婆桑塞毗輸底十三
摩訶娜耶十四　波唎婆囉莎訶十五
尒時復有一百四俱胝佛一時同聲說是无量壽宗要經陁羅尼曰
南謨薄伽勃底一　阿波唎蜜多二　阿喻紇硯那三　須毗你失指陁四　囉佐耶五　怛他羯他耶六
怛姪他唵七　薩婆桑塞迦囉八　波唎輸底九　達磨底十　伽迦娜十一　莎訶其特迦底十二

BD00558 號　無量壽宗要經

（6–1）

佘時復有一百四拘胝佛一時同聲說是无量壽宗要經陁羅尼曰
南謨薄伽勃底一 阿波唎蜜多二 阿喻紇硯娜三 須毗你失指陁四 囉佐耶五 怛他羯他耶六
怛姪他唵七 薩婆桑悉迦羅八 波唎輸底九 達磨底十 伽迦娜十一 莎訶某持迦底十二
薩婆婆毗輸底十三 摩訶娜耶十四 波唎婆曬莎訶十五
佘時復有七拘胝佛一時同聲說是无量壽宗要經陁羅尼曰
南謨薄伽勃底一 阿波唎蜜多二 阿喻硯娜三 須毗你失指陁四 囉佐耶五 怛他羯他耶六
怛姪他唵七 薩婆桑悉迦羅八 波唎輸底九 達磨底十 伽迦娜十一 莎訶某持迦底十二
薩婆婆毗輸底十三 摩訶娜耶十四 波唎婆曬莎訶十五
佘時復有六十五拘胝佛一時同聲說是无量壽宗要經陁羅尼曰
南謨薄伽勃底一 阿波唎蜜多二 阿喻紇硯娜三 須毗你失指陁四 囉佐耶五 怛他羯他耶六
怛姪他唵七 薩婆桑悉迦羅八 波唎輸底九 達磨底十 伽迦娜十一 莎訶某持迦底十二
薩婆婆毗輸底十三 摩訶娜耶十四 波唎婆曬莎訶十五
佘時復有五十五拘胝佛一時同聲說是无量壽宗要經陁羅尼曰
南謨薄伽勃底一 阿波唎蜜多二 阿喻紇硯娜三 須毗你失指陁四 囉佐耶五 怛他羯他耶六
薩婆桑悉迦羅八 波唎輸底九 達磨底十 伽迦娜十一 莎訶某持迦底十二 薩婆婆毗輸底十三
摩訶娜耶十四 波唎婆曬莎訶十五
佘時復有四十五拘胝佛一時同聲說是无量壽宗要經陁羅尼曰
南謨薄伽勃底一 阿波唎蜜多二 阿喻紇硯娜三 須毗你失指陁四 囉佐耶五 怛他羯他耶六
怛姪他唵七 薩婆桑悉迦羅八 波唎輸底九 達磨底十 伽迦娜十一 莎訶某持迦底十二
薩婆婆毗輸底十三 摩訶娜耶十四 波唎婆曬莎訶十五
佘時復有三十六拘胝佛一時同聲說是无量壽宗要經陁羅尼曰
南謨薄伽勃底一 阿波唎蜜多二 阿喻紇硯娜三 須毗你失指陁四 囉佐耶五 怛他羯他耶六
怛姪他唵七 薩婆桑悉迦羅八 波唎輸底九 達磨底十 伽迦娜十一 莎訶某持迦底十二
薩婆婆毗輸底十三 摩訶娜耶十四 波唎婆曬莎訶十五
佘時復有二十五拘胝佛一時同聲說是无量壽宗要經陁羅尼曰
南謨薄伽勃底一 阿波唎蜜多二 阿喻紇硯娜三 須毗你失指陁四 囉佐耶五 怛他羯他耶六
怛姪他唵七 薩婆桑悉迦羅八 波唎輸底九 達磨底十 伽迦娜十一 莎訶某持迦底十二
薩婆婆毗輸底十三 摩訶娜耶十四 波唎婆曬莎訶十五
佘時復有恒河沙拘胝佛一時同聲說是无量壽宗要經陁羅尼曰
南謨薄伽勃底一 阿波唎蜜多二 阿喻紇硯娜三 須毗你失指陁四 囉佐耶五 怛他羯他耶六
怛姪他唵七 薩婆桑悉迦羅八 波唎輸底九 達磨底十 伽迦娜十一 莎訶某持迦底十二

BD00558號　無量壽宗要經　（6–2）

薩婆婆毗輸底十三 摩訶娜耶十四 波唎婆曬莎訶十五
佘時復有恒河沙拘胝佛一時同聲說是无量壽宗要經陁羅尼曰
南謨薄伽勃底一 阿波唎蜜多二 阿喻紇硯娜三 須毗你失指陁四 囉佐耶五 怛他羯他耶六
怛姪他唵七 薩婆桑悉迦羅八 波唎輸底九 達磨底十 伽迦娜十一 莎訶某持迦底十二
薩婆婆毗輸底十三 摩訶娜耶十四 波唎婆曬莎訶十五
善男子若有自書寫教人書寫是无量壽宗要經如其命盡復得長壽而滿年
陁羅尼曰 南謨薄伽勃底一 阿波唎蜜多二 阿喻紇硯娜三 須毗你失指陁四
怛姪他唵七 薩婆桑悉迦羅八 波唎輸底九 達磨底十 伽迦娜十一 莎訶某持迦底十二 薩婆婆毗輸底十三
摩訶娜耶十四 波唎婆曬莎訶十五
若有自書寫教人書寫是无量壽宗要經讀誦受持畢竟不墮地獄在在所
生得宿命智陁羅尼曰
南謨薄伽勃底一 阿波唎蜜多二 阿喻紇硯娜三 須毗你失指陁四 囉佐耶五 怛他羯他耶六
怛姪他唵七 薩婆桑悉迦羅八 波唎輸底九 達磨底十 伽迦娜十一 莎訶某持迦底十二
薩婆婆毗輸底十三 摩訶娜耶十四 波唎婆曬莎訶十五
若有自書寫教人書寫是无量壽宗要經受持讀誦如同書寫八万四千一切經典陁羅尼曰
南謨薄伽勃底一 阿波唎蜜多二 阿喻紇硯娜三 須毗你失指陁四 囉佐耶五 怛他羯他耶六
怛他姪他唵七 薩婆桑悉迦羅八 波唎輸底九 達磨底十 伽迦娜十一 莎訶某持迦底十二
薩婆婆毗輸底十三 摩訶娜耶十四 波唎婆曬莎訶十五
若有自書寫教人書寫是无量壽宗要經即是書寫八万四千部建立塔廟陁羅尼曰
南謨薄伽勃底一 阿波唎蜜多二 阿喻紇硯娜三 須毗你失指陁四 囉佐耶五 怛他羯他耶六
怛姪他唵七 薩婆桑悉迦羅八 波唎輸底九 達磨底十 伽迦娜十一 莎訶某持迦底十二
薩婆婆毗輸底十三 摩訶娜耶十四 波唎婆曬莎訶十五
若有自書寫教人書寫是无量壽宗要經能消五无間等一切重罪陁羅尼曰
南謨薄伽勃底一 阿波唎蜜多二 阿喻紇硯娜三 須毗你失指陁四 囉佐耶五 怛他羯他耶六
怛姪他唵七 薩婆桑悉迦羅八 波唎輸底九 達磨底十 伽迦娜十一 莎訶某持迦底十二
薩婆婆毗輸底十三 摩訶娜耶十四 波唎婆曬莎訶十五
若有自書寫教人書寫是无量壽宗要經受持讀誦設有重罪猶如須弥盡能除滅
陁羅尼曰 南謨薄伽勃底一 阿波唎蜜多二 阿喻紇硯娜三 須毗你失指陁四
囉佐耶五 怛他羯他耶六 怛姪他唵七 薩婆桑悉迦羅八 波唎輸底九 達磨底十 伽迦娜十一 莎訶某持迦底十二
薩婆婆毗輸底十三 摩訶娜耶十四 波唎婆曬莎訶十五
若有自書寫教人書寫是无量壽宗要經受持讀誦若魔鬼子之眷屬夜叉羅剎不得
其便終无枉死陁羅尼曰
南謨薄伽勃底一 阿波唎蜜多二 阿喻紇硯娜三 須毗你失指陁四 囉佐耶五 怛他羯他耶六

BD00558號　無量壽宗要經　（6–3）

薩婆娑毗輸底十三 摩訶娜耶十四 波唎婆囉莎訶十五
若有自書寫教人書寫是无量壽宗要經受持讀誦若魔王之眷屬夜叉羅刹不得
其便終无枉死陁羅尼曰
南謨薄伽勃底一 阿波唎蜜多二 阿喻紇硯娜三 須毗你失指陀四 囉佐耶五 怛他羯他耶六
怛姪他唵七 薩婆桑悉迦囉八 波唎輸底九 達磨底十 伽伽娜十一 莎訶其持迦底十二
薩婆娑毗輸底十三 摩訶娜耶十四 波唎婆囉莎訶十五
若有自書寫教人書寫是无量壽宗要經受持讀誦當得命終時有九十九殑佛現
其人前弟千佛授手能遊一切佛刹莫於此經生疑惑陁羅尼曰
南謨薄伽勃底一 阿波唎蜜多二 阿喻紇硯娜三 須毗你失指陀四 囉佐耶五 怛他羯他耶六
怛姪他唵七 薩婆桑悉迦囉八 波唎輸底九 達磨底十 伽伽娜十一 莎訶其持迦底十二
薩婆娑毗輸底十三 摩訶娜耶十四 波唎婆囉莎訶十五
若有自書寫教人書寫是无量壽宗要經受持讀誦當得四天王逐其人衛護陁羅尼曰
南謨薄伽勃底一 阿波唎蜜多二 阿喻紇硯娜三 須毗你失指陀四 囉佐耶五 怛他羯他耶六
怛姪他唵七 薩婆桑悉迦囉八 波唎輸底九 達磨底十 伽伽娜十一 莎訶其持迦底十二
薩婆娑毗輸底十三 摩訶娜耶十四 波唎婆囉莎訶十五
若有自書寫教人書寫是无量壽宗要經受持讀誦當得往生西方極樂世界
阿彌陁淨土陁羅尼曰
南謨薄伽勃底一 阿波唎蜜多二 阿喻紇硯娜三 須毗你失指陀四 囉佐耶五 怛他羯他耶六
怛姪他唵七 薩婆桑悉迦囉八 波唎輸底九 達磨底十 伽伽娜十一 莎訶其持迦底十二
薩婆娑毗輸底十三 摩訶娜耶十四 波唎婆囉莎訶十五
若有方所自書寫使人書寫是无量壽經典之處時爲是塔皆應恭敬作礼若
是畜生或爲鳥獸得聞是經如是等類皆當不久得成一切種智陁羅尼曰
南謨薄伽勃底一 阿波唎蜜多二 阿喻紇硯娜三 須毗你失指陀四 囉佐耶五 怛他羯他耶六
怛姪他唵七 薩婆桑悉迦囉八 波唎輸底九 達磨底十 伽伽娜十一 莎訶其持迦底十二
薩婆娑毗輸底十三 摩訶娜耶十四 波唎婆囉莎訶十五
若有於是无量壽經自書寫若使人書寫畢竟不受女人之身陁羅尼曰
南謨薄伽勃底一 阿波唎蜜多二 阿喻紇硯娜三 須毗你失指陀四 囉佐耶五 怛他羯他耶六
怛姪他唵七 薩婆桑悉迦囉八 波唎輸底九 達磨底十 伽伽娜十一 莎訶其持迦底十二
薩婆娑毗輸底十三 摩訶娜耶十四 波唎婆囉莎訶十五
若有能於是經少分能惠施者等於三千大千世界滿中七寶布施羅尼曰
南謨薄伽勃底一 阿波唎蜜多二 阿喻紇硯娜三 須毗你失指陀四 囉佐耶五 怛他羯他耶六
怛姪他唵七 薩婆桑悉迦囉八 波唎輸底九 達磨底十 伽伽娜十一 莎訶其持迦底十二

BD00558號　無量壽宗要經　（6-4）

是畜生或爲鳥獸得聞是經如是等類皆當不久得成一切種智陁羅尼曰
南謨薄伽勃底一 阿波唎蜜多二 阿喻紇硯娜三 須毗你失指陀四 囉佐耶五 怛他羯他耶六
怛姪他唵七 薩婆桑悉迦囉八 波唎輸底九 達磨底十 伽伽娜十一 莎訶其持迦底十二
薩婆娑毗輸底十三 摩訶娜耶十四 波唎婆囉莎訶十五
若有於是无量壽經自書寫若使人書寫畢竟不受女人之身陁羅尼曰
南謨薄伽勃底一 阿波唎蜜多二 阿喻紇硯娜三 須毗你失指陀四 囉佐耶五 怛他羯他耶六
怛姪他唵七 薩婆桑悉迦囉八 波唎輸底九 達磨底十 伽伽娜十一 莎訶其持迦底十二
薩婆娑毗輸底十三 摩訶娜耶十四 波唎婆囉莎訶十五
若有能於是經少分能惠施者等於三千大千世界滿中七寶布施羅尼曰
南謨薄伽勃底一 阿波唎蜜多二 阿喻紇硯娜三 須毗你失指陀四 囉佐耶五 怛他羯他耶六
怛姪他唵七 薩婆桑悉迦囉八 波唎輸底九 達磨底十 伽伽娜十一 莎訶其持迦底十二
薩婆娑毗輸底十三 摩訶娜耶十四 波唎婆囉莎訶十五
若有能供養是經者則是供養一切諸經等无有異陁羅尼曰
南謨薄伽勃底一 阿波唎蜜多二 阿喻紇硯娜三 須毗你失指陀四 囉佐耶五 怛他羯他耶六
怛姪他唵七 薩婆桑悉迦囉八 波唎輸底九 達磨底十 伽伽娜十一 莎訶其持迦底十二
薩婆娑毗輸底十三 摩訶娜耶十四 波唎婆囉莎訶十五
如是毗婆尸佛弃佛毗舍浮佛俱留孫佛俱那含牟尼佛迦葉佛釋迦牟尼佛若有人以七
寶供養如是七佛其福有限書寫受持是无量壽經典所有功德不可限量陁羅尼曰
南謨薄伽勃底一 阿波唎蜜多二 阿喻紇硯娜三 須毗你失指陀四 囉佐耶五 怛他羯他耶六
怛姪他唵七 薩婆桑悉迦囉八 波唎輸底九 達磨底十 伽伽娜十一 莎訶其持迦底十二 薩婆娑毗輸底十三
摩訶娜耶十四 波唎婆囉莎訶十五
若有七寶等於須彌山用布施其福上能知其限量是无量壽經典其福不可知
數陁羅尼曰
南謨薄伽勃底一 阿波唎蜜多二 阿喻紇硯娜三 須毗你失指陀四 囉佐耶五 怛他羯他耶六
怛姪他唵七 薩婆桑悉迦囉八 波唎輸底九 達磨底十 伽伽娜十一 莎訶其持迦底十二
薩婆娑毗輸底十三 摩訶娜耶十四 波唎婆囉莎訶十五
如是四大海水可知滴數是无量壽經典所生果報不可數量陁羅尼曰
南謨薄伽勃底一 阿波唎蜜多二 阿喻紇硯娜三 須毗你失指陀四 囉佐耶五 怛他羯他耶六
怛姪他唵七 薩婆桑悉迦囉八 波唎輸底九 達磨底十 伽伽娜十一 莎訶其持迦底十二
薩婆娑毗輸底十三 摩訶娜耶十四 波唎婆囉莎訶十五
若有自書使人書寫是无量壽經典又能護持供養即如恭養一切十方佛土如來无有
別異陁羅尼曰

BD00558號　無量壽宗要經　（6-5）

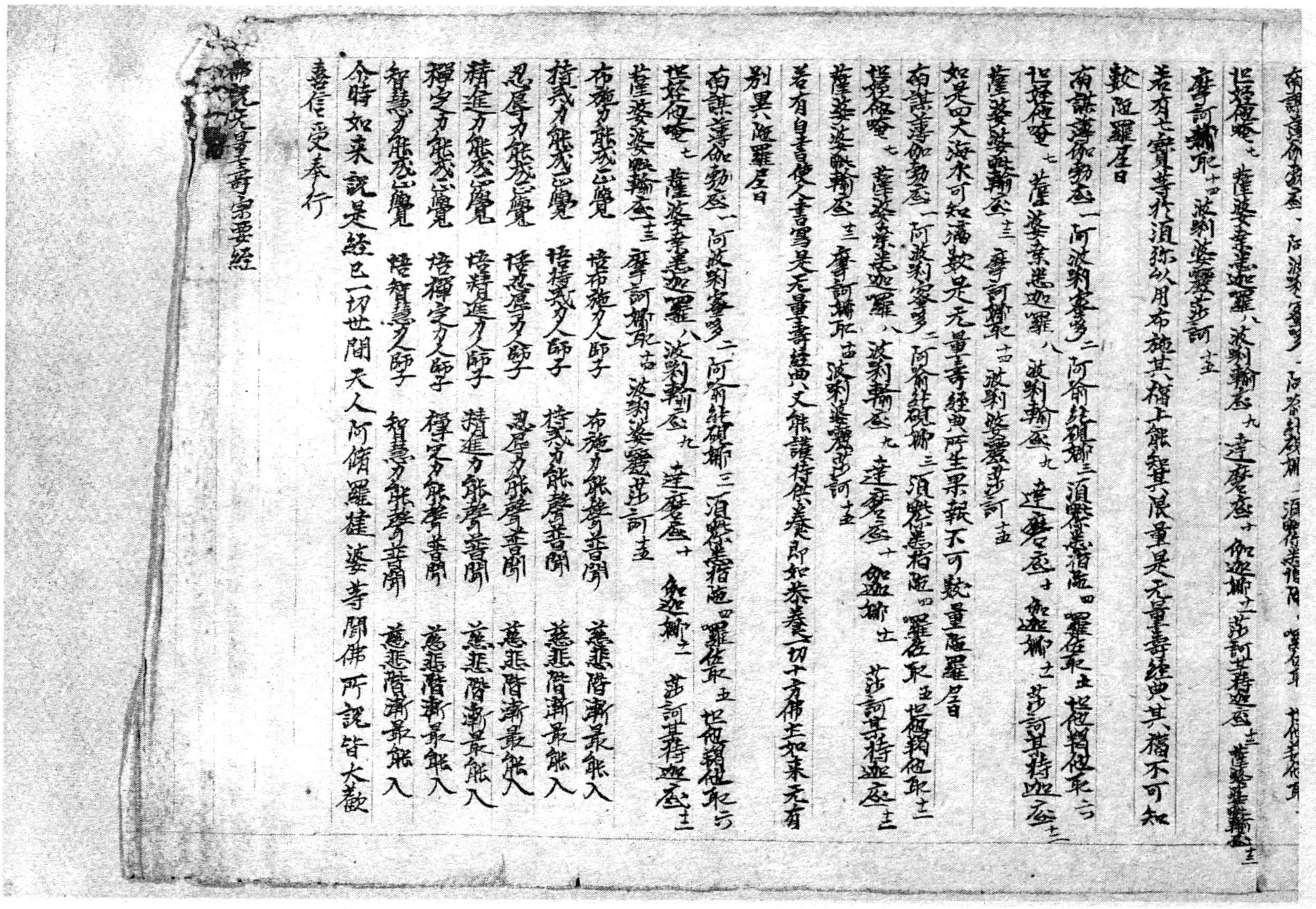

南謨薄伽勃底一 阿波唎蜜多二 阿喻紇硏那三 須毗你悉指陀四 囉佐耶五 怛他羯他耶六
怛姪他唵七 薩婆桑悉迦羅八 波唎輸底九 達摩底十 伽迦那十一 莎訶娑特迦底十二 薩婆婆毗輸底十三
摩訶那耶十四 波唎婆嚟莎訶十五
若有七寶等於須彌山用布施其福上能知其限量是无量壽經典其福不可知
數陀羅尼曰
南謨薄伽勃底一 阿波唎蜜多二 阿喻紇硏那三 須毗你悉指陀四 囉佐耶五 怛他羯他耶六
怛姪他唵七 薩婆桑悉迦羅八 波唎輸底九 達摩底十 伽迦那十一 莎訶娑特迦底十二
薩婆婆毗輸底十三 摩訶那耶十四 波唎婆嚟莎訶十五
如是四大海水可知滴數是无量壽經典所生果報不可數量陀羅尼曰
南謨薄伽勃底一 阿波唎蜜多二 阿喻紇硏那三 須毗你悉指陀四 囉佐耶五 怛他羯他耶六
怛姪他唵七 薩婆桑悉迦羅八 波唎輸底九 達摩底十 伽迦那十一 莎訶娑特迦底十二
薩婆婆毗輸底十三 摩訶那耶十四 波唎婆嚟莎訶十五
若有自書使人書寫是无量壽經典又能讀誦供養即如恭養一切十方佛土如來无有
別異陀羅尼曰
南謨薄伽勃底一 阿波唎蜜多二 阿喻紇硏那三 須毗你悉指陀四 囉佐耶五 怛他羯他耶六
怛姪他唵七 薩婆桑悉迦羅八 波唎輸底九 達摩底十 伽迦那十一 莎訶娑特迦底十二
薩婆婆毗輸底十三 摩訶那耶十四 波唎婆嚟莎訶十五
布施力能成正覺 悟布施力人師子 布施力能聲普聞 慈悲階漸最能入
持戒力能成正覺 悟持戒力人師子 持戒力能聲普聞 慈悲階漸最能入
忍辱力能成正覺 悟忍辱力人師子 忍辱力能聲普聞 慈悲階漸最能入
精進力能成正覺 悟精進力人師子 精進力能聲普聞 慈悲階漸最能入
禪定力能成正覺 悟禪定力人師子 禪定力能聲普聞 慈悲階漸最能入
智慧力能成正覺 悟智慧力人師子 智慧力能聲普聞 慈悲階漸最能入
尒時如來說是經已一切世間天人阿脩羅揵婆等聞佛所說皆大歡
喜信受奉行
佛說无量壽宗要經

BD00558 號　無量壽宗要經　　　　　　　　（6–6）

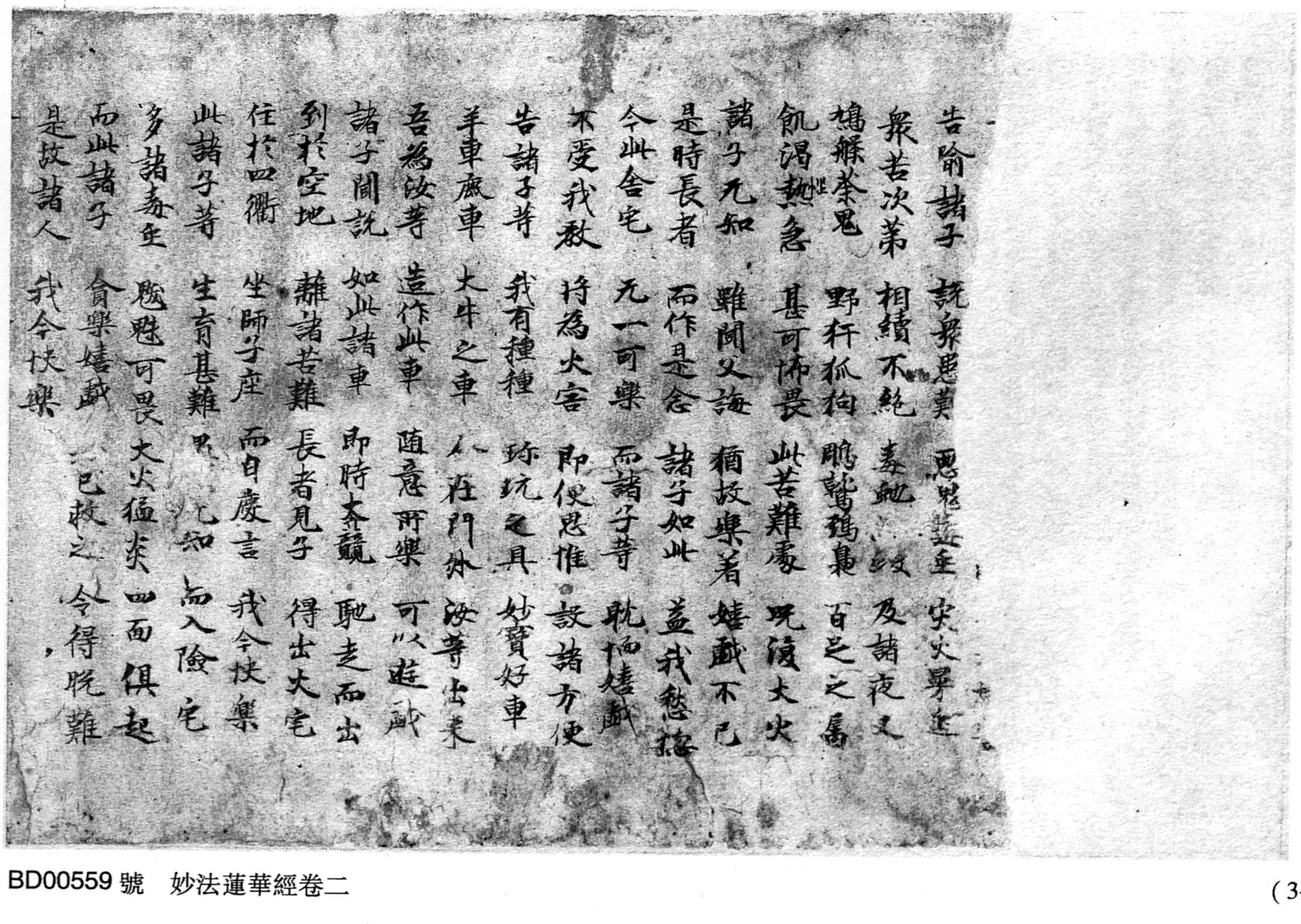

告喻諸子 說衆患難 惡鬼毒虫 災火蔓莚
衆苦次第 相續不絕 毒虵蚖蝮 及諸夜叉
鳩槃荼鬼 野干狐狗 鵰鷲鵄梟 百足之屬
飢渴熱急 甚可怖畏 此苦難處 況復大火
諸子无知 雖聞父誨 猶故樂著 嬉戲不已
是時長者 而作是念 諸子如此 益我愁惱
今此舍宅 无一可樂 而諸子等 耽湎嬉戲
不受我教 將為火害 即便思惟 設諸方便
告諸子等 我有種種 珍玩之具 妙寶好車
羊車鹿車 大牛之車 今在門外 汝等出來
吾為汝等 造作此車 隨意所樂 可以遊戲
諸子聞說 如此諸車 即時奔競 馳走而出
到於空地 離諸苦難 長者見子 得出火宅
住於四衢 坐師子座 而自慶言 我今快樂
此諸子等 生育甚難 愚小无知 而入險宅
多諸毒虫 魑魅可畏 大火猛炎 四面俱起
而此諸子 貪樂嬉戲 我已救之 令得脫難
是故諸人 我今快樂

BD00559 號　妙法蓮華經卷二　　　　　　　　（3–1）

多諸毒虫 魑魅可畏 大火猛炎 四面俱起
而此諸子 貪樂嬉戲 我已救之 令得脫難
是故諸人 我今快樂
尒時諸子 知父安坐 皆詣父所 而白父言
願賜我等 三種寶車 如前所許 諸子出來
當以三車 隨汝所欲 今正是時 唯垂給與
長者大富 庫藏衆多 金銀琉璃 車𤦲馬瑙
以衆寶物 造諸大車 莊校嚴飾 周帀欄楯
四面懸鈴 金繩絞絡 真珠羅網 張施其上
金華諸纓 處處垂下 衆綵雜飾 周帀圍遶
柔軟繒纊 以爲茵蓐 上妙細疊 價直千億
鮮白淨潔 以覆其上 有大白牛 肥壯多力
形體姝好 以駕寶車 多諸儐從 而侍衛之
以是妙車 等賜諸子 諸子是時 歡喜踊躍
乘此寶車 遊於四方 嬉戲快樂 自在无导
告舍利弗 我亦如是 衆聖中尊 世間之父
一切衆生 皆是吾子 深著世樂 无有慧心
三界无安 猶如火宅 衆苦充滿 甚可怖畏
常有生老 病死憂患 如是等火 熾然不息
如來已離 三界火宅 寂然閑居 安處林野
今此三界 皆是我有 其中衆生 悉是吾子
而今此處 多諸患難 唯我一人 能爲救護
雖復教詔 而不信受 於諸欲染 貪著深故
以是方便 爲說三乘 令諸衆生 知三界苦
開示演說 出世間道 是諸子等 若心決定
具足三明 及六神通 有得緣覺 不退菩薩
汝舍利弗 我爲衆生 以此譬喻 說一佛乘

BD00559號　妙法蓮華經卷二　（3–2）

以是方便 爲說三乘 令諸衆生 知三界苦
開示演說 出世間道 是諸子等 若心決定
具足三明 及六神通 有得緣覺 不退菩薩
汝舍利弗 我爲衆生 以此譬喻 說一佛乘
汝等若能 信受是語 一切皆當 成得佛道
是乘微妙 清淨第一 於諸世間 爲无有上
佛所悅可 一切衆生 所應稱讚 供養禮拜
无量億千 諸力解脫 禪定智慧 及佛餘法
得如是乘 令諸子等 日夜劫數 常得遊戲
與諸菩薩 及聲聞衆 乘此寶乘 直至道場
以是因緣 十方諦求 更无餘乘 除佛方便
告舍利弗 汝諸人等 皆是吾子 我則是父
汝等累劫 衆苦所燒 我皆濟拔 令出三界
我雖先說 汝等滅度 但盡生死 而實不滅
今所應作 唯佛智慧
若有菩薩 於是衆中 能一心聽 諸佛實法
諸佛世尊 雖以方便 所化衆生 皆是菩薩
若人小智 深著愛欲 爲此等故 說於苦諦
衆生心喜 得未曾有 佛說苦諦 真實无異
若有衆生 不知苦本 深著苦因 不能暫捨
方便說道 諸苦所因 貪欲爲本

BD00559號　妙法蓮華經卷二　（3–3）

南无寶現菩薩　南无寶造菩薩
南无樂法菩薩　南无淨王菩薩
南无頂相菩薩　南无金光菩薩
南无寶語菩薩　南无千光菩薩
南无原崘菩薩　南无照昧菩薩
南无月辯菩薩　南无月光菩薩
南无法輪菩薩　南无淨菩薩
南无常施菩薩　南无普德菩薩
南无普明菩薩　南无勝幢菩薩
南无濡音菩薩　南无德炎菩薩
南无相光菩薩　南无海月菩薩
南无海藏菩薩　南无勝月菩薩
南无淨慧菩薩　南无超光菩薩
南无月德菩薩　南无日光菩薩
南无金剛菩薩　南无炎幢菩薩
南无尊德菩薩　南无海明菩薩
南无海廣菩薩　南无照境菩薩
南无慧明菩薩　南无功德菩薩
南无明達菩薩　南无密教菩薩
南无須彌菩薩　南无色力菩薩一万三千二百
南无調伏菩薩　南无隱身菩薩
南无華聚菩薩

BD00560號　佛名經（二十卷本）卷二〇　（5–1）

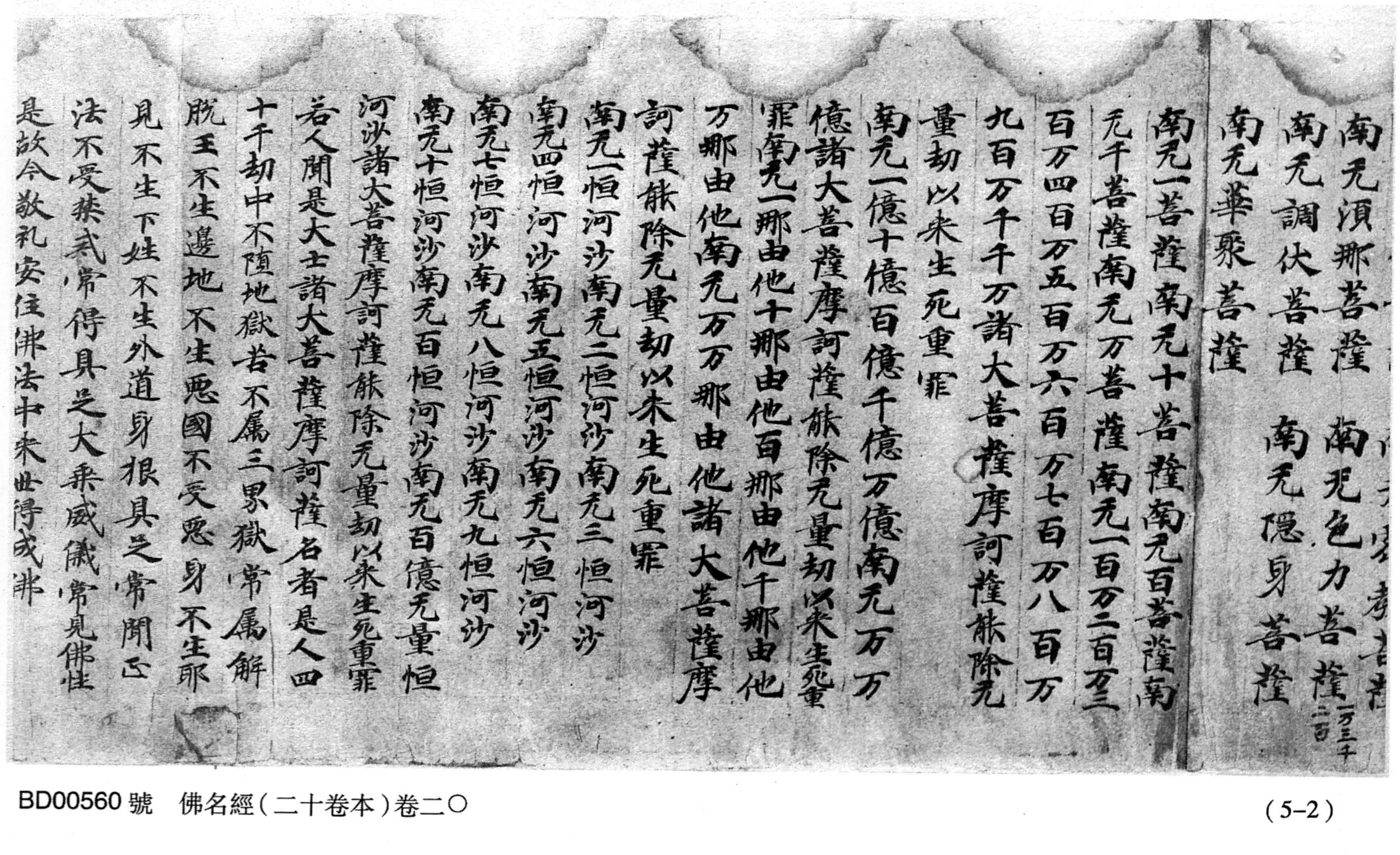

南无須彌菩薩　南无色力菩薩一万三千二百
南无調伏菩薩　南无隱身菩薩
南无華聚菩薩
南无一菩薩南无十菩薩南无百菩薩南
无千菩薩南无万菩薩南无一百万二百万三
百万四百万五百万六百万七百万八百万
九百万千千万諸大菩薩摩訶薩能除无
量劫以來生死重罪
南无一億十億百億千億万億南无万万
億諸大菩薩摩訶薩能除无量劫以來生死重
罪南无一那由他十那由他百那由他千那由他
万那由他南无万万那由他諸大菩薩摩
訶薩能除无量劫以來生死重罪
南无一恒河沙南无二恒河沙南无三恒河沙
南无四恒河沙南无五恒河沙南无六恒河沙
南无七恒河沙南无八恒河沙南无九恒河沙
南无十恒河沙南无百恒河沙南无百億无量恒
河沙諸大菩薩摩訶薩能除无量劫以來生死重罪
若人聞是大士諸大菩薩摩訶薩名者是人四
十千劫中不墮地獄若不屬三界獄常屬解
脫王不生邊地不生惡國不受惡身不生耶
見不生下姓不生外道身根具足常聞正
法不受穢戒常得具足大乘威儀常見佛性
是故今敬礼安住佛法中來世得成佛

BD00560號　佛名經（二十卷本）卷二〇　（5–2）

十千劫中不墮地獄若不屬三界獄常屬解
脫王不生邊地不生惡國不受惡身不生耶
見不生下姓不生外道身根具足常聞正
法不受禁式常得具足大乘威儀常見佛性
是故今敬礼安住佛法中未世得成佛
說是諸大菩薩名時八十八億清信男女悟
阿那含果九十四億諸天得斯陁含果七十
八億失心比丘還得本心悟阿羅漢果十億
菩薩得大陁羅尼未世成佛道
南无聲聞緣覺一切辟支佛
南无耳辟支佛　南无心得解脫辟支佛
南无憂波耳辟支佛　南无吉辟支佛
南无遮羅辟支佛　南无聲聞緣覺一切賢聖
南无過現未來三世諸佛歸命懺悔
弟子等已懺悔餓鬼畜生人天等報竟次當
懺悔五逆四重謗方等罪弟子等從曠劫
以來於其中間或作五逆等罪造一闡提行未
曾改悔自知定犯四重等罪十三僧殘二不定
法三十捨墮九十一墮四懺悔法衆多學法
七滅諍等或謗毀三寶如是等罪自作教他
見作隨喜是故誠心發露懺悔今於釋迦遺
法之中安施道場懸繒幡蓋坐尊形像燒衆
名香不睡不眠五體投地涕泣交流各自條其
罪名自列過咎不敢覆藏是故弟子今日

BD00560號　佛名經（二十卷本）卷二〇　（5-3）

法之中安施道場懸繒幡蓋坐尊形像燒衆
名香不睡不眠五體投地涕泣交流各自條其
罪名自列過咎不敢覆藏是故弟子今日
无量怖畏无量慚愧歸依十方諸佛
南无東方須弥燈王佛　南无東南方一切覺華佛
南无南方大功德佛　南无西南方无量辯才佛
南无西方无量力佛　南无西北方蓮華生王佛
南无北方覺華生德佛　南无東北方滅一切憂佛
南无上方電燈王幢佛　南无下方金光明王佛
如是十方盡虛空界一切三寶
弟子等從曠劫以來至于今日身犯五逆重
罪常隨生死流入苦海爲諸煩惱勢力所使
於魔境界不能自解而此愛賊爲害滋多猛
火燒心飄風吹起壯色不停猶如奔馬不知
恭敬佛法聖僧菩薩緣覺父母師長憍慢所
覆樂習煩惱或破塔壞寺出佛身血或煞真
人羅漢三向四果或煞沙門婆羅門出家五
衆或煞五戒八齋菩薩律儀或煞菩提正念
衆生或煞五通神仙閑居隱士或煞脩禪學
道一切賢聖或煞比丘比丘尼或煞優婆塞優
婆夷或煞父害母煞兄害弟爲人之臣煞
害其君爲人妻妾煞害其夫爲人奴婢煞害
本主爲人子孫煞害姊祖或煞十方世界眷
屬如此等五逆重罪是故今日皆悉懺悔

BD00560號　佛名經（二十卷本）卷二〇　（5-4）

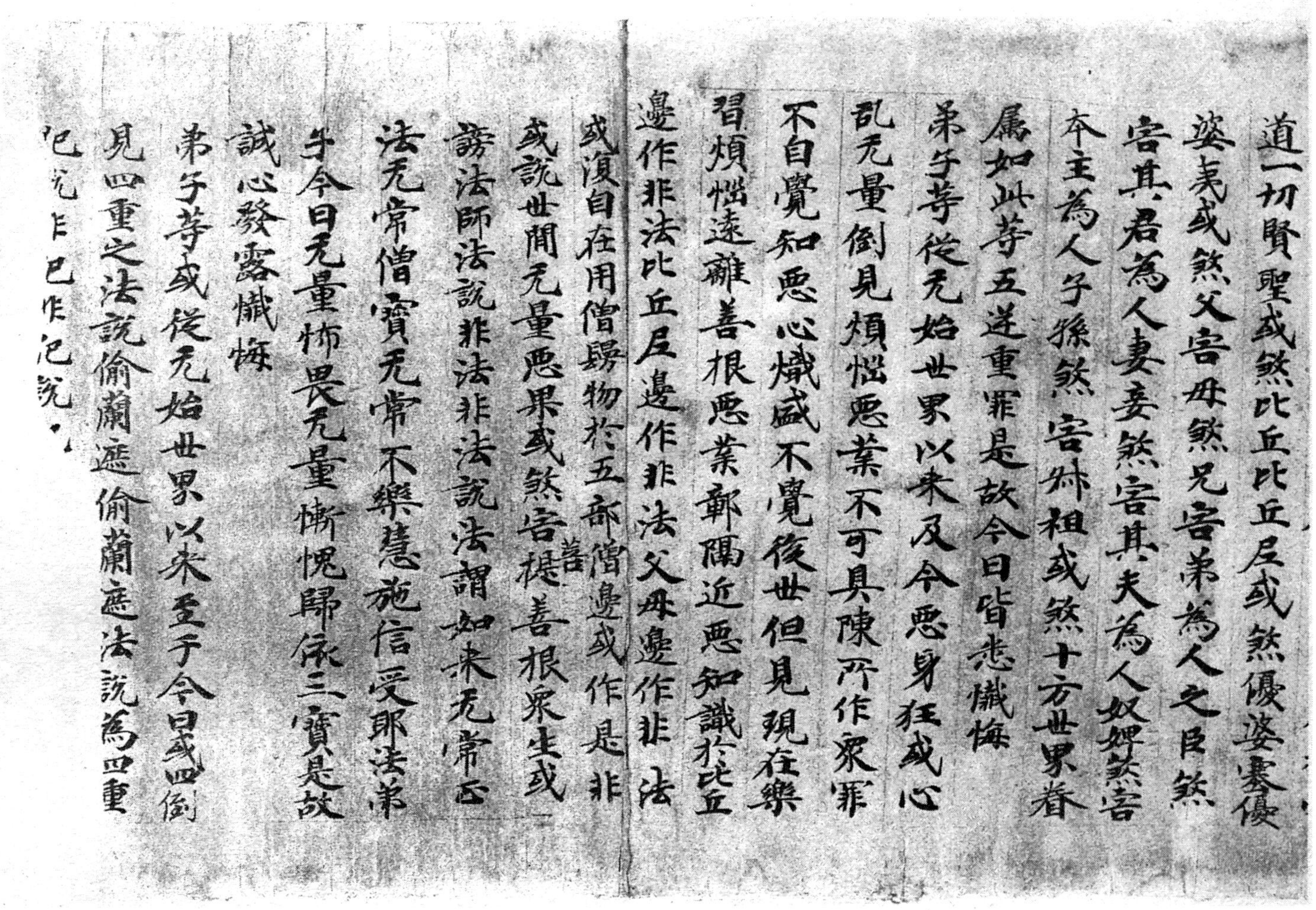

道一切賢聖或煞比丘比丘尼或煞優婆塞優
婆夷或煞父害母煞兄害弟為人之臣煞
害其君為人妻妾煞害其夫為人奴婢煞害
本主為人子孫煞害姉祖或煞十方世界眷
屬如此等五逆重罪是故今日皆悉懺悔
弟子等從无始世界以來乃至今日身狂或心
亂无量倒見煩惱惡業不可具陳所作衆罪
不自覺知惡心熾盛不覺後世但見現在樂
習煩惱遠離善根惡業鄣隔近惡知識於比丘
邊作非法比丘尼邊作非法父母邊作非法
或復自在用僧物於五部善僧邊或作是非
或說世間无量惡果或煞害提善根衆生或
謗法師法說非法非法說法謂如來无常正
法无常僧寶无常不樂慧施信受邪法弟
子今日无量怖畏无量慚愧歸依三寶是故
誠心發露懺悔
弟子等或從无始世界以來乃至今日或四倒
見四重之法說偷蘭遮偷蘭遮法說為四重
犯无犯已作犯說

BD00560號　佛名經（二十卷本）卷二〇　　（5–5）

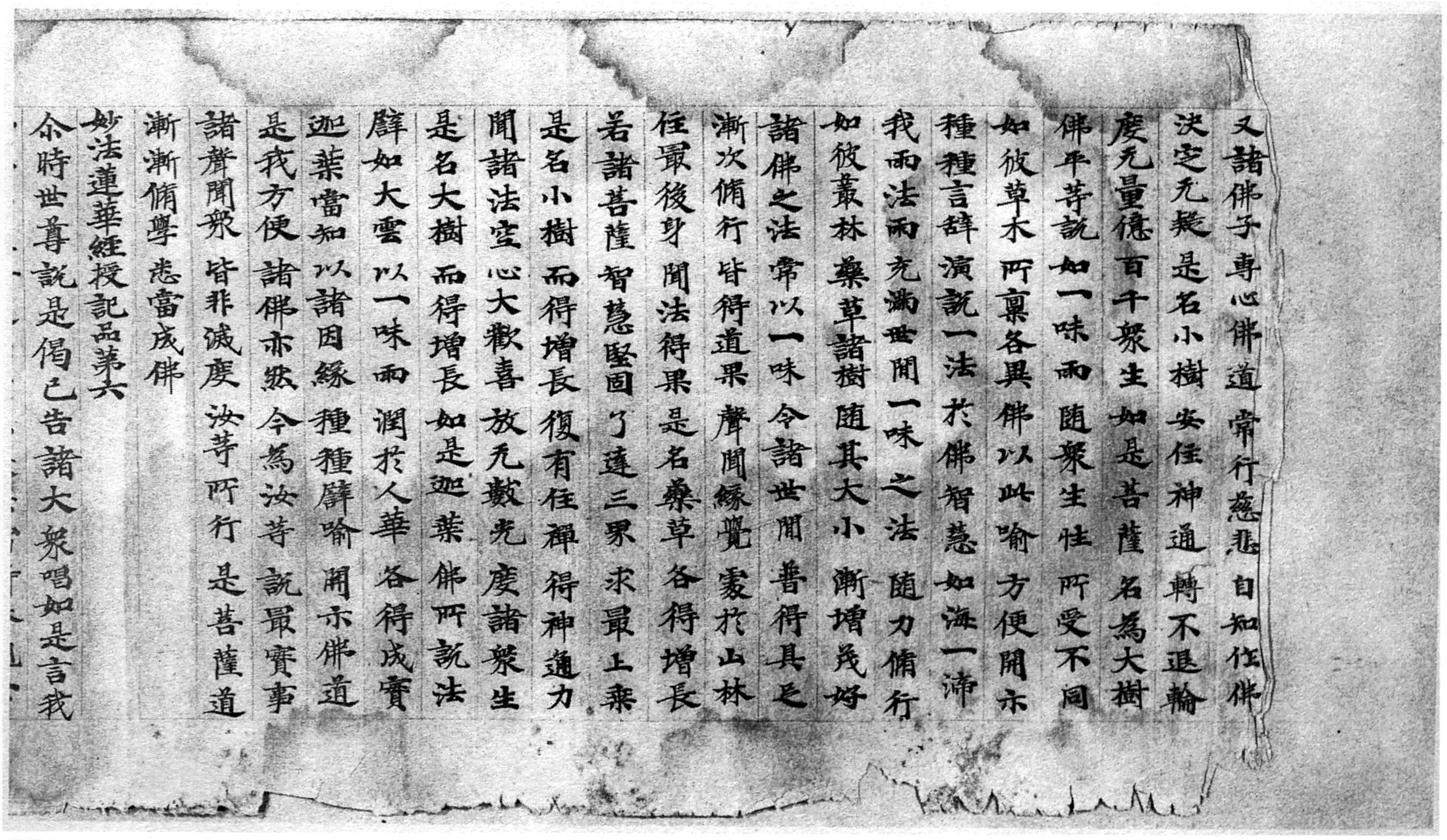

又諸佛子專心佛道常行慈悲自知作佛
決定无疑是名小樹安住神通轉不退輪
度无量億百千衆生如是菩薩名為大樹
佛平等說如一味雨隨衆生性所受不同
如彼草木所稟各異佛以此喻方便開示
種種言辭演說一法於佛智慧如海一渧
我雨法雨充滿世間一味之法隨力脩行
如彼叢林藥草諸樹隨其大小漸增茂好
諸佛之法常以一味令諸世間普得具足
漸次脩行皆得道果聲聞緣覺處於山林
住最後身聞法得果是名藥草各得增長
若諸菩薩智慧堅固了達三界求最上乘
是名小樹而得增長復有住禪得神通力
聞諸法空心大歡喜放无數光度諸衆生
是名大樹而得增長如是迦葉佛所說法
譬如大雲以一味雨潤於人華各得成實
迦葉當知以諸因緣種種譬喻開示佛道
是我方便諸佛亦然今為汝等說最實事
諸聲聞衆皆非滅度汝等所行是菩薩道
漸漸脩學悉當成佛
妙法蓮華經授記品第六
尒時世尊說是偈已告諸大衆唱如是言我

BD00561號　妙法蓮華經卷三　　（12–1）

[illegible]
漸漸脩學　悉當成佛
妙法蓮華經授記品第六
尒時世尊說是偈已告諸大衆唱如是言我
此弟子摩訶迦葉於未來世當得奉覲三百
萬億諸佛世尊供養恭敬尊重讚歎廣宣諸
佛无量大法於最後身得成為佛名曰光明
如來應供正遍知明行足善逝世間解无上
士調御丈夫天人師佛世尊國名光德劫名
大莊嚴佛壽十二小劫正法住世二十小劫
像法亦住二十小劫國界嚴飾无諸穢惡凡
礫荊棘便利不淨其土平正无有高下坑坎
堆阜瑠璃為地寶樹行列黃金為繩以界道
側散諸寶華周遍清淨其國菩薩无量千億
諸聲聞衆亦復无數无有魔事雖有魔及魔
民皆護佛法尒時世尊欲重宣此義而說偈
言
告諸比丘　我以佛眼　見是迦葉　於未來世
過无數劫　當得作佛　而於來世　供養奉覲
三百萬億　諸佛世尊　為佛智慧　淨脩梵行
供養最上　二足尊已　脩習一切　无上之慧
於最後身　得成為佛　其土清淨　瑠璃為地
多諸寶樹　行列道側　金繩界道　見者歡喜
常出好香　散衆名華　種種奇妙　以為莊嚴
其地平正　无有丘坑　諸菩薩衆　不可稱計
其心調柔　逮大神通　奉持諸佛　大乘經典

多諸寶樹　行列道側　金繩界道　見者歡喜
常出好香　散衆名華　種種奇妙　以為莊嚴
其地平正　无有丘坑　諸菩薩衆　不可稱計
其心調柔　逮大神通　奉持諸佛　大乘經典
諸聲聞衆　无漏後身　法王之子　亦不可計
乃以天眼　不能數知　其佛當壽　十二小劫
正法住世　二十小劫　像法亦住　二十小劫
光明世尊　其事如是
尒時大目揵連須菩提摩訶迦旃延等皆悉
悚慄一心合掌瞻仰尊顏目不暫捨即共同
聲而說偈言
大雄猛世尊　諸釋之法王　哀愍我等故　而賜佛音聲
若知我深心　見為授記者　如以甘露灑　除熱得清涼
如從飢國來　忽遇大王饍　心猶懷疑懼　未敢即便食
若復得王教　然後乃敢食　我等亦如是　每惟小乘過
不知當云何　得佛无上慧　雖聞佛音聲　言我等作佛
心尚懷憂懼　如未敢便食　若蒙佛授記　尒乃快安樂
大雄猛世尊　常欲安世間　願賜我等記　如飢須教食
尒時世尊知諸大弟子心之所念告諸比丘
是須菩提於當來世奉覲三百萬億那由他
佛供養恭敬尊重讚歎常脩梵行具菩薩道
於最後身得成為佛号曰名相如來應供正
遍知明行足善逝世間解无上士調御丈夫
天人師佛世尊劫名有寶國名寶生其土平
正頗梨為地寶樹莊嚴无諸丘坑沙礫荊棘

遍知明行足善逝世間解无上士調御丈夫
天人師佛世尊劫名有寶國名寶生其土平
正頗梨為地寶樹莊嚴无諸丘坑沙礫荊棘
便利之穢寶華覆地周遍清淨其土人民皆
處寶臺珎妙樓閣聲聞弟子无量无邊筭數
譬喻所不能知諸菩薩衆无數千萬億那由
他佛壽十二小劫正法住世二十小劫像法
亦住二十小劫其佛常處虛空為衆說法度
脫无量菩薩及聲聞衆尒時世尊欲重宣此
義而說偈言
諸比丘衆 今告汝等 皆當一心 聽我所說
我大弟子 須菩提者 當得作佛 号曰名相
當供无數 萬億諸佛 隨佛所行 漸具大道
最後身得 三十二相 端正姝妙 猶如寶山
其佛國土 嚴淨第一 衆生見者 无不愛樂
佛於其中 度无量衆 其佛法中 多諸菩薩
皆悉利根 轉不退輪 彼國常以 菩薩莊嚴
諸聲聞衆 不可稱數 皆得三明 具六神通
住八解脫 有大威德 其佛說法 現於无量
神通變化 不可思議 諸天人民 數如恒沙
皆共合掌 聽受佛語 其佛當壽 十二小劫
正法住世 二十小劫 像法亦住 二十小劫
尒時世尊復告諸比丘衆我今語汝是大迦
旃延於當來世以諸供具供養奉事八千億
佛恭敬尊重諸佛滅後各起塔廟高千由旬

BD00561 號　妙法蓮華經卷三　(12–4)

尒時世尊復告諸比丘衆我今語汝是大迦
旃延於當來世以諸供具供養奉事八千億
佛恭敬尊重諸佛滅後各起塔廟高千由旬
縱廣正等五百由旬以金銀瑠璃車𤦲馬瑙
真珠玫瑰七寶合成衆華瓔珞塗香抹香
燒香繒蓋幢幡供養塔廟過是已後當復供
養二萬億佛亦復如是供養是諸佛已具菩
薩道當得作佛号曰閻浮那提金光如來應供
正遍知明行足善逝世間解无上士調御丈
夫天人師佛世尊其土平正頗梨為地寶樹
莊嚴黃金為繩以界道側妙華覆地周遍清
淨見者歡喜无四惡道地獄餓鬼畜生阿脩
羅道多有天人諸聲聞衆及諸菩薩无量萬
億莊嚴其國佛壽十二小劫正法住世二十
小劫像法亦住二十小劫尒時世尊欲重宣
此義而說偈言
諸比丘衆 皆一心聽 如我所說 真實无異
是迦旃延 當以種種 妙好供具 供養諸佛
諸佛滅後 起七寶塔 亦以華香 供養舍利
其最後身 得佛智慧 成等正覺 國土清淨
度脫无量 萬億衆生 皆為十方 之所供養
佛之光明 无能勝者 其佛号曰 閻浮金光
菩薩聲聞 斷一切有 无量无數 莊嚴其國
尒時世尊復告大衆我今語汝是大目揵連
當以種種供具供養八千諸佛恭敬尊重諸

BD00561 號　妙法蓮華經卷三　(12–5)

菩薩聲聞　斷一切有　无量无數　莊嚴
尒時世尊復告大衆我今語汝是大目揵連
當以種種供具供養八千諸佛恭敬尊重諸
佛滅後各起塔廟高千由旬縱廣正等五百
由旬以金銀瑠璃車𤦲馬瑙真珠玫瑰七寶
合成衆華瓔珞塗香抹香燒香繒蓋幢幡以
用供養過是已後當復供養二百萬億諸佛
亦復如是當得成佛号曰多摩羅䟦旃檀香
如来應供正遍知明行足善逝世間解无上
士調御丈夫天人師佛世尊劫名喜滿國名
意樂其土平正頗梨爲地寶樹莊嚴散真
珠華周遍清淨見者歡喜多諸天人菩薩聲
聞其數无量佛壽二十四小劫正法住世四
十小劫像法亦住四十小劫尒時世尊欲重
宣此義而說偈言
我此弟子　大目揵連　捨是身已　得見八千
二百萬億　諸佛世尊　爲佛道故　供養恭敬
於諸佛所　常脩梵行　於无量劫　奉持佛法
諸佛滅後　起七寶塔　長表金剎　華香伎樂
而以供養　諸佛塔廟　漸漸具足　菩薩道已
於意樂國　而得作佛　号多摩羅　旃檀之香
其佛壽命　二十四劫　常爲天人　演說佛道
聲聞无量　如恒河沙　三明六通　有大威德
菩薩无數　志固精進　於佛智慧　皆不退轉
佛滅度後　正法當住　四十小劫　像法亦尒
我諸弟子　威德具足　其數五百　皆當授記

菩薩无數　志固精進　於佛智慧　皆不退轉
佛滅度後　正法當住　四十小劫　像法亦尒
我諸弟子　威德具足　其數五百　皆當授記
於未来世　咸德成佛
我及汝等　宿世因緣　吾今當說　汝等善聽

妙法蓮華經化城喻品第七

佛告諸比丘乃往過去无量无邊不可思議
阿僧祇劫尒時有佛名大通智勝如来應供
正遍知明行足善逝世間解无上士調御丈
夫天人師佛世尊其國名好成劫名大相諸
比丘彼佛滅度已来甚大久遠譬如三千大
千世界所有地種假使有人磨以爲墨過於
東方千國土乃下一點大如微塵又過千國
土復下一點如是展轉盡地種墨於汝等意
云何是諸國土若筭師若筭師弟子能得邊
際知其數不不也世尊諸比丘是人所經國
土若點不點盡末爲塵一塵一劫彼佛滅度
已来復過是數无量无邊百千萬億阿僧祇
劫我以如来知見力故觀彼久遠猶若今日
尒時世尊欲重宣此義而說偈言
我念過去世　无量无邊劫　有佛兩足尊　名大通智勝
如人以力磨　三千大千土　盡此諸地種　皆悉以爲墨
過於千國土　乃下一塵點　如是展轉點　盡此諸塵墨
如是諸國土　點與不點等　復盡抹爲塵　一塵爲一劫
此諸微塵數　其劫復過是　彼佛滅度来　如是无量劫

過於千國土　乃下一塵點　如是展轉點　盡此諸塵墨
如是諸國土　點與不點等　復盡末為塵　一塵為一劫
此諸微塵數　其劫復過是　彼佛滅度來　如是无量劫
如来无礙智　知彼佛滅度　及聲聞菩薩　如見今滅度
諸比丘當知　佛智淨微妙　无漏无所礙　通達无量劫
佛告諸比丘大通智勝佛壽五百四十萬億
那由他劫其佛本坐道場破魔軍已垂得阿
耨多羅三藐三菩提而諸佛法不現在前如
是一小劫乃至十小劫結跏趺坐身心不動
而諸佛法猶不在前尒時忉利諸天先為彼
佛於菩提樹下敷師子座高一由旬佛於此
坐當得阿耨多羅三藐三菩提適坐此座時
諸梵天王雨衆天華面百由旬香風時来吹
去萎華更雨新者如是不絕滿十小劫供養
於佛乃至滅度常雨此華四王諸天為供養
佛常擊天鼓其餘諸天作天伎樂滿十小劫
至于滅度亦復如是諸比丘大通智勝佛過
十小劫諸佛之法乃現在前成阿耨多羅三
藐三菩提其佛未出家時有十六子其第一
者名曰智積諸子各有種種珎異玩好之具
聞父得成阿耨多羅三藐三菩提皆捨所珎
往詣佛所諸母涕泣而隨送之其祖轉輪聖
王與一百大臣及餘百千萬億人民皆共圍
繞隨至道場咸欲親近大通智勝如来供養
恭敬尊重讚歎到已頭面礼足繞佛畢已一

BD00561號　妙法蓮華經卷三　（12–8）

繞隨至道場咸欲親近大通智勝如来供養
恭敬尊重讚歎到已頭面礼足繞佛畢已一
心合掌瞻仰世尊以偈頌曰
大威德世尊　為度衆生故　於无量億歲　尒乃得成佛
諸願已具足　善哉吉无上　世尊甚希有　一坐十小劫
身體及手足　靜然安不動　其心常惔怕　未曾有散亂
究竟永寂滅　安住无漏法　今者見世尊　安隱成佛道
我等得善利　稱慶大歡喜　衆生常苦惱　盲瞑无導師
不識苦盡道　不知求解脫　長夜增惡趣　減損諸天衆
從瞑入於瞑　永不聞佛名　今佛得最上　安隱无漏道
我等及天人　為得最大利　是故咸稽首　歸命无上尊
尒時十六王子偈讚佛已勸請世尊轉於法
輪咸作是言世尊說法多所安隱憐愍饒益
諸天人民重說偈言
世雄无等倫　百福自莊嚴　得无上智慧　願為世間說
度脫於我等　及諸衆生類　為分別顯示　令得是智慧
若我等得佛　衆生亦復然　世尊知衆生　深心之所念
亦知所行道　又知智慧力　欲樂及脩福　宿命所行業
世尊悉知已　當轉无上輪
佛告諸比丘大通智勝佛得阿耨多羅三藐
三菩提時十方各五百萬億諸佛世界六種
震動其國中間幽瞑之處日月威光所不能
照而皆大明其中衆生各得相見咸作是言
此中云何忽生衆生又其國界諸天宮殿乃
至梵宮六種震動大光普照遍滿世界勝諸

BD00561號　妙法蓮華經卷三　（12–9）

照而皆大明 其中衆生各得相見咸作是言
此中云何忽生衆生又其國界諸天宮殿乃
至梵宮六種震動大光普照遍滿世界勝諸
天光尒時東方五百萬億諸國土中梵天宮
殿光明照曜倍於常明諸梵天王各作是念
今者宮殿光明昔所未有以何因緣而現此
相是時諸梵天王即各相詣共議此事時彼衆
中有一大梵天王名救一切為諸梵衆而說
偈言
我等諸宮殿 光明昔未有 此是何因緣 宜各共求之
為大德天生 為佛出世間 而此大光明 遍照於十方
尒時五百萬億國土諸梵天王與宮殿俱各
以衣裓盛諸天華共詣西方推尋是相見大
通智勝如來處于道場菩提樹下坐師子座
諸天龍王乾闥婆緊那羅摩睺羅伽人非人
等恭敬圍繞及見十六王子請佛轉法輪即
時諸梵天王頭面禮佛繞百千帀即以天華
而散佛上其所散華如須弥山并以供養佛
菩提樹其菩提樹高十由旬華供養已各以
宮殿奉上彼佛而作是言唯見哀愍饒益我
等所獻宮殿願垂納處時諸梵天王即於佛
前一心同聲以偈頌曰
世尊甚希有 難可得值遇 具无量功德 能救護一切
天人之大師 哀愍於世間 十方諸衆生 普皆蒙饒益
我等所從來 五百萬億國 捨深禪定樂 為供養佛故

天人之大師 哀愍於世間 十方諸衆生 普皆蒙饒益
我等所從來 五百萬億國 捨深禪定樂 為供養佛故
我等先世福 宮殿甚嚴飾 今以奉世尊 唯願哀納受
尒時諸梵天王偈讚佛已各作是言唯願世
尊轉於法輪度脫衆生開涅槃道時諸梵
天王一心同聲而說偈言
世雄兩足尊 唯願演說法 以大慈悲力 度苦惱衆生
尒時大通智勝如來默然許之又諸比丘東
南方五百萬億國土諸大梵王各自見宮殿
光明照曜昔所未有歡喜踊躍生希有心即
各相詣共議此事時彼衆中有一大梵天王
名曰大悲為諸梵衆而說偈言
是事何因緣 而現如此相 我等諸宮殿 光明昔未有
為大德天生 為佛出世間 未曾見此相 當共一心求
過千萬億土 尋光共推之 多是佛出世 度脫苦衆生
尒時五百萬億諸梵天王與宮殿俱各以衣
裓盛諸天華共詣西北方推尋是相見大通
智勝如來處于道場菩提樹下坐師子座諸
天龍王乾闥婆緊那羅摩睺羅伽人非人等
恭敬圍繞及見十六王子請佛轉法輪時諸
梵天王頭面禮佛繞百千帀即以天華而散
佛上所散之華如須弥山并以供養佛菩提
樹華供養已各以宮殿奉上彼佛而作是言
唯見哀愍饒益我等所獻宮殿願垂納受尒

過千萬億土 尋光共推之 多是佛出世 度脱苦衆生
尒時五百萬億諸梵天王與宮殿俱各以衣
裓盛諸天華共詣西北方推尋是相見大通
智勝如來處于道場菩提樹下坐師子座諸
天龍王乾闥婆緊那羅摩睺羅伽人非人等
恭敬圍繞及見十六王子請佛轉法輪時諸
梵天王頭面礼佛繞百千帀即以天華而散
佛上所散之華如須弥山并以供養佛菩提
樹華供養已各以宮殿奉上彼佛而作是言
唯見哀愍饒益我等所獻宮殿願垂納受尒
時諸梵天王即於佛前一心同聲以偈頌曰
聖主天中王 迦陵頻伽聲 哀愍衆生者 我等今敬礼
世尊甚希有 久遠乃一現 一百八十劫 空過无有佛
三惡道充滿 諸天衆減少 今佛出於世 為衆生作眼
世間所歸趣 救護於一切 為衆生之父 哀愍饒益者
我等宿福慶 今得值世尊
尒時諸梵天王偈讚佛已各作是言唯願世
尊哀愍一切轉於法輪度脱衆生時諸梵天
王一心同聲而說偈言

BD00561號　妙法蓮華經卷三　（12–12）

犯此法師者 當獲如是殃
諸羅刹女說此偈已白佛言世尊我等亦當
身自擁護受持讀誦脩行是經者令得安隱
離諸衰患消衆毒藥佛告諸羅刹女善哉善
哉汝等但能擁護受持法華名者福不可
量何況擁護具足受持供養經巻華香瓔
珞末香塗香燒香幡蓋伎樂然種種燈蘇燈
油燈諸香油燈蘇摩那華油燈瞻蔔華油燈婆
師迦華油燈優鉢羅華油燈如是等百千種
供養者睪帝汝等及眷屬應當擁護如是法
師說是陁羅尼品時六万八千人得无生法忍
妙法蓮華經妙莊嚴王本事品第廿七
尒時佛告諸大衆乃往古世過无量无邊不
可思議阿僧祇劫有佛名雲雷音宿王華智
多陁阿伽度阿羅呵三藐三佛陁國名光明
莊嚴劫名憙見彼佛法中有王名妙莊嚴其
王夫人名曰淨德有二子一名淨藏二名淨
眼是二子有大神力福德智慧久脩菩薩所
行之道所謂檀波羅蜜尸羅波羅蜜羼提
波羅蜜毗梨耶波羅蜜禪波羅蜜般若波
羅蜜方便波羅蜜慈悲憙捨乃至三十七助道
法皆悉明了通達又得菩薩淨三昧日星宿
三昧淨光三昧淨色三昧淨照明三昧長莊嚴

BD00562號　妙法蓮華經（八卷本）卷八　（10–1）

婆羅蜜毗梨耶波羅蜜禪波羅蜜般若波
羅蜜方便波羅蜜慈悲喜捨乃至三十七助道
法皆悉明了通達又得菩薩淨三昧日星宿
三昧淨光三昧淨色三昧淨照明三昧長莊嚴
三昧大威德藏三昧於此三昧亦悉通達尒
時彼佛欲引導妙莊嚴王及愍念衆生故說
是法華經時淨藏淨眼二子到其母所合十指
爪掌白言願母往詣雲雷音宿王華智佛所
我等亦當侍從親近供養禮拜所以者何此佛
於一切天人衆中說法華經宜應聽受母告子
言汝父信受外道深著婆羅門法汝等應
往白父與共俱去淨藏淨眼合十指爪掌白母
我等是法王子而生此邪見家母告子言汝
等當憂念汝父為現神變若得見者心必清
淨或聽我等往至佛所於是二子念其父故
踊在虛空高七多羅樹現種種神變於虛空
中行住坐臥身上出水身下出火身下出水身
上出火或現大身滿虛空中而復現小小復現
大於空中滅忽然在地入地如水履水如地現
如是等種種神變令其父王心淨信解時父
見子神力如是心大歡喜得未曾有合掌
向子言汝等師為是誰誰之弟子二子白言
大王彼雲雷音宿王華智佛今在七寶菩提
樹下法座上坐於一切世間天人衆中廣說法
華經是我等師我是弟子父語子言我今亦
欲見汝等師可共俱往於是二子從空中下

樹下法座上坐於一切世間天人衆中廣說法
華經是我等師我是弟子父語子言我今亦
欲見汝等師可共俱往於是二子從空中下
到其母所合掌白母父王今已信解堪任發阿
耨多羅三藐三菩提心我等為父已作佛
事願母見聽於彼佛所出家脩道尒時二子
欲重宣其意以偈白母
願母放我等　出家作沙門　諸佛甚難值　我等隨佛學
如優曇鉢羅　值佛復難是　脫諸難亦難　願聽我出家
母即告言聽汝出家所以者何佛難值故於
是二子白父母言善哉父母願時往詣雲雷音
宿王華智佛所親近供養所以者何佛難得
值如優曇波羅華又如一眼之龜值浮木孔
而我等宿福深厚生值佛法是故父母當聽
我等令得出家所以者何諸佛難值時亦難
遇彼時妙莊嚴王後宮八万四千人皆悉堪
任受持是法華經淨眼菩薩於法華三昧
久已通達淨藏菩薩已於無量百千万億劫
通達離諸惡趣三昧欲令一切衆生離諸惡趣
故其王夫人得諸佛集三昧能知諸佛秘密
之藏二子如是以方便力善化其父令心信解
好樂佛法於是妙莊嚴王與群臣眷屬俱
淨德夫人與後宮婇女眷屬俱其王二子與
四万二千人俱一時共詣佛所到已頭面禮足
遶佛三匝却住一面尒時彼佛為王說法示教

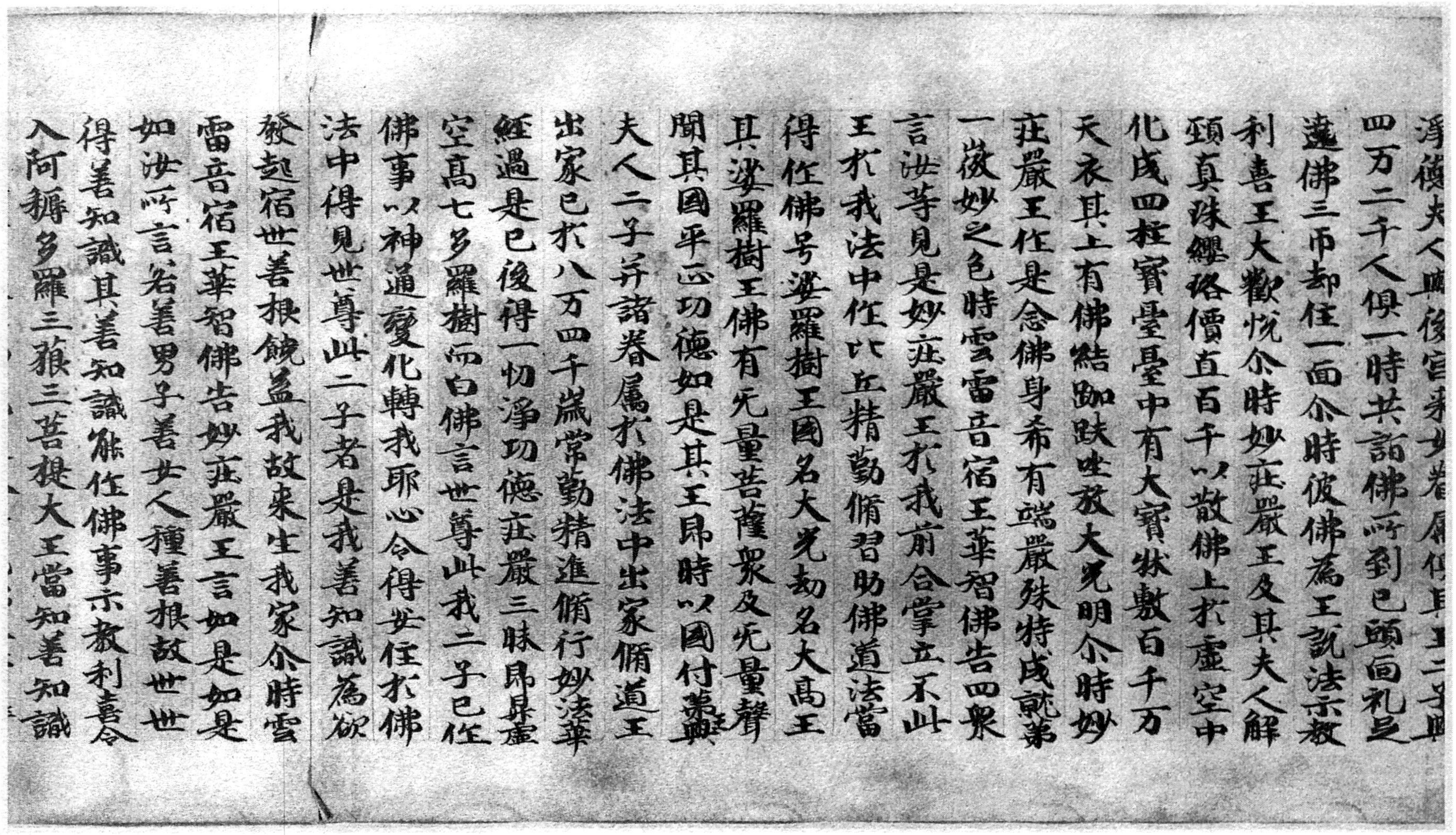

淨德夫人與後宮采女眷屬俱其王二子與
四万二千人俱一時共詣佛所到已頭面礼足
遶佛三帀却住一面尒時彼佛為王說法示教
利喜王大歡悅尒時妙莊嚴王及其夫人解
頸真珠瓔珞價直百千以散佛上於虛空中
化成四柱寶臺臺中有大寶牀敷百千万
天衣其上有佛結加趺坐放大光明尒時妙
莊嚴王作是念佛身希有端嚴殊特成就第
一微妙之色時雲雷音宿王華智佛告四衆
言汝等見是妙莊嚴王於我前合掌立不此
王於我法中作比丘精勤脩習助佛道法當
得作佛号娑羅樹王國名大光劫名大高王
其娑羅樹王佛有无量菩薩衆及无量聲
聞其國平正功德如是其王即時以國付弟與
夫人二子并諸眷屬於佛法中出家脩道王
出家已於八万四千歲常勤精進脩行妙法華
經過是已後得一切淨功德莊嚴三昧即昇虛
空高七多羅樹而白佛言世尊此我二子已作
佛事以神通變化轉我邪心令得安住於佛
法中得見世尊此二子者是我善知識為欲
發起宿世善根饒益我故來生我家尒時雲
雷音宿王華智佛告妙莊嚴王言如是如是
如汝所言若善男子善女人種善根故世世
得善知識其善知識能作佛事示教利喜令
入阿耨多羅三藐三菩提大王當知善知識

BD00562 號　妙法蓮華經（八卷本）卷八　（10–4）

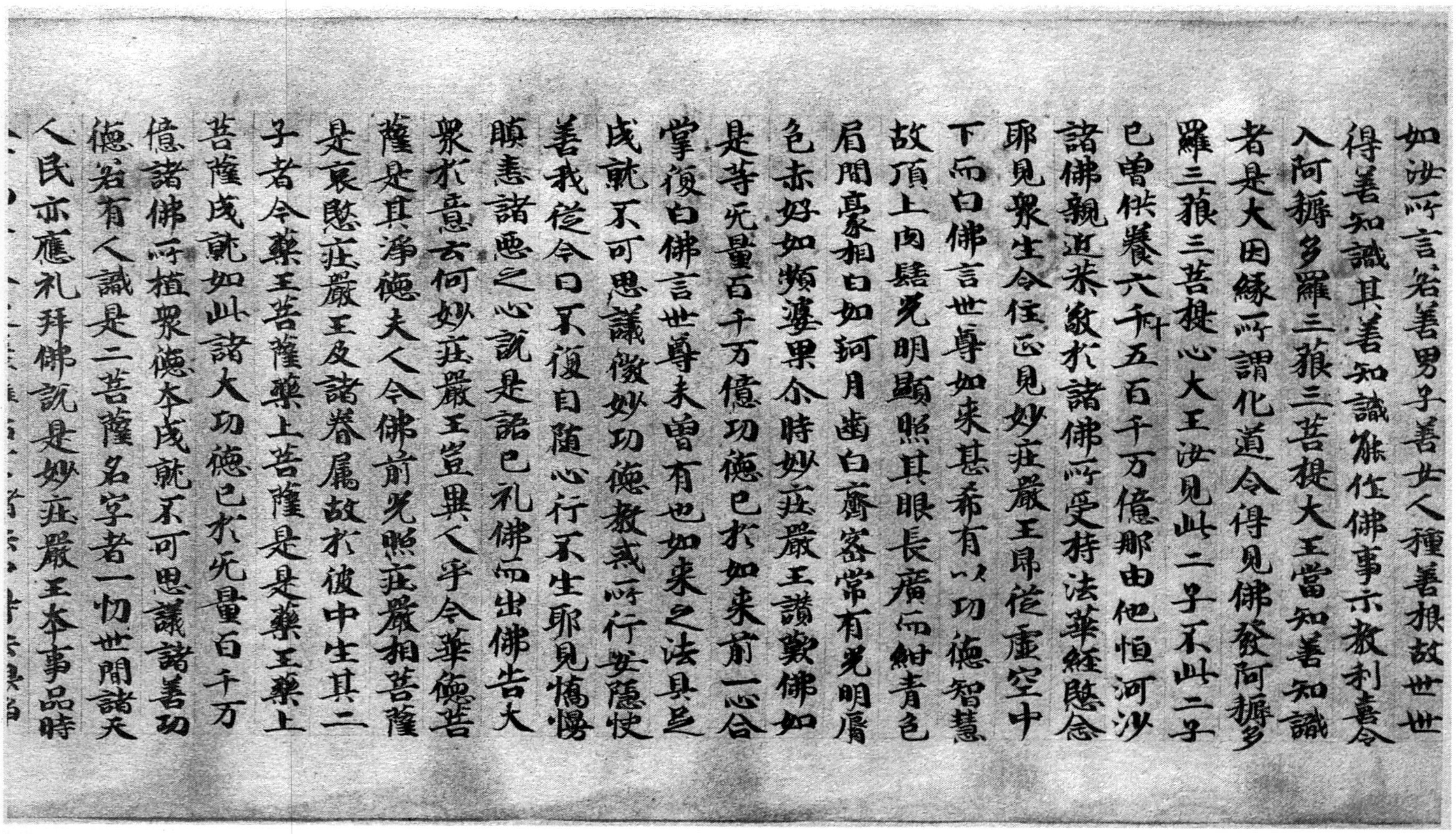

如汝所言若善男子善女人種善根故世世
得善知識其善知識能作佛事示教利喜令
入阿耨多羅三藐三菩提大王當知善知識
者是大因緣所謂化道令得見佛發阿耨多
羅三藐三菩提心大王汝見此二子不此二子
已曾供養六十五百千万億那由他恒河沙
諸佛親近恭敬於諸佛所受持法華經愍念
邪見衆生令住正見妙莊嚴王即從虛空中
下而白佛言世尊如來甚希有以功德智慧
故頂上肉髻光明顯照其眼長廣而紺青色
眉間豪相白如珂月齒白齊密常有光明脣
色赤好如頻婆果尒時妙莊嚴王讚歎佛如
是等无量百千万億功德已於如來前一心合
掌復白佛言世尊未曾有也如來之法具足
成就不可思議微妙功德教戒所行安隱快
善我從今日不復自隨心行不生邪見憍慢
瞋恚諸惡之心說是語已礼佛而出佛告大
衆於意云何妙莊嚴王豈異人乎今華德菩
薩是其淨德夫人今佛前光照莊嚴相菩薩
是哀愍妙莊嚴王及諸眷屬故於彼中生其二
子者今藥王菩薩藥上菩薩是是藥王藥上
菩薩成就如此諸大功德已於无量百千万
億諸佛所植衆德本成就不可思議諸善功
德若有人識是二菩薩名字者一切世間諸天
人民亦應礼拜佛說是妙莊嚴王本事品時

BD00562 號　妙法蓮華經（八卷本）卷八　（10–5）

德若有人識是二菩薩名字者一切世間諸天
人民亦應礼拜佛說是妙莊嚴王本事品時
八万四千人遠塵離垢於諸法中得法眼淨

妙法蓮華經普賢菩薩勸發品第廿八

尒時普賢菩薩以自在神通威德名聞與大
菩薩无量无邊不可稱數從東方來所經
諸國普皆震動雨寶蓮華作无量百千万億
種種伎樂又與无數諸天龍夜叉乹闥婆阿
脩羅迦樓羅緊那羅摩睺羅伽人非人等大
衆圍遶各現威德神通之力到娑婆世界耆
闍崛山中頭面礼釋迦牟尼佛右遶七帀白
佛言世尊我於寶威德上王佛國遥聞此娑
婆世界說法華經與无量无邊百千万億諸
菩薩衆共來聽受唯願世尊當為說之若善
男子善女人於如來滅後云何能得是法華
經佛告普賢菩薩若有善男子善女人成就
四法於如來滅後當得是法華經一者為諸佛
護念二者植衆德本三者入正定聚四者發
救一切衆生之心善男子善女人如是成就
四法於如來滅後必得是經尒時普賢菩薩
白佛言世尊於後五百歲濁惡世中其有受
持是經典者我當守護除其衰患令得安
隱使无伺求得其便者若魔若魔子若魔
女若魔民若為魔所著者若夜叉若羅刹若
鳩槃荼若毗舍闍若吉蔗若富單那若韋陁

BD00562號　妙法蓮華經（八卷本）卷八　（10–6）

陁[illegible]
女若魔民若為魔所著者若夜叉若羅刹若
鳩槃荼若毗舍闍若吉蔗若富單那若韋陁
羅等諸惱人者皆不得便是人若行若立讀誦
此經我尒時乘六牙白象王與大菩薩衆俱詣
其所而自現身供養守護安慰其心亦為供
養法華經故是人若坐思惟此經尒時我復乘
白象王現其人前其人若於法華經有所忘
失一句一偈我當教之與共讀誦還令通利
尒時受持讀誦法華經者得見我身甚大
歡喜轉復精進以見我故即得三昧及陁羅
尼名為旋陁羅尼百千万億旋陁羅尼法
音方便陁羅尼得如是等陁羅尼世尊若
後世後五百歲濁惡世中比丘比丘尼優婆塞
優婆夷求索者受持者讀誦者書寫者欲
脩習是法華經於三七日中應一心精進滿三
七日已我當乘六牙白象與无量菩薩而自
圍遶以一切衆生所喜見身現其人前而為
說法示教利喜亦復與其陁羅尼呪得是陁
羅尼故无有非人能破壞者亦不為女人之
所惑亂我身亦自常護是人唯願世尊聽我
說此陁羅尼呪即於佛前而說呪曰
阿檀地(途賣反)一檀陁婆地二檀陁婆帝三檀陁鳩舍隷
四檀陁脩陁隷五脩陁隷六脩陁羅婆底七佛馱波
羶禰八薩婆陁羅尼阿婆多尼九薩婆婆沙阿
婆多尼十脩阿婆多尼十一僧伽婆履叉尼十二僧

BD00562號　妙法蓮華經（八卷本）卷八　（10–7）

穜衼八薩婆陁羅尼阿婆多尼九薩婆婆沙阿
婆多尼十脩阿婆多尼十一僧伽婆履叉尼十二僧
伽涅伽陁尼十三阿僧祇十四僧伽波伽地十五帝隸阿惰僧
伽兜略盧遮叉波羅帝十六薩婆僧伽三摩地伽蘭地
十七薩婆達摩脩波利剎帝十八薩婆薩埵樓馱
憍舍略阿㝹伽地十九辛阿毗吉利地帝廿
世尊若有菩薩得聞是陁羅尼者當知普
賢神通之力若法華經行閻浮提有受持
者應作此念皆是普賢威神之力若有受持
讀誦正憶念解其義趣如說脩行當知是人
行普賢行於无量无邊諸佛所深種善根為
諸如來手摩其頭若但書寫是人命終當
生忉利天上是時八万四千天女作衆伎樂而
來迎之其人即著七寶冠於采女中娛樂快
樂何况受持讀誦正憶念解其義趣如說脩
行若有人受持讀誦解其義趣是人命終為
千佛授手令不恐怖不墮惡趣即往兜率天
上弥勒菩薩所弥勒菩薩有三十二相大菩
薩衆所共圍遶有百千万億天女眷屬而於
中生有如是等功德利益是故智者應當一
心自書若使人書受持讀誦正憶念如說脩
行世尊我今以神通力故守護是經於如來滅
後閻浮提內廣令流布使不斷絕尒時釋迦
牟尼佛讚言善哉善哉普賢汝能護助是
經令多所衆生安樂利益汝已成就不可思

BD00562號　妙法蓮華經（八卷本）卷八　（10–8）

牟尼佛讚言善哉善哉普賢汝能護助是
經令多所衆生安樂利益汝已成就不可思
議功德深大慈悲從久遠來發阿耨多羅三
藐三菩提意而能作是神通之願守護是經
我當以神通力守護能受持普賢菩薩名者
普賢若有受持讀誦正憶念脩習書寫是
法華經者當知是人則見釋迦牟尼佛如從
佛口聞此經典當知是人供養釋迦牟尼佛當
知是人佛讚善哉當知是人為釋迦牟尼佛
手摩其頭當知是人為釋迦牟尼佛衣之所
覆如是之人不復貪著世樂不好外道經書手
筆亦復不憙親近其人及諸惡者若屠兒若
畜猪羊雞狗若獵師若衒賣女色是人心意
質直有正憶念有福德力是人不為三毒所
惱亦復不為嫉妬我慢邪慢增上慢所惱是
人少欲知足能脩普賢之行普賢若如來滅
後後五百歲若有人見受持讀誦法華經者
應作是念此人不久當詣道場破諸魔衆得
阿耨多羅三藐三菩提轉法輪擊法鼓吹法
螺雨法雨當坐天人大衆中師子法座上普賢
若於後世受持讀誦是經典者是人不復貪
著衣服臥具飲食資生之物所願不虛亦於
現世得其福報若有人輕毀之言汝狂人耳
空作是行終无所獲如是罪報當世世无眼若
有供養讚歎之者當於今世得現果報若復

BD00562號　妙法蓮華經（八卷本）卷八　（10–9）

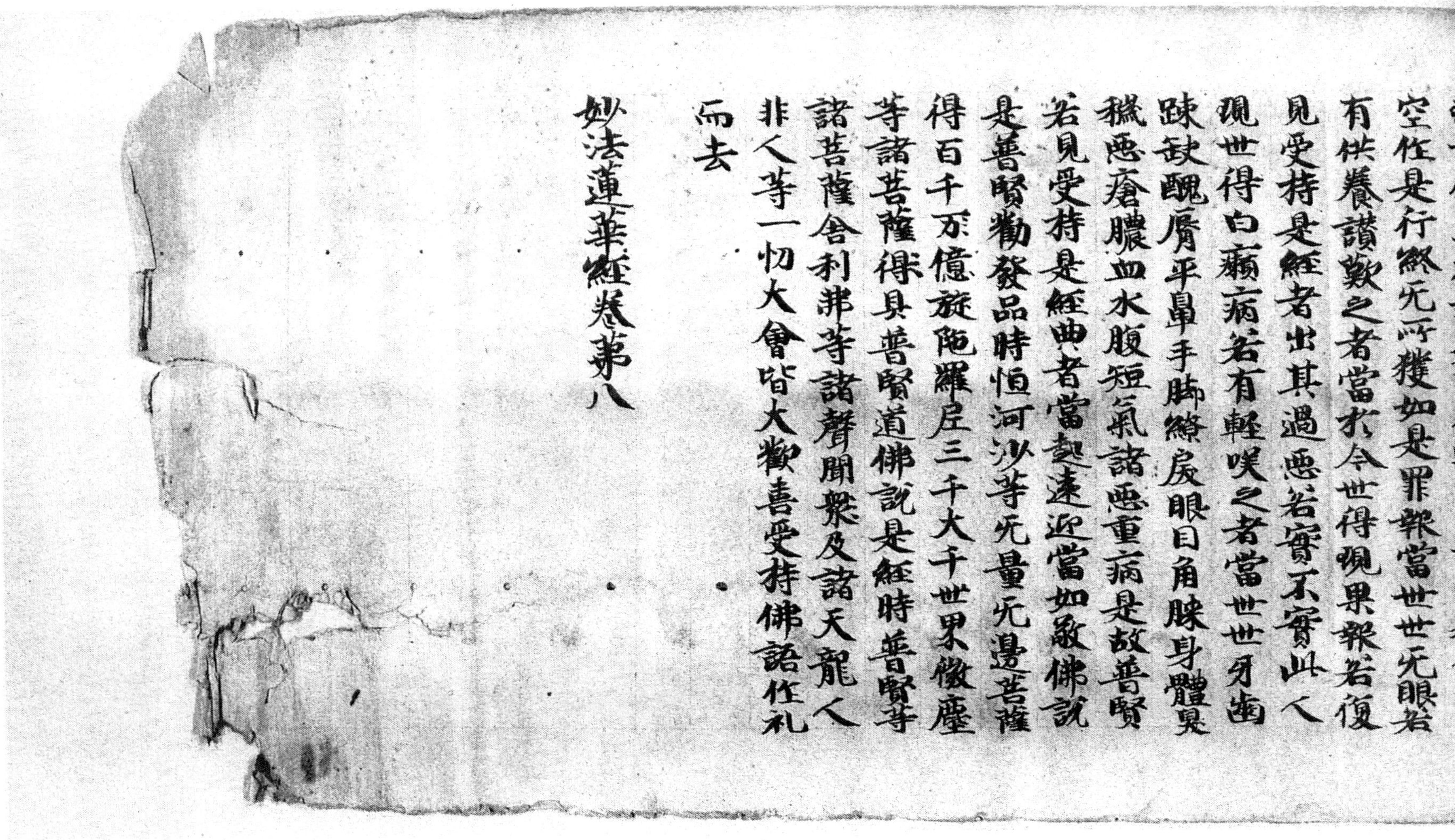

空作是行終无所獲如是罪報當世世无眼若
有供養讚歎之者當於今世得現果報若復
見受持是經者出其過惡若實不實此人
現世得白癩病若有輕咲之者當世世牙齒
踈缺醜脣平鼻手脚繚戾眼目角睞身體臭
穢惡瘡膿血水腹短氣諸惡重病是故普賢
若見受持是經典者當起遠迎當如敬佛說
是普賢勸發品時恒河沙等无量无邊菩薩
得百千万億旋陁羅尼三千大千世界微塵
等諸菩薩具普賢道佛說是經時普賢等
諸菩薩舍利弗等諸聲聞衆及諸天龍人
非人等一切大會皆大歡喜受持佛語作礼
而去

妙法蓮華經卷第八

BD00562 號　妙法蓮華經（八卷本）卷八　　（10–10）

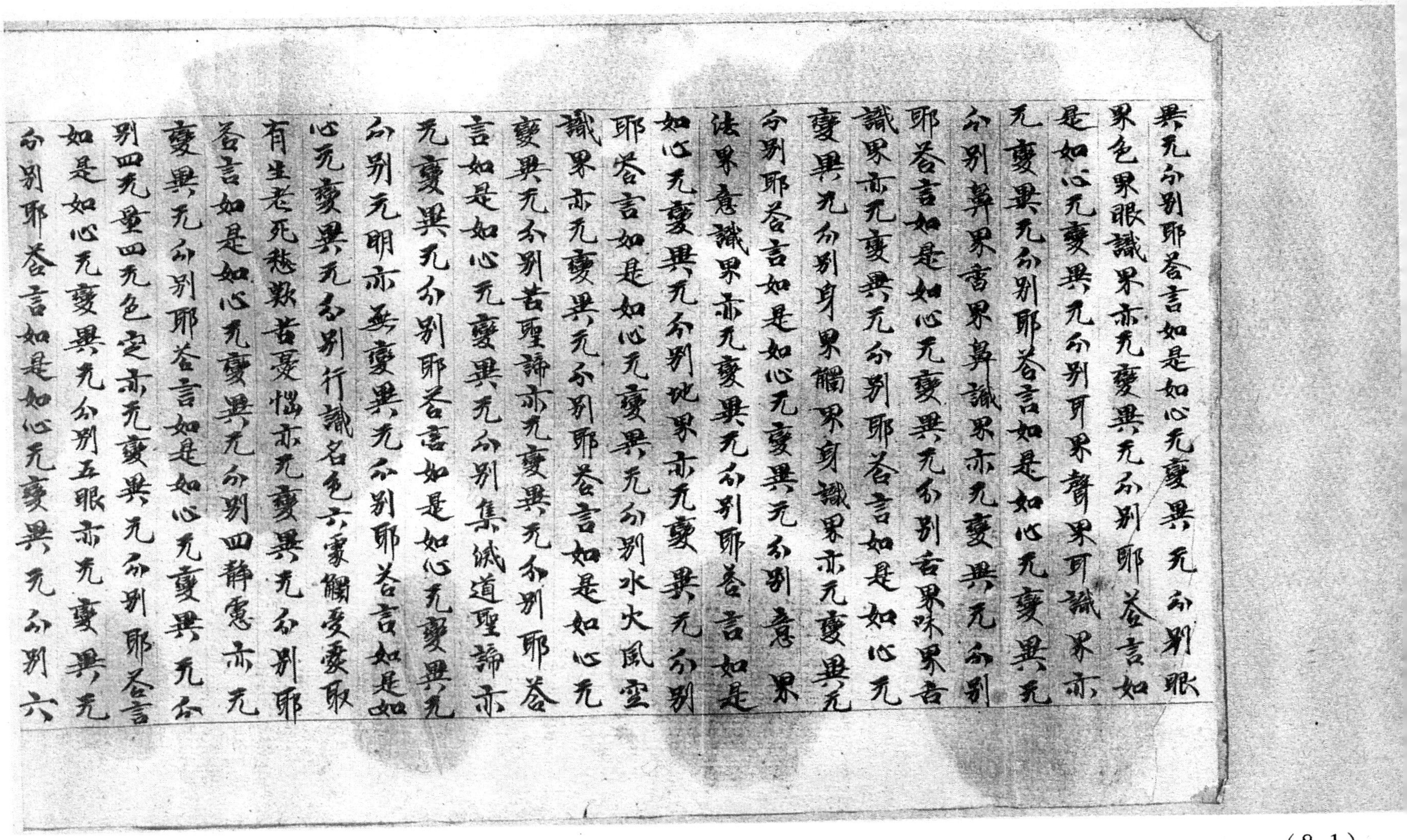

異无分別耶荅言如是如心无變異无分別眼
界色界眼識界亦无變異无分別耶荅言如
是如心无變異无分別耳界聲界耳識界亦
无變異无分別耶荅言如是如心无變異无
分別鼻界香界鼻識界亦无變異无分別
耶荅言如是如心无變異无分別舌界味界舌
識界亦无變異无分別耶荅言如是如心无
變異无分別身界觸界身識界亦无變異无
分別耶荅言如是如心无變異无分別意界
法界意識界亦无變異无分別耶荅言如是
如心无變異无分別地界亦无變異无分別
耶荅言如是如心无變異无分別水火風空
識界亦无變異无分別耶荅言如是如心无
變異无分別苦聖諦亦无變異无分別耶荅
言如是如心无變異无分別集滅道聖諦亦
无變異无分別耶荅言如是如心无變異无
分別无明亦無變異无分別耶荅言如是如
心无變異无分別行識名色六處觸受愛取
有生老死愁歎苦憂惱亦无變異无分別耶
荅言如是如心无變異无分別四靜慮亦无
變異无分別耶荅言如是如心无變異无分
別四无量四无色定亦无變異无分別耶荅言
如是如心无變異无分別五眼亦无變異无
分別耶荅言如是如心无變異无分別六

BD00563 號　大般若波羅蜜多經卷三六　　（8–1）

變異无分別耶荅言如是如心无變異无分
別四无量四无色定亦无變異无分別耶荅言
如是如心无變異无分別五眼亦无變異无
分別耶荅言如是如心无變異无分別六
神通亦无變異无分別耶荅言如是如心无
變異无分別布施波羅蜜多亦无變異无分
別耶荅言如是如心无變異无分別淨戒安
忍精進靜慮般若波羅蜜多亦无變異无分
別耶荅言如是如心无變異无分別四念住
亦无變異无分別耶荅言如是如心无變異
无分別四正斷四神足五根五力七等覺支八
聖道支亦无變異无分別耶荅言如是如心
无變異无分別佛十力亦无變異无分別
耶荅言如是如心无變異无分別四无所畏
四无礙解大慈大悲大喜大捨十八佛不共
法乃至无上正等菩提亦无變異无分別耶
荅言如是時舍利子讚善現言善哉善哉誠
如所說汝真佛子從佛心生從佛口生從佛
法生從法化生受佛法分不受財分於諸法
中身自作證慧眼現見而能起說世尊說汝
聲聞衆中住无諍定最為第一如佛所說真
實不虛善現菩薩摩訶薩於般若波羅蜜多
能如是學應知已住不退轉地不離般若波羅
蜜多應勤聽習讀誦受持如理思惟令其究
竟欲學獨覺地者當於般若波羅蜜多應勤
聽習讀誦受持如理思惟令其究竟欲學菩
薩地者當於般若波羅蜜多應勤聽習讀誦

聽習讀誦受持如理思惟令其究竟欲學菩
薩地者當於般若波羅蜜多應勤聽習讀誦
受持如理思惟令其究竟欲學如來地者當
於般若波羅蜜多應勤聽習讀誦受持如理
思惟令其究竟何以故如是般若波羅蜜多
中廣說開示三乘法故若菩薩摩訶薩學般
若波羅蜜多則為遍學三乘亦於三乘法皆

无

別耶荅言如是如心无變異无分別四念住亦
无變異无分別耶荅言如是如心无變異
无分別四正斷四神足五根五力七等覺支
八聖道支亦无變異无分別耶荅言如是如
心无變異无分別佛十力亦无變異无分別
耶荅言如是如心無變異无分別四无所畏四
无礙解大慈大悲大喜大捨十八佛不共法
乃至无上正等菩提亦无變異无分別耶荅
言如是時舍利子讚善現言善哉善哉誠如
所說汝真佛子從佛心生從佛口生從佛
法生從法化生受佛法分不受財分於諸法
中身自作證慧眼現見而能起說世尊說汝
聲聞衆中住无諍定最為第一如佛所說真
實不虛善現菩薩摩訶薩於般若波羅蜜多
應如是學若菩薩摩訶薩於般若波羅蜜多
能如是學應知已住不退轉地不離般若波羅

實不墮善現菩薩摩訶薩於般若波羅蜜多
應如是學若菩薩摩訶薩於般若波羅蜜多
能如是學應知已住不退轉地不離般若波羅
蜜多善現欲學聲聞地者當於般若波羅
蜜多應勤聽習讀誦受持如理思惟令其究
竟欲學獨覺地者當於般若波羅蜜多應勤
聽習讀誦受持如理思惟令其究竟欲學菩
薩地者當於般若波羅蜜多應勤聽習讀誦
受持如理思惟令其究竟欲學如來地者當
於般若波羅蜜多應勤聽習讀誦受持如理
思惟令其究竟何以故如是般若波羅蜜多
中廣說開示三乘法故若菩薩摩訶薩學般
若波羅蜜多則為遍學三乘亦於三乘法皆
得善巧

初分無住品第九之一

尒時具壽善現白佛言世尊我非菩薩摩訶
薩及於般若波羅蜜多皆不得不見云何令
我以般若波羅蜜多相應之法教試教授諸
菩薩摩訶薩世尊我於諸法不得不見若集
若散以此法教試教授諸菩薩摩訶薩或
當有悔世尊我於諸法不得不見若集若散
云何可言此是菩薩摩訶薩此是般若波羅
蜜多世尊是菩薩摩訶薩若及般若波羅蜜
多名皆无所住亦非不住何以故是二名義
既无所有故是二名皆无所住亦非不住世
尊我於色受想行識不得不見若集若散云
何可言此是色乃至此是識世尊是色等名

BD00563號　大般若波羅蜜多經卷三六　（8–4）

多名皆无所住亦非不住何以故是二名義
既无所有故是二名皆无所住亦非不住世
尊我於色受想行識不得不見若集若散云
何可言此是色乃至此是識世尊是色等名
皆无所住亦非不住何以故色等名義既无
所有故色等名皆无所住亦非不住世尊
我於眼耳鼻舌身意處不得不見若集若散云
何可言此是眼處乃至此是意處世尊是眼
處等名皆无所住亦非不住何以故眼處等
名義既无所有故眼處等名皆无所住亦非
不住世尊我於色聲香味觸法處不得不見
若集若散云何可言此是色處乃至此是法
處世尊是色處名等皆无所住亦非不住何
以故色處等名義既无所有故色處等名皆
无所住亦非不住世尊我於眼界色界眼識
界及眼觸眼觸為緣所生諸受不得不見若
集若散云何可言此是眼界乃至此是眼觸
為緣所生諸受世尊是眼界等名皆无所住
亦非不住何以故眼界等名義既无所有故眼
界等名皆无所住亦非不住世尊我於耳
界聲界耳識界及耳觸耳觸為緣所生諸受
不得不見若集若散云何可言此是耳界乃
至此是耳觸為緣所生諸受世尊是耳界等
名皆无所住亦非不住何以故耳界等名義
既无所有故耳界等名皆无所住亦非不住
世尊我於鼻界香界鼻識界及鼻觸鼻觸為
緣所生諸受不得不見若集若散云何可言

BD00563號　大般若波羅蜜多經卷三六　（8–5）

名皆无所住亦非不住何以故耳界等名義
既无所有故耳界等名皆无所住亦非不住
世尊我於鼻界香界鼻識界及鼻觸鼻觸為
緣所生諸受不得不見若集若散云何可言
此是鼻界乃至此是鼻觸為緣所生諸受世
尊是鼻界等名皆无所住亦非不住何以故
鼻界等名義既无所有故鼻界等名皆无所
住亦非不住世尊我於舌界味界舌識界及
舌觸舌觸為緣所生諸受不得不見若集若
散云何可言此是舌界乃至此是舌觸為緣
所生諸受世尊是舌界等名皆无所住亦非
不住何以故舌界等名義既无所有故舌界
等名皆无所住亦非不住世尊我於身界觸
界身識界及身觸身觸為緣所生諸受不得
不見若集若散云何可言此是身界乃至此
是身觸為緣所生諸受世尊是身界等名皆
无所住亦非不住何以故身界等名義既无
所有故身界等名皆无所住亦非不住世尊
我於意界法界意識界及意觸意觸為緣所
生諸受不得不見若集若散云何可言此是意
界乃至意觸為緣所生諸受世尊是意界
等名皆无所住亦非不住何以故意界等名
義既无所有故意界等名皆无所住亦非不
住世尊我於地水火風空識界不得不見若
集若散云何可言此是地界乃至此是識界
世尊是地界等名皆无所住亦非不住何以
故地界等名義既无所有故地界等名皆无

BD00563號　大般若波羅蜜多經卷三六　（8–6）

集若散云何可言此是地界乃至此是識界
世尊是地界等名皆无所住亦非不住何以
故地界等名義既无所有故地界等名皆无
所住亦非不住世尊我於苦集滅道聖諦不
得不見若集若散云何可言此是苦聖諦乃
至此是道聖諦世尊是苦聖諦等名皆无所
住亦非不住何以故苦聖諦等名義既无所
有故苦聖諦等名皆无所住亦非不住世尊
我於无明行識名色六處觸受愛取有生老
死愁歎苦憂惱不得不見若集若散云何可言
此是无明乃至此是老死愁歎苦憂惱世
尊是无明等名皆无所住亦非不住何以故
无明等名義既无所有故无明等名皆无所
住亦非不住世尊我於无明滅乃至老死愁
歎苦憂惱滅不得不見若集若散云何可言此
是无明滅乃至此是老死愁歎苦憂惱滅世
尊是无明滅等名皆无所住亦非不住何以
故无明滅等名義既无所有故无明滅等
名皆无所住亦非不住世尊我於貪瞋癡一
切纏結隨眠見趣不善根等不得不見若集
若散云何可言此是貪乃至此是不善根等
世尊是貪等名皆无所住亦非不住何以故
貪等名義既无所有故貪等名皆无所住亦
非不住世尊我於四靜慮四无量四无色定
不得不見若集若散云何可言此是四靜慮
乃至此是四无色定世尊是四靜慮等名
皆无所住亦非不住何以故四靜慮等名義既

BD00563號　大般若波羅蜜多經卷三六　（8–7）

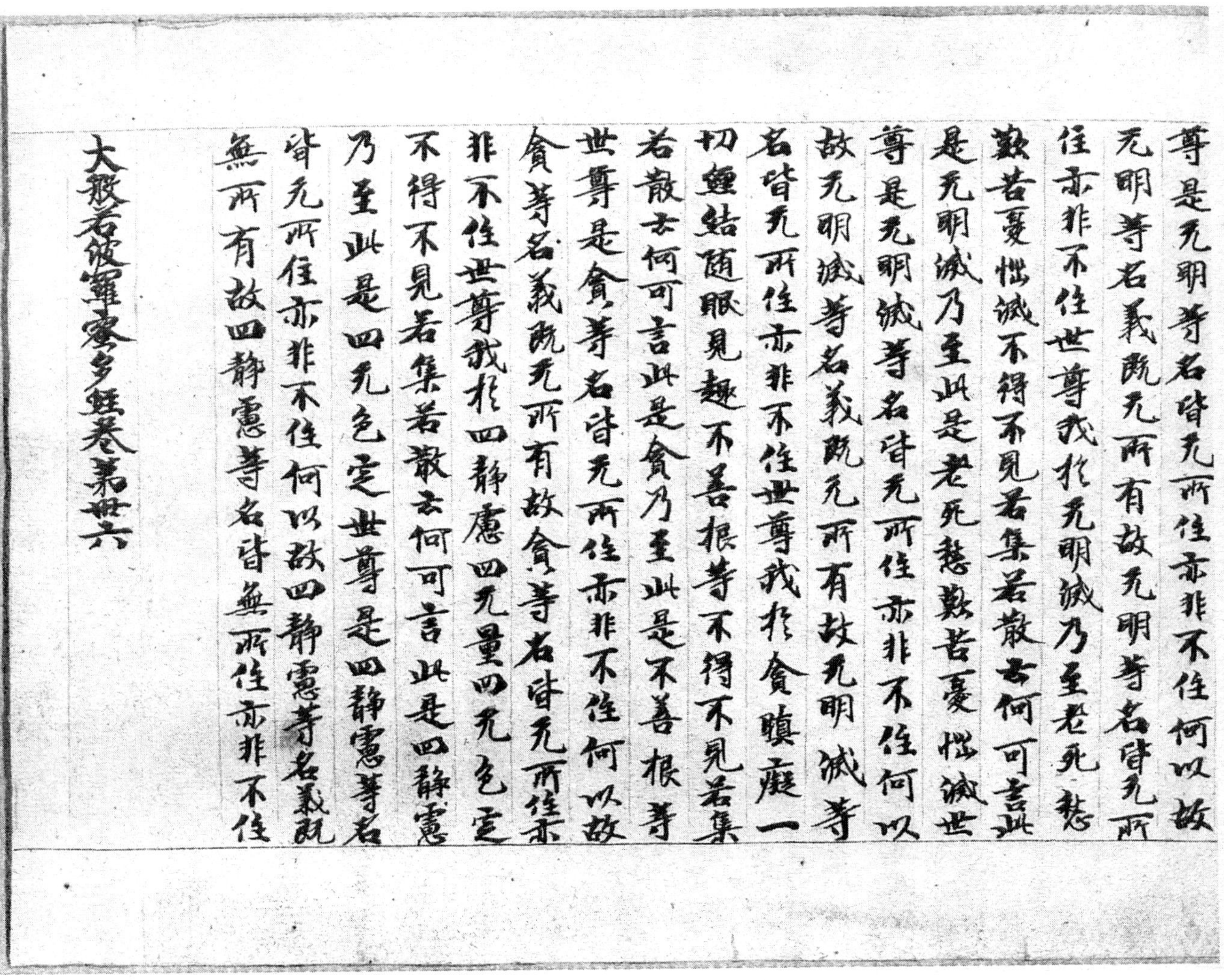

等是无明等名皆无所住亦非不住何以故
无明等名義既无所有故无明等名皆无所
住亦非不住世尊我於无明滅乃至老死愁
歎苦憂惱滅不得不見若集若散云何可言此
是无明滅乃至此是老死愁歎苦憂惱滅世
尊是无明滅等名皆无所住亦非不住何以
故无明滅等名義既无所有故无明滅等
名皆无所住亦非不住世尊我於貪瞋癡一
切纏結隨眠見趣不善根等不得不見若集
若散云何可言此是貪乃至此是不善根等
世尊是貪等名皆无所住亦非不住何以故
貪等名義既无所有故貪等名皆无所住亦
非不住世尊我於四靜慮四无量四无色定
不得不見若集若散云何可言此是四靜慮
乃至此是四无色定世尊是四靜慮等名
皆无所住亦非不住何以故四靜慮等名義既
無所有故四靜慮等名皆無所住亦非不住

大般若波羅蜜多經卷第卅六

BD00563 號　大般若波羅蜜多經卷三六　（8–8）

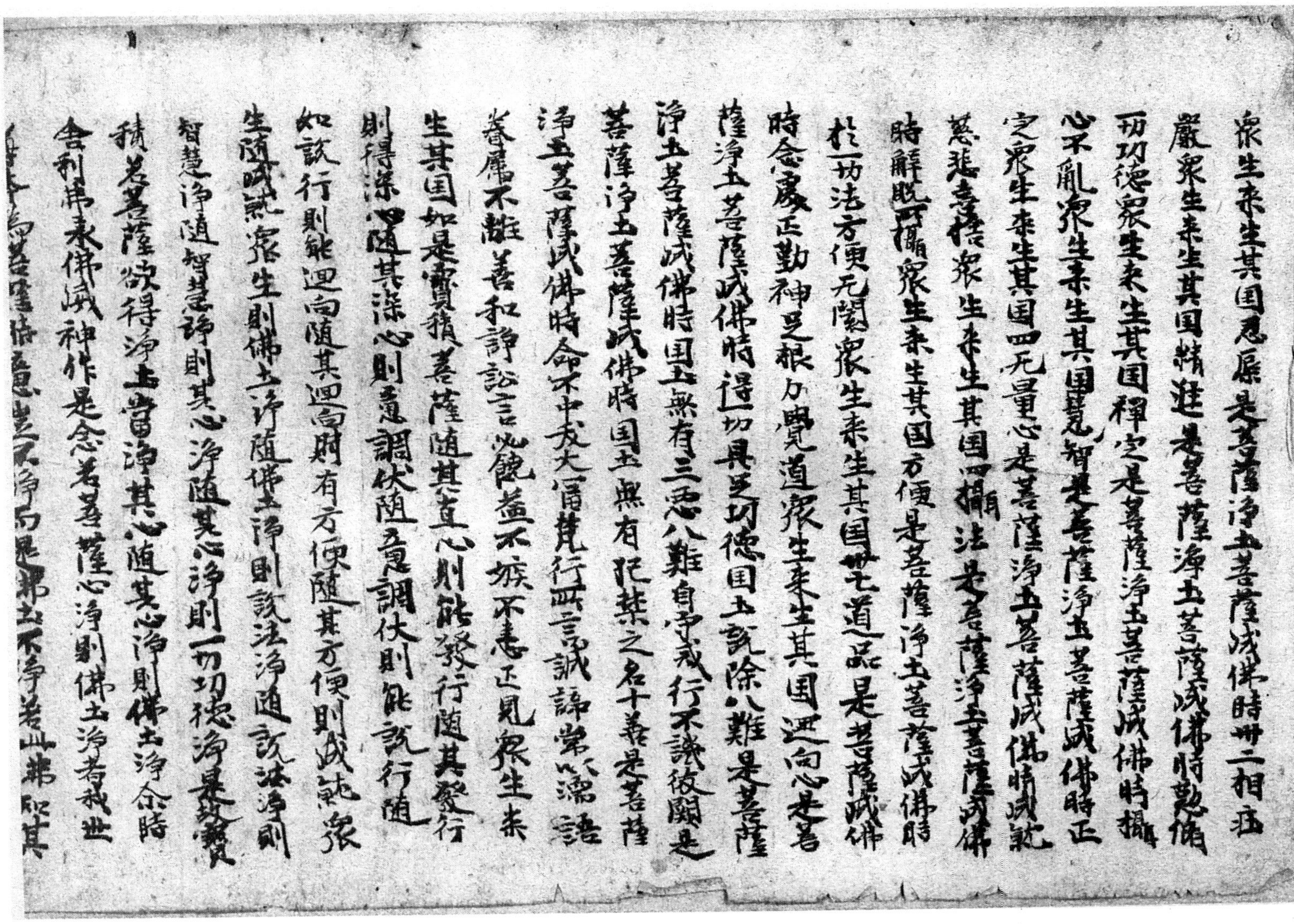

衆生來生其國忍辱是菩薩淨土菩薩成佛時卅二相莊
嚴衆生來生其國精進是菩薩淨土菩薩成佛時懃脩
一切功德衆生來生其國禪定是菩薩淨土菩薩成佛時攝
心不亂衆生來生其國智慧是菩薩淨土菩薩成佛時正
定衆生來生其國四无量心是菩薩淨土菩薩成佛時成就
慈悲喜捨衆生來生其國四攝法是菩薩淨土菩薩成佛
時解脫所攝衆生來生其國方便是菩薩淨土菩薩成佛時
於一切法方便无閡衆生來生其國卅七道品是菩薩成佛
時念處正勤神足根力覺道衆生來生其國迴向心是菩
薩淨土菩薩成佛時得一切具足功德國土說除八難是菩薩
淨土菩薩成佛時國土無有三惡八難自守戒行不譏彼闕是
菩薩淨土菩薩成佛時國土無有犯禁之名十善是菩薩
淨土菩薩成佛時命不中夭大富梵行所言誠諦常以軟語
眷屬不離善和諍訟言必饒益不嫉不恚正見衆生來
生其國如是寶積菩薩隨其直心則能發行隨其發行
則得深心隨其深心則意調伏隨意調伏則能說行隨
如說行則能迴向隨其迴向則有方便隨其方便則成就衆
生隨成就衆生則佛土淨隨佛土淨則說法淨隨說法淨則
智慧淨隨智慧淨則其心淨隨其心淨則一切功德淨是故寶
積若菩薩欲得淨土當淨其心隨其心淨則佛土淨介時
舍利弗承佛威神作是念若菩薩心淨則佛土淨者我世
尊本為菩薩時意豈不淨而是佛土不淨若此佛知其

BD00564 號　維摩詰所說經卷上　（6–1）

智慧淨隨智慧淨則其心淨隨其心淨則一切功德淨是故寶
積若菩薩欲得淨土當淨其心隨其心淨則佛土淨爾時
舍利弗承佛威神作是念若菩薩心淨則佛土淨者我世
尊本為菩薩時意豈不淨而是佛土不淨若此佛知其
念即告之言於意云何日月豈不淨耶而盲者不見對曰不
也世尊是盲者過非日月咎舍利弗衆生罪故不見如來
佛國嚴淨非如來咎舍利弗我此土淨而汝不見爾時螺髻
梵王語舍利弗勿作是意謂此佛土以為不淨所以者何我
見釋迦牟尼佛土清淨譬如自在天宮舍利弗言我見
此土丘陵坑坎荊棘沙礫土石諸山穢惡充滿螺髻梵言仁
者心有高下不依佛慧故見此土為不淨耳舍利弗菩
薩於一切衆生悉皆平等深心清淨依佛慧則能見此
佛土清淨於是佛以足指案地即時三千大千世界若
干百千珍寶嚴飾譬如寶莊嚴佛无量功德寶莊
嚴土一切大衆歎未曾有而皆自見坐寶蓮華佛告
舍利弗汝且觀是佛土嚴淨舍利弗言唯然世尊本
所不見本所不聞今佛國土嚴淨悉現佛語舍利弗我
佛國土常淨若此為欲度斯下劣人故示是衆惡不淨
土耳譬如諸天共寶器食隨其福德飯色有異如是舍
利弗若人心淨便見此土功德莊嚴當佛現此國土嚴淨
之時寶積所將五百長者子皆得無生法忍八万四千人發
阿耨多羅三藐三菩提心佛攝神足於是世界還復
如故求聲聞乘三万二千天及人知有為法皆悉無常遠
塵離垢得法眼淨八千比丘不受諸法漏盡意解
方便品第二　爾時毗耶離大城中有長者名維

如故求聲聞乘三万二千天及人知有為法皆悉無常遠
塵離垢得法眼淨八千比丘不受諸法漏盡意解
方便品第二　爾時毗耶離大城中有長者名維
摩詰已曾供養無量諸佛深殖善本得無生忍辯才
无閡遊戲神通逮諸總持獲无所畏降魔勞怨入
深法門善於智度通達方便大願成就明了衆生心
之所趣又能分別諸根利鈍久於佛道心已純淑決定大乘
諸有所作能善思量住佛威儀心大如海諸佛咨嗟
弟子釋梵世主所敬欲度人故以善方便居毗耶離資財無
量攝諸貧人奉戒清淨攝諸毀禁以忍調行攝諸恚怒
以大精進攝諸懈怠一心禪寂攝諸亂意以決定慧攝
諸无智雖為白衣奉持沙門清淨律行雖處居家不著
三界示有妻子常修梵行現有眷屬常樂遠離雖服
寶飾而以相好嚴身雖復飲食而以禪悅為味若至博弈
戲處輒以度人受諸異道不毀正信雖明世典常樂佛
法一切見敬為供養中最執持正法攝諸長幼一切治生諧
偶雖獲俗利不以喜悅遊諸四衢饒益衆生入治正法救
護一切入講論處導以大乘入諸學堂誘開童蒙入諸
婬舍示欲之過入諸酒肆能立其志若在長者長者中尊為說
勝法若在居士居士中尊斷其貪著若在剎利剎利中尊
教以忍辱若在婆羅門婆羅門中尊除其我慢若在大臣
大臣中尊教以正法若在王子王子中尊示以忠孝若在內官內官中尊
化政宮女若在庶人庶人中尊令興福力若在梵天梵天中尊
誨以勝慧若在帝釋帝釋中尊示現无常若在護世護世
中尊護諸衆生長者維摩詰以如是等無量方便饒益

中尊敬以正法若在王子王子中尊示以忠孝若在內官內官中尊
化政宮女若在庶人庶民中尊令興福力若在梵天梵天中尊
誨以勝慧若在帝釋帝釋中尊示現无常若在護世護世
中尊護諸眾生長者維摩詰以如是等無量方便饒益
眾生其以方便現身有疾以其疾故國王大臣長者居士
婆羅門等及諸王子并餘官屬无數千人皆往問疾其
往者維摩詰因以身疾廣為說法諸仁者是身無常無
強無力無堅速朽之法不可信也為苦為惱眾病所集諸
仁者如此身明智者所不怙是身如聚沫不可撮摩是身如
泡不得久立是身如炎從渴愛生是身如芭蕉中無有堅
是身如幻從顛倒起是身如夢為虛妄見是身如影
從業緣現是身如響屬諸因緣是身如浮雲須臾變滅
是身如電念念不住是身無主為如地是身無我為如火是
身無壽為如風是身無人為如水是身不實四大為家是身為
空離我我所是身無知如草木瓦礫是身无作風力所轉是
身不淨穢惡充滿是身為虛偽雖假以澡浴衣食必歸磨滅
是身為災百一病惱是身如丘井為老所逼是身无定為要
當死是身如毒蛇如怨賊如空聚陰界諸入所共合成諸仁者
此可患厭當樂佛身所以者何佛身者即法身也從無量功德
智慧生從戒定慧解脫解脫知見生從慈悲喜捨生從布施持
戒忍辱柔和勤行精進禪定解脫三昧多聞智慧諸波羅蜜
生從方便生從六通生從三明生從卅七道品生從止觀生從十
力四无畏十八不共法生從斷一切不善法集一切善法生從真實
生從不放逸生從如是无量清淨法生如來身諸仁者
欲得佛身斷一切眾生病者當發阿耨多羅三藐三菩提心如是長
者維摩詰為諸問疾者如應說法令無數千人皆發阿

BD00564 號　維摩詰所說經卷上

（6–4）

生從方便生從六通生從三明生從卅七道品生從止觀生從十
力四无畏十八不共法生從斷一切不善法集一切善法生從真實
生從不放逸生從如是无量清淨法生如來身諸仁者
欲得佛身斷一切眾生病者當發阿耨多羅三藐三菩提心如是長
者維摩詰為諸問疾者如應說法令無數千人皆發阿
耨多羅三藐三菩提心　弟子品第三
尒時長者維摩詰自念寢疾于牀世尊大慈寧不垂愍
佛知其意即告舍利弗汝行詣維摩詰問疾舍利弗白佛
言世尊我不堪任詣彼問疾所以者何憶念我昔曾於
林中宴坐樹下時維摩詰來謂我言唯舍利弗不必是坐為
宴坐也夫宴坐者不於三界而現身口意是為宴以不起滅定
而現諸威儀是為宴坐不捨道法而現凡夫事是為宴坐心
不住內亦不在外是為宴坐於諸見不動而脩行卅七品是為
宴坐不斷煩惱而入涅槃是為宴坐若能如是坐者佛所印可時
我世尊聞是語默然而止不能加報故我不任詣彼問疾
佛告大目揵連汝行詣維摩詰問疾目連白佛言世尊我
不堪任詣彼問疾所以者何憶念我昔入毗耶離大城於里巷
中為諸居士說法時維摩詰來謂我言唯大目連為白衣
居士說法不當如仁者所說夫說法者當如法說法無眾生離
眾生垢故法无有我離我垢故法無壽命離生死故法無有
人前後際斷故法常寂然滅諸相故法離於相无所緣故法無
名字言語斷故法無有說離覺觀故法无形相如虛空故法無
戲論畢竟空故法无我所離我所故法无分別離諸識故法無
有比無相待故法不屬因不在緣故法同法性入諸法故法
隨於如無所隨故法住實際諸邊不動故法無動搖不依六

BD00564 號　維摩詰所說經卷上

（6–5）

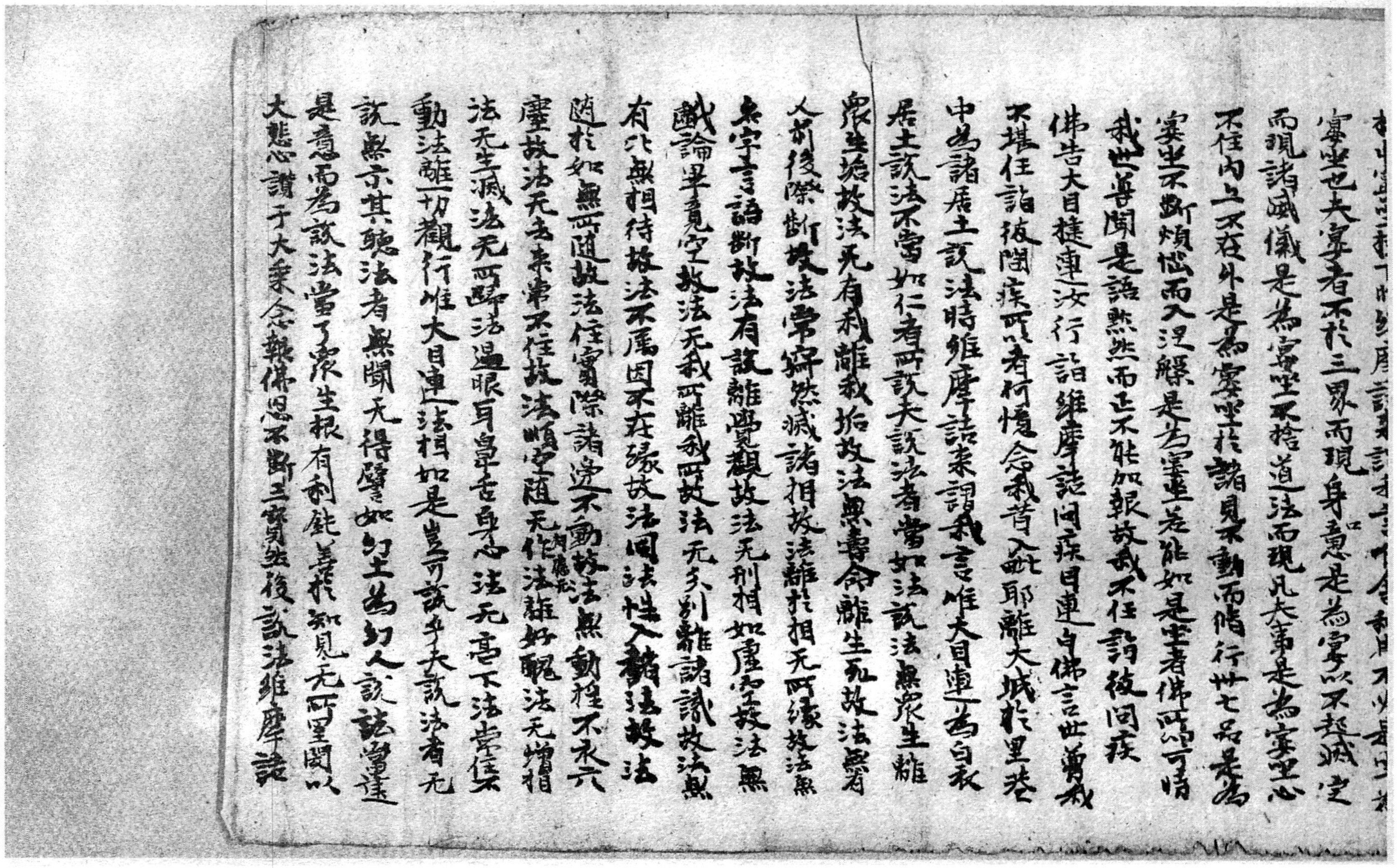

[illegible]
宴坐也夫宴者不於三界而現身意是為宴以不起滅定
而現諸威儀是為宴坐不捨道法而現凡夫事是為宴坐心
不住內亦不在外是為宴坐於諸見不動而脩行卅七品是為
宴坐不斷煩惱而入涅槃是為宴坐若能如是坐者佛所印可時
我世尊聞是語默然而止不能加報故我不任詣彼問疾
佛告大目揵連汝行詣維摩詰問疾目連白佛言世尊我
不堪任詣彼問疾所以者何憶念我昔入毗耶離大城於里巷
中為諸居士說法時維摩詰來謂我言唯大目連為白衣
居士說法不當如仁者所說夫說法者當如法說法無眾生離
眾生垢故法无有我離我垢故法無壽命離生死故法無有
人前後際斷故法常寂然滅諸相故法離於相无所緣故法無
名字言語斷故法有說離覺觀故法无刑相如虛空故法無
戲論畢竟空故法无我所離我所故法无分別離諸識故法無
有比無相待故法不屬因不在緣故法同法性入諸法故法
隨於如無所隨故法住實際諸邊不動故法無動搖不依六
塵故法无去來常不住故法順空隨无相應无作法離好醜法无增損
法无生滅法无所歸法過眼耳鼻舌身心法无高下法常住不
動法離一切觀行唯大目連法相如是豈可說乎夫說法者无
說無示其聽法者無聞无得譬如幻士為幻人說法當建
是意而為說法當了眾生根有利鈍善於知見无所罣閡以
大悲心讚于大乘念報佛恩不斷三寶然後說法維摩詰

BD00564 號　維摩詰所說經卷上　　（6–6）

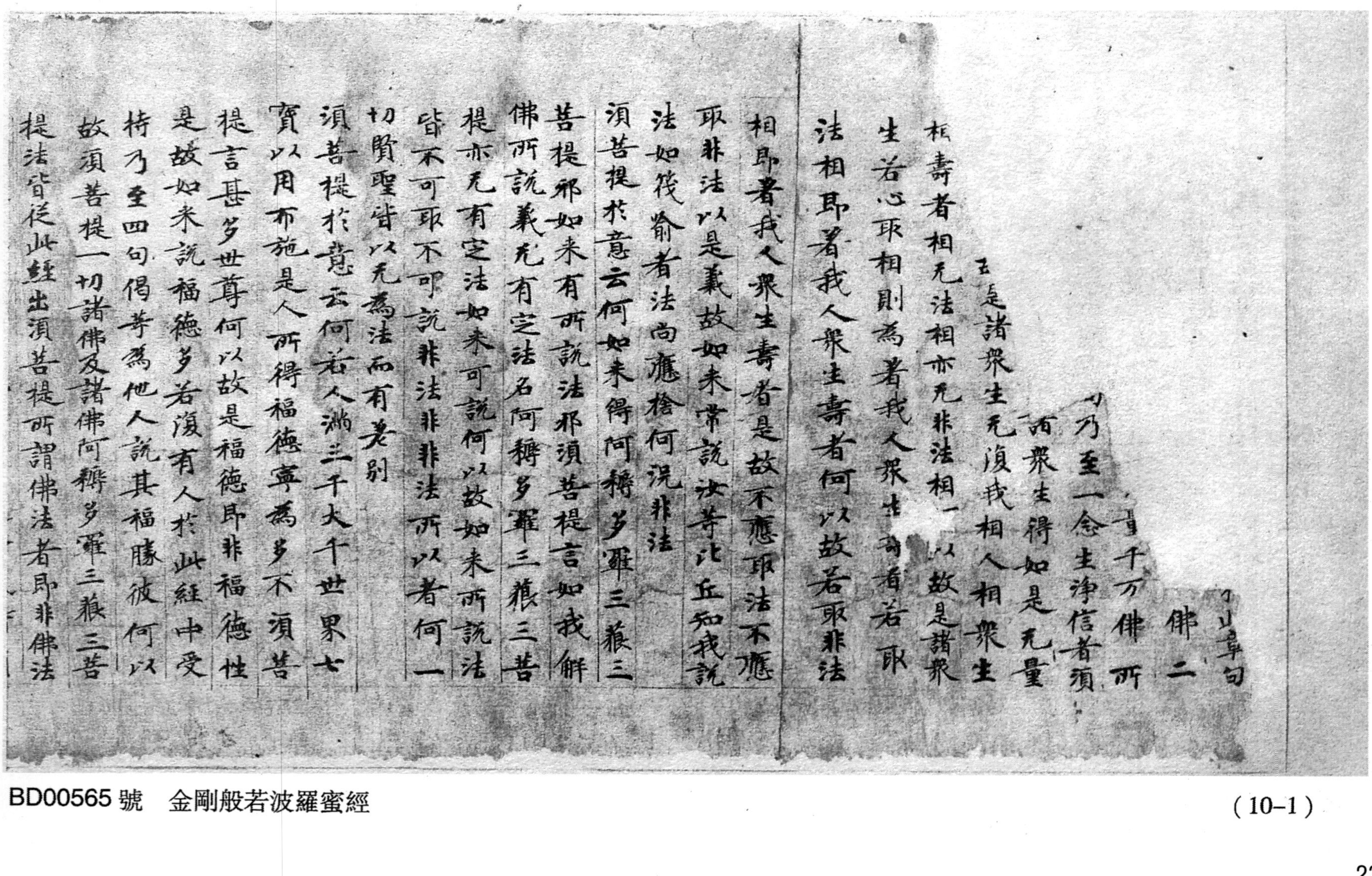

章句
佛二
千万佛所
乃至一念生淨信者須
眾生得如是无量
是諸眾生无復我相人相眾生
相壽者相无法相亦无非法相何以故是諸眾
生若心取相則為著我人眾生壽者若取
法相即著我人眾生壽者何以故若取非法
相即著我人眾生壽者是故不應取法不應
取非法以是義故如來常說汝等比丘知我說
法如筏喻者法尚應捨何況非法
須菩提於意云何如來得阿耨多羅三藐三
菩提耶如來有所說法耶須菩提言如我解
佛所說義无有定法名阿耨多羅三藐三菩
提亦无有定法如來可說何以故如來所說法
皆不可取不可說非法非非法所以者何一
切賢聖皆以无為法而有差別
須菩提於意云何若人滿三千大千世界七
寶以用布施是人所得福德寧為多不須菩
提言甚多世尊何以故是福德即非福德性
是故如來說福德多若復有人於此經中受
持乃至四句偈等為他人說其福勝彼何以
故須菩提一切諸佛及諸佛阿耨多羅三藐三菩
提法皆從此經出須菩提所謂佛法者即非佛法

BD00565 號　金剛般若波羅蜜經　　（10–1）

是故如來說福德多若復有人於此經中受
持乃至四句偈等為他人說其福勝彼何以
故須菩提一切諸佛及諸佛阿耨多羅三藐三菩
提法皆從此經出須菩提所謂佛法者即非佛法
須菩提於意云何須陁洹能作是念我得須
陁洹果不須菩提言不也世尊何以故須陁洹
名為入流而无所入不入色聲香味觸法是
名須陁洹須菩提於意云何斯陁含能作是
念我得斯陁含果不須菩提言不也世尊何
以故斯陁含名一往來而實无往來是名斯
陁含須菩提於意云何阿那含能作是念我
得阿那含果不須菩提言不也世尊何以故
阿那含名為不來而實无來是故名阿那含
須菩提於意云何阿羅漢能作是念我得阿
羅漢道不須菩提言不也世尊何以故實无
有法名阿羅漢世尊若阿羅漢作是念我得
阿羅漢道即為著我人衆生壽者世尊佛
說我得无諍三昧人中最為第一是第一離
欲阿羅漢我不作是念我是離欲阿羅漢世尊
我若作是念我得阿羅漢道世尊則不說須
菩提是樂阿蘭那行者以須菩提實无所
行而名須菩提是樂阿蘭那行
佛告須菩提於意云何如來昔在然燈佛所
於法有所得不世尊如來在然燈佛所於法
實无所得須菩提於意云何菩薩莊嚴佛土
不不也世尊何以故莊嚴佛土者則非莊嚴
是名莊嚴是故須菩提諸菩薩摩訶薩應如
是生清淨心不應住色生心不應住聲香味

BD00565號　金剛般若波羅蜜經　（10–2）

不不也世尊何以故莊嚴佛土者則非莊
是名莊嚴是故須菩提諸菩薩摩訶薩應如
是生清淨心不應住色生心不應住聲香味
觸法生心應无所住而生其心須菩提譬如
有人身如須弥山王於意云何是身為大不
須菩提言甚大世尊何以故佛說非身是名大身
須菩提如恒河中所有沙數如是沙等恒河於
意云何是諸恒河沙寧為多不須菩提言甚多
世尊但諸恒河尚多无數何況其沙須菩提
我今實言告汝若有善男子善女人以七寶
滿尒所恒河沙數三千大千世界以用布施
得福多不須菩提言甚多世尊佛告須菩
提若善男子善女人於此經中乃至受持四句
偈等為他人說而此福德勝前福德
復次須菩提隨說是經乃至四句偈等當知此
處一切世間天人阿脩羅皆應供養如佛塔廟
何況有人盡能受持讀誦須菩提當知是人
成就最上第一希有之法若是經典所在
之處則為有佛若尊重弟子
尒時須菩提白佛言世尊當何名此經我等
云何奉持佛告須菩提是經名為金剛般若
波羅蜜以是名字汝當奉持所以者何須菩
提佛說般若波羅蜜則非般若波羅蜜須菩
提於意云何如來有所說法不須菩提白佛
言世尊如來无所說須菩提於意云何三千
大千世界所有微塵是為多不須菩提言甚
多世尊須菩提諸微塵如來說非微塵是名
微塵如來說世界非世界是名世界須菩提

BD00565號　金剛般若波羅蜜經　（10–3）

言世尊如来无所説須菩提於意云何三千
大千世界所有微塵是為多不須菩提言甚
多世尊須菩提諸微塵如来説非微塵是名
微塵如来説世界非世界是名世界須菩提
於意云何可以卅二相見如来不不也世尊不可
以卅二相得見如来何以故如来説卅二相即是非
相是名卅二相須菩提若有善男子善女人以恒
河沙等身命布施若復有人於此經中乃至
受持四句偈等為他人説其福甚多
尒時須菩提聞説是經深解義趣涕淚悲泣
而白佛言希有世尊佛説如是甚深經典我
從昔来所得慧眼未曾得聞如是之經世尊
若復有人得聞是經信心清淨則生實相當
知是人成就第一希有功德世尊是實相者
則是非相是故如来説名實相世尊我今得聞
如是經典信解受持不足為難若當來世後
五百歳其有衆生得聞是經信解受持是人
則為第一希有何以故此人无我相人相衆
生相壽者相所以者何我相即是非相人相
衆生相壽者相即是非相何以故離一切諸
相則名諸佛
佛告須菩提如是如是若復有人得聞是經
不驚不怖不畏當知是人甚為希有何以故
須菩提如来説第一波羅蜜非第一波羅蜜
是名第一波羅蜜須菩提忍辱波羅蜜如来
説非忍辱波羅蜜何以故須菩提如我昔為
歌利王割截身體我於尒時无我相无人相
无衆生相无壽者相何以故我於往昔節節

BD00565號　金剛般若波羅蜜經　（10–4）

不驚不怖不畏當知是人甚為希有何以故
須菩提如来説第一波羅蜜非第一波羅蜜
是名第一波羅蜜須菩提忍辱波羅蜜如来
説非忍辱波羅蜜何以故須菩提如我昔為
歌利王割截身體我於尒時无我相无人相
无衆生相无壽者相何以故我於往昔節節
支解時若有我相人相衆生相壽者相應生
瞋恨須菩提又念過去於五百世作忍辱仙
人於尒所世无我相无人相无衆生相无壽
者相是故須菩提菩薩應離一切相發阿耨
多羅三藐三菩提心不應住色生心不應住
聲香味觸法生心應生无所住心若心有住
則為非住是故佛説菩薩心不應住色布施
須菩提菩薩為利益一切衆生應如是布施
如来説一切諸相即是非相又説一切衆生
則非衆生須菩提如来是真語者實語者如
語者不誑語者不異語者須菩提如来所得
法此法无實无虚須菩提若菩薩心住於法
而行布施如人入闇則无所見若菩薩心不
住法而行布施如人有目日光明照見種種
色須菩提當来之世若有善男子善女人能
於此經受持讀誦則為如来以佛智慧悉知
是人悉見是人皆得成就无量无邊功
須菩提若有善男子善女人初日分以恒河
沙等身命布施中日分復以恒河沙等身布
施後日分亦以恒河沙等身布施如是无量
百千万億劫以身布施若復有人聞此經典
信心不逆其福勝彼何況書寫受持讀誦為

BD00565號　金剛般若波羅蜜經　（10–5）

沙等身命布施中日分復以恒河沙等身布
施後日分亦以恒河沙等身布施如是无量
百千万億劫以身布施若復有人聞此經典
信心不逆其福勝彼何況書寫受持讀誦為
人解說須菩提以要言之是經有不可思議
不可稱量无邊功德如來為發大乘者說為發
最上乘者說若有人能受持讀誦廣為人解
說如來悉知是人悉見是人皆成就不可量
不可稱无有邊不可思議功德如是人等則
為荷擔如來阿耨多羅三藐三菩提何以故
須菩提若樂小法者著我見人見衆生見壽
者見則於此經不能聽受讀誦為人解說須
菩提在在處處若有此經一切世間天人阿
脩羅所應供養當知此處則為是塔皆應恭
敬作禮圍遶以諸華香而散其處
復次須菩提善男子善女人受持讀誦此經
若為人輕賤是人先世罪業應墮惡道以今
世人輕賤故先世罪業則為消滅當得阿耨
多羅三藐三菩提須菩提我念過去无量阿
僧祇劫於然燈佛前得值八百四千万億那
由他諸佛悉皆供養承事无空過者若復有
人於後末世能受持讀誦此經所得功德於
我所供養諸佛功德百分不及一千万億分
乃至筭數譬喻所不能及須菩提若善男子
善女人於後末世有受持讀誦此經所得功
德我若具說者或有人聞心則狂亂狐疑不信
須菩提當知是經義不可思議果報亦不可思議
尒時須菩提白佛言世尊善男子善女人發阿

BD00565號　金剛般若波羅蜜經　（10–6）

德我若具說者或有人聞心則狂亂狐疑不信
須菩提當知是經義不可思議果報亦不可思議
尒時須菩提白佛言世尊善男子善女人發阿
耨多羅三藐三菩提心云何應住云何降伏
其心佛告須菩提善男子善女人發阿耨多
羅三藐三菩提者當生如是心我應滅度一
切衆生滅度一切衆生已而无有一衆生實
滅度者何以故若菩薩有我相人相衆生相
壽者相則非菩薩所以者何須菩提實无有
法發阿耨多羅三藐三菩提者須菩提於意
云何如來於然燈佛所有法得阿耨多羅三
藐三菩提不不也世尊如我解佛所說義佛
於然燈佛所无有法得阿耨多羅三藐三菩
提佛言如是如是須菩提實无有法如來得
阿耨多羅三藐三菩提須菩提若有法如來
得阿耨多羅三藐三菩提者然燈佛則不與
我受記汝於來世當得作佛号釋迦牟尼以
實无有法得阿耨多羅三藐三菩提是故然
燈佛與我受記作是言汝於來世當得作佛
号釋迦牟尼何以故如來者即諸法如義若
有人言如來得阿耨多羅三藐三菩提須菩
提實无有法佛得阿耨多羅三藐三菩提須
菩提如來所得阿耨多羅三藐三菩提於是
中无實无虛是故如來說一切法皆是佛法
須菩提所言一切法者即非一切法是故名
一切法須菩提譬如人身長大須菩提言世
尊如來說人身長大則為非大身是名大身
須菩提菩薩亦如是若作是言我當滅度无

BD00565號　金剛般若波羅蜜經　（10–7）

一切法須菩[illegible]如人身[illegible]
尊如来說人身長大則為非大身是名大身
須菩提菩薩亦如是若作是言我當滅度无
量衆生則不名菩薩何以故須菩提實无有
法名為菩薩是故佛說一切法无我无人无衆
生无壽者須菩提若菩薩作是言我當莊嚴
佛土是不名菩薩何以故如来說莊嚴佛土
者即非莊嚴是名莊嚴須菩提若菩薩通達
无我法者如来說名真是菩薩
須菩提於意云何如来有肉眼不如是世尊如
来有肉眼須菩提於意云何如来有天眼不
如是世尊如来有天眼須菩提於意云何如
来有慧眼不如是世尊如来有慧眼須菩提
於意云何如来有法眼不如是世尊如来有
法眼須菩提於意云何如来有佛眼不如是
世尊如来有佛眼
須菩提於意云何恒河中所有沙佛說是沙
不如是世尊如来說是沙須菩提於意云何
如一恒河中所有沙有如是等恒河是諸恒
河所有沙數佛世界如是寧為多不甚多世
尊佛告須菩提尒所國土中所有衆生若干
種心如来悉知何以故如来說諸心皆為非
心是名為心所以者何須菩提過去心不可
得現在心不可得未来心不可得
須菩提於意云何若有人滿三千大千世界
七寶以用布施是人以是因緣得福多不如
是世尊此人以是因緣得福甚多須菩提若
福德有實如来不說得福德多以福德无故
如来說得福德多

BD00565號　金剛般若波羅蜜經　（10–8）

是世尊此人以是因緣得福甚多須菩提若
福德有實如来不說得福德多以福德无故
如来說得福德多
須菩提於意云何佛可以具足色身見不不也
世尊如来不應以色身見何以故如来說具
足色身即非具足色身是名具足色身
須菩提於意云何如来可以具足諸相見不不
也世尊如来不應以具足諸相見何以故如
来說諸相具足即非具足是名諸相具足
須菩提汝勿謂如来作是念我當有所說法
莫作是念何以故若人言如来有所說法即
為謗佛不能解我所說故須菩提說法者无
法可說是名說法
須菩提白佛言世尊佛得阿耨多羅三藐三
菩提為无所得耶如是如汝須菩提我於阿
耨多羅三藐三菩提乃至无有少法可得是
名阿耨多羅三藐三菩提
復次須菩提是法平等无有高下是名阿耨
多羅三藐三菩提以无我无人无衆生无壽
者脩一切善法則得阿耨多羅三藐三菩提
須菩提所言善法者如来說非善法是名善
法須菩提若三千大千世界中所有諸須弥山
王如是等七寶聚有人持用布施若人以此般
若波羅蜜經乃至四句偈等受持為他人
說於前福德百分不及一百千万億分乃至
筭數譬喻所不能及
須菩提於意云何汝等勿謂如来作是念我
當度衆[illegible]菩提莫作是念何以故實无有

BD00565號　金剛般若波羅蜜經　（10–9）

復次須菩提是法平等无有高下是名阿耨
多羅三藐三菩提以无我无人无衆生无壽
者脩一切善法則得阿耨多羅三藐三菩提
須菩提所言善法者如来說非善法是名善
法須菩提若三千大千世界中所有諸須弥山
王如是等七寶聚有人持用布施若人以此般
若波羅蜜經乃至四句偈等受持爲他人
說於前福德百分不及一百千万億分乃至
筭數譬喻所不能及
須菩提於意云何汝等勿謂如来作是念我
當度衆生須菩提莫作是念何以故實无有
衆生如来度者若有衆生如来度者如来則
有我人衆生壽者須菩提如来說有我者則
非有我而凡夫之人以爲有我須菩提凡夫
者如来說則非凡夫
須菩提於意云何可以卅二相觀如来不須
菩提言如是如是以卅二相觀如来佛言須菩
提若以卅二相觀如来者轉輪聖王則是如来
須菩提白佛言世尊如我解佛所說義不應以
[illegible]尒時世尊而說偈言
[illegible]
不能見如来
[illegible]故得
[illegible]

……其……一道行……

六隨所趣聚分齊彼犯但依共期不問第三人多少皆犯以非同法不類於處所多
伴行　已下兩明戒本此戒因祇律被打為起　若比丘與女人共期同道行乃至村
間波逸提　此論之戒本文有五句一犯人二同行境三共期四同道行五結犯初可
知二三言婦女者上已言共期者律云言共至村城國土四同一道行至村間者律
云有分齊行處是五言波逸提者律云若村間一界一道乃村乃鄉界行乃波
除文如前與尼同戒行説戒　不犯者先不知若共期須往彼得安若力勢諸難等
皆開不犯　施一食處過受戒第卅一　制意者為信心士居家造立住處供
心一食濟施僧衆宜量其六難施而受即彰内有廉節之心外不惱施主令久
近不生過受他食長貪惱物取善增惡為過損不輕是故聖制　別緣有五一非親居
士限一食二無病及請住因緣四過受食五食則彼犯　已下兩明戒本此因六群比丘起過
故制　若比丘施一食處無病比丘應受一食若過受者波逸提　此論之戒本文有五句一施
一食處二無病者及衆開緣三比丘者犯四應一食者食之分齊五言過下結犯言施
一食處者律云在中一宿也食者謂時除食除三藥釋故二言無病者衆本疏律云
病者離彼村增劇者是三言比丘應一食犯人四言應食者啣食之分齊五言
若過受彼逸提者律云無病比丘一宿受過食咽咽結須是若受餘衣歎身衣乃燈油
犯者　問所以食重衣輕答食資最多人善過受又後受用體壞損施主故所以
重施主造立細舍安歎身衣聽一夜受用不破將去過受義希雖過受用衣
體不壞猶屬施主損惱義微故所以輕燈油塗足雖體盡壞身外受用過受義
希是故犯輕　問別食七緣此獨何二病者答然病人共物是別戒損往別有義施
主聽知不生譏惱是故制聖開別衆食中施主請亦開六無損此戒一食復
無施心若有六緣開便戒損惱故無餘六　律云不犯者一宿受食若有病過受若居
士請住與食若兒弟請食若水陸道斷等緣並皆開不犯　展轉食戒第卅二
制意者然篤信居士供辦美食止請衆僧佈存受用而今士許一而後遠從
彼欲食違設而已無供僧之善損惱施主其過非輕所以制聖
制　釋名者受前請已復受後請可皆於此釋為展轉故曰展轉食戒　具緣
如上別緣有五一先受前家五正食請二食體請淨堪飽足三更異處受五正食
請四無因緣謂除有病及施衣時捨請因緣不犯五隨食而犯以初二緣前對第
三後請可為三對四句一前後俱開提中二差互次一俱不開下三皆吉羅須是之不是之
為四初前後俱足之皆犯提罪須三差互等並得吉羅須淨為四俱淨前淨此言
皆提餘二皆吉　已下兩明戒本此因開食粥受食便成進戒第七……

請四无因緣謂除有病及施衣時捨請因緣不犯五道食所犯以初二緣前對第
三後請可為三對四句前後俱捨一唯捨中一差互次一俱不捨下三皆吉羅須足之不足之
為四初前後俱足犯提罪須足之者互足等並得吉羅須淨為四俱淨前淨此淨
皆提餘二皆吉　已下即戒本此自開食餘後食種越識嫌比丘舉過佛便制戒
若比丘展轉食除餘時提餘時者是病時施衣時是謂餘時　此當是戒本文
有四句犯人二所犯事三開緣四結罪時者已下謂前第二初句可知二言展轉食
者律云彼請食如請有二種一僧次二別請食謂五正食飯麨乾飯等三言除
餘時者是開緣也下說四言從此後是犯句言開緣中言病時者為病比丘
不能好坐一食令足之故聽无犯言施衣時者有二一月衣時為迦提月五月
衣為功德衣月故律云自恣竟无功德衣一月若有衣五月更後有餘施
食及衣聽受皆請　問所以開病者病人若惱若不開所宜亦命難去又
施主體知不生譏嫌故皆无罪非情所折十二月常開不局時施衣開者有
二義一為益比丘有待之形假衣資養若施時不受後須難得恐无理求多
求惡累二者為利家施主彼衣食二施至獲得兩種又粮之福為斯二益
故聖制許衣利既重我長貪結故以時開之非一切時故文言一月五月律云有
餘施衣聽受者前言一月是時提時堅衣食之是時衣家之餘當時无開
要假施食及衣故言有請後衣請取衣无犯還前家食不食遣信故言三
前家食請後名請皆犯提罪衣從頭名有三句一前衣食請後名衣食請
聽皆无罪以衣後或多及緣一家前食請後當來請如前三句前家衣食
後往食請犯提　祇律云若到俗家言今我家食即名請處從食未熟
欲往他家應白而起不白吉者至彼得食犯二提罪一白故二背前請故四分
律云若得多請應捨前請而受一請不示者唯犯隨一若不捨後請食前請
唯吉若一日受十請食處後犯一提八吉以其初一是前餘八是後若背後九得
九吉羅也若食中間比說可知伽論云若受前請往至請家坐上未食若更有
異家送食若食後家食犯提若食前請已即坐食後家食无犯　律云
不犯者若病時施衣一日得多請自受一請餘者迴施與人若請非正食或不
足食或无請受迴食不犯或一處受并護五正施主一故名无背請一切開不犯
別衆食戒第卅三　制意有二一慈愍白衣故然施食有限事難普周人
少易供多須竭生惱損重故制別食二為攝難調人故恐自結別衆朋黨以
惣衆僧故制不聽別食次釋名者能別之人食處成衆以衆別他不共同宗故
曰別衆食戒　次解其緣通緣如上別緣有七一有施主二別請別足三五正食體
清淨在時中四食處成衆五與界內不盡集六无因緣七食便犯　已下正
明戒本此戒因達提婆達多与五比丘家家乞食故佛制戒　若比丘別衆
食除餘時波逸提餘時者病時作衣時施衣時

BD00566號　四分律戒本疏卷三

(3–2)

施主體知不生譏嫌故皆无罪非情所祈十二月常開不局時施衣開者有
二義一爲𠀍比丘有待之形假衣資養若施時不受後須難得恐无理求多
生惡累二者爲利家施主使衣食二施主雖得兩種反報之福爲斯二益
故聖制許衣利既重或長貪結故以時開之非時故文言一月五月律云有
餘施衣聽受者前言一月是時提時竪衣之食之是時衣家之餘望時无開
要假施食及衣故言有請後之衣請取衣无犯畏前家食不食遠信故言三
前家食請後亦請皆犯提罪衣信頭亦有三句一前衣食請後亦衣食請
聽皆无罪以衣後或多反勝二家並前食請後望十衣請如前三並前家衣食
後僅食請犯提　祇律云若到俗家言今我家食即名請處作食未熟
欲往他家應白而起不白者至彼得正食犯二提罪一白故一皆前請故四分
律云若得多請應捨前請而受一請不示者唱之犯墮上若不捨後請食前請
唱言若一日受十請食隨後犯一提八吉以其初一是並前餘八是後若從後九得
九吉羅若食中間比說可知伽論云若受前請往至請家坐上未食若更有
異家送食若食後家食犯皆請食前請已即坐食後家食无犯　律云
不犯者若病時施衣一日得多請自受一請餘者迴施与人若請非正食或不
足食或无請受隨食不犯或一處并設五正施主一故名无皆請一切開不犯
別衆食戒第卅二　制意有二一惹惑白衣故然僞食有限事難普周人
少易供多須絕生惱損重故制別食二爲憍難調人故恐自結別衆相應以
惚衆僞故制不聽別食次釋名者能別之人食處成衆以衆別他不共同宗故
曰別衆食戒　次解具緣通緣如上別緣有七一有施主二別請別与九三五正食體
清淨在時中四食處成衆五知界内不盡集六无因緣七食便犯　已下正
明戒本此戒回違提婆達多与五比丘家家乞食故仏制戒　若比丘別衆
食除餘時設逆提餘時者病時作衣時施衣時道行時乘船時大衆集
時沙门施食時此是時　此滿足之戒本文[illegible]衆食三除

轉无上法輪
尒時佛告舍利弗吾今於天人沙門婆羅門
等大衆中說我昔曾於二萬億佛所爲无上道
故常教化汝汝亦長夜隨我受學我以方便
引導汝故生我法中舍利弗我昔教汝志願
佛道汝今悉忘而便自謂已得滅度我今
還欲令汝憶念本願所行道故爲諸聲聞說
是大乘經名妙法蓮華教菩薩法佛所護念
舍利弗汝於未來世過无量无邊不可思議
劫供養若干千萬億佛奉持正法具足菩薩
所行之道當得作佛号曰華光如來應供正
遍知明行足善逝世間解无上士調御丈夫
天人師佛世尊國名離垢其土平正清淨嚴
飾安隱豐樂天人熾盛琉璃爲地有八交道
黃金爲繩以界其側其傍各有七寶行樹常
有華菓華光如來亦以三乘教化衆生舍利
弗彼佛出時雖非惡世以本願故說三乘法
其劫名大寶莊嚴何故名曰大寶莊嚴其國
中以菩薩爲大寶故彼諸菩薩无量无邊不
可思議筭數譬喻所不能及非佛智力无量
知者若欲行時寶華承足此諸菩薩非初發
意皆久殖德本於无量百千萬億佛所淨修
梵行恒爲諸佛之所稱歎常修佛慧具大神通

BD00567號　妙法蓮華經卷二

（7–1）

可思議筭數譬喻所不能及非佛智力无量
知者若欲行時寶華承足此諸菩薩非初發
意皆久殖德本於无量百千萬億佛所淨修
梵行恒爲諸佛之所稱歎常修佛慧具大神通
善知一切諸法之門質直无僞志念堅固如
是菩薩充滿其國舍利弗華光佛壽十二
小劫除爲王子未作佛時其國人民壽八小劫
華光如來過十二小劫授堅滿菩薩阿耨
多羅三藐三菩提記告諸比丘是堅滿菩薩
次當作佛号曰華足安行多陀阿伽度阿羅
訶三藐三佛陀其佛國土亦復如是舍利弗
是華光佛滅度之後正法住世三十二小劫像
法住世亦三十二小劫尒時世尊欲重宣此
義而說偈言
舍利弗來世　成佛普智尊　号名曰華光　當度无量衆
供養无數佛　具足菩薩行　十力等功德　證於无上道
過无量劫已　劫名大寶嚴　世界名離垢　清淨无瑕穢
以琉璃爲地　金繩界其道　七寶雜色樹　常有華菓實
彼國諸菩薩　志念常堅固　神通波羅蜜　皆已悉具足
於无數佛所　善學菩薩道　如是等大士　華光佛所化
佛爲王子時　棄國捨世榮　於最末後身　出家成佛道
華光佛住世　壽十二小劫　其國人民衆　壽命八小劫
佛滅度之後　正法住於世　三十二小劫　廣度諸衆生
正法滅盡已　像法三十二　舍利廣流布　天人普供養
華光佛所爲　其事皆如是　其兩足聖尊　最勝无倫匹
彼即是汝身　宜應自欣慶
尒時四部衆比丘比丘尼優婆塞優婆夷天
龍夜叉乾闥婆阿修羅迦樓羅緊那羅摩睺

BD00567號　妙法蓮華經卷二

（7–2）

尒時四部衆比丘比丘尼優婆塞優婆夷天
龍夜叉乹闥婆阿脩羅迦樓羅緊那羅摩睺
羅伽等大衆見舍利弗於佛前受阿耨多羅
三藐三菩提記心大歡喜踊躍无量各各脫
身所著上衣以供養佛釋提桓因梵天王等
與无數天子亦以天妙衣天曼陁羅華摩訶
曼陁羅華等供養於佛所散天衣住虛空中
而自迴轉諸天伎樂百千萬種於虛空中一時
俱作雨衆天華而作是言佛昔於波羅柰
初轉法輪今乃復轉无上最大法輪尒時諸
天子欲重宣此義而說偈言
昔於波羅柰　轉四諦法輪　分別說諸法　五衆之生滅
今復轉最妙　无上大法輪　是法甚深奧　少有能信者
我等從昔來　數聞世尊說　未曾聞如是　深妙之上法
世尊說是法　我等皆隨喜　大智舍利弗　今得受尊記
我等亦如是　必當得作佛　於一切世間　最尊无有上
佛道叵思議　方便隨宜說　我所有福業　今世若過世
及見佛功德　盡迴向佛道
尒時舍利弗白佛言世尊我今無復疑悔親
於佛前得受阿耨多羅三藐三菩提記是諸千
二百心自在者昔住學地佛常教化言我法
能離生老病死究竟涅槃是學无學人亦
各自以離我見及有无見等謂得涅槃而今
於世尊前聞所未聞皆墮疑惑善哉世尊願
為四衆說其因緣令離疑悔尒時佛告舍利
弗我先不言諸佛世尊以種種因緣譬喻言
辭方便說法皆為阿耨多羅三藐三菩提耶

為四衆說其因緣令離疑悔尒時佛告舍利
弗我先不言諸佛世尊以種種因緣譬喻言
辭方便說法皆為阿耨多羅三藐三菩提耶
是諸所說皆為化菩薩故然舍利弗今當復
以譬喻更明此義諸有智者以譬喻得解舍
利弗若國邑聚落有大長者其年衰邁財富
无量多有田宅及諸僮僕其家廣大唯有一
門多諸人衆一百二百乃至五百人止住其
中堂閣朽故牆壁隤落柱根腐敗梁棟傾危
周帀俱時歘然火起焚燒舍宅長者諸子
若十二十或至三十在此宅中長者見是大火
從四面起即大驚怖而作是念我雖能於此
所燒之門安隱得出而諸子等於火宅內樂
著嬉戲不覺不知不驚不怖火來逼身苦痛
切己心不猒患无求出意舍利弗是長者作
是思惟我身手有力當以衣裓若以几案從
舍出之復更思惟是舍唯有一門而復狹小
諸子幼稚未有所識戀著戲處或當墮落
為火所燒我當為說怖之事此舍已燒宜時
疾出无令為火之所燒害作是念已如所思
惟具告諸子汝等速出父雖憐愍善言誘喻
而諸子等樂著嬉戲不肯信受不驚不畏了
无出心亦復不知何者是火何者為舍云何
為失但東西走戲視父而已尒時長者即作
是念此舍已為大火所燒我及諸子若不時
出必為所焚我今當設方便令諸子等得免
斯害父知諸子先心各有所好種種珍玩奇

出必為所焚我今當設方便令諸子等得免
斯害父知諸子先心各有所好種種珎玩奇
異之物情必樂著而告之言汝等所可玩好
希有難得汝不取後必憂悔如此種種
羊車鹿車牛車今在門外可以遊戲汝等於此
火宅宜速出來隨汝所欲皆當與汝尒時諸
子聞父所說珎玩之物適其願故心各勇銳
互相推排競共馳走爭出火宅是時長者見
諸子等安隱得出皆於四衢道中露地而坐
无復障礙其心泰然歡喜踊躍時諸子等各
白父言父先所許玩好之具羊車鹿車牛車
願時賜與舍利弗尒時長者各賜諸子等一
大車其車高廣衆寶庄嚴周迊欄楯四面懸
鈴又於其上張設幰蓋亦以珎奇雜寶而嚴
飾之寶繩交絡垂諸華瓔重敷綩綖安置丹
枕駕以白牛膚色充潔形體姝好有大筋力
行步平正其疾如風又多僕從而侍衛之所
以者何是大長者財富无量種種諸藏悉皆
充溢而作是念我財物无極不應以下劣小
車與諸子等今此幼童皆是吾子愛无偏儻
我有如是七寶大車其數无量應當等心各
各與之不宜差別所以者何以我此物周給
一國猶尚不遺何況諸子是時諸子各乘大
車得未曾有非本所望舍利弗於汝意云何
是長者等與諸子珎寶大車寧有虛妄不舍
利弗言不也世尊是長者但令諸子得免火

車得未曾有非本所望舍利弗於汝意云何
是長者等與諸子珎寶大車寧有虛妄不舍
利弗言不也世尊是長者但令諸子得免火
難全其軀命非為虛妄何以故若全身命便
為已得玩好之具況復方便於彼火宅而拔濟
之世尊若是長者乃至不與最小一車猶不
虛妄何以故是長者先作是意我以方便令
子得出以是因緣无虛妄也何況長者自知
財富无量欲饒益諸子等與大車佛告舍
利弗善哉善哉如汝所言舍利弗如來亦復
如是則為一切世間之父於諸怖畏衰惱憂
患无明闇蔽永盡無餘而悉成就无量知見
力无所畏有大神力及智慧力具足方便智
慧波羅蜜大慈大悲常无懈惓恒求善事利
益一切而生三界朽故火宅為度衆生生老
病死憂悲苦惱愚癡闇蔽三毒之火教化令
得阿耨多羅三藐三菩提見諸衆生為生老
病死憂悲苦惱之所燒煑亦以五欲財利故
受種種苦又以貪著追求故現受衆苦後受
地獄畜生餓鬼之苦若生天上及在人間貧窮
困苦愛別離苦怨憎會苦如是等種種諸苦
衆生沒在其中歡喜遊戲不覺不知不驚不
怖亦不生猒不求解脫於此三界火宅東西
馳走雖遭大苦不以為患舍利弗佛見此已
便作是念我為衆生之父應拔其苦難與無
量无邊佛智慧樂令其遊戲舍利弗如來復
作是念若我但以神力及智慧力捨於方便

困苦愛別離苦怨憎會苦如是等種種諸苦
衆生沒在其中歡喜遊戲不覺不知不驚不
怖亦不生猒不求解脫於此三界火宅東西
馳走雖遭大苦不以爲患舍利弗佛見此已
便作是念我爲衆生之父應拔其苦難與無
量无邊佛智慧樂令其遊戲舍利弗如來復
作是念若我但以神力及智慧力捨於方便
爲諸衆生讚如來知見力无所畏者衆生不
能以是得度所以者何是諸衆生未免生老
病死憂悲苦惱而爲三界火宅所燒何由能
解佛之智慧舍利弗如彼長者雖復身手
有力而不用之但以慇懃方便免濟諸子火宅
之難然後各與珎寶大車如來亦復如是雖
有力无所畏而不用之但以智慧方便於三
界火宅拔濟衆生爲說三乘聲聞辟支佛佛
乘而作是言汝等莫得樂住三界火宅勿貪
麁弊色聲香味觸也若貪著生愛則爲所燒
汝速出三界當得三乘聲聞辟支佛佛乘我
今爲汝保任此事終不虛也汝等但當勤修
精進如來以是方便誘進衆生復作是言汝

BD00567 號　妙法蓮華經卷二　（7–7）

一切國土中　諸有地獄處
一切國土中　畜生相食噉　皆現生於彼　爲之作利益
亦受於五欲　亦復現行禪　令魔心憒亂　不能得其便
火中生蓮花　是可謂希有　在欲而行禪　希有亦如是
或現作婬女　引諸好色者　先以欲鈎牽　後令入佛智
或爲邑中主　或作商人導　國師及大臣　以祐利衆生
諸有貧窮者　現作无盡藏　因以勸導之　令發菩提心
我心憍慢者　現爲大力士　消伏諸貢高　令住佛上道
其有恐懼衆　居前而慰安　先施以无畏　後令發道心
或現離婬欲　爲五通仙人　開道諸群生　令住戒忍慈
見須供事者　現爲作僮僕　既悅可其意　乃發以道心
隨彼之所須　得入於佛慧　以善方便力　皆能給足之
如是道无量　所行无有涯　智慧无邊際　度脫无數衆
假令一切佛　於无數億劫　讚嘆其功德　猶尚不能盡
誰聞如是法　不發菩提心　除彼不肖人　癡冥无智者
入不二法門品第九
尒時維摩詰語衆菩薩言諸仁者云何菩薩
入不二法門各隨所樂說之會中有菩薩名
法自在說言諸仁者生滅爲二法本不生今
則无滅得此无生法忍是爲入不二法門
德守菩薩曰我我所爲二因有我故便有我
所若无有我則无我所是爲入不二法門
不眴菩薩曰受不受爲二若法不受則不可得
以不可得故无取无捨无作无行是爲入

BD00568 號　維摩詰所說經卷中　（3–1）

德守菩薩曰我我所為二因有我故便有我
所若无有我則无我所是為入不二法門
不眴菩薩曰受不受為二若法不受則不可得
以不可得故无取无捨无作无行是為入
不二法門
德頂菩薩曰垢淨為二見垢實性則无淨相
順於滅相是為入不二法門
善宿菩薩曰是動是念為二不動則无念无
念則无分別通達此者是為入不二法門
善眼菩薩曰一相无相為二若知一相即是无
相亦不取无相入於平等是為入不二法門
妙臂菩薩曰菩薩心聲聞心為二觀心相空
如幻化者无菩薩心无聲聞心是為入不二
法門
弗沙菩薩曰善不善為二若不起善不善
入无相際而通達者是為入不二法門
師子菩薩曰罪福為二若達罪性則與福
无異以金剛慧決了此相无縛无解者是為
入不二法門
師子意菩薩曰有漏无漏為二若得諸法等
則不起漏不漏想不著於相亦不住无相
是為入不二法門
淨解菩薩曰有為无為為二若離一切數則
心如虛空以清淨慧无所礙者是為入不
二法門
那羅延菩薩曰世間出世間為二世間性

BD00568 號　維摩詰所說經卷中　（3–2）

師子意菩薩曰有漏无漏為二若得諸法等
則不起漏不漏想不著於相亦不住无相
是為入不二法門
淨解菩薩曰有為无為為二若離一切數則
心如虛空以清淨慧无所礙者是為入不
二法門
那羅延菩薩曰世間出世間為二世間性
空即是出世間於其中不入不出不溢不
散是為入不二法門
善意菩薩曰生死涅槃為二若見生死性
則无生死无縛无解不然不滅如是解者是
為入不二法門
現見菩薩曰盡不盡為二法若究竟盡若
不盡皆是无盡相无盡相即是空空則无
有盡不盡相如是入者是為入不二法門
普守菩薩曰我无我為二我尚不可得非我
何可得見我實性者不復起二是為入
不二法門
電天菩薩曰明无明為二无明實性即
是明明亦不可取離一切數於其中平等
无二者是為入不二法門
喜見菩薩曰色色空為二色即

BD00568 號　維摩詰所說經卷中　（3–3）

[illegible]
取牛屎若生草覆道以木[illegible]
經行地若掃經行地若以杖築地而誤殺生草木者[illegible]
語惱僧戒十二　制意者凡身口業倚𢮎而難制過不至重惱衆非輕事
須衆僧作法呵制若作不止者乃惱僧其過不淺故隨得罪　別緣有五
一身口業二數惱不止三作白呵制四僧如法喚問五更作便犯已下兩闕戒
本此戒未作制前未有僧令衆法可遮但犯小罪制後違者方犯提罪
口業倚者作異語名身業倚者作身惱稱雖前後二結違制受
同合為一戒口餘三過妄毀兩舌惱境事重具作即提此之倚者事似輕
務惱衆不少故制方犯提如闡陀比丘犯罪餘比丘問以別事答仏使呵已
作餘語白後便惱衆喚來不來乃至不應語而語又仏呵已作身惱白
此制戒　若比丘妄作異語惱他者波逸提此一戒本文有三節初略制後
結後滿足制特此滿足戒本句有三一犯人二標業三結罪初句可知次二言妄作
餘語惱他者於中分二初僧未白前妄作餘語者律云餘語者妄向誰
說為何事為論何理為我說為餘說我不見此罪如是語者犯吉若
僧白已如是語者犯提二惱他者如律中說僧喚來不來乃至不應語
而語未白前如是惱者得吉羅若白已作者犯提三言波逸提者是違
犯之罪律云如上羯磨者了犯提若上座喚來不來吉羅　不犯者重聽
不解前語有參錯便言汝向誰說為論何事乃至我不見此罪若欲作
非法无利羯磨不和合喚來不來不犯若為作非法羯磨若不欲知教
言莫來便來不犯若一坐食若不作餘食法食若在病喚起不起不犯
不犯若令難梵難教莫起使起不犯若惡心問不与說若作非法事
便語者若小語錯誤一切不犯又見云畏戒犯僧呼來者得
嫌罵戒第十三　制意者凡僧務事煩愛之不易故前修德之人如法斷
理宜應讚嘆令彼勤營反壞毀嫌罵令彼生惱廢營僧事
損壞不輕是故須制次釋名者見而不同受說有愛恚名嫌聞不見受
名罵雖前後二結同惱知事令為一戒　次辨具緣通緣如上別緣有六
一是羯磨所差者二知是所差人三如法經營无愛恚等四說嫌罵語言
五詞了了六前人見而不聞聞而不見便犯　闕緣比說可知已下兩闕
戒本此戒因慈地比丘於沓婆比丘所有恨故前眼見受識嫌餘比丘

名罵雖前後二結同制知事令為一戒　次弁其緣道緣如上別緣有六
一是僧處所者二知是所差人三如法經營无愛恚等四說嫌罵讒言
五詞了了六前人見而不聞聞而不見便犯　關緣比說可知已下四顯
戒本此戒因慈地比丘於沓婆比丘所有恨故着眼見受譏嫌餘比丘
白仏仏便呵制戒後又於不聞處罵此事白仏乘前重制此戒故律云初
略后顯後廣制若比丘嫌罵者波逸提　此滿足戒本文有三句一犯人二
罵業三緣犯初句可知嫌罵者律云嫌者謂面見不聞受謗言有愛
有恚有怖有癡等是言罵者謂面目聞不見受而設罵言言波逸提
者是違犯罪問此罵戒何別答前非知事人此是知事人又前戒實不
實犯此戒實不犯虛律云若虛嫌罵者頭頭罵了了隨若不受上座
教嫌罵者吉羅　律云不犯者實有其事恐後悔恨讓令如法發露
便言有愛恚等等若戲若錯說者並皆不犯　露處敷僧臥具戒第十
四制意者多論云三義故制此戒一臥具是四方僧物皆是篤信檀越所
施供僧受用利益事事應理道當護身行道得安樂故二既施主之物
詳心受借常在受用為令增長信敬之心三爲助於舉使僧物不壞令
受用功德及資施主善根成就故為慈二益是以聖制　別緣有六一四方
僧臥具二知是僧物三露處受四自敷使人敷為己受用五去時不自舉不
教人舉六出門便犯　十云出门卅九步犯廿五时方犯已下西明戒本此戒因
六群比丘敷僧坐具於露處去不收風塵所汙仏便制戒　若比丘取僧繩床
木床若臥具坐褥露地敷若教人敷捨去不自舉不教人舉者波逸提
此滿足戒本文有四句一犯人二是僧物三處已下西明戒受用四捨去下結不舉
之罪　一言若比丘者義如上弁二言取僧物者律云僧者謂四方現前僧言
物者繩床有五種旋腳直腳曲腳入陛无腳木床亦有五種如上所說臥具
或用坐或用臥坐褥者褥常用坐此等四種皆是僧物三言露地敷若教人敷
是其露地受用四言捨去不自舉不教人舉波逸提者是不舉之罪律云若
比丘敷僧物已而不收舉出寺時不囑知事者出門便犯頭若方便還悔者吉
羅若二人同坐下座收不者犯二罪上座犯一提若俱不收二俱頭故論云上座與
下座同一座床下座謂上坐收而上座不收下座犯提及吉上座當收下座竟
不收上座犯提二人不前不後俱不收二俱得提若露敷僧物而入房思惟去
五分見僧臥具在露地不自敷不使人敷故而不舉亦頭到房僧寺敷尼僧臥
具不舉亦提又俗人家會借僧臥具食訖比丘不舉亦頭祇云若於行路中脫衣
草坐已去時聚已當去　多云露地敷已不囑人便行諸吉房吉　不犯者律云
若取僧物露地敷去時語知事人令知若无餘人當舉若卑受作若見[illegible]

僧[illegible]

四制意者多論云三義故制此戒一臥具是四方僧物皆是篤信檀越所
施供僧受用利益事應理宜賞護資身行道得安樂故二既施主之物
詳心受持常在受用為令增長信敬之心三爲助於舉使僧物不壞令
受用功德及資施主善根成熟故為此三益是以聖制 別緣有六一四方
僧臥具二知是僧物三露受四自敷使人敷為己受用五去時不自舉不
教人舉六出門便犯 十云出門卅九出疏廿五肘乃犯已下正明戒本此戒曰
六群比丘敷僧坐具之處去不收風塵所汙佛便制戒 若比丘取僧繩床
木床若臥具坐褥露地敷若教人敷捨去不自舉不教人舉者波逸提
此滿足戒本文有四句一犯人二是僧物三露己下正明戒受用四捨去下結不舉
之罪一言若比丘者義如上弁二言取僧物者律云僧者謂四方現前僧三言
物者繩床有五旋腳直腳曲腳入陛無腳木床亦有五種如上所說臥具
或用坐或用臥坐褥者擬常用坐此等四種皆是僧物三言露地敷若教人敷
是其露地受用四言捨去不自舉不教人舉波逸提者是不舉之罪律云若
比丘敷僧物已而不收舉出寺時不囑知事者出門便犯須若方便還悔者吉
羅若二人同坐一下座收不者犯二罪上座犯一提若俱不收二俱墮故論云上座為
下座同一座床下座謂上坐收而上座不收下座犯提及吉上座當收下座竟
不收上座犯提二人不前不後俱不收二俱得提若露敷僧物而入房思惟吉
五分見僧臥具在露地以不自敷不使人敷故而不舉亦須到寺僧敷屋僧臥
具不舉亦提又俗人家會借僧臥具食訖比丘不舉亦須熾云亦行路中褫乱
草坐已去時狼已當去 又云露地敷已不囑人逕行諸房吉 不犯者律云
若取僧物露地敷去時語知事人令知若无餘人當舉若屏處若无屏處
思不知失當持處者覆好者去若即時還便應直雨中去疾及時還應往彼次第
作是方便應去若不尒者初出門即犯提罪 屏處敷僧臥具戒第十五
制意同前六緣成犯一是僧物二知僧是物三屏處四為己敷用五去時不舉六過
限便已下正明戒本戒因客比丘在邊房敷臥具捨去時不語知事臥具爛壞
[illegible]制戒若比丘於僧房中敷僧臥具若自敷若教人敷若坐
[illegible]具捨之戒本文有五句一犯人二屏處[illegible]

況復餘事不樂畜年少弟子
彌與同師常好坐禪在扵閑處
殊師利是名初親近處復次菩
觀一切空法如實相不顛倒不動
虛空无所有性一切語言道斷
起无名无相實无所有无量无邊
但以因緣有從顛倒生故說常
相是名菩薩摩訶薩第二親
尊欲重宣此義而說偈言
若有菩薩 扵後惡世 无怖畏
應入行處 及親近處 常離國王 及國王子
大臣官長 凶險戲者 及旃陀羅 外道梵志
亦不親近 增上慢人 貪著小乘 三藏學者
破戒比丘 名字羅漢 及比丘尼 好戲咲者
深著五欲 求現滅度 諸優婆夷 皆勿親近
若是人等 以好心來 到菩薩所 為聞佛道
菩薩則以 无所畏心 不懷悕望 而為說法
寡女處女 及諸不男 皆勿親近 以為親厚
亦莫親近 屠兒魁膾 畋獵魚捕 為利煞害
販肉自活 衒賣女色 如是之人 皆勿親近
凶險相撲 種種嬉戲 諸婬女等 盡勿親近
莫獨屏處 為女說法 若說法時 无得戲咲
入里乞食 將一比丘 若无比丘 一心念佛
是則名為 行處近處 以此二處 能安樂說

莫獨屏處 為女說法 若說法時 无得戲咲
入里乞食 將一比丘 若无比丘 一心念佛
是則名為 行處近處 以此二處 能安樂說
又復不行 上中下法 有為无為 實不實法
亦不分別 是男是女 不得諸法 不知不見
是則名為 菩薩行處 一切諸法 空无所有
无有常住 亦无起滅 是名智者 所親近處
顛倒分別 諸法有无 是實非實 是生非生
在扵閑處 脩攝其心 安住不動 如須弥山
觀一切法 皆无所有 猶如虛空 无有堅固
不生不出 不動不退 常住一相 是名近處
若有比丘 扵我滅後 入是行處 及親近處
說斯經時 无有怯弱 菩薩有時 入扵靜室
以正憶念 隨義觀法 從禪定起 為諸國王
王子臣民 婆羅門等 開化演暢 說斯經典
其心安隱 无有怯弱 文殊師利 是名菩薩
安住初法 能扵後世 說法華經
又文殊師利如來滅後扵末法中欲說是經應
住安樂行若口宣說若讀經時不樂說人及
經典過亦不輕慢諸餘法師不說他人好惡
長短扵聲聞人亦不稱名說其過惡亦不稱
名讚歎其美又亦不生怨嫌之心善脩如是
安樂心故諸有聽者不逆其意有所難問
不以小乘法答但以大乘而為解說令得一
切種智尒時世尊欲重宣此義而說偈言
菩薩常樂 安隱說法 扵清淨地 而施床座

切種智尒時世尊欲重宣此義而說偈言
菩薩常樂　安隱說法　於清淨地　而施床座
以油塗身　澡浴塵穢　著新淨衣　內外俱淨
安處法座　隨問為說　若有比丘　及比丘尼
諸優婆塞　及優婆夷　國王王子　群臣士民
以微妙義　和顏為說　若有難問　隨義而答
因緣譬喻　敷演分別　以是方便　皆使發心
漸漸增益　入於佛道　除嬾惰意　及懈怠想
離諸憂惱　慈心說法　晝夜常說　无上道教
以諸因緣　无量譬喻　開示眾生　咸令歡喜
衣服臥具　飲食醫藥　而於其中　无所悕望
但一心念　說法因緣　願成佛道　令眾亦尒
是則大利　安樂供養　我滅度後　若有比丘
能演說斯　妙法華經　心无嫉恚　諸惱障礙
亦无憂愁　及罵詈者　又无怖畏　加刀杖等
亦无擯出　安住忍故　智者如是　善脩其心
能住安樂　如我上說　其人功德　千万億劫
筭數譬喻　說不能盡
又文殊師利菩薩摩訶薩於後末世法欲滅
時受持讀誦斯經典者无懷嫉妬諂誑之心
亦勿輕罵學佛道者求其長短若比丘比丘
尼優婆塞優婆夷求聲聞者求辟支佛者求
菩薩道者无得惱之令其疑悔語其人言汝
等去道甚遠終不能得一切種智所以者何
汝是放逸之人於道懈怠故又亦不應戲論諸
法有所諍競當於一切眾生起大悲想於

等去道甚遠終不能得一切種智所以者何
汝是放逸之人於道懈怠故又亦不應戲論諸
法有所諍競當於一切眾生起大悲想於
諸如來起慈父想於諸菩薩起大師想於十
方諸大菩薩常應深心恭敬禮拜於一切眾
生平等說法以順法故不多不少乃至深愛
法者亦不為多說文殊師利是菩薩摩訶薩
於後末世法欲滅時有成就是第三安樂行
者說是法時无能惱亂得好同學共讀誦是
經亦得大眾而來聽受聽已能持持已能誦
誦已能說說已能書若使人書供養經卷恭
敬尊重讚歎尒時世尊欲重宣此義而說偈言
若欲說是經　當捨嫉恚慢　諂誑邪偽心　常脩質直行
不輕蔑於人　亦不戲論法　不令他疑悔　云汝不得佛
是佛子說法　常柔和能忍　慈悲於一切　不生懈怠心
十方大菩薩　愍眾故行道　應生恭敬心　是則我大師
於諸佛世尊　生无上父想　破於憍慢心　說法无障礙
第三法如是　智者應守護　一心安樂行　无量眾所敬
又文殊師利菩薩摩訶薩於後末世法欲滅
時有持法華經者於在家出家人中生大慈
心於非菩薩人中生大悲心應作是念如是
之人則為大失如來方便隨宜說法不聞不
知不覺不問不信不解其人雖不問不信不
解是經我得阿耨多羅三藐三菩提時隨在
何地以神通力智慧力引之令得住是法中
文殊師利是菩薩摩訶薩於如來滅後有成

解是經我得阿耨多羅三藐三菩提時隨在
何地以神通力智慧力引之令得住是法中
文殊師利是菩薩摩訶薩於如來滅後有成
就此第四法者說是法時無有過失常為比
丘比丘尼優婆塞優婆夷國王王子大臣人
民婆羅門居士等供養恭敬尊重讚歎虛
空諸天為聽法故亦常隨侍若在聚落城邑
空閑林中有人來欲難問者諸天晝夜常為
法故而衛護之能令聽者皆得歡喜所以者
何此經是一切過去未來現在諸佛神力所護
故文殊師利是法華經於無量國中乃至名
字不可得聞何況得見受持讀誦文殊師利
譬如強力轉輪聖王欲以威勢降伏諸國而
諸小王不順其命時轉輪王起種種兵而往討
伐王見兵衆戰有功者即大歡喜隨功賞
賜或與田宅聚落城邑或與衣服嚴身之具
或與種種珍寶金銀琉璃車𤦲馬瑙珊瑚虎珀
象馬車乘奴婢人民唯髻中明珠不以與之
所以者何獨王頂上有此一珠若以與之王
諸眷屬必大驚怪文殊師利如來亦復如
是以禪定智慧力得法國土王於三界而諸
魔王不肯順伏如來賢聖諸將與之共戰
其有功者心亦歡喜於四衆中為說諸經令
其心悅賜以禪定解脫無漏根力諸法之財又
復賜與涅槃之城言得滅度引導其心令皆
歡喜而不為說是法華經文殊師利如轉輪
王見諸兵衆有大功者心甚歡喜以此難信

復賜與涅槃之城言得滅度引導其心令皆
歡喜而不為說是法華經文殊師利如轉輪
王見諸兵衆有大功者心甚歡喜以此難信
之珠久在髻中不妄與人而今與之如來亦
復如是於三界中為大法王以法教化一切
衆生見賢聖軍與五陰魔煩惱魔死魔共
戰有大功勳滅三毒出三界破魔網尒時如來
亦大歡喜此法華經能令衆生至一切智一
切世間多怨難信先所未說而今說之文殊
師利此法華經是諸如來第一之說於諸說
中最為甚深末後賜與如彼強力之王久護
明珠今乃與之文殊師利此法華經諸佛如
來祕密之藏於諸經中最在其上長夜守護
不妄宣說始於今日乃與汝等而敷演之尒
時世尊欲重宣此義而說偈言
常行忍辱　哀愍一切　乃能演說　佛所讚經
後末世時　持此經者　於家出家　及非菩薩
應生慈悲　斯等不聞　不信是經　則為大失
我得佛道　以諸方便　為說此法　令住其中
譬如強力　轉輪之王　兵戰有功　賞賜諸物
象馬車乘　嚴身之具　及諸田宅　聚落城邑
或與衣服　種種珍寶　奴婢財物　歡喜賜與
如有勇健　能為難事　王解髻中　明珠賜之
如來亦尒　為諸法王　忍辱大力　智慧寶藏
以大慈悲　如法化世　見一切人　受諸苦惱
欲求解脫　與諸魔戰　為是衆生　說種種法

如有勇健　能為難事　王解髻中　明珠賜之
如来亦尒　為諸法王　忍辱大力　智慧寶藏
以大慈悲　如法化世　見一切人　受諸苦惱
欲求解脫　與諸魔戰　為是衆生　說種種法
以大方便　說此諸經　既知衆生　得其力已
末後乃為　說是法華　如王解髻　明珠與之
此經為尊　衆經中上　我常守護　不妄開示
今正是時　為汝等說　我滅度後　求佛道者
欲得安隱　演說斯經　應當親近　如是四法
讀是經者　常无憂惱　又无病痛　顔色鮮白
不生貧窮　卑賤醜陋　衆生樂見　如慕賢聖
天諸童子　以為給使　刀杖不加　毒不能害
若人惡罵　口則閇塞　遊行无畏　如師子王
智慧光明　如日之照　若於夢中　但見妙事
見諸如来　坐師子座　諸比丘衆　圍繞說法
又見龍神　阿脩羅等　數如恒沙　恭敬合掌
自見其身　而為說法　又見諸佛　身相金色
放无量光　照於一切　以梵音聲　演說諸法
佛為四衆　說无上法　見身處中　合掌讚佛
聞法歡喜　而為供養　得陁羅尼　證不退智
佛知其心　深入佛道　即為授記　成最正覺
汝善男子　當於来世　得无量智　佛之大道
國土嚴淨　廣大无比　亦有四衆　合掌聽法
又見自身　在山林中　脩習善法　證諸實相
深入禪定　見十方佛
諸佛身金色　百福相莊嚴　聞法為人說　常有是好夢

深入禪定　見十方佛
諸佛身金色　百福相莊嚴　聞法為人說　常有是好夢
又夢作國王　捨宮殿眷屬　及上妙五欲　行詣於道場
在菩提樹下　而處師子座　求道過七日　得諸佛之智
成无上道已　起而轉法輪　為四衆說法　經千万億劫
說无漏妙法　度无量衆生　後當入涅槃　如烟盡燈滅
若後惡世中　說是第一法　是人得大利　如上諸功德

妙法蓮華經從地踊出品第十五

尒時他方國土諸来菩薩摩訶薩過八恒河
沙數於大衆中起合掌作礼而白佛言世尊
若聽我等於佛滅後在此娑婆世界勤加
精進護持讀誦書寫供養是經典者當於此
土而廣說之尒時佛告諸菩薩摩訶薩衆止
善男子不須汝等護持此經所以者何我娑婆
世界自有六万恒河沙等菩薩摩訶薩一一
菩薩各有六万恒河沙眷屬是諸人等能於
我滅後護持讀誦廣說此經佛說是時娑婆
世界三千大千國土地皆震裂而於其中有
无量千万億菩薩摩訶薩同時踊出是諸菩
薩身皆金色三十二相无量光明先盡在此
娑婆世界之下此界虛空中住是諸菩薩聞
釋迦牟尼佛所說音聲從下發来一一菩薩
皆是大衆唱導之首各將六万恒河沙眷屬
況將五万四万三万二万恒河沙等眷屬者
況復乃至一恒河沙半恒河沙四分之一乃
至千万億那由他分之一況復千万億那

況復乃至一恒河沙半恒河沙四分之一乃
至千万億那由他分之一況復千万億那
由他眷屬況復億万眷屬況復千万百万
乃至一万況復一千一百乃至一十況復將
五四三二一弟子者況復單己樂遠離行
如是等比无量无邊筭數譬喻所不能知
是諸菩薩従地出已各詣虚空七寶妙塔多
寶如来釋迦牟尼佛所到已向二世尊頭面礼
足及至諸寶樹下師子座上佛所亦皆作礼右
繞三帀合掌恭敬以諸菩薩種種讚法而
以讚歎住在一面欣樂瞻仰於二世尊是諸
菩薩摩訶薩従初踊出以諸菩薩種種讚
法而讚於佛如是時間經五十小劫是時釋
迦牟尼佛嘿然而坐及諸四衆亦皆嘿然五十
小劫佛神力故令諸大衆謂如半日尒時四
衆亦以佛神力故見諸菩薩遍滿无量百千
万億國土虚空是菩薩衆中有四導師一名
上行二名无邊行三名浄行四名安立行是四
菩薩於其衆中冣為上首唱導之師在大
衆前各共合掌觀釋迦牟尼佛而問訊言世
尊少病少惱安樂行不所應度者受教易
不不令世尊生疲勞耶尒時四大菩薩而說偈
言

世尊安樂　少病少惱　教化衆生　得无疲惓
又諸衆生　受化易不　不令世尊　生疲勞耶

尒時世尊於菩薩大衆中而作是言如是

又諸衆生　受化易不　不令世尊　生疲勞耶

尒時世尊於菩薩大衆中而作是言如是
如是諸善男子如来安樂少病少惱諸衆
生等易可化度无有疲勞所以者何是諸
衆生世世已来常受我化亦於過去諸佛供養
尊重種諸善根此諸衆生始見我身聞我所
說即皆信受入如来慧除先脩習學小乘者
如是之人我今亦令得聞是經入於佛慧尒時
諸大菩薩而說偈言

善哉善哉　大雄世尊　諸衆生等　易可化度
能問諸佛　甚深智慧　聞已信行　我等隨喜

於時世尊讚歎上首諸大菩薩善哉善哉善
男子汝等能於如来發隨喜心尒時弥勒菩
薩及八千恒河沙諸菩薩衆皆作是念我等
従昔已来不見不聞如是大菩薩摩訶薩衆
従地踊出住世尊前合掌供養問訊如来時
弥勒菩薩摩訶薩知八千恒河沙諸菩薩等
心之所念并欲自決所疑合掌向佛以偈問曰

无量千万億　大衆諸菩薩　昔所未曾見　願兩足尊說
是従何所来　以何因緣集　巨身大神通　智慧叵思議
其志念堅固　有大忍辱力　衆生所樂見　為従何所来
一一諸菩薩　所將諸眷屬　其數无有量　如恒河沙等
或有大菩薩　將六万恒沙　如是諸大衆　一心求佛道
是諸大師等　六万恒河沙　俱来供養佛　及護持此經
將五万恒沙　其數過於是　四万及三万　二万至一万

是諸大師等　六万恒河沙　俱來供養佛　及護持此經
將五万恒沙　其數過於是　四万及三万　二万至一万
一千一百等　乃至一恒沙　半及三四分　億万分之一
千万那由他　万億諸弟子　乃至於半億　其數復過上
百万至一万　一千及一百　五十與一十　乃至三二一
單己无眷屬　樂於獨處者　俱來至佛所　其數轉過上
如是諸大眾　若人行籌數　過於恒沙劫　猶不能盡知
是諸大威德　精進菩薩眾　誰為其說法　教化而成就
從誰初發心　稱揚何佛法　受持行誰經　修習何佛道
如是諸菩薩　神通大智力　四方地震裂　皆從中踊出
世尊我昔來　未曾見是事　願說其所從　國土之名号
我常遊諸國　未曾見是眾　我於此眾中　乃不識一人
忽然從地出　願說其因緣　今此之大會　无量百千億
是諸菩薩等　皆欲知此事　是諸菩薩眾　本末之因緣
无量德世尊　唯願決眾疑
尒時釋迦牟尼佛分身諸佛從无量千万億
他方國土來者在於八方諸寶樹下師子座上
結加趺坐其佛侍者各各見是菩薩大眾於
三千大千世界四方從地踊出住於虛空各白
其佛言世尊此諸无量无邊阿僧祇菩薩
大眾從何所來尒時諸佛各告侍者諸善
男子且待須臾有菩薩摩訶薩名弥勒釋迦
牟尼佛之所授記次後作佛已問斯事佛今
荅之汝等自當因是得聞尒時釋迦牟尼佛
告弥勒菩薩善哉善哉阿逸多乃能問佛如

BD00570號　妙法蓮華經卷五　（27–11）

荅之汝等自當因是得聞尒時釋迦牟尼佛
告弥勒菩薩善哉善哉阿逸多乃能問佛如
是大事汝等當共一心被精進鎧發堅固意
如來今欲顯發宣示諸佛智慧諸佛自在神
通之力諸佛師子奮迅之力諸佛威猛大勢之
力尒時世尊欲重宣此義而說偈言
當精進一心　我欲說此事　勿得有疑悔　佛智叵思議
汝今出信力　住於忍善中　昔所未聞法　今皆當得聞
我今安慰汝　勿得懷疑懼　佛无不實語　智慧不可量
所得第一法　甚深叵分別　如是今當說　汝等一心聽
尒時世尊說此偈已告弥勒菩薩我今於此
大眾宣告汝等阿逸多是諸大菩薩摩訶薩
无量无數阿僧祇從地踊出汝等昔所未見者
我於是娑婆世界得阿耨多羅三藐三菩提
已教化示導是諸菩薩調伏其心令發道意
此諸菩薩皆於是娑婆世界之下此界虛空
中住於諸經典讀誦通利思惟分別正憶念
阿逸多是諸善男子等不樂在眾多有所
說常樂靜處勤行精進未曾休息亦不依
止人天而住常樂深智无有障礙亦常樂於諸
佛之法一心精進求无上慧尒時世尊欲重
宣此義而說偈言
阿逸汝當知　是諸大菩薩　從无數劫來　修習佛智慧
悉是我所化　令發大道心　此等是我子　依止是世界
常行頭陀事　志樂於靜處　捨大眾憒閙　不樂多所說

BD00570號　妙法蓮華經卷五　（27–12）

宣此義而說偈言
阿逸汝當知　是諸大菩薩　從无數劫來　脩習佛智慧
悉是我所化　令發大道心　此等是我子　依止是世界
常行頭陀事　志樂於靜處　捨大眾憒閙　不樂多所說
如是諸子等　學習我道法　晝夜常精進　為求佛道故
在娑婆世界　下方空中住　志念力堅固　常勤求智慧
說種種妙法　其心无所畏　我於伽耶城　菩提樹下坐
得成最正覺　轉无上法輪　尒乃教化之　令初發道心
今皆住不退　悉當得成佛　我今說實語　汝等一心信
我從久遠來　教化是等眾
尒時彌勒菩薩摩訶薩及无數諸菩薩等
心生疑惑怪未曾有而作是念云何世尊於少
時間教化如是无量无邊阿僧祇諸大菩薩
令住阿耨多羅三藐三菩提即白佛言世尊
如來為太子時出於釋宮去伽耶城不遠坐
於道場得成阿耨多羅三藐三菩提從是已
來始過四十餘年世尊云何於此少時大作
佛事以佛勢力以佛功德教化如是无量大
菩薩眾當成阿耨多羅三藐三菩提世尊
此大菩薩眾假使有人於千万億劫數不能盡
不得其邊斯等久遠已來於无量无邊諸
佛所殖諸善根成就菩薩道常脩梵行世尊
如此之事世所難信譬如有人色美髮黑年二
十五指百歲人言是我子其百歲人亦指年
少言是我父生育我等是事難信佛亦如
是得道已來其實未久而此大眾諸菩薩等

BD00570號　妙法蓮華經卷五　（27–13）

十五指百歲人言是我子其百歲人亦指年
少言是我父生育我等是事難信佛亦如
是得道已來其實未久而此大眾諸菩薩等
已於无量千万億劫為佛道故勤行精進善
入出住无量百千万億三昧得大神通久脩梵
行善能次第習諸善法巧於問荅人中之寶
一切世間甚為希有今日世尊方云得佛道
時初令發心教化示導令向阿耨多羅三藐
三菩提世尊得佛未久乃能作此大功德事
我等雖復信佛隨宜所說佛所出言未曾
虛妄佛所知者皆悉通達然諸新發意菩
薩於佛滅後若聞是語或不信受而起破法罪
業因緣唯然世尊願為解說除我等疑及
未來世諸善男子聞此事已亦不生疑尒時彌
勒菩薩欲重宣此義而說偈言
佛昔從釋種　出家近伽耶　坐於菩提樹　尒來尚未久
此諸佛子等　其數不可量　久已行佛道　住神通智力
善學菩薩道　不染世間法　如蓮華在水　從地而踊出
皆起恭敬心　住於世尊前　是事難思議　云何而可信
佛得道甚近　所成就甚多　願為除眾疑　如實分別說
譬如少壯人　年始二十五　示人百歲子　髮白而面皺
是等我所生　子亦說是父　父少而子老　舉世所不信
世尊亦如是　得道來甚近　是諸菩薩等　志固无怯弱
從无量劫來　而行菩薩道　巧於難問荅　其心无所畏
忍辱心決定　端正有威德　十方佛所讚　善能分別說
不樂在人眾　常好在禪定　為求佛道故　於下空中住

BD00570號　妙法蓮華經卷五　（27–14）

從无量劫來　而行菩薩道　巧於難問答　其心无所畏
忍辱心決定　端正有威德　十方佛所讚　善能分別說
不樂在人衆　常好在禪定　為求佛道故　於下空中住
我等從佛聞　於此事无疑　願佛為未來　演說令開解
若有於此經　生疑不信者　即當墮惡道　願今為解說
是无量菩薩　云何於少時　教化令發心　而住不退地
妙法蓮華經如來壽量品第十六
尒時佛告諸菩薩及一切大衆諸善男子汝
等當信解如來誠諦之語復告大衆汝等
當解如來誠諦之語又復告諸大衆汝等
當信解如來誠諦之語是時菩薩大衆弥勒
為首合掌白佛言世尊唯願說之我等當信
受佛語如是三白已復言唯願說之我等當信
受佛語尒時世尊知諸菩薩三請不止而告
之言汝等諦聽如來秘密神通之力一切世
間天人及阿脩羅皆謂今釋迦牟尼佛出釋
氏宮去伽耶城不遠坐於道場得阿耨多羅
三藐三菩提然善男子我實成佛已來无量
无邊百千万億那由他劫譬如五百千万億那
由他阿僧祇三千大千世界假使有人末為
微塵過於東方五百千万億那由他阿僧祇
國乃下一塵如是東行盡是微塵諸善男
子於意云何是諸世界可得思惟校計知
其數不弥勒菩薩等俱白佛言世尊是諸世
界无量无邊非筭數所知亦非心力所及一切

BD00570號　妙法蓮華經卷五　（27–15）

其數不弥勒菩薩等俱白佛言世尊是諸世
界无量无邊非筭數所知亦非心力所及一切
聲聞辟支佛以无漏智不能思惟知其限數
我等住阿惟越致地於是事中亦所不達世
尊如是諸世界无量无邊尒時佛告大菩薩
衆諸善男子今當分明宣語汝等是諸世界
若著微塵及不著者盡以為塵一塵一劫我
成佛已來復過於此百千万億那由他阿僧
祇劫自從是來我常在此娑婆世界說法教
化亦於餘處百千万億那由他阿僧祇國導
利衆生諸善男子於是中間我說燃燈佛
等又復言其入於涅槃如是皆以方便分別諸
善男子若有衆生來至我所我以佛眼觀其
信等諸根利鈍隨所應度處處自說名字
不同年紀大小亦復現言當入涅槃又以種種
方便說微妙法能令衆生發歡喜心諸善
男子如來見諸衆生樂於小法德薄垢重者
為是人說我少出家得阿耨多羅三藐三菩
提然我實成佛已來久遠若斯但以方便教
化衆生令入佛道作如是說諸善男子如來
所演經典皆為度脫衆生或說己身或說他
身或示己身或示他身或示己事或示他事諸
所言說皆實不虛所以者何如來如實知見
三界之相无有生死若退若出亦无在世及
滅度者非實非虛非如非異不如三界見於
三界如斯之事如來明見无有錯謬以諸衆

BD00570號　妙法蓮華經卷五　（27–16）

三界之相无有生死若退若出亦无在世及
滅度者非實非虛非如非異不如三界見於
三界如斯之事如來明見无有錯謬以諸衆
生有種種性種種欲種種行種種憶想分別
故欲令生諸善根以若干因緣譬喻言辭種
種說法所作佛事未曾暫廢如是我成佛已
來甚大久遠壽命无量阿僧祇劫常住不滅
諸善男子我本行菩薩道所成壽命今猶
未盡復倍上數然今非實滅度而便唱言當
取滅度如來以是方便教化衆生所以者何
若佛久住於世薄德之人不種善根貧窮下
賤貪著五欲入於憶想妄見網中若見如來
常在不滅便起憍恣而懷厭怠不能生難遭
之想恭敬之心是故如來以方便說比丘當知
諸佛出世難可值遇所以者何諸薄德人過
无量百千万億劫或有見佛或不見者以此
事故我作是言諸比丘如來難可得見斯衆
生等聞如是語必當生於難遭之想心懷戀
慕渴仰於佛便種善根是故如來雖不實
滅而言滅度又善男子諸佛如來法皆如是
爲度衆生皆實不虛譬如良醫智慧聰達
明練方藥善治衆病其人多諸子息若十二
十乃至百數以有事緣遠至餘國諸子於後
飲他毒藥藥發悶亂宛轉于地是時其父還
來歸家諸子飲毒或失本心或不失者遙見

BD00570號　妙法蓮華經卷五　（27–17）

十乃至百數以有事緣遠至餘國諸子於後
飲他毒藥藥發悶亂宛轉于地是時其父還
來歸家諸子飲毒或失本心或不失者遙見
其父皆大歡喜拜跪問訊善安隱歸我等
愚癡誤服毒藥願見救療更賜壽命父見
子等苦惱如是依諸經方求好藥草色香美
味皆悉具足擣篩和合與子令服而作是言
此大良藥色香美味皆悉具足汝等可服速
除苦惱无復衆患其諸子中不失心者見此
良藥色香俱好即便服之病盡除愈餘失心
者見其父來雖亦歡喜問訊求索治病然與
其藥而不肯服所以者何毒氣深入失本心
故於此好色香藥而謂不美父作是念此子
可愍爲毒所中心皆顛倒雖見我喜求索救
療如是好藥而不肯服我今當設方便令服
此藥即作是言汝等當知我今衰老死時已
至是好良藥今留在此汝可取服勿憂不差
作是教已復至他國遣使還告汝父已死是
時諸子聞父背喪心大憂惱而作是念若父
在者慈愍我等能見救護今者捨我遠喪
他國自惟孤露无復恃怙常懷悲感心遂醒
悟乃知此藥色味香美即取服之毒病皆
愈其父聞子悉已得差尋便來歸咸使見
之諸善男子於意云何頗有人能說此良
醫虛妄罪不不也世尊佛言我亦如是成
佛已來无量无邊百千万億那由他阿僧祇

BD00570號　妙法蓮華經卷五　（27–18）

之諸善男子於意云何頗有人能說此良
醫虛妄罪不不也世尊佛言我亦如是成
佛已來无量无邊百千万億那由他阿僧祇
劫為衆生故以方便力言當滅度亦无有
能如法說我虛妄過者尒時世尊欲重宣
此義而說偈言
自我得佛來　所經諸劫數　无量百千万　億載阿僧祇
常說法教化　无數億衆生　令入於佛道　尒來无量劫
為度衆生故　方便現涅槃　而實不滅度　常住此說法
我常住於此　以諸神通力　令顛倒衆生　雖近而不見
衆見我滅度　廣供養舍利　咸皆懷戀慕　而生渴仰心
衆生既信伏　質直意柔軟　一心欲見佛　不自惜身命
時我及衆僧　俱出靈鷲山　我時語衆生　常在此不滅
以方便力故　現有滅不滅　餘國有衆生　恭敬信樂者
我復於彼中　為說无上法　汝等不聞此　但謂我滅度
我見諸衆生　没在於苦惱　故不為現身　令其生渴仰
因其心戀慕　乃出為說法　神通力如是　於阿僧祇劫
常在靈鷲山　及餘諸住處　衆生見劫盡　大火所燒時
我此土安隱　天人常充滿　園林諸堂閣　種種寶莊嚴
寶樹多華菓　衆生所遊樂　諸天擊天鼓　常作衆伎樂
雨曼陁羅華　散佛及大衆　我淨土不毀　而衆見燒盡
憂怖諸苦惱　如是悉充滿　是諸罪衆生　以惡業因緣
過阿僧祇劫　不聞三寶名　諸有修功德　柔和質直者
則皆見我身　在此而說法　或時為此衆　說佛壽无量
久乃見佛者　為說佛難值　我智力如是　慧光照无量
壽命无數劫　久脩業所得　汝等有智者　勿於此生疑

BD00570號　妙法蓮華經卷五　(27–19)

久乃見佛者　為說佛難值　我智力如是　慧光照无量
壽命无數劫　久脩業所得　汝等有智者　勿於此生疑
當斷令永盡　佛語實不虛　如醫善方便　為治狂子故
實在而言死　无能說虛妄　我亦為世父　救諸苦患者
為凡夫顛倒　實在而言滅　以常見我故　而生憍恣心
放逸著五欲　墮於惡道中　我常知衆生　行道不行道
隨應所可度　為說種種法　每自作是意　以何令衆生
得入无上道　速成就佛身

妙法蓮華經分別功德品第十七

尒時大會聞佛說壽命劫數長遠如是无量
无邊阿僧祇衆生得大饒益於時世尊告彌
勒菩薩摩訶薩阿逸多我說是如來壽命長
遠時六百八十万億那由他恒河沙衆生得无
生法忍復千倍菩薩摩訶薩得聞持陁羅尼
門復有一世界微塵數菩薩摩訶薩得樂說
无礙辯才復有一世界微塵數菩薩摩訶薩
得百万億无量旋陁羅尼復有三千大千世
界微塵數菩薩摩訶薩能轉不退法輪復
有二千中國土微塵數菩薩摩訶薩能轉清
淨法輪復有小千國土微塵數菩薩摩訶薩
八生當得阿耨多羅三藐三菩提復有四四
天下微塵數菩薩摩訶薩四生當得阿耨多
羅三藐三菩提復有三四天下微塵數菩薩
摩訶薩三生當得阿耨多羅三藐三菩提復
有二四天下微塵數菩薩摩訶薩二生當得

BD00570號　妙法蓮華經卷五　(27–20)

羅三藐三菩提復有三四天下微塵數菩薩
摩訶薩三生當得阿耨多羅三藐三菩提復
有二四天下微塵數菩薩摩訶薩二生當得
阿耨多羅三藐三菩提復有一四天下微塵
數菩薩摩訶薩一生當得阿耨多羅三藐三
菩提復有八世界微塵數眾生皆發阿耨多
羅三藐三菩提心佛說是諸菩薩摩訶薩得
大法利時於虛空中雨曼陁羅華摩訶曼陁
羅華以散无量百千万億寶樹下師子座上
諸佛并散七寶塔中師子座上釋迦牟尼佛
及久滅度多寶如來亦散一切諸大菩薩及
四部眾又雨細末栴檀沉水香等於虛空中
天鼓自鳴妙聲深遠又雨千種天衣垂諸瓔
珞真珠瓔珞摩尼珠瓔珞如意珠瓔珞遍於
九方眾寶香爐燒无價香自然周至供養大
會一一佛上有諸菩薩執持幡蓋次第而上
至于梵天是諸菩薩以妙音聲歌无量頌讚
歎諸佛尒時彌勒菩薩從座而起偏袒右肩
合掌向佛而說偈言
佛說希有法　昔所未曾聞　世尊有大力　壽命不可量
无數諸佛子　聞世尊分別　說得法利者　歡喜充遍身
或住不退地　或得陁羅尼　或无礙樂說　万億旋摠持
或有大千界　微塵數菩薩　各各皆能轉　不退之法輪
或有中千界　微塵數菩薩　各各皆能轉　清淨之法輪
復有小千界　微塵數菩薩　餘各八生在　當得成佛道

或有中千界　微塵數菩薩　各各皆能轉　清淨之法輪
復有小千界　微塵數菩薩　餘各八生在　當得成佛道
復有四三二　如是四天下　微塵諸菩薩　隨數生成佛
或一四天下　微塵數菩薩　餘有一生在　當成一切智
如是等眾生　聞佛壽長遠　得无量无漏　清淨之果報
復有八世界　微塵數眾生　聞佛說壽命　皆發无上心
世尊說无量　不可思議法　多有所饒益　如虛空无邊
雨天曼陁羅　摩訶曼陁羅　釋梵如恒沙　无數佛土來
雨栴檀沉水　繽紛而亂墜　如鳥飛空下　供散於諸佛
天鼓虛空中　自然出妙聲　天衣千万種　旋轉而來下
眾寶妙香爐　燒无價之香　自然悉周遍　供養諸世尊
其大菩薩眾　執七寶幡蓋　高妙万億種　次第至梵天
一一諸佛前　寶幢懸勝幡　亦以千万偈　歌詠諸如來
如是種種事　昔所未曾有　聞佛壽无量　一切皆歡喜
佛名聞十方　廣饒益眾生　一切具善根　以助无上心
尒時佛告彌勒菩薩摩訶薩阿逸多其有眾
生聞佛壽命長遠如是乃至能生一念信解
所得功德无有限量若有善男子善女人為
阿耨多羅三藐三菩提於八十万億那由他
劫行五波羅蜜檀波羅蜜尸羅波羅蜜羼
提波羅蜜毗梨耶波羅蜜禪波羅蜜除般若
波羅蜜以是功德比前功德百分千分百千万
億分不及其一乃至筭數譬喻所不能知若
善男子有如是功德於阿耨多羅三藐三菩
提退者无有是處尒時世尊欲重宣此義而

億分不及其一乃至算數譬喻所不能知若
善男子有如是功德於阿耨多羅三藐三菩
提退者无有是處尒時世尊欲重宣此義而
說偈言
若人求佛慧　於八十万億　那由他劫數　行五波羅蜜
於是諸劫中　布施供養佛　及緣覺弟子　并諸菩薩衆
珍異之飯食　上服與臥具　栴檀立精舍　以園林莊嚴
如是等布施　種種皆微妙　盡此諸劫數　以迴向佛道
若復持禁戒　清淨无缺漏　求於无上道　諸佛之所歎
若復行忍辱　住於調柔地　設衆惡來加　其心不傾動
諸有得法者　懷於增上慢　為此所輕惱　如是亦能忍
若復勤精進　志念常堅固　於无量億劫　一心不懈息
又於无數劫　住於空閑處　若坐若經行　除睡常攝心
以是因緣故　能生諸禪定　八十億万劫　安住心不亂
持此一心福　願求无上道　我得一切智　盡諸禪定際
是人於百千　万億劫數中　行此諸功德　如上之所說
有善男女等　聞我說壽命　乃至一念信　其福過於彼
若人悉无有　一切諸疑悔　深心須臾信　其福為如此
其有諸菩薩　无量劫行道　聞我說壽命　是則能信受
如是諸人等　頂受此經典　願我於未來　長壽度衆生
如今日世尊　諸釋中之王　道場師子吼　說法无所畏
我等未來世　一切所尊敬　坐於道場時　說壽亦如是
若有深心者　清淨而質直　多聞能總持　隨義解佛語
如是諸人等　於此无有疑
又阿逸多若有聞佛壽命長遠解其言趣是
人所得功德无有限量能起如來无上之慧

如是諸人等　於此无有疑
又阿逸多若有聞佛壽命長遠解其言趣是
人所得功德无有限量能起如來无上之慧
何況廣聞是經若教人聞若自持若教人持
若自書若教人書若以華香瓔珞幢幡繒蓋
香油蘇燈供養經卷是人功德无量无邊能
生一切種智阿逸多若善男子善女人聞我
說壽命長遠深心信解則為見佛常在耆
闍崛山共大菩薩諸聲聞衆圍繞說法又見
此娑婆世界其地瑠璃坦然平正閻浮檀金以
界八道寶樹行列諸臺樓觀皆悉寶成其
菩薩衆咸處其中若有能如是觀者當知是
為深信解相又復如來滅後若聞是經而不毀
呰起隨喜心當知已為深信解相何況讀誦
受持之者斯人則為頂戴如來阿逸多是善
男子善女人不須為我復起塔寺及作僧坊
以四事供養衆僧所以者何是善男子善女
人受持讀誦是經典者為已起塔造立僧坊
供養衆僧則為以佛舍利起七寶塔高廣漸
小至于梵天懸諸幡蓋及衆寶鈴華香瓔珞
末香塗香燒香衆鼓伎樂簫笛箜篌種種
儛戲以妙音聲歌唄讚頌則為於无量千万
億劫作是供養已阿逸多若我滅後聞是經
典有能受持若自書若教人書則為起立僧
坊以赤栴檀作諸殿堂三十有二高八多羅樹
高廣嚴好百千比丘於其中止園林流池經

典有能受持若自書若教人書則為起立僧
坊以赤栴檀作諸殿堂三十有二高八多羅樹
高廣嚴好百千比丘於其中止園林流池經
行禪窟衣服飲食床褥湯藥一切樂具充滿
其中如是僧坊堂閣若干百千万億其數无
量以此現前供養於我及比丘僧是故我說
如來滅後若有受持讀誦為他人說若自書
若教人書供養經卷不須復起塔寺及造僧
坊供養衆僧況復有人能持是經兼行布施
持戒忍辱精進一心智慧其德最勝无量无
邊譬如虛空東西南北四維上下无量无邊是
人功德亦復如是无量无邊疾至一切種智若
人讀誦受持是經為他人說若自書若教人
書復能起塔及造僧坊供養讚歎聲聞
衆僧亦以百千万億讚歎之法讚歎菩薩功
德又為他人種種因緣隨義解說此法華經
復能清淨持戒與柔和者而共同止忍辱无
瞋志念堅固常貴坐禪得諸深定精進勇
猛攝諸善法利根智慧善答問難阿逸多
若我滅後諸善男子善女人受持讀誦是經
典者復〻〻如是諸善功德當知是人已趣道場
近阿耨多羅三藐三菩提坐道樹下阿逸多
是善男子若坐若立若行處此中便應起塔
一切天人皆應供養如佛之塔尒時世尊欲重
宣此義而說偈言
若我滅度後　能奉持此經　斯人福无量　如上之所說

BD00570號　妙法蓮華經卷五　（27–25）

一切天人皆應供養如佛之塔尒時世尊欲重
宣此義而說偈言
若我滅度後　能奉持此經　斯人福无量　如上之所說
是則為具足　一切諸供養　以舍利起塔　七寶而莊嚴
表剎甚高廣　漸小至梵天　寶鈴千万億　風動出妙音
又於无量劫　而供養此塔　華香諸瓔珞　天衣衆伎樂
燃香油蘇燈　周帀常照明　惡世法末時　能持是經者
則為已如上　具足諸供養　若能持此經　則如佛現在
以牛頭栴檀　起僧坊供養　堂有三十二　高八多羅樹
上饌妙衣服　床臥皆具足　百千衆住處　園林諸流池
經行及禪窟　種種皆嚴好　若有信解心　受持讀誦書
若復教人書　及供養經卷　散華香末香　以須曼瞻蔔
阿提目多伽　薰油常燃之　如是供養者　得无量功德
如虛空无邊　其福亦如是　況復持此經　兼布施持戒
忍辱樂禪定　不瞋不惡口　恭敬於塔廟　謙下諸比丘
遠離自高心　常思惟智慧　有問難不瞋　隨順為解說
若能行是行　功德不可量　若見此法師　成就如是德
應以天華散　天衣覆其身　頭面接足禮　生心如佛想
又應作是念　不久詣道樹　得无漏无為　廣利諸天人
其所住止處　經行若坐臥　乃至說一偈　是中應起塔
莊嚴令妙好　種種以供養　佛子住此地　則是佛受用
常在於其中　經行及坐臥

妙法蓮華經卷第五

BD00570號　妙法蓮華經卷五　（27–26）

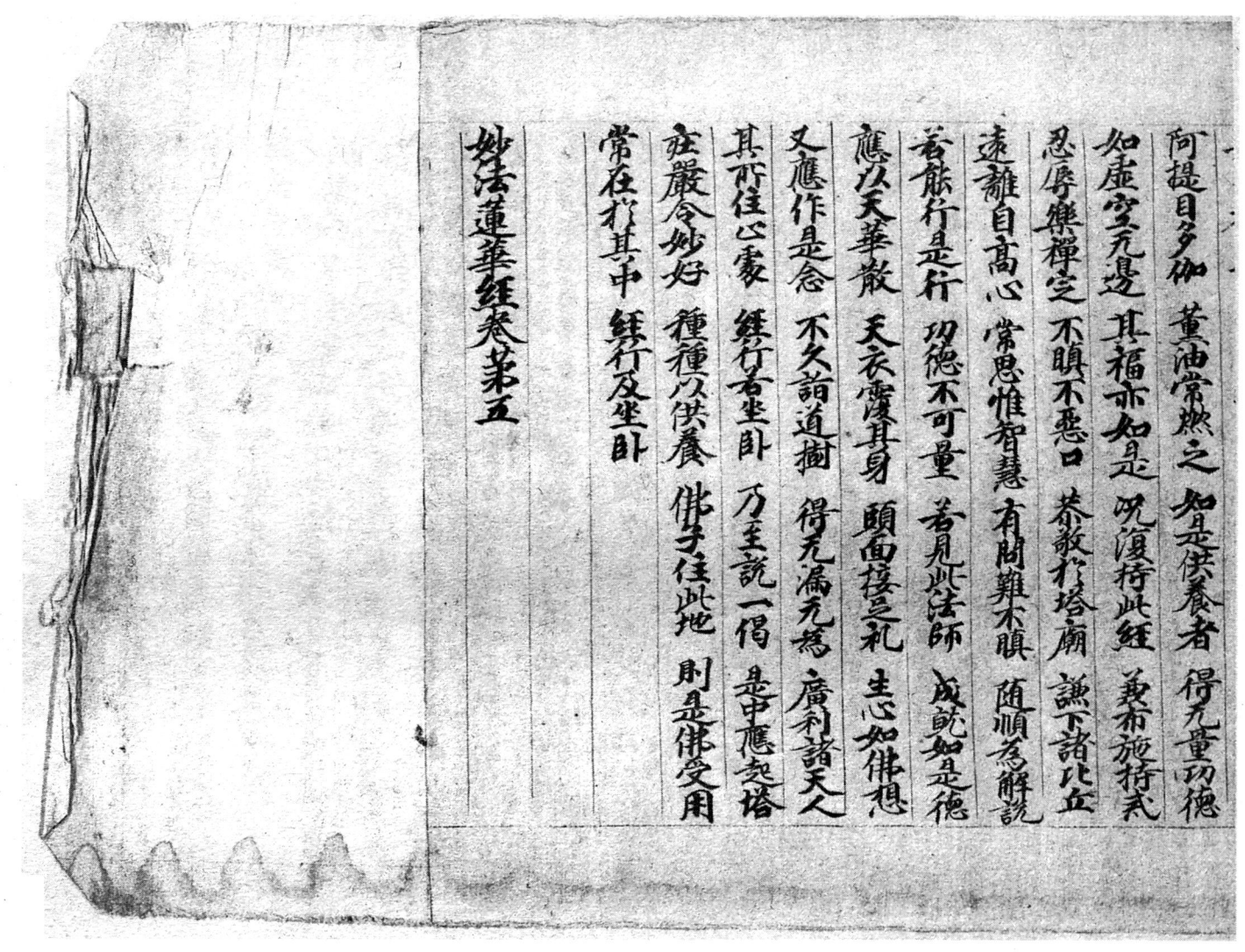

阿提目多伽 薰油常燃之 如是供養者 得无量功德
如虛空无邊 其福亦如是 况復持此經 兼布施持戒
忍辱樂禪定 不瞋不惡口 恭敬於塔廟 謙下諸比丘
遠離自高心 常思惟智慧 有問難不瞋 隨順爲解說
若能行是行 功德不可量 若見此法師 成就如是德
應以天華散 天衣覆其身 頭面接足礼 生心如佛想
又應作是念 不久詣道樹 得无漏无爲 廣利諸天人
其所住止處 經行若坐臥 乃至說一偈 是中應起塔
莊嚴令妙好 種種以供養 佛子住此地 則是佛受用
常在於其中 經行及坐臥

妙法蓮華經卷第五

BD00570號　妙法蓮華經卷五　(27–27)

行諸法不生不滅而以相好莊嚴其身是菩薩
行雖現聲聞辟支佛威儀而不捨佛法是菩
薩行雖隨諸法究竟淨相而隨所應爲現
其身是菩薩行雖觀諸佛國土永寂如空
而現種種清淨佛土是菩薩行雖得佛道轉
于法輪入於涅槃而不捨於菩薩之道是菩
薩行說是語時文殊師利所將大衆其中八
千天子皆發阿耨多羅三藐三菩提心

不思議品第六

尒時舍利弗見此室中无有床座作是念斯
諸菩薩大弟子衆當於何坐長者維摩詰知
其意語舍利弗言云何仁者爲法來耶求床
座耶舍利弗言我爲法來非爲床座維摩詰
言唯舍利弗夫求法者不貪軀命何况床座
夫求法者非有色受想行識之求非有界入
之求非有欲色无色之求唯舍利弗夫求法
者不著佛求不著法求不著衆求夫求法者
无見苦求无斷集求无造盡證修道之求所
以者何法无戲論若言我當見苦斷集證滅
脩道是則戲論非求法也唯舍利弗法名寂
滅若行生滅是求生滅非求法也法名无染
[illegible]

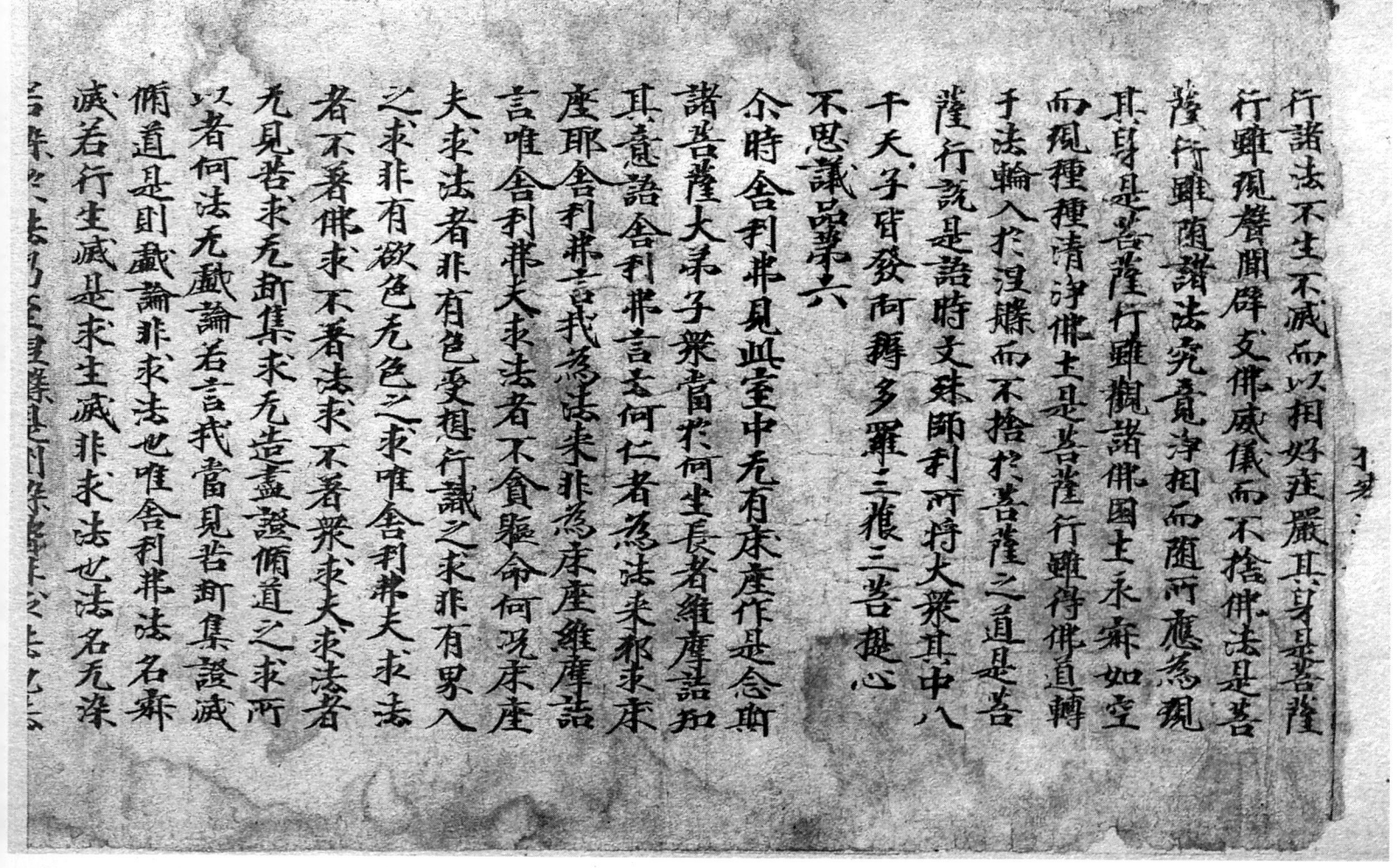

BD00571號　維摩詰所說經卷中　(21–1)

[illegible]
脩道是則戲論非求法也唯舍利弗法名寂
滅若行生滅是求生滅非求法也法名无染
若染於法乃至涅槃是則染著非求法也法
无行處若行於法是則行處非求法也法无
處所若著處所是則著處非求法也法名无
相若隨相識是則求相非求法也法不可住若
住於法是則住法非求法也法不可見聞覺
知若行見聞覺知是則見聞覺知非求法也
法名无為若行有為是求有為非求法也是
故舍利弗若求法者於一切法應无所求說
是語時五百天子於諸法中得法眼淨
尒時長者維摩詰問文殊師利仁者遊於无
量千万億阿僧祇國何等佛土有好上妙功
德成就師子之座文殊師利言居士東方度
卅六恒河沙國有世界名須弥相其佛号須弥
燈王今現在彼佛身長八万四千由旬其師
子座高八万四千由旬嚴飾第一於是長者
維摩詰現神通力即時彼佛遣三万二千
師子座高廣嚴好來入維摩詰室諸菩薩
大弟子釋梵四天王等昔所未見其室廣博
悉皆包容三万二千師子座无所妨礙於毗
耶離城及閻浮提四天下亦不迫迮悉見如
故尒時維摩詰語文殊師利就師子座與諸
菩薩上人俱坐當自立身如彼坐像其得神
通菩薩即自變身為四万二千由旬坐師子

菩薩上人俱坐當自立身如彼坐像其得神
通菩薩即自變身為四万二千由旬坐師子
座諸新發意菩薩及大弟子皆不能昇尒
時維摩詰語舍利弗就師子座舍利弗言居士
此座高廣吾不能昇維摩詰言唯舍利弗為
須弥燈王如來作礼乃可得坐於是新發意
菩薩及大弟子即為須弥燈王如來作礼便
得坐師子座舍利弗言居士未曾有也如是
小室乃容受此高廣之座於毗耶離城无所妨
礙又於閻浮提聚落城邑及四天下諸天龍王
鬼神宮殿亦不迫迮維摩詰言唯舍利弗諸
佛菩薩有解脫名不可思議若菩薩住是
解脫者以須弥之高廣內芥子中无所增減
須弥山王本相如故而四天王忉利諸天不覺
不知己之所入唯應度者乃見須弥入芥子中
是名不可思議解脫法門又以四大海水入一
毛孔不嬈魚鱉黿鼉水性之屬而彼大海本
相如故諸龍鬼神阿脩羅等不覺不知己之所
入於此衆生亦无所嬈又舍利弗住不可思
議解脫菩薩斷取三千大千世界如陶家
輪著右掌中擲過恒河沙世界之外其中衆
生不覺不知己之所往又復還置本處都不
使人有往來想而此世界本相如故又舍利
弗或有衆生樂久住世而可度者菩薩即演
七日以為一劫令彼衆生謂之一劫或[illegible]

使人有往來想而此世界本相如故又舍利
弗或有眾生樂久住世而可度者菩薩即演
七日以為一劫令彼眾生謂之一劫或有眾
生不樂久住而可度者菩薩即促一劫以為
七日令彼眾生謂之七日又舍利弗住不可
思議解脫菩薩以一切佛土嚴飾之事集在
一國示於眾生又菩薩以一佛土眾生置之
右掌飛到十方遍示一切而不動本處又
舍利弗十方眾生供養諸佛之具菩薩於一
毛孔皆令得見又十方國土所有日月星宿
於一毛孔普使見之又舍利弗十方世界所有
諸風菩薩悉能吸著口中而身无損外諸樹
木亦不摧折又十方世界劫盡燒時以一切火
內於腹中火事如故而不為害又於下方過恒
河沙等諸佛世界取一佛土舉著上方過恒河
沙无數世界如持針鋒舉一棗葉而无所嬈又
舍利弗住不可思議解脫菩薩能以神通現
作佛身或現辟支佛身或現聲聞身或現帝
釋身或現梵王身或現世主身或現轉輪王
身又十方世界所有眾聲上中下音皆能變
之令作佛聲演出无常苦空无我之音及十
方諸佛所說種種之法皆於其中普令得
聞舍利弗我今略說菩薩不可思議解脫之
力若廣說者窮劫不盡是時大迦葉聞說
菩薩不可思議解脫法門歎未曾有謂舍

BD00571 號　維摩詰所說經卷中　（21–4）

力若廣說者窮劫不盡是時大迦葉聞說
菩薩不可思議解脫法門歎未曾有謂舍
利弗譬如有人於盲者前現眾色像非彼
所見一切聲聞聞是不可思議解脫法門不
能解了為若此也智者聞是其誰不發阿
耨多羅三藐三菩提心我等何為永絕其
根於此大乘已如敗種一切聲聞聞是不可思
議解脫法門皆應號泣聲震三千大千世界
一切菩薩應大欣慶頂受此法若有菩薩
信解不可思議解脫門者一切魔眾无如之何大
迦葉說是語時三万二千天子皆發阿耨多
羅三藐三菩提心
尒時維摩詰語大迦葉仁者十方无量阿僧
祇世界中作魔王者多是住不可思議解脫
菩薩以方便力教化眾生現作魔王又迦葉
十方无量菩薩或有人從乞手足耳鼻頭目
髓腦血肉皮骨聚落城邑妻子奴婢象馬車
乘金銀瑠璃車璖馬瑙珊瑚虎珀真珠珂貝
衣服飲食如此乞者多是住不可思議解脫
菩薩以方便力而往試之令其堅固所以者何
住不可思議解脫菩薩有威德力故行逼迫
示諸眾生如是難事凡夫下劣无有力勢不
能如是逼迫菩薩譬如龍象蹴蹋非驢所堪
是名住不可思議解脫菩薩智慧方便之門
觀眾生品第七

BD00571 號　維摩詰所說經卷中　（21–5）

觀衆生品第七
尒時文殊師利問維摩詰言菩薩云何觀於
衆生維摩詰言譬如幻師見所幻人菩薩觀
衆生爲若此如智者見水中月如鏡中見其
面像如熱時焰如呼聲響如空中雲如水聚
沫如水上泡如芭蕉堅如電久住如第五大如
第六陰如第七情如十三入如十九界菩薩觀
衆生爲若此如无色界色如燋穀牙須如陀
洹身見如阿那含入胎如阿羅漢三毒如得
忍菩薩貪恚毀禁如佛煩惱習如盲者見
色如入滅盡定出入息如空中鳥跡如石女
兒如化人煩惱如夢所見已悟如滅度者受
身如无烟之火菩薩觀衆生爲若此
文殊師利言若菩薩作是觀者云何行慈維
摩詰言菩薩作是觀已自念我當爲衆生說
如斯法是即真實慈也行寂滅慈无所生故
行不熱慈无煩惱故行等之慈等三世故行
无諍慈无所起故行不二慈內外不合故行不
壞慈畢竟盡故行堅固慈心无毀故行清淨
慈諸法性淨故行无邊慈如虛空故行阿羅
漢慈破結賊故行菩薩慈安衆生故行如来
慈得如相故行佛之慈覺衆生故行自然慈
无因得故行菩提慈等一味故行无等慈斷
諸愛故行大悲慈導以大乘故行无厭慈觀

諸愛故行大悲慈導以大乘故行无厭慈觀
空无我故行法施慈无遺惜故行持戒慈化
毀禁故行忍辱慈護彼我故行精進慈荷負
衆生故行禪定慈不受味故行智慧慈无不
知時故行方便慈一切示現故行无隱慈直
心清淨故行深心慈无雜行故行无誑慈不
虛假故行安樂慈令得佛樂故菩薩之慈爲
若此也
文殊師利又問何謂爲悲答曰菩薩所作功
德皆與一切衆生共之何謂爲喜答曰有所
饒益歡喜无悔何謂爲捨答曰所作福祐无
所希望文殊師利又問生死有畏菩薩當何
所依維摩詰言菩薩於生死畏中當依如来
功德之力文殊師利又問菩薩欲依如来功德
之力當於何住答曰菩薩欲依如来功德
力者當住度脫一切衆生又問欲度衆生當
何所除答曰欲度衆生除其煩惱又問欲除
煩惱當何所行答曰當行正念又問云何行於
正念答曰當行不生不滅又問何法不生何法
不滅答曰不善不生善法不滅又問善不善
孰爲本答曰身爲本又問身孰爲本答曰
欲貪爲本又問欲貪孰爲本答曰虛妄分
別爲本又問虛妄分別孰爲本答曰顛倒想
爲本又問顛倒想孰爲本答曰无住爲本又
問无住孰爲本答曰无住則无本文殊師利

別為本又問虛妄分別孰為本答曰顛倒想
為本又問顛倒想孰為本答曰无住為本又
問无住孰為本答曰无住則无本文殊師利
從无住本立一切法
時維摩詰室有一天女見諸大人聞所說法
便現其身即以天華散諸菩薩大弟子上華
至諸菩薩即皆墮落至大弟子便著不墮一
切弟子神力去華不能令去尒時天問舍
利弗何故去華答曰此華不如法是以去之天曰
勿謂此華為不如法所以者何是華无所分別
仁者自生分別想耳若於佛法出家有所分
別為不如法若无分別是則如法觀諸菩薩
華不著者以斷一切分別想故譬如人畏時
非人得其便如是弟子畏生死故色聲香味
觸得其便已離畏者一切五欲无能為也結
習未盡華著身耳結習盡者華不著也舍
利弗言天止此室其已久如答曰我止此室
如耆年解脫舍利弗言止此久耶天曰耆年
解脫亦何如久舍利弗默然不答天曰如何
耆舊大智而默答曰解脫者无所言說故吾
於是不知所云天曰言說文字皆解脫相所
以者何解脫者不內不外不在兩間文字亦
不內不外不在兩間是故舍利弗无離文字
說解脫也所以者何一切諸法皆解脫相舍
利弗言不復以離婬怒癡為解脫乎天曰佛

BD00571號　維摩詰所說經卷中　(21-8)

說解脫也所以者何一切諸法皆解脫相舍
利弗言不復以離婬怒癡為解脫乎天曰佛
為增上慢人說離婬怒癡為解脫耳若无增
上慢者佛說婬怒癡性即是解脫舍利弗言
善哉善哉天女汝何所得以何為證辯乃如
是天曰我无得无證故辯如是所以者何若
有得有證者則於佛法為增上慢
舍利弗問天汝於三乘為何志求天曰以聲
聞法化眾生故我為聲聞以因緣法化眾生故
我為辟支佛以大悲法化眾生故我為大乘
舍利弗如人入瞻蔔林唯嗅瞻蔔不嗅餘香
如是若入此室但聞佛功德之香不樂聲
聞辟支佛功德香也舍利弗其有釋梵四天
王諸天龍鬼神等入此室者聞斯上人講說
正法皆樂佛功德之香發心而出舍利弗吾止
此室十有二年初不聞說聲聞辟支佛法但
聞菩薩大慈大悲不可思議諸佛之法舍利
弗此室常現八未曾有難得之法何等為八
此室常以金色光照晝夜无異不以日月所
照為明是為一未曾有難得之法此室入者
不為諸垢之所惱也是為二未曾有難得之
法此室常有釋梵四天王他方菩薩來會不
絕是為三未曾有難得之法此室常說六
波羅蜜不退轉法是為四未曾有難得之法

BD00571號　維摩詰所說經卷中　(21-9)

絶是為三未曾有難得之法此室常說六
波羅蜜不退轉法是為四未曾有難得之法
此室常作天人第一之樂絃出无量法化之聲
是為五未曾有難得之法此室有四大衆藏
寶積滿周窮濟之求得无盡是為六未曾
有難得之法此室釋迦牟尼佛阿弥陀佛阿
閦佛寶德佛寶焰寶月寶嚴難勝師子響一
切利成如是等十方无量諸佛是上人念時即
皆為来廣說諸佛秘要法藏說已還去是為
七未曾有難得之法此室一切諸天嚴飾宮殿
諸佛淨土皆於中現是為八未曾有難得
之法舍利弗此室常現八未曾有難得之法
誰有見斯不思議事而復樂於聲聞法乎舍
利弗言汝何以不轉女身天曰我從十二年来
求女人相了不可得當何所轉譬如幻師化作
幻女若有人問何以不轉女身是人為正問不
舍利弗言不也幻无定相當何所轉天曰一切諸
法亦復如是无有定相云何乃問不轉女身
即時天女以神通力變舍利弗身令如天女天
自化身如舍利弗而問言何以不轉女身舍
利弗以天女像而答言我今不知何轉而變
為女身天曰舍利弗若能轉此女身則一切
女人亦當能轉如舍利弗非女而現女身一
切女人亦復如是雖現女身而非女也是故佛
說一切諸法非男非女即時天女還攝神力

女人亦當能轉如舍利弗非女而現女身一
切女人亦復如是雖現女身而非女也是故佛
說一切諸法非男非女即時天女還攝神力
令舍利弗身還復如故天問舍利弗女身
色相今何所在舍利弗言女身色相无在
无不在天曰一切諸法亦復如是无在无不
在夫无在无不在者佛所說也舍利弗問
天汝於此沒當生何所天曰佛化所生吾
如彼生曰佛化所生非沒生也天曰衆生
猶然无沒生也舍利弗問天汝久如當得
阿耨多羅三藐三菩提天曰如舍利弗還
為凡夫我乃得成阿耨多羅三藐三菩提舍利
弗言我作凡夫无有是處天曰我得阿耨多
羅三藐三菩提亦无是處所以者何菩提无
住處是故无有得者舍利弗言今諸佛得阿
耨多羅三藐三菩提已得當得如恒河
沙皆謂何乎天曰皆以世俗文字數故說有三
世非謂菩提有去来今天曰舍利弗汝得
阿羅漢道耶曰无所得故而得天曰諸佛菩
薩亦復如是无所得故而得尒時維摩詰語
舍利弗是天女曾已供養九十二億佛已能
遊戲菩薩神通所願具足得无生忍住不
退轉以本願故隨意能現教化衆生

佛道品第八

尒時文殊師利問維摩詰言菩薩云何通達

佛道品第八
尒時文殊師利問維摩詰言菩薩云何通達
佛道維摩詰言若菩薩行於非道是為通
達佛道又問云何菩薩行於非道答曰若菩
薩行五无間而无惱恚至于地獄无諸罪垢
至于畜生无有无明憍慢等過至于餓鬼而
具足功德行色无色界道不以為勝示行貪
欲離諸染著示行瞋恚於諸衆生无有恚
礙示行愚癡而以智慧調伏其心示行慳貪而
捨内外所有不惜身命示行毀禁而安住淨
戒乃至小罪猶懷大懼示行瞋恚而常慈忍
示行懈怠而勤脩功德示行亂意而常念定
示行愚癡而通達世間出世間慧示行諂偽
而善方便隨諸經義示行憍慢而於衆生猶
如橋梁示行諸煩惱而心常清淨示入於魔
而順佛智慧不隨他教示入聲聞而為衆生
說未聞法示入辟支佛而成就大悲教化衆
生示入貧窮而有寶手功德无盡示入形殘而
具諸相好以自莊嚴示入下賤而生佛種姓中
具諸功德示入羸劣醜陋而現那羅延身一切
衆生之所樂見示入老病而永斷病根超
越死畏示有資生而恒觀无常无所貪著
示有妻妾婇女而常遠離五欲淤泥現於訥鈍
而成就辯才揔持无失示入耶濟而以正濟度
諸衆生現遍入諸道而斷其因緣現於涅

BD00571 號　維摩詰所說經卷中　（21–12）

越死畏示有資生而恒觀无常无所貪著
示有妻妾婇女而常遠離五欲淤泥現於訥鈍
而成就辯才揔持无失示入耶濟而以正濟度
諸衆生現遍入諸道而斷其因緣現於涅
槃而不斷生死文殊師利菩薩能如是行於
非道是為通達佛道
於是維摩詰問文殊師利何等為如來種文
殊師利言有身為種无明有愛為種貪恚癡
為種四顛倒為種五蓋為種六入為種七識
處為種八耶法為種九惱處為種十不善道
為種以要言之六十二見及一切煩惱皆是
佛種曰何謂也答曰若見无為入正位者不
能復發阿耨多羅三藐三菩提心譬如高原
陸地不生蓮華卑濕汙泥乃生此華如是見
无為法入正位者終不復能生於佛法煩惱
泥中乃有衆生起佛法耳又如殖種於空終不
得生糞壤之地乃能滋茂如是入无為正位
者不生佛法起於我見如須弥山猶能發于
阿耨多羅三藐三菩提心生佛法矣是故當
知一切煩惱為如來種譬如不入巨海不能得无
價寶珠如是不入煩惱大海則不能生一切
智寶之心
尒時大迦葉歎言善哉善哉文殊師利快說
此語誠如所言塵勞之疇為如來種我等今
者不復堪任發阿耨多羅三藐三菩提心乃

BD00571 號　維摩詰所說經卷中　（21–13）

誠如所言塵勞之儔為如來種我等今
者不復堪任發阿耨多羅三藐三菩提心乃
至五无間罪猶能發意生於佛法而今我等
永不能發譬如根敗之士其於五欲不能復
利如是聲聞諸結斷者於佛法中无所復益
永不志願是故文殊師利凡夫於佛法有反
復而聲聞无也所以者何凡夫聞佛法能起无
上道心不斷三寶正使聲聞終身聞佛法力
无畏等永不能發无上道意尒時會中有
菩薩名普現色身問維摩詰言居士父母妻
子親戚眷屬吏民知識悉為是誰奴婢僮僕象
馬車乘皆何所在於是維摩詰以偈答曰
智度菩薩母　方便以為父　一切眾導師　无不由是生
法喜以為妻　慈悲心為女　善心誠實男　畢竟空寂舍
弟子眾塵勞　隨意之所轉　道品善知識　由是成正覺
諸度法等侶　四攝為妓女　歌詠誦法言　以此為音樂
總持之園苑　无漏法林樹　覺意淨妙華　解脫智慧果
八解之浴池　定水湛然滿　布以七淨華　浴此无垢人
象馬五通馳　大乘以為車　調御以一心　遊於八正路
相具以嚴容　眾好飾其姿　慚愧之上服　深心為華鬘
富有七財寶　教授以滋息　如所說修行　迴向為大利
四禪為牀座　從於淨命生　多聞增智慧　以為自覺音
甘露法之食　解脫味為漿　淨心以澡浴　戒品為塗香
摧滅煩惱賊　勇健无能踰　降伏四種魔　勝幡建道場
雖知无起滅　示彼故有生　悉現諸國土　如日无不現

BD00571號　維摩詰所說經卷中　（21–14）

摧滅煩惱賊　勇健无能踰　降伏四種魔　勝幡建道場
雖知无起滅　示彼故有生　悉現諸國土　如日无不現
供養於十方　无量億如來　諸佛及己身　无有分別想
雖知諸佛國　及與眾生空　而常修淨土　教化於群生
諸有眾生類　形聲及威儀　无畏力菩薩　一時能盡現
覺知眾魔事　而示隨其行　以善方便智　隨意皆能現
或示老病死　成就諸群生　了知如幻化　通達无有礙
或現劫盡燒　天地皆洞然　眾人有常想　照令知无常
无數億眾生　俱來請菩薩　一時到其舍　化令向佛道
經書禁呪術　工巧諸伎藝　盡現行此事　饒益諸群生
世間眾道法　悉於中出家　因以解人惑　而不墮邪見
或作日月天　梵王世界主　或時作地水　或復作風火
劫中有疾疫　現作諸藥草　若有服之者　除病消眾毒
劫中有飢饉　現身作飲食　先救彼飢渴　却以法語人
劫中有刀兵　為之起慈悲　化彼諸眾生　令住无諍地
若有大戰陣　立之以等力　菩薩現威勢　降伏使和安
一切國土中　諸有地獄處　輒往到于彼　勉濟諸苦惱
一切國土中　畜生相食噉　皆現生於彼　為之作利益
示受於五欲　亦復現行禪　令魔心憒亂　不能得其便
火中生蓮華　是可謂希有　在欲而行禪　希有亦如是
或現作婬女　引諸好色者　先以欲鉤牽　後令入佛智
或為邑中主　或作商人導　國師及大臣　以祐利眾生
諸有貧窮者　現為无盡藏　因以勸導之　令發菩提心
我心憍慢者　為現大力士　消伏諸貢高　令住无上道
其有恐懼者　居前而慰安　先施以无畏　後令發道心

BD00571號　維摩詰所說經卷中　（21–15）

我心憍慢者 為現大力士 消伏諸貢高 令住无上道
其有恐懼者 居前而安慰 先施以无畏 後令發道心
或現離婬欲 為五通仙人 開導諸群生 令住戒忍慈
見須供事者 現為作僮僕 既悅可其意 乃發以道心
隨彼之所須 得入於佛道 以善方便力 皆能給足之
如是道无量 所行无有涯 智慧无邊際 度脫无數衆
假令一切佛 於无數億劫 讚歎其功德 猶尚不能盡
誰聞如是法 不發菩提心 除彼不肖人 癡冥无智者

入不二法門品第九

尒時維摩詰謂衆菩薩言諸仁者云何菩薩
入不二法門各隨所樂說之會中有菩薩名
法自在說言諸仁者生滅為二法本不生今
則无滅得此无生法忍是為入不二法門
德首菩薩曰我我所為二因有我故便有我
所若无有我則无我所是為入不二法門
不瞬菩薩曰受不受為二若法不受則不可
得以不可得故无取无捨无作无行是為入不二
法門
德頂菩薩曰垢淨為二見垢實性則无淨相
順於滅相是為入不二法門
善宿菩薩曰是動是念為二不動則无念无
念則无分別通達此者是為入不二法門
善眼菩薩曰一相无相為二若知一相即是
无相亦不取无相入於平等是為入不二法門
妙臂菩薩曰菩薩心聲聞心為二觀心相空

妙臂菩薩曰菩薩心聲聞心為二觀心相空
如幻化者无菩薩心无聲聞心是為入不二法
門
弗沙菩薩曰善不善為二若不起善不善入
无相際而通達者是為入不二法門
師子菩薩曰罪福為二若達罪性則與福无
異以金剛慧決了此相无縛无解者是為入
不二法門
師子意菩薩曰有漏无漏為二若得諸法等
則不起漏不漏想不著於相亦不住无相是
為入不二法門
淨解菩薩曰有為无為為二若離一切數則
心如虛空以清淨慧无所礙者是為入不二
法門
那羅延菩薩曰世間出世間為二世間性空
即是出世間於其中不入不出不溢不散
是為入不二法門
善意菩薩曰生死涅槃為二若見生死性則
无生死无縛无解不然不滅如是解者是
為入不二法門
現見菩薩曰盡不盡為二法若究竟盡若
不盡皆是无盡相无盡相即是空空則无有
盡不盡相如是入者是為入不二法門
普首菩薩曰我无我為二我尚不可得非我
何可得見我實性者不復起二是為入不二

盡不盡相如是入者是為入不二法門
普首菩薩曰我无我為二我尚不可得非我
何可得見我實性者不復起二是為入不二
法門
雷天菩薩曰明无明為二无明實性即是
明明亦不可取離一切數於其中平等无二
者是為入不二法門
喜見菩薩曰色色空為二色即是空非色滅
空色性自空如是受想行識識空為二識即
是空非識滅空識性自空於其中而達通者
是為入不二法門
明相菩薩曰四種異空種異為二四種性即
是空種性如前際後際空故中際亦空若能
如是知諸種性者是為入不二法門
妙意菩薩曰眼色為二若知眼性於色不貪
不恚不癡是名寂滅如是耳聲鼻香舌味身
觸意法為二若知意性於法不貪不恚不癡
是名寂滅安住其中是為入不二法門
无盡意菩薩曰布施迴向一切智為二布施
性即是迴向一切智性如是持戒忍辱精進
禪定智慧迴向一切智為二智慧性即是迴
向一切智性於其中入一相者是為入不二
法門
深慧菩薩曰是空是无相无作為二空即是

法門
深慧菩薩曰是空是无相无作為二空即是
无相无相即是无作若空无相无作則无心意
識於一解脫門即是三解脫門者是為入不
二法門
寂根菩薩曰佛法衆為二佛即是法法即是
衆是三寶皆无為相與虛空等一切法亦尒
能隨此行者是為入不二法門
心无礙菩薩曰身身滅為二身即是身滅所
以者何見身實相者不起見身及見滅身身
與滅身无二无分別於其中不驚不懼者是
為入不二法門
上善菩薩曰身口意善為二是三業皆无作
相身无作相即口无作相口无作相即意无作
相是三業无作相即一切法无作相能如是隨
无作慧者是為入不二法門
福田菩薩曰福行罪行不動行為二三行實
性即是空空則无福行无罪行无不動行於
此三行而不起者是為入不二法門
華嚴菩薩曰從我起二為二見我實相者不
起二法若不住二法則无有識无所識者是
為入不二法門
德藏菩薩曰有所得相為二若无所得則
无取捨无取捨者是為入不二法門
月上菩薩曰闇與明為二无闇无明則无有

无取捨无取捨者是爲入不二法門
月上菩薩曰闇與明爲二无闇无明則无有
二所以者何如入滅受想定无闇无明一切法
亦復如是於其中平等入者是爲入不二法
門
寶印手菩薩曰樂涅槃不樂世間爲二若不
樂涅槃不猒世間則无有二所以者何若有
縛則有解若本无縛其誰求解无解則
无樂猒是爲入不二法門
珠頂王菩薩曰正道耶道爲二住正道者
則不分別是耶是正離此二法是爲入不二
法門
樂實菩薩曰實不實爲二實見者尚不見
實何况非實所以者何非肉眼所見慧眼乃
能見而此慧眼无見无不見是爲入不二
法門
如是諸菩薩各各說已問文殊師利何等是
菩薩入不二法門文殊師利曰如我意者於
一切法无言无說无示无識離諸問答
是爲入不二法門於是文殊師利問維摩詰
言我等各自說已仁者當說何等是菩薩
入不二法門時維摩詰默然无言文殊師
利歎言善哉善哉乃至无有文字語言
是真入不二法門說是不二法門時於此衆
中五千菩薩皆入不二法門得无生法忍

BD00571號　維摩詰所說經卷中　（21–20）

能見而此慧眼无見无不見是爲入不二
法門
如是諸菩薩各各說已問文殊師利何等是
菩薩入不二法門文殊師利曰如我意者於
一切法无言无說无示无識離諸問答
是爲入不二法門於是文殊師利問維摩詰
言我等各自說已仁者當說何等是菩薩
入不二法門時維摩詰默然无言文殊師
利歎言善哉善哉乃至无有文字語言
是真入不二法門說是不二法門時於此衆
中五千菩薩皆入不二法門得无生法忍

維摩詰經卷中

BD00571號　維摩詰所說經卷中　（21–21）

寶而嚴
飾之寶繩交絡垂諸華瓔重敷綩綖安置丹
枕駕以白牛膚色充潔形體姝好有大筋力
行步平正其疾如風又多僕從而侍衛之所
以者何是大長者財富无量種種庫藏悉皆充
溢而作是念我財物无極不應以下劣小車
與諸子等今此幼童皆是吾子愛无偏黨我
有如是七寶大車其數无量應當等心各各
與之不宜差別所以者何以我此物周給一國
猶尚不匱何況諸子是時諸子等各乘大車
得未曾有非本所望舍利弗於汝意云何是
長者等與諸子珍寶大車寧有虛妄不舍利
弗言不也世尊是長者但令諸子得免火難
全其軀命非為虛妄何以故若全身命便為
已得玩好之具況復方便於彼火宅而拔濟
之世尊若是長者乃至不與最小一車猶不
虛妄何以故是長者先作是意我以方便令
子得出以是因緣无虛妄也何況長者自知
財富无量欲饒益諸子等與大車佛告舍利
弗善哉善哉如汝所言舍利弗如來亦復如
是則為一切世間之父於諸怖畏衰惱憂患
无明闇蔽永盡无餘而悉成就无量知見力
无所畏有大神力及智慧力具足方便智慧

BD00572號　妙法蓮華經卷二　（3–1）

是則為一切世間之父於諸怖畏衰惱憂患
无明闇蔽永盡无餘而悉成就无量知見力
无所畏有大神力及智慧力具足方便智慧
波羅蜜大慈大悲常无懈惓恒求善事利益
一切而生三界朽故火宅為度眾生生老病
死憂悲苦惱愚癡闇蔽三毒之火教化令得
阿耨多羅三藐三菩提見諸眾生為生老病
死憂悲苦惱之所燒煮亦以五欲財利故受
種種苦又以貪著追求故現受眾苦後受地
獄畜生餓鬼之苦若生天上及在人間貧窮
困苦愛別離苦怨憎會苦如是等種種諸苦
眾生沒在其中歡喜遊戲不覺不知不驚不
怖亦不生厭不求解脫於此三界火宅東西
馳走雖遭大苦不以為患舍利弗佛見此已
便作是念我為眾生之父應拔其苦難與无
量无邊佛智慧樂令其遊戲舍利弗如來復
作是念若我但以神力及智慧力捨於方便
為諸眾生讚如來知見力无所畏者眾生不
能以此得度所以者何是諸眾生未免生老
病死憂悲苦惱而為三界火宅所燒何由能
解佛之智慧舍利弗如彼長者雖復身手有
力而不用之但以慇懃方便勉濟諸子火宅
之難然後各與珍寶大車如來亦復如是雖
有力无所畏而不用之但以智慧方便於三界
火宅拔濟眾生為說三乘聲聞辟支佛佛乘
而作是言汝等莫得樂住三界火宅勿貪

BD00572號　妙法蓮華經卷二　（3–2）

馳走雖遭大苦不以為患舍利弗佛見此已
便作是念我為衆生之父應拔其苦難與无
量无邊佛智慧樂令其遊戲舍利弗如來復
作是念若我但以神力及智慧力舍於方便
為諸衆生讚如來知見力无所畏者衆生不
能以是得度所以者何是諸衆生未免生老
病死憂悲苦惱而為三界火宅所燒何由能
解佛之智慧舍利弗如彼長者雖復身手有
力而不用之但以慇懃方便免濟諸子火宅
之難然後各與珍寶大車如來亦復如是雖
有力无所畏而不用之但以智慧方便於三界
火宅拔濟衆生為說三乘聲聞辟支佛佛乘
而作是言汝等莫得樂住三界火宅勿貪
麤弊色聲香味觸也若貪著生愛則為所燒
汝速出三界當得三乘聲聞辟支佛佛乘我
今為汝保任此事終不虛也汝等但當勤修
精進如來以是方便誘進衆生復作是言汝等
當知此三乘法皆是聖所稱歎自在无繫
无所依求乘是三乘以无漏根力覺道禪定
解脫三昧等而自娛樂便得无量安隱快樂

BD00572號　妙法蓮華經卷二　（3–3）

放逸提　此滿足戒本文有五句[illegible]
罪而初二句可知三言說法過五六說者法者謂是如來親所宣
說及諸天等所說名名為法言過五六語者五謂五蘊言色
是无我受想行識名復无我六謂六根言眼是无常乃至意名无
常謂五至六過六至七故名過五六語四言除有智男子者是開緣
律云智男子者知麁惡不麁惡事多論解人情義可任證明故名
有智男子中邊不問老不須俗人出家不得以事問故若盲若聾
名比二當一人若眼名名无人若識七歲若過不解好惡義味名名
凡人知男子及上可知五言波逸提者是遠犯罪律云若過已外說
聲相接不斷一罪若句句斷絕說句句提罪五分為說五六竟後坐起去
更有因緣還坐為說不犯若五六語竟為後女人說如是相因為无量
女人說不犯反生即若譬句不了了犯吉若向非人畜生說名吉不犯
者律云若依限說若知男子前過說若无男子請應廣說若受
五戒說五戒法八關齋法乃至女人聽明轉生疑問隨廣說皆得无
犯
掘地戒第十　多論云三種益故不聽掘地壞生一為不惱害眾生
故出家依蔭宜落物念二為止誹謗故三為大護法故若佛不制此戒
者國王大臣役使比丘由佛制故王臣息心不復役使得令靜緣脩道
數智斷惑是名斷惑　別緣有五一是生地二作生地想三自掘四使人掘
時不住知淨語五隨傷便犯已下正明戒本此因六群為脩治講堂故自
掘地居士譏嫌比丘舉過佛為制戒自手掘地教人掘地者波逸提　此七
滿足戒本文有三節一自掘故略制二教人掘時不行知淨前制非圓更復
續結　三滿足戒本文有五句一犯人二自作業三所傷地四教人業五結罪
初句可知第二言自手掘者律云若用鋤钁椎打刀剗梢橋橛傷第三
言地者律云若已掘地已掘者經四月被雨清還如本見論生地无有砂
石瓦礫純土是名生地若四分砂石少生地自掘无過祇云地有二種一生
二作生者太地作者有二一基作者露地壽一上作者重閣上露土是等名
所傷之地第四言若教掘者律云若不教言看是知是犯緣　五第言
放逸提者是遠犯罪律云若比丘如上所傷之地若以用鋤钁乃至槌橛
損傷乃地上然火但使地作地想一切皆直若使掘時不教看是知是犯吉羅
祇云若轉石掃地驅牛欲使地平意傷如蹴腳一切犯提土塊一人不勝破者犯
提盡地作字名提若大小便時以手摩地已直若擲器物木[illegible]

石瓦礫純土是名生地若四月八月生地自㨾无過秖去地有二種一生
二作生者大地作者有二一基作者覆地辟一上作者重閣上露土是皆名
所傷之地第四言若教ˣ者律云若不教言看是名是犯緣　五第五言
放逸提者是遠犯罪律云若比丘如上所傷之地若以用鋤钁乃至椎椓
棓傷乃地上然火但使地作地想一切皆墮若使稱時不教看是知是名犯吉羅
秖云若擲石掃地驅牛教使地平意傷如蚊脚一切犯提土塊一人不勝疲者犯
提盡地作字名提若大小便時水手磨地犯墮若破器物木博瓦等在露地
經雨已不得自取犯提若純砂无罪半砂得吉　多論使僧房循地作知淨語
提教下三衆淨人猶不作淨語吉若三衆不爲三寶村益因緣自壞土木
吉羅五分云蘭若无淨人聽比丘以水洗地擲草布上踐使成泥取用
秖去覆處地得自掘不犯者律云若語言知是看是若曳木杖若扶籬
𠕋若反博石取牛屎取崩岸地若鼠壤土除經行處土及屋內土若來
往掃地不作故損意一切不犯　壞生種戒第十一　制意如上犯緣名別具
不別有緣舉前壽彷戒緣中比丘自比丘自所樹以爲緣起　若比丘壞鬼神
村者波逸提　此滿足戒本文有五句一犯人二壞業三鬼神四所傷之境五結犯
初句可知二言壞者律云若斫若截若墮乃至若蓋並名爲壞三言鬼神者
律云非人是也四言村一切草木是鬼所依名村　十誦云村者蚑蟢蛺蝶蛾子諸虫
以爲舍律云村者有五種一謂根種二謂枝種三謂節種四謂覆羅種五子
種生種雜有五合刑是三第一種根生二種枝生三種子生又根種乃二不假節
生作根種之名根中假節生者作覆羅之種又枝種名二枝中不假節
生者作節生之曰子之種中當體立一始終差別離成有五合即是三異等
皆名所傷之境五言波逸提者是遠犯罪句故律云若山五生種就地離
地以刀乃至餘物壞者弁名壞村而得提罪　秖云擺地壞草責日不者
一提若中間息一一提也又可自壞教他壞俱墮若打杖着生草樹上若以
火燒並墮若壞多少六生草木者墮壞半乾半生者吉若不言知是看是
名吉回相淨生種得秖云根莖種以刀中破淨節種者名以刀破又擿却
牙自淨心種者謂羅勒蘇等未楯淨子種者十七種穀脫皮火淨通五種
又果中裏核種如來杏之屬爪甲淨者核食火淨合食火淨者謂生熟
二菓合核膚果種者火淨合食如畢鉢棗棋梨柰之屬若熟時落地傷
如蚊脚者名瘡淨去子食殼裹種者火淨椰子胡桃石榴之屬檳榔裹
種者香柔蒔蓬之屬未有子火淨角裏種者淨法炒檳裹法大小豆
等也萑山蒿中含子之草應得火淨但令㧞著即得淨法尓故律云
若以五種生樹著地井水中大小便中𤄽掃中吉若飛犯提若草中
行故令死者隨如故即是　因可武對比道可多少一是罪故盡五可一宜

而若叉博石取牛屎取崩岸地若鼠壞土除經行處逕土及屋内土若未
往掃地不作故掃意一切不犯　壞生種戒第十一　制意如上犯緣々有異
不別有緣舉前房戒緣中比丘自作比丘自斫樹以為緣起　若比丘壞鬼神
村者波逸提　此滿足戒本文有五句一犯人二壞業三鬼神四所傷之境五結犯
初句可知二言壞者律云若斫若截若墮若蒸煮並名為壞三言鬼神者
律云非人是也四言村一切草木是鬼所依名村　十誦云村者蚑蜣蜂蟻子諸虫
以為舍律云村者有五種一謂根種二謂枝種三謂節種四謂覆羅種五子
種生種雜有五合則是三初一種根生二種枝生三種子生又根種亦二不假節
生從根種々名根中假節生者從覆羅々種又枝種名亦二枝中不假節
生者從節生之曰子々種中皆體立一始終差別雖成有五合即是三無等
皆名所傷之境五言波逸提者是違犯罪句故律云若此五生種就地離
地以刀乃至餘物壞者皆名壞村而得提罪　義云掘地壞草責曰不出者
一提若中間息一々提也又曰自壞教他壞俱墮若打杙着生草樹上若以
火燒並墮若壞多少生草木者墮壞半乾半生者吉若不言知是者是
名吉曰明淨生種法識云根莖種以刀中破淨節種者名以刀破又橋却
手自淨心種者謂翟勒藜等柔脆淨子種者十七種穀脫皮火淨通五種
又果中裹核種如來杏等屬爪甲淨者核食火淨合食火淨者謂生熟
二果合核肩果種者火淨合食如畢鉢果棋梨柔等屬若取時落地傷
如蚊脚者名瘡淨者子食穀裹種者火淨椰子胡桃石榴等屬檎豆裹
種者香柔蕤蘆之屬未有子火淨角裹種者淨法如檎裹法火小豆
等也准此為中食子之草應得火淨但令相着即得淨淨法亦故律云
若以五種生樹着地并水中大小便中糞掃中吉若飛犯提若草中
行欲令死吉傷如蚊脚提　問打杙樹上通打多少一々提罪數盡何爾
斫得提要待斷令取　答草木有多生相故通壞處皆得一提生不起
是以通壞得罪盡生類名一假名令要斷方犯　律云不犯者若言看是
知是若斷乾枯草木若於生草木上曳材曳竹正籬障若撥擊石若
取□□火被燒處令剛若以凡石柱々而斷傷草木若除
[illegible]不犯　異

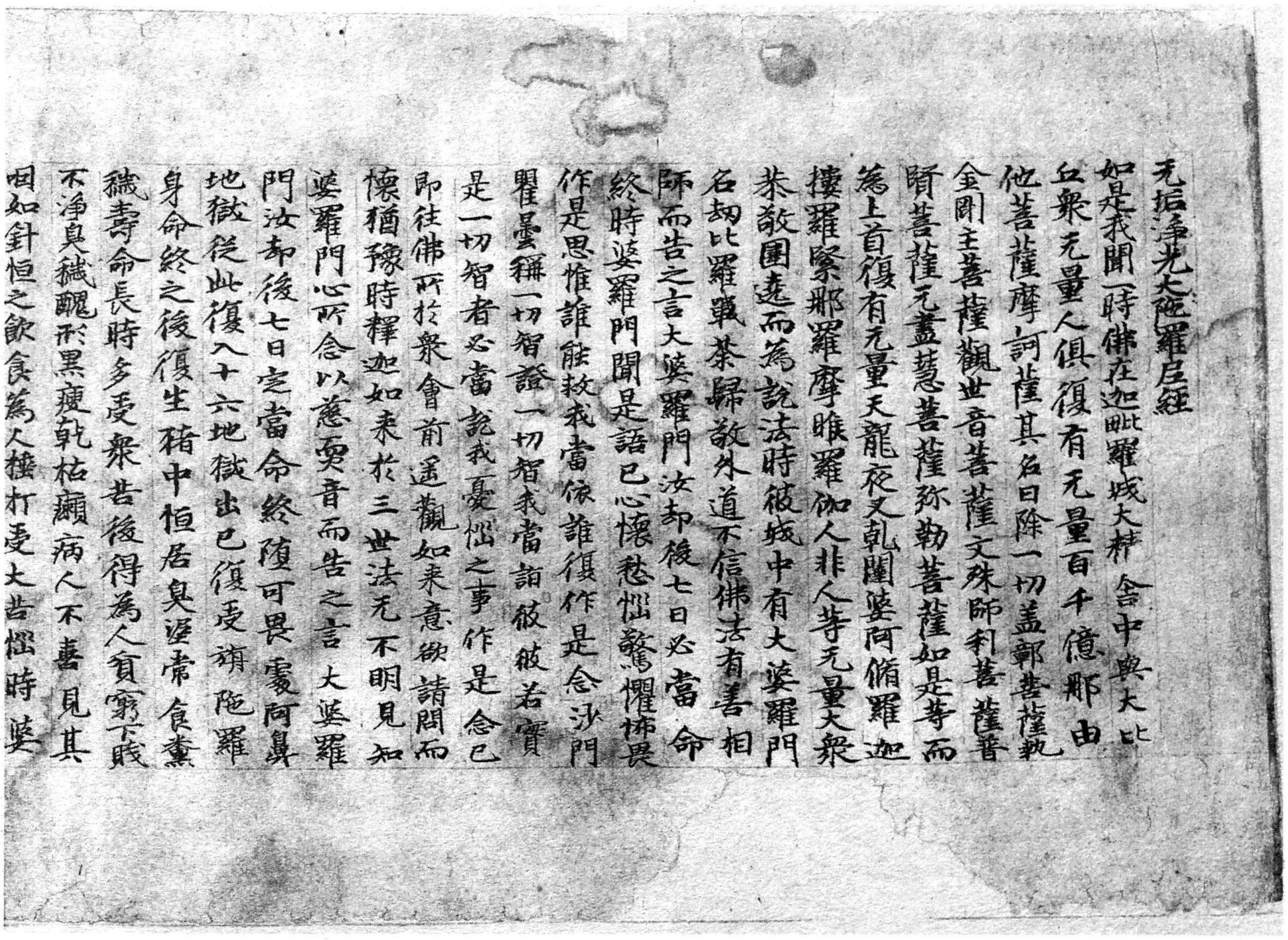

无垢淨光大陁羅尼經
如是我聞一時佛在迦毗羅城大樹舍中與大比
丘衆无量人俱復有无量百千億那由
他菩薩摩訶薩其名曰除一切蓋鄣菩薩執
金剛主菩薩觀世音菩薩文殊師利菩薩普
賢菩薩无盡慧菩薩弥勒菩薩如是等而
為上首復有无量天龍夜叉乹闥婆阿脩羅迦
樓羅緊那羅摩睺羅伽人非人等无量大衆
恭敬圍遶而為説法時彼城中有大婆羅門
名劫比羅戰荼歸敬外道不信佛法有善相
師而告之言大婆羅門汝却後七日必當命
終時婆羅門聞是語已心懷愁惱驚懼怖畏
作是思惟誰能救我當依誰復作是念沙門
瞿曇稱一切智證一切智我當詣彼彼若實
是一切智者必當説我憂惱之事作是念已
即往佛所於衆會前遥觀如来意欲請問而
懷猶豫時釋迦如来於三世法无不明見知
婆羅門心所念以慈軟音而告之言大婆羅
門汝却後七日定當命終隨可畏處向臭
地獄從此復入十六地獄出已復受旃陁羅
身命終之後復生猪中恒居臭溷常食糞
穢壽命長時多受衆苦後得為人貧窮下賤
不淨臭穢醜形黑瘦乹枯癩病人不喜見其
咽如針恒之飲食為人棲打受大苦惱時婆

BD00574 號　無垢淨光大陀羅尼經　（10–1）

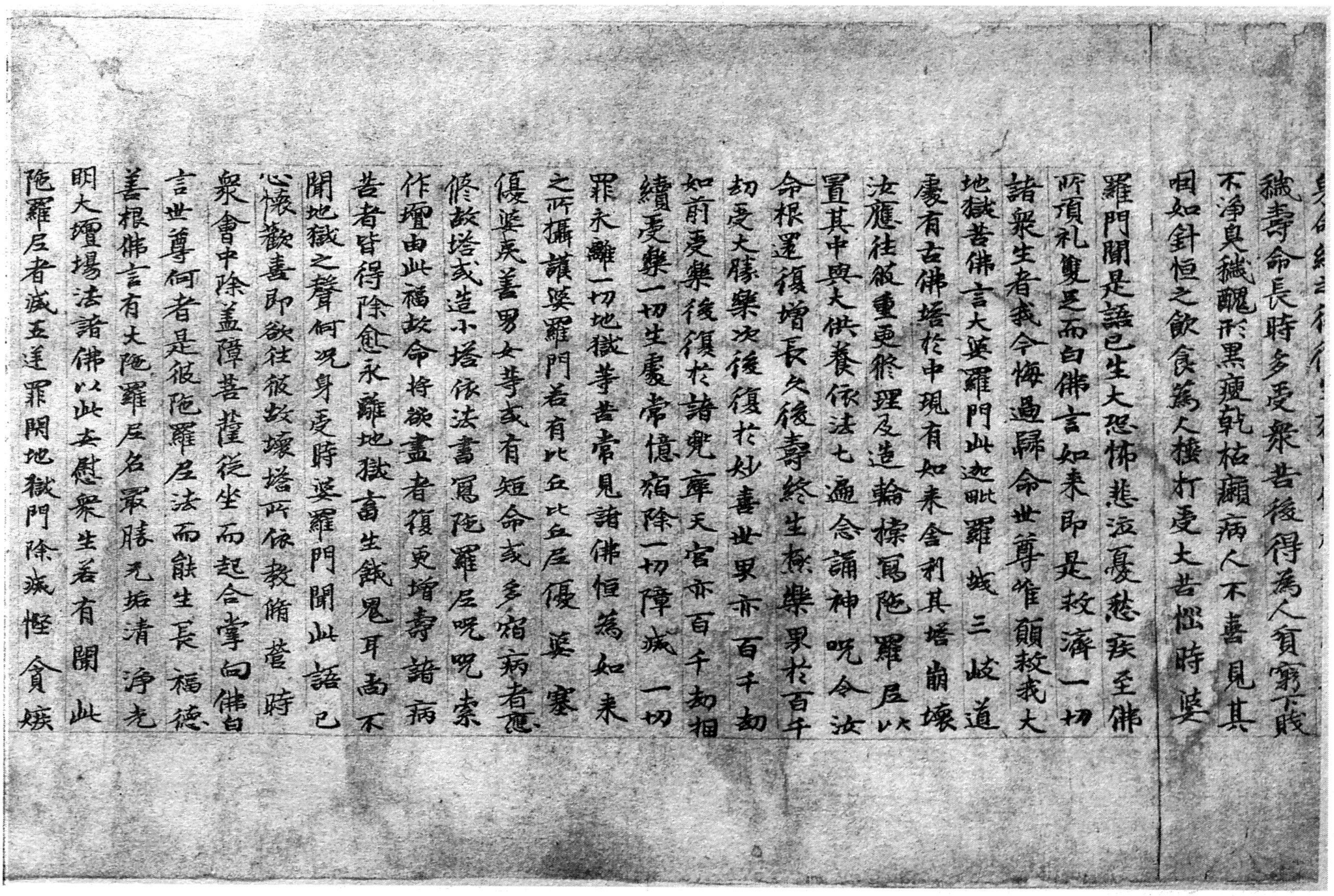

穢壽命長時多受衆苦後得為人貧窮下賤
不淨臭穢醜形黑瘦乹枯癩病人不喜見其
咽如針恒之飲食為人棲打受大苦惱時婆
羅門聞是語已生大怨怖悲泣憂愁疾至佛
所頂礼雙足而白佛言如来即是救濟一切
諸衆生者我今悔過歸命世尊唯願救我大
地獄苦佛言大婆羅門此迦毗羅城三岐道
處有古佛塔於中現有如来舍利其塔崩壞
汝應往彼重更修理及造輪橖寫陁羅尼以
置其中與大供養依法七遍念誦神呪令汝
命根還復增長久後壽終生極樂界於百千
劫受大勝樂次後復於妙喜世界亦百千劫
如前受樂後復於諸兜率天宫亦百千劫相
續受樂一切生處常憶宿除一切障滅一切
罪永離一切地獄等苦常見諸佛恒為如来
之所攝護婆羅門若有比丘比丘尼優婆塞
優婆夷善男女等或有短命或多宿病者應
修故塔或造小塔依法書寫陁羅尼呪呪索
作壇由此福故命將欲盡者復更增壽諸病
苦者皆得除愈永離地獄畜生餓鬼耳而不
聞地獄之聲何況身受時婆羅門聞此語已
心懷歡喜即欲往彼故壞塔所依教脩營時
衆會中除蓋障菩薩從坐而起合掌向佛白
言世尊何者是彼陁羅尼法而能生長福德
善根佛言有大陁羅尼名最勝无垢清淨光
明大壇場法諸佛以此安慰衆生若有聞此
陁羅尼者滅五逆罪閇地獄門除滅慳貪嫉

BD00574 號　無垢淨光大陀羅尼經　（10–2）

明大壇場法諸佛以此女懸象生若有闇山
陀羅尼者滅五逆罪閉地獄門除滅慳貪嫉
妬罪垢命短促者皆得延壽諸吉祥事无不
成辦時除蓋障菩薩復白佛言世尊頗有佛說
此陀羅尼法令一切衆生得長壽故淨除一切
諸罪鄣故為一切衆生作大明故尒時世尊
聞是請已即於頂上放大光明普照三千大
千世界遍覺一切諸如來已還歸本處從佛
頂入時佛即以美妙悅意迦陵頻伽和雅之
音而說呪曰
南謨颯哆颰怛底顛以反下同𨁂毗也反聲一三藐三佛陀
俱胝喃以暗反下同二鉢喇式輸聿反下同隨摩㮈娑三薄去聲
質多鉢喇底瑟恥哆喃四南謨薄伽跋底阿弥
多喻殺寫怛他揭揭寫五唵六引聲怛他揭多
式第七阿喻毗輸達你八歌及呵葛羅僧嚕羅九
薩婆怛他揭多毗喇邪跋靈娜十鉢喇底僧嚕
囉阿喻十一薩囉薩囉十二薩婆怛他揭多十三
眛䫌十三菩提菩提十四勃地丁也反下同毗勃地十五
菩馱也菩馱也十六薩婆播波引阿伐喇拏上
毗式第十七毗揭多末羅颯䫌十八蘇勃馱勃第
十九虎嚕虎嚕莎引訶聲引
佛言除蓋障此是根本陀羅尼呪若欲作此
法者當於月八日或十三日或十四日或十五日
右遶舍利塔滿七十七帀誦此陀羅尼亦七
十七遍應當作壇於上讓淨書寫此呪滿
七十七本尊重法故於書寫人以當花飲食
淨衣洗浴塗香熏香而為供養或施七寶
或隨力施當持呪本置於塔中

十七遍應當作壇於上讓淨書寫此呪滿
七十七本尊重法故於書寫人以當花飲食
淨衣洗浴塗香熏香而為供養或施七寶
或隨力施當持呪本置於塔中供養此塔或
作小泥塔滿足七十七各以一本置於塔中而
興供養如法作已命欲盡者而更延壽一切
宿障諸惡趣業悉皆減盡永離地獄餓鬼
畜生所生之處常憶宿命一切所願皆得滿
足則為已得七十七億諸如來所而種善根一
切衆病及諸煩惱咸得消除
若人病重命將欲盡當為作方壇於壇上畫
作種種形狀所謂輪形金剛杵形蓮花形月形四角畫蓮花上安瓶瓶滿香水
置於四角布列香鑪燒衆名香以五色鉢盛種
種食及三白食謂乳酪粳米飯復以五鉢各盛香花水及粳米壇
上供養種種飲食盛滿一器及水一瓶置壇中
心於壇近水及粳米邊作毗那夜迦像頂上
安燈將彼病人在於壇西面向此壇盛一器
食對病人前置於壇上呪師要須清淨如法
呪此病人七十七遍令將死之人惛冥七日命
續識還如從夢覺
若有護淨日別一遍誦念此呪滿足百年是
人命終生極樂界若一切時常念誦者乃至
菩提恒憶宿命永離夭壽及諸惡趣
若復有人為於亡者稱其名字至心誦呪滿
七十七遍若彼亡人隨惡趣者應時即得離
惡道苦生天受樂或稱彼名依法書寫陀
羅尼置佛塔中如法供養亦令亡者得離惡
趣生於天上或復得生兜率天宫乃至菩提

七十七遍若彼亡人隨惡趣者應時即得離
惡道昔生天受樂或稱彼名依法書寫陁
羅尼置佛塔中如法供養亦令亡者得離惡
趣生於天上或復得生兜率天宮乃至菩提
不墮惡道
若有善男子善女人於此佛塔或右遶或礼
拜或供養者當得授記於阿耨多羅三藐三
菩提而不退轉一切宿障一切罪業悉皆消滅
下至飛鳥畜生之類至此塔影當得永離
畜生惡趣若有五无間罪或在塔影或觸彼
塔皆得除滅置塔之處无諸邪魅夜叉羅剎
富單那毗舍闍等惡獸惡龍毒虫毒草亦无
魍魎諸惡鬼神奪精氣者亦无刀兵水火霜
雹饉飢橫死惡夢不祥苦惱之事於彼國土
若有諸惡光相現時其塔即便現於神變出
大光焰令彼諸惡不祥之事无不殄滅若復於
彼有惡心衆生或是怨讎及怨伴侶并諸
劫盜寇賊等類欲壞此國其塔亦便出大火
光即於其處現諸兵仗惡賊見已自然退散
常有一切諸天善神守護其國於國四周各百
由旬結成大界其中男女乃至畜生无諸
疫癘疾苦鬪諍不作一切非法之事其餘呪
術所不能壞是名根本陁羅尼法善男子今
為汝說相輪橖中陁羅尼法即說呪曰
唵一 薩婆怛他揭多毗補羅𠷈移熱反下同 瑟擻竹几反下
同二 末尼羯諸迦反 曪法昌喇折𠰒三 毗善瑟𠰒𠷈
瑟擻四 柱𠰒柱𠰒五 三曼哆毗𠰒吉啼六 薩囉

BD00574號　無垢淨光大陀羅尼經

(10-5)

唵一 薩婆怛他揭多毗補羅𠷈移熱反下同 瑟擻竹几反下
同二 末尼羯諸迦反 曪法昌喇折𠰒三 毗善瑟𠰒𠷈
瑟擻四 柱𠰒柱𠰒五 三曼哆毗𠰒吉啼六 薩囉
薩囉播跛輸達尼七 菩達尼三 薩達尼八 鉢
囉上伐囉上𠷈瑟擻伐囇九 末尼䟦擔十 囄𠰒
心囉上末羅毗戍第十一 吽引莎訶
善男子應當如法書寫此呪九十九本安於
相輪橖四周安置又寫此呪及功能法於橖中
心密覆安處如是作已則為建立九万九千
相輪橖已亦為安置九万九千佛舍利已亦
為已造九万九千佛舍利塔亦為已造九万
九千八大寶塔亦為已造九万九千菩提道
場塔若造一泥塔於中安置此陁羅尼者
則為已造九万九千諸小寶塔若有衆生右
遶此塔或礼一拜或一合掌或以一華或以一
香燒香塗香鈴鐸幡蓋而供養者則為供
養九万九千諸佛塔已是則成就廣大善根
福德之聚若有飛鳥蚊虫蝱等至塔影中當
得授記於阿耨多羅三藐三菩提而不退轉
若遥見此塔或聞鈴聲或聞其名彼人所有
五无間業一切罪障皆得消滅常為一切諸
佛護念得於如來清淨之道是名相輪陁羅
尼法善男子今為汝說脩造佛塔陁羅尼
法即說呪曰
唵一 薩婆怛他揭多二 末羅毗輸達尼三上 健陁
䩭剎黎鉢娜伐𡅏四 鉢喇底僧塞迦囉五 怛他
揭多馱都達𡅏六 達囉達囉七 珊達

BD00574號　無垢淨光大陀羅尼經

(10-6)

五无間業一切罪障皆得消滅常為一切諸
佛讃念得於如来清淨之道是名相輪陁羅
尼法善男子今為汝説脩造佛塔陁羅尼
法即説呪曰
唵一利薩婆怛他揭多二末羅毗輸達尼三上健陁
鞞剎黎鉢娜伐囇四鉢喇底僧塞迦囉五怛他
揭多䭾都達囇灑六達囉達囉七珊達
囉八薩婆怛他揭多阿地瑟恥帝莎引訶
若有比丘比丘尼優婆塞優婆夷若自造塔若
教人造若脩故塔若作小塔或以泥作或用甎
石應先呪滿一千八遍然後造作塔多量
或如底甲或長一肘乃至由旬以其呪力
及至心故於涅槃塔中出妙香氣所謂牛
頭旃檀赤白旃檀龍惱麝香欝金香等及
天香自作教人皆得成就廣大善根福德之
聚命若短促便得延壽後臨終時得見九十
九億百千那由他佛常為一切諸佛憶念而
與授記生極樂界壽命九十九億百千那由
他歲常得宿命天眼天身天耳天鼻天旃檀
香從其身出口中常出優鉢羅花香得五神
通於阿耨多羅三藐三菩提得不退轉若呪
香泥下至極少如芥子許塗此塔上彼人亦
得如上所説大福德聚
若比丘比丘尼優婆塞優婆夷如法書寫陁
羅尼法以清淨心尊重供養如佛无異於書
寫人亦增上供養如前所説書呪印已置於
塔中及所脩塔内并相輪橖中如法成就是人

BD00574號　無垢淨光大陀羅尼經　（10–7）

若比丘比丘尼優婆塞優婆夷如法書寫陁
羅尼法以清淨心尊重供養如佛无異於書
寫人亦增上供養如前所説書呪印已置於
塔中及所脩塔内并相輪橖中如法成就是人
當得廣大善根福德之聚佛説此陁羅尼印
法時十方一切諸佛如来同聲讃言善哉善
哉釋迦牟尼如来應正等覺乃能善説此大
陁羅尼印法令一切衆生皆无空過獲大利
益攝大福聚乃至於阿耨多羅三藐三菩
提得不退轉
尒時衆中天龍八部及諸菩薩執金剛生四王
帝釋梵天王那羅延摩醯首羅摩尼跋陁
羅補那跋陁及跋羅神夜摩神娑樓摩神俱
薛羅神娑颰婆神諸仙衆等聞此法已起歎
離心調伏柔耎生大歡喜以大音聲手相謂
言希有諸佛如来希有希有真正妙法希
有希有此陁羅尼印法如来所説甚難值遇
是時劫比羅戰荼大婆羅門聞此大功德殊
勝利益大陁羅尼法印即得明達法性遠
塵離垢斷諸煩惱獄諸罪障壽命延長生
大歡喜踊躍无量令一切衆生亦皆當得心意
清淨
尒時除蓋障菩薩摩訶薩持一寶臺種種衆
寶間錯莊嚴以佛莊嚴而莊嚴之愛樂法故
供養如来右遶三帀頂礼佛足而白佛言世
尊此大陁羅尼壇場法印甚難值遇世尊説
此一切衆生妙法庫藏鎮閻浮提令諸衆生

BD00574號　無垢淨光大陀羅尼經　（10–8）

尊此大陁羅尼壇場法印甚難値遇世尊說
此一切衆生妙法庫藏鎮閻浮提令諸衆生
種大善根施其壽命消滅煩惱我今亦當爲
令衆生種善根故供養一切諸如来故今於
佛前說自心印陁羅尼法即說呪曰
南謨薄伽伐帝納婆納伐底南一三藐三佛陁
俱胝那庾多設多索訶薩囉引南二南謨薩
薩你伐囉斘上聲毗瑟緰鼻尼引菩提薩埵也
三唵引靚嚕靚嚕五薩婆阿伐囉斘毗太達尼六
薩婆怛他揭多摩庚播刺尼七毗布㶒八眤
木㶒薩婆悉陁南摩塞訖栗帝九跋羅跋
囉十薩婆薩埵婆盧羯尼十叶引薩婆尼
伐囉斘上聲毗瑟緰毗涅二十薩婆播波毗燒達
尼莎引訶
世尊此陁羅尼是九十億諸佛所說若有至
心暫念誦者一切罪業悉皆消滅若有依
法書寫此呪滿九十九本置於塔中或塔四
周有人礼拜及以讚嘆或以香花塗香燭燈
供養此塔彼善男女於現生中滅一切罪除
一切障滿一切願則爲供養九十九億百千
那由他恒河沙等諸如来已亦爲供養九十
九億百千那由他恒河沙等舍利塔已是
則成就廣大善根福德之聚若有比丘於
月八日十三日十四日十五日洗浴護淨著鮮
潔衣於一日一夜而不飲食或時唯食三
種白食右遶佛塔誦此陁羅尼滿一百八遍
百千劫罪及五无間皆得除滅我除蓋障即

BD00574號　無垢淨光大陁羅尼經　（10–9）

種白食右遶佛塔誦此陁羅尼滿一百八遍
百千劫罪及五无間皆得除滅我除蓋障即
爲現身令其所願皆悉滿足得見一切諸佛
如来若有誦滿二百八遍得諸禪定若有誦
滿三百八遍得淨一切障三昧若有誦滿四
百八遍得四大天王常来親近現身衛護
加其身心增大威德若有誦滿五百八遍攝
得无量阿僧祇不可量諸大善根若有誦滿
六百八遍便得此呪根本法成爲持呪天仙若
有誦滿七百八遍得大威德具足光明若有
誦滿八百八遍得心清淨若有誦滿九百八
遍得五根清淨若有誦滿一千八遍當得須
陁洹果若誦滿二千遍當得斯陁含果若
誦滿三千遍當得阿那含果若誦滿四千
遍當得阿羅漢果若誦滿五千遍當得辟
支佛果若誦滿六千遍當得普賢地若滿七千
遍當得初地若滿八千遍當得第五地若滿
九千遍當得普門陁羅尼若十千遍當得不
動地若復滿十一千遍當得如来地成大人
相大師子乳
若復有人欲於現生成就功德大利益者

BD00574號　無垢淨光大陁羅尼經　（10–10）

……道勸於衆善令
乃惡心推彼令[illegible]於彼人我得須理所不應是故聖制　別緣有
五一犯足之食竟二知他足之食三惡心勸彼欲令他犯四不作餘食法五前人食便
犯　已下兩明戒本此戒同見第同作比丘一弄貪饕者食之不知足之食餘非不餘
食待而食之以彼可責與心嫌惡見發食已惡心嫌勸食佉便制戒　若比
比丘知他比丘足食已若受請不作餘食法慇勤請與食長老取是食以是因緣
非餘欲使他犯者波逸提　此戒同滿足之戒本文有四句一能勸犯人二知
已知他足二種食竟四不作餘食法下勸之結罪以是因緣者明能勸之意并相
中初句可知釋四勸意者欲使他犯故勸令食言非餘者謂非不犯及供
養意等律云彼若食者二俱犯從前人不食若作法而食者勸人皆吉羅
若持工病見殘食欲令犯他勸者犯吉由惡心故制同罪律云不犯者勸令
作法謂不犯故及供養意故勸食者悉皆不犯　非時食戒第廿七　凡食有時
節數則致患事須限約執赴令之違以始從平旦竟後至日午事須應法名之
為時過則非宜長貪妨道招世譏過事不應法廣生罪累名為非時故犯罪
三昧經云平旦諸天食日中應法食日西畜生暮鬼食出家應何法故制同天
法二種食名時多論云四義故從中前食一始從日出乃至日中其明轉盛名之時應食
無過從中後乃前至後夜其明轉沒故曰非時而不應食二從旦至中是作食時
節乞不生惱故聽而食從中後乃至後夜俗人睡會作戲若乞生惱故制不
聽三從旦至中俗人事務乞未發乞不生勞故聽乞食從中已後事務休息
戲言笑入村乞食多發譏謗受誹謗屠故不聽食四從旦至中正是乞時為存
身命故聽乞食從中已後宜應靜緣於道繫坐念誦持稱非是往來時節是
故聖制不聽入乞犯緣有四一非時二非時想三時食四食咽已犯已下兩明戒本此戒
因難陀跋難陀及迦留陀夷起過故制斯戒　若比丘非時受食食者波逸提
此滿足之戒本文有四句一犯人二非時三食四結罪初句可知二言非時者從日中乃
至明相未出三言食者律云食有二種佉闍尼食及蒲闍尼食僧祇云一五正食
二雜正食枝葉花菓細末磨等名佉闍尼食者米麥作飯麨
等是蒲闍尼者一切菓是四言波逸提者遠犯結罪句故律云若非時食咽咽
若非時漿服相出若七日藥過七日非犯已食過時故藥過服未受故若盡形藥
無緣服故犯吉羅　律云者作里石蜜和米作法若有病藥時過者受麥
合皮不破漉汁飲若作中吼出還咽不犯五六工病人不食後中空洞聽以為
漿身故不差麵漿身猶故不差為和麨麵又不差以湯洗若不差

(3–1)

BD00575號　四分律戒本疏卷三

若非癡狂顛相者若七日藥過七日若犯已食過時以藥過服失受故若盡形藥

无緣服故犯吉羅　律云若作黑石蜜和米作法若有病藥時過若受麥

合皮不破漉汁飲若唯中呪也還呵不犯五六云病人不食後中空渴聽以藕

塗身故不差麵塗身猶故不差藕和麪塗又不差以湯洗若不差咒

咸宜汁生串如是等之以至曉一切得食　食殘宿食戒卅八　制意者凡欲

食藥藏近則長貪令人節又辟現壽生立義无貯蓄故宜別處理无共宿

是故聖制　別緣有三一是殘宿食二知是殘三食即犯釋名者今日所食是

時可之餘殘經夜可宿故名殘宿食戒　已下明戒本具戒同迦羅比丘畢得羅

夜若食先得者仏因制戒　若比丘殘宿食者而食波逸提　此滿足戒本

文有三句一犯人二殘宿食三食便結犯初句可知二言殘食者律云今日受已

至明日於一切沙門釋子受大戒者皆不清淨食有二種一正食二非正食者飯

等五正是非正食者根菓食乃至細末食等三言食波逸提者律云若食

宿食四犯墮　問殘之与宿為一為異答有四不同一殘而非宿且受四藥不加

口法過中若食犯吉二宿而非殘謂未受食共同宿食犯吉不宿犯犯三

名殘亦宿若食犯提四非殘非宿食无罪殘宿內宿名作四句一是殘宿非內宿

今日受食安界外不共宿非內宿若食得提二內宿非殘三四俱句類知善見

云多比丘沙弥共行比丘各自擔食至時各各自分已沙弥擔比丘云我持之

与大德易之易得已後与第二比丘易乃至下座若沙弥不解者比丘自持

食与衆共易得无犯以无殘宿惡觸等過乃至持来行沙弥小比丘得作飯唯

不得然火若弟不得吹撓吉羅熟已上切分居搏易者得五六云比丘殘果与淨

人已不作還意復淨人還与比丘仏言離手已名淨食无犯秋衣莫問時非時受

若過非時如緣胸若衣食得提得過須臾復得得食食名提理旦起受食至過中

中已去限一須臾若過二時名曰非時十誦沙弥持不淨餅与師仏言若无急事

不應使持餅若使持應從受若洗餅已不得塵坑食時當護淨手若塵

頭口手相揩者即須却洗若捉袈裟名應須洗　律云不犯者若宿受食与

父母若塔作人計價与復人乞食无犯若餅盂有孔隙食入中如法洗餘不出

者得食故律云若盃鉢餘著若極用意三洗故膩用食不犯若宿食藥油在

鼻若隨唾出者餘不犯　不受食戒第卅九　多論云五義制不聽自取

食一為斷盜竊因緣故二為作證明故從非人受食成受不成證明證在曠

野非人之所為開聽若在人中非盡无知小兒无不成受三為止誹謗故四為

成少欲知足故五為生他信敬心故為令外道得益故尔　別緣有四一是食二

不受三知不受四食即　已下明戒本具同戒頭陀乞食比丘塚間自取食之居

士共嫌比丘舉過仏便制戒　若比丘不受食若藥著口中除水及楊枝

与大德。易之易得已，復与第二比丘易，乃至下座。若沙彌不解者，比丘自持
食与教。若易得无犯，以无殘宿惡觸等過，乃至持果行，沙彌小比丘得作飯，唯
不得炊火。若弗不得吹扰去羅蔵已上，四分戒持易者得。五分云比丘殘果与淨
人已不往還，竟後淨人還与比丘，仏言離手已名淨食，无犯。觀衣莫問時非時受
若過非時，以駿胸仏。若食得提，停過須臾，復得停食已名提，得旦起受食至中過
中已未限一須臾，若過二時名曰非時。十誦沙彌持不淨缽与師，仏言若无急事
不應使持缽。若使持應從受。若洗缽已不得磨拭，食時當護淨手。若磨
頭口手相揩者，即須却洗。若捉袈裟，名應須洗。　律云不犯者，若宿受食与
父母，若塔作人計價与復人，乞食无犯。若缽盂有孔，硬食入中，如法洗餘不出
者得食。故律云若缽餘著器極用意三洗，故藏用食不犯。若宿食藥油渣
鼻著涕唾出去餘不犯。　不受食戒弟卌九　多論云五義制：不聽自取
食。一為断盜竊因緣故；二為作證明故，從非人處受食成受，不成證明，盜在曠
野非人之所為開。聽若在人中非盡无知，小兒老人不成受。三為止誹謗故；四為
成少欲知足故；五為生他信敬心故，為令外道得益故尔。　別緣有四：一是食；二
不受；三知不受；四食即。已下四開。戒本此因爲頭陀乞食比丘糞掃間自取食之，居
士共嫌比丘，舉過仏便制戒。　若比丘不受食若藥著口中，除水及楊枝，
波逸提。
此滿足戒本文有句：一犯人；二不受；三食藥；四開緣；五結犯并相者。
初句可知。二言不受者，律云他不与未受者是。受有五種：一手与手受；二手与
持物受；三持物与手受；四持物与持物受；五若遙過物与者受者俱知，中
間无所觸导得墮手中，是謂有五種。一身与身受；二衣与衣受；三曲肘与曲肘
受；四器与器受；五若有因緣置地与，是為五。三言食者，明所受食藥。律云佉
闍尼食根細末磨，乃至五正食等，是為食體。四言除水及楊枝者，此明開緣。戒
云若楊枝可計者須受，水濁者受，雪雹名是五分。若水性鹹不著鹽聽
□□受又水性前□者自歡无罪五三言□□□

明淨鼻[illegible]
[illegible]香須曼那華香闍提華[illegible]
[illegible]華香波羅羅華香赤蓮[illegible]
[illegible]華樹香菓樹香栴檀[illegible]
[illegible]香多伽[illegible]
丸若塗香持是經者於此間住悉能分別又
復別知衆生之香象香馬香牛羊等香男香
女香童子香童女香及草木叢林香若近若
遠所有諸香悉皆得聞分別不錯持是經者
雖住於此亦聞天上諸天之香波利質多羅
拘鞞陀羅樹香及曼陀羅華香摩訶曼陀羅
華香曼殊沙華香摩訶[illegible]沈
水種種末香諸雜華香如是[illegible]
之[illegible]无不聞知又聞諸天身[illegible]桓因在
殿上五欲娛樂嬉戲時香[illegible]上
利諸天說法時香若於諸園遊戲時香
[illegible]天等男女身香皆悉遙聞如是展轉乃
至梵世上至有頂諸天身香亦皆聞之并聞
諸天所燒之香及聲聞香辟支佛香菩薩香
諸佛身香亦皆遙聞知其所在雖聞此香然
於鼻根不壞不錯若欲分別為他人說憶念
不謬尒時世尊欲重宣此義而說偈言
是人鼻清淨　於此世界中　若香若臭物　種種悉聞知
那闍提　多摩羅栴檀　沈水及桂香　種種華菓香
及知衆生香　男子女人香　說法者遠住　聞香知所在

BD00576號　妙法蓮華經卷六　（11-1）

是人鼻清淨　於此世界中　若香若臭物　種種悉聞知
須曼那闍提　多摩羅栴檀　沈水及桂香　種種華菓香
及知衆生香　男子女人香　說法者遠住　聞香知所在
大勢轉輪王　小轉輪及子　群臣諸宮人　聞香知所在
身所著珍寶　及地中寶藏　轉輪王寶女　聞香知所在
諸人嚴身具　衣服及瓔珞　種種所塗香　聞則知其身
諸天若行坐　遊戲及神變　持是法華者　聞香悉能知
諸樹華菓實　及蘇油香氣　持經者住此　悉知其所在
諸山深嶮處　栴檀樹華敷　衆生在中者　聞香皆能知
鐵圍山大海　地中諸衆生　持經者聞香　悉知其所在
阿脩羅男女　及其諸眷屬　鬪諍遊戲時　聞香皆能知
曠野險隘處　師子象虎狼　野牛水牛等　聞香知所在
若有懷妊者　未辯其男女　无根及非人　聞香悉能知
以聞香力故　知其初懷妊　成就不成就　安樂產福子
以聞香力故　知男女所念　染欲癡恚心　亦知脩善者
地中衆伏藏　金銀諸珍寶　銅器之所盛　聞香悉能知
種種諸瓔珞　无能識其價　聞香知貴賤　出處及所在
天上諸華等　曼陀曼殊沙　波利質多樹　聞香悉能知
天上諸宮殿　上中下差別　衆寶華莊嚴　聞香悉能知
天園林勝殿　諸觀妙法堂　在中而娛樂　聞香悉能知
諸天若聽法　或受五欲時　來往行坐臥　聞香悉能知
天女所著衣　好華香莊嚴　周旋遊戲時　聞香悉能知
如是展轉上　乃至於梵世　入禪出禪者　聞香悉能知
光音遍淨天　乃至于有頂　初生及退沒　聞香悉能知
諸比丘衆等　於法常精進　若坐若經行　及讀誦經法
或在林樹下　專精而坐禪　持經者聞香　悉知其所在
菩薩志堅固　坐禪若讀誦　或為人說法　聞香悉能知
在在方世尊　一切所恭敬　愍衆而說法　聞香悉能知
[illegible]　[illegible]　如法而脩行　聞香悉能知

BD00576號　妙法蓮華經卷六　（11-2）

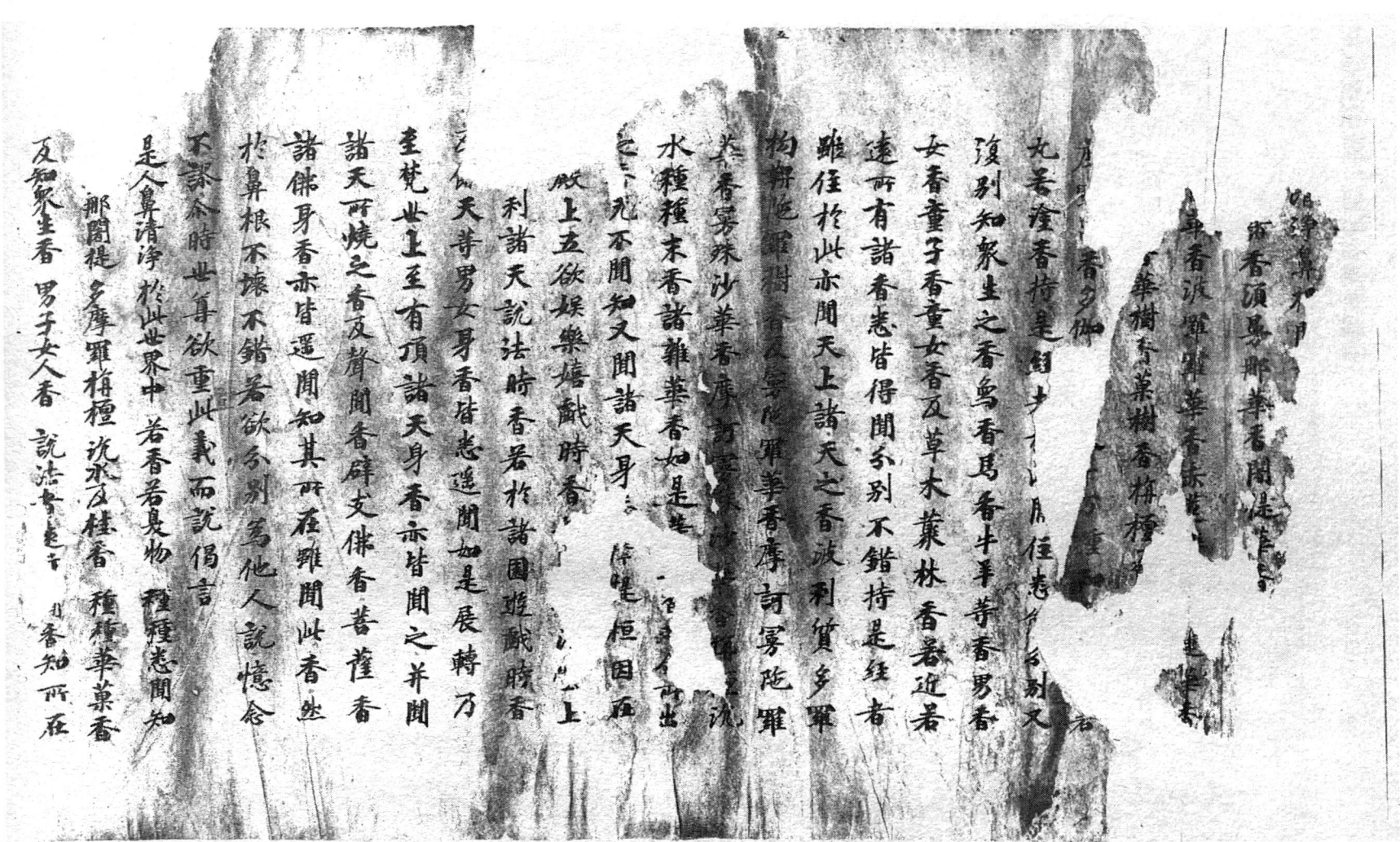

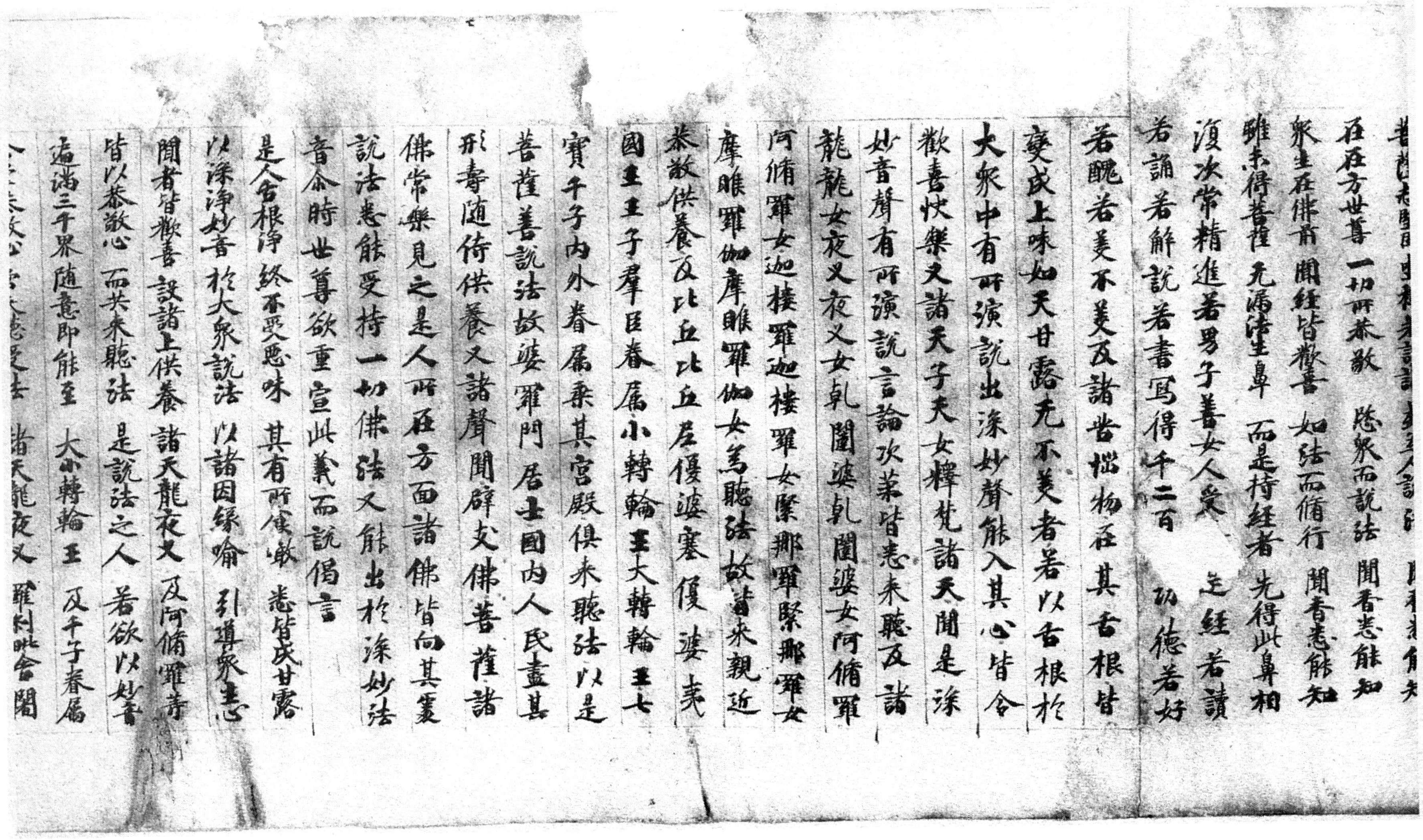

在在方世尊　一切所恭敬　愍衆而說法　聞香悉能知
衆生在佛前　聞經皆歡喜　如法而脩行　聞香悉能知
雖未得菩薩　无漏法生鼻　而是持經者　先得此鼻相
復次常精進　若善男子善女人受　持是經　若讀
若誦　若解說　若書寫　得千二百　功德　若好
若醜　若美不美　及諸苦澁物　在其舌根　皆
變成上味　如天甘露　无不美者　若以舌根　於
大衆中有所演說　出深妙聲　能入其心　皆令
歡喜快樂　又諸天子天女　釋梵諸天　聞是深
妙音聲　有所演說　言論次第　皆悉來聽　及諸
龍龍女　夜叉夜叉女　乹闥婆乹闥婆女　阿脩羅
阿脩羅女　迦樓羅迦樓羅女　緊那羅緊那羅女
摩睺羅伽摩睺羅伽女　為聽法故　皆來親近
恭敬供養　及比丘比丘尼　優婆塞　優婆夷
國王王子　羣臣眷屬　小轉輪王　大轉輪王　七
寶千子　內外眷屬　乘其宮殿　俱來聽法　以是
菩薩善說法故　婆羅門　居士　國內人民　盡其
形壽　隨侍供養　又諸聲聞　辟支佛　菩薩　諸
佛常樂見之　是人所在方面　諸佛皆向其處
說法　悉能受持一切佛法　又能出於深妙法
音　尒時世尊欲重宣此義　而說偈言
是人舌根淨　終不受惡味　其有所食噉　悉皆成甘露
以深淨妙音　於大衆說法　以諸因緣喻　引導衆生心
聞者皆歡喜　設諸上供養　諸天龍夜叉　及阿脩羅等
皆以恭敬心　而共來聽法　是說法之人　若欲以妙音
遍滿三千界　隨意即能至　大小轉輪王　及千子眷屬
諸天龍夜叉　羅刹毗舍闍

BD00576 號　妙法蓮華經卷六　　（11–3）

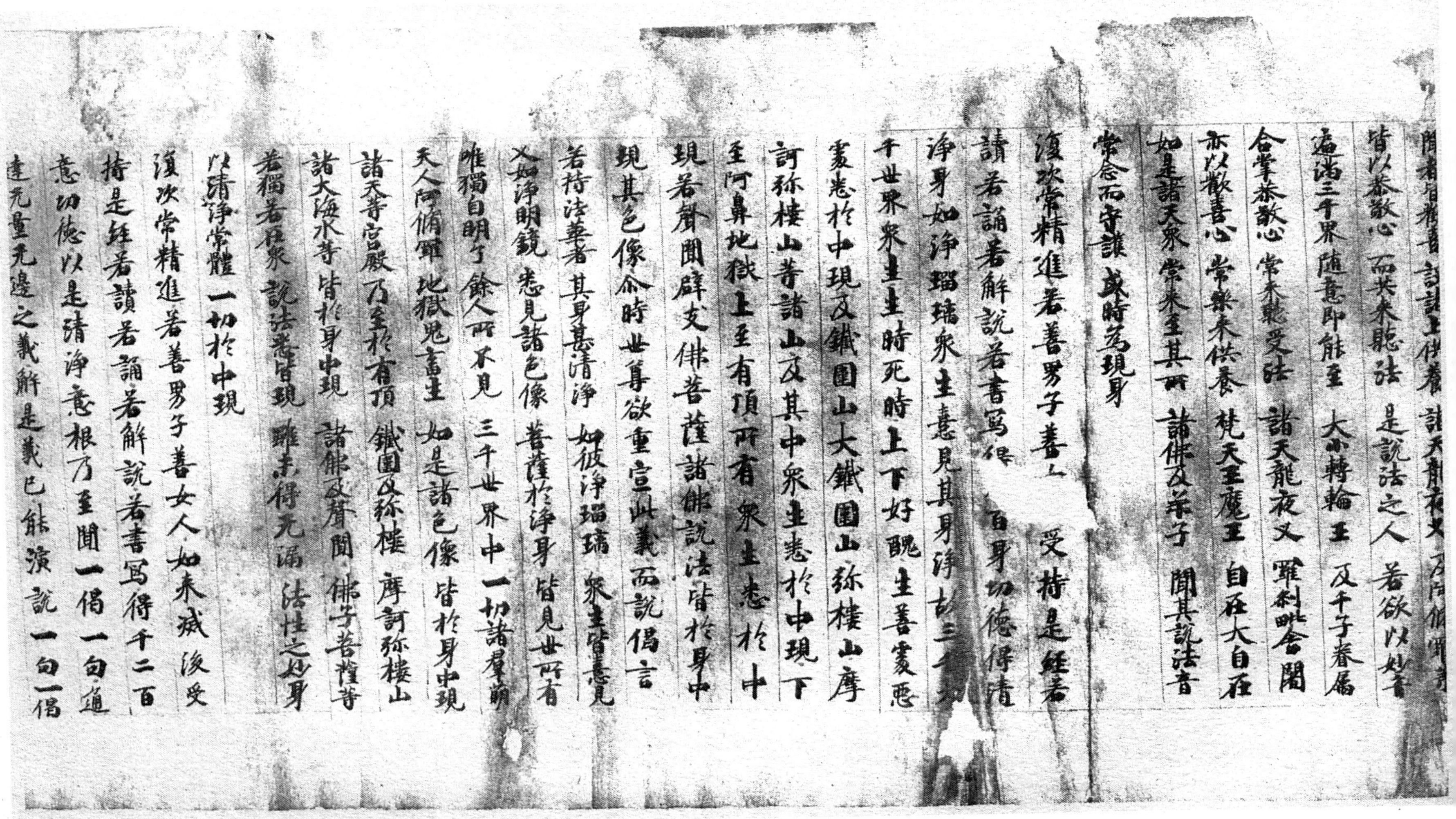

聞者皆歡喜　設諸上供養　諸天龍夜叉　及阿脩羅等
皆以恭敬心　而共來聽法　是說法之人　若欲以妙音
遍滿三千界　隨意即能至　大小轉輪王　及千子眷屬
合掌恭敬心　常來聽受法　諸天龍夜叉　羅刹毗舍闍
亦以歡喜心　常樂來供養　梵天王魔王　自在大自在
如是諸天衆　常來至其所　諸佛及弟子　聞其說法音
常念而守護　或時為現身
復次常精進　若善男子善女人　受持是經若
讀若誦若解說若書寫得[illegible]百身功德得清
淨身　如淨琉璃　衆生憙見　其身淨故　三千大
千世界衆生　生時死時　上下好醜　生善處惡
處　悉於中現　及鐵圍山　大鐵圍山　彌樓山　摩
訶彌樓山等諸山　及其中衆生　悉於中現　下
至阿鼻地獄　上至有頂　所有衆生　悉於中
現　若聲聞　辟支佛　菩薩　諸佛說法　皆於身中
現其色像　尒時世尊欲重宣此義　而說偈言
若持法華者　其身甚清淨　如彼淨琉璃　衆生皆憙見
又如淨明鏡　悉見諸色像　菩薩於淨身　皆見世所有
唯獨自明了　餘人所不見　三千世界中　一切諸羣萌
天人阿脩羅　地獄鬼畜生　如是諸色像　皆於身中現
諸天等宮殿　乃至於有頂　鐵圍及彌樓　摩訶彌樓山
諸大海水等　皆於身中現　諸佛及聲聞　佛子菩薩等
若獨若在衆　說法悉皆現　雖未得无漏　法性之妙身
以清淨常體　一切於中現
復次常精進　若善男子善女人　如來滅後受
持是經　若讀若誦　若解說　若書寫　得千二百
意功德　以是清淨意根　乃至聞一偈一句　通
達无量无邊之義　解是義已　能演說一句一偈

BD00576 號　妙法蓮華經卷六　　（11–4）

持是經若讀若誦若解說若書寫得千二百
意功德以是清淨意根乃至聞一偈一句通
達无量无邊之義解是義已能演說一句一偈
至於一月四月乃至一歲諸所說法隨其
義趣皆與實相不相違背若說俗間經書治
世語言資生業等皆順正法三千大千世界六趣衆
生心之所行心所動作心所戲論皆悉知之雖
未得无漏智慧而其意根清淨如此是人
有所思惟籌量言說皆是佛法无不真實
亦是先佛經中所說尒時世尊欲重宣此義而
說偈言
是人意清淨　明利无穢濁　以此妙意根　知上中下法
乃至聞一偈　通達无量義　次第如法說　月四月至歲
是世界內外　一切諸衆生　若天龍及人　夜叉鬼神等
其在六趣中　所念若干種　持法華之報　一時皆悉知
十方无數佛　百福莊嚴相　為衆生說法　悉聞能受持
思惟无量義　說法亦无量　終始不忘錯　以持法華故
悉知諸法相　隨義識次第　達名字語言　如所知演說
此人有所說　皆是先佛法　以演此法故　於衆无所畏
持法華經者　意根淨若斯　雖未得无漏　先有如是相
是人持此經　安住希有地　為一切衆生　歡喜而愛敬
能以千万種　善巧之語言　分別而說法　持法華經故
妙法蓮華經常不輕菩薩品第二十
尒時佛告得大勢菩薩摩訶薩汝今當知若
比丘比丘尼優婆塞優婆夷持法華經者若
有惡口罵詈誹謗獲大罪報如前所說其所

BD00576號　妙法蓮華經卷六　（11-5）

比丘比丘尼優婆塞優婆夷持法華經者若
有惡口罵詈誹謗獲大罪報如前所說其所
得功德如向所說眼耳鼻舌身意清淨得大
勢乃往古昔過无量无邊不可思議阿僧祇
劫有佛名威音王如來應供正遍知明行足
善逝世間解无上士調御丈夫天人師佛世尊
劫名離衰國名大成其威音王佛於彼世中
為天人阿脩羅說法為求聲聞者說應四諦
法度生老病死究竟涅槃為求辟支佛者說
應十二因緣法為諸菩薩因阿耨多羅三藐
三菩提說應六波羅蜜法究竟佛慧得大勢
是威音王佛壽四十万億那由他恒河沙劫
正法住世劫數如一閻浮提微塵像法住世
劫數如四天下微塵其佛饒益衆生已然後
滅度正法像法滅盡之後於此國土復有佛
出亦号威音王如來應供正遍知明行足善
逝世間解无上士調御丈夫天人師佛世尊
如是次第有二万億佛皆同一号最初威音
王如來既已滅度正法滅後於像法中增上
慢比丘有大勢力尒時有一菩薩比丘名常
不輕得大勢以何因緣名常不輕是比丘凡
有所見若比丘比丘尼優婆塞優婆夷皆
悉礼拜讚歎而作是言我深敬汝等不敢輕
慢所以者何汝等皆行菩薩道當得作佛
而是比丘不專讀誦經典但行礼拜乃至遠見
四衆亦復故往礼拜讚歎而作是言我不敢
輕於汝等汝等皆當作佛故四衆之中有生

BD00576號　妙法蓮華經卷六　（11-6）

而是比丘不專讀誦經典但行禮拜乃至遠
四衆亦復故往礼拜讚嘆而作是言我不敢
輕於汝等汝等皆當作佛故四衆之中有生
瞋恚心不淨者惡口罵詈言是无智比丘從
何所來自言我不輕汝而與我等授記當得
作佛我等不用如是虗妄授記如此經歷多
年常被罵詈不生瞋恚常作是言汝當作
佛說是語時衆人或以杖木瓦石而打擲之
避走遠住猶高聲唱言我不敢輕於汝等汝等
皆當作佛以其常作是語故增上慢比丘比丘
尼優婆塞優婆夷号之爲常不輕是比丘臨
欲終時於虗空中具聞威音王佛先所說法
華經二十千万億偈悉能受持即得如上眼
根清淨耳鼻舌身意根清淨得是六根清
淨已更增壽命二百万億那由他歳廣爲人
說是法華經於時增上慢四衆比丘比丘尼
優婆塞優婆夷輕賤是人爲作不輕名者見
其得大神通力樂說辯力大善寂力聞其所
說皆信伏隨從是菩薩復化千万億衆令住
阿耨多羅三藐三菩提命終之後得值二千
億佛皆号日月燈明於其法中說是法華經
以是因緣復值二千億佛同号雲自在燈王
於此諸佛法中受持讀誦爲諸四衆說此經
典故得是常眼清淨耳鼻舌身意諸根清淨
於四衆中說法心无所畏得大勢是常不輕菩
薩摩訶薩供養如是若干諸佛恭敬尊重
讚嘆種諸善根於後復值千万億佛亦於諸

BD00576號　妙法蓮華經卷六　（11–7）

薩摩訶薩供養如是若干諸佛恭敬尊重
讚嘆種諸善根於後復值千万億佛亦於諸
佛法中說是經典功德成就當得作佛得大
勢於意云何尒時常不輕菩薩豈異人乎則
我身是若我於宿世不受持讀誦此經爲他
人說者不能疾得阿耨多羅三藐三菩提我
於[illegible]佛所受持讀誦此經爲人說故疾得阿
耨多羅三藐三菩提得大勢彼時四衆比丘比
丘尼優婆塞優婆夷以瞋恚意輕賤我故二
百億劫常不值佛不聞法不見僧千劫於阿
鼻地獄受大苦惱畢是罪已復遇常不輕菩
薩教化阿耨多羅三藐三菩提得大勢於汝
意云何尒時四衆常輕是菩薩者豈異人乎
今此會中跋陀婆羅等五百菩薩師子月等
五百比丘尼思佛等五百優婆塞皆於阿耨
多羅三藐三菩提不退轉者是得大勢當知
是法華經大饒益諸菩薩摩訶薩能令至於
阿耨多羅三藐三菩提是故諸菩薩摩訶薩
於如來滅後常應受持讀誦解說書寫是經
尒時世尊欲重宣此義而說偈言
過去有佛　号威音王　神智无量　將導一切
天人龍神　所共供養　是佛滅後　法欲盡時
有一菩薩　名常不輕　時諸四衆　計著於法
不輕菩薩　往到其所　而語之言　我不輕汝
汝等行道　皆當作佛　諸人聞已　輕毀罵詈
不輕菩薩　能忍受之　其罪畢已　臨命終時

BD00576號　妙法蓮華經卷六　（11–8）

汝等行道皆當作佛 諸人聞已 輕毀罵詈
不輕菩薩能忍受之 其罪畢已 臨命終時
得聞此經 六根清淨 神通力故 增益壽命
復為諸人 廣說是經 諸著法衆 皆蒙菩薩
教化成就 令住佛道 不輕命終 值无數佛
說是經故 得无量福 漸具功德 疾成佛道
彼時不輕 則我身是 時四部衆 著法之者
聞不輕言 汝當作佛 以是因緣 值无數佛
此會菩薩 五百之衆 并及四部 清信士女
今於我前 聽法者是 我於前世 勸是諸人
聽受斯經 第一之法 開示教人 令住涅槃
世世受持 如是經典 億億万劫 至不可議
時乃得聞 是法華經 億億万劫 至不可議
諸佛世尊 時說是經 是故行者 於佛滅後
聞如是經 勿生疑惑 應當一心 廣說此經
世世值佛 疾成佛道
妙法蓮華經如來神力品第二十一
尒時千世界微塵等菩薩摩訶薩從地踊出
者皆於佛前一心合掌瞻仰尊顏而白佛言世
尊我等於佛滅後世尊分身所在國土滅
度之處當廣說此經所以者何我等亦自欲
得是真淨大法受持讀誦解說書寫而供養
之尒時世尊於文殊師利等无量百千万億
舊住娑婆世界菩薩摩訶薩及諸比丘比丘
尼優婆塞優婆夷天龍夜叉乾闥婆阿脩羅
迦樓羅緊那羅摩睺羅伽人非人等一切衆前
現大神力出廣長舌上至梵世一切毛孔放

尼優婆塞優婆夷天龍夜叉乾闥婆阿脩羅
迦樓羅緊那羅摩睺羅伽人非人等一切衆前
現大神力出廣長舌上至梵世一切毛孔放
於无量无數色光皆悉遍照十方世界衆寶
樹下師子座上諸佛亦復如是出廣長舌放
无量光釋迦牟尼佛及寶樹下諸佛現神力
時滿百千歲然後還攝舌相一時謦欬俱共
彈指是二音聲遍至十方諸佛世界地皆六
種震動其中衆生天龍夜叉乾闥婆阿脩羅
迦樓羅緊那羅摩睺羅伽人非人等以佛神
力故皆見此娑婆世界无量无邊百千万億
衆寶樹下師子座上諸佛及見釋迦牟尼佛共
多寶如來在寶塔中坐師子座又見无量无
量无邊百千万億菩薩摩訶薩及諸四衆恭敬
圍繞釋迦牟尼佛既見是已皆大歡喜得未曾
有即時諸天於虛空中高聲唱言過此无
量无邊百千万億阿僧祇世界有國名娑婆
是中有佛名釋迦牟尼今為諸菩薩摩訶薩
說大乘經名妙法蓮華教菩薩法佛所護念
汝等當深心隨喜亦當禮拜供養釋迦牟尼
佛彼諸衆生聞虛空中聲已合掌向娑婆世
界作如是言南无釋迦牟尼佛南无釋迦牟
尼佛以種種華香瓔珞幡蓋及諸嚴身之具
珍寶妙物皆共遙散娑婆世界所散諸物從
十方來譬如雲集變成寶帳遍覆此間諸佛
之上于時十方世界通達无礙如一佛土
尒時佛告上行等菩薩大衆諸佛神力如是

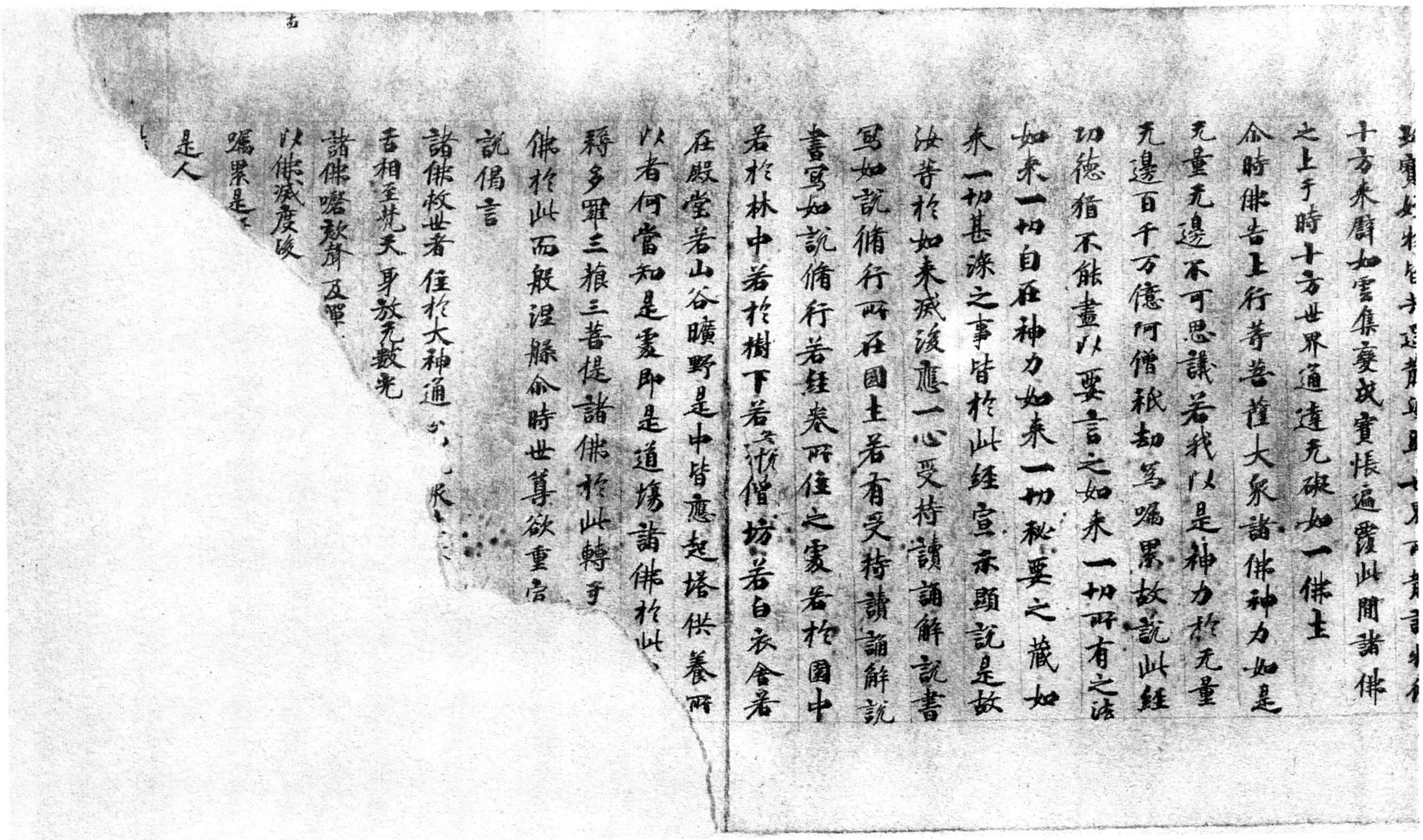
踊…寶如…諸佛
十方來譬如雲集變成寶帳遍覆此間諸佛
之上于時十方世界通達无礙如一佛土
尒時佛告上行等菩薩大衆諸佛神力如是
无量无邊不可思議若我以是神力於无量
无邊百千万億阿僧祇劫為囑累故說此經
功德猶不能盡以要言之如來一切所有之法
如來一切自在神力如來一切秘要之藏如
來一切甚深之事皆於此經宣示顯說是故
汝等於如來滅後應一心受持讀誦解說書
寫如說修行所在國土若有受持讀誦解說
書寫如說修行若經卷所住之處若於園中
若於林中若於樹下若於僧坊若白衣舍若
在殿堂若山谷曠野是中皆應起塔供養所
以者何當知是處即是道場諸佛於此
耨多羅三藐三菩提諸佛於此轉于
佛於此而般涅槃尒時世尊欲重宣
說偈言
諸佛救世者 住於大神通
舌相至梵天 身放无數光
以佛滅度後
諸佛謦欬聲 及彈
囑累是
是人

BD00576 號　妙法蓮華經卷六　（11–11）

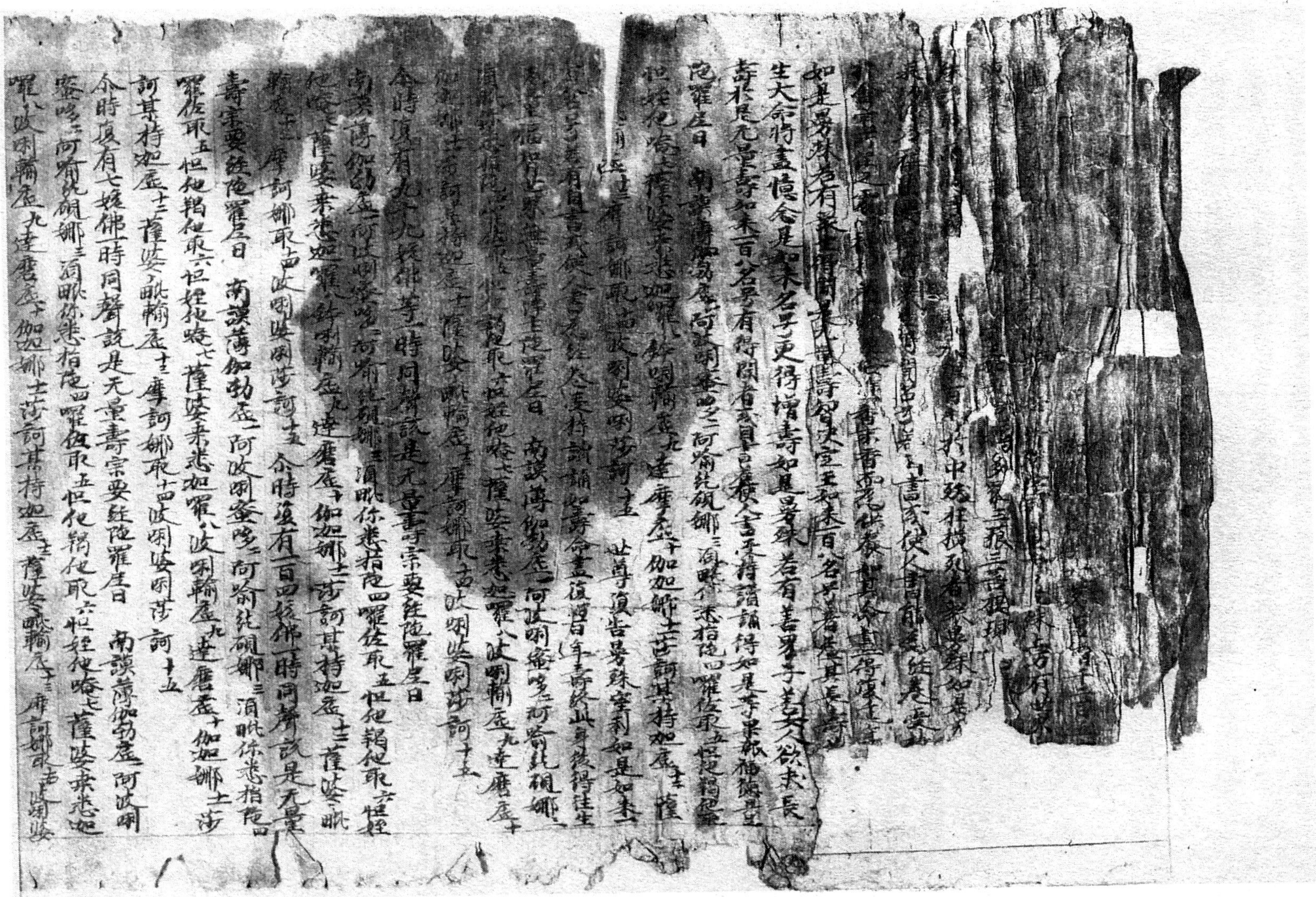

BD00577 號　無量壽宗要經　（5–1）

訶其特迦底十二薩婆毗輸底十三摩訶娜耶十四波唎婆唎莎訶十五
佘時復有七姟佛一時同聲說是无量壽宗要經陀羅尼曰　南謨薄伽勃底一阿波唎
蜜哆二阿喻紇硯娜三須毗你悲指陁四囉佐耶五怛他羯他耶六怛姪他唵七薩婆桒悉迦
囉八波唎輸底九達磨底十伽迦娜十一莎訶其持迦底十二薩婆毗輸底十三摩訶娜耶十四波唎婆
唎莎訶十五　佘時復有六十五姟佛一時同聲說是无量壽宗要經陀羅尼曰
南謨薄伽勃底一阿波唎蜜哆二阿喻紇硯娜三須毗你悲指陁四囉佐耶五怛他羯他耶六怛姪
他唵七薩婆桒悉迦囉八波唎輸底九達磨底十伽迦娜十一莎訶其持迦底十二薩婆毗輸底
摩訶娜耶十四波唎婆唎莎訶十五　佘時復有五十五姟佛一時同聲說是无量壽宗要經
陁羅尼曰　南謨薄伽勃底一阿波唎蜜哆二阿喻紇硯娜三須毗你悲指陁四囉佐耶五怛他羯
他耶六怛姪他唵七薩婆桒悉迦囉八波唎輸底九達磨底十伽迦娜十一莎訶其持迦底十二薩婆
毗輸底十三摩訶娜耶十四波唎婆唎莎訶十五　佘時復有四十五姟佛一時同聲說是无量
壽宗要經陀羅尼曰　南謨薄伽勃底一阿波唎蜜哆二阿喻紇硯娜三須毗你悲指陁四囉
佐耶五怛他羯他耶六怛姪他唵七薩婆桒悉迦囉八波唎輸底九達磨底十伽迦娜十一莎訶其持
迦底十二薩婆毗輸底十三摩訶娜耶十四波唎婆唎莎訶十五　佘時復有三十六姟佛一時
同聲說是无量壽宗要經陀羅尼曰　南謨薄伽勃底一阿波唎蜜哆二阿喻紇硯娜三須
毗你悲指陁四囉佐耶五怛他羯他耶六怛姪他唵七薩婆桒悉迦囉八波唎輸底九達磨底十
伽迦娜十一莎訶其持迦底十二薩婆毗輸底十三摩訶娜耶十四波唎婆唎莎訶其
佘時復有二十五姟佛一時同聲說是无量壽宗要經陀羅尼曰　南謨薄伽勃底一阿波
唎蜜哆二阿喻紇硯娜三須毗你悲指陁四囉佐耶五怛他羯他耶六怛姪他唵七薩婆桒悉迦
囉八波唎輸底九達磨底十伽迦娜十一莎訶其持迦底十二薩婆毗輸底十三摩訶娜耶十四波唎婆
唎莎訶十五　佘時復有恒河沙姟佛一時同聲說是无量壽宗要經陀羅尼曰
南謨薄伽勃底一阿波唎蜜哆二阿喻紇硯娜三須毗你悲指陁四囉佐耶五怛他羯他耶六怛
姪他唵七薩婆桒悉迦囉八波唎輸底九達磨底十伽迦娜十一莎訶其持迦底十二薩婆
毗輸底十三摩訶娜耶十四波唎婆唎莎訶十五　善男子若有自書寫教人書寫是无
量壽宗要經智其命盡復得長壽而滿百年陁羅尼曰　南謨薄伽勃底一阿波唎蜜哆二阿喻
紇硯娜三須毗你悲指陁四囉佐耶五怛他羯他耶六怛姪他唵七薩婆桒悉迦囉八波唎輸底九達
磨底十伽迦娜十一莎訶其持迦底十二薩婆毗輸底十三摩訶娜耶十四波唎婆唎莎訶十五
若有自書寫教人書寫是无量壽宗要經讀誦受持畢竟不墮地獄在在所生得宿命智陁羅尼曰
南謨薄伽勃底一阿波唎蜜哆二阿喻紇硯娜三須毗你悲指陁四囉佐耶五怛他羯他耶六怛姪他
唵七薩婆桒悉迦囉八波唎輸底九達磨底十伽迦娜十一莎訶其持迦底十二薩婆毗輸底十三摩
訶娜耶十四波唎婆唎莎訶十五　若有自書寫教人書寫是无量壽宗要經受持讀誦如同

BD00577號　無量壽宗要經　（5–2）

若有自書寫教人書寫是无量壽宗要經讀誦受持畢竟不墮[illegible]
南謨薄伽勃底一阿波唎蜜哆二阿喻紇硯娜三須毗你悲指陁四囉佐耶五怛他羯他耶六怛姪他
唵七薩婆桒悉迦囉八波唎輸底九達磨底十伽迦娜十一莎訶其持迦底十二薩婆毗輸底十三摩
訶娜耶十四波唎婆唎莎訶十五　若有自書寫教人書寫是无量壽宗要經受持讀誦如同
書寫八万四千一切經典陁羅尼曰　南謨薄伽勃底一阿波唎蜜哆二阿喻紇硯娜三須毗你悲
指陁四囉佐耶五怛他羯他耶六怛姪他唵七薩婆桒悉迦囉八波唎輸底九達磨底十伽迦娜十一莎
訶其持迦底十二薩婆毗輸底十三摩訶娜耶十四波唎婆唎莎訶十五
若有自書寫教人書寫是无量壽宗要經即是書寫八万四千部建立塔廟陁羅尼曰
南謨薄伽勃底一阿波唎蜜哆二阿喻紇硯娜三須毗你悲指陁四囉佐耶五怛他羯他耶六怛姪他唵七薩婆
桒悉迦囉八波唎輸底九達磨底十伽迦娜十一莎訶其持迦底十二薩婆毗輸底十三摩訶娜耶十四波
唎婆唎莎訶十五　若有自書寫教人書寫是无量壽宗要經能消五无間等一切重罪陁羅尼曰
南謨薄伽勃底一阿波唎蜜哆二阿喻紇硯娜三須毗你悲指陁四囉佐耶五怛他羯他耶六怛姪他唵七
薩婆桒悉迦囉八波唎輸底九達磨底十伽迦娜十一莎訶其持迦底十二薩婆毗輸底十三摩訶
娜耶十四波唎婆唎莎訶十五　若有自書寫教人書寫是无量壽宗要經受持讀誦設有重罪
猶如須弥盡能除滅陁羅尼曰　南謨薄伽勃底一阿波唎蜜哆二阿喻紇硯娜三須毗你悲指陁四囉佐
耶五怛他羯他耶六怛姪他唵七薩婆桒悉迦囉八波唎輸底九達磨底十伽迦娜十一莎訶其持迦底十二
薩婆毗輸底十三摩訶娜耶十四波唎婆唎莎訶十五　若有自書寫教人書寫是无量壽宗要
經受持讀誦若魔魔之眷屬夜叉羅剎不得其便終无枉死陁羅尼曰　南謨薄伽勃底一
阿波唎蜜哆二阿喻紇硯娜三須毗你悲指陁四囉佐耶五怛他羯他耶六怛姪他唵七薩婆桒悉迦
囉八波唎輸底九達磨底十伽迦娜十一莎訶其持迦底十二薩婆毗輸底十三摩訶娜耶十四波唎婆
唎莎訶十五　若有自書寫教人書寫是无量壽宗要經受持讀誦當命終時有九十九姟佛
現其人前來授手能遊一切佛剎莫於此經生於疑惑陁羅尼曰　南謨薄伽勃底一阿波唎蜜
哆二阿喻紇硯娜三須毗你悲指陁四囉佐耶五怛他羯他耶六怛姪他唵七薩婆桒悉迦囉八波唎輸底
達磨底十伽迦娜十一莎訶其持迦底十二薩婆毗輸底十三摩訶娜耶十四波唎婆唎莎訶十五
若有自書寫教人書寫是无量壽宗要經受持讀誦常得四天大王隨其衛護陁羅尼曰
南謨薄伽勃底一阿波唎蜜哆二阿喻紇硯娜三須毗你悲指陁四囉佐耶五怛他羯他耶六怛姪他唵
薩婆桒悉迦囉八波唎輸底九達磨底十伽迦娜十一莎訶其持迦底十二薩婆毗輸底十三摩訶
娜耶十四波唎婆唎莎訶十五　若有自書寫教人書寫是无量壽宗要經受持讀誦當往生
西方極樂世界阿弥陁淨土陁羅尼曰　南謨薄伽勃底一阿波唎蜜哆二阿喻紇硯娜三須毗你
指陁四囉佐耶五怛他羯他耶六怛姪他唵七薩婆桒悉迦囉八波唎輸底九達磨底十伽迦娜十一莎
訶其持迦底十二薩婆毗輸底十三摩訶娜耶十四波唎婆唎莎訶十五　若有自書寫使人書
寫是无量經典之處則為是塔皆應恭敬作礼若是畜生或為鳥獸得聞是經如是等類

BD00577號　無量壽宗要經　（5–3）

西方極樂世界阿彌陁佛淨土陁羅尼曰 南謨薄伽勃底一阿波唎蜜多二阿喻紇硯娜三須毗你
指陁四囉佐耶五怛他羯他耶六怛姪他唵七薩婆桑悉迦囉八波唎輸底九達磨底十伽伽娜十一莎
訶其持迦底十二薩婆毗輸底十三摩訶娜耶十四波唎婆唎莎訶十五 若有自書寫使人書
寫是无量壽經典之處則為是塔皆應恭敬作礼若是畜生或為鳥獸得聞是經如是等類
皆當不久得成一切種智陁羅尼曰 南謨薄伽勃底一阿波唎蜜多二阿喻紇硯娜三須毗你悉
指陁四囉佐耶五怛他羯他耶六怛姪他唵七薩婆桑悉迦囉八波唎輸底九達磨底十伽伽娜十一
莎訶其持迦底十二薩婆毗輸底十三摩訶娜耶十四波唎婆唎莎訶十五
若有於是无量壽經自書寫若使人書畢竟不受女人之身陁羅尼曰 南謨薄伽勃底一
阿波唎蜜多二阿喻紇硯娜三須毗你悉指陁四囉佐耶五怛他羯他耶六怛姪他唵七薩婆桑悉
迦囉八波唎輸底九達磨底十伽伽娜十一莎訶其持迦底十二薩婆毗輸底十三摩訶娜耶十四
波唎婆唎莎訶十五 若有能於是經少分能惠施者等於三千大千世界滿中七寶布施陁羅尼曰
南謨薄伽勃底一阿波唎蜜多二阿喻紇硯娜三須毗你悉指陁四囉佐耶五怛他羯他耶六怛姪他唵七
薩婆桑悉迦囉八波唎輸底九達磨底十伽伽娜十一莎訶其持迦底十二薩婆毗輸底十三摩訶娜耶十四
波唎婆唎莎訶十五 若有能供養是經者則是供養一切諸經等无有異陁羅尼曰 南謨薄伽勃底一阿
波唎蜜多二阿喻紇硯娜三須毗你悉指陁四囉佐耶五怛他羯他耶六怛姪他唵七薩婆桑悉迦囉八波唎
輸底九達磨底十伽伽娜十一莎訶其持迦底十二薩婆毗輸底十三摩訶娜耶十四波唎婆唎莎訶十五
如是毗婆尸佛 尸棄佛 毗舍浮佛 俱留孫佛 俱那含牟尼佛 迦葉佛 釋迦牟尼佛 若有人以七寶供
養如是七佛其福有限書寫受持是无量壽經典所有功德不可限量陁羅尼曰
南謨薄伽勃底一阿波唎蜜多二阿喻紇硯娜三須毗你悉指陁四囉佐耶五怛他羯他耶六怛姪他唵七
薩婆桑悉迦囉八波唎輸底九達磨底十伽伽娜十一莎訶其持迦底十二薩婆毗輸底十三摩訶
娜耶十四波唎婆唎莎訶十五 若有七寶等於須彌山用布施其福猶能知其限量是无量壽經典
其福不可知數陁羅尼曰 南謨薄伽勃底一阿波唎蜜多二阿喻紇硯娜三須毗你悉指陁四囉
佐耶五怛他羯他耶六怛姪他唵七薩婆桑悉迦囉八波唎輸底九達磨底十伽伽娜十一莎訶其持
迦底十二薩婆毗輸底十三摩訶娜耶十四波唎婆唎莎訶十五 如是四大海水可知滴數是无量壽經
典所生果報不可數量陁羅尼曰 南謨薄伽勃底一阿波唎蜜多二阿喻紇硯娜三須毗你悉指陁四囉佐
耶五怛他羯他耶六怛姪他唵七薩婆桑悉迦囉八波唎輸底九達磨底十伽伽娜十一莎訶其持迦底十二
薩婆毗輸底十三摩訶娜耶十四波唎婆唎莎訶十五 若有自書寫使人書寫是无量壽經典
又能讀持供養恭敬供養一切十方佛土如來无有別異陁羅尼曰 南謨薄伽勃底一阿波
唎蜜多二阿喻紇硯娜三須毗你悉指陁四囉佐耶五怛他羯他耶六怛姪他唵七薩婆桑悉迦囉八
波唎輸底九達磨底十伽伽娜十一莎訶其持迦底十二薩婆毗輸底十三摩訶娜耶十四波唎婆唎莎訶
布施力能成正覺 悟布施力人師子 布施力能聲普聞 慈悲階漸眾能入 持戒力

BD00577 號　無量壽宗要經　　(5–4)

波唎婆唎莎訶十五 若有能於是經少分能惠施者等於三千大千世界滿中七寶布施陁羅尼曰
南謨薄伽勃底一阿波唎蜜多二阿喻紇硯娜三須毗你悉指陁四囉佐耶五怛他羯他耶六怛姪他唵七
薩婆桑悉迦囉八波唎輸底九達磨底十伽伽娜十一莎訶其持迦底十二薩婆毗輸底十三摩訶娜耶十四
波唎婆唎莎訶十五 若有能供養是經者則是供養一切諸經等无有異陁羅尼曰 南謨薄伽勃底一阿
波唎蜜多二阿喻紇硯娜三須毗你悉指陁四囉佐耶五怛他羯他耶六怛姪他唵七薩婆桑悉迦囉八波唎
輸底九達磨底十伽伽娜十一莎訶其持迦底十二薩婆毗輸底十三摩訶娜耶十四波唎婆唎莎訶十五
如是毗婆尸佛 尸棄佛 毗舍浮佛 俱留孫佛 俱那含牟尼佛 迦葉佛 釋迦牟尼佛 若有人以七寶供
養如是七佛其福有限書寫受持是无量壽經典所有功德不可限量陁羅尼曰
南謨薄伽勃底一阿波唎蜜多二阿喻紇硯娜三須毗你悉指陁四囉佐耶五怛他羯他耶六怛姪他唵七
薩婆桑悉迦囉八波唎輸底九達磨底十伽伽娜十一莎訶其持迦底十二薩婆毗輸底十三摩訶
娜耶十四波唎婆唎莎訶十五 若有七寶等於須彌山用布施其福猶能知其限量是无量壽經典
其福不可知數陁羅尼曰 南謨薄伽勃底一阿波唎蜜多二阿喻紇硯娜三須毗你悉指陁四囉
佐耶五怛他羯他耶六怛姪他唵七薩婆桑悉迦囉八波唎輸底九達磨底十伽伽娜十一莎訶其持
迦底十二薩婆毗輸底十三摩訶娜耶十四波唎婆唎莎訶十五 如是四大海水可知滴數是无量壽經
典所生果報不可數量陁羅尼曰 南謨薄伽勃底一阿波唎蜜多二阿喻紇硯娜三須毗你悉指陁四囉佐
耶五怛他羯他耶六怛姪他唵七薩婆桑悉迦囉八波唎輸底九達磨底十伽伽娜十一莎訶其持迦底十二
薩婆毗輸底十三摩訶娜耶十四波唎婆唎莎訶十五 若有自書寫使人書寫是无量壽經典
又能讀持供養恭敬供養一切十方佛土如來无有別異陁羅尼曰 南謨薄伽勃底一阿波
唎蜜多二阿喻紇硯娜三須毗你悉指陁四囉佐耶五怛他羯他耶六怛姪他唵七薩婆桑悉迦囉八
波唎輸底九達磨底十伽伽娜十一莎訶其持迦底十二薩婆毗輸底十三摩訶娜耶十四波唎婆唎莎訶
布施力能成正覺 悟布施力人師子 布施力能聲普聞 慈悲階漸眾能入 持戒力

能成正覺 悟持戒力人師子 持戒力能聲普聞 慈悲階漸眾能入 忍辱力能成正覺
悟忍辱力人師子 忍辱力能聲普聞 慈悲階漸眾能入 精進力能成正覺 悟精進力人師子
精進力能聲普聞 慈悲階漸眾能入 禪定力能成正覺 悟禪定力人師子 禪定力能
聲普聞 慈悲階漸眾能入 智慧力能成正覺 悟智慧力人師子 智慧力能聲普聞
慈悲階漸眾能入 尒時如來說是經已一切世間天人阿脩羅揵闥婆等聞佛所說皆大歡喜
信受奉行

BD00577 號　無量壽宗要經　　(5–5)

至涅槃來所說中道名第三時若花嚴等成道初說豈即初時者然亦有月
定判後先有此過失而不趣也 但以義類相從而說者謂三時教對不定性
仏隨根性說或前或後但雖前說對大根性義同第三即三時攝雖最後說
對初根性義同初說即初時攝故花嚴經成道初說義同第三時攝 契經
應諷誦等者此十二分教義類繁多今但略釋十二名相 一者契經梵云素怛羅
此有二相一通二別通即十二總名契經別為長行綴緝義理會理合經故名為契
貫穿縫綴故名為經能契即經持業釋也契物之經名於主釋二者應誦梵云
祇夜舊名重誦偈應字平去二聲皆通長行雖說理未盡因或有後來
聖不重義應更重述應後來人應有此誦應物之誦有財於主二釋皆通
三者諷誦梵云伽他舊云不重誦偈謂前未說直以誦明可諷詠故名諷
誦可諷之誦依主釋也四者記別梵云和伽羅那此有三相一記大人當成仏
事二記弟子死此生彼三謂記別諸法之義記即是別持業釋也五者自說梵
云優陀那謂不待請觀機即說令法久住或顯悲心自為別說相違釋也六相緣起
梵云尼陀那舊云因緣此有三相因犯制戒因事說法因請說法緣即是起持業
釋也七者譬喻梵云阿波陁那謂以喻況曉所說義違拳已邊見顯未見邊今義
平等故名譬喻譬即是喻持業釋也八者本事梵云伊帝目多伽謂除自身
說過去弟子及法名為本事本即是本世之事持業於主二釋皆通九者
本生梵云闍陀那說仏自身在過去世彼彼方所行行本即生本世之生名[illegible]
通持業依主二釋十者方廣梵云毗仏略此有二相一為說行行所有道二法廣多高
大長遠理正名方教多名廣方理之廣依主釋也十一希法梵云阿浮陁達磨名未曾
有經謂說八眾共得不共得及餘最勝驚異之法希有之法即希有通於二釋十二
論議梵云優波提舍此有二相一仏自說謂諸經曲循環研覈磨怛理迦二聖弟子見
已諦者依自所證无倒宣說論體即義持業[illegible]

大長達理正名方教多名廣方理之廣依主釋也十一希法梵云阿浮陁達磨唐云未曾
有經謂說八般若得不共得及餘最勝驚異之法希有之法即希有通於二釋十二
論議梵云優波提舍此有二相一仏自說謂諸經曲循環研覈磨塏理迦二聖弟子見
已諦者依自所證无倒宣說論體即議持業釋也略廣分別十七地義者但直分別
十七地義而不決擇深隱奧義是故但名為本地分十七地者直一者五識身相應地二
者意地三者有尋有伺地四者无尋唯伺地五者无尋无伺地六者三摩呬多地七者非
三摩呬多地八者有心地九者无心地十聞所成地十一思所成地十二修所成地十三聲聞地
十四獨覺地十五菩薩地十六有餘依地十七无餘依地故瑜伽論惣頌云五識相應意有尋
伺等三　三摩地俱非有心无心地　聞思修所立　如是具三乘　有依及无依是名十七地
廣釋名義如最勝子瑜伽論言大乘者謂菩薩乘者大乘之言通因及果諸仏菩薩大
人乘言菩薩乘就因而論菩薩乘此到仏地故若言仏乘者約果而說一切諸仏本所
乘故簡異聲聞小人之乘故舉菩薩而釋大乘　乘者用理智而為其體　持業釋者以是能
證所證法故攝有无為一切得故一切功德之依處故与理智正為乘體　而於教果
兼名乘者以教顯理得理要教智即是行有行成果是故教果兼名大
乘　小乘唯明七十五法　者心法有心所有法有四十六色法十一不相應行法有十四
種无為有三如是共成七十五法　有說本事廣論未譯但錄名等者若有
論廣此但錄名不名別論何故題中云百法論若廣論中錄名數者應言論
中略錄名數　言分中錄名數也由此故知是要言耳　惣上九号具包三德六
義差別故名世尊者言九号者即十号中前之九号其弟子号名世尊　者
由前九号故得名耳　一者如來　二者應正等覺即舊所云應供正遍知　三明行
圓滿即舊所云明行足　四者善逝　五者世間解　六无上丈夫　七調御士舊云无上士調
御丈夫　八天人師　九者佛　十者世尊　言三德者一者恩德即仏化身巡數六道化
利眾生有恩德故二者智德即仏報身以大智惠成就一切諸功德故三者斷
德即仏法身由斷諸障顯現真如万德幹故言六義者一者自在永不繫屬
諸煩惱故二者熾盛炎猛智火所燒鍊故三者端嚴殊勝相好所莊嚴故四者

乘故簡異聲聞小人之乘故舉斯而釋大乘 對用理智而為其體者以是能
證所證法故攝有无為一切得故一切功德之依處故与理智正為乘體 而於教果
兼名乘者以教顯理得理妄教智即是行有行成果是故教果兼名大
乘 小乘唯明七十五法者心法有一心所有法有四十六色法十一不相應行法有十四
種无為有三如是共成七十五法 有說本事廣論未譯但錄名等者若有
論廣此但錄名不名別論何故題中云百法論若廣論中錄名數者應言論
中略錄名數應言分中錄名數也由此故知是妄言耳 惣上九号具包？三德六
義差別故名世尊者言九号者即十号中前之九号其第十号名世尊者
由前九号故得名耳一者如來二者應正等覺即舊所云應供正遍知三明行
圓滿即舊所云明行足四者善逝五者世間解六无上丈夫七調御士舊云无上士調
御丈夫八天人師九者佛十者世尊言三德者一者恩德即佛化身巡數六道化
利衆生有恩德故二者智德即佛報身以大智慧成就一切諸功德故三者斷
德即佛法身由斷諸障顯現真如万德幹故言六義者一者自在永不繫屬
諸煩惱故二者熾盛炎猛智火所燒煉故三者端嚴殊勝相好所莊嚴故四者
名稱一切世間咸稱讚故五者吉祥一切天人皆供養故六者尊貴利樂一切无
懈癈故 雖此二義名通无我等然此通伏難謂有難言既言法者是軌
持義此義合通下二无我何故五種獨名為法為通此難言雖此等 一軌唯
有體无法非緣不生心故者心緣有无生不生心有其二說一云緣无之時亦
得生心緣過去未來等心亦生故二云不生雖過未等有外質是无而有影像
當情而現要緣影像方得生心无相分時心不生故是故无法不得成緣

那定為外道百頭藍弗雖得非非想之定，後財王數請供養，乃見宮女端嚴，遂失本定，來時於空去
時步歸後，王問曰：何得徒步？彼答我曰：在於宮中女色所迷，失其定也。遂於大樹下修本定，亦不得定，
為樹上飛鳥極吵亂，遂亦不得，遂於他樹於河岸側，遂修其定，為河水中有魚
魚頭作大聲，遂亦不得其定，遂立誓云：願我後身作非非想，身命終此樹上飛鳥及
水中魚，遂得化身作夜叉身，食一切衆生，乃今世至子也。

妙法蓮華經卷第五

BD00579 號背　妙法蓮華經卷五護首　　（1–1）

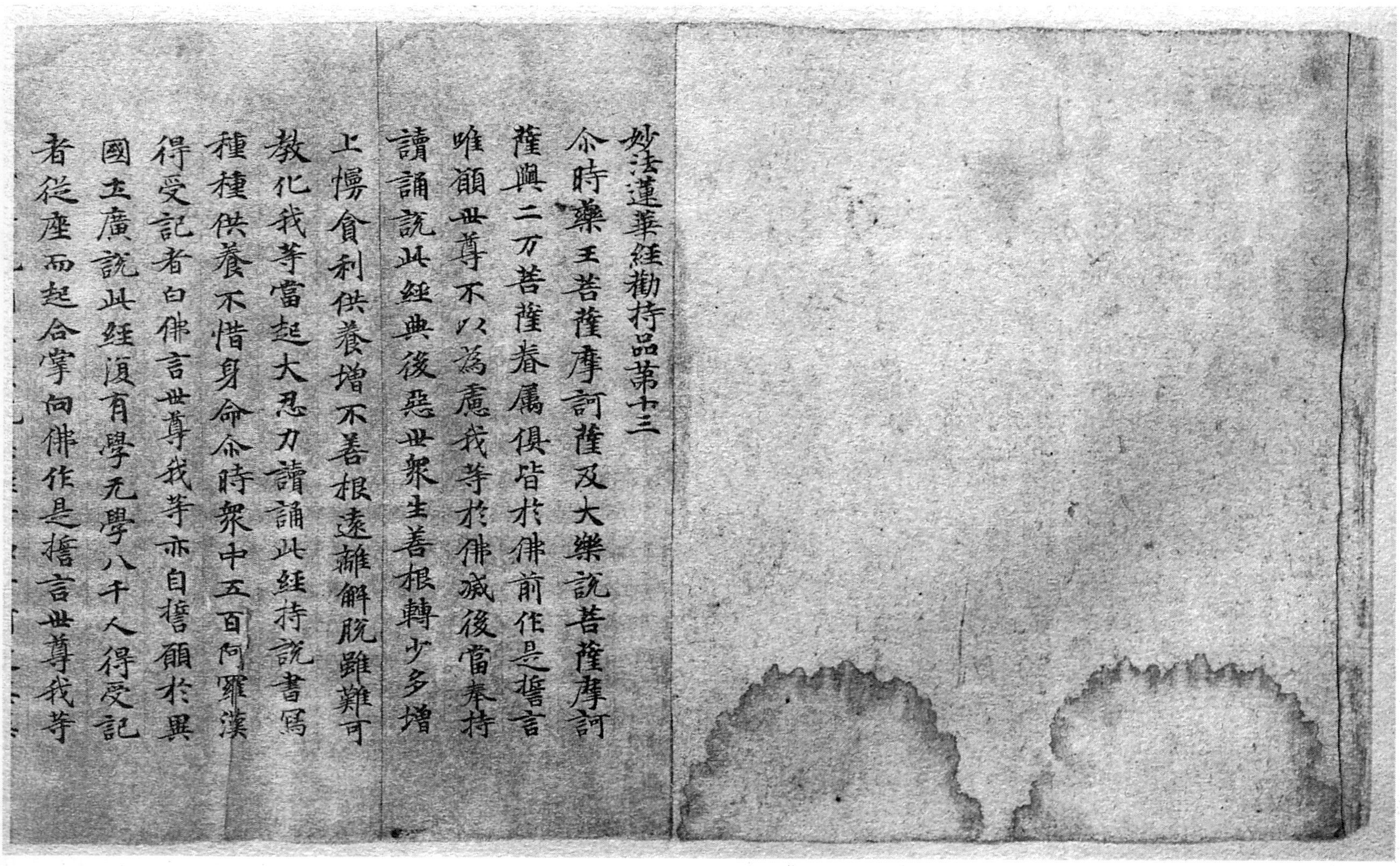

妙法蓮華經勸持品第十三
尒時藥王菩薩摩訶薩及大樂說菩薩摩訶
薩與二万菩薩眷屬俱皆於佛前作是誓言
唯願世尊不以爲慮我等於佛滅後當奉持
讀誦說此經典後惡世衆生善根轉少多增
上慢貪利供養增不善根遠離解脫雖難可
教化我等當起大忍力讀誦此經持說書寫
種種供養不惜身命尒時衆中五百阿羅漢
得受記者白佛言世尊我等亦自誓願於異
國土廣說此經復有學无學八千人得受記
者從座而起合掌向佛作是誓言世尊我等

BD00579 號　妙法蓮華經卷五　　（4–1）

得受記者白佛言世尊我等亦自誓願於異
國土廣說此經復有學无學八千人得受記
者從座而起合掌向佛作是誓言世尊我等
亦當於他國土廣說此經所以者何是娑婆
國中人多弊惡懷增上慢功德淺薄瞋濁諂
曲心不實故尒時佛姨母摩訶波闍波提比
丘尼與學无學比丘尼六千人俱從座而起
一心合掌瞻仰尊顏目不暫捨於時世尊告
憍曇弥何故憂色而視如來汝心將无謂我
不說汝名受阿耨多羅三藐三菩提記耶憍
曇弥我先揔說一切聲聞皆已受記今汝欲
知記者將來之世當於六万八千億諸佛法
中為大法師及六千學无學比丘尼俱為法
師汝如是漸漸具菩薩道當得作佛号一切
衆生憙見如來應供正遍知明行足善逝世
間解无上士調御丈夫天人師佛世尊憍曇
弥是一切衆生憙見佛及六千菩薩轉次授
記得阿耨多羅三藐三菩提尒時羅睺羅母
耶輸陁羅比丘尼作是念世尊於授記中獨
不說我名佛告耶輸陁羅汝於來世百万億
諸佛法中脩菩薩行為大法師漸具佛道於
善國中當得作佛号具足千万光相如來應
供正遍知明行足善逝世間解无上士調御
丈夫天人師佛世尊佛壽无量阿僧祇劫尒
時摩訶波闍波提比丘尼及耶輸陁羅比丘

BD00579號　妙法蓮華經卷五

丈夫天人師佛世尊佛壽无量阿僧祇劫尒
時摩訶波闍波提比丘尼及耶輸陁羅比丘
尼并其眷屬皆大歡喜得未曾有即於佛前
而說偈言
世尊導師　安隱天人　我等聞記　心安具足
諸比丘尼說是偈已白佛言世尊我等亦能
於他方國廣宣此經
尒時世尊視八十万億那由他諸菩薩摩訶
薩是諸菩薩皆是阿惟越致轉不退法輪得
諸陁羅尼即從座起到於佛前一心合掌而
作是念若世尊告勑我等持說此經者當如
佛教廣宣斯法復作是念佛今嘿然不見告
勑我當云何時諸菩薩敬順佛意并欲自滿
本願便於佛前作師子吼而發誓言世尊我
等於如來滅後周旋往返十方世界能令衆
生書寫此經受持讀誦解說其義如法脩行
正憶念皆是佛之威力唯願世尊在於他方
遙見守護即時諸菩薩俱同發聲而說偈言
唯願不為慮　於佛滅度後　恐怖惡世中　我等當廣說
有諸无智人　惡口罵詈等　及加刀杖者　我等皆當忍
惡世中比丘　耶智心諂曲　未得謂為得　我慢心充滿
或有阿練若　納衣在空閑　自謂行真道　輕賤人閒者
貪著利養故　與白衣說法　為世所恭敬　如六通羅漢
是人懷惡心　常念世俗事　假名阿練若　好出我等過
而作如是言　此諸比丘等　為貪利養故　說外道論議

BD00579號　妙法蓮華經卷五

遠見守護即時諸菩薩俱同發聲而說偈言
唯願不為慮　於佛滅度後　恐怖惡世中　我等當廣說
有諸无智人　惡口罵詈等　及加刀杖者　我等皆當忍
惡世中比丘　邪智心諂曲　未得謂為得　我慢心充滿
或有阿練若　納衣在空閑　自謂行真道　輕賤人間者
貪著利養故　與白衣說法　為世所恭敬　如六通羅漢
是人懷惡心　常念世俗事　假名阿練若　好出我等過
而作如是言　此諸比丘等　為貪利養故　說外道論議
自作此經典　誑惑世間人　為求名聞故　分別於是經
常在大衆中　欲毀我等故　向國王大臣　婆羅門居士
及餘比丘衆　誹謗說我惡　謂是邪見人　說外道論議
我等敬佛故　悉忍是諸惡　為斯所輕言　汝等皆是佛
如此輕慢言　皆當忍受之
濁劫惡世中　多有諸恐怖　惡鬼入其身　罵詈毀辱我
我等敬信佛　當著忍辱鎧　為說是經故　忍此諸難事
我不愛身命　但惜无上道　我等於來世　護持佛所囑
世尊自當知　濁世惡比丘　不知佛方便　隨宜所說法
惡口而顰蹙　數數見擯出　遠離於塔寺　如是等衆惡
念佛告勅故　皆當忍是事
諸聚落城邑　其有求法者　我皆到其所　說佛所囑法
我是世尊使　處衆无所畏　我當善說法　願佛安隱住
我於世尊前　諸來十方佛　發如是誓言　佛自知我心

BD00579號　妙法蓮華經卷五　（4–4）

則於此經不能聽受讀誦為人解說須菩提
在在處處若有此經一切世間天人阿脩羅
所應供養當知此處則為是塔皆應恭敬作
禮圍遶以諸華香而散其處
復次須菩提善男子善女人受持讀誦此經
若為人輕賤是人先世罪業應墮惡道以今
世人輕賤故先世罪業則為消滅當得阿耨
多羅三藐三菩提須菩提我念過去无量阿
僧祇劫於然燈佛前得值八百四千万億那
由他諸佛悉皆供養承事无空過者若復有
人於後末世能受持讀誦此經所得功德於
我所供養諸佛功德百分不及一千万億分
乃至筭數譬喻所不能及須菩提若善男子
善女人於後末世有受持讀誦此經所得功
德我若具說者或有人聞心則狂亂狐疑不
信須菩提當知是經義不可思議果報亦不
可思議
尒時須菩提白佛言世尊善男子善女人發
阿耨多羅三藐三菩提心云何應住云何降伏
其心佛告須菩提善男子善女人發阿耨多
羅三藐三菩提者當生如是心我應滅度一
切衆生滅度一切衆生已而无有一衆生實
滅度者何以故若菩薩有我相人相衆生相

BD00580號　金剛般若波羅蜜經　（7–1）

羅三藐三菩提者當生如是心我應滅度一
切衆生滅度一切衆生已而无有一衆生實
滅度者何以故若菩薩有我相人相衆生相
壽者相則非菩薩所以者何須菩提實无有
法發阿耨多羅三藐三菩提者
須菩提於意云何如来於然燈佛所有法得
阿耨多羅三藐三菩提不不也世尊如我解
佛所說義佛於然燈佛所无有法得阿耨多
羅三藐三菩提佛言如是如是須菩提實无
有法如来得阿耨多羅三藐三菩提須菩提
若有法如来得阿耨多羅三藐三菩提然燈
佛則不與我受記汝於来世當得作佛号釋
迦牟尼以實无有法得阿耨多羅三藐三菩
提是故然燈佛與我受記作是言汝於来世
當得作佛号釋迦牟尼何以故如来者即諸
法如義若有人言如来得阿耨多羅三藐三
菩提須菩提實无有法佛得阿耨多羅三藐
三菩提須菩提如来所得阿耨多羅三藐三
菩提於是中无實无虚是故如来說一切法
皆是佛法須菩提所言一切法者即非一切
法是故名一切法
須菩提譬如人身長大須菩提言世尊如来
說人身長大則為非大身是名大身
須菩提菩薩亦如是若作是言我當滅度无
量衆生則不名菩薩何以故須菩提實无有

BD00580號　金剛般若波羅蜜經　（7–2）

量衆生則不名菩薩何以故須菩提實无有
法名為菩薩是故佛說一切法无我无人无
衆生无壽者須菩提若菩薩作是言我當莊
嚴佛土是不名菩薩何以故如来說莊嚴佛
土者即非莊嚴是名莊嚴須菩提若菩薩通
達无我法者如来說名真是菩薩
須菩提於意云何如来有肉眼不如是世尊
如来有肉眼須菩提於意云何如来有天眼
不如是世尊如来有天眼須菩提於意云何
如来有慧眼不如是世尊如来有慧眼須菩
提於意云何如来有法眼不如是世尊如来
有法眼須菩提於意云何如来有佛眼不如
是世尊如来有佛眼須菩提於意云何恒河中
所有沙佛說是沙不如是世尊如来說是沙
須菩提於意云何如一恒河中所有沙有如是
等恒河是諸恒河所有沙數佛世界如是
寧為多不甚多世尊佛告須菩提尒所國土
中所有衆生若干種心如来悉知何以故如
来說諸心皆為非心是名為心所以者何須菩
提過去心不可得現在心不可得未来心不
可得須菩提於意云何若有人滿三千大千
世界七寶以用布施是人以是因緣得福多
不如是世尊此人以是因緣得福甚多須菩
提若福德有實如来不說得福德多以福德
无故如来說得福德多

BD00580號　金剛般若波羅蜜經　（7–3）

不如是世尊此人以是因緣得福甚多須菩
提若福德有實如來不說得福德多以福德
无故如來說得福德多
須菩提於意云何佛可以具足色身見不不也
世尊如來不應以具足色身見何以故如來
說具足色身即非具足色身是名具足色身
須菩提於意云何如來可以具足諸相見不
不也世尊如來不應以具足諸相見何以故
如來說諸相具足即非具足是名諸相具足
須菩提汝勿謂如來作是念我當有所說法
莫作是念何以故若人言如來有所說法即
為謗佛不能解我所說故須菩提說法者无法
可說是名說法
須菩提白佛言世尊佛得阿耨多羅三藐三
菩提為无所得耶如是如是須菩提我於阿
耨多羅三藐三菩提乃至无有少法可得是
名阿耨多羅三藐三菩提復次須菩提是法
平等无有高下是名阿耨多羅三藐三菩提
以无我无人无衆生无壽者脩一切善法則
得阿耨多羅三藐三菩提須菩提所言善法
者如來說非善法是名善法
須菩提若三千大千世界中所有諸須弥山
王如是等七寶聚有人持用布施若人以此
般若波羅蜜經乃至四句偈等受持讀誦為
他人說於前福德百分不及一百千万億分乃

BD00580號　金剛般若波羅蜜經　（7–4）

般若波羅蜜經乃至四句偈等受持讀誦為
他人說於前福德百分不及一百千万億分乃
至筭數譬喻所不能及
須菩提於意云何汝等勿謂如來作是念我
當度衆生須菩提莫作是念何以故實无有
衆生如來度者若有衆生如來度者如來則
有我人衆生壽者須菩提如來說有我者則
非有我而凡夫之人以為有我須菩提凡夫者
如來說則非凡夫
須菩提於意云何可以卅二相觀如來不須
菩提言如是如是以卅二相觀如來佛言須菩
提若以卅二相觀如來者轉輪聖王則是如來
須菩提白佛言世尊如我解佛所說義不應
以卅二相觀如來尒時世尊而說偈言
若以色見我　以音聲求我　是人行邪道　不能見如來
須菩提汝若作是念如來不以具足相故得阿
耨多羅三藐三菩提須菩提莫作是念如來
不以具足相故得阿耨多羅三藐三菩提須
菩提汝若作是念發阿耨多羅三藐三菩提
者說諸法斷滅莫作是念何以故發阿耨
多羅三藐三菩提者於法不說斷滅相須
菩提若菩薩以滿恒河沙等世界七寶布施
若復有人知一切法无我得成於忍此菩薩
勝前菩薩所得功德須菩提以諸菩薩不受福
德故須菩提白佛言世尊云何菩薩不受福

BD00580號　金剛般若波羅蜜經　（7–5）

若復有人知一切法无我得成於忍此菩薩
勝前菩薩所得功德須菩提以諸菩薩不受福
德故須菩提白佛言世尊云何菩薩不受福
德須菩提菩薩所作福德不應貪著是故說
不受福德
須菩提若有人言如來若來若去若坐若卧
是人不解我所說義何以故如來者无所從來
亦无所去故名如來
須菩提若善男子善女人以三千大千世界
碎為微塵於意云何是微塵衆寧為多不甚
多世尊何以故若是微塵衆實有者佛則不
說是微塵衆所以者何佛說微塵衆則非微
塵衆是名微塵衆世尊如來所說三千大千
世界則非世界是名世界何以故若世界實有
者則是一合相如來說一合相則非一合相
是名一合相須菩提一合相者則是不可說
但凡夫之人貪著其事須菩提若人言佛說
我見人見衆生見壽者見須菩提於意云何
是人解我所說義不世尊是人不解如來所
說義何以故世尊說我見人見衆生見壽者
見即非我見人見衆生見壽者見是名我見
人見衆生見壽者見須菩提發阿耨多羅三
藐三菩提心者於一切法應如是知如是見
如是信解不生法相須菩提所言法相者如
來說即非法相是名法相須菩提若有人以滿

BD00580號　金剛般若波羅蜜經　（7–6）

是名一合相須菩提一合相者則是不可說
但凡夫之人貪著其事須菩提若人言佛說
我見人見衆生見壽者見須菩提於意云何
是人解我所說義不世尊是人不解如來所
說義何以故世尊說我見人見衆生見壽者
見即非我見人見衆生見壽者見是名我見
人見衆生見壽者見須菩提發阿耨多羅三
藐三菩提心者於一切法應如是知如是見
如是信解不生法相須菩提所言法相者如
來說即非法相是名法相須菩提若有人以滿
无量阿僧祇世界七寶持用布施若有善男
子善女人發菩薩心者持於此經乃至四句偈
等受持讀誦為人演說其福勝彼云何為人
演說不取於相如如不動何以故
一切有為法　如夢幻泡影　如露亦如電　應作如是觀
佛說是經已長老須菩提及諸比丘比丘尼
優婆塞優婆夷一切世間天人阿脩羅聞佛
所說皆大歡喜信受奉持

金剛般若波羅蜜經

BD00580號　金剛般若波羅蜜經　（7–7）

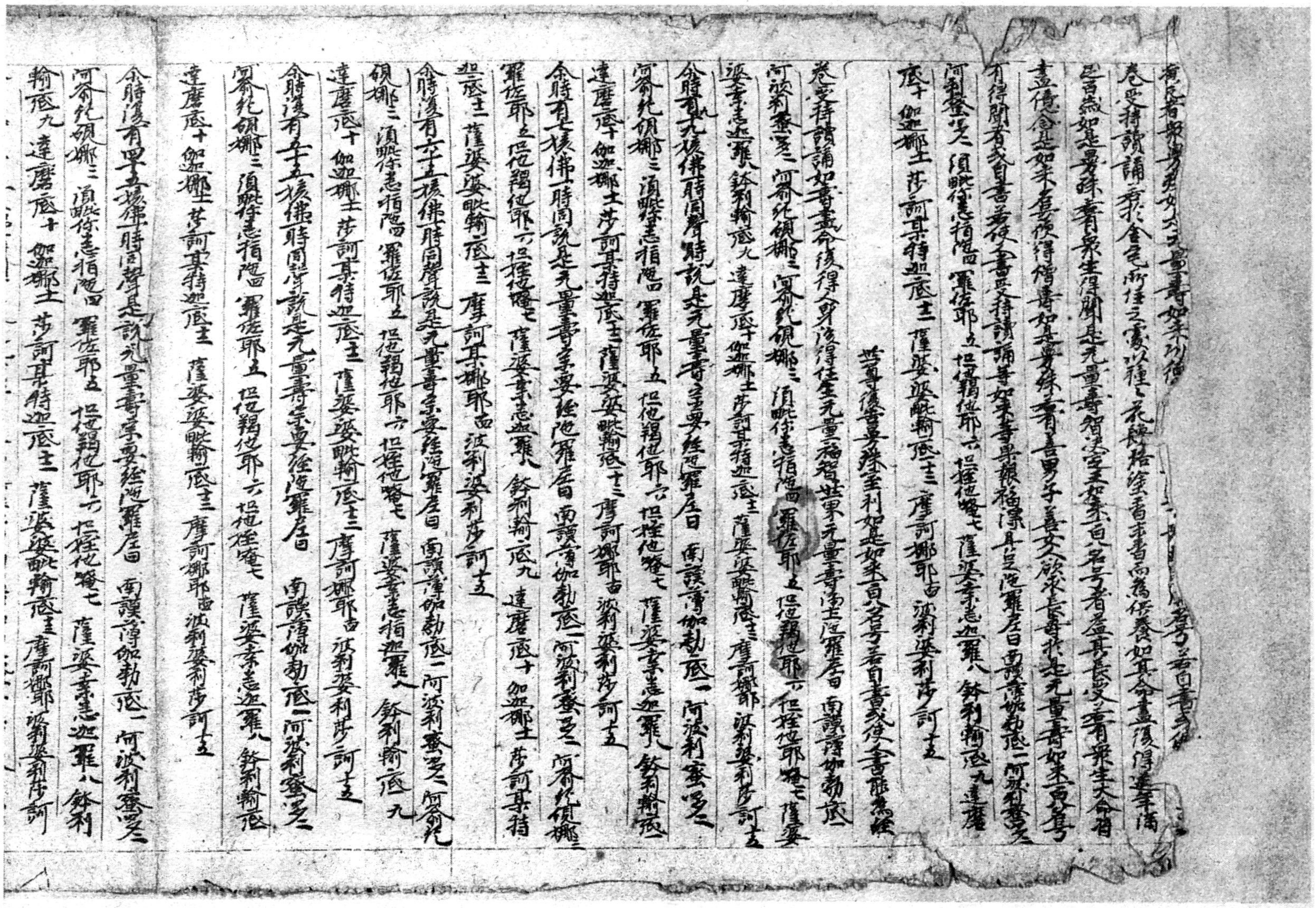

BD00581 號　無量壽宗要經　（5–1）

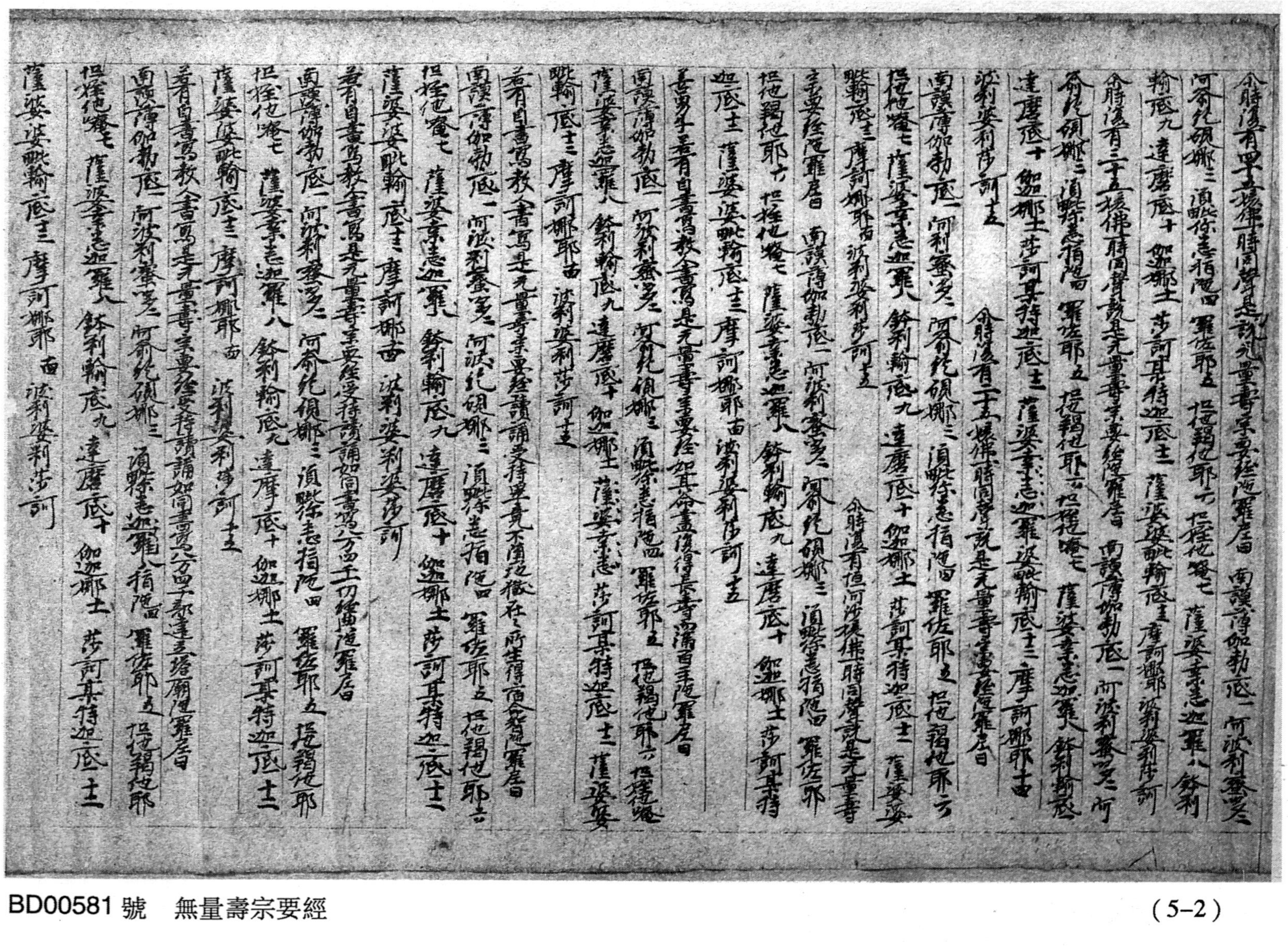

BD00581 號　無量壽宗要經　（5–2）

南謨薄伽勃底一 阿波唎蜜多二 阿喻紇硯娜三 須毗你悉指陀四 囉佐耶五 怛他羯他耶
怛姪他唵七 薩婆桑悉迦囉八 鉢唎輸底九 達磨底十 伽迦娜十一 莎訶娑揵迦底十二
薩婆婆毗輸底十三 摩訶娜耶十四 波唎婆唎莎訶

若有書寫是無量壽宗要經，能消五無間等一切重罪陀羅尼曰
南謨薄伽勃底一 阿波唎蜜多二 阿喻紇硯娜三 須毗你悉指陀四 囉佐耶五 怛他羯他耶
怛姪他唵七 薩婆桑悉迦囉八 鉢唎輸底九 達磨底十 伽迦娜十一 莎訶娑揵迦底十二 薩婆
婆毗輸底十三 摩訶娜耶十四 波唎婆唎莎訶十五
若有自書寫教人書寫是無量壽宗要經，受持讀誦，設有重罪猶如須彌，能除滅陀羅尼曰
南謨薄伽勃底一 阿波唎蜜多二 阿喻紇硯娜三 須毗你悉指陀四 囉佐耶五 怛他羯他耶六
怛姪他唵七 薩婆桑悉迦囉八 鉢唎輸底九 達磨底十 伽迦娜十一 莎訶娑揵迦底
薩婆婆毗輸底十三 摩訶娜耶十四 波唎婆唎莎訶十五
若有書寫教人書寫是無量壽宗要經，受持讀誦，若魔魔之眷屬夜叉羅剎不得其便，終無枉死陀羅尼曰
南謨薄伽勃底一 阿波唎蜜多二 阿喻紇硯娜三 須毗你悉指陀四 囉佐耶五 怛他羯他耶六
怛姪他唵七 薩婆桑悉迦囉八 鉢唎輸底九 達磨底十 伽迦娜十一 莎訶娑揵迦底十二
薩婆婆毗輸底十三 摩訶娜耶十四 波唎婆唎莎訶十五
若有自書寫教人書寫是無量壽宗要經，受持讀誦，當命終時有九十九俱胝佛現其人前，來手授手，將往
一切佛剎，莫於此經生於疑惑陀羅尼曰 南謨薄伽勃底一 阿波唎蜜多二 阿喻紇硯娜三 須
毗你悉指陀四 囉佐耶五 怛他羯他耶六 怛姪他唵七 薩婆桑悉迦囉八 鉢唎輸底九
達磨底十 伽迦娜十一 莎訶娑揵迦底十二 薩婆婆毗輸底十三 摩訶娜耶十四 波唎婆唎莎訶
若有書寫教人書寫是無量壽宗要經，受持讀誦，當得四大天王隨其衛護陀羅尼曰
南謨薄伽勃底一 阿波唎蜜多二 阿喻紇硯娜三 須毗你悉指陀四 囉佐耶五 怛他羯他
耶六 怛姪他唵七 薩婆桑悉迦囉八 鉢唎輸底九 達磨底十 伽迦娜十一 莎訶娑揵迦
底十二 薩婆婆毗輸底十三 摩訶娜耶十四 波唎婆唎莎訶十五
若有自書寫教人書寫是無量壽宗要經，受持讀誦，當得往生西方極樂世界阿彌陀佛淨土陀羅尼曰
南謨薄伽勃底一 阿波唎蜜多二 阿喻紇硯娜三 須毗你悉指陀四 囉佐耶五 怛他羯他耶六
怛姪他唵七 薩婆桑悉迦囉八 鉢唎輸底九 達磨底十 伽迦娜十一 莎訶娑揵迦底十二 薩婆
婆毗輸底十三 摩訶娜耶十四 波唎婆唎莎訶十五
若有自書寫教人書寫是無量壽宗要經典之處，則為是塔，皆應供養作禮。若是畜生或為鳥獸得聞
是經，如是等類皆悉不久得成一切種智陀羅尼曰 南謨薄伽勃底一 阿波唎蜜多二 阿喻紇硯娜
須毗你悉指陀四 囉佐耶五 怛他羯他耶六 怛姪他唵七 薩婆桑悉迦囉八 鉢唎輸底九
達磨底十 伽迦娜十一 莎訶娑揵迦底十二 薩婆婆毗輸底十三 摩訶娜耶十四 波唎婆唎莎訶
若有於是無量壽經若書寫教人書寫，畢竟不受女人之身陀羅尼曰

BD00581號　無量壽宗要經

（5–3）

是經，如是等類皆悉不久得成一切種智陀羅尼曰 南謨薄伽勃底一 阿波唎蜜多二 阿喻紇硯娜
須毗你悉指陀四 囉佐耶五 怛他羯他耶六 怛姪他唵七 薩婆桑悉迦囉八 鉢唎輸底九
達磨底十 伽迦娜十一 莎訶娑揵迦底十二 薩婆婆毗輸底十三 摩訶娜耶十四 波唎婆唎莎訶
若有於是無量壽經若書寫教人書寫，畢竟不受女人之身陀羅尼曰
南謨薄伽勃底一 阿波唎蜜多二 阿喻紇硯娜三 須毗你悉指陀四 囉佐耶五 怛他羯他耶六 怛姪他唵
薩婆桑悉迦囉八 鉢唎輸底九 達磨底十 伽迦娜十一 莎訶娑揵迦底十二 薩婆婆毗輸底
摩訶娜耶十四 波唎婆唎莎訶十五

若有能於是經少分布施者，當於三千大千世界滿中七寶布施陀羅尼曰
南謨薄伽勃底一 阿波唎蜜多二 阿喻紇硯娜三 須毗你悉指陀四 囉佐耶五 怛他羯他耶六 怛姪他唵
薩婆桑悉迦囉八 鉢唎輸底九 達磨底十 伽迦娜十一 莎訶娑揵迦底十二 薩婆婆毗輸底
摩訶娜耶十四 波唎婆唎莎訶十五
若有能供養是經者，即是供養一切諸經等無有異陀羅尼曰 南謨薄伽勃底一 阿波唎蜜多二
阿喻紇硯娜三 須毗你悉指陀四 囉佐耶五 怛他羯他耶六 怛姪他唵七 薩婆桑悉迦囉八 鉢唎輸
底九 達磨底十 伽迦娜十一 莎訶娑揵迦底十二 薩婆婆毗輸底十三 摩訶娜耶十四 波唎婆唎莎訶
如毗婆尸佛、尸棄佛、毗舍浮佛、俱留孫佛、俱那含牟尼佛、迦葉佛、釋迦牟尼佛，若有以七寶供養乃至如是，
其福有限；書寫受持是無量壽經典，所有功德不可限量陀羅尼曰
南謨薄伽勃底一 阿波唎蜜多二 阿喻紇硯娜三 須毗你悉指陀四 囉佐耶五 怛他羯他耶七 薩婆桑悉迦囉
鉢唎輸底九 達磨底十 伽迦娜十一 莎訶娑揵迦底十二 薩婆婆毗輸底十三 摩訶娜耶十四 波唎婆唎莎訶十五
若有七寶等於須彌山而用布施，其福上能知其限量；是無量壽經其福不可知數陀羅尼曰
南謨薄伽勃底一 阿波唎蜜多二 阿喻紇硯娜三 須毗你悉指陀四 囉佐耶五 怛他羯他耶六 怛姪他唵
薩婆桑悉迦囉八 鉢唎輸底九 達磨底十 伽迦娜十一 莎訶娑揵迦底十二 薩婆婆毗輸
底十三 摩訶娜耶十四 波唎輸婆唎莎訶十五
如四大海水可知滴數，是無量壽經典所生果報不可數量陀羅尼曰
南謨薄伽勃底一 阿波唎蜜多二 阿喻紇硯娜三 須毗你悉指陀四 囉佐耶五 怛他羯他耶六 怛姪
他唵七 薩婆桑悉迦囉八 鉢唎輸底九 達磨底十 伽迦娜十一 莎訶娑揵迦底十二 薩婆婆毗
輸底十三 摩訶娜耶十四 波唎婆唎莎訶十五
若有自書寫教人書寫是無量壽宗要經典，不能讚持供養一切十方諸佛淨土如來無有別異陀羅尼曰
南謨薄伽勃底一 阿波唎蜜多二 阿喻紇硯娜三 須毗你悉指陀四 囉佐耶五 怛他羯他耶六 怛姪他唵七 薩婆
桑悉迦囉八 鉢唎輸底九 達磨底十 伽迦娜十一 莎訶娑揵迦底十二 薩婆婆毗輸底十三 摩訶娜耶十四
波唎婆唎莎訶十五
布施力能成正覺　悟布施人師子　布施力能聲普聞　慈悲階漸最能入
持戒力能成正覺　悟持戒力人師子　持戒力能聲普聞　慈悲階漸最能入
忍辱力能成正覺　悟忍辱力人師子　忍辱力能聲普聞　慈悲階漸最能入

BD00581號　無量壽宗要經

（5–4）

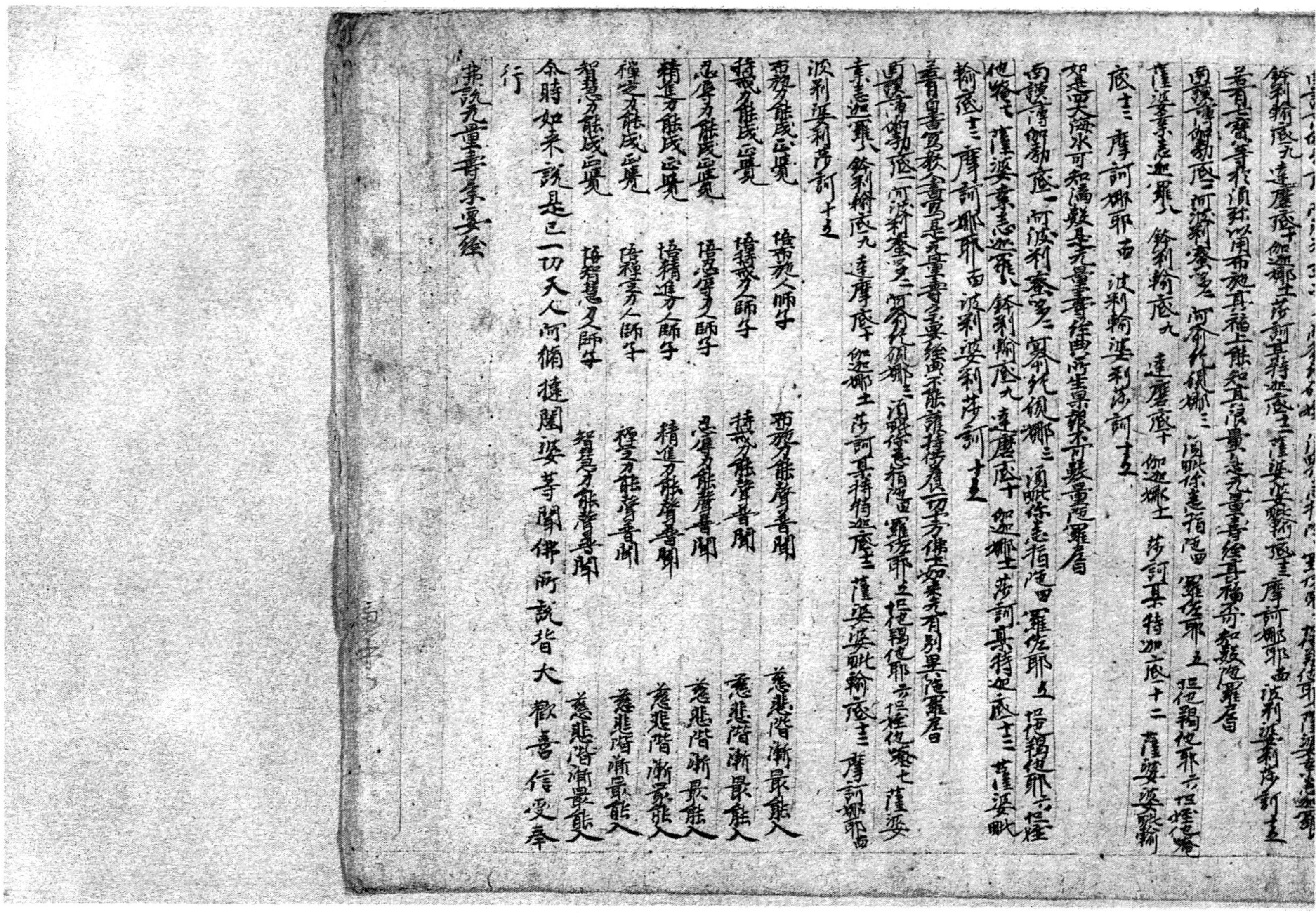
鋡剎輸底九　達摩底十　伽迦娜十一　莎訶莫特迦底十二　薩婆婆毗輸底十三　摩訶娜耶十四　波利婆剎莎訶十五
普賢上寶等於須弥以用布施其福上能知其限量　書寫无量壽經其福不可數量陀羅尼
南謨薄伽勃底一　阿波利蜜多二　阿瑜紇硯娜三　須毗你悉指陀四　羅佐耶五　怛他羯他耶六　怛姪他唵
薩婆桑悉迦羅八　鋡剎輸底九　達摩底十　伽迦娜十一　莎訶莫特迦底十二　薩婆婆毗輸
底十三　摩訶娜耶十四　波利輸婆剎莎訶十五
如是四大海水可知滴數　是无量壽經所生果報不可數量陀羅尼
南謨薄伽勃底一　阿波利蜜多二　阿瑜紇硯娜三　須毗你悉指陀四　羅佐耶五　怛他羯他耶六　怛姪
他唵七　薩婆桑悉迦羅八　鋡剎輸底九　達摩底十　伽迦娜十一　莎訶莫特迦底十二　薩婆毗
輸底十三　摩訶娜耶十四　波利婆剎莎訶十五
若自書寫教人書寫是无量壽宗要經　不能誹謗供養十方一切諸佛如來无有別異陀羅尼曰
南謨薄伽勃底一　阿波利蜜多二　阿瑜紇硯娜三　須毗你悉指陀四　羅佐耶五　怛他羯他耶六　怛姪他唵七　薩婆
桑悉迦羅八　鋡剎輸底九　達摩底十　伽迦娜十一　莎訶莫特特迦底十二　薩婆婆毗輸底十三　摩訶娜耶十四
波利婆剎莎訶十五
布施力能成正覺　悟布施人師子　布施力能覺普聞　慈悲階漸最能入
持戒力能成正覺　悟持戒人師子　持戒力能覺普聞　慈悲階漸最能入
忍辱力能成正覺　悟忍辱力人師子　忍辱力能覺普聞　慈悲階漸最能入
精進力能成正覺　悟精進力人師子　精進力能覺普聞　慈悲階漸最能入
禪定力能成正覺　悟禪定力人師子　禪定力能覺普聞　慈悲階漸最能入
智慧力能成正覺　悟智慧力人師子　智慧力能覺普聞　慈悲階漸最能入
尒時如來說是已一切天人阿脩羅揵闥婆等聞佛所說皆大歡喜信受奉
行
佛說无量壽宗要經

BD00581 號　無量壽宗要經　（5–5）

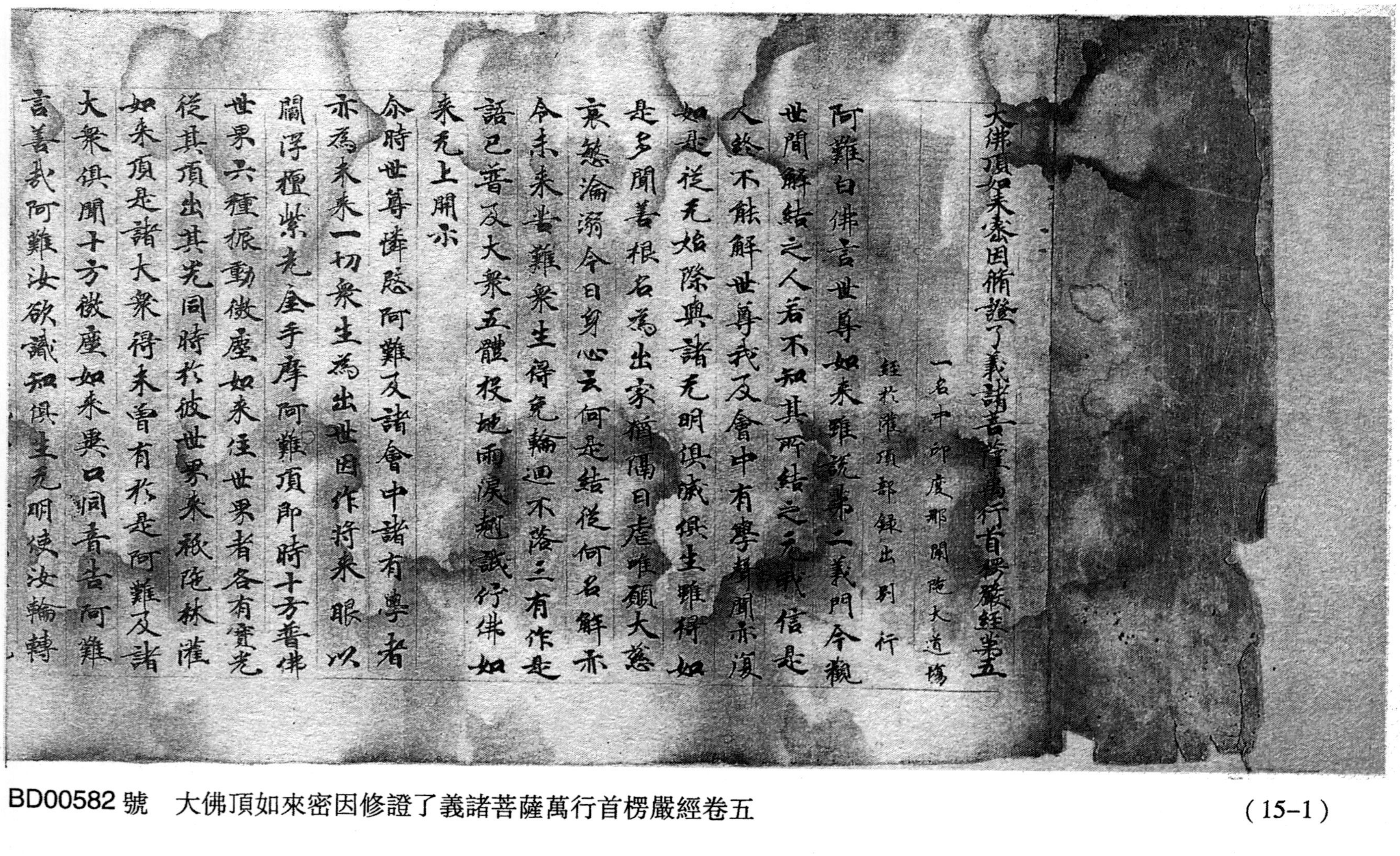
大佛頂如來密因脩證了義諸菩薩萬行首楞嚴經第五
一名中印度那蘭陀大道場
經於灌頂部錄出別行
阿難白佛言世尊如來雖說第二義門今觀
世間解結之人若不知其所結之元我信是
人終不能解世尊我及會中有學聲聞亦復
如是從无始際與諸无明俱滅俱生雖得如
是多聞善根名為出家猶隔日瘧唯願大慈
哀愍淪溺今日身心云何是結從何名解亦
令未來苦難眾生得免輪迴不落三有作是
語已普及大眾五體投地雨淚翹誠佇佛如
來无上開示
尒時世尊憐愍阿難及諸會中諸有學者
亦為未來一切眾生為出世因作將來眼以
閻浮檀紫光金手摩阿難頂即時十方普佛
世界六種振動微塵如來住世界者各有寶光
從其頂出其光同時於彼世界來祇陀林灌
如來頂是諸大眾得未曾有於是阿難及諸
大眾俱聞十方微塵如來異口同音告阿難
言善哉阿難汝欲識知俱生无明使汝輪轉

BD00582 號　大佛頂如來密因修證了義諸菩薩萬行首楞嚴經卷五　（15–1）

從其頂生[illegible]光同[illegible]於彼世[illegible]
如來頂是諸大衆得未曾有於是阿難及諸
大衆俱聞十方微塵如來異口同音告阿難
言善哉阿難汝欲識知俱生无明使汝輪轉
生死結根唯汝六根更无他物汝復欲知无
上菩提令汝速證安樂解脫寂靜妙常亦汝
六根更非他物阿難雖聞如是法音心猶未
明稽首白佛云何令我生死輪迴安樂妙常同是
六根更非他物佛告阿難根塵同源縛脫无
二識性虛妄猶如空花阿難由塵發知因根
有相相見无性同於交蘆是故汝今知見立
知即无明本知見无見斯即涅槃无漏真淨
云何是中更容他物尒時世尊欲重宣此
義而說偈言
真性有為空　緣生故如幻　无為无起滅　不實如空花
言妄顯諸真　妄真同二妄　猶非真非真　云何見所見
中間无實性　是故若交蘆　結解同所因　聖凡无二路
汝觀交中性　空有二俱非　迷晦即无明　發明便解脫
解結因次第　六解一亦亡　根選擇圓通　入流成正覺
陀那微細識　習氣成暴流　真非真恐迷　我常不開演
自心取自心　非幻成幻法　不取无非幻　非幻尚不生
幻法云何立　是名妙蓮花　金剛王寶覺　如幻三摩提
彈指超无學　此阿毗達磨　十方薄伽梵　一路涅槃門
於是阿難及諸大衆聞佛如來无上慈誨祇
夜伽陀雜糅精瑩妙理清徹心目開明歎未
曾有阿難合掌頂禮白佛我今聞佛无遮大
悲性淨妙常真實法句心猶未達六解一亡

曾有阿難合掌頂禮白佛我今聞佛无遮大
悲性淨妙常真實法句心猶未達六解一亡
舒結倫次唯垂大慈再愍斯會及與將來
施以法音洗滌沉垢
即時如來於師子座整涅槃僧斂僧伽梨攬
七寶机引手於机取劫波羅天所奉花巾於
大衆前綰成一結示阿難言此名何等阿難
大衆俱白佛言此名為結於是如來綰疊花
巾又成一結重問阿難此名何等阿難大衆
又白佛言此亦名結如是倫次綰疊花巾惣成
六結一一結成皆取手中所成之結持問阿
難此名何等阿難大衆亦復如是次第酬佛
此名為結佛告阿難我初綰巾汝名為結此疊
花巾先實一條第二第三云何汝曹復名為
結阿難白佛言世尊此寶疊花緝績成巾
雖本一體如我思惟如來一綰得一結名若
百綰成終名百結何况此巾秖有六結終不
至七亦不停五云何如來秖許初時第二第
三不名為結佛告阿難此寶花巾汝知此巾
元止一條我六綰時名有六結汝審觀察巾
體是同因結有異於意云何初綰結成名為
第一如是乃至第六結生吾今欲將第六結
名成第一不不也世尊六結若存斯第六名
終非第一縱我歷生盡其明辯如何令是六
結亂名佛言六結不同循顧本因一巾所造
令其雜亂終不得成則汝六根亦復如是畢
竟同中生畢竟異佛告阿難汝必嫌此六結

結亂名佛言六結不同循顧本因一巾所造
令其雜亂終不得成則汝六根亦復如是畢
竟同中生畢竟異佛告阿難汝必嫌此六結
不成願樂一成復云何得阿難言此結若存
是非鋒起於中自生此結非彼彼結非此如
來今日若揔解除結若不生則无彼此尚不
名一六云何成佛言六解一亡亦復如是由
汝无始心性狂亂知見妄發發妄不息勞見
發塵如勞目睛則有狂花於湛精明无因亂
起一切世間山河大地生死涅槃皆即狂
勞顛倒花相阿難言此勞同結云何解除如
來以手將所結巾偏掣其左問阿難言如是
解不不也世尊旋復以手偏牽右邊又問阿
難如是解不不也世尊佛告阿難吾今以手
左右各牽竟不能解汝設方便云何成解阿
難白佛言世尊當於結心解即分散佛告阿
難如是如是若欲除結當於結心阿難我說
佛法從因緣生非取世間和合麁相如來發
明世出世法知其本因隨所緣出如是乃至
恒沙界外一滴之雨亦知頭數現前種種松
直棘曲鵠白烏玄皆了元由是故阿難隨汝
心中選擇六根根結若除塵相自滅諸妄銷
亡不真何待阿難吾今問汝此劫波羅巾六
結現前同時解縈得同除不不也世尊是結
本以次第綰生今日當須次第而解六結同體
結不同時則結解時云何同除佛言六根
解除亦復如是此根初解先得人空空性圓

BD00582 號　大佛頂如來密因修證了義諸菩薩萬行首楞嚴經卷五　（15–4）

本以次第綰生今日當須次第而解六結同體
結不同時則結解時云何同除佛言六根
解除亦復如是此根初解先得人空空性圓
明成法解脫解脫法已俱空不生是名菩薩從三
摩地得无生忍
阿難及諸大衆蒙佛開示慧覺圓通得無
疑惑一時合掌頂礼雙足而白佛言我等今
日身心脫然快得无礙雖復悟知一六亡義然
猶未達圓通本根世尊我輩飄零積劫孤露
何心何慮預佛天倫如失乳兒忽遇慈母若復
因此際會道成所得密言還同本悟則與未
聞无有差別唯垂大悲惠我秘嚴成就如來
最後開示作是語已五體投地退藏密機冀
佛冥授
尒時世尊普告衆中諸大菩薩及諸漏盡大
阿羅漢汝等菩薩及阿羅漢生我法中得成
無學吾今問汝最初發心悟十八界誰為圓
通從何方便入三摩地
憍陳那五比丘即從座起頂礼佛足而白佛
言我在鹿苑及於雞園觀見如來最初成
道於佛音聲悟明四諦佛問比丘我初稱解
如來印我名阿若多妙音密圓我於音聲
得阿羅漢佛問圓通如我所證音聲為上
優婆尼沙陁即從座起頂礼佛足而白佛言
我亦觀佛最初成道觀不淨相生大厭離悟
諸色性以從不淨白骨微塵歸於虛空空色
二无成无學道如來印我名尼沙陁塵色既

BD00582 號　大佛頂如來密因修證了義諸菩薩萬行首楞嚴經卷五　（15–5）

諸色性以從不淨白骨微塵歸於虛空空色
二无成无學道如來印我名尼沙陁塵色既
盡妙色密圓我從色相得阿羅漢佛問圓通
如我所證色因為上
香嚴童子即從座起頂禮佛足而白佛言
我聞如來教我諦觀諸有為相我時辭佛宴
晦清齋見諸比丘燒沉水香香氣寂然來入
鼻中我觀此氣非木非空非煙非火去無所
著來無所從由是意銷發明无漏如來印我
得香嚴號塵氣倏滅妙香密圓我從香嚴
得阿羅漢佛問圓通如我所證香嚴為上
藥王藥上二法王子并在會中五百梵天即從
座起頂禮佛足而白佛言我无始劫為世良醫
口中嘗此娑婆世界草木金石名數凡有十万
八千如是悉知苦酢醎淡甘辛等味并諸和合
俱生變異是冷是熱有毒无毒悉能遍知承
事如來妙知味性非空非有非即身心非離身
心分別味因從是開悟蒙佛如來印我昆季藥
王藥上二菩薩名今於會中為法王子因味覺
明位登菩薩佛問圓通如我所證味因為上
跋陁婆羅并其同伴十六開士即從座起頂禮
佛足而白佛言我等先於威音王佛聞法出
家於浴僧時隨例入室忽悟水因既不洗塵亦
不洗體中間安然得无所有宿習無忘乃至
今時從佛出家今得无學彼佛名我跋陁婆
羅妙觸宣明成佛子住佛問圓通如我所證觸
因為上

BD00582號　大佛頂如來密因修證了義諸菩薩萬行首楞嚴經卷五　（15–6）

羅妙觸宣明成佛子住佛問圓通如我所證觸
因為上
摩訶迦葉及紫金光比丘尼等即從座起頂禮
佛足而白佛言我於往劫於此界中有佛出
世名日月燈我得親近聞法修學佛滅度後
供養舍利然燈續明以紫光金塗佛形像自尒
已來世世生生身常圓滿紫金光聚此紫金
光比丘尼等即我眷屬同時發心我觀世間六塵
變壞唯以空寂修於滅盡身心乃能度百千
劫猶如彈指我以空法成阿羅漢世尊說我
頭陁為最妙法開明銷滅諸漏佛問圓通
如我所證法因為上
阿那律陁即從座起頂禮佛足而白佛言我
初出家常樂睡眠如來訶我為畜生類我聞
佛訶啼泣自責七日不眠失其雙目世尊示
我樂見照明金剛三昧我不因眼觀見十方
精真洞然如觀掌果如來印我成阿羅漢佛
問圓通如我所證旋見循元斯為第一
周利槃特迦即從座起頂禮佛足而白佛言
我闕誦持無多聞性最初值佛聞法出家
憶持如來一句伽陁於一百日得前遺後得
後遺前佛愍我愚教我安居調出入息我時
觀息微細窮盡生住異滅諸行剎那其心豁
得大无礙乃至漏盡成阿羅漢住佛坐下印
成无學佛問圓通如我所證返息循空斯為
第一

BD00582號　大佛頂如來密因修證了義諸菩薩萬行首楞嚴經卷五　（15–7）

成無學佛問圓通如我所證返息循空斯為
第一
憍梵鉢提即從座起頂禮佛足而白佛言我
有口業於過去劫輕弄沙門世世生生有牛
呞病如來示我一味清淨心地法門我得滅心
入三摩地觀味之知非體非物應念得超世間
諸漏內脫身心外遺世界遠離三有如鳥出
籠離垢銷塵法眼清淨成阿羅漢如來親印
登無學道佛問圓通如我所證還味旋知
斯為第一
畢陵伽婆蹉即從座起頂禮佛足而白佛言
我初發心從佛入道數聞如來說諸世間不
可樂事乞食城中心思法門不覺路中毒刺
傷足舉身疼痛我念有知知此深痛雖覺覺
痛覺清淨心無痛痛覺我又思惟如是一身
寧有雙覺攝念未久身心忽空三七日中諸
漏虛盡成阿羅漢得親印記發明無學佛問
圓通如我所證純覺遺身斯為第一
須菩提即從座起頂禮佛足而白佛言我曠
劫來心得無礙自憶受生如恒河沙初在母
胎即知空寂如是乃至十方成空亦令眾生
證得空性蒙如來發性覺真空空性圓明得
阿羅漢頓入如來寶明空海同佛知見印成無
學解脫性空我為無上佛問圓通如我所證
證相入非非所非盡旋法歸無斯為第一
舍利弗即從座起頂禮佛足而白佛言我曠
劫來心見清淨如是受生如恒河沙世出世間種

舍利弗即從座起頂禮佛足而白佛言我曠
劫來心見清淨如是受生如恒河沙世出世間種
種變化一見則通獲無障礙我於路中逢迦
葉波兄弟相逐宣說因緣悟心無際從佛出
家見覺明圓得大無畏成阿羅漢為佛長
子從佛口生從法化生佛問圓通如我所證
心見發光光極知見斯為第一
普賢菩薩即從座起頂禮佛足而白佛言我
已曾與恒沙如來為法王子十方如來教其
弟子菩薩根者脩普賢行從我立名世尊
我用心聞分別眾生所有知見若於他方恒
沙界外有一眾生心中發明普賢行者我於
爾時乘六牙象分身百億皆至其處縱彼
障深未合見我我與其人暗中摩頂擁護安
慰令其成就佛問圓通我說本因心聞發明
分別自在斯為第一
孫陀羅難陀即從座起頂禮佛足而白佛言
我初出家從佛入道雖具戒律於三摩提心
常散動未獲無漏世尊教我及俱絺羅觀鼻
端白我初諦觀經三七日見鼻中氣出入如
煙身心內明圓洞世界遍成虛淨猶如琉璃
煙相漸銷鼻息成白心開漏盡諸出入息化
為光明照十方界得阿羅漢世尊記我當成
菩提佛問圓通我以銷息息久發明明圓滅
漏斯為第一
富樓那彌多羅尼子即從座起頂禮佛足而
白佛言我曠劫來辯才無礙宣說苦空深達

漏斯為第一
富樓那弥多羅尼子即從座起頂礼佛足而
白佛言我曠劫來辯才无礙宣說苦空深達
實相如是乃至恒沙如來秘密法門我於衆
中微妙開示得无所畏世尊知我有大辯才
以音聲輪教我發揚我於佛前助佛轉輪
因師子吼成阿羅漢世尊印我說法无上佛
問圓通我以法音降伏魔怨銷滅諸漏斯為
第一
優波離即從座起頂礼佛足而白佛言我親
隨佛踰城出家親觀如來六年懃苦親見如
來降伏諸魔制諸外道解脫世間貪欲諸漏
承佛教戒如是乃至三千威儀八万微細性
業遮業悉皆清淨身心寂滅成阿羅漢我
是如來衆中綱紀親印我心持戒脩身衆推
无上佛問圓通我以執身身得自在次第
執心心得通達然後身心一切通利斯為第
一
大目揵連即從座起頂礼佛足而白佛言我
初於路乞食逢遇優樓頻螺伽耶那提三迦
葉波宣說如來因緣深義我頓發心得大
通達如來惠我袈裟著身鬚髮自落我遊
十方得无罣礙神通發明推為无上成阿羅漢
寧唯世尊十方如來歎我神力圓明清淨自
在无畏佛問圓通我以旋湛心光發宣如澄
濁流久成清瑩斯為第一
烏芻瑟摩於如來前合掌頂礼佛之雙足而

BD00582號　大佛頂如來密因修證了義諸菩薩萬行首楞嚴經卷五　（15–10）

在无畏佛問圓通我以旋湛心光發宣如澄
濁流久成清瑩斯為第一
烏芻瑟摩於如來前合掌頂礼佛之雙足而
白佛言我常先憶久遠劫前性多貪欲有佛出
世名曰空王說多婬人成猛火聚教我遍觀
百骸四肢諸冷煖氣神光內凝化多婬心成
智慧火從是諸佛皆呼召我名為火頭我以
火光三昧力故成阿羅漢心發大願諸佛成
道我為力士親伏魔怨佛問圓通我以諦
觀身心煖觸无礙流通諸漏既銷生大寶燄
登無上覺斯為第一
持地菩薩即從座起頂礼佛足而白佛言我
念往昔普光如來出現於世我為比丘常於
一切要路津口田地險隘有不如法妨損車
馬我皆平填或作橋梁或負沙土如是懃苦
經无量佛出現於世或有衆生於闤闠處
要人擎物我先為擎至其所詣放物即行不
取其直毗舍浮佛現在世時世多飢荒我為
負人无問遠近唯取一錢或有車牛被於泥
溺我有神力為其推輪拔其苦惱時國大王
延佛設齋我於爾時平地待佛毗舍如來摩
頂謂我當平心地則世界地一切皆平我即心
開見身微塵造世界所有微塵等无差別微
塵自性不相觸摩乃至刀兵亦无所觸我於法
性悟无生忍成阿羅漢迴心今入菩薩位中聞
諸如來宣妙蓮花佛知見地我先證明而為

BD00582號　大佛頂如來密因修證了義諸菩薩萬行首楞嚴經卷五　（15–11）

塵自性不相觸摩乃至刀兵亦无所觸我於法
性悟无生忍成阿羅漢迴心今入菩薩位中間
諸如來宣妙蓮花佛知見地我先證明而為
上首佛問圓通我以諦觀身界二塵等無
差別本如來藏虛妄發塵塵銷智圓成无
上道斯為苐一
月光童子即從座起頂礼佛足而白佛言我
憶往昔恒河沙劫有佛出世名為水天教諸
菩薩脩習水精入三摩地觀於身中水性无
奪初從涕唾如是窮盡津液精血大小便利
身中旋復水性一同見水身中與世界外浮幢
王刹諸香水海等无差別我於是時初成
此觀但見其水未得无身當為比丘室中
安禪我有弟子窺窓觀室唯見清水遍在屋
中了无所見童稚无知取一瓦礫投於水中激
水作聲顧眄而去我出定後頓覺心痛如舍
利弗遭違害鬼我自思惟今我已得阿羅漢
道久離病緣云何今日忽生心痛將无退失
尒時童子捷來我前說如上事我則告言
汝更見水可即開門入此水中除去瓦礫童
子奉教後入定時還復見水瓦礫宛然開門
除出我後出定身質如初逢無量佛如是至
於山海自在通王如來方得亡身與十方界
諸香水海性合真空无二无別今於如來得
童真名預菩薩會佛問圓通我以水性一
味流通得无生忍圓滿菩提斯為苐一
瑠璃光法王子即從座起頂礼佛足而白佛言

味流通得无生忍圓滿菩提斯為苐一
瑠璃光法王子即從座起頂礼佛足而白佛言
我憶往昔經恒沙劫有佛出世名無量聲
開示菩薩本覺妙明觀此世界及衆生身
皆是妄緣風力所轉我於尒時觀界安立觀
世動時觀身動止觀心動念諸動无二等无
差別我時了覺此羣動性來无所從去无
所至十方微塵顛倒衆生同一虛妄如是乃至
三千大千一世界內所有衆生如一器中貯百
蚊蚋啾啾亂鳴於分寸中皷發狂鬧逢佛未
幾得无生忍尒時心開乃見東方不動佛國
為法王子事十方佛身心發光洞徹无礙佛
問圓通我以觀察風力無依悟菩提心入三
摩地合十方佛傳一妙心斯為苐一
虛空藏菩薩即從座起頂礼佛足而白佛言
我與如來定光佛所得无邊身尒時手執四
大寶珠照明十方微塵佛刹化成虛空又於
自心現大圓鏡內放十種微妙寶光流灌十
方盡虛空際諸幢王刹來入鏡內涉入我身
身同虛空不相妨礙身能善入微塵國土廣
行佛事得大隨順此大神力由我諦觀四大
無依妄想生滅虛空无二佛國本同於同發
明得無生忍佛問圓通我以觀察虛空无邊
入三摩地妙力圓明斯為苐一
弥勒菩薩即從座起頂礼佛足而白佛言我
憶往昔經微塵劫有佛出世名日月燈明我
從彼佛而得出家心重世名好遊族姓尒時

入三摩地妙力圓明斯爲苐一
弥勒菩薩即從座起頂礼佛足而白佛言我
憶往昔經微塵劫有佛出世名日月燈明我
從彼佛而得出家心重世名好遊族姓尒時
世尊教我脩習唯心識定入三摩地歷劫
已來以此三昧事恒沙佛求世名心歇滅無有
至然燈佛出現於世我乃得成無上妙圓識
心三昧乃至盡空如來國土淨穢有無皆是
識心變化所現世尊我了如是唯心識故識性
流出無量如來今得授記次補佛處佛問圓
通我以諦觀十方唯識識心圓明入圓成實遠
離依他及遍計執得无生忍斯爲苐一
大勢至法王子與其同倫五十二菩薩即從
座起頂礼佛足而白佛言我憶往昔恒河沙
劫有佛出世名无量光十二如來相繼一劫其
最後佛名超日月光彼佛教我念佛三昧
譬如有人一專爲憶一人專忘如是二人若
逢不逢或見非見二人相憶二憶念深如
是乃至從生至生同於形影不相乖異十方
如來憐念衆生如母憶子若子逃逝雖憶何
爲子若憶母如母憶時母子歷生不相違遠
若衆生心憶佛念佛現前當來必定見佛去
佛不遠不假方便自得心開如染香人身有
香氣此則名曰香光莊嚴我本因地以念佛
心入无生忍今於此界攝念佛人歸於淨土
佛問圓通我无選擇都攝六根淨念相繼
得三摩提斯爲苐一

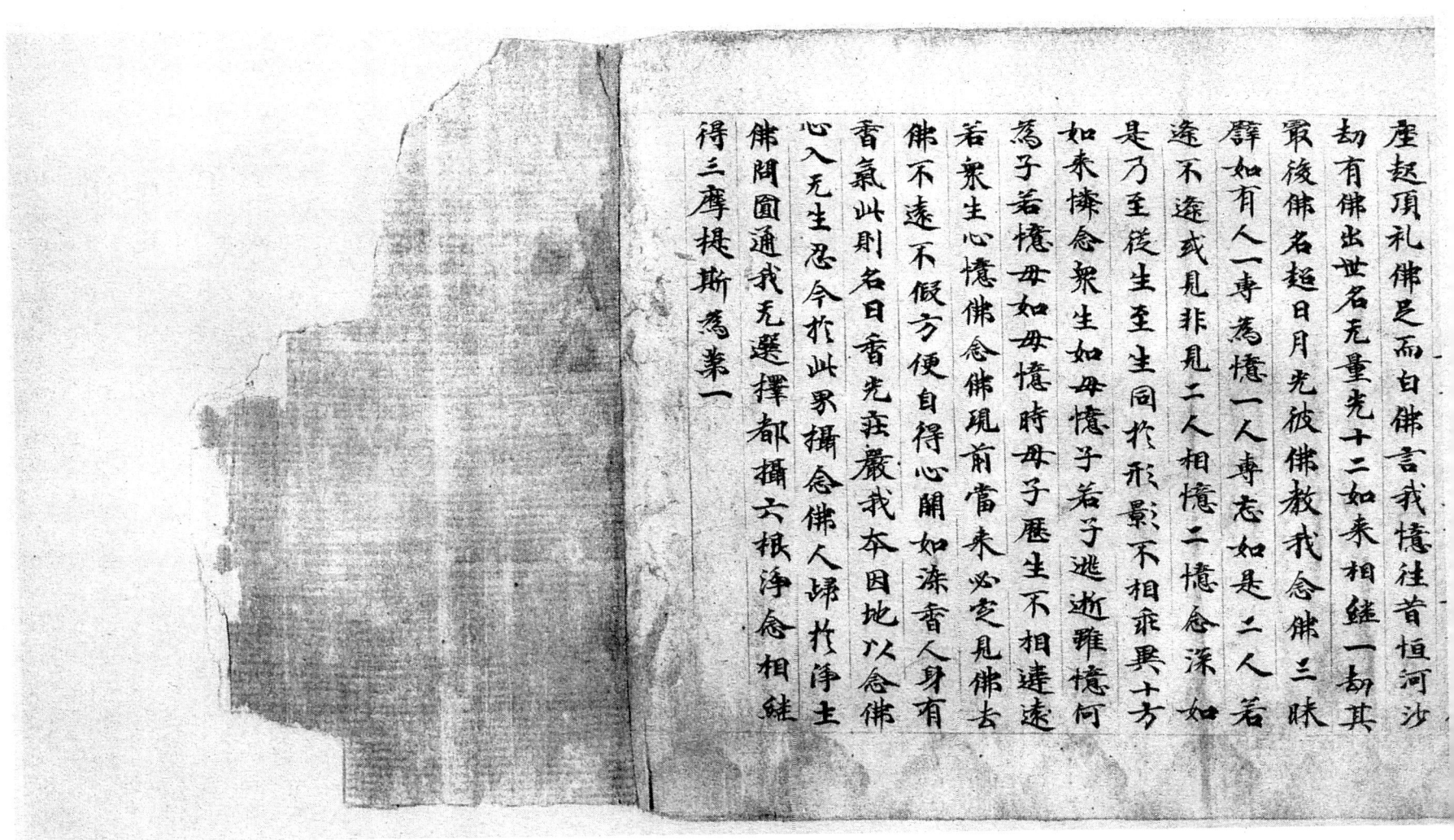

BD00582 號　大佛頂如來密因修證了義諸菩薩萬行首楞嚴經卷五　（15–14）

座起頂礼佛足而白佛言我憶往昔恒河沙
劫有佛出世名无量光十二如來相繼一劫其
最後佛名超日月光彼佛教我念佛三昧
譬如有人一專爲憶一人專忘如是二人若
逢不逢或見非見二人相憶二憶念深如
是乃至從生至生同於形影不相乖異十方
如來憐念衆生如母憶子若子逃逝雖憶何
爲子若憶母如母憶時母子歷生不相違遠
若衆生心憶佛念佛現前當來必定見佛去
佛不遠不假方便自得心開如染香人身有
香氣此則名曰香光莊嚴我本因地以念佛
心入无生忍今於此界攝念佛人歸於淨土
佛問圓通我无選擇都攝六根淨念相繼
得三摩提斯爲苐一

BD00582 號　大佛頂如來密因修證了義諸菩薩萬行首楞嚴經卷五　（15–15）

…空識界遠離…
惟水火風空識界如病思惟…
水火風空識界如癰思惟…
火風空識界如箭思惟地界…
風空識界如瘡思惟地界熱惱思
空識界熱惱思惟地界逼切思惟水火風空
識界逼切思惟地界敗壞思惟水火風空識
界敗壞思惟地界衰朽思惟水火風空識界
衰朽思惟地界變動思惟水火風空識界變
動思惟地界速滅思惟水火風空識界速滅
思惟地界可畏思惟水火風空識界可畏思
惟地界可猒思惟水火風空識界可猒思惟地
界有災思惟水火風空識界有災思惟地界有
横思惟水火風空識界有横思惟地界有疫
思惟水火風空識界有疫思惟地界有癘思
惟水火風空識界有癘思惟地界性不安隱
思惟水火風空識界性不安隱思惟地界不
可保信思惟水火風空識界不可保信思惟
地界無生無滅思惟水火風空識界無生無
滅思惟地界無染無淨思惟水火風空識界
無染無淨思惟地界無作無為思惟水火風
空識界無作無為憍尸迦是為菩薩摩訶薩
般若波羅蜜多

BD00583號　大般若波羅蜜多經卷七八　(19–1)

無染無淨思惟地界無作無為思惟水火風
空識界無作無為憍尸迦是為菩薩摩訶薩
般若波羅蜜多
憍尸迦若菩薩摩訶薩以應一切智智心用
無所得為方便思惟無明無常思惟行識名
色六處觸受愛取有生老死愁歎苦憂惱無
常思惟無明苦思惟行乃至老死愁歎苦憂
惱苦思惟無明無我思惟行乃至老死愁歎
苦憂惱無我思惟無明不淨思惟行乃至老
死愁歎苦憂惱不淨思惟無明空思惟行乃
至老死愁歎苦憂惱空思惟無明無相思惟
行乃至老死愁歎苦憂惱無相思惟無明無
願思惟行乃至老死愁歎苦憂惱無願思惟
無明寂靜思惟行乃至老死愁歎苦憂惱寂
靜思惟無明遠離思惟行乃至老死愁歎苦
憂惱遠離思惟無明如病思惟行乃至老死
愁歎苦憂惱如病思惟無明如癰思惟行乃至
老死愁歎苦憂惱如癰思惟無明如箭思惟
行乃至老死愁歎苦憂惱如箭思惟無明如
瘡思惟行乃至老死愁歎苦憂惱如瘡思惟無
明熱惱思惟行乃至老死愁歎苦憂惱熱惱思
惟無明逼切思惟行乃至老死愁歎苦憂惱逼
切思惟無明敗壞思惟行乃至老死愁歎苦憂
惱敗壞思惟無明衰朽思惟行乃至老死愁歎苦
憂惱衰朽思惟無明變動思惟行乃至老死愁
歎苦憂惱變動思惟無明速滅思惟行乃至老

BD00583號　大般若波羅蜜多經卷七八　(19–2)

為方便脩十八佛不共法若菩薩摩訶薩以
應一切智智心用無所得為方便脩無忘失
法若菩薩摩訶薩以應一切智智心用無所
得為方便脩恒住捨性若菩薩摩訶薩以應
一切智智心用無所得為方便脩一切陁羅
尼門若菩薩摩訶薩以應一切智智心用無
所得為方便脩一切三摩地門若菩薩摩訶
薩以應一切智智心用無所得為方便脩一
切智若菩薩摩訶薩以應一切智智心用
無所得為方便脩道相智若菩薩摩訶薩
以應一切智智心用無所得為方便脩一切
相智憍尸迦是為菩薩摩訶薩般若波羅
蜜多
復次憍尸迦若菩薩摩訶薩脩行般若波羅
蜜多時作如是觀唯有諸法互相緣藉滋潤
增長遍滿充溢無我我所復作是觀菩薩摩
訶薩迴向心不與菩提心和合菩提心不與
迴向心和合迴向心於菩提心中無所有不
可得菩提心於迴向心中無所有不可得菩
薩摩訶薩雖觀諸法而於諸法都無所見憍
尸迦是為菩薩摩訶薩般若波羅蜜多時天
帝釋問善現言大德云何菩薩摩訶薩迴向
心不與菩提心和合云何菩提心不與迴向心
和合云何迴向心於菩提心中無所有不可
得云何菩提心於迴向心中無所有不可得
善現答言憍尸迦菩薩摩訶薩迴向心則非

得云何菩提心於迴向心中無所有不可得
善現答言憍尸迦菩薩摩訶薩迴向心則非
心菩提心亦非心若非心則不可思議不應
非心迴向非心亦不應非心迴向不可思議
不應不可思議迴向不可思議亦不應不可思
議迴向非心何以故非心即是不可思議不
可思議即是非心如是二種俱無所有無所
有中無迴向故憍尸迦若作是觀是為菩薩
摩訶薩般若波羅蜜多
尒時世尊讚善現言善哉善哉汝善能為諸
菩薩摩訶薩宣說般若波羅蜜多亦善能勸
勵諸菩薩摩訶薩令歡喜踊躍脩學般若波
羅蜜多時具壽善現白佛言世尊我既知恩
不應不報何以故過去諸佛及諸弟子為諸
菩薩摩訶薩宣說六波羅蜜多示現教導讚
勵慶喜安撫建立令得究竟世尊尒時亦在
中學令證無上正等菩提故我亦應承順佛
教為諸菩薩摩訶薩宣說六波羅蜜多示現
教導讚勵慶喜安撫建立令得究竟速證無
上正等菩提是則名為報彼恩德
尒時具壽善現告天帝釋言憍尸迦汝問云
何菩薩摩訶薩應住般若波羅蜜多者諦聽
諦聽當為汝說菩薩摩訶薩於般若波羅蜜
多如所應住不應住相憍尸迦色色性空受
想行識受想行識性空菩薩摩訶薩菩薩摩
訶薩性空若色性空若受想行識性空若菩

多如所應住不應住相憍尸迦色色性空受
想行識受想行識性空菩薩摩訶薩菩薩摩
訶薩性空若色性空若受想行識性空若菩
薩摩訶薩性空如是一切皆無二無二分憍
尸迦菩薩摩訶薩於般若波羅蜜多應如是
住憍尸迦眼處眼處性空耳鼻舌身意處耳
鼻舌身意處性空菩薩摩訶薩菩薩摩訶薩性
空若眼處性空若耳鼻舌身意處性空若菩薩
摩訶薩性空如是一切皆無二無二分憍尸迦
菩薩摩訶薩於般若波羅蜜多應如是住
憍尸迦色處色處性空聲香味觸法處聲香
味觸法處性空菩薩摩訶薩菩薩摩訶薩性
空若色處性空若聲香味觸法處性空若菩薩
摩訶薩性空如是一切皆無二無二分憍尸迦菩
薩摩訶薩於般若波羅蜜多應如是住憍尸迦
眼界眼界性空色界眼識界及眼觸眼觸為緣
所生諸受色界乃至眼觸為緣所生諸受性空菩
薩摩訶薩菩薩摩訶薩性空若眼界性空若
色界眼識界及眼觸眼觸為緣所生諸受性空
若菩薩摩訶薩性空如是一切皆無二無二分
憍尸迦菩薩摩訶薩於般若波羅蜜多應如
是住憍尸迦耳界耳界性空聲界耳識界及
耳觸耳觸為緣所生諸受聲界乃至耳觸為緣
緣所生諸受性空菩薩摩訶薩菩薩摩訶薩性
空若耳界性空若聲界耳識界及耳觸耳觸
為緣所生諸受性空若菩薩摩訶薩性空如是一切

BD00583號　大般若波羅蜜多經卷七八　（19–9）

空若耳界性空若聲界耳識界及耳觸耳觸
為緣所生諸受性空若菩薩摩訶薩性空如是一切
皆無二無二分憍尸迦菩薩摩訶薩於般若波
羅蜜多應如是住憍尸迦鼻界鼻界性空香界
鼻識界及鼻觸鼻觸為緣所生諸受香界乃至
鼻觸為緣所生諸受性空菩薩摩訶薩菩薩
摩訶薩性空若鼻界性空若香界鼻識界
及鼻觸鼻觸為緣所生諸受性空若菩薩摩
訶薩性空如是一切皆無二無二分憍尸迦
菩薩摩訶薩於般若波羅蜜多應如是住憍
尸迦舌界舌界性空味界舌識界及舌觸舌觸
為緣所生諸受味界乃至舌觸為緣所生諸受
性空菩薩摩訶薩菩薩摩訶薩性空若舌界
性空若味界舌識界及舌觸舌觸為緣所生
諸受性空若菩薩摩訶薩性空如是一切皆
無二無二分憍尸迦菩薩摩訶薩於般若波
羅蜜多應如是住憍尸迦身界身界性空觸
界身識界及身觸身觸為緣所生諸受觸界
乃至身觸為緣所生諸受性空菩薩摩訶薩
菩薩摩訶薩性空若身界性空若觸界身識
界及身觸身觸為緣所生諸受性空若菩薩
摩訶薩性空如是一切皆無二無二分憍尸
迦菩薩摩訶薩於般若波羅蜜多應如是住
憍尸迦意界意界性空法界意識界及意觸
意觸為緣所生諸受法界乃至意觸為緣所
生諸受性空菩薩摩訶薩菩薩摩訶薩性空

BD00583號　大般若波羅蜜多經卷七八　（19–10）

意觸為緣所生諸受法界乃至意觸為緣所
生諸受性空菩薩摩訶薩菩薩摩訶薩性空
若意界性空若法界意識界及意觸意觸為
緣所生諸受性空若菩薩摩訶薩性空如是
一切皆無二無二分憍尸迦菩薩摩訶薩於
般若波羅蜜多應如是住憍尸迦地界地界
性空水火風空識界水火風空識界性空菩
薩摩訶薩菩薩摩訶薩性空若地界性空若
水火風空識界性空若菩薩摩訶薩性空如
是一切皆無二無二分憍尸迦菩薩摩訶薩
於般若波羅蜜多應如是住憍尸迦苦聖諦
苦聖諦性空集滅道聖諦集滅道聖諦性空菩
薩摩訶薩菩薩摩訶薩性空若苦聖諦性
空若集滅道聖諦性空若菩薩摩訶薩性空
如是一切皆無二無二分憍尸迦菩薩摩訶
薩於般若波羅蜜多應如是住憍尸迦無明
無明性空行識名色六處觸受愛取有生老
死愁歎苦憂惱行乃至老死愁歎苦憂惱性
空菩薩摩訶薩菩薩摩訶薩性空若無明性
空若行識乃至老死愁歎苦憂惱性空若菩
薩摩訶薩性空如是一切皆無二無二分憍
尸迦菩薩摩訶薩於般若波羅蜜多應如是
住憍尸迦內空內空性空外空內外空空空
大空勝義空有為空無為空畢竟空無際空
散空無變異空本性空自相空共相空一切

BD00583 號　大般若波羅蜜多經卷七八　（19–11）

散空無變異空本性空自相空共相空一切
法空不可得空無性空自性空無性自性空
外空乃至無性自性空菩薩摩訶薩菩
薩摩訶薩性空若內空性空若外空乃至無
性自性空性空若菩薩摩訶薩性空如是一
切皆無二無二分憍尸迦菩薩摩訶薩於般
若波羅蜜多應如是住憍尸迦真如真如性
空法界法性不虛妄性不變異性平等性離
生性法定法住實際虛空界不思議界法界
乃至不思議界性空菩薩摩訶薩菩薩摩訶
薩性空若真如性空若法界乃至不思議界
性空若菩薩摩訶薩性空如是一切皆無二
無二分憍尸迦菩薩摩訶薩於般若波羅蜜
多應如是住
憍尸迦布施波羅蜜多布施波羅蜜多性空
淨戒安忍精進靜慮般若波羅蜜多淨戒乃
至般若波羅蜜多性空菩薩摩訶薩菩薩摩
訶薩性空若布施波羅蜜多性空若淨戒安
忍精進靜慮般若波羅蜜多性空若菩薩摩
訶薩性空如是一切皆無二無二分憍尸迦
菩薩摩訶薩於般若波羅蜜多應如是住憍
尸迦四靜慮四靜慮性空四無量四無色定四
無量四無色定性空菩薩摩訶薩菩薩摩
訶薩性空若四靜慮性空若四無量四無
色定性空若菩薩摩訶薩性空如是一切皆
無二無二分憍尸迦菩薩摩訶薩於

BD00583 號　大般若波羅蜜多經卷七八　（19–12）

色定性空若菩薩摩訶薩性空如是一切皆
無二無二分憍尸迦菩薩摩訶薩於般若波
羅蜜多應如是住憍尸迦八解脫八解脫性空
八勝處九次第定十遍處八勝處九次第定
十遍處性空菩薩摩訶薩菩薩摩訶薩性
空若八解脫性空若八勝處九次第定十遍
處性空若菩薩摩訶薩性空如是一切皆無
二無二分憍尸迦菩薩摩訶薩於般若波羅
蜜多應如是住憍尸迦四念住四念住性空
四正斷四神足五根五力七等覺支八聖道
支四正斷乃至八聖道支性空菩薩摩訶薩
菩薩摩訶薩性空若四念住性空若四正斷
四神足五根五力七等覺支八聖道支性空若
菩薩摩訶薩性空如是一切皆無二無二
分憍尸迦菩薩摩訶薩於般若波羅蜜多應
如是住憍尸迦空解脫門空解脫門性空無
相無願解脫門無相無願解脫門性空菩薩
摩訶薩菩薩摩訶薩性空若空解脫門性空
若無相無願解脫門性空若菩薩摩訶薩性
空如是一切皆無二無二分憍尸迦菩薩摩訶
薩於般若波羅蜜多應如是住憍尸迦五眼
五眼性空六神通六神通性空菩薩摩訶
薩菩薩摩訶薩性空若五眼性空若六神通
性空若菩薩摩訶薩性空如是一切皆無二
無二分憍尸迦菩薩摩訶薩於般若波羅蜜
多應如是住

BD00583號　大般若波羅蜜多經卷七八　（19–13）

無二分憍尸迦菩薩摩訶薩於般若波羅蜜
多應如是住
憍尸迦佛十力佛十力性空四無所畏四無礙
解大慈大悲大喜大捨十八佛不共法四無
所畏乃至十八佛不共法性空菩薩摩訶菩
薩菩薩摩訶薩性空若佛十力性空若四無
所畏四無礙解大慈大悲大喜大捨十八佛不
共法性空若菩薩摩訶薩性空如是一切
皆無二無二分憍尸迦菩薩摩訶薩於般若
波羅蜜多應如是住憍尸迦無忘失法無忘
失法性空恒住捨性恒住捨性性空菩薩摩
訶薩菩薩摩訶薩性空若無忘失法性空若
恒住捨性性空若菩薩摩訶薩性空如是一
切皆無二無二分憍尸迦菩薩摩訶薩於般
若波羅蜜多應如是住憍尸迦一切陁羅尼
門一切陁羅尼門性空一切三摩地門一切
三摩地門性空菩薩摩訶薩菩薩摩訶薩
性空若一切陁羅尼門性空若一切三摩地門
性空若菩薩摩訶薩性空如是一切皆無二無
二分憍尸迦菩薩摩訶薩於般若波羅蜜多應
如是住憍尸迦一切智一切智性空道相智一
切相智道相智一切相智性空菩薩摩訶薩
菩薩摩訶薩性空若一切智性空若道相智
一切相智性空若菩薩摩訶薩性空如是一
切皆無二無二分憍尸迦菩薩摩訶薩於般
若波羅蜜多應如是住憍尸迦聲聞乘聲聞

BD00583號　大般若波羅蜜多經卷七八　（19–14）

切皆無二無二分憍尸迦菩薩摩訶薩於般
若波羅蜜多應如是住憍尸迦聲聞乘聲聞
乘性空獨覺乘無上乘獨覺乘無上乘性空菩
薩摩訶薩菩薩摩訶薩性空若聲聞乘性空若
獨覺乘無上乘性空若菩薩摩訶薩性空如是
一切皆無二無二分憍尸迦菩薩摩訶薩於般
若波羅蜜多應如是住憍尸迦預流預流性
空一來不還阿羅漢獨覺菩薩如來一來
乃至如來性空菩薩摩訶薩菩薩摩訶薩性
空若預流性空若一來不還阿羅漢獨覺菩
薩如來性空若菩薩摩訶薩性空如是一切
皆無二無二分憍尸迦菩薩摩訶薩於般若
波羅蜜多應如是住憍尸迦極喜地極喜地
性空離垢地發光地焰慧地極難勝地現前
地遠行地不動地善慧地法雲地離垢地乃
至法雲地性空菩薩摩訶薩菩薩摩訶薩性
空若極喜地性空若離垢地乃至法雲地性
空若菩薩摩訶薩性空如是一切皆無二無
二分憍尸迦菩薩摩訶薩於般若波羅蜜多
應如是住憍尸迦異生地異生地性空種性
地第八地具見地薄地離欲地已辨地獨覺
地菩薩地如來地種性地乃至如來地性空
菩薩摩訶薩菩薩摩訶薩性空若異生地性
空若種性地乃至如來地性空若菩薩摩訶
薩性空如是一切皆無二無二分憍尸迦
菩薩摩訶薩於般若波羅蜜多應如是住

空若種性地乃至如來地性空若菩薩摩訶
薩性空如是一切皆無二無二分憍尸迦
菩薩摩訶薩於般若波羅蜜多應如是住
時天帝釋問善現言云何菩薩摩訶薩行般
若波羅蜜多時所不應住善現答言憍尸迦
菩薩摩訶薩行般若波羅蜜多時不應住色
不應住受想行識何以故以有所得為方便
故憍尸迦菩薩摩訶薩行般若波羅蜜多時
不應住眼處不應住耳鼻舌身意處何以故
以有所得為方便故憍尸迦菩薩摩訶薩行
般若波羅蜜多時不應住色處不應住聲香
味觸法處何以故以有所得為方便故憍尸
迦菩薩摩訶薩行般若波羅蜜多時不應住
眼界不應住色界眼識界及眼觸眼觸為緣
所生諸受何以故以有所得為方便故憍尸
迦菩薩摩訶薩行般若波羅蜜多時不應住
耳界不應住聲界耳識界及耳觸耳觸為緣
所生諸受何以故以有所得為方便故憍尸
迦菩薩摩訶薩行般若波羅蜜多時不應住
鼻界不應住香界鼻識界及鼻觸鼻觸為緣
所生諸受何以故以有所得為方便故憍尸
迦菩薩摩訶薩行般若波羅蜜多時不應住
舌界不應住味界舌識界及舌觸舌觸為緣
所生諸受何以故以有所得為方便故憍尸迦
菩薩摩訶薩行般若波羅蜜多時不應住
身界不應住觸界身識界及身觸身觸為緣
所生諸受何以故以有所得為方便故憍尸

[illegible]
身界不應住觸界身識界及身觸身觸爲緣
所生諸受何以故以有所得爲方便故憍尸
迦菩薩摩訶薩行般若波羅蜜多時不應住意
界不應住法界意識界及意觸意觸爲緣所
生諸受何以故以有所得爲方便故憍尸迦
菩薩摩訶薩行般若波羅蜜多時不應住地界
不應住水火風空識界何以故以有所得
爲方便故憍尸迦菩薩摩訶薩行般若波羅
蜜多時不應住苦聖諦不應住集滅道聖諦
何以故以有所得爲方便故憍尸迦菩薩摩
訶薩行般若波羅蜜多時不應住無明不應住
行識名色六處觸受愛取有生老死愁歎苦
憂惱何以故以有所得爲方便故憍尸迦菩
薩摩訶薩行般若波羅蜜多時不應住內空
不應住外空內外空空空大空勝義空有爲
空無爲空畢竟空無際空散空無變異空本
性空自相空共相空一切法空不可得空無
性空自性空無性自性空何以故以有所得
爲方便故憍尸迦菩薩摩訶薩行般若波羅
蜜多時不應住真如不應住法界法性不虛
妄性不變異性平等性離生性法定法住實
際虛空界不思議界何以故以有所得爲方便
故憍尸迦菩薩摩訶薩行般若波羅蜜多時
不應住布施波羅蜜多不應住淨戒安忍精
進靜慮般若波羅蜜多何以故以有所得爲
方便故憍尸迦菩薩摩訶薩行般若波羅蜜

BD00583號　大般若波羅蜜多經卷七八　（19–17）

不應住布施波羅蜜多不應住淨戒安忍精
進靜慮般若波羅蜜多何以故以有所得爲
方便故憍尸迦菩薩摩訶薩行般若波羅蜜
多時不應住四靜慮不應住四無量四無色定
何以故以有所得爲方便故憍尸迦菩薩摩
訶薩行般若波羅蜜多時不應住八解脫不
應住八勝處九次第定十遍處何以故以有
所得爲方便故憍尸迦菩薩摩訶薩行般若
波羅蜜多時不應住四念住不應住四正斷
四神足五根五力七等覺支八聖道支何以故
以有所得爲方便故憍尸迦菩薩摩訶薩行
般若波羅蜜多時不應住空解脫門不應住
無相無願解脫門何以故以有所得爲方便
故憍尸迦菩薩摩訶薩行般若波羅蜜多時
不應住五眼不應住六神通何以故以有所得
爲方便故憍尸迦菩薩摩訶薩行般若波羅
蜜多時不應住佛十力不應住四無所畏四
無礙解大慈大悲大喜大捨十八佛不共法
何以故以有所得爲方便故憍尸迦菩薩摩
訶薩行般若波羅蜜多時不應住無忘失法
不應住恒住捨性何以故以有所得爲方便
故憍尸迦菩薩摩訶薩行般若波羅蜜多時
不應住一切陀羅尼門不應住一切三摩地
門何以故以有所得爲方便故憍尸迦菩薩
摩訶薩行般若波羅蜜多時不應住一切智
不應住道相智一切相智何以故以有所得
爲方便故憍尸迦菩薩摩訶薩行般若波羅蜜

BD00583號　大般若波羅蜜多經卷七八　（19–18）

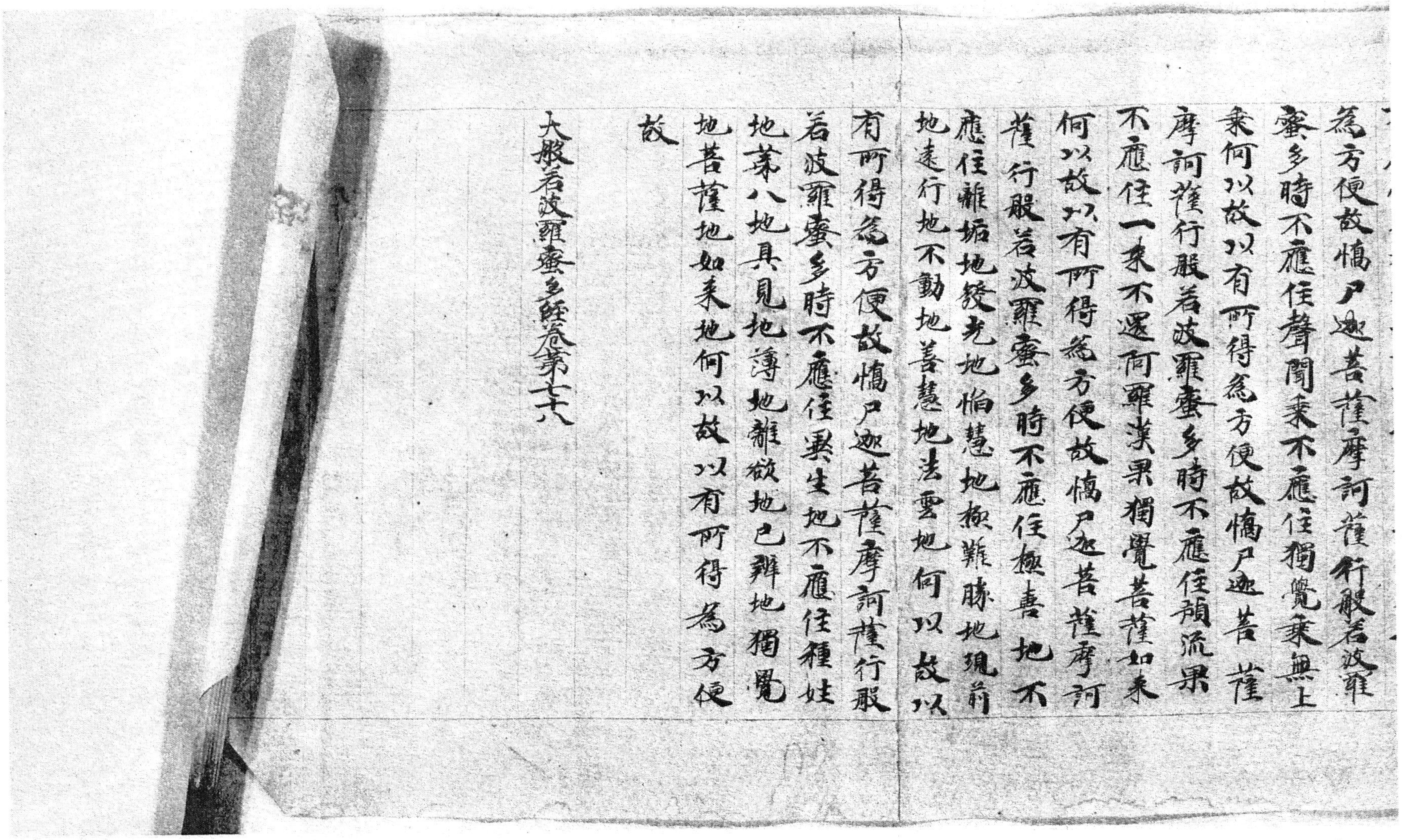

為方便故憍尸迦菩薩摩訶薩行般若波羅
蜜多時不應住聲聞乘不應住獨覺乘無上
乘何以故以有所得為方便故憍尸迦菩薩
摩訶薩行般若波羅蜜多時不應住預流果
不應住一來不還阿羅漢果獨覺菩薩如來
何以故以有所得為方便故憍尸迦菩薩摩訶
薩行般若波羅蜜多時不應住極喜地不
應住離垢地發光地焰慧地極難勝地現前
地遠行地不動地善慧地法雲地何以故以
有所得為方便故憍尸迦菩薩摩訶薩行般
若波羅蜜多時不應住異生地不應住種姓
地第八地具見地薄地離欲地已辦地獨覺
地菩薩地如來地何以故以有所得為方便
故

大般若波羅蜜多經卷第七十八

BD00583 號　大般若波羅蜜多經卷七八　（19–19）

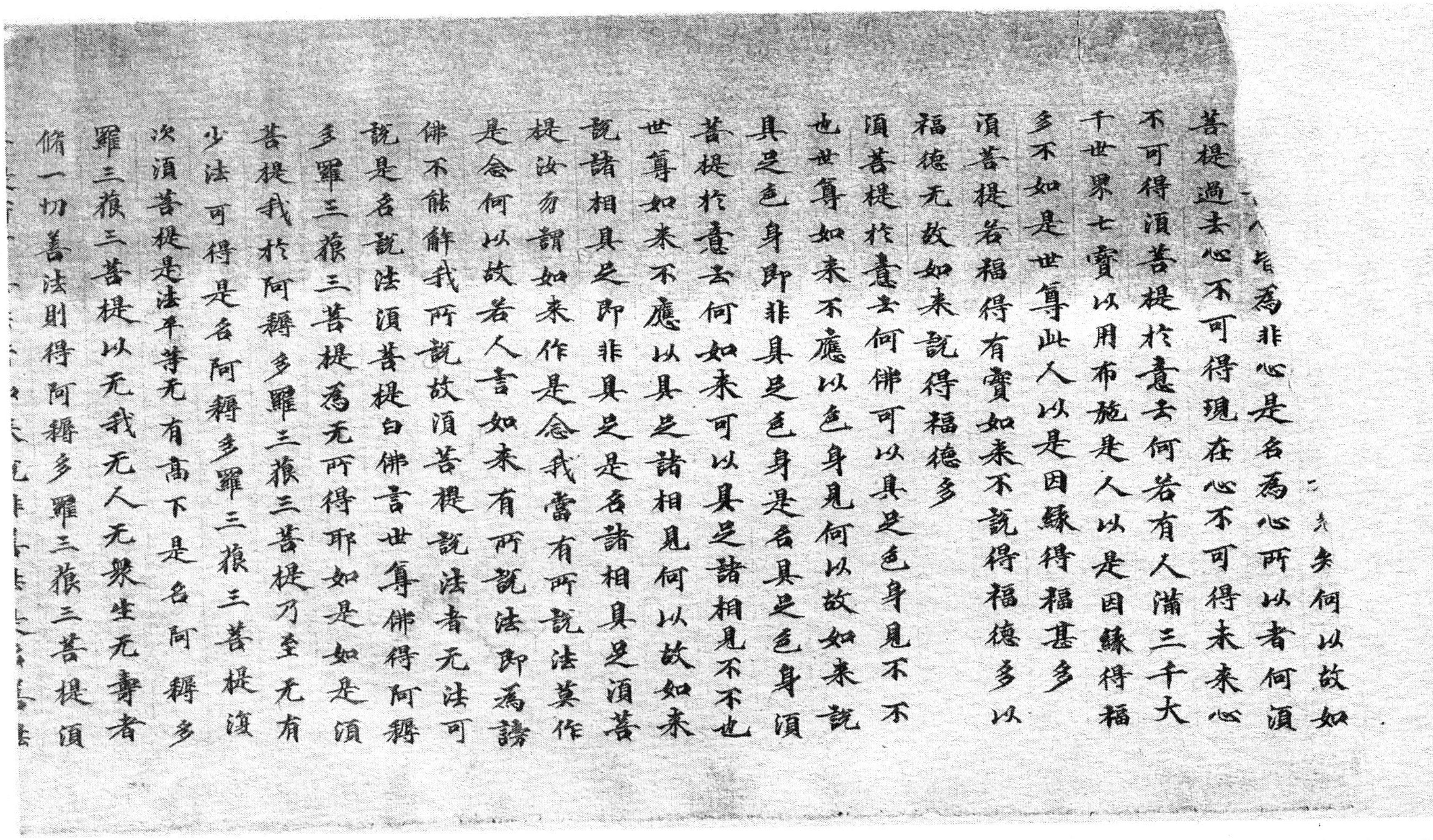

何以故如
皆為非心是名為心所以者何須
菩提過去心不可得現在心不可得未來心
不可得須菩提於意云何若有人滿三千大
千世界七寶以用布施是人以是因緣得福
多不如是世尊此人以是因緣得福甚多
須菩提若福德有實如來不說得福德多以
福德无故如來說得福德多
須菩提於意云何佛可以具足色身見不不
也世尊如來不應以色身見何以故如來說
具足色身即非具足色身是名具足色身須
菩提於意云何如來可以具足諸相見不不也
世尊如來不應以具足諸相見何以故如來
說諸相具足即非具足是名諸相具足須菩
提汝勿謂如來作是念我當有所說法莫作
是念何以故若人言如來有所說法即為謗
佛不能解我所說故須菩提說法者无法可
說是名說法須菩提白佛言世尊佛得阿耨
多羅三藐三菩提為无所得耶如是如是須
菩提我於阿耨多羅三藐三菩提乃至无有
少法可得是名阿耨多羅三藐三菩提復
次須菩提是法平等无有高下是名阿耨多
羅三藐三菩提以无我无人无衆生无壽者
脩一切善法則得阿耨多羅三藐三菩提須

BD00584 號　金剛般若波羅蜜經　（4–1）

次須菩提是法平等无有高下是名阿耨多
羅三藐三菩提以无我无人无衆生无壽者
修一切善法則得阿耨多羅三藐三菩提須
菩提所言善法者如來說非善法是名善法
須菩提若三千大千世界中所有諸須弥山
王如是等七寶聚有人持用布施若人以此
般若波羅蜜經乃至四句偈等受持為他人
說於前福德百分不及一百千万億分乃至
筭數譬喻所不能及
須菩提於意云何汝等勿謂如來作是念我
當度衆生須菩提莫作是念何以故實无有
衆生如來度者若有衆生如來度者如來則
有我人衆生壽者須菩提如來說有我者
則非有我而凡夫之人以為有我須菩提凡
夫者如來說則非凡夫須菩提於意云何可
以三十二相觀如來不須菩提言如是如是
以三十二相觀如來佛言須菩提若以三十
二相觀如來者轉輪聖王則是如來須菩提
白佛言世尊如我解佛所說義不應以三十
二相觀如來尒時世尊而說偈言
若以色見我　以音聲求我　是人行邪道　不能見如來
須菩提汝若作是念如來不以具足相故得
阿耨多羅三藐三菩提須菩提莫作是念如
來不以具足相故得阿耨多羅三藐三菩提
須菩提汝若作是念發阿耨多羅三藐三菩
提者說諸法斷滅莫作是念何以故發阿耨

須菩提汝若作是念發阿耨多羅三藐三菩
提者說諸法斷滅莫作是念何以故發阿耨
多羅三藐三菩提者於法不說斷滅相須菩
提若菩薩以滿恒河沙等世界七寶布施若
復有人知一切法无我得成於忍此菩薩勝
前菩薩所得功德須菩提以諸菩薩不受福
德故須菩提白佛言世尊云何菩薩不受福
德須菩提菩薩所作福德不應貪著是故說
不受福德須菩提若有人言如來若來若去
若坐若卧是人不解我所說義何以故如來
者无所從來亦无所去故名如來
須菩提若善男子善女人以三千大千世界碎
為微塵於意云何是微塵衆寧為多不甚
多世尊何以故若是微塵衆實有者佛則不
說是微塵衆所以者何佛說微塵衆則非微
塵衆是名微塵衆世尊如來所說三千大千世
界則非世界是名世界何以故若世界實有
者則是一合相如來說一合相則非一合相
是名一合相須菩提一合相者則是不可說
但凡夫之人貪著其事須菩提若人言佛說
我見人見衆生見壽者見須菩提於意云何
是人解我所說義不世尊是人不解如來所
說義何以故世尊說我見人見衆生見壽者
見即非我見人見衆生見壽者見是名我見人
見衆生見壽者見須菩提發阿耨多羅三藐
三菩提心者於一切法應如是知如是見如

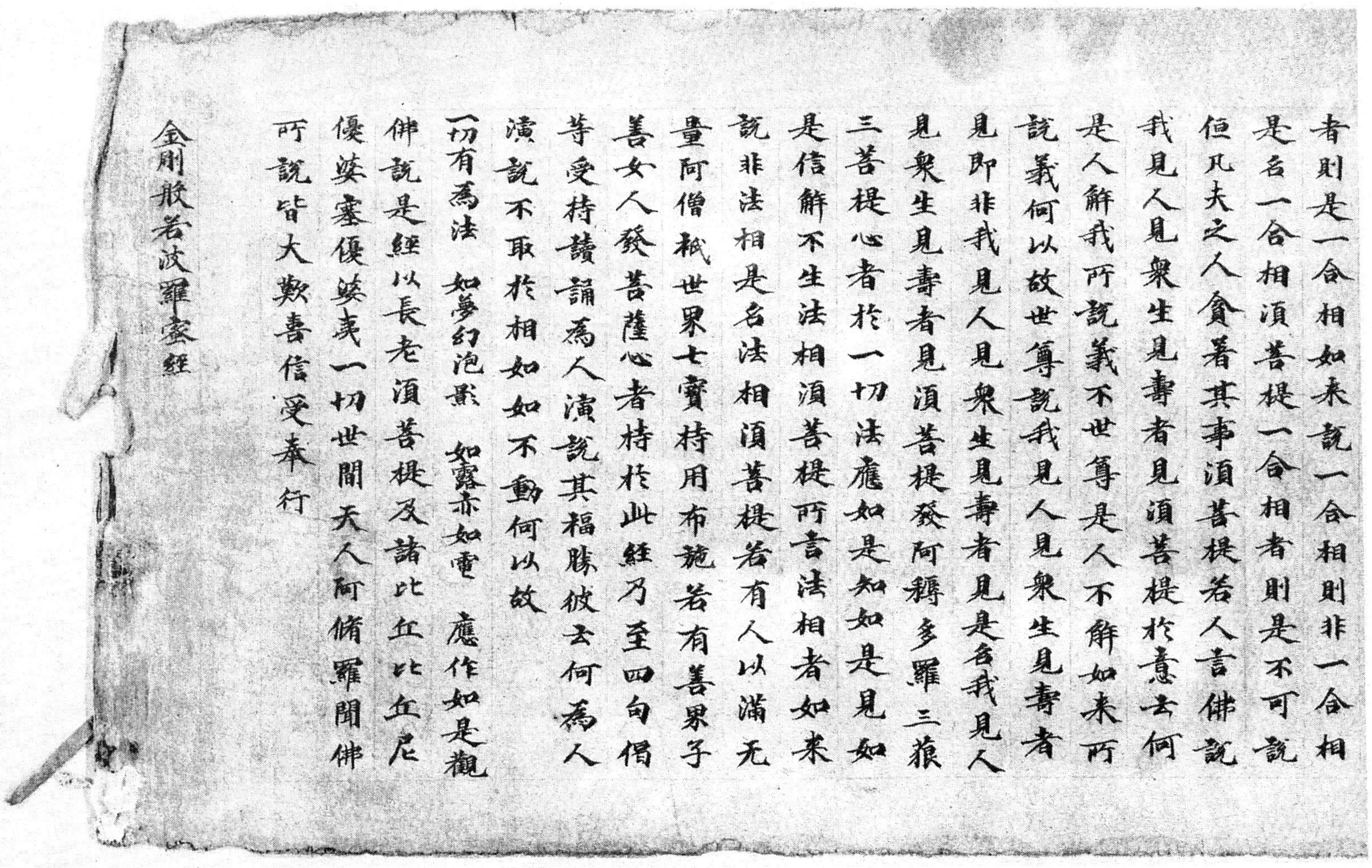

者則是一合相如來說一合相則非一合相
是名一合相須菩提一合相者則是不可說
但凡夫之人貪著其事須菩提若人言佛說
我見人見衆生見壽者見須菩提於意云何
是人解我所說義不世尊是人不解如來所
說義何以故世尊說我見人見衆生見壽者
見即非我見人見衆生見壽者見是名我見人
見衆生見壽者見須菩提發阿耨多羅三藐
三菩提心者於一切法應如是知如是見如
是信解不生法相須菩提所言法相者如來
說非法相是名法相須菩提若有人以滿无
量阿僧祇世界七寶持用布施若有善男子
善女人發菩薩心者持於此經乃至四句偈
等受持讀誦為人演說其福勝彼云何為人
演說不取於相如如不動何以故
一切有為法　如夢幻泡影　如露亦如電　應作如是觀
佛說是經已長老須菩提及諸比丘比丘尼
優婆塞優婆夷一切世間天人阿脩羅聞佛
所說皆大歡喜信受奉行
金剛般若波羅蜜經

BD00584 號　金剛般若波羅蜜經　（4–4）

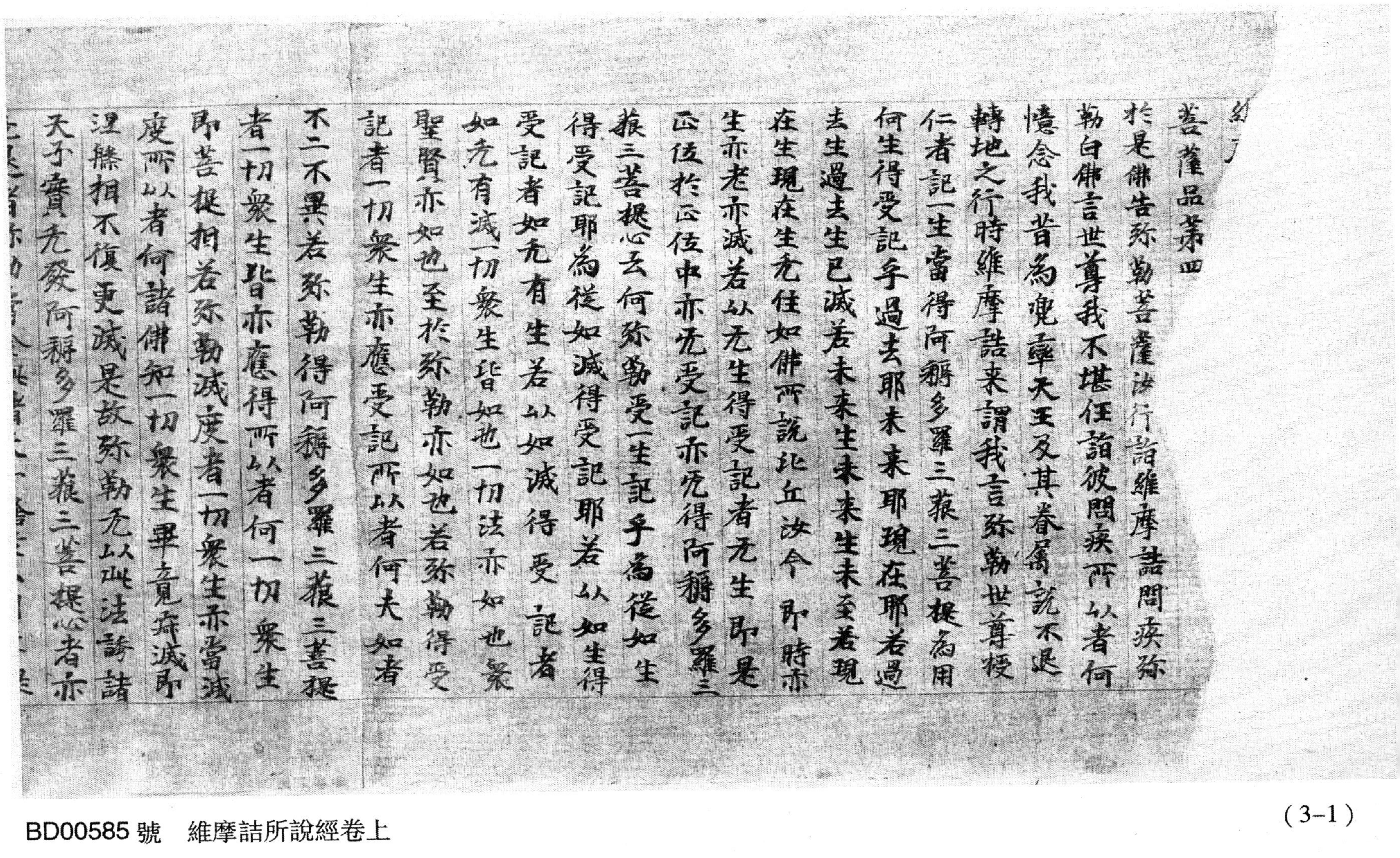

菩薩品第四
於是佛告彌勒菩薩汝行詣維摩詰問疾彌
勒白佛言世尊我不堪任詣彼問疾所以者何
憶念我昔為兜率天王及其眷屬說不退
轉地之行時維摩詰來謂我言彌勒世尊授
仁者記一生當得阿耨多羅三藐三菩提為用
何生得受記乎過去耶未來耶現在耶若過
去生過去生已滅若未來生未來生未至若現
在生現在生无住如佛所說比丘汝今即時亦
生亦老亦滅若以无生得受記者无生即是
正位於正位中亦无受記亦无得阿耨多羅三
藐三菩提云何彌勒受一生記乎為從如生
得受記耶為從如滅得受記耶若以如生得
受記者如无有生若以如滅得受記者
如无有滅一切衆生皆如也一切法亦如也衆
聖賢亦如也至於彌勒亦如也若彌勒得受
記者一切衆生亦應受記所以者何夫如者
不二不異若彌勒得阿耨多羅三藐三菩提
者一切衆生皆亦應得所以者何一切衆生
即菩提相若彌勒滅度者一切衆生亦當滅
度所以者何諸佛知一切衆生畢竟寂滅即
涅槃相不復更滅是故彌勒无以此法誘諸
天子實无發阿耨多羅三藐三菩提心者亦

BD00585 號　維摩詰所說經卷上　（3–1）

度所以者何諸佛知一切衆生畢竟寂滅所
涅槃相不復更滅是故弥勒无以此法誘諸
天子實无發阿耨多羅三藐三菩提心者亦
无退者弥勒當令此諸天子捨於分別菩提
之見所以者何菩提者不可以身得不可以
心得寂滅是菩提滅諸相故不觀是菩提離
諸緣故不行是菩提无憶念故斷是菩提捨
諸見故離是菩提離諸妄想故障是菩提
障諸願故不入是菩提无貪著故順是菩提
順於如故住是菩提住法性故至是菩提至實
際故不二是菩提離意法故等是菩提等虛
空故无為是菩提无生住滅故智是菩提了衆
生心行故不會是菩提諸入不會故不合是菩提
離煩惱習故无處是菩提无形色故假名是菩
提名字空故如化是菩提无取捨故无亂是
菩提常自淨故善寂是菩提性清淨故无取
是菩提離攀緣故无異是菩提諸法等故无比
是菩提无可喻故微妙是菩提諸法難知世
尊維摩詰說是法時二百天子得无生法
忍故我不任詣彼問疾
佛告光嚴童子汝行詣維摩詰問疾光嚴
白佛言世尊我不堪任詣彼問疾所以者何
憶念我昔出毗耶離大城時維摩詰方入城
我即為作礼而問言居士從何所來答我言
吾從道場來我問道場者何所是答曰直心是
道場无虛假故發行是道場能辦事故深心
是道場增益功德故菩提心是道場无錯謬

BD00585 號　維摩詰所說經卷上　（3–2）

吾從道場來我問道場者何所是答曰直心是
道場无虛假故發行是道場能辦事故深心
是道場增益功德故菩提心是道場无錯謬
故布是道場不望報故持戒是道場得願
具足故忍辱是道場於諸衆生心无礙故
精進是道場不懈退故禪定是道場心調
柔故智慧是道場現見諸法慈是道場等
衆生故悲是道場忍疲苦故喜是道場悅
樂法故捨是道場憎愛斷故神通是道場
成就六通故解脫是道場能背捨故方便是道
場教化衆生故四攝法是道場攝衆生故多聞
是道場如聞行故伏心是道場正觀諸法故卅七品
是道場捨有為法故諦是道場不誑世間故緣
起是道場无明乃至老死皆无盡故諸煩惱
是道場知如實故衆生是道場知无我故一
切法是道場知諸法空故降魔是道場不傾動
故三界是道場无所趣故師子吼是道場无
所畏故力无畏不共法是道場无諸過故
三明是道場无餘礙故一念知一切法是道場
成就一切智故如是善男子菩薩若應諸波
羅蜜教化衆生諸有所作舉足下足當知皆
從道場來住於佛法矣說是法時五百天人
皆發阿耨多羅三藐三菩提心故我不任詣
彼問疾

BD00585 號　維摩詰所說經卷上　（3–3）

式
欲
毗婆尸式弃　毗舍拘樓孫　拘
諸世尊大德　為我說是事
譬如人跛足　不堪有所涉
欲得生天上　若生人間者　常
如御入險道　失鎋折軸憂　毀戒
如人自照鏡　好醜生欣慼　說戒亦如是
如兩陣共戰　勇怯有進退　說戒亦如是　淨穢生安畏
世間王為最　眾流海為最　眾星月為最　眾聖佛為最
一切眾律中　戒經為上最　如來立禁戒　半月半月說
和合僧集會（若言僧集和合）　未受大戒者出（有者遣出　若已出　無者若言無）　不來
諸比丘尼說欲及清淨（有依法說竟　若說欲已　無者若無說欲人）
僧今和合何所作為（若云說戒羯磨）　大姊僧今十五日（白月滿稱十五　黑月若大）
（若云十五日若小應稱十四日）　眾僧說戒若僧時到僧忍聽和合說戒
白如是
諸大姊我今欲說波羅提木叉戒汝等諦聽善思
念之若自知有犯者即應自懺悔不犯者默然默然
者知諸大姊清淨若有他問者亦如是答如是比丘尼
在眾中乃至三問憶念有罪不懺悔者得故妄語罪故妄
語者佛說障道法若彼比丘尼憶念有罪欲求清淨
者應懺悔懺悔得安樂諸大姊我已說戒經序今問
諸大姊是中清淨不（如是三問）　諸大姊是中清淨默然故是事
如是持
諸大姊是八波羅夷法半月說戒經中來

BD00586號　四分比丘尼戒本　（10–1）

諸大姊是中清淨不（如是三問）　諸大姊是中清淨默然故是事
如是持
諸大姊是八波羅夷法半月說戒經中來
若比丘尼作婬欲犯不淨行乃至共畜生是比丘尼
波羅夷不共住
若比丘尼在聚落若空處不與懷盜心
取隨所盜物若為王若大臣所捉若縛若殺若
若驅出國汝賊汝癡若比丘尼作如是不與取是比
丘尼波羅夷不共住
若比丘尼故自手斷人命若持刀授與人若歎死譽死
勸死咄人用此惡活為寧死不生作如是心念無數方
便歎死譽死勸死此比丘尼波羅夷不共住
若比丘尼實無所知自歎譽言我得過人法入聖智
勝法我知是我見是後於異時若問若不問欲求清淨
故作如是言諸大姊我實不知不見而言我知我見虛
誑妄語除增上慢是比丘尼波羅夷不應共住
若比丘尼染汙心共染汙心男子從腋已下膝已上身
相觸若捉若摩若牽若推若上摩若下摩若舉若捉
若捺是比丘尼波羅夷不共住
若比丘尼染汙心知男子染汙心受捉手捉衣入屏
處共立共語共行或身相倚或共期是比丘尼波羅
夷不共住
若比丘尼知比丘尼犯波羅夷不自發露不語眾人
不白大眾若於異時彼比丘尼或命終或眾中舉或
休道或入外道眾後作是言我先知有如是如是罪
是比丘尼波羅夷不共住
若比丘尼知比丘僧為作舉如法如律如佛所教不
順從不懺悔僧未與作共住而順從諸比丘尼語言
大姊此比丘尼為僧所舉如法如律如佛所教不順

BD00586號　四分比丘尼戒本　（10–2）

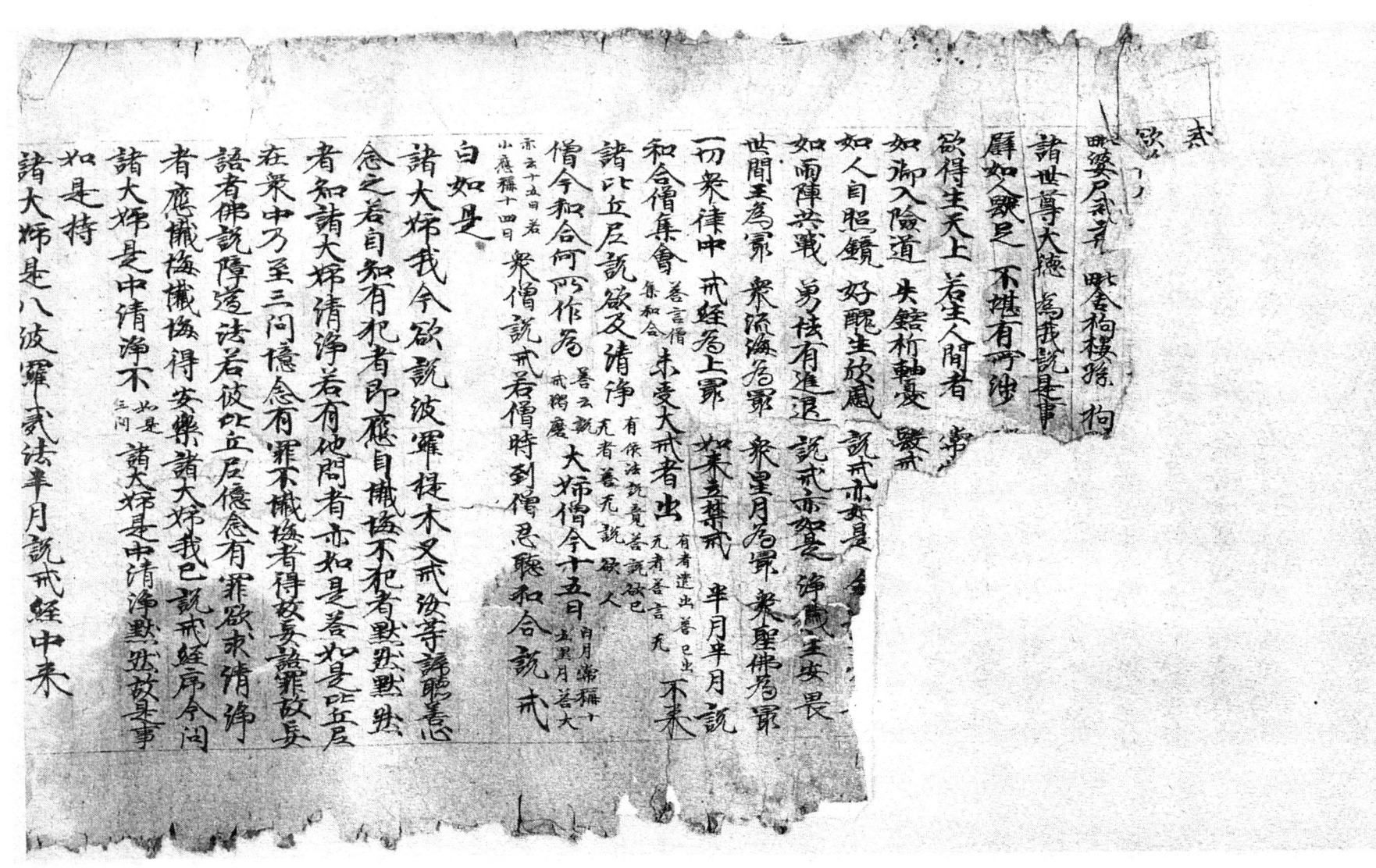

順從不識悔僧亦與作共住而順從諸比丘尼語言
大姊此比丘尼為僧所舉如法律如佛所教不順
從不識悔僧亦與作共住汝莫順從如是比丘尼諫
彼比丘尼時是事堅持不捨比丘尼應乃至第二
第三諫令捨此事故乃至三諫捨者善若不捨
者是比丘尼波羅夷不共住
者是比丘尼波羅夷一
諸大姊我已說八波羅夷法若比丘尼一一波羅夷
法不得與諸比丘尼共住如前所說後亦如是是
比丘尼得波羅夷罪不應共住今問諸大姊是
中清淨不如是至三諸大姊是中清淨默然故是事如
是持
若大姊是十七僧伽婆尸沙法半月半月說戒
經中來
若比丘尼媒嫁持男語女持女語語男若為成
婦事若為私通乃至須臾是比丘尼犯初法應捨
僧伽婆尸沙
若比丘尼瞋恚不喜以無根波羅夷法謗欲破彼
清淨行後於異時若問若不問是事無根說我瞋
恚故如是語是比丘尼犯初法應捨僧伽婆尸沙
若比丘尼瞋恚不喜於異分事中取片非波羅夷
比丘尼以無根波羅夷法謗欲破彼人梵行後於
異時若問若不問知是異分事中取片彼比丘尼住
瞋恚故作如說是比丘尼犯初法應捨僧伽婆尸沙
若比丘尼詣官言居士若居士兒若奴若客作人
若晝若夜若一念須若彈指須是比丘尼犯初法
捨僧伽婆尸沙
若比丘尼先知是賊女罪應死多人所知不問王大臣

捨僧伽婆尸沙
若比丘尼先知是賊女罪應死多人所知不問王大臣
不問種便度出家受具足戒是比丘尼犯初法應捨
僧伽婆尸沙
若比丘尼知比丘尼為僧所舉如法如律如佛所教
不順從未懺悔僧未與作共住羯磨為愛故不問僧
僧不約勅出界外作羯磨解罪是比丘尼犯初法應
捨僧伽婆尸沙
若比丘尼獨渡水獨宿獨在後行犯初法應捨僧伽
婆尸沙
若比丘尼染汙心知染汙心男子從彼可食者及食
并餘物是比丘尼犯法應捨僧伽婆尸沙
若比丘尼教比丘尼作如是語大姊彼有染汙心能那
汝何汝自有染汙心於彼若得食以時清淨受取此比
丘尼犯初法應捨僧伽婆尸沙
是比丘尼應諫彼比丘尼言大姊汝莫壞和合僧莫
方便壞和合僧莫受破僧法堅持不捨大姊應與僧
和合與僧和合歡喜不諍同一師學如水乳合於佛
法中有增益安樂住是比丘尼諫彼比丘尼時堅
持不捨是比丘尼犯三諫捨此事故乃至三諫捨者善
不捨者是比丘尼犯三法應捨僧伽婆尸沙
若比丘尼有餘比丘尼群黨若一若二若三乃至無
數彼比丘尼語是比丘尼言大姊汝莫諫此比丘尼此
比丘尼法語比丘尼律語比丘尼所說我等心喜樂
此比丘尼所說我等忍可是比丘尼語彼比丘尼言
大姊莫作是說言此比丘尼是法語比丘尼律語比
丘尼此比丘尼所說我等喜樂此比丘尼所說我等忍
可何以故此比丘尼所說非法語非律語大姊莫欲破

丘尼此比丘尼所説我等喜樂此比丘尼所説我等忍
可何以故此比丘尼所説非法語非律語大姊莫欲破
壞和合僧當樂欲和合僧大姊與僧和合歡喜不諍
同一師學如水乳合於佛法中有增益安樂住是比
丘尼諫彼比丘尼時堅持不捨是比丘尼應三諫
彼比丘尼時堅持不捨是比丘尼應三諫捨此事故
乃至三諫捨者善不捨者是比丘尼犯三法應捨僧
伽婆尸沙
若比丘尼依城邑若村落住汙他家行惡行亦見亦
亦聞汙他家亦見亦聞是比丘尼諫彼比丘尼言大姊
汝汙他家行惡行行惡行亦見亦聞汙他家亦見
亦聞大姊汝汙他家行惡行今可離此村落去
不須住此彼比丘尼語此比丘尼作是言大姊諸比
丘尼有愛有恚有怖有癡有如是同罪比丘尼有驅
者有不驅者是諸比丘尼語彼比丘尼言大姊莫作
是語有愛有恚有怖有癡亦莫言有如是同罪比丘
尼有驅者有不驅者何以故而諸比丘尼不愛不恚
不怖不癡有如是同罪比丘尼有驅者不不驅者大姊
汙他家行惡行行惡行亦見亦聞汙他家亦見
亦聞是比丘尼諫彼比丘尼時堅持不捨是比丘尼
應三諫捨此事故乃至三諫捨者善不捨者是比
丘尼犯三法應捨僧伽婆尸沙
若比丘尼惡性不受人語於戒法中諸比丘尼如法
諫已自身不受諫語言大姊汝莫向我説若好若
惡我亦不向汝説若好若惡諸姊止莫諫我
是比丘尼當諫彼比丘尼言大姊莫自身不受
諫語大姊自身當受諫語大姊如法諫諸比丘
尼諸比丘尼亦當如法諫大姊如是佛弟子衆得增益
展轉相教展轉懺悔是比丘尼如是諫時堅持不捨

BD00586號　四分比丘尼戒本　（10–5）

是比丘尼當諫彼比丘尼言大姊莫自身不受
諫語大姊自身當受諫語大姊如法諫諸比丘
尼諸比丘尼亦當如法諫大姊如是佛弟子衆得增益
展轉相教展轉懺悔是比丘尼如是諫時堅持不捨
是比丘尼應三諫捨此事故乃至三諫捨者善不捨
者是比丘尼犯三法應捨僧伽婆尸沙
若比丘尼相親近住共作惡行惡聲流布展轉共
相覆罪是比丘尼當彼比丘尼言大姊汝等莫相親
近共作惡行惡聲流布共相覆罪汝等若不相親
近於佛法中得增益安樂住是比丘尼諫彼比丘尼
時堅持不捨是比丘尼應三諫捨此事故乃至三諫
捨者善不捨者是比丘尼犯三法應捨僧伽婆尸沙
若比丘尼比丘尼僧為作呵諫時餘比丘尼教作如是
言汝等莫別住當共住我亦見餘比丘尼不別住
共作惡行惡聲流布共相覆罪僧以恚故教汝等
別住是比丘尼應諫彼比丘尼言大姊汝莫教餘比丘尼
言汝等莫別住我亦見餘比丘尼共住共作惡行惡
聲流布共相覆罪僧以恚故教汝等別住今正有
二比丘尼共住共作惡行惡聲流布共相覆罪更无
有餘若此比丘尼別住於佛法中有增益安樂住
是比丘尼諫彼比丘尼時堅持不捨是比丘尼應三諫
令捨此事故乃至三諫捨者善不捨者是比丘尼犯
三法應捨僧伽婆尸沙
若比丘趣以一小事瞋恚不喜便作是語我捨佛捨法
捨僧不獨有此沙門釋子亦更有餘沙門婆羅門脩
梵行者我等亦可於彼脩梵行是比丘尼當諫彼比丘尼
言大姊汝莫趣以一小事瞋恚不喜便作是語我捨法捨
僧不獨有此沙門釋子亦更有餘沙門婆羅門脩梵
行者我等亦可於彼脩梵行若是比丘尼諫彼比丘

BD00586號　四分比丘尼戒本　（10–6）

僧不獨有此沙門釋子亦更有餘沙門婆羅門脩梵
行者我等亦可於彼脩梵行若是比丘尼諫彼比丘
尼時堅持不捨彼比丘尼應三諫捨此事故乃至三
諫捨者善不捨者是比丘尼犯三法應捨僧伽婆尸
沙
若比丘尼喜鬪諍不善憶持諍事後瞋恚作是語
僧有愛有恚有怖有癡是比丘尼應諫彼比丘尼言
妹汝莫喜鬪諍不善憶持諍事後瞋恚作是語僧
有愛有恚有怖有癡而僧不愛不恚不怖不癡汝
自有愛恚有怖有癡是比丘尼諫彼比丘時堅持
不捨彼比丘尼應三諫捨此故乃至三諫捨者善不
捨者是比丘尼初犯三法應捨僧伽婆尸沙
諸大姊我已說十七僧伽婆尸沙法九初犯罪八乃至
三諫若比丘尼犯一一罪應半月二部僧中行摩那
埵行摩那埵已餘有出罪應二部僧中各二十衆出是
比丘尼罪若少一人不滿四十衆是比丘尼罪不得
除諸比丘尼亦可呵此是時今問諸大姊是中清淨
不（如是 至三）諸大姊是中清淨默然故是事如是持
諸大姊是三十尼薩耆波逸提法半月半月說戒經
中來
若比丘尼衣已竟迦絺那衣已捨畜長衣經十日不淨
施得持若過者尼薩耆波逸提
若比丘尼衣已竟迦絺那衣已捨五衣中若離一一衣
異處宿經一夜除僧羯磨尼薩耆波逸提
若比丘尼衣已竟迦絺那衣已捨若得非時衣欲須便
受受已疾疾成衣若足者善若不足者得畜一月為滿
足故若過畜者尼薩耆波逸提
若比丘尼從非親里居士居士婦乞衣除餘時尼薩耆
波逸提是中時者若奪衣失衣燒衣漂衣是名時

BD00586 號　四分比丘尼戒本　（10–7）

足故若過畜者尼薩耆波逸提
若比丘尼從非親里居士居士婦乞衣除餘時尼薩耆
波逸提是中時者若奪衣失衣燒衣漂衣是名時
若比丘尼奪衣失衣燒衣漂衣是非親里居士若居
士婦自恣請多與衣是比丘尼當知足受衣若過者
尼薩耆波逸提
若居士居士婦為比丘尼辦衣價具如是衣價與某
甲比丘尼是比丘尼先不受自恣請到居士家作如是
是說善哉居士為我辦如是衣價與我為好故若得
衣者尼薩耆波逸提
若二居士居士婦與比丘尼辦衣價我曹辦如是衣
價與某甲比丘尼是比丘尼先不受自恣請到二居士
家作如是言善哉居士辦如是如是衣價與我共作一
衣為好故若得衣者尼薩耆波逸提
若比丘尼若王若大臣若婆羅門若居士居士婦遣使為
比丘尼送衣價持如是衣價與某甲比丘尼彼使至
比丘尼所語言阿姨為汝送衣價受取是比丘尼語彼
使如是言我不應受此衣價我若須衣合時清淨當受
彼使語比丘尼言阿姨有執事人不須衣比丘尼言有若
僧伽藍民若優婆塞此是比丘尼執事人常為比丘尼
執事彼使至執事人所與衣價已還到比丘尼所
所如是言阿姨所示某甲執事人我已與衣價大姊知
時往彼當得衣比丘尼若須衣者當往彼執事人所二
反三反語言我須衣若二反三反為作憶念得衣者善
若不得衣四反五反六反在前默然住令彼憶念若
四反五反六反在前默然住得衣者善若不得衣者尼
薩耆波逸提
若不得衣隨彼使所來處若自往若遣往語言汝先
遣使持衣價與某甲比丘尼是比丘尼竟不得汝還取莫

BD00586 號　四分比丘尼戒本　（10–8）

薩耆波逸提
若不得衣隨彼使所來處若自往若遣往語言汝先
遣使持衣價與某甲比丘尼是比丘尼竟不得汝還取莫
使此是時
若比丘尼自取金銀若錢若教人取若口可受者尼
薩耆波逸提
若比丘尼種種賣買物者尼薩耆波逸提
若比丘尼種種販賣者尼薩耆波逸提
若比丘尼鉢減五綴不漏更求新鉢為好故尼薩耆波
逸提是比丘尼當持此鉢於尼衆中捨從次第貿至
下坐以下坐鉢與此比丘尼言妹持此鉢乃至破此是時若
比丘尼自求縷使非親里織師織作衣者尼薩耆波逸提
若比丘尼居士居士婦使織師為比丘尼織作衣往比丘尼先
不受自恣請便往到彼所語織師言此衣為我織極好
織令廣長堅緻齊整好我當少多與汝價若比丘尼
與價乃至一食得衣者尼薩耆波逸提
若比丘尼與比丘尼衣已後嗔恚若自奪若教人奪
取還我衣來不與汝是比丘尼應還衣彼取衣者尼薩
耆波逸提
若諸病比丘尼畜藥蘇油生蘇蜜石蜜得食殘宿乃至
七日得服若過七日服者尼薩耆波逸提
若比丘尼十日未滿夏三月若有急施衣比丘尼知是
急施衣應受受已乃至衣時應畜若畜者尼薩耆
波逸提
若比丘尼知物向僧自求入己者尼薩耆波逸提
若比丘尼欲索是更索彼者尼薩耆波逸提
若比丘尼知檀越所為僧施異迴作餘用者尼薩耆波
逸提
若比丘尼所為施物異自求為僧迴作餘用者尼薩
耆波逸提

逸提
若比丘尼所為施物異自求為僧迴作餘用者尼薩
耆波逸提
若比丘尼檀越所為物異迴作餘用者尼薩耆波逸提
若比丘尼檀越所為施物異自求為僧迴作餘用尼
薩耆波逸提
若比丘尼畜長鉢尼薩耆波逸提
若比丘尼多畜好色器者尼薩耆波逸提
若比丘尼許他比丘尼病衣後不與者尼薩耆波逸
提
若比丘尼以非時衣受作時衣者尼薩耆波逸提
若比丘尼與比丘尼貿易衣後嗔恚還自奪取若使人
奪妹還我衣來不與汝衣屬汝我衣還我者尼薩
耆波逸提
若比丘尼乞重衣齊價直四張疊過者尼薩耆波逸提
若比丘尼欲乞輕衣極至價直兩張半疊過者尼薩耆
波逸提
諸大姊我已說三十尼薩耆波逸提法今問諸大姊是
中清淨不諸大姊是中清淨默然故是事如是持
諸大姊是一百七十八波逸提法半月半月說戒經中來
若比丘尼故妄語者波逸提
若比丘尼毀呰語者波逸提
若比丘尼兩舌語者波逸提
若比丘尼與男子同室宿者波逸提
若比丘尼共未受戒女人同一室宿若過三宿者波
逸提
若比丘尼與未受大人戒共誦法者波逸提
若比丘尼知他有麁惡罪向未受大戒人說除僧羯磨
波逸提

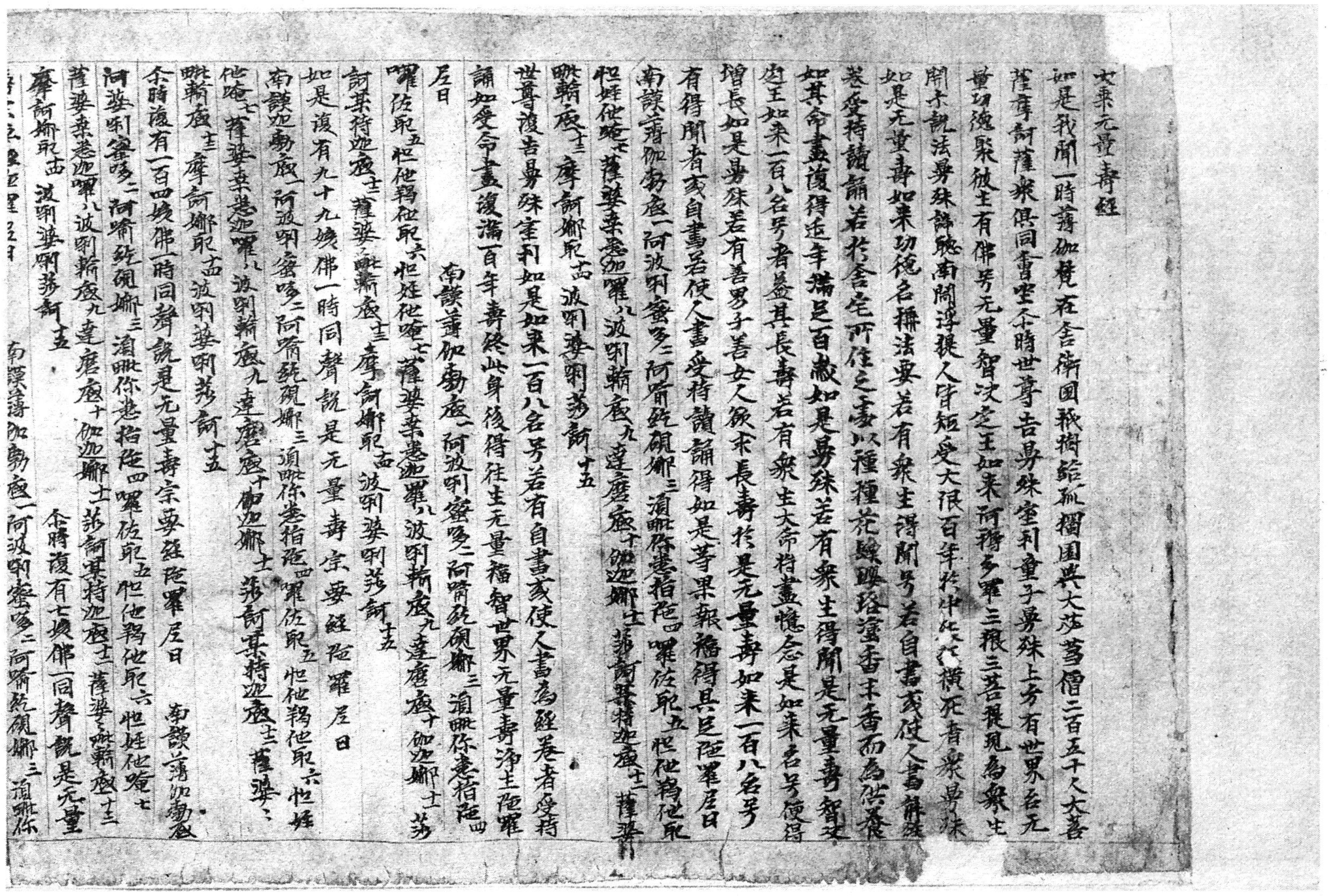

大乘无量壽經
如是我聞一時薄伽梵在舍衛國祇樹給孤獨園與大苾蒭僧二百五十人大菩
薩摩訶薩衆俱同會坐尒時世尊告曼殊室利童子曼殊上方有世界名无
量功德聚彼土有佛号无量智決定王如來阿羅訶三藐三菩提現為衆生
開示說法曼殊諦聽南閻浮提人皆短受大限百年於中多有横死者衆曼殊
如是无量壽如來功德名稱法要若有衆生得聞号若自書或使人書為經
卷受持讀誦若於舍宅所住之處以種種花鬘瓔珞塗香末香而為供養
如其命盡復得延年滿足百歲如是曼殊若有衆生得聞是无量壽智決
定王如來一百八名号者益其長壽若有衆生大命將盡憶念是如來名号便得
增長如是曼殊若有善男子善女人欲求長壽於是无量壽如來一百八名号
有得聞者或自書若使人書受持讀誦得如是等果報福得具足陀羅尼曰
南謨薄伽勃底一阿波唎蜜多二阿喻紇硯娜三須毗你悉指陀四囉佐耶五怛他羯他耶
怛姪他唵七薩婆桒悉迦囉八波唎輸底九達磨底十伽迦娜十一莎訶某持迦底十二薩婆
婆輸底十三摩訶娜耶十四波唎婆唎莎訶十五
世尊復告曼殊室利如是如來一百八名号若有自書或使人書為經巻者受持
誦如受命盡復滿百年壽終此身後得往生无量福智世界无量壽淨土陀羅
尼曰　南謨薄伽勃底一阿波唎蜜多二阿喻紇硯娜三須毗你悉指陀四
囉佐耶五怛他羯他耶六怛姪他唵七薩婆桒悉迦羅八波唎輸底九達磨底十伽迦娜十一莎
訶某持迦底十二薩婆婆輸底十三摩訶娜耶十四波唎婆唎莎訶十五
如是復有九十九姟佛一時同聲說是无量壽宗要經陀羅尼曰
南謨薄伽勃底一阿波唎蜜多二阿喻紇硯娜三須毗你悉指陀四囉佐耶五怛他羯他耶六怛姪
他唵七薩婆桒悉迦囉八波唎輸底九達磨底十伽迦娜十一莎訶某持迦底十二薩婆婆
輸底十三摩訶娜耶十四波唎婆唎莎訶十五　南謨薄伽勃底
尒時復有一百四姟佛一時同聲說是无量壽宗要經陀羅尼曰
阿波唎蜜多二阿喻紇硯娜三須毗你悉指陀四囉佐耶五怛他羯他耶六怛姪他唵七
薩婆桒悉迦囉八波唎輸底九達磨底十伽迦娜十一莎訶某持迦底十二薩婆婆輸底十三
摩訶娜耶十四波唎婆唎莎訶十五　尒時復有七姟佛一同聲說是无量
南謨薄伽勃底一阿波唎蜜多二阿喻紇硯娜三須毗你

BD00587 號　無量壽宗要經　（6–1）

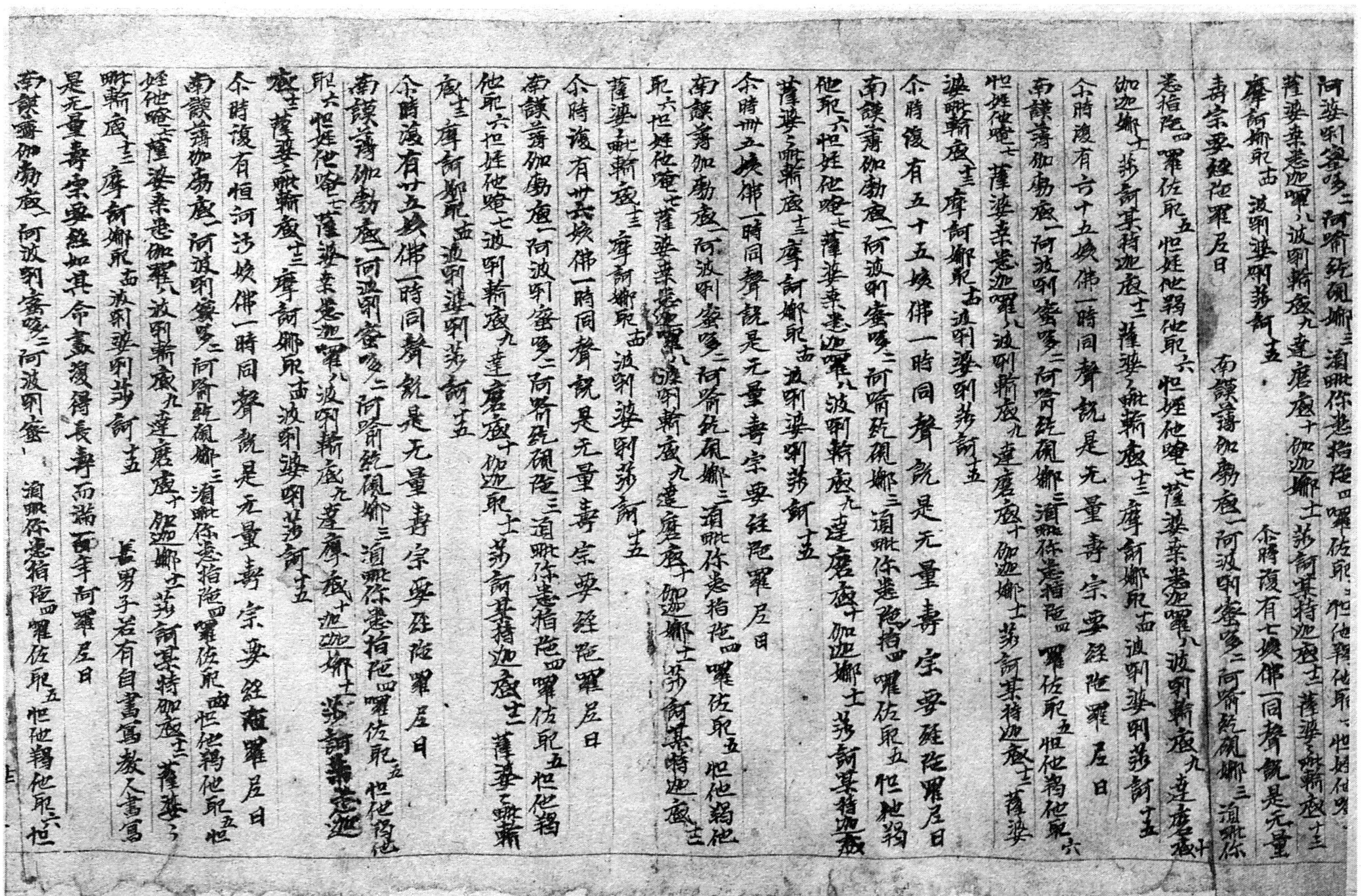

阿婆唎蜜多二阿喻紇硯娜三須毗你悉指陀四囉佐耶五怛他羯他耶六怛姪他唵七
薩婆桒悉迦囉八波唎輸底九達磨底十伽迦娜十一莎訶某持迦底十二薩婆婆輸底十三
摩訶娜耶十四波唎婆唎莎訶十五　尒時復有七姟佛一同聲說是无量
壽宗要經陀羅尼曰　南謨薄伽勃底一阿波唎蜜多二阿喻紇硯娜三須毗你
悉指陀四囉佐耶五怛他羯他耶六怛姪他唵七薩婆桒悉迦囉八波唎輸底九達磨底十
伽迦娜十一莎訶某持迦底十二薩婆婆輸底十三摩訶娜耶十四波唎婆唎莎訶十五
尒時復有六十五姟佛一時同聲說是无量壽宗要經陀羅尼曰
南謨薄伽勃底一阿波唎蜜多二阿喻紇硯娜三須毗你悉指陀四囉佐耶五怛他羯他耶六
怛姪他唵七薩婆桒悉迦囉八波唎輸底九達磨底十伽迦娜十一莎訶某持迦底十二薩婆
婆輸底十三摩訶娜耶十四波唎婆唎莎訶十五
尒時復有五十五姟佛一時同聲說是无量壽宗要經陀羅尼曰
南謨薄伽勃底一阿波唎蜜多二阿喻紇硯娜三須毗你悉陀指四囉佐耶五怛他羯
他耶六怛姪他唵七薩婆桒悉迦囉八波唎輸底九達磨底十伽迦娜十一莎訶某持迦底
薩婆婆輸底十三摩訶娜耶十四波唎婆唎莎訶十五
尒時卌五姟佛一時同聲說是无量壽宗要經陀羅尼曰
南謨薄伽勃底一阿波唎蜜多二阿喻紇硯娜三須毗你悉指陀四囉佐耶五怛他羯他
耶六怛姪他唵七薩婆桒悉迦囉八波唎輸底九達磨底十伽迦娜十一莎訶某持迦底十二
薩婆婆輸底十三摩訶娜耶十四波唎婆唎莎訶十五
尒時復有卅六姟佛一時同聲說是无量壽宗要經陀羅尼曰
南謨薄伽勃底一阿波唎蜜多二阿喻紇硯陀三須毗你悉指陀四囉佐耶五怛他羯
他耶六怛姪他唵七波唎輸底九達磨底十伽迦耶十一莎訶某持迦底十二薩婆婆輸
底十三摩訶娜耶十四波唎婆唎莎訶十五
尒時復有廿五姟佛一時同聲說是无量壽宗要經陀羅尼曰
南謨薄伽勃底一阿波唎蜜多二阿喻紇硯娜三須毗你悉指陀四囉佐耶五怛他羯他
耶六怛姪他唵七薩婆桒悉迦囉八波唎輸底九達磨底十伽迦娜十一莎訶某持迦
底十二薩婆婆輸底十三摩訶娜耶十四波唎婆唎莎訶十五
尒時復有恒河沙姟佛一時同聲說是无量壽宗要經陀羅尼曰
南謨薄伽勃底一阿波唎蜜多二阿喻紇硯娜三須毗你悉指陀四囉佐耶五怛他羯他耶五怛
姪他唵七薩婆桒悉伽囉八波唎輸底九達磨底十伽迦娜十一莎訶某持伽底十二薩婆婆
輸底十三摩訶娜耶十四波唎婆唎莎訶十五　善男子若有自書寫教人書寫
是无量壽宗要經如其命盡復得長壽而滿百年陀羅尼曰
南謨薄伽勃底一阿波唎蜜多二阿波唎蜜　須毗你悉指陀四囉佐耶五怛他羯他耶六怛

BD00587 號　無量壽宗要經　（6–2）

姪他唵七 薩婆桑悉迦羅八 波唎輸底九 達磨底十 伽迦娜十一 莎訶某持伽底十二 薩婆婆
毗輸底十三 摩訶娜耶十四 波唎婆唎莎訶十五 若男子若有自書寫教人書寫
是无量壽宗要經如其命盡復得長壽而滿百年阿羅尼曰
南謨薄伽勃底一 阿波唎蜜哆二 阿波唎蜜 須毗你悉指陀四 囉佐耶五 怛他羯他耶六 怛
姪他唵七 薩婆桑悉迦羅八 波唎輸底九 達磨底十 伽迦娜十一 莎訶某持伽底十二 薩婆婆
毗輸底十三 摩訶娜耶十四 波唎婆唎莎訶 若有自書寫教人書
寫是无量壽宗要經讀誦受持畢竟不墮地獄在在所生得宿命智阿羅尼
曰 南謨薄伽勃底一 阿波唎蜜哆二 阿喻紇硯那三 須毗你悉指陀四 囉佐耶五 怛他羯
他耶六 怛姪他唵七 薩婆桑悉迦羅八 波唎輸底九 達磨底十 伽迦娜十一 莎訶某持伽底十二 薩婆
婆毗輸底十三 摩訶娜耶十四 波唎婆唎莎訶十五 若有自書寫教人書寫
是无量壽宗要經受持讀誦如同書寫八万四千一切經典陀羅尼曰
南无薄伽勃底一 阿波唎蜜哆二 阿喻紇硯那三 須毗你悉指陀四 囉佐耶五 怛他羯他耶六 怛姪
他唵七 薩婆桑悉迦羅八 波唎輸底九 達磨底十 伽迦娜十一 莎訶某持伽底十二 薩婆婆毗輸
底十三 摩訶娜耶十四 波唎婆唎莎訶十五 若有自書寫教人書寫是无量壽
宗要經即是書寫八万四千部建立塔廟陀羅尼曰
南謨薄伽勃底一 阿波唎蜜哆二 阿喻紇硯那三 須毗你悉指陀四 囉佐耶五 怛他羯他耶
怛姪他唵七 薩婆桑悉迦羅八 波唎輸底九 達磨底十 伽迦娜十一 莎訶某持伽底十二 薩婆
婆毗輸底十三 摩訶娜耶十四 波唎婆唎莎訶十五 若有自書寫教人書寫是无量壽
宗要經能消五无間罪一切重罪陀羅尼曰 南謨薄伽勃底一 阿波唎蜜哆二 阿喻
紇硯那三 須毗你悉指陀四 囉佐耶五 怛他羯他耶六 怛姪他唵七 薩婆桑悉迦羅八 波唎輸
底九 達磨底十 伽迦娜十一 莎訶某持伽底十二 薩婆婆毗輸底十三 摩訶娜耶 波唎婆唎莎
訶十五
若有自書寫教人書寫是无量壽宗要經受持讀誦設有重罪
猶如須彌盡能除滅陀羅尼曰 南无薄伽勃底一 阿波唎蜜哆二 阿喻
紇硯陀三 須毗你悉指陀四 囉佐耶五 怛他羯他耶六 怛姪他唵七 薩婆桑悉迦羅八
波唎輸底九 達磨底十 伽迦娜十一 莎訶某持伽底十二 薩婆婆毗輸底十三 摩訶娜耶十四
波唎婆唎莎訶十五 若有自書寫教人書寫是无量壽宗要經受
持讀誦若魔之眷屬夜叉羅刹不得其便終无枉死陀羅尼曰
南謨薄伽勃底一 阿波唎蜜哆二 阿喻紇硯那三 須毗你悉指陀 囉佐耶五 怛他羯
他耶六 怛姪他唵七 薩婆桑悉迦羅八 波唎輸底九 達磨底十 伽迦娜十一 莎訶某持伽底十二
薩婆婆毗輸底十三 摩訶娜耶十四 波唎婆唎莎訶十五
若有自書寫教人書寫是无量壽宗要經受持讀誦當命終時有九十九姟

BD00587 號　無量壽宗要經　　（6–3）

陀耶六 怛姪他唵七 薩婆桑悉迦羅八 波唎輸底九 達磨底十 伽迦娜十一 莎訶某持伽底
薩婆婆毗輸底十三 摩訶娜耶十四 波唎婆唎莎訶十五
若有自書寫教人書寫是无量壽宗要經受持讀誦當命終時有九十九姟
佛現其人前來千佛授手能遊一切佛剎莫於此經生於疑惑陀羅尼曰
南謨薄伽勃底一 阿波唎蜜哆二 阿喻紇硯陀三 須毗你悉指陀四 囉佐耶五 怛他羯他耶
怛姪他唵七 薩婆桑悉迦羅八 波唎輸底九 達磨底十 伽迦娜十一 莎訶某持伽底十二 薩婆
婆毗輸底十三 摩訶娜耶十四 波唎婆唎莎訶十五
若有自書寫教人書寫是无量壽宗要經受持讀誦常得四天大王隨其衛護
陀羅尼曰 南謨薄伽勃底一 阿波唎蜜哆二 阿喻紇硯那三 須毗你悉指陀四
囉佐耶五 怛他羯他耶六 怛姪他唵七 薩婆桑悉迦羅八 波唎輸底九 達磨底十 伽迦娜十一
莎訶某持伽底十二 薩婆婆毗輸底十三 摩訶娜耶十四 波唎婆唎莎訶十五
若有自書寫教人書寫是无量壽宗要經受持讀誦當得往生西方極樂世界
阿彌陀淨土陀羅尼曰 南謨薄伽勃底一 阿波唎蜜哆二 阿喻紇硯耶三 須毗你悉
指陀四 囉佐耶五 怛他羯他耶六 怛姪他唵七 波唎輸底八 薩婆桑悉迦羅九 達磨底十 伽迦娜
莎訶某持伽底十二 薩婆婆毗輸底十三 摩訶娜耶十四 波唎婆唎莎訶十五
若有方所自書寫教人書寫是无量壽宗要經典之處則為是塔皆應恭敬作禮若
是禽獸或為鳥獸得聞是經如是等類皆當不久得成一切種智陀羅尼曰
南謨薄伽勃底一 阿波唎蜜哆二 阿喻紇硯那三 須毗你悉指陀四 囉佐耶五 怛他羯他耶六
怛姪他唵七 薩婆桑悉迦羅八 波唎輸底九 達磨底十 伽迦娜十一 莎訶某持伽底十二 薩婆
婆毗輸底十三 摩訶娜耶十四 波唎婆唎莎訶十五
若有於是无量壽經自書寫若使人書寫畢竟不受女人之身陀羅尼曰
南謨薄伽勃底一 阿波唎蜜哆二 阿喻紇硯那三 須毗你悉指陀四 囉佐耶五 怛他羯他耶六 怛
姪他唵七 薩婆桑悉迦羅八 波唎輸底九 達磨底十 伽迦娜十一 莎訶某持伽底十二 薩婆婆毗輸
底十三 摩訶娜耶十四 波唎婆唎莎訶十五
若有能於是經少分能惠施者等於三千大千世界滿七寶布施陀羅尼曰
南謨薄伽勃底一 阿波唎蜜哆二 阿喻紇硯那三 須毗你悉指陀四 囉佐耶五 怛他羯他耶六
怛他姪唵七 薩婆桑悉迦羅八 波唎輸底九 達磨底十 伽迦娜十一 莎訶某持伽底十二 薩婆
婆毗輸底十三 摩訶娜耶十四 波唎婆唎莎訶十五 若有能於供養是經者則是供
養一切諸經等无有異陀羅尼曰 南謨薄伽勃底一 阿波唎蜜哆二 阿喻紇硯那
須毗你悉指陀四 囉佐耶五 怛他羯他耶六 怛姪他唵七 薩婆桑悉迦羅八 波唎輸底九 達磨底
伽迦娜十一 莎訶某持伽底十二 薩婆婆毗輸底十三 摩訶娜耶十四 波唎婆唎莎訶十五

BD00587 號　無量壽宗要經　　（6–4）

養一切諸經等无有異陁羅尼曰　南謨薄伽勃底一阿波唎蜜哆二阿喻紇硯孃三
須毗你悉指陁四囉佐耶五怛他羯他耶六怛姪他唵七薩婆桑悉迦囉八波唎輸底九達磨底十
伽迦娜十一莎訶某持迦底十二薩婆婆毗輸底十三摩訶娜耶十四波唎婆唎莎訶十五
如是毗婆尸佛尸棄佛毗舍浮佛俱留孫佛俱那含牟尼佛迦葉佛釋迦牟尼佛若
有人以七寶供養如是七佛其福有限書寫受持是无量壽經典所有功德不可限量陁羅
尼曰　南謨薄伽勃底一阿波唎蜜哆二阿喻紇硯孃三須毗你悉指陁四囉佐耶五
怛他羯他耶六怛姪他唵七薩婆桑悉迦囉八波唎輸底九達磨底十伽迦娜十一莎訶某持迦底
十二薩婆婆毗輸底十三摩訶娜耶十四波唎婆唎莎訶十五
若有七寶等於須彌以用布施福上能知限量是无量壽經典其福不可知數
陁羅尼曰　南謨薄伽勃底一阿波唎蜜哆二阿喻紇硯孃三須毗你悉
指陁四囉佐耶五怛他羯他耶六怛姪他唵七薩婆桑悉迦囉八波唎輸底九達磨底十
伽迦娜十一莎訶某持迦底十二薩婆婆毗輸底十三摩訶娜耶十四波唎婆唎莎訶十五
如是四大海水可知渧數是无量壽經典所生果報不可數量陁羅尼曰
南謨薄伽勃底一阿波唎蜜哆二阿喻紇硯孃三須毗你悉指陁四囉佐耶五怛他羯
他耶六怛姪他唵七薩婆桑悉迦囉八波唎輸底九達磨底十伽迦娜十一莎訶某持
迦底十二薩婆婆毗輸底十三摩訶娜耶十四波唎婆唎莎訶十五
若有自書寫使人書寫是无量壽宗要經典又能讀誦供養即如恭敬供養
一切十方佛土如來无有別異陁羅尼曰
南謨薄伽勃底一阿波唎蜜哆二阿喻紇硯孃三須毗你悉指陁四囉佐耶五怛他羯
他耶六怛姪他唵七薩婆桑悉迦羅八波唎輸底九達磨底十迦伽娜十一莎訶某持迦
底十二薩婆婆毗輸底十三摩訶娜耶十四波唎婆唎莎訶十五
布施力能成正覺　悟布施力入師子　布施力能聲普聞　慈悲階漸眾能入
持戒力能成正覺　悟持戒力入師子　持戒力能聲普聞　慈悲階漸眾能入
忍辱力能成正覺　悟持忍力入師子　忍辱力能聲普聞　慈悲階漸眾能入
精進力能成正覺　悟精進力入師子　精進力能聲普聞　慈悲階漸眾能入
禪定力能成正覺　悟禪定力入師子　禪定力能聲普聞　慈悲階漸眾能入
智慧力能成正覺　悟智慧力入師子　智慧力能聲普聞　慈悲階漸眾能入
尒時如來說是經已一切世間天人阿脩羅揵闥婆等聞佛所說皆大歡喜
信受奉行

BD00587 號　無量壽宗要經　（6–5）

陁羅尼曰　南謨薄伽勃底一阿波唎蜜哆二阿喻紇硯孃三須毗你悉
指陁四囉佐耶五怛他羯他耶六怛姪他唵七薩婆桑悉迦囉八波唎輸底九達磨底十
伽迦娜十一莎訶某持迦底十二薩婆婆毗輸底十三摩訶娜耶十四波唎婆唎莎訶十五
如是四大海水可知渧數是无量壽經典所生果報不可數量陁羅尼曰
南謨薄伽勃底一阿波唎蜜哆二阿喻紇硯孃三須毗你悉指陁四囉佐耶五怛他羯
他耶六怛姪他唵七薩婆桑悉迦囉八波唎輸底九達磨底十伽迦娜十一莎訶某持
迦底十二薩婆婆毗輸底十三摩訶娜耶十四波唎婆唎莎訶十五
若有自書寫使人書寫是无量壽宗要經典又能讀誦供養即如恭敬供養
一切十方佛土如來无有別異陁羅尼曰
南謨薄伽勃底一阿波唎蜜哆二阿喻紇硯孃三須毗你悉指陁四囉佐耶五怛他羯
他耶六怛姪他唵七薩婆桑悉迦羅八波唎輸底九達磨底十迦伽娜十一莎訶某持迦
底十二薩婆婆毗輸底十三摩訶娜耶十四波唎婆唎莎訶十五
布施力能成正覺　悟布施力入師子　布施力能聲普聞　慈悲階漸眾能入
持戒力能成正覺　悟持戒力入師子　持戒力能聲普聞　慈悲階漸眾能入
忍辱力能成正覺　悟持忍力入師子　忍辱力能聲普聞　慈悲階漸眾能入
精進力能成正覺　悟精進力入師子　精進力能聲普聞　慈悲階漸眾能入
禪定力能成正覺　悟禪定力入師子　禪定力能聲普聞　慈悲階漸眾能入
智慧力能成正覺　悟智慧力入師子　智慧力能聲普聞　慈悲階漸眾能入
尒時如來說是經已一切世間天人阿脩羅揵闥婆等聞佛所說皆大歡喜
信受奉行

佛說无量壽經

BD00587 號　無量壽宗要經　（6–6）

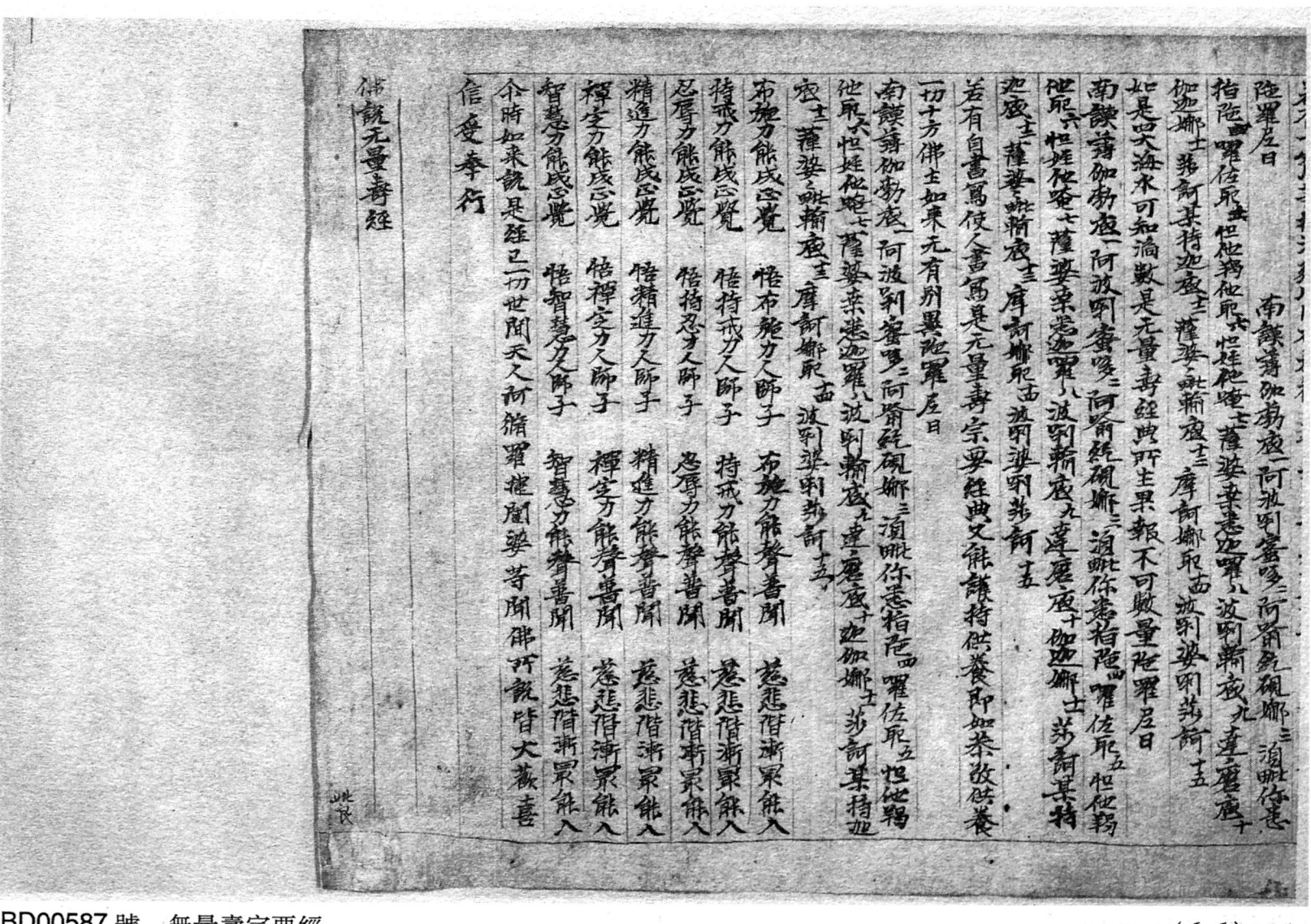

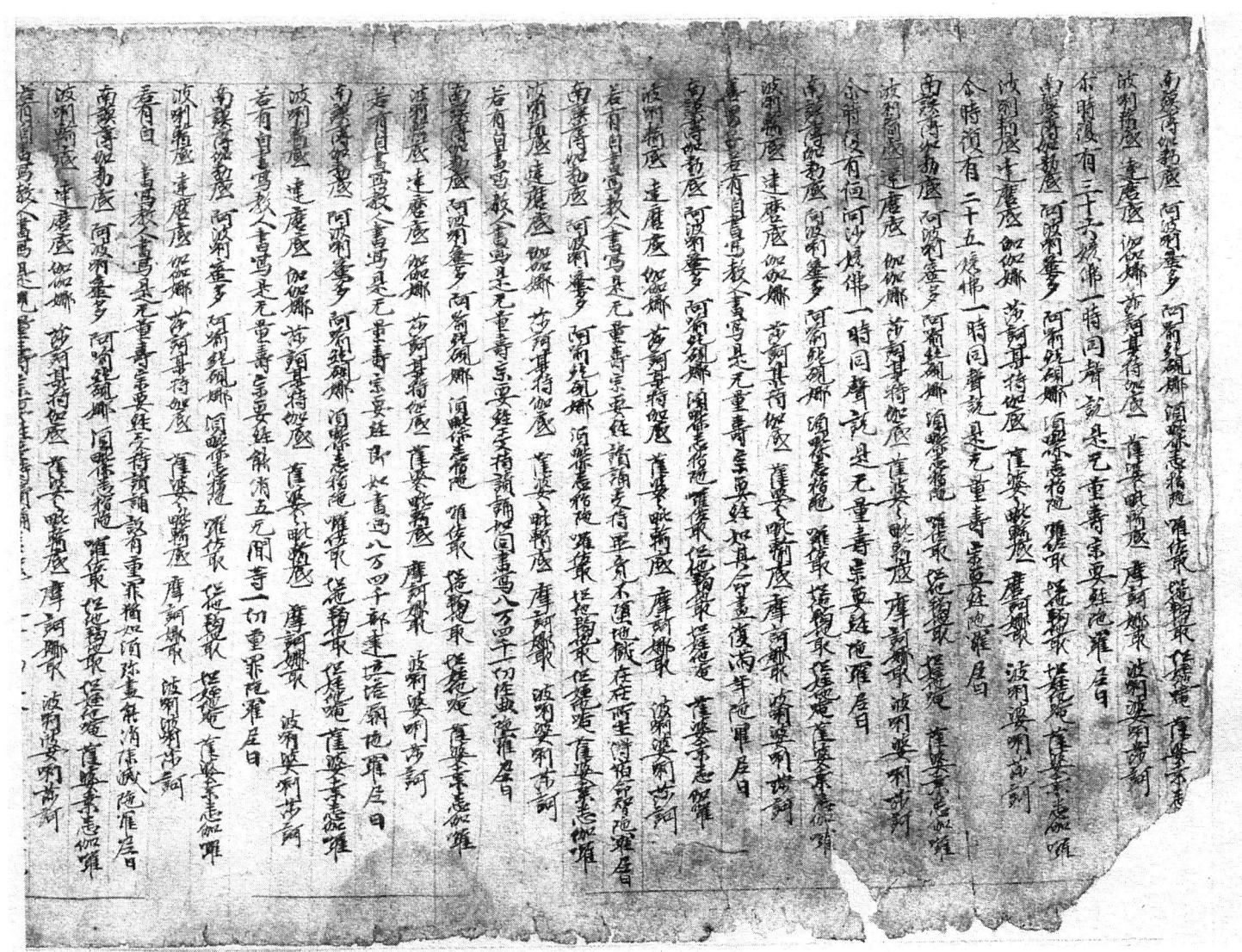

南謨薄伽勃底 阿波唎蜜多 阿喻紇硯娜 須毗你悉指陁 囉佐耶 怛他羯他耶 怛姪他 唵 薩婆桑悉迦囉
波唎輸底 達磨底 伽伽娜 莎訶某揭伽底 薩婆婆毗輸底 摩訶娜耶 波唎婆唎莎訶
爾時復有三十六姟佛一時同聲說是无量壽宗要經陁羅尼曰
南謨薄伽勃底 阿波唎蜜多 阿喻紇硯娜 須毗你悉指陁 囉佐耶 怛他羯他耶 怛姪他 唵 薩婆桑悉迦囉
波唎輸底 達磨底 伽伽娜 莎訶某揭伽底 薩婆婆毗輸底 摩訶娜耶 波唎婆唎莎訶
爾時復有二十五姟佛一時同聲說是无量壽宗要經陁羅尼曰
南謨薄伽勃底 阿波唎蜜多 阿喻紇硯娜 須毗你悉指陁 囉佐耶 怛他羯他耶 怛姪他 唵 薩婆桑悉迦囉
波唎輸底 達磨底 伽伽娜 莎訶某揭伽底 薩婆婆毗輸底 摩訶娜耶 波唎婆唎莎訶
爾時復有恒河沙姟佛一時同聲說是无量壽宗要經陁羅尼曰
南謨薄伽勃底 阿波唎蜜多 阿喻紇硯娜 須毗你悉指陁 囉佐耶 怛他羯他耶 怛姪他 唵 薩婆桑悉迦囉
波唎輸底 達磨底 伽伽娜 莎訶某揭伽底 薩婆婆毗輸底 摩訶娜耶 波唎婆唎莎訶
若有自書若教人書寫是无量壽宗要經 如其命盡 復滿年 陁羅尼曰
南謨薄伽勃底 阿波唎蜜多 阿喻紇硯娜 須毗你悉指陁 囉佐耶 怛他羯他耶 怛姪他 唵 薩婆桑悉迦囉
波唎輸底 達磨底 伽伽娜 莎訶某揭伽底 薩婆婆毗輸底 摩訶娜耶 波唎婆唎莎訶
若有自書寫教人書寫是无量壽宗要經 讀誦受持 畢竟不墮地獄 在在所生 得宿命智 陁羅尼曰
南謨薄伽勃底 阿波唎蜜多 阿喻紇硯娜 須毗你悉指陁 囉佐耶 怛他羯他耶 怛姪他 唵 薩婆桑悉迦囉
波唎輸底 達磨底 伽伽娜 莎訶某揭伽底 薩婆婆毗輸底 摩訶娜耶 波唎婆唎莎訶
若有自書若教人書寫是无量壽宗要經受持讀誦 如同書寫八万四千一切法藏 陁羅尼曰
南謨薄伽勃底 阿波唎蜜多 阿喻紇硯娜 須毗你悉指陁 囉佐耶 怛他羯他耶 怛姪他 唵 薩婆桑悉迦囉
波唎輸底 達磨底 伽伽娜 莎訶某揭伽底 薩婆婆毗輸底 摩訶娜耶 波唎婆唎莎訶
若有自書寫教人書寫是无量壽宗要經 即如書寫八万四千部建立塔廟 陁羅尼曰
南謨薄伽勃底 阿波唎蜜多 阿喻紇硯娜 須毗你悉指陁 囉佐耶 怛他羯他耶 怛姪他 唵 薩婆桑悉迦囉
波唎輸底 達磨底 伽伽娜 莎訶某揭伽底 薩婆婆毗輸底 摩訶娜耶 波唎婆唎莎訶
若有自書寫教人書寫是无量壽宗要經 能消五无間等一切重罪 陁羅尼曰
南謨薄伽勃底 阿波唎蜜多 阿喻紇硯娜 須毗你悉指陁 囉佐耶 怛他羯他耶 怛姪他 唵 薩婆桑悉迦囉
波唎輸底 達磨底 伽伽娜 莎訶某揭伽底 薩婆婆毗輸底 摩訶娜耶 波唎婆唎莎訶
若有自書寫教人書寫是无量壽宗要經受持讀誦 設有重罪猶如須弥 盡能消除滅 陁羅尼曰
南謨薄伽勃底 阿波唎蜜多 阿喻紇硯娜 須毗你悉指陁 囉佐耶 怛他羯他耶 怛姪他 唵 薩婆桑悉迦囉
波唎輸底 達磨底 伽伽娜 莎訶某揭伽底 薩婆婆毗輸底 摩訶娜耶 波唎婆唎莎訶
若有自書寫教人書寫是无量壽宗要經受持讀誦[illegible]

BD00588 號 1　無量壽宗要經　　（6–1）

若有自書寫教人書寫是无量壽宗要經受持讀誦 設有重罪猶如須弥 盡能消除滅 陁羅尼曰
南謨薄伽勃底 阿波唎蜜多 阿喻紇硯娜 須毗你悉指陁 囉佐耶 怛他羯他耶 怛姪他 唵 薩婆桑悉迦囉
波唎輸底 達磨底 伽伽娜 莎訶某揭伽底 薩婆婆毗輸底 摩訶娜耶 波唎婆唎莎訶
若有自書寫教人書寫是无量壽宗要經受持讀誦 若魔魔之眷屬 夜叉羅剎 不得其便 終无枉
横死 陁羅尼曰
南謨薄伽勃底 阿波唎蜜多 阿喻紇硯娜 須毗你悉指陁 囉佐耶 怛他羯他耶 怛姪他 唵 薩婆桑悉迦囉
波唎輸底 達磨底 伽伽娜 莎訶某揭伽底 薩婆婆毗輸底 摩訶娜耶 波唎婆唎莎訶
若有自書寫教人書寫是无量壽宗要經受持讀誦 當命終有九十九姟佛現其人前 千佛授手
能遊一切佛剎 莫於此經生於疑惑 陁羅尼曰
南謨薄伽勃底 阿波唎蜜多 阿喻紇硯娜 須毗你悉指陁 囉佐耶 怛他羯他耶 怛姪他 唵 薩婆桑悉迦囉
波唎輸底 達磨底 伽伽娜 莎訶某揭伽底 薩婆婆毗輸底 摩訶娜耶 波唎婆唎莎訶
若有自書寫教人書寫是无量壽宗要經受持讀誦 常為四天大王隨其衛護 陁羅尼曰
南謨薄伽勃底 阿波唎蜜多 阿喻紇硯娜 須毗你悉指陁 囉佐耶 怛他羯他耶 怛姪他 唵 薩婆桑悉迦囉
波唎輸底 達磨底 伽伽娜 莎訶某揭伽底 薩婆婆毗輸底 摩訶娜耶 波唎婆唎莎訶
若有自書寫教人書寫是无量壽宗要經受持讀誦 當得往生西方極樂世界阿弥陁淨土 陁羅尼曰
南謨薄伽勃底 阿波唎蜜多 阿喻紇硯娜 須毗你悉指陁 囉佐耶 怛他羯他耶 怛姪他 唵 薩婆桑悉迦囉
波唎輸底 達磨底 伽伽娜 莎訶某揭伽底 薩婆婆毗輸底 摩訶娜耶 波唎婆唎莎訶
若有自書寫教人書寫是无量壽宗要經典之處 即為是塔 皆應恭敬作礼 若是畜生或禽
鳥獸得聞是經 如是等類 皆當不久得一切種智 陁羅尼曰
南謨薄伽勃底 阿波唎蜜多 阿喻紇硯娜 須毗你悉指陁 囉佐耶 怛他羯他耶 怛姪他 唵 薩婆桑悉迦囉
波唎輸底 達磨底 伽伽娜 莎訶某揭伽底 薩婆婆毗輸底 摩訶娜耶 波唎婆唎莎訶
若有於是无量壽經受持讀誦 畢竟不受女人之身 陁羅尼曰
南謨薄伽勃底 阿波唎蜜多 阿喻紇硯娜 須毗你悉指陁 囉佐耶 怛他羯他耶 怛姪他 唵 薩婆桑悉迦囉
波唎輸底 達磨底 伽伽娜 莎訶某揭伽底 薩婆婆毗輸底 摩訶娜耶 波唎婆唎莎訶
若有能於是經少分能惠施者 等於三千大千世界滿中七寶布施 陁羅尼曰
南謨薄伽勃底 阿波唎蜜多 阿喻紇硯娜 須毗你悉指陁 囉佐耶 怛他羯他耶 怛姪他 唵 薩婆桑悉迦囉
波唎輸底 達磨底 伽伽娜 莎訶某揭伽底 薩婆婆毗輸底 摩訶娜耶 波唎婆唎莎訶
若有能於供養是經者 即時供養一切諸經等无有異 陁羅尼曰
南謨薄伽勃底 阿波唎蜜多 阿喻紇硯娜 須毗你悉指陁 囉佐耶 怛他羯他耶 怛姪他 唵 薩婆桑悉迦囉
波唎輸底 達磨底 伽伽娜 莎訶某揭伽底 薩婆婆毗輸底 摩訶娜耶 波唎婆唎莎訶
毗婆尸佛 尸棄佛 毗舍浮佛 俱留孫佛 俱那含牟尼佛 迦葉佛 釋迦牟尼佛
若有人以七寶供養 如是七佛 其福有限量 書寫是无量壽經典所生功德 其福不可限量 陁
羅尼曰
南謨薄伽勃底 阿波唎蜜多 阿喻紇硯娜 須毗你悉指陁 囉[illegible]

BD00588 號 1　無量壽宗要經　　（6–2）

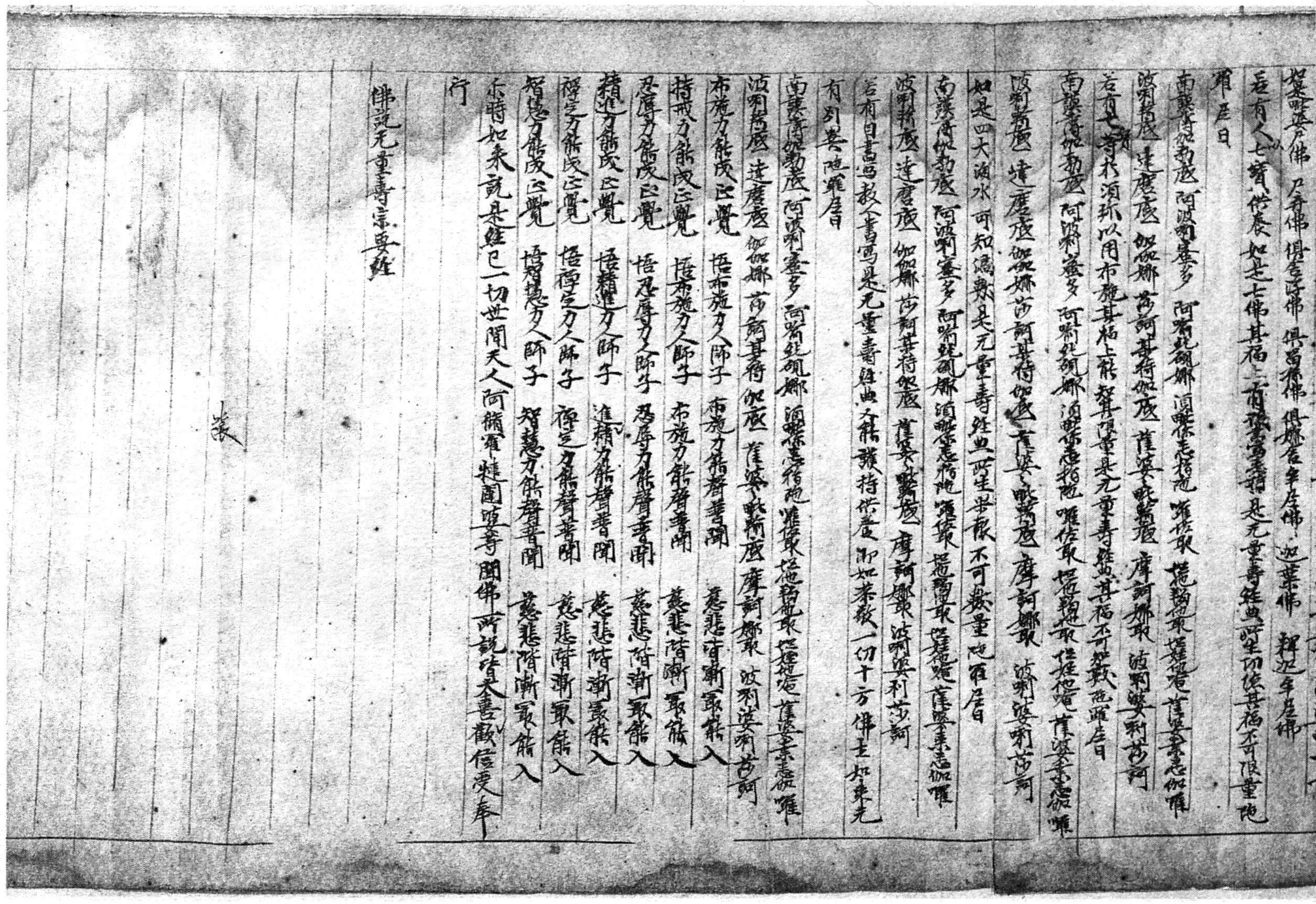

毗婆尸佛 尸弃佛 毗舍浮佛 俱留孫佛 俱那含牟尼佛 迦葉佛 釋迦牟尼佛
若有人以七寶供養如是七佛其福有限若有書寫是无量壽經典所生功德其福不可限量陁
羅尼曰
南謨薄伽勃底 阿波唎蜜多 阿喻紇硯娜 須毗你悉指陁 囉佐耶 怛他羯他耶 怛姪他 薩婆桑悉迦囉
波唎輸底 達磨底 伽伽娜 莎訶其持伽底 薩婆婆毗輸底 摩訶娜耶 波唎婆唎莎訶
若有七寶於須弥以用布施其福上能知其限量是无量壽經典其福不可數陁羅尼曰
南謨薄伽勃底 阿波唎蜜多 阿喻紇硯娜 須毗你悉指陁 囉佐耶 怛他羯他耶 怛姪他 薩婆桑悉迦囉
波唎輸底 達磨底 伽伽娜 莎訶其持伽底 薩婆婆毗輸底 摩訶娜耶 波唎婆唎莎訶
如是四大海水可知滴數是无量壽經典所生果報不可數量陁羅尼曰
南謨薄伽勃底 阿波唎蜜多 阿喻紇硯娜 須毗你悉指陁 囉佐耶 怛他羯他耶 怛姪他 薩婆桑悉迦囉
波唎輸底 達磨底 伽伽娜 莎訶其持伽底 薩婆婆毗輸底 摩訶娜耶 波唎婆唎莎訶
若有自書寫教人書寫是无量壽經典之能讚持供養御如恭敬一切十方佛土如來光
有別異陁羅尼曰
南謨薄伽勃底 阿波唎蜜多 阿喻紇硯娜 須毗你悉指陁 囉佐耶 怛他羯他耶 怛姪他 薩婆桑悉迦囉
波唎輸底 達磨底 伽伽娜 莎訶其持伽底 薩婆婆毗輸底 摩訶娜耶 波唎婆唎莎訶
布施力能成正覺 悟布施力人師子 布施力能聲普聞 慈悲階漸聲能入
持戒力能成正覺 悟布施力人師子 布施力能聲普聞 慈悲階漸聲能入
忍辱力能成正覺 悟忍辱力人師子 忍辱力能聲普聞 慈悲階漸聲能入
精進力能成正覺 悟精進力人師子 進精力能聲普聞 慈悲階漸聲能入
禪定力能成正覺 悟禪定力人師子 禪定力能聲普聞 慈悲階漸聲能入
智慧力能成正覺 悟智慧力人師子 智慧力能聲普聞 慈悲階漸聲能入
尒時如來說是經已一切世間天人阿脩羅揵闥婆等聞佛所說皆大歡喜信受奉
行
佛說无量壽宗要經

BD00588號1 無量壽宗要經 (6–3)

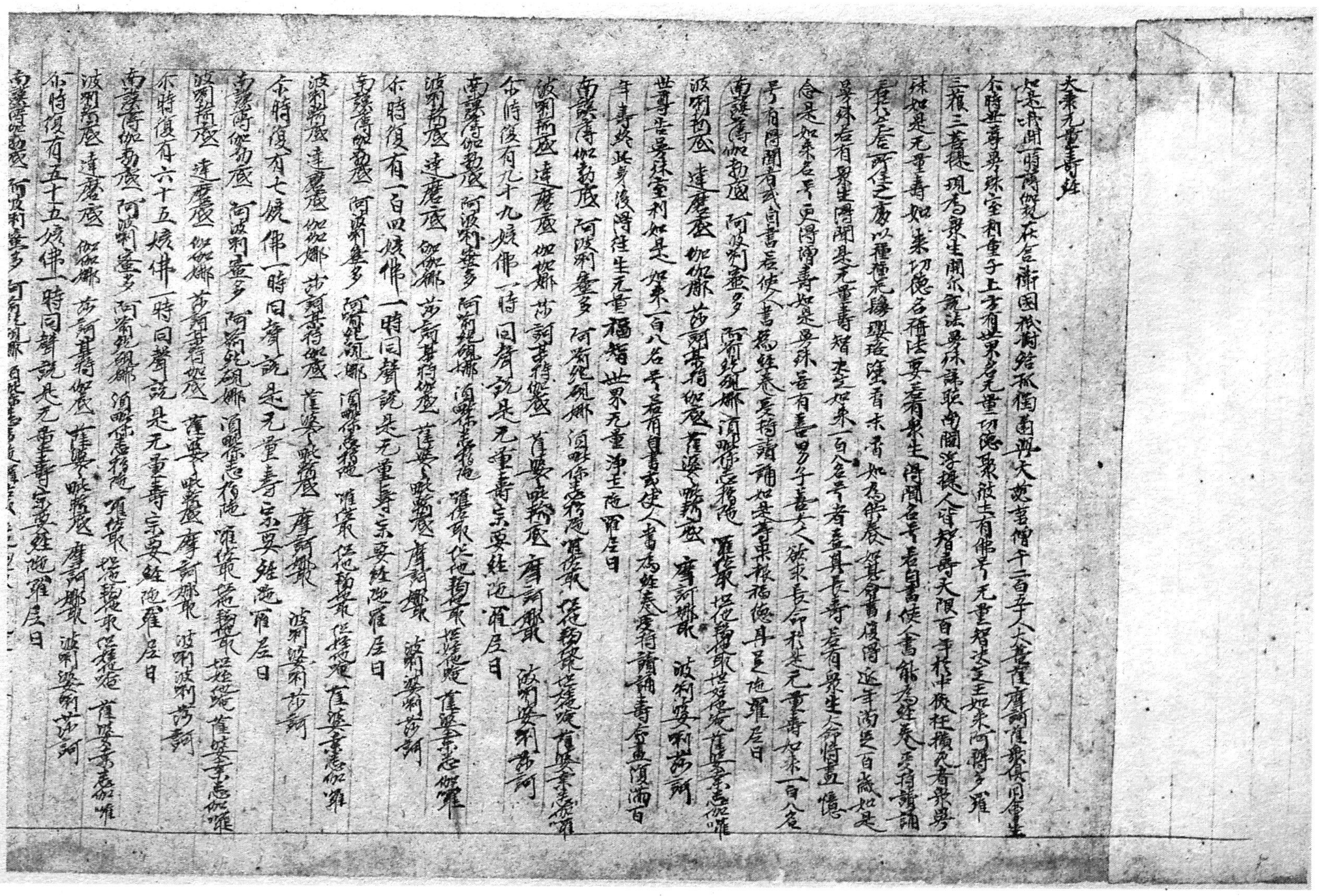

大乘无量壽經
如是我聞一時佛在舍衛國祇樹給孤獨園與大苾芻僧千二百五十人大菩薩摩訶薩衆俱尒時世
尒時世尊告曼殊室利童子上方有世界名无量功德聚彼土有佛號无量智決定王如來阿耨多羅
三藐三菩提現為衆生開示說法曼殊師利聽南閻浮提人命短壽大限百年於中夭枉横死者衆多曼
殊如是无量壽如來功德名稱法要若有衆生得聞名號若自書使人書能為經卷受持讀誦
若於舍宅所住之處以種種花鬘瓔珞塗香末香而為供養其命盡復得延年滿足百歲如是
曼殊若有衆生得聞是无量壽智決定如來一百八名號者益其長壽若有衆生大命將盡憶
念是如來名號更得增壽如是曼殊若有善男子善女人欲求長命於是无量壽如來一百八名
號有得聞者或自書若使人書為經卷受持讀誦如是等果報福德具足陁羅尼曰
南謨薄伽勃底 阿波唎蜜多 阿喻紇硯娜 須毗你悉指陁 囉佐耶 怛他羯他耶 怛姪他 薩婆桑悉迦囉
波唎輸底 達磨底 伽伽娜 莎訶其持伽底 薩婆婆毗輸底 摩訶娜耶 波唎婆唎莎訶
世尊告曼殊室利如是如來一百八名號若有自書或使人書為經卷受持讀誦壽命盡復滿百
年壽終此身後得往生无量福智世界无量淨土陁羅尼曰
南謨薄伽勃底 阿波唎蜜多 阿喻紇硯娜 須毗你悉指陁 囉佐耶 怛他羯他耶 怛姪他 薩婆桑悉迦囉
波唎輸底 達磨底 伽伽娜 莎訶其持伽底 薩婆婆毗輸底 摩訶娜耶 波唎婆唎莎訶
尒時復有九十九俱胝佛一時同聲說是无量壽宗要經陁羅尼曰
南謨薄伽勃底 阿波唎蜜多 阿喻紇硯娜 須毗你悉指陁 囉佐耶 怛他羯他耶 怛姪他 薩婆桑悉迦囉
波唎輸底 達磨底 伽伽娜 莎訶其持伽底 薩婆婆毗輸底 摩訶娜耶 波唎婆唎莎訶
尒時復有一百四俱胝佛一時同聲說是无量壽宗要經陁羅尼曰
南謨薄伽勃底 阿波唎蜜多 阿喻紇硯娜 須毗你悉指陁 囉佐耶 怛他羯他耶 怛姪他 薩婆桑悉迦囉
波唎輸底 達磨底 伽伽娜 莎訶其持伽底 薩婆婆毗輸底 摩訶娜耶 波唎婆唎莎訶
尒時復有七俱胝佛一時同聲說是无量壽宗要經陁羅尼曰
南謨薄伽勃底 阿波唎蜜多 阿喻紇硯娜 須毗你悉指陁 囉佐耶 怛他羯他耶 怛姪他 薩婆桑悉迦囉
波唎輸底 達磨底 伽伽娜 莎訶其持伽底 薩婆婆毗輸底 摩訶娜耶 波唎波唎莎訶
尒時復有六十五俱胝佛一時同聲說是无量壽宗要經陁羅尼曰
南謨薄伽勃底 阿波唎蜜多 阿喻紇硯娜 須毗你悉指陁 囉佐耶 怛他羯他耶 怛姪他 薩婆桑悉迦囉
波唎輸底 達磨底 伽伽娜 莎訶其持伽底 薩婆婆毗輸底 摩訶娜耶 波唎婆唎莎訶
尒時復有五十五俱胝佛一時同聲說是无量壽宗要經陁羅尼曰
南謨薄伽勃底 阿波唎蜜多 [illegible]

BD00588號2 無量壽宗要經 (6–4)

尒時復有六十五殑伽佛一時同聲說是无量壽宗要經陁羅尼曰
南謨薄伽勃底 阿波唎蜜多 阿喻紇硯娜 須毗你悉指陁 囉佐耶 怛他羯他耶 怛姪他 唵 薩婆桑悉迦囉
波唎輸底 達磨底 伽伽娜 娑訶牟特伽底 娑婆毗輸底 摩訶娜耶 波唎婆唎莎訶
尒時復有五十五殑伽佛一時同聲說是无量壽宗要經陁羅尼曰
南謨薄伽勃底 阿波唎蜜多 阿喻紇硯娜 須毗你悉指陁 囉佐耶 怛他羯他耶 怛姪他 唵 薩婆桑悉迦囉
波唎輸底 達磨底 伽伽娜 娑訶牟特伽底 娑婆毗輸底 摩訶娜耶 波唎婆唎莎訶
尒時復有四十五殑伽佛一時同聲說是无量壽宗要經陁羅尼曰
南謨薄伽勃底 阿波唎蜜多 阿喻紇硯娜 須毗你悉指陁 囉佐耶 怛他羯他耶 怛姪他 唵 薩婆桑悉迦囉
波唎輸底 達磨底 伽伽娜 娑訶牟特伽底 娑婆毗輸底 摩訶娜耶 波唎婆唎莎訶
尒時復有三十六殑伽佛一時同聲說是无量壽宗要經陁羅尼曰
南謨薄伽勃底 阿波唎蜜多 阿喻紇硯娜 須毗你悉指陁 囉佐耶 怛他羯他耶 怛姪他 唵 薩婆桑悉迦囉
波唎輸底 達磨底 伽伽娜 娑訶牟特伽底 娑婆毗輸底 摩訶娜耶 波唎婆唎莎訶
尒時復有二十五殑伽佛一時同聲說是无量壽宗要經陁羅尼曰
南謨薄伽勃底 阿波唎蜜多 阿喻紇硯娜 須毗你悉指陁 囉佐耶 怛他羯他耶 怛姪他 唵 薩婆桑悉迦囉
波唎輸底 達磨底 伽伽娜 娑訶牟特伽底 娑婆毗輸底 摩訶娜耶 波唎婆唎莎訶
尒時復有恒河沙殑伽佛一時同聲說是无量壽宗要經陁羅尼曰
南謨薄伽勃底 阿波唎蜜多 阿喻紇硯娜 須毗你悉指陁 囉佐耶 怛他羯他耶 怛姪他 唵 薩婆桑悉迦囉
波唎輸底 達磨底 伽伽娜 娑訶牟特伽底 娑婆毗輸底 摩訶娜耶 波唎婆唎莎訶
善男子若有自書寫教人書寫是无量壽經典如其命盡復滿年陁羅尼曰
南謨薄伽勃底 阿波唎蜜多 阿喻紇硯娜 須毗你悉指陁 囉佐耶 怛他羯他耶 怛姪他 唵 薩婆桑悉迦囉
波唎輸底 達磨底 伽伽娜 娑訶牟特伽底 娑婆毗輸底 摩訶娜耶 波唎婆唎莎訶
若有自書寫教人書寫是无量壽宗要經讀誦受持畢竟不墮地獄在在所生得宿命智陁羅尼曰
若有自書寫教人書寫是无量壽宗要經受持讀誦如同書寫八万四千一切經典陁羅尼曰
南謨薄伽勃底 阿波唎蜜多 阿喻紇硯娜 須毗你悉指陁 囉佐耶 怛他羯他耶 怛姪他 唵 薩婆桑悉迦囉
波唎輸底 達磨底 伽伽娜 娑訶牟特伽底 娑婆毗輸底 摩訶娜耶 波唎婆唎莎訶
若有自書寫教人書寫是无量壽宗要經受持讀誦如同書寫八万四千一切經典陁羅尼曰
南謨薄伽勃底 阿波唎蜜多 阿喻紇硯娜 須毗你悉指陁 囉佐耶 怛他羯他耶 怛姪他 唵 薩婆桑悉迦囉
波唎輸底 達磨底 伽伽娜 娑訶牟特伽底 娑婆毗輸底 摩訶娜耶 波唎婆唎莎訶
若有自書寫教人書寫是无量壽宗要經即如書寫八万四千部建立塔廟陁羅尼曰
南謨薄伽勃底 阿波唎蜜多 阿喻紇硯娜 須毗你悉指陁 囉佐耶 怛他羯他耶 怛姪他 唵 薩婆桑悉迦囉
波唎輸底 達磨底 伽伽娜 娑訶牟特伽底 娑婆毗輸底 摩訶娜耶 波唎婆唎莎訶
若有自書寫教人書寫是无量壽宗要經能消五无間等一切重罪陁羅尼曰
南謨薄伽勃底 阿波唎蜜多 阿喻紇硯娜 須毗你悉指陁 囉佐耶 怛他羯他耶 怛姪他 唵 薩婆桑悉迦囉
波唎輸底 達磨底 伽伽娜 娑訶牟特伽底 娑婆毗輸底 摩訶娜耶 波唎婆唎莎訶

BD00588號2　無量壽宗要經　（6–5）

南謨薄伽勃底 阿波唎蜜多 阿喻紇硯娜 須毗你悉指陁 囉佐耶 怛他羯他耶 怛姪他 唵 薩婆桑悉迦囉
波唎輸底 達磨底 伽伽娜 娑訶牟特伽底 娑婆毗輸底 摩訶娜耶 波唎婆唎莎訶
若有自書寫教人書寫是无量壽宗要經受持讀誦如同書寫八万四千一切經典陁羅尼曰
南謨薄伽勃底 阿波唎蜜多 阿喻紇硯娜 須毗你悉指陁 囉佐耶 怛他羯他耶 怛姪他 唵 薩婆桑悉迦囉
波唎輸底 達磨底 伽伽娜 娑訶牟特伽底 娑婆毗輸底 摩訶娜耶 波唎婆唎莎訶
若有自書寫教人書寫是无量壽宗要經即如書寫八万四千部建立塔廟陁羅尼曰
南謨薄伽勃底 阿波唎蜜多 阿喻紇硯娜 須毗你悉指陁 囉佐耶 怛他羯他耶 怛姪他 唵 薩婆桑悉迦囉
波唎輸底 達磨底 伽伽娜 娑訶牟特伽底 娑婆毗輸底 摩訶娜耶 波唎婆唎莎訶
若有自書寫教人書寫是无量壽宗要經能消五无間等一切重罪陁羅尼曰
南謨薄伽勃底 阿波唎蜜多 阿喻紇硯娜 須毗你悉指陁 囉佐耶 怛他羯他耶 怛姪他 唵 薩婆桑悉迦囉
波唎輸底 達磨底 伽伽娜 娑訶牟特伽底 娑婆毗輸底 摩訶娜耶 波唎婆唎莎訶
若有自書寫教人書寫是无量壽宗要經受持讀誦設有重罪積如須彌盡能消滅陁羅尼曰
南謨薄伽勃底 阿波唎蜜多 阿喻紇硯娜 須毗你悉指陁 囉佐耶 怛他羯他耶 怛姪他 唵 薩婆桑悉迦囉
波唎輸底 達磨底 伽伽娜 娑訶牟特伽底 娑婆毗輸底 摩訶娜耶 波唎婆唎莎訶
若有自書寫教人書寫是无量壽宗要經受持讀誦正魔魔之眷屬夜叉羅剎不得其便終无
枉橫死陁羅尼曰
南謨薄伽勃底 阿波唎蜜多 阿喻紇硯娜 須毗你悉指陁 囉佐耶 怛他羯他耶 怛姪他 唵 薩婆桑悉迦囉
波唎輸底 達磨底 伽伽娜 娑訶牟特伽底 娑婆毗輸底 摩訶娜耶 波唎婆唎莎訶
若有自書寫教人書寫是无量壽宗要經受持讀誦當命終時有九十九殑現其人前來授手
能遊一切佛剎莫於此經生疑惑陁羅尼曰
南謨薄伽勃底 阿波唎蜜多 阿喻紇硯娜 須毗你悉指陁 囉佐耶 怛他羯他耶 怛姪他 唵 薩婆桑悉迦囉
波唎輸底 達磨底 伽伽娜 娑訶牟特伽底 娑婆毗輸底 摩訶娜耶 波唎婆唎莎訶
若有自書寫教人書寫是无量壽宗要經受持讀誦常得四天大王隨其衛護陁羅尼曰
南謨薄伽勃底 阿波唎蜜多 阿喻紇硯娜 須毗你悉指陁 囉佐耶 怛他羯他耶 怛姪他 唵 薩婆桑悉迦囉
波唎輸底 達磨底 伽伽娜 娑訶牟特伽底 娑婆毗輸底 摩訶娜耶 波唎婆唎莎訶
若有自書寫教人書寫是无量壽宗要經受持讀誦當得往生西方極樂世界阿彌陁淨土

BD00588號2　無量壽宗要經　（6–6）

亦復如是不可思量須菩提菩薩但
教住須菩提於意云何可以身相見如来不不
也世尊不可以身相得見如来何以故如来所
說身相即非身相佛告須菩提凡所有相皆
是虛妄若見諸相非相則見如来
須菩提白佛言世尊頗有衆生得聞如是言
說章句生實信不佛告須菩提莫作是說如
来滅後後五百歲有持戒修福者於此章句
能生信心以此為實當知是人不於一佛二
佛三四五佛而種善根已於无量千万佛所
種諸善根聞是章句乃至一念生淨信者須
菩提如来悉知悉見是諸衆生得如是无量
福德何以故是諸衆生无復我相人相衆生
相壽者相无法相亦无非法相何以故是諸
衆生若心取相則為著我人衆生壽者若
取法相即著我人衆生壽者何以故若取非法
相即著我人衆生壽者是故不應取法不應
取非法以是義故如来常說汝等比丘知我
說法如筏喻者法尚應捨何況非法
須菩提於意云何如来得阿耨多羅三藐三

BD00589 號　金剛般若波羅蜜經　（3–1）

取非法以是義故如来常說汝等比丘知我
說法如筏喻者法尚應捨何況非法
須菩提於意云何如来得阿耨多羅三藐三
菩提耶如来有所說法耶須菩提言如我解
佛所說義无有定法名阿耨多羅三藐三菩
提亦无有定法如来可說何以故如来所說
法皆不可取不可說非法非非法所以者何
一切賢聖皆以无為法而有差別
須菩提於意云何若人滿三千大千世界七
寶以用布施是人所得福德寧為多不須菩
提言甚多世尊何以故是福德即非福德
性是故如来說福德多若復有人於此經中
受持乃至四句偈等為他人說其福勝彼
何以故須菩提一切諸佛及諸佛阿耨多羅
三藐三菩提法皆從此經出須菩提所謂佛
法者即非佛法
須菩提於意云何須陁洹能作是念我得
須陁洹果不須菩提言不也世尊何以故須陁
洹名為入流而无所入不入色聲香味觸法
是名須陁洹須菩提於意云何斯陁含能作
是念我得斯陁含果不須菩提言不也世尊
何以故斯陁含名一往来而實无往来是名
斯陁含須菩提於意云何阿那含能作是念
我得阿那含果不須菩提言不也世尊何以
故阿那含名為不来而實无来是故名阿那
含須菩提於意云何阿羅漢能作是念我得

BD00589 號　金剛般若波羅蜜經　（3–2）

斯陀含須菩提於意云何阿那含能作是念
我得阿那含果不須菩提言不也世尊何以
故阿那含名為不来而實无来是故名阿那
含須菩提於意云何阿羅漢能作是念我得
阿羅漢道不須菩提言不也世尊何以故實
无有法名阿羅漢世尊若阿羅漢作是念我
得阿羅漢道即為著我人衆生壽者世尊
佛說我得无諍三昧人中最為苐一是苐一離
欲阿羅漢我不作是念我是離欲阿羅漢世
尊我若作是念我得阿羅漢道世尊則不說
須菩提是樂阿蘭那行者以須菩提實无所
行而名須菩提是樂阿蘭那行
佛告須菩提於意云何如来昔在然燈佛所
於法有所得不世尊如来在然燈佛所於法
實无所得
須菩提於意云何菩薩莊嚴佛土不不也世
尊何以故莊嚴佛土者則非莊嚴是名莊嚴
是故須菩提諸菩薩摩訶薩應如是生清
淨心不應住色生心不應住聲香味觸法生心
應无所住而生其心須菩提譬如有人身如
須弥山王於意云何是身為大不須菩提言

[illegible]至示等八種
皆示〻若意有異移說者皆不犯　毀呰戒苐二　一制意者然夫人
之法宜出善言遞相讚嘆令彼歡喜勇進脩道反以下賤之言形呰
前人令彼慚愧癈退正業傷切人心甚於刀割惣處不雅故所以聖
制　別緣有六一大比丘二誦五六毀下四衆皆吉二是毀呰語四住折辱
意五言章了了六前人聞知此毀語文有四句此前而說已下正明戒本
正戒曰六群比丘鬪諍事種類罵彼忘失前後慚愧不語比丘舉過仏引
古牛以譬畜生得毀不堪進力等便制此戒　若比丘種類毀呰語者
彼逸提　此滿足之戒本文有三句一犯人二毀語三結犯初句可知言種類
毀呰者於中有二初引六惡法次明所罵事言六惡者如律中種類
一種罵二姓罵三業罵四相貌罵五犯過罵六結使罵言種罵者汝是
罵家生言姓罵者汝是下姓人言業罵者汝是伎術工巧人言相貌
罵者汝是盲瞎等人言犯過罵者汝是過人言結使罵者汝是多結
使人第二所罵事者有三有若面罵二喻罵三自比罵言面罵者汝是
車家生等是言喻罵者汝似除糞種等言自比罵者我非除糞種
乃至我非販賣牧牛羊旃陀羅人等又從呰言法罵亦三種面罵者汝
是阿蘭若坐禪等人餘二例知第三句言彼逸提者是結罪之文於
輕重有二一以六種惡法罵比丘者皆得提罪和上闍梨得蘭若罵親
友同學等吉毗尼者比罵外更加是中有如是人犯謂小姓比丘與
大姓者同住云此中有小姓比丘不犯者律云相若爲利故說爲法說
爲教授故說爲親友故說或戲笑或語疾或獨處說或夢
說未有皆不犯　兩舌語戒苐三　制意者夫出家同住無心生別尊攝
振屏傳於彼此令僧未有淨事而生已有淨事不除滅鬪亂僧衆
毀壞受重是故聖制別緣有六一是大比丘二除餘衆及破僧助伴等三
說鬪惡事三傳於彼此四住離意五言章了了六前人聞知論鬪亂夫
比丘捉餘衆輕罪以鬪比丘容有別部破僧事起爲斯故重之有四句此
前以說已下正明戒本此戒六群傳他彼此令衆鬪諍不能除滅比丘舉

罵者謂是惡瞋等人言犯過罪者謂是過人言結使罪者謂是多結
使人第二所罵事者有三有若面罵二喻罵三自比罵言面罵者謂是
真家生等是言喻罵者謂似除糞種等言自比罵者我非除糞種
乃至我非販賣殺牛羊破釋人等又位善法罵又三種面罵者謂
是阿蘭若坐禪等人餘二例知第三句言彼逸提者是結罪文於
輕重有二一以六種惡法罵比丘者皆得提罪和上闍梨得蘭若罵親
友同學等吉毗尼者比罵外更加是中有如是人久犯謂小性比丘與
大性者同住云此中有小性比丘不犯者律云相若為利故說為法說
為教授故說為親友故說或喜笑或因語故或失口或獨處說或謨
說未有發不犯　兩舌語戒第二　制意者夫出家同住无心生別尊離
稱屏傳於彼此令僧未有諍事而生已有諍事不除滅鬪亂僧眾
咄壞受重是故聖制別緣有六了意大比丘除餘眾及破僧助伴等三
說鄙惡事三傳於彼此四作離意五言章了了六前人聞知論闘亂夫
比丘提餘眾輕罪以闘比丘容有別部破僧事起為斯故重久有四句比
前以說已下正明戒本此戒六辟傳他彼此令眾闘諍不能除滅比丘舉
過佛引野干闘諍二獸死後於人便為制戒　若比丘兩舌語者彼逸
提　此簡之戒本文有三句一犯人二兩舌三結罪初句可知二言兩舌
語者闘亂兩頭令他破也故律云闘亂十眾出家五眾在家久亦三言
彼逸提者是結犯文律云若闘亂比丘者犯提餘九惡輕秖云以惡
法告言某甲說汝是无有上中下法欲令他離皆墮多論說已更
若彼離不離皆墮多論說已更說墮若不傳彼此語但兩說令離
散者一切吉羅不犯中律云若破惡知識惡伴黨和上同師親友知識
於僧塔廟作无利欲方便作无義破如是人者一切无犯　共女人同室宿
戒第四　制意者男女不殊理无同居境界交涉容生穢染又致譏
醜莫能自抜患累不輕是故聖制別緣有五一是人女二宿室相成就
三共同室宿四知共宿五隨卧轉側結罪言人女者四五二律局取人女
人簡餘女簡異男等但是人女不問道俗親疎大小五分乃至初
三[illegible]殊大小道俗咸是

貞寶

善聽當為汝說舍利弗言唯然世尊願樂欲
聞佛告舍利弗如是妙法諸佛如來時乃說
之如優曇鉢華時一現耳舍利弗汝等當信
佛之所說言不虛妄舍利弗諸佛隨宜說法
意趣難解所以者何我以无數方便種種因
緣譬喻言辭演說諸法是法非思量分別之
所能解唯有諸佛乃能知之所以者何諸佛
世尊唯以一大事因緣故出現於世舍利弗
云何名諸佛世尊唯以一大事因緣故出現
於世諸佛世尊欲令衆生開佛知見使得清
淨故出現於世欲示衆生佛知見故出現於
世欲令衆生悟佛知見故出現於世欲令衆
生入佛知見道故出現於世舍利弗是為諸
佛以一大事因緣故出現於世佛告舍利弗
諸佛如來但教化菩薩諸有所作常為一事
唯以佛之知見示悟衆生舍利弗如來但以
一佛乘故為衆生說法无有餘乘若二若三
舍利弗一切十方諸佛法亦如是舍利弗過
去諸佛以无量无數方便種種因緣譬喻言
辭而為衆生演說諸法是法皆為一佛乘故
是諸衆生從諸佛聞法究竟皆得一切種智
舍利弗未來諸佛當出於世亦以无量无數
方便種種因緣譬喻言辭而為衆生演說諸

BD00591號　妙法蓮華經卷一　（8–1）

辭而為衆生演說諸法是法皆為一佛乘故
是諸衆生從諸佛聞法究竟皆得一切種智
舍利弗未來諸佛當出於世亦以无量无數
方便種種因緣譬喻言辭而為衆生演說諸
法是法皆為一佛乘故是諸衆生從佛聞法
究竟皆得一切種智舍利弗現在十方无量
百千万億佛土中諸佛世尊多所饒益安樂
衆生是諸佛亦以无量无數方便種種因緣
譬喻言辭而為衆生演說諸法是法皆為一
佛乘故是諸衆生從佛聞法究竟皆得一切
種智舍利弗是諸佛但教化菩薩欲以佛之
知見示衆生故欲以佛之知見悟衆生故欲
令衆生入佛之知見故舍利弗我今亦復如
是知諸衆生有種種欲深心所著隨其本性
以種種因緣譬喻言辭方便力故而為說法
舍利弗如此皆為得一佛乘一切種智故舍
利弗十方世界中尚无二乘何況有三舍利
弗諸佛出於五濁惡世所謂劫濁煩惱濁衆
生濁見濁命濁如是舍利弗劫濁亂時衆生
垢重慳貪嫉妬成就諸不善根故諸佛以方
便力於一佛乘分別說三舍利弗若我弟子
自謂阿羅漢辟支佛者不聞不知諸佛如來
但教化菩薩事此非佛弟子非阿羅漢非辟
支佛又舍利弗是諸比丘比丘尼自謂已得
阿羅漢是最後身究竟涅槃便不復志求阿
耨多羅三藐三菩提當知此輩皆是增上慢
人所以者何若有比丘實得阿羅漢若不信

BD00591號　妙法蓮華經卷一　（8–2）

㝵多羅三藐三菩提當知此輩皆是增上慢
人所以者何若有比丘實得阿羅漢若不信
此法无有是處除佛滅度後現前无佛所以
者何佛滅度後如是等經受持讀誦解義者
是人難得若遇餘佛於此法中便得決了舍
利弗汝等當一心信解受持佛語諸佛如来
言无虛妄无有餘乘唯一佛乘尒時世尊欲
重宣此義而說偈言
比丘比丘尼　有懷增上慢　優婆塞我慢　優婆夷不信
如是四衆等　其數有五千　不自見其過　於戒有缺漏
護惜其瑕疵　是小智已出　衆中之糟糠　佛威德故去
斯人尠福德　不堪受是法　此衆无枝葉　唯有諸貞實
舍利弗善聽　諸佛所得法　无量方便力　而為衆生說
衆生心所念　種種所行道　若干諸欲性　先世善惡業
佛悉知是已　以諸緣譬喻　言辭方便力　令一切歡喜
或說脩多羅　伽陁及本事　本生未曾有　亦說於因緣
譬喻并祇夜　優波提舍經　鈍根樂小法　貪著於生死
於諸无量佛　不行深妙道　衆苦所惱亂　為是說涅槃
我設是方便　令得入佛慧　未曾說汝等　當得成佛道
所以未曾說　說時未至故　今正是其時　決定說大乘
我此九部法　隨順衆生說　入大乘為本　以故說是經
有佛子心淨　柔軟亦利根　无量諸佛所　而行深妙道
為此諸佛子　說是大乘經　我記如是人　来世成佛道
以深心念佛　脩持淨戒故　此等聞得佛　大喜充遍身
佛知彼心行　故為說大乘　聲聞若菩薩　聞我所說法
乃至於一偈　皆成佛无疑　十方佛土中　唯有一乘法
无二亦无三　除佛方便說　但以假名字　引導於衆生

佛知彼心行　故為說大乘　聲聞若菩薩　聞我所說法
乃至於一偈　皆成佛无疑　十方佛土中　唯有一乘法
无二亦无三　除佛方便說　但以假名字　引導於衆生
說佛智慧故　諸佛出於世　唯此一事實　餘二則非真
終不以小乘　濟度於衆生　佛自住大乘　如其所得法
定慧力莊嚴　以此度衆生　自證无上道　大乘平等法
若以小乘化　乃至於一人　我則墮慳貪　此事為不可
若人信歸佛　如来不欺誑　亦无貪嫉意　斷諸法中惡
故佛於十方　而獨无所畏　我以相嚴身　光明照世間
无量衆所尊　為說實相印　舍利弗當知　我本立誓願
欲令一切衆　如我等无異　如我昔所願　今者已滿足
化一切衆生　皆令入佛道　若我遇衆生　盡教以佛道
无智者錯亂　迷惑不受教　我知此衆生　未曾脩善本
堅著於五欲　癡愛故生惱　以諸欲因緣　墜墮三惡道
輪迴六趣中　備受諸苦毒　受胎之微形　世世常增長
薄德少福人　衆苦所逼迫　入耶見稠林　若有若无等
依止此諸見　具足六十二　深著虛妄法　堅受不可捨
我慢自矜高　諂曲心不實　於千万億劫　不聞佛名字
亦不聞正法　如是人難度　是故舍利弗　我為設方便
說諸盡苦道　示之以涅槃　我雖說涅槃　是亦非真滅
諸法從本来　常自寂滅相　佛子行道已　来世得作佛
我有方便力　開示三乘法　一切諸世尊　皆說一乘道
今此諸大衆　皆應除疑惑　諸佛語无異　唯一无二乘
過去无數劫　无量滅度佛　百千万億種　其數不可量
如是諸世尊　種種緣譬喻　无數方便力　演說諸法相
是諸世尊等　皆說一乘法　化无量衆生　令入於佛道
又諸大聖主　知一切世間　天人羣生類　深心之所欲
[illegible]

如是諸世尊 種種緣譬喻 无數方便力 演說諸法相
是諸世尊等 皆說一乘法 化无量衆生 令入於佛道
又諸大聖主 知一切世間 天人羣生類 深心之所欲
更以異方便 助顯第一義 若有衆生類 值諸過去佛
若聞法布施 或持戒忍辱 精進禪智等 種種脩福德
如是諸人等 皆已成佛道 諸佛滅度已 若人善軟心
起万億種塔 金銀及頗梨 車璖與馬瑙 玫瑰琉璃珠
清淨廣嚴飾 莊校於諸塔 或有起石廟 栴檀及沈水
木櫁并餘材 塼瓦泥土等 若於曠野中 積土成佛廟
乃至童子戲 聚沙為佛塔 如是諸人等 皆已成佛道
若人為佛故 建立諸形像 刻雕成衆相 皆已成佛道
或以七寶成 鍮石赤白銅 白鑞及鈆錫 鐵木及與泥
或以膠漆布 嚴飾作佛像 如是諸人等 皆已成佛道
采畫作佛像 百福莊嚴相 自作若使人 皆已成佛道
乃至童子戲 若草木及筆 或以指爪甲 而畫作佛像
如是諸人等 漸漸積功德 具足大悲心 皆已成佛道
但化諸菩薩 度脫无量衆 若人於塔廟 寶像及畫像
以華香幡蓋 敬心而供養 若使人作樂 擊鼓吹角貝
簫笛琴箜篌 琵琶鐃銅鈸 如是衆妙音 盡持以供養
或以歡喜心 歌唄頌佛德 乃至一小音 皆已成佛道
若人散亂心 乃至以一華 供養於畫像 漸見无數佛
或有人礼拜 或復但合掌 乃至舉一手 或復小低頭
以此供養像 漸見无量佛 自成无上道 廣度无數衆
入无餘涅槃 如薪盡火滅 若人散亂心 入於塔廟中
一稱南无佛 皆已成佛道 於諸過去佛 在世或滅後
若有聞是法 皆已成佛道 未來諸世尊 其數无有量
是諸如來等 亦方便說法 一切諸如來 以无量方便

BD00591 號 妙法蓮華經卷一 （8-5）

一稱南无佛 皆已成佛道 於諸過去佛 在世或滅後
若有聞是法 皆已成佛道 未來諸世尊 其數无有量
是諸如來等 亦方便說法 一切諸如來 以无量方便
度脫諸衆生 入佛无漏智 若有聞法者 无一不成佛
諸佛本誓願 我所行佛道 普欲令衆生 亦同得此道
未來世諸佛 雖說百千億 无數諸法門 其實為一乘
諸佛兩足尊 知法常无性 佛種從緣起 是故說一乘
是法住法位 世間相常住 於道場知已 導師方便說
天人所供養 現在十方佛 其數如恒沙 出現於世間
安隱衆生故 亦說如是法 知第一寂滅 以方便力故
雖示種種道 其實為佛乘 知衆生諸行 深心之所念
過去所習業 欲性精進力 及諸根利鈍 以種種因緣
譬喻亦言辭 隨應方便說 今我亦如是 安隱衆生故
以種種法門 宣示於佛道 我以智慧力 知衆生性欲
方便說諸法 皆令得歡喜 舍利弗當知 我以佛眼觀
見六道衆生 貧窮无福慧 入生死險道 相續苦不斷
深著於五欲 如犛牛愛尾 以貪愛自蔽 盲瞑无所見
不求大勢佛 及與斷苦法 深入諸耶見 以苦欲捨苦
為是衆生故 而起大悲心 我始坐道場 觀樹亦經行
於三七日中 思惟如是事 我所得智慧 微妙最第一
衆生諸根鈍 著樂癡所盲 如斯之等類 云何而可度
尒時諸梵王 及諸天帝釋 護世四天王 及大自在天
并餘諸天衆 眷屬百千万 恭敬合掌礼 請我轉法輪
我即自思惟 若但讚佛乘 衆生沒在苦 不能信是法
破法不信故 墜於三惡道 我寧不說法 疾入於涅槃
尋念過去佛 所行方便力 我今所得道 亦應說三乘
作是思惟時 十方佛皆現 梵音慰喻我 善哉釋迦文
第一之導師 得是无上法 隨諸一切佛 而用方便力

BD00591 號 妙法蓮華經卷一 （8-6）

破法不信故 墜於三惡道 我寧不說法 疾入於涅槃
尋念過去佛 所行方便力 我今所得道 亦應說三乘
作是思惟時 十方佛皆現 梵音慰喻我 善哉釋迦文
第一之導師 得是无上法 隨諸一切佛 而用方便力
我等亦皆得 最妙第一法 為諸眾生類 分別說三乘
少智樂小法 不自信作佛 是故以方便 分別說諸果
雖復說三乘 但為教菩薩 舍利弗當知 我聞聖師子
深淨微妙音 稱南无諸佛 復作如是念 我出濁惡世
如諸佛所說 我亦隨順行 思惟是事已 即趣波羅柰
諸法寂滅相 不可以言宣 以方便力故 為五比丘說
是名轉法輪 便有涅槃音 及以阿羅漢 法僧差別名
從久遠劫來 讚示涅槃法 生死苦永盡 我常如是說
舍利弗當知 我見佛子等 志求佛道者 无量千万億
咸以恭敬心 皆來至佛所 曾從諸佛聞 方便所說法
我即作是念 所以出於世 為說佛慧故 今正是其時
舍利弗當知 鈍根小智人 著相憍慢者 不能信是法
今我喜无畏 於諸菩薩中 正直捨方便 但說无上道
菩薩聞是法 疑網皆已除 千二百羅漢 悉亦當作佛
如三世諸佛 說法之儀式 我今亦如是 說无分別法
諸佛興出世 懸遠值遇難 正使出于世 說是法復難
无量无數劫 聞是法亦難 能聽是法者 斯人亦復難
譬如優曇華 一切皆愛樂 天人所希有 時時乃一出
聞法歡喜讚 乃至發一言 則為已供養 一切三世佛
是人甚希有 過於優曇華 汝等勿有疑 我為諸法王
普告諸大眾 但以一乘道 教化諸菩薩 无聲聞弟子
汝等舍利弗 聲聞及菩薩 當知是妙法 諸佛之秘要
以五濁惡世 但樂著諸欲 如是等眾生 終不求佛道

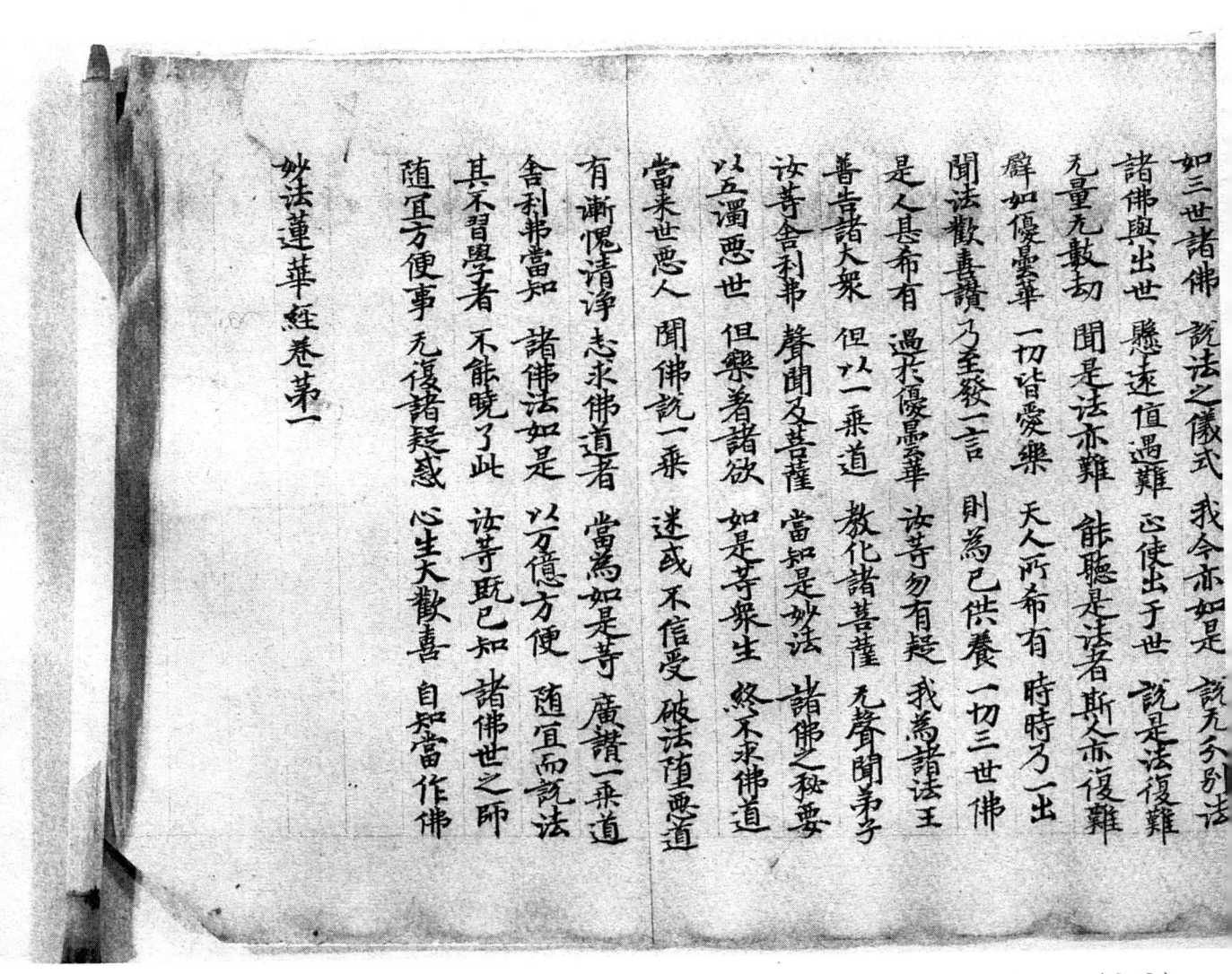

BD00591號　妙法蓮華經卷一　（8–7）

如三世諸佛 說法之儀式 我今亦如是 說无分別法
諸佛興出世 懸遠值遇難 正使出于世 說是法復難
无量无數劫 聞是法亦難 能聽是法者 斯人亦復難
譬如優曇華 一切皆愛樂 天人所希有 時時乃一出
聞法歡喜讚 乃至發一言 則為已供養 一切三世佛
是人甚希有 過於優曇華 汝等勿有疑 我為諸法王
普告諸大眾 但以一乘道 教化諸菩薩 无聲聞弟子
汝等舍利弗 聲聞及菩薩 當知是妙法 諸佛之秘要
以五濁惡世 但樂著諸欲 如是等眾生 終不求佛道
當來世惡人 聞佛說一乘 迷惑不信受 破法墮惡道
有慚愧清淨 志求佛道者 當為如是等 廣讚一乘道
舍利弗當知 諸佛法如是 以万億方便 隨宜而說法
其不習學者 不能曉了此 汝等既已知 諸佛世之師
隨宜方便事 无復諸疑惑 心生大歡喜 自知當作佛

妙法蓮華經卷第一

BD00591號　妙法蓮華經卷一　（8–8）

外有[illegible]在外在兩間尚
畢竟不可得性非有故況有陁羅尼門在內
在外在兩間增語及三摩地門在內在外在
兩間增語此增語既非有如何可言即陁羅
尼門若在內若在外若在兩間增語是菩薩
摩訶薩即三摩地門若在內若在外若在兩
間增語是菩薩摩訶薩善現汝復觀何義言
即陁羅尼門若可得若不可得增語非菩薩
摩訶薩即三摩地門若可得若不可得增語
非菩薩摩訶薩邪世尊若陁羅尼門可得不
可得若三摩地門可得不可得尚畢竟不可
得性非有故況有陁羅尼門可得不可得增
語及三摩地門可得不可得增語此增語既
非有如何可言即陁羅尼門若可得若不可
得增語是菩薩摩訶薩即三摩地門若可得
若不可得增語是菩薩摩訶薩
復次善現汝觀何義言即極喜地增語非菩
薩摩訶薩即離垢地發光地焰慧地極難勝
地現前地遠行地不動地善慧地法雲地增
語非菩薩摩訶薩邪具壽善現答言世尊若
極喜地若離垢地乃至法雲地尚畢竟不可
得性非有故況有極喜地增語及離垢地乃
至法雲地增語此增語既非有如何可言即極

BD00592號　大般若波羅蜜多經卷三二　（20–1）

語非菩薩摩訶薩邪具壽善現答言世尊若
極喜地若離垢地乃至法雲地尚畢竟不可
得性非有故況有極喜地增語及離垢地乃
至法雲地增語此增語既非有如何可言即極
喜地增語是菩薩摩訶薩即離垢地乃至
法雲地增語是菩薩摩訶薩善現汝復觀何
義言即極喜地若常若无常增語非菩薩摩
訶薩即離垢地乃至法雲地若常若无常增
語非菩薩摩訶薩耶世尊若極喜地常无常
若離垢地乃至法雲地常无常尚畢竟不可
得性非有故況有極喜地常无常增語及離
垢地乃至法雲地常无常增語此增語既非
有如何可言即極喜地若常若无常增語是
菩薩摩訶薩即離垢地乃至法雲地若常若
无常增語是菩薩摩訶薩善現汝復觀何義
言即極喜地若樂若苦增語非菩薩摩訶薩
即離垢地乃至法雲地若樂若苦增語非菩
薩摩訶薩耶世尊若極喜地樂苦若離垢地
乃至法雲地樂苦常畢竟不可得性非有故
況有極喜地樂苦增語及離垢地乃至法雲
地樂苦增語此增語既非有如何可言即極
喜地若樂若苦增語是菩薩摩訶薩即離垢
地乃至法雲地若樂若苦增語是菩薩摩訶
薩善現汝復觀何義言即極喜地若我若无
我增語非菩薩摩訶薩即離垢地乃至法雲
地若我若无我增語非菩薩摩訶薩耶世尊

BD00592號　大般若波羅蜜多經卷三二　（20–2）

我增語非菩薩摩訶薩即離垢地乃至法雲
地若我若无我增語非菩薩摩訶薩耶世尊
若極喜地我无我若離垢地乃至法雲地我
无我尚畢竟不可得性非有故況有極喜地
我无我增語及離垢地乃至法雲地我无我
增語此增語既非有如何可言即極喜地若
我若无我增語是菩薩摩訶薩即離垢地乃
至法雲地若我若无我增語是菩薩摩訶薩
善現汝復觀何義言即極喜地若淨若不淨
增語非菩薩摩訶薩即離垢地乃至法雲地
若淨若不淨增語非菩薩摩訶薩耶世尊若
極喜地淨不淨若離垢地乃至法雲地淨不
淨尚畢竟不可得性非有故況有極喜地淨
不淨增語及離垢地乃至法雲地淨不淨增
語此增語既非有如何可言即極喜地若淨
若不淨增語是菩薩摩訶薩即離垢地乃至
法雲地若淨若不淨增語是菩薩摩訶薩善
現汝復觀何義言即極喜地若空若不空增
語非菩薩摩訶薩即離垢地乃至法雲地若
空若不空增語非菩薩摩訶薩耶世尊若極
喜地空不空若離垢地乃至法雲地空不空
尚畢竟不可得性非有故況有極喜地空不
空增語及離垢地乃至法雲地空不空增語
此增語既非有如何可言即極喜地若空若
不空增語是菩薩摩訶薩即離垢地乃至法
雲地若空若不空增語是菩薩摩訶薩善現
汝復觀何義言即極喜地若有相若无相增

BD00592號　大般若波羅蜜多經卷三二　（20–3）

不空增語是菩薩摩訶薩即離垢地乃至法
雲地若空若不空增語是菩薩摩訶薩善現
汝復觀何義言即極喜地若有相若无相增
語非菩薩摩訶薩即離垢地乃至法雲地若
有相若无相增語非菩薩摩訶薩耶世尊若
極喜地有相无相若離垢地乃至法雲地有
相无相尚畢竟不可得性非有故況有極喜
地有相无相增語及離垢地乃至法雲地有
相无相增語此增語既非有如何可言即極
喜地若有相若无相增語是菩薩摩訶薩即
離垢地乃至法雲地若有相若无相增語是
菩薩摩訶薩善現汝復觀何義言即極喜地
若有願若无願增語非菩薩摩訶薩即離垢
地乃至法雲地若有願若无願增語非菩薩
摩訶薩耶世尊若極喜地有願无願若離垢
地乃至法雲地有願无願尚畢竟不可得性
非有故況有極喜地有願无願增語及離垢
地乃至法雲地有願无願增語此增語既非
有如何可言即極喜地若有願若无願增語
是菩薩摩訶薩即離垢地乃至法雲地若有
願若无願增語是菩薩摩訶薩善現汝復觀
何義言即極喜地若寂靜若不寂靜增語非
菩薩摩訶薩即離垢地乃至法雲地若寂靜
若不寂靜增語非菩薩摩訶薩耶世尊若極
喜地寂靜不寂靜若離垢地乃至法雲地寂
靜不寂靜尚畢竟不可得性非有故況有極
喜地寂靜不寂靜增語及離垢地乃至法雲

BD00592號　大般若波羅蜜多經卷三二　（20–4）

喜地寂靜不寂靜若離垢地乃至法雲地寂
靜不寂靜尚畢竟不可得性非有故況有極
喜地寂靜不寂靜增語及離垢地乃至法雲
地寂靜不寂靜增語此增語既非有如何可
言即極喜地若寂靜若不寂靜增語是菩薩
摩訶薩即離垢地乃至法雲地若寂靜若不
寂靜增語是菩薩摩訶薩耶善現汝復觀何義
言即極喜地若遠離若不遠離增語非菩薩
摩訶薩即離垢地乃至法雲地若遠離若不
遠離增語非菩薩摩訶薩耶世尊若極喜地
遠離不遠離若離垢地乃至法雲地遠離不
遠離尚畢竟不可得性非有故況有極喜地
遠離不遠離增語及離垢地乃至法雲地遠
離不遠離增語此增語既非有如何可言即
極喜地若遠離若不遠離增語是菩薩摩訶
薩即離垢地乃至法雲地若遠離若不遠離
增語是菩薩摩訶薩善現汝復觀何義言即
極喜地若有爲若无爲增語非菩薩摩訶薩
即離垢地乃至法雲地若有爲若无爲增語
非菩薩摩訶薩耶世尊若極喜地有爲无爲
若離垢地乃至法雲地有爲无爲尚畢竟不
可得性非有故況有極喜地有爲无爲增語
及離垢地乃至法雲地有爲无爲增語此增
語既非有如何可言即極喜地若有爲若无
爲增語是菩薩摩訶薩即離垢地乃至法雲
地若有爲若无爲增語是菩薩摩訶薩善現
汝復觀何義言即極喜地若有漏若无漏增

BD00592號　大般若波羅蜜多經卷三二　（20–5）

地若有爲若无爲增語是菩薩摩訶薩善現
汝復觀何義言即極喜地若有漏若无漏增
語非菩薩摩訶薩即離垢地乃至法雲地若
有漏若无漏增語非菩薩摩訶薩耶世尊若
極喜地有漏无漏若離垢地乃至法雲地有
漏无漏尚畢竟不可得性非有故況有極喜
地有漏无漏增語及離垢地乃至法雲地有
漏无漏增語此增語既非有如何可言即極
喜地若有漏若无漏增語是菩薩摩訶薩即
離垢地乃至法雲地若有漏若无漏增語是
菩薩摩訶薩善現汝復觀何義言即極喜地
若生若滅增語非菩薩摩訶薩即離垢地乃
至法雲地若生若滅增語非菩薩摩訶薩耶
世尊若極喜地生滅若離垢地乃至法雲地生
滅尚畢竟不可得性非有故況有極喜地
生滅增語及離垢地乃至法雲地生滅增語
此增語既非有如何可言即極喜地若生若
滅增語是菩薩摩訶薩即離垢地乃至法雲
地若生若滅增語是菩薩摩訶薩善現汝復
觀何義言即極喜地若善若非善增語非菩
薩摩訶薩即離垢地乃至法雲地若善若非
善增語非菩薩摩訶薩耶世尊若極喜地善
非善若離垢地乃至法雲地善非善尚畢竟
不可得性非有故況有極喜地善非善增語
及離垢地及至法雲地善非善增語此增語
既非有如何可言即極喜地若善若非善增

BD00592號　大般若波羅蜜多經卷三二　（20–6）

及雜垢地及至法雲地善非善增語此增語
既非有如何可言即極喜地若善若非善增
語是菩薩摩訶薩即雜垢地乃至法雲地若
善若非善增語是菩薩摩訶薩善現汝復觀
何義言即極喜地若有罪若无罪增語非菩
薩摩訶薩即雜垢地乃至法雲地若有罪若
无罪增語非菩薩摩訶薩耶世尊若極喜地
有罪无罪若雜垢地乃至法雲地有罪无罪
尚畢竟不可得性非有故況有極喜地有罪
无罪增語及雜垢地乃至法雲地有罪无罪
增語此增語既非有如何可言即極喜地若
有罪若无罪增語是菩薩摩訶薩即雜垢地
乃至法雲地若有罪若无罪增語是菩薩摩
訶薩善現汝復觀何義言即極喜地若有煩
惱若无煩惱增語非菩薩摩訶薩即雜垢地
乃至法雲地若有煩惱若无煩惱增語非菩
薩摩訶薩耶世尊若極喜地有煩惱无煩惱
若雜垢地乃至法雲地有煩惱无煩惱尚畢
竟不可得性非有故況有極喜地有煩惱无
煩惱增語及雜垢地乃至法雲地有煩惱无
煩惱增語此增語既非有如何可言即極喜
地若有煩惱若无煩惱增語是菩薩摩訶薩
即雜垢地乃至法雲地若有煩惱若无煩惱
增語是菩薩摩訶薩善現汝復觀何義言即
極喜地若世間若出世間增語非菩薩摩訶
薩即雜垢地乃至法雲地若世間若出世間

BD00592 號　大般若波羅蜜多經卷三二　（20–7）

極喜地若世間若出世間增語非菩薩摩訶
薩即雜垢地乃至法雲地若世間若出世間
增語非菩薩摩訶薩耶世尊若極喜地世間
出世間若雜垢地乃至法雲地世間出世間
尚畢竟不可得性非有故況有極喜地世間
出世間增語及雜垢地乃至法雲地世間出
世間增語此增語既非有如何可言即極喜
地若世間若出世間增語是菩薩摩訶薩即
雜垢地乃至法雲地若世間若出世間增語
是菩薩摩訶薩善現汝復觀何義言即極喜
地若雜染若清淨增語非菩薩摩訶薩即雜
垢地乃至法雲地若雜染若清淨增語非菩
薩摩訶薩耶世尊若極喜地雜染清淨若雜
垢地乃至法雲地雜染清淨尚畢竟不可得
性非有故況有極喜地雜染清淨增語及雜
垢地乃至法雲地雜染清淨增語此增語既
非有如何可言即極喜地若雜染若清淨增
語是菩薩摩訶薩即雜垢地乃至法雲地若
雜染若清淨增語是菩薩摩訶薩善現汝復
觀何義言即極喜地若屬生死若屬涅槃增
語非菩薩摩訶薩即雜垢地乃至法雲地若
屬生死若屬涅槃增語非菩薩摩訶薩耶世
尊若極喜地屬生死屬涅槃若雜垢地乃至
法雲地屬生死屬涅槃尚畢竟不可得性非
有故況有極喜地屬生死屬涅槃增語及雜
垢地乃至法雲地屬生死屬涅槃增語此增

BD00592 號　大般若波羅蜜多經卷三二　（20–8）

法雲地屬生死屬涅槃尚畢竟不可得性非
有故况有極喜地屬生死屬涅槃增語及離
垢地乃至法雲地屬生死屬涅槃增語此增
語既非有如何可言即極喜地若屬生死若
屬涅槃增語是菩薩摩訶薩即離垢地乃至
法雲地若屬生死若屬涅槃增語是菩薩摩
訶薩善現汝復觀何義言即極喜地若在內
若在外若在兩間增語非菩薩摩訶薩即離
垢地乃至法雲地若在內若在外若在兩間
增語非菩薩摩訶薩耶世尊若極喜地在內
在外在兩間若離垢地乃至法雲地在內在
外在兩間尚畢竟不可得性非有故况有極
喜地在內在外在兩間增語及離垢地乃至
法雲地在內在外在兩間增語此增語既非
有如何可言即極喜地若在內若在外若在
兩間增語是菩薩摩訶薩即離垢地乃至法
雲地若在內若在外若在兩間增語是菩薩
摩訶薩善現汝復觀何義言即極喜地若可
得若不可得增語非菩薩摩訶薩即離垢地
乃至法雲地若可得若不可得增語非菩薩
摩訶薩耶世尊若極喜地可得不可得若離
垢地乃至法雲地可得不可得尚畢竟不可
得性非有故况有極喜地可得不可得增語
及離垢地乃至法雲地可得不可得增語此增
語既非有如何可言即極喜地若可得若
不可得增語是菩薩摩訶薩即離垢地乃至

BD00592號　大般若波羅蜜多經卷三二　（20–9）

及離垢地乃至法雲地可得不可得增語此增
語既非有如何可言即極喜地若可得若
不可得增語是菩薩摩訶薩即離垢地乃至
法雲地若可得若不可得增語是菩薩摩訶
薩
復次善現汝觀何義言即五眼增語非菩薩
摩訶薩即六神通增語非菩薩摩訶薩耶具
壽善現答言世尊若五眼若六神通尚畢竟
不可得性非有故况有五眼增語及六神通
增語此增語既非有如何可言即五眼增語
是菩薩摩訶薩即六神通增語是菩薩摩訶
薩善現汝復觀何義言即五眼若常若无常
增語非菩薩摩訶薩即六神通若常若无常
增語非菩薩摩訶薩耶世尊若五眼常无常
若六神通常无常尚畢竟不可得性非有故
况有五眼常无常增語及六神通常无常增
語此增語既非有如何可言即五眼若常若
无常增語是菩薩摩訶薩即六神通若常若
无常增語是菩薩摩訶薩善現汝復觀何義
言即五眼若樂若苦增語非菩薩摩訶薩即
六神通若樂若苦增語非菩薩摩訶薩耶世
尊若五眼樂苦若六神通樂苦尚畢竟不可
得性非有故况有五眼樂苦增語及六神通
樂苦增語此增語既非有如何可言即五眼
若樂若苦增語是菩薩摩訶薩即六神通若
樂若苦增語是菩薩摩訶薩善現汝復觀何
義言即五眼若我若无我增語非菩薩摩訶

BD00592號　大般若波羅蜜多經卷三二　（20–10）

樂若苦增語是菩薩摩訶薩善現汝復觀何
義言即五眼若我若无我增語非菩薩摩訶
薩即六神通若我若无我增語非菩薩摩訶
薩耶世尊若五眼我无我若六神通我无我
尚畢竟不可得性非有故況有五眼我无我
增語及六神通我无我增語此增語既非有
如何可言即五眼若我若无我增語是菩薩
摩訶薩即六神通若我若无我增語是菩薩
摩訶薩善現汝復觀何義言即五眼若淨若
不淨增語非菩薩摩訶薩即六神通若淨若
不淨增語非菩薩摩訶薩耶世尊若五眼淨
不淨若六神通淨不淨尚畢竟不可得性非
有故況有五眼淨不淨增語及六神通淨不
淨增語此增語既非有如何可言即五眼若
淨若不淨增語是菩薩摩訶薩即六神通若
淨若不淨增語是菩薩摩訶薩善現汝復觀
何義言即五眼若空若不空增語非菩薩摩
訶薩即六神通若空若不空增語非菩薩摩
訶薩耶世尊若五眼空不空若六神通空不
空尚畢竟不可得性非有故況有五眼空不
空增語及六神通空不空增語此增語既非
有如何可言即五眼若空若不空增語是菩
薩摩訶薩即六神通若空若不空增語是菩
薩摩訶薩善現汝復觀何義言即五眼若有
相若无相增語非菩薩摩訶薩即六神通若
有相若无相增語非菩薩摩訶薩耶世尊若
五眼有相无相若六神通有相无相尚畢竟

BD00592號　大般若波羅蜜多經卷三二　（20–11）

薩摩訶薩善現汝復觀何義言即五眼若有
相若无相增語非菩薩摩訶薩即六神通若
有相若无相增語非菩薩摩訶薩耶世尊若
五眼有相无相若六神通有相无相尚畢竟
不可得性非有故況有五眼有相无相增語
及六神通有相无相增語此增語既非有如
何可言即五眼若有相若无相增語是菩薩
摩訶薩即六神通若有相若无相增語是菩
薩摩訶薩善現汝復觀何義言即五眼若有
願若无願增語非菩薩摩訶薩即六神通若
有願若无願增語非菩薩摩訶薩耶世尊若
五眼有願无願若六神通有願无願尚畢竟
不可得性非有故況有五眼有願无願增語
及六神通有願无願增語此增語既非有如
何可言即五眼若有願若无願增語是菩薩
摩訶薩即六神通若有願若无願增語是菩
薩摩訶薩善現汝復觀何義言即五眼若寂
靜若不寂靜增語非菩薩摩訶薩即六神通
若寂靜若不寂靜增語非菩薩摩訶薩耶世
尊若五眼寂靜不寂靜若六神通寂靜不寂
靜尚畢竟不可得性非有故況有五眼寂靜
不寂靜增語及六神通寂靜不寂靜增語此
增語既非有如何可言即五眼若寂靜若不
寂靜增語是菩薩摩訶薩即六神通若寂靜
若不寂靜增語是菩薩摩訶薩善現汝復觀
何義言即五眼若遠離若不遠離增語非菩
薩摩訶薩即六神通若遠離若不遠離增語

BD00592號　大般若波羅蜜多經卷三二　（20–12）

若不遠離增語是菩薩摩訶薩善現汝復觀
何義言即五眼若遠離若不遠離增語非菩
薩摩訶薩即六神通若遠離若不遠離增語
非菩薩摩訶薩耶世尊若五眼遠離不遠離
若六神通遠離不遠離尚畢竟不可得性非
有故況有五眼遠離不遠離增語及六神通
遠離不遠離增語此增語既非有如何可言
即五眼若遠離若不遠離增語是菩薩摩訶
薩即六神通若遠離若不遠離增語是菩薩
摩訶薩善現汝復觀何義言即五眼若有為
若无為增語非菩薩摩訶薩即六神通若有
為若无為增語非菩薩摩訶薩耶世尊若五
眼有為无為若六神通有為无為尚畢竟不
可得性非有故況有五眼有為无為增語及
六神通有為无為增語此增語既非有如何
可言即五眼若有為若无為增語是菩薩摩
訶薩即六神通若有為若无為增語是菩薩
摩訶薩善現汝復觀何義言即五眼若有漏
若无漏增語非菩薩摩訶薩即六神通若有
漏若无漏增語非菩薩摩訶薩耶世尊若五
眼有漏无漏若六神通有漏无漏尚畢竟不
可得性非有故況有五眼有漏无漏增語及
六神通有漏无漏增語此增語既非有如何
可言即五眼若有漏若无漏增語是菩薩摩
訶薩即六神通若有漏若无漏增語是菩薩
摩訶薩善現汝復觀何義言即五眼若生若
滅增語非菩薩摩訶薩即六神通若生若滅

BD00592 號　大般若波羅蜜多經卷三二　（20–13）

摩訶薩善現汝復觀何義言即五眼若生若
滅增語非菩薩摩訶薩即六神通若生若滅
增語非菩薩摩訶薩耶世尊若五眼生滅若
六神通生滅尚畢竟不可得性非有故況有
五眼生滅增語及六神通生滅增語此增語
既非有如何可言即五眼若生若滅增語是
菩薩摩訶薩即六神通若生若滅增語是菩
薩摩訶薩善現汝復觀何義言即五眼若善
若非善增語非菩薩摩訶薩即六神通若善
若非善增語非菩薩摩訶薩耶世尊若五眼
善非善若六神通善非善尚畢竟不可得性
非有故況有五眼善非善增語及六神通善
非善增語此增語既非有如何可言即五眼
若善若非善增語是菩薩摩訶薩即六神通
若善若非善增語是菩薩摩訶薩善現汝復
觀何義言即五眼若有罪若无罪增語非菩
薩摩訶薩即六神通若有罪若无罪增語非
菩薩摩訶薩耶世尊若五眼有罪无罪若六
神通有罪无罪尚畢竟不可得性非有故況
有五眼有罪无罪增語及六神通有罪无罪
增語此增語既非有如何可言即五眼若有
罪若无罪增語是菩薩摩訶薩即六神通若
有罪若无罪增語是菩薩摩訶薩善現汝復
觀何義言即五眼若有煩惱若无煩惱增語
非菩薩摩訶薩即六神通若有煩惱若无煩
惱增語非菩薩摩訶薩耶世尊若五眼有煩

BD00592 號　大般若波羅蜜多經卷三二　（20–14）

非菩薩摩訶薩即六神通若有煩惱若无煩
惱增語非菩薩摩訶薩耶世尊若五眼有煩
惱无煩惱若六神通有煩惱无煩惱尚畢竟
不可得性非有故況有五眼有煩惱无煩惱
增語及六神通有煩惱无煩惱增語此增語
既非有如何可言即五眼若有煩惱若无煩
惱增語是菩薩摩訶薩即六神通若有煩惱
若无煩惱增語是菩薩摩訶薩善現汝復觀
何義言即五眼若世間若出世間增語非菩
薩摩訶薩即六神通若世間若出世間增語
非菩薩摩訶薩耶世尊若五眼世間出世間
若六神通世間出世間尚畢竟不可得性非
有故況有五眼世間出世間增語及六神通
世間出世間增語此增語既非有如何可言
即五眼若世間若出世間增語是菩薩摩訶
薩即六神通若世間若出世間增語是菩薩
摩訶薩善現汝復觀何義言即五眼若雜染
若清淨增語非菩薩摩訶薩即六神通若雜
染若清淨增語非菩薩摩訶薩耶世尊若五
眼雜染清淨若六神通雜染清淨尚畢竟不
可得性非有故況有五眼雜染清淨增語及
六神通雜染清淨增語此增語既非有如何
可言即五眼若雜染若清淨增語是菩薩摩
訶薩即六神通若雜染若清淨增語是菩薩
摩訶薩善現汝復觀何義言即五眼若屬生
死若屬涅槃增語非菩薩摩訶薩即六神通
若屬生死若屬涅槃增語非菩薩摩訶薩耶

BD00592 號　大般若波羅蜜多經卷三二　　(20–15)

訶薩即六神通若雜染若清淨增語是菩薩
摩訶薩善現汝復觀何義言即五眼若屬生
死若屬涅槃增語非菩薩摩訶薩即六神通
若屬生死若屬涅槃增語非菩薩摩訶薩耶
世尊若五眼屬生死屬涅槃若六神通屬生
死屬涅槃尚畢竟不可得性非有故況有五
眼屬生死屬涅槃增語及六神通屬生死屬
涅槃增語此增語既非有如何可言即五眼
若屬生死若屬涅槃增語是菩薩摩訶薩即
六神通若屬生死若屬涅槃增語是菩薩摩
訶薩善現汝復觀何義言即五眼若在內若
在外若在兩間增語非菩薩摩訶薩即六神
通若在內若在外若在兩間增語非菩薩摩
訶薩耶世尊若五眼在內在外在兩間若六
神通在內在外在兩間尚畢竟不可得性非
有故況有五眼在內在外在兩間增語及六
神通在內在外在兩間增語此增語既非有
如何可言即五眼若在內若在外若在兩間
增語是菩薩摩訶薩即六神通若在內若在
外若在兩間增語是菩薩摩訶薩善現汝復
觀何義言即五眼若可得若不可得增語非
菩薩摩訶薩即六神通若可得若不可得增
語非菩薩摩訶薩耶世尊若五眼可得不可
得若六神通可得不可得尚畢竟不可得性
非有故況有五眼可得不可得增語及六神
通可得不可得增語此增語既非有如何可
言即五眼若可得若不可得增語是菩薩摩

BD00592 號　大般若波羅蜜多經卷三二　　(20–16)

通可得不可得增語此增語既非有如何可
言即五眼若可得若不可得增語是菩薩摩
訶薩即六神通若可得若不可得增語是菩
薩摩訶薩
復次善現汝觀何義言即佛十力增語非菩
薩摩訶薩即四无所畏四无礙解十八佛不
共法增語非菩薩摩訶薩耶具壽善現荅言
世尊若佛十力若四無所畏四无礙解十八
佛不共法尚畢竟不可得性非有故況有佛
十力增語及四无所畏四无礙解十八佛不
共法增語此增語既非有如何可言即佛十
力增語是菩薩摩訶薩即四无所畏四无礙
解十八佛不共法增語是菩薩摩訶薩善現
汝復觀何義言即佛十力若常若无常增語
非菩薩摩訶薩即四无所畏四无礙解十八
佛不共法若常若无常增語非菩薩摩訶薩
耶世尊若佛十力常无常若四无所畏四无
礙解十八佛不共法常无常尚畢竟不可得
性非有故況有佛十力常无常增語及四无
所畏四无礙解十八佛不共法常无常增語
此增語既非有如何可言即佛十力若常若
无常增語是菩薩摩訶薩即四无所畏四无
礙解十八佛不共法若常若无常增語是菩
薩摩訶薩善現汝復觀何義言即佛十力若
樂若苦增語非菩薩摩訶薩即四无所畏四
无礙解十八佛不共法若樂若苦增語非菩

樂若苦增語非菩薩摩訶薩即四无所畏四
无礙解十八佛不共法若樂若苦增語非菩
薩摩訶薩耶世尊若佛十力樂苦若四无所
畏四无礙解十八佛不共法樂苦尚畢竟不
可得性非有故況有佛十力樂苦增語及四
无所畏四无礙解十八佛不共法樂苦增語
此增語既非有如何可言即佛十力若樂若
苦增語是菩薩摩訶薩即四无所畏四无礙
解十八佛不共法若樂若苦增語是菩薩摩
訶薩善現汝復觀何義言即佛十力若我若
无我增語非菩薩摩訶薩即四无所畏四无
礙解十八佛不共法若我若无我增語非菩
薩摩訶薩耶世尊若佛十力我无我若四无
所畏四无礙解十八佛不共法我无我尚畢
竟不可得性非有故況有佛十力我无我增
語及四无所畏四无礙解十八佛不共法我
无我增語此增語既非有如何可言即佛十
力若我若无我增語是菩薩摩訶薩即四无
所畏四无礙解十八佛不共法若我若无我
增語是菩薩摩訶薩善現汝復觀何義言即
佛十力若淨若不淨增語非菩薩摩訶薩即
四无所畏四无礙解十八佛不共法若淨若
不淨增語非菩薩摩訶薩耶世尊若佛十力
淨不淨若四无所畏四无礙解十八佛不共
法淨不淨尚畢竟不可得性非有故況有佛
十力淨不淨增語及四无所畏四无礙解十
八佛不共法淨不淨增語此增語既非有如

十力淨不淨增語及四无所畏四无礙解十
八佛不共法淨不淨增語此增語既非有如
何可言即佛十力若淨若不淨增語是菩薩
摩訶薩即四无所畏四无礙解十八佛不共
法若淨若不淨增語是菩薩摩訶薩善現汝
復觀何義言即佛十力若空若不空增語非
菩薩摩訶薩即四无所畏四无礙解十八佛
不共法若空若不空增語非菩薩摩訶薩耶
世尊若佛十力空不空若四无所畏四无礙
解十八佛不共法空不空尚畢竟不可得性
非有故況有佛十力空不空增語及四无所
畏四无礙解十八佛不共法空不空增語此
增語既非有如何可言即佛十力若空若不
空增語是菩薩摩訶薩即四无所畏四无礙
解十八佛不共法若空若不空增語是菩薩
摩訶薩善現汝復觀何義言即佛十力若有
相若无相增語非菩薩摩訶薩即四无所畏
四无礙解十八佛不共法若有相若无相增
語非菩薩摩訶薩耶世尊若佛十力有相无
相若四无所畏四无礙解十八佛不共法有
相无相尚畢竟不可得性非有故況有佛十
力有相无相增語及四无所畏四无礙解十
八佛不共法有相无相增語此增語既非有
如何可言即佛十力若有相若无相增語是
菩薩摩訶薩即四无所畏四无礙解十八佛
不共法若有相若无相增語是菩薩摩訶薩

BD00592 號　大般若波羅蜜多經卷三二　（20-19）

世尊若佛十力空不空若四无所畏四无礙
解十八佛不共法空不空尚畢竟不可得性
非有故況有佛十力空不空增語及四无所
畏四无礙解十八佛不共法空不空增語此
增語既非有如何可言即佛十力若空若不
空增語是菩薩摩訶薩即四无所畏四无礙
解十八佛不共法若空若不空增語是菩薩
摩訶薩善現汝復觀何義言即佛十力若有
相若无相增語非菩薩摩訶薩即四无所畏
四无礙解十八佛不共法若有相若无相增
語非菩薩摩訶薩耶世尊若佛十力有相无
相若四无所畏四无礙解十八佛不共法有
相无相尚畢竟不可得性非有故況有佛十
力有相无相增語及四无所畏四无礙解十
八佛不共法有相无相增語此增語既非有
如何可言即佛十力若有相若无相增語是
菩薩摩訶薩即四无所畏四无礙解十八佛
不共法若有相若无相增語是菩薩摩訶薩

大般若波羅蜜多經卷第三十二

BD00592 號　大般若波羅蜜多經卷三二　（20-20）

理淨無可不
行出入不二不住一相心无
相雖不出家不住在家故雖无法服
自心无爲自然而獲聖果不住二乘入菩薩道
可思議如是之人非出家非不出家何以故入涅槃宅著如來衣坐菩提座如是之人乃
至沙門宜應敬養佛言如是何以故入涅槃宅心越三界者如來衣入法空處坐
菩提座登正覺一地如是之人心越二我何況沙門而不敬養大力菩薩言如彼一地
及與空海二乘之人爲不見也佛言如是彼二乘人味著三昧得三昧身於彼空海
一地如得酒病惛醉不醒乃至數劫猶不得覺酒消始悟方脩是行後得佛身如
彼人者從捨闡提即入六行於行地所一念淨心決定明白金剛智力阿鞞跋致度脫
衆生善慈无盡大力菩薩言如是之人應不持戒於彼沙門應[illegible]
說戒者不善慢故海波浪故如彼心地八識海澄九識流淨風不能動波浪不起戒
性等空持者迷倒如彼之人七六不生諸集滅定不離三佛而發菩提三无相中順
心玄入深敬三寶不失威儀於彼沙門不无恭敬菩薩彼仁者不住世間動不動
法入三空聚滅三有心大力菩薩言彼仁者於果報之滿德佛如來藏佛形像佛
如是佛所而發菩提入三聚戒不住其相滅三界心不居寂地不捨可衆入不調地不可
思議尒時舍利弗從坐而起前說偈言　具足波若海　不住涅槃城　如彼妙蓮華
高原非所出　諸佛无量劫　不捨諸煩惱　度世然後得　如泥華所出　如彼地行　菩薩之所脩
如彼三空聚　菩提之真道　我今住不住　如佛之所說　來所還復來　具足然後出　復令諸衆
如我一无二　前後不來者　悉令登正覺　尒時佛告舍利弗言不可思議汝當於後成菩
薩道无量衆生超死苦海　尒時大衆皆悟菩提諸小衆等入五空海
金剛三昧經真性空品第六　尒時舍利弗而白佛言尊者脩菩薩道无有名相三戒无
有名相三戒无儀云何攝受爲衆生說願佛慈悲爲我宣說佛言善男子汝今
諦聽爲汝宣說善男子善不善法從心化生一切境界意言分別制之一處衆緣斷
滅何以故善男子一本不起三用无施住於如理六道門杜四緣如順三戒具足舍利弗
言云何四緣如順三戒具足佛言四緣者一謂作擇滅力取緣攝律儀戒二謂本利
淨根力所集起緣攝善法戒三謂本慧大悲力緣攝衆生戒四謂一覺通智力
緣順於如住是謂四緣善男子如是四大緣力不住事相不无功用離於一處則不可求
善男子如是一事通攝六行是佛菩提薩婆若海舍利弗言不住事相不无功用是
[illegible]

淨根力所集起緣攝善法戒三謂本起大悲力緣攝衆生戒四謂一覺通智力
緣順於如住是謂四緣善男子如是四大緣力不住事相不無功用離於一處則不可求
善男子如是一事通攝六行是佛菩提薩婆若海舍利弗言不住事相不无功用是
法真空常樂我淨超於二我般涅槃其心不繫是大力觀是觀覺中應具卅七道
品法佛言如是具卅七道品法何以故四念處四正勤四如意足五根五力七覺分八正道
等多名一義不一不異以名數故但字法不可得不得之法一義无文无文相義真實
空性空性之義如實如如如之理具一切法善男子住如理者過三苦海舍利弗言
一切万法皆悉言文言文之相即非爲義如實之義不可言說今者如來云何說法
佛言我說法者以汝衆生在生說故說不可說是故說之我所說者義語非文
衆生說者文語非義非義語者皆悉空无空无之言无言於義不言義者皆是
妄語如義語者實空不空空實不實離於二相中間不中不中之法離於三
相不見處所如如如說如无无有无有於无如无有无有无不在說說不
在故不在於如如不有如不无如說舍利弗言一切衆生從一闡提闡提之心住何等
位得至如來實相佛言從闡提心乃至如來如來實相住五等位一者信位信
者信此身中真如種子爲妄所翳捨離妄心淨心清白知諸境界意言分別二者
思位思者觀諸境界唯是意言意言分別隨意顯現所見境界非我本識
非法非義非所取非能取三者修位修者常起能起起同時先以智導排諸鄣
難出離蓋纏四者行位行者離諸行地心无取捨極淨根利不動心如決定實
性大般涅槃唯性空大五者捨位捨者不住性空正智流易大悲如相相不住
如三藐三菩提虛心不證心无邊際不見處所是至如來善男子五位一覺從本利入
若化衆生從其本處舍利弗言云何從其本處佛言本來无本處於无處空際入
實發菩提心而滿成聖道何以故善男子如手執彼空不得非不得舍利弗言如世尊
所說在事之先取以本利是念寂滅寂滅是如總持諸德該羅万法圓融不二不
可思議當知是法即是摩訶般若波羅蜜是大神呪是大明呪是无上呪是无等
等呪佛言如是如是真如空性性空智火燒滅諸結平等平等等覺三地妙
覺三身於九識中皎然明淨无有諸影善男子是法非因非緣智自用故非動非
靜用性空故義非有无空相空故善男子若化衆生令彼衆生觀入是義入是義
者是見如來舍利弗言如來義觀不住諸流應離四禪而超有頂佛言如是何以
故一切法名數四禪亦如是若見如來者如來心自在常在滅盡處不出亦不入
內外平等故善男子如彼諸禪觀皆爲定想是如非如彼何以故以如觀如實
不見觀如相已寂滅寂滅即如義如彼想定是動非定何以故禪性離諸
動非染非染非法非影離諸分別本義故善男子如是觀定乃名爲禪舍利弗

內外平等故善男子如彼諸禪觀皆爲㪽想定是如非復彼何以故以如觀如實
不見觀如相已寂滅寂滅即如義如彼想禪定是動非是動何以故禪性離諸
動非染所染非法非影離諸分別本義故善男子如是觀定乃名爲禪舍利弗
言不可思議如來常以如實而化衆生如是實義多文廣義利根衆生乃可脩之鈍
根衆生難以措意云何方便令彼鈍根得入是諦佛言令彼鈍根受持一四句偈即
入實諦一切佛法攝在一偈中舍利弗言云何一四句偈願爲說之於是尊者而
說偈言 因緣所生義 是義滅非生 滅諸生滅義 是義生非滅 尒時大衆聞說
是偈僉大歡喜皆得滅生滅生般若性空智海

金剛三昧經如來藏品第七

尒時梵行長者從本際起而白佛言尊者生義不滅滅義不生如是如義即佛
菩提菩提之性則无分別无分別智分別无窮无窮之相唯分滅如是義相不可
思議不思議中乃无分別尊者一切數法无量无邊无邊法相一實義性唯住一住其事
云何佛言長者不可思議我說諸法爲迷者故方便導故一切法相一實義智
何以故譬如一市開四大門是四門中皆歸一市如彼衆庶隨意所入種種法味亦復如
是梵行長者言法若如是我住一味應攝一切諸味佛言如是如是何以故一味實義
如一大海一切衆流无有不入長者一切法味猶彼衆流名數雖殊其水不異若住大海
則括衆流住於一味則攝諸味梵行長者言諸法一味云何三乘道其智有異佛
言長者譬如江河淮海大小異故深淺殊故名文殊故水在江中名爲江水水在
淮中名爲淮水水在河中名爲河水俱在海中唯名海水法亦如是俱在真如唯名佛
道長者住一佛道即達三行梵行長者言云何三行佛言一隨事取行二隨識取
行三隨如取行長者如是三行總攝衆門一切法門无不此入入是行者不生空相如
是入者可謂入如來者入入不入梵行長者言不可思議入如來藏如苗成實无有入處
本根利力利成得本得本實際其智幾何佛言其智无窮略而言之其智有四
何者爲四一者定智所謂隨如二者不定智所謂方便破病三者涅槃智所謂除電
覺際四者究竟智所謂入實具道長者如是四大事用過去諸佛所說是大橋
梁是大津濟若化衆生應用是智長者用是大用復有三大事一者於三三昧内
外不相棄二者於大義科隨道擇滅三者於如慧定以悲俱利如是三事成就
菩提不行是事則不能流彼四智爲諸大魔所得其便長者汝等大衆乃至成
佛常當脩習勿令蹔失梵行長者言三三昧者所謂空三昧无作三昧无相三昧
如是三昧梵行長者言云何於大義科佛言大謂四大義謂陰界入等科謂本識是
謂於大義科梵行長者言不可思議如是智事自利利人過三界地不住涅槃入菩薩
道如是法相是生滅法以分別故若離分別法應不滅尒時如來欲宣此義而說偈言
法從分別生 還從分別滅 滅諸分別法 是法非生滅 尒時梵行長者聞說是偈
心大忻懌欲宣其義而說偈言 諸法本寂滅 寂滅亦无生 是諸生滅法 是法非无生

如是三種[illegible]
謂於大義斜梵行長者言不可思議如是智事自利利人過三界地不住涅槃入菩薩
道如是法相是生滅法以分別故若離分別法應不滅尒時如來欲宣此義而說偈言
法從分別生　還從分別滅　滅諸分別法　是法非生滅　尒時梵行長者聞說是偈
心大忻懌欲宣其義而說偈言　諸法本寂滅　寂滅亦无生　是諸生滅法　是法非无生
彼則不共此　爲有斷常故　此則離於二　亦不住一住　若說法有一　是相如毛輪　如炎水迷倒
爲諸虛妄故　若見於无法　是法同於空　如盲无日倒　說法如龜毛　我今聞佛說　知法非二見
亦不依中住　故從无住取　如來所說法　悉從於无住　我從无住處　是處禮如來　敬禮如來相
等空不動智　不著无處所　敬禮无住身　我於一切處　常見諸如來　唯願諸如來　爲我說常法
尒時如來而作是言善男子汝等諦聽爲汝衆等說於常法善男子常法非常法
法非說亦非字非諦非解脫非无非境界離諸妄斷際是法非无常離諸常斷
見了見識爲常是識常寂滅寂滅亦寂滅善男子知法寂滅者不寂滅心心常
寂滅得寂滅者心常真觀知諸名色唯是癡心癡心分別分別諸法更无異事出於
名色知法如是不隨文語心心於義不分別我知我假名即得寂滅若得寂滅即得
阿耨多羅三藐三菩提尒時長者梵行聞說是語而說偈言　名相分別事
及法名爲三　真如正妙智　及彼成於五　我今知是法　斷常之所縛　入於生滅道　是斷非是常
如來說空法　遠離於斷常　因緣无不生　不生故不滅　因緣執爲有　如採空中華　猶取石女子
畢竟不可得　離諸因緣取　亦不從他滅　及於己義大　依如故得實　是故真如法　常自在如如
一切諸万法　非如識所化　離識法即空　故從空處說　滅諸生滅法　而住於涅槃　大悲之所奪
涅槃滅不住　轉所取能取　入於如來藏　尒時大衆聞說是義皆得正命入於如來如來藏
海
金剛三昧經總持品第八
尒時地藏菩薩從衆中起至于佛前合掌胡跪而
白佛言尊者我觀大衆心有疑事猶未得決今者如來欲爲除疑我今爲衆隨疑所
問願佛慈悲哀愍聽許佛言菩薩摩訶薩汝能如是救度衆生是大悲心不可
思議汝廣問之爲汝宣說地藏菩薩言一切諸法云何不緣生尒時如來欲宣此義而說
偈言　若法緣所生　離緣无有法　云何法性无　云何緣生法　尒時地藏菩薩言法若无生云何說法法從
心生於是尊者而說偈言　是心所生法　是法能所生　如醉眼空華　是法即非彼
尒時地藏菩薩言法若如是法則无待无待之法應自成於是尊者而說偈言
法本无有无　自他亦復尒　不始亦不終　成敗則不住　尒時地藏菩薩言一切諸法相即本
涅槃及空相亦如是无如是等法是法應如佛言无如是法是法是如地藏菩薩言不
可思議如是如相非共不共意取業取即皆空寂空寂心法俱不俱取亦應寂滅於
是尊者而說偈言　一切空寂法　是法寂不空　彼心不空時　是得心不有　尒時地藏菩
薩言是法非三諦色空心故滅是法本滅時是應是滅於是尊者而說偈言
[illegible]尒時地藏菩薩言一切諸法无生无滅

涅槃及空相亦如是无如是等法是法應如佛言无如是法是法是如地藏菩薩言不
可思議如是如相非共不共意取業取即皆空寂空寂心法俱不俱取亦應寂滅於
是尊者而說偈言 一切空寂法 是法寂不空 彼心不空時 是得心不有 尒時地藏菩
薩言是法非三諦色空心故滅是法本滅時是應是滅於是尊者而說偈言
法本无自性 由彼之所生 不於如是處 而有彼如是 尒時地藏菩薩言一切諸法无生无滅
云何不一 於是尊者而說偈言 法住處无在 相數空故无 名說二真法 是則能所取
尒時地藏菩薩言一切諸法相不住於二岸亦不住中流心識亦如是云何諸境界
從識之所生若識能有生是識亦從生云何无生識能生有所生於是尊者而
說偈言 所生能生二 是二能所緣 俱本各自无 取有空華幻 識生未於時 境不是時生
於境生未時 是時識亦滅 彼即本俱无 亦不有无有 无生識亦如是 云何境從有
尒時地藏菩薩言法相如是內外俱空境智二衆本來寂滅如來所說實相真空如
是之法即非集也佛言如是如是之法无色无住非所集非能集非義非大一本利
法深功德聚地藏菩薩不可思議不可思議衆七五不生八六寂滅九相空无有空
无有无空有无如尊所說法義皆空入空无行不失諸業无我我所能所身見
內外結使悉皆寂靜故願亦息如是理觀慧定真如尊者常說空如空法即良藥
也佛如是何以故空故空空性无生心常无生空性无滅心常无滅空性无住心亦无
住空性无為心亦无為空无出入離諸得失界陰入等皆悉亦无心如不著亦復如
是菩薩我說諸空破諸有故地藏菩薩言尊者知有非實如陽炎水知實
非无如火性生如是觀者是人智也佛言如是何以故是人真觀一寂滅相與不相等
以空取以脩空故不失見以見佛故不順三流於大乘中三解脫道一體无性以
其无性故空空故无相故无作无作故无求无求故无願以是業故淨心以心淨故見佛
故當生淨土菩薩於是深法三化勤脩慧定圓成即超三界地藏菩薩言如來
所說无生无滅即是无常滅是生滅生滅滅已寂滅為常常故不斷是不斷法
離諸三界動不動法於有為法如避火坑依何等法而自呵責入彼一門佛言
菩薩於三大事呵責其心於三大諦而入其行地藏菩薩言云何三事而責
其心云何三諦而入一行佛言三大事者一謂因二謂果三謂識如是三事從本空无
非我真我云何於是而生愛染觀是三事為繫所繫飄飄流浩海以如是事常自呵責
三諦者一謂菩提之道是平等諦非不平等諦二謂大覺正智得諦非邪智得
諦三謂慧定无異行入諦非雜行入諦以是三諦而脩佛道是人於是法无不得
正覺得正覺智流大慈悲己他俱利成佛菩提地藏菩薩言尊者如是之法則无因
緣若无緣法因則不起云何不動法入如來尒時如來欲重宣此義而說偈言

諦三諦慧定无異行入諦非離行入諦以是三諦而脩佛道是人於是法无不得
正覺得正覺智流大慈悲己他俱利成佛菩提地藏菩薩言尊者如是之法則无因
緣若无緣法因則不起云何不動法入如來尒時如來欲重宣此義而說偈言
一切諸法相　性空无不動　是法於是時　不於是時起　法无有異時　不於異時起　法无動不動
性空故寂滅　性空寂滅時　是法是時現　離相故寂住　寂住故不緣　是諸緣起法　是法緣不生
因緣生滅无　生滅性空寂　緣性能所緣　是緣本緣起　故法起非緣　緣无起亦尒　因緣所生法
是法是因緣　因緣生滅相　彼則无生滅　彼如真實相　本不於出沒　諸法於是時　自生於出沒
是故極淨本　本不因衆力　即於後得處　得得於本得　尒時地藏菩薩聞佛所說心地決然
時諸衆等无有疑者知衆心已而說偈言　我知衆心疑　所以殷懃問　如來大慈善　分別无有餘
是諸二衆等　皆悉得明了　我今於了義　普化諸衆生　如佛之大悲　不捨於本願　故於一子地
而住於煩惱　尒時如來而告衆言是菩薩者不可思議恒以大慈拔衆生苦若有衆生
持是經法持是菩薩名即不墮於惡趣一切鄣難皆悉除滅若有衆生无餘雜念
專念是經如法脩習　尒時菩薩常作化身而為說法擁護是人終不暫捨令是人
等速得阿耨多羅三藐三菩提汝等菩薩若化衆生皆令脩習如是大乘決定了義
尒時阿難從座而起前白佛言如來所說大乘福聚決定斷結无生覺利不可思議
如是之法名為何經受持是經得幾所福願佛慈悲為我宣說佛言善男子是經
名者不可思議過去諸佛之所護念能入如來智海若有衆生持是經者則於一切經
中无所希求是經典法總持衆法攝諸經要是諸經法法之繫宗是經名者名攝大
乘經又名金剛三昧又名无量義宗若有人受持是經典者即名受持百千諸佛
如是功德譬如虛空无有邊際不可思議我所囑累唯是經典阿難言云何心行
云何人者受持是經佛言善男子受持是經者是人心无得失常脩梵行若於戲
論常樂靜心入於聚落心常在定若處居家不著三有是人現世有五種福一者衆所
尊敬二者身不橫夭三者辯答邪論四者樂度衆生五者能入聖道如是人
者受持是經阿難言如彼人者度諸衆生得受供養不佛言如是人者能為
衆生作大福田常行智權實俱演是四依僧於諸供養乃至頭目髓腦亦皆得
受何況衣食而不得受善男子如是人者汝知識是汝橋梁何況凡夫而不供
養阿難言於彼人所受持是經供養是人得幾所得福佛言若復有人持以
滿城金銀而以布施不如於是人所受持是經一四句偈供養是人善男子令諸衆
生持是經者心常在定不失本心若失本心當即懺悔懺悔之法是為清涼阿難
言懺悔先罪不入於過也　佛言如是猶如暗室若遇明燈即滅矣善男子
無說悔先所有諸罪而以為說入於過去阿難言云何名為懺悔佛言依此經教
入真實觀一入觀行諸罪悉滅離諸惡趣當生淨土速成阿耨多羅三藐三
菩提佛說是經已尒時阿難及諸菩薩四部之衆皆大歡喜心得決定頂

受何況衣食而不得受善男子如是人者汝知識是法將尚何況凡夫而不供
養阿難言於彼人所受持是經供養是人得幾所福佛言若復有人持以
滿城金銀而以布施不如於是人所受持是經一四句偈供養是人善男子令諸衆
生持是經者心常在定不失本心若失本心當即懺悔懺悔之法是為清涼阿難
言懺悔先罪不入於過去也　佛言如是猶如暗室若遇明燈暗即滅矣善男子
無說悔先所有諸罪而以為說入於過去阿難言云何名為懺悔佛言依此經教
入真實觀一入觀時諸罪悉滅離諸惡趣當生淨土速成阿耨多羅三藐三
菩提佛說是經已尒時阿難及諸菩薩四部之衆皆大歡喜心得決定頂
礼佛足歡喜奉行

佛說金剛三昧經一卷

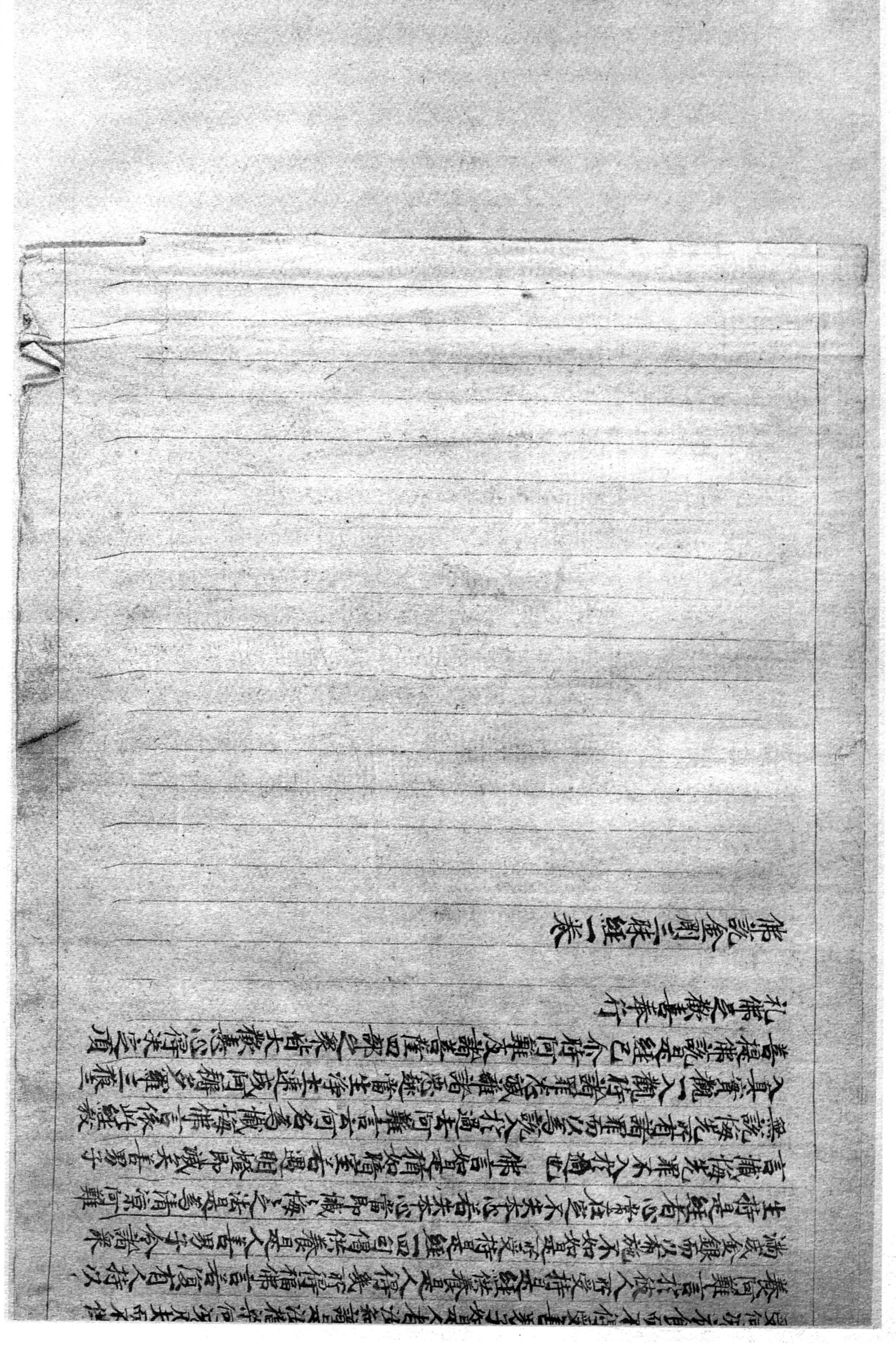

相得見如來何以故如
說身相即非身相佛告須菩提凡所有相
是虛妄若見諸相非相則見如来
須菩提白佛言世尊頗有衆生得聞如是言
說章句生實信不佛告須菩提莫作是說如来
滅後後五百歲有持戒脩福者於此章句
能生信心以此為實當知是人不於一佛二
佛三四五佛而種善根已於无量千万佛所
種諸善根聞是章句乃至一念生淨信者須
菩提如来悉知悉見是諸衆生得如是无量
福德何以故是諸衆生无復我相人相衆生
相壽者相无法相亦无非法相何以故是諸
衆生若心取相則為著我人衆生壽者若取
法相即著我人衆生壽者何以故若取非法
相即著我人衆生壽者是故不應取法不應
取非法以是義故如来常說汝等比丘知我
說法如栰喻者法尚應捨何況非法
須菩提於意云何如来得阿耨多羅三藐三

BD00594 號　金剛般若波羅蜜經　（2–1）

能生信心以此為實當知是人不於一佛二
佛三四五佛而種善根已於无量千万佛所
種諸善根聞是章句乃至一念生淨信者須
菩提如来悉知悉見是諸衆生得如是无量
福德何以故是諸衆生无復我相人相衆生
相壽者相无法相亦无非法相何以故是諸
衆生若心取相則為著我人衆生壽者若取
法相即著我人衆生壽者何以故若取非法
相即著我人衆生壽者是故不應取法不應
取非法以是義故如来常說汝等比丘知我
說法如栰喻者法尚應捨何況非法
須菩提於意云何如来得阿耨多羅三藐三
菩提耶如来有所說法耶須菩提言如我解
佛所說義无有定法名阿耨多羅三藐三菩
提亦无有定法如来可說何以故如来所說法
皆不可取不可說非法非非法所以者何
一切賢聖皆以无為法而有差別
須菩提於意云何若人滿三千大千世界七
寶以用布施是人所得福德寧為多不須

BD00594 號　金剛般若波羅蜜經　（2–2）

[illegible]智中[illegible]佛　爲天人所敬　歡喜
諸菩薩
利弗吾今於天人沙門婆羅門
我昔曾於二万億佛所爲无上
汝汝亦長夜随我受學我以方
便引導汝故生我法中舍利弗我昔教汝志
願佛道汝今悉忘而便自謂已得滅度我今
還欲令汝憶念本願所行道故爲諸聲聞説
是大乘經名妙法蓮華教菩薩法佛所護念
舍利弗汝於未来世過无量无邊不可思議
劫供養若干千万億佛奉持正法具足菩薩
所行之道當得作佛号曰華光如来應供正
遍知明行足善逝世間解无上士調御丈夫
天人師佛世尊國名離垢其土平正清淨嚴
飾安隱豊樂天人熾盛琉璃爲地有八交道
黄金爲繩以界其側其傍各有七寶行樹常
有華菓華光如来亦以三乘教化衆生舍利
弗彼佛出時雖非悪世以本願故説三乘法
其劫名大寶莊嚴何故名曰大寶莊嚴其國
中有菩薩爲大寶故彼諸菩薩无量无邊不
可思議筭數譬喻所不能及非佛智力无能

BD00595 號　妙法蓮華經卷二

（3–1）

中有菩薩爲大寶故彼諸菩薩无量无邊不
可思議筭數譬喻所不能及非佛智力无能
知者若欲行時寶華承足此諸菩薩非初發
意皆久殖德本於无量百千万億佛所淨脩
梵行恒爲諸佛之所稱歎常脩佛慧具大神
通善知一切諸法之門質直无僞志念堅固
如是菩薩充滿其國舍利弗華光佛壽十二
小劫除爲王子未作佛時其國人民壽八小劫
華光如来過十二小劫授堅滿菩薩阿耨
多羅三藐三菩提記告諸比丘是堅滿菩薩
次當作佛号曰華足安行多陁阿伽度阿羅訶
三藐三佛陁其佛國土亦復如是舍利弗
是華光佛滅度之後正法住世三十二小劫
像法住世亦三十二小劫尒時世尊欲重宣此
義而説偈言
舍利弗来世　成佛普智尊　号名曰華光　當度无量衆
供養无數佛　具足菩薩行　十力等功德　證於无上道
過无量劫已　劫名大寶嚴　世界名離垢　清淨无瑕穢
以琉璃爲地　金繩界其道　七寶雜色樹　常有華菓實
彼國諸菩薩　志念常堅固　神通波羅蜜　皆已悉具足
於无數佛所　善學菩薩道　如是等大士　華光佛所化
佛爲王子時　棄國捨世榮　於最末後身　出家成佛道
華光佛住世　壽十二小劫　其國人民衆　壽命八十劫
佛滅度之後　正法住於世　三十二小劫　廣度諸衆生
正法滅盡已　像法三十二

BD00595 號　妙法蓮華經卷二

（3–2）

琉璃為地 金繩界其道 七寶雜色樹 常有華菓實
彼國諸菩薩 志念常堅固 神通波羅蜜 皆已悉具足
於无數佛所 善學菩薩道 如是等大士 華光佛所化
佛為王子時 棄國捨世榮 於冣末後身 出家成佛道
華光佛住世 壽十二小劫 其國人民衆 壽命八十劫
佛滅度之後 正法住於世 三十二小劫 廣度諸衆生
正法滅盡已 像法三十二
舍利廣流布 天人普供養 華光佛所為 其事皆如是
其兩足聖尊 冣勝无倫匹 彼即是汝身 宜應自欣慶
尒時四部衆比丘比丘尼優婆塞優婆夷天
龍夜叉乹闥婆阿脩羅迦樓羅緊那羅摩睺
羅伽等大衆見舍利弗於佛前受阿耨多羅
三藐三菩提記心大歡喜踊躍无量各各脫
身所著上衣以養佛釋提桓因梵天王等與
无數天子亦以天妙衣天曼陁羅華摩訶曼
陁羅華等供養於佛所散天衣住虛空中
而自迴轉諸天伎樂百千万種於虛空中一
時俱作雨衆天華而作是言佛昔於波羅㮈
初轉法輪今乃復轉无上冣大法輪尒時諸
天子欲重宣此義而說偈言

BD00595號　妙法蓮華經卷二

（3–3）

知我等……縱捨不為分
別汝等當有如來知見寶藏之分世尊以方
便力說如來智慧我等從佛得涅槃一日之
價以為大得於此大乘无有志求我等又因
如來智慧為諸菩薩開示演說而自於此无有
志願所以者何佛知我等心樂小法以方便力隨
我等說而我等不知真是佛子今我等方知世
尊於佛智慧无所悋惜所以者何我等昔來
真是佛子而但樂小法若我等有樂大之心
佛則為我說大乘法於此經中唯說一乘而
昔於菩薩前毀呰聲聞樂小法者然佛實以
大乘教化是故我等說本无心有所悕求今
法王大寶自然而至如佛子所應得者皆以得
之尒時摩訶迦葉欲重宣此義而說偈言
我等今日 聞佛音教 歡喜踊躍 得未曾有
佛說聲聞 當得作佛 无上寶聚 不求自得
譬如童子 幼稚无識 捨父逃逝 遠到他土
周流諸國 五十餘年 其父憂念 四方推求
求之既疲 頓止一城 造立舍宅 五欲自娛
其家巨富 多諸金銀 車璖馬瑙 真珠琉璃
象馬牛羊 輦轝車乘 田業僮僕 人民衆多
出入息利 乃遍他國 商估賈人 无處不有
千万億衆 圍遶恭敬 常為王者 之所愛念
群臣豪族 皆共宗重 以諸緣故 往來者衆

BD00596號　妙法蓮華經卷二

（3–1）

出入息利　乃遍他國　商估價人　无處不有
千万億衆　圍遶恭敬　常為王者　之所愛念
羣臣豪族　皆共宗重　以諸緣故　往来者衆
豪富如是　有大力勢　而年朽邁　益憂念子
夙夜惟念　死時將至　癡子捨我　五十餘年
庫藏諸物　當如之何　尒時窮子　求索衣食
從邑至邑　從國至國　或有所得　或无所得
飢餓羸瘦　體生瘡癬　漸次經歷　到父住城
傭賃　遂至父舍　尒時長者　於其門內
施大寶帳　處師子座　眷屬圍遶　諸人侍衛
或有計筭　金銀寶物　出內財產　注記券疏
窮子見父　豪貴尊嚴　謂是國王　若是王等
驚怖自恠　何故至此　復自念言　我若久住
或見逼迫　強駈使作　思惟是已　馳走而去
借問貧里　欲往傭作　長者是時　在師子座
遥見其子　嘿而識之　即勑使者　追捉將来
窮子驚喚　迷悶躃地　是人執我　必當見煞
何用衣食　使我至此　長者知子　愚癡狹劣
不信我言　不信是父　即以方便　更遣餘人
眇目矬陋　无威德者　汝可語之　云當相雇
除諸糞穢　倍與汝價　窮子聞之　歡喜隨来
為除糞穢　淨諸房舍　長者於牖　常見其子
念子愚劣　樂為鄙事　於是長者　著弊垢衣
執持糞器　往到子所　方便附近　語令勤作
既益汝價　并塗足油　飲食充足　薦席厚煖
如是苦言　汝當勤作　又以軟語　若如我子

BD00596號　妙法蓮華經卷二　（3–2）

從邑至邑　從國至國　或有所得　或无所得
飢餓羸瘦　體生瘡癬　漸次經歷　到父住城
傭賃　遂至父舍　尒時長者　於其門內
施大寶帳　處師子座　眷屬圍遶　諸人侍衛
或有計筭　金銀寶物　出內財產　注記券疏
窮子見父　豪貴尊嚴　謂是國王　若是王等
驚怖自恠　何故至此　復自念言　我若久住
或見逼迫　強駈使作　思惟是已　馳走而去
借問貧里　欲往傭作　長者是時　在師子座
遥見其子　嘿而識之　即勑使者　追捉將来
窮子驚喚　迷悶躃地　是人執我　必當見煞
何用衣食　使我至此　長者知子　愚癡狹劣
不信我言　不信是父　即以方便　更遣餘人
眇目矬陋　无威德者　汝可語之　云當相雇
除諸糞穢　倍與汝價　窮子聞之　歡喜隨来
為除糞穢　淨諸房舍　長者於牖　常見其子
念子愚劣　樂為鄙事　於是長者　著弊垢衣
執持糞器　往到子所　方便附近　語令勤作
既益汝價　并塗足油　飲食充足　薦席厚煖
如是苦言　汝當勤作　又以軟語　若如我子
長者有智　漸令入出　經二十年　執作家事
示其金銀　真珠頗梨　諸物出入　皆使令知

BD00596號　妙法蓮華經卷二　（3–3）

頭破作一
来呪魅人頭破
華光菩薩来呪魅
杖令當請月明菩薩来呪魅人頭破
如阿梨樹杖令當請文光菩薩来呪魅人頭
破作七分如阿梨樹杖令當請龍光菩薩来
呪魅人頭破作七　如阿梨樹杖令當請明
星菩薩来呪魅人頭破作七分如阿梨樹杖
令當請千陽菩薩来呪魅人頭破作七分如
阿梨樹杖令當請力菩薩来呪魅人頭破
作七分如阿梨樹本令當請普明菩薩来呪
魅人頭破作七分如阿梨樹杖令當請天明
菩薩来呪魅人頭破作七分如阿梨樹杖令
當請日光菩薩来呪魅人頭破作七分如阿
梨樹杖令當請轉光菩薩来呪魅人頭破作
七分如阿梨樹杖令當請轉輪菩薩来呪魅
人頭破作七分如阿梨樹杖令當請向光菩
薩来呪魅人頭破作七分如阿梨樹杖令當
請日中菩薩来呪魅人頭破作七分如阿梨
樹杖令當請大明菩薩来呪魅人頭破作七
分如阿梨樹杖令當請同光菩薩来呪魅人
頭破作七分如阿梨樹杖令當請蓮光菩薩

請日中菩薩来呪魅人頭破作七分如阿梨
樹杖令當請大明菩薩来呪魅人頭破作七
分如阿梨樹杖令當請同光菩薩来呪魅人
頭破作七分如阿梨樹杖令當請連光菩薩
来呪魅人頭破作七分如阿梨樹杖令當請
建立菩薩来呪魅人頭破作七分如阿梨樹
杖令當請樹王菩　不呪魅人頭破作七分
如阿梨樹杖令當請龍天菩薩来呪魅人頭破
作七分如阿梨樹杖令當請地動菩薩来呪
魅人頭破作七分如阿梨樹杖
令當請東方青帝神王来呪魅人不得停心
令當請南方赤帝神王来呪魅人不得停止
令當請西方白　神王来呪魅人不得停止
令當請北方黒帝神王来呪魅人不得停止
令當請中央黄帝神王来呪魅人不得停止
令當請呼取日月五星廿八宿来梱魅人不
得停止急去千里
東方大獸来食魅人身南方蜈蚣来食魅人
眼西方白象来食魅人頭北方沈鳥来食魅
人心中央黄龍来食魅人神音見魅人眼目
角張或作昌狂精神不定不似人形或在人
門前或在人屋裏或碓磨上或在人田地間
跳不止或正月　日或正月十五日或時節
會之日或燒具脂大呪咀不止吾知汝姓字
得汝姓名不得久停急去他方若坐壹之頭
破作七分如阿梨樹杖若立倒地頭破作七
分如阿梨樹杖[illegible]

會之日或燒具脂大呪咀不止吾知汝姓字
得汝姓名不得久停急去他方若坐亶亡頭
破作七分如何〻樹枝若立倒地頭破作七
分如阿梨樹枝或瞋或喜生口赤舌菩薩呪
令消滅急去千里万里之外呪不得停留即
説陁羅尼呪
毗摩陁勒叉　胄毗陁伽勒叉　䄕油毗陁伽勒叉
壊佉提勒叉　胄摩陁利遮帝　能婆莎河
若有善男子善女人受持此呪當用淨水漆
豆淳灰楊枝以自清淨燒香誦呪病者三七
遍如是七日日三時鬼魅逃走不敢迴視病
者即愈
尒時世尊言我今〻口十方衆生等吾今語汝
一切衆生今為善男子善女人説呪魅經時
有十方諸佛過去七佛十六王子佛天上諸
大菩薩天人羅漢　天大王龍神八部諸天
善神四道果人共會須弥山頭龍華樹下評
量衆生云何可度
若有比丘比丘尼優婆塞優婆夷男子女人
有能燒香礼拜受持此經供養不絶令人得
福若有憂患之〻能生善念皆得離苦无復
憂患天堂之樂若有人轉讀此經時先當清
淨潔身行道燒香供養受持呪魅經可得度
脱若能誦此經　遍呪魅人頭作七分如阿
梨樹枝一切衆悪皆悉消滅尒時一會一切
大衆聞經歡喜為佛作礼持念奉行

BD00597號1　呪魅經　（5–3）

若有比丘比丘尼優婆塞優婆夷男子女人
有能燒香礼拜受持此經供養不絶令人得
福若有憂患之〻能生善念皆得離苦无復
憂患天堂之樂若有人轉讀此經時先當清
淨潔身行道燒香供養受持呪魅經可得度
脱若能誦此經　遍呪魅人頭作七分如阿
梨樹枝一切衆悪皆悉消滅尒時一會一切
大衆聞經歡喜為佛作礼持念奉行
佛告諸弟子等若有困厄者誦呪魅經顛作
七日身持齋法令人得福患皆除愈轉經遍
訖早造齋三供養
佛説呪魅經一巻
病鬼呪名
須蜜多　阿膩吒　迦知膩吒　烏呼鄃須蜜多
伊知膩吒　蜜多莎呵
藥王菩薩縛鬼呪
婆利摩呵婆利　闍摩闍呵利　闍羅利摩呵闍羅
利　憂呵牟呵沙婆帝　阿抜吒僧吟吒
從頭誦至僧吟吒止若用縛鬼香鑪右相非
但縛鬼一切虎狼師子狂象及賊皆能縛之
佛説呪魅經一巻
讀誦楞伽經而説呪曰
蜆諦蜆諦　祝諦祝諦　蘓頻諦蘓頻諦
迦説迦諦　阿　摩梨　阿摩諦毗摩梨
毗摩梨　尼弥尼弥　奚弥奚弥婆迷婆迷

BD00597號1　呪魅經　（5–4）

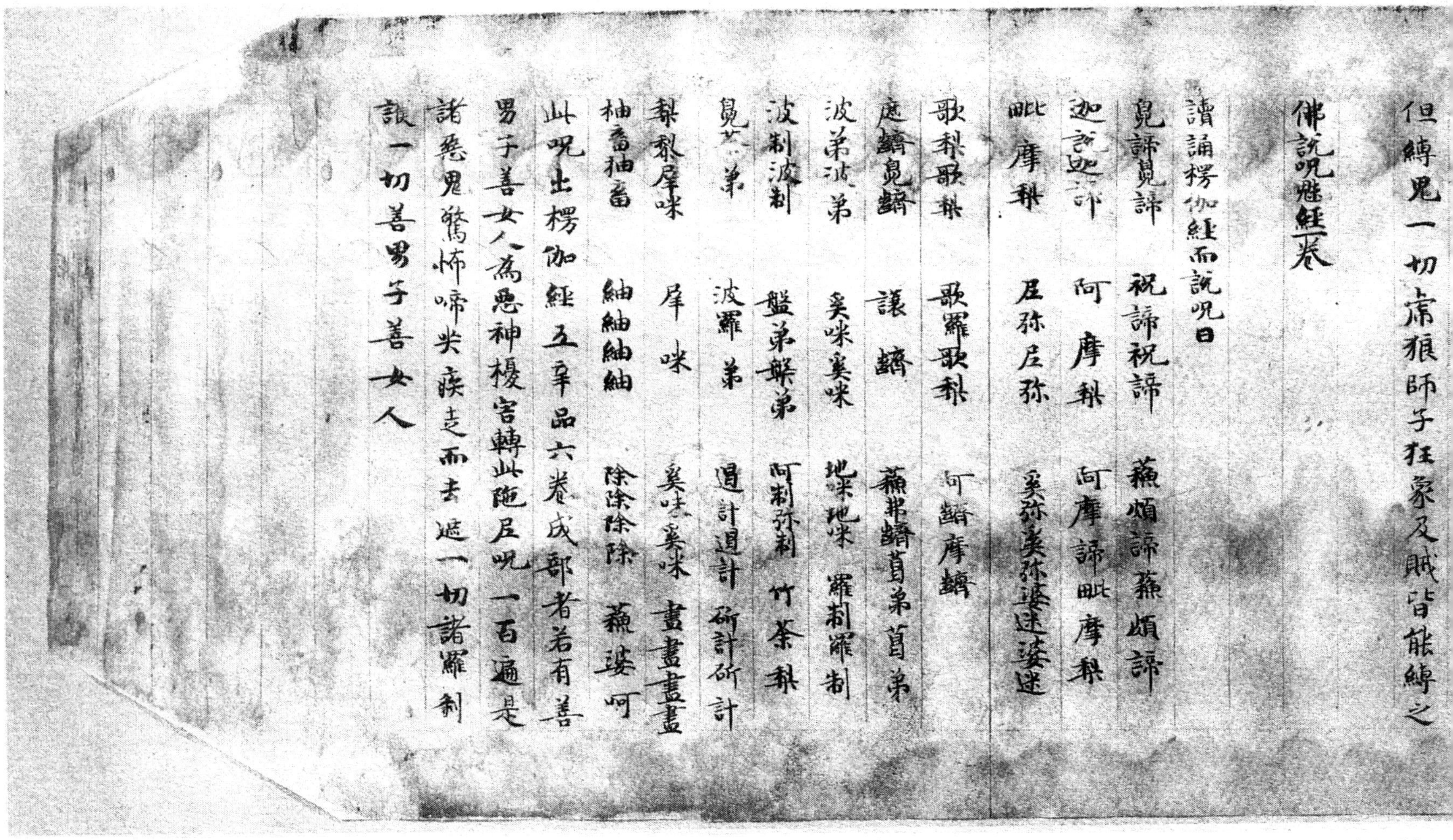
但縛鬼一切虎狼師子狂象及賊皆能縛之
佛說呪魅經一卷
讀誦楞伽經而說呪曰
兜諦兜諦　祝諦祝諦　蘇頗諦蘇頗諦
迦跋迦跋諦　阿摩梨　阿摩諦毗摩梨
毗摩梨　尼弥尼弥　奚弥奚弥婆迷婆迷
歌梨歌梨　歌羅歌梨　阿蹄摩蹄
底蹄兜蹄　讓蹄　蘇弗蹄首弟首弟
波弟波弟　奚咪奚咪　地咪地咪　羅制羅制
波制波制　盤弟槃弟　阿制弥制　竹荼梨
兜茶弟　波羅弟　遏計遏計　斫計斫計
梨梨摩咪　摩咪　奚咪奚咪　晝晝晝晝
柚畜柚畜　紬紬紬紬　除除除除　蘇婆呵
此呪出楞伽經五卒品六卷成部者若有善
男子善女人為惡神複害轉此陁尼呪一百遍是
諸惡鬼驚怖啼哭疾走而去遮一切諸羅刹
護一切善男子善女人

BD00597 號 2　讀誦楞伽經而說呪（擬）　　（5–5）

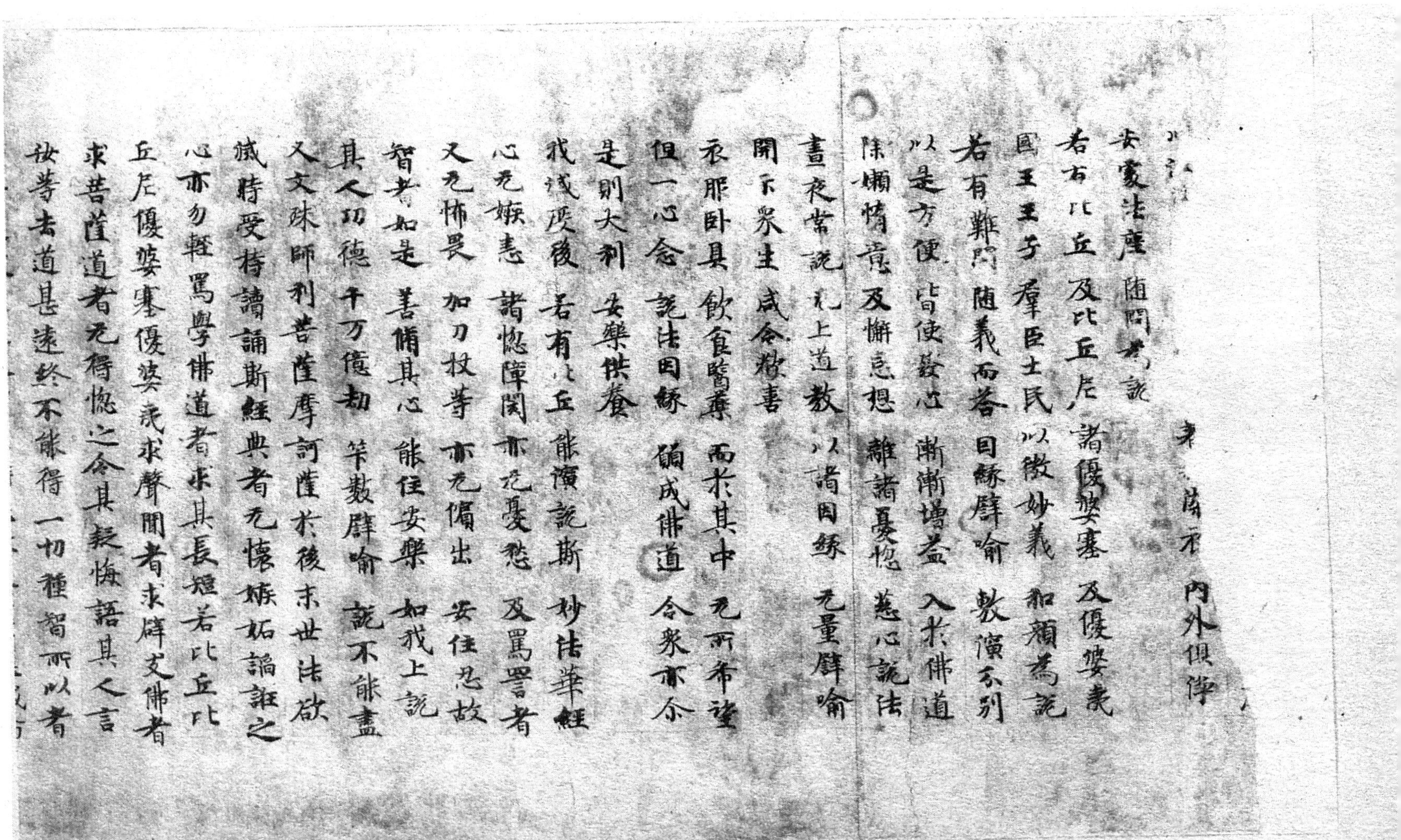
…衣　內外俱淨
安處法座　隨問為說
若有比丘　及比丘尼　諸優婆塞　及優婆夷
國王王子　群臣士民　以微妙義　和顏為說
若有難問　隨義而荅　因緣譬喻　敷演分別
以是方便　皆使發心　漸漸增益　入於佛道
除嬾惰意　及懈怠想　離諸憂惱　慈心說法
晝夜常說　无上道教　以諸因緣　无量譬喻
開示衆生　咸令歡喜　衣服卧具　飲食醫藥
而於其中　无所希望
但一心念　說法因緣　願成佛道　令衆亦尒
是則大利　安樂供養
我滅度後　若有比丘　能演說斯　妙法華經
心无嫉恚　諸惱障閡　亦无憂愁　及罵詈者
又无怖畏　加刀杖等　亦无擯出　安住忍故
智者如是　善脩其心　能住安樂　如我上說
其人功德　千万億劫　筭數譬喻　說不能盡
又文殊師利菩薩摩訶薩　於後末世法欲
滅時　受持讀誦斯經典者　无懷嫉妬諂誑之
心　亦勿輕罵學佛道者　求其長短　若比丘比
丘尼　優婆塞優婆夷　求聲聞者　求辟支佛者
求菩薩道者　无得惱之　令其疑悔　語其人言
汝等去道甚遠　終不能得一切種智　所以者

BD00598 號　妙法蓮華經卷五　　（23–1）

心亦勿輕罵學佛道者求其長短若比丘比
丘尼優婆塞優婆夷求聲聞者求辟支佛者
求菩薩道者无得惱之令其疑悔語其人言
汝等去道甚遠終不能得一切種智所以者
何汝是放逸之人於道懈怠故又亦不應戲論
諸法有所諍競當於一切衆生起大悲想於
諸如來起慈父想於諸菩薩起大師想於十
方諸大菩薩常應深心恭敬禮拜於一切衆
生平等說法以順法故不多不少乃至深愛
法者亦不為多說文殊師利是菩薩摩訶薩
於後末世法欲滅時有成就是第三安樂行
者說是法時无能惱亂得好同學共讀誦是
經亦得大衆而來聽受聽已能持持已能誦
誦已能說說已能書若使人書供養經卷恭
敬尊重讃歎尒時世尊欲重宣此義而說偈
言
若欲說是經　當捨嫉恚慢　諂誑邪偽心　常脩質直行
不輕蔑於人　亦不戲論法　不令他疑悔　云汝不得佛
是佛子說法　常柔和能忍　慈悲於一切　不生懈怠心
十方大菩薩　愍衆故行道　應生恭敬心　是則我大師
於諸佛世尊　生无上父想　破於憍慢心　說法无障礙
第三法如是　智者應守護　一心安樂行　无量衆所敬
又文殊師利菩薩摩訶薩於後末世法欲滅
時有持是法華經者於在家出家人中生大
慈心於非菩薩人中生大悲心應作是念如
是之人則為大失如來方便隨宜說法不聞
不知不覺不問不信不解其人雖不問不信
不解是經我得阿耨多羅三藐三菩提時隨

BD00598號　妙法蓮華經卷五　（23–2）

不知不覺不問不信不解其人雖不問不信
不解是經我得阿耨多羅三藐三菩提時隨
在何地以神通力智慧力引之令得住是法
中文殊師利是菩薩摩訶薩於如來滅後有
成就此第四法者說是法時无有過失常為
比丘比丘尼優婆塞優婆夷國王王子大臣
人民婆羅門居士等供養恭敬尊重讃歎虛
空諸天為聽法故亦常隨侍若在聚落城邑
空閑林中有人來欲難問者諸天晝夜常為
法故而衛護之能令聽者皆得歡喜所以者
何此經是一切過去未來現在諸佛神力所
護故文殊師利是法華經於无量國中乃至
名字不可得聞何況得見受持讀誦文殊師
利譬如強力轉輪聖王欲以威勢降伏諸國
而諸小王不順其命時轉輪王起種種兵而
往討罰王見兵衆戰有功者即大歡喜隨
功賞賜或與田宅聚落城邑或與衣服嚴身
之具或與種種珍寶金銀琉璃車𤦲馬瑙
珊瑚琥珀象馬車乘奴婢人民唯髻中明珠
不以與之所以者何獨王頂上有此一珠若
以與之王諸眷屬必大驚怪文殊師利如來
亦復如是以禪定智慧力得法國土王於三界
而諸魔王不肯順伏如來賢聖諸將與之共
戰其有功者心亦歡喜於四衆中為說諸經
令其心悅賜以禪定解脫无漏根力諸法之
財又復賜與涅槃之城言得滅度引導其心
令皆歡喜而不為說是法華經文殊師利如

BD00598號　妙法蓮華經卷五　（23–3）

令其心悅賜以禪定解脫無漏根力諸法之
財又復賜與涅槃之城言得滅度引導其心
令皆歡喜而不為說是法華經文殊師利如
轉輪王見諸兵衆有大功者心甚歡喜以此
難信之珠久在髻中不妄與人而今與之如來
亦復如是於三界中為大法王以法教化一
切衆生見賢聖軍與五陰魔煩惱魔死魔共
戰有大功勳滅三毒出三界破魔網爾時如
來亦大歡喜此法華經能令衆生至一切智
一切世間多怨難信先所未說而今說之文
殊師利此法華經是諸如來第一之說於諸
說中最為甚深末後賜與如彼強力之王久
護明珠今乃與之文殊師利此法華經諸佛
如來秘密之藏於諸經中最在其上長夜守
護不妄宣說始於今日乃與汝等而敷演之爾
時世尊欲重宣此義而說偈言
常行忍辱　哀愍一切　乃能演說　佛所讚經
後末世時　持此經者　於家出家　及非菩薩
應生慈悲　斯等不聞　不信是經　則為大失
我得佛道　以諸方便　為說此法　令住其中
譬如強力　轉輪之王　兵戰有功　賞賜諸物
象馬車乘　嚴身之具　及諸田宅　聚落城邑
或與衣服　種種珍寶　奴婢財物　歡喜賜與
如有勇健　能為難事　王解髻中　明珠賜之
如來亦爾　為諸法王　忍辱大力　智慧寶藏
以大慈悲　如法化世　見一切人　受諸苦惱
欲求解脫　與諸魔戰　為是衆生　說種種法

BD00598號　妙法蓮華經卷五　（23-4）

以大慈悲　如法化世　見一切人　受諸苦惱
欲求解脫　與諸魔戰　為是衆生　說種種法
以大方便　說此諸經　既知衆生　得其力已
末後乃為　說是法華　如王解髻　明珠與之
此經為尊　衆經中上　我常守護　不妄開示
今正是時　為汝等說
我滅度後　求佛道者　欲得安隱　演說斯經
應當親近　如是四法　讀是經者　常無憂惱
又無病痛　顏色鮮白　不生貧窮　卑賤醜陋
衆生樂見　如慕賢聖　天諸童子　以為給使
刀杖不加　毒不能害　若人惡罵　口則閉塞
遊行無畏　如師子王　智慧光明　如日之照
若於夢中　但見妙事　見諸如來　坐師子座
諸比丘衆　圍遶說法　又見龍神　阿脩羅等
數如恒沙　恭敬合掌　自見其身　而為說法
又見諸佛　身相金色　放無量光　照於一切
以梵音聲　演說諸法　佛為四衆　說無上法
見身處中　合掌讚佛　聞法歡喜　而為供養
得陀羅尼　證不退智　佛知其心　深入佛道
即為授記　成最正覺　汝善男子　當於來世
得無量智　佛之大道　國土嚴淨　廣大無比
亦有四衆　合掌聽法　又見自身　在山林中
脩習善法　證諸實相　深入禪定　見十方佛
諸佛身金色　百福相莊嚴　聞法為人說　常有是好夢
又夢作國王　捨宮殿眷屬　及上妙五欲　行詣於道場
在菩提樹下　而處師子座　求道過七日　得諸佛之智
成無上道已　起而轉法輪　為四衆說法　經千万億劫

BD00598號　妙法蓮華經卷五　（23-5）

又夢作國王 捨宮殿眷屬 及上妙五欲 行詣於道場
在菩提樹下 而處師子座 求道過七日 得諸佛之智
成无上道已 起而轉法輪 為四衆說法 經千万億劫
說无漏妙法 度无量衆生 後當入涅槃 如烟盡燈滅
若後惡世中 說是第一法 是人得大利 如上諸功德

妙法蓮華經從地踊出品第十五

尒時他方國土諸來菩薩摩訶薩過八恒河
沙數於大衆中起立合掌作礼而白佛言世
尊若聽我等於佛滅後在此娑婆世界勤加
精進護持讀誦書寫供養是經典者當於此
土而廣說之尒時佛告諸菩薩摩訶薩衆止
善男子不須汝等護持此經所以者何我娑
婆世界自有六万恒河沙等菩薩摩訶薩一
一菩薩各有六万恒河沙眷屬是諸人等能
於我滅後護持讀誦廣說此經佛說是時娑
婆世界三千大千國土地皆震裂而於其中
有无量千万億菩薩摩訶薩同時踊出是諸
菩薩身皆金色三十二相无量光明先盡在
此娑婆世界之下此界虛空中住是諸菩薩
聞釋迦牟尼佛所說音聲從下發來一一菩
薩皆是大衆唱導之首各將六万恒河沙眷
屬況將五万四万三万二万一万恒河沙等
眷屬者況復乃至一恒河沙半恒河沙四分
之一乃至千万億那由他分之一況復千万
億那由他眷屬況復億万眷屬況復千万百
万乃至一万況復一千一百乃至一十況復
將五四三二一弟子者況復單己樂遠離行
如是等比无量无邊筭數譬喻所不能知是

万乃至一万況復一千一百乃至一十況復
將五四三二一弟子者況復單己樂遠離行
如是等比无量无邊筭數譬喻所不能知是
諸菩薩從地出已各詣虛空七寶妙塔多寶
如來釋迦牟尼佛所到已向二世尊頭面礼
足及至諸寶樹下師子座上佛所亦皆作礼
右遶三帀合掌恭敬以諸菩薩種種讚法而
以讚歎住在一面欣樂瞻仰於二世尊是諸
菩薩摩訶薩從初踊出以諸菩薩種種讚法
而讚於佛如是時間逕五十小劫是時釋迦
牟尼佛默然而坐及諸四衆亦皆默然五十
小劫佛神力故令諸大衆謂如半日尒時四
衆亦以佛神力故見諸菩薩遍滿无量百千
万億國土虛空是菩薩衆中有四導師一名
上行二名无邊行三名淨行四名安立行是
四菩薩於其衆中㝡為上首唱導之師在大
衆前各共合掌觀釋迦牟尼佛而問訊言世
尊少病少惱安樂行不所應度者受教易不
不令世尊生疲勞耶尒時四大菩薩而說偈
言
世尊安樂 少病少惱 教化衆生 得无疲惓
又諸衆生 受化易不 不令世尊 生疲勞耶
尒時世尊於菩薩大衆中而作是言如是如
是諸善男子如來安樂少病少惱諸衆生等
易可化度无有疲勞所以者何是諸衆生世
世已來常受我化亦於過去諸佛供養尊重
種諸善根此諸衆生始見我身聞我所說即
皆信受入如來慧除先脩習學小乘者如是

世已來常受我化亦於過去諸佛供養尊重
種諸善根此諸衆生始見我身聞我所說即
皆信受入如來慧除先修習學小乘者如是
之人我今亦令得聞是經入於佛慧尒時諸
大菩薩而說偈言
善哉善哉 大雄世尊 諸衆生等 易可化度
能問諸佛 甚深智慧 聞已信行 我等隨喜
於時世尊讃歎上首諸大菩薩善哉善哉善
男子汝等能於如來發隨喜心尒時弥勒菩
薩及八千恒河沙諸菩薩衆皆作是念我等
從昔已來不見不聞如是大菩薩摩訶薩衆
從地踊出住世尊前合掌供養問訊如來時
弥勒菩薩摩訶薩知八千恒河沙諸菩薩等
心之所念并欲自決所疑合掌向佛以偈問
曰
无量千万億 大衆諸菩薩 昔所未曾見 願兩足尊說
是從何所來 以何因緣集 巨身大神通 智慧叵思議
其志念堅固 有大忍辱力 衆生所樂見 爲從何所來
一一諸菩薩 所將諸眷屬 其數无有量 如恒河沙等
或有大菩薩 將六万恒沙 如是諸大衆 一心求佛道
是諸大師等 六万恒河沙 俱來供養佛 及護持是經
將五万恒沙 其數過於是 四万及三万 二万至一万
一千一百等 乃至一恒沙 半及三四分 億万分之一
千万那由他 万億諸弟子 乃至於半億 其數復過上
百万至一万 一千及一百 五十與一十 乃至三二一
單己无眷屬 樂於獨處者 俱來至佛所 其數轉過上
如是諸大衆 若人行籌數 過於恒沙劫 猶不能盡知
是諸大威德 [illegible]

百万至一万 一千及一百 五十與一十 乃至三二一
單己无眷屬 樂於獨處者 俱來至佛所 其數轉過上
如是諸大衆 若人行籌數 過於恒沙劫 猶不能盡知
是諸大威德 精進菩薩衆 誰爲其說法 教化而成就
從誰初發心 稱揚何佛法 受持行誰經 修習何佛道
如是諸菩薩 神通大智力 四方地震裂 皆從中踊出
世尊我昔來 未曾見是事 願說其所從 國土之名号
我常遊諸國 未曾見是衆 我於此衆中 乃不識一人
忽然從地出 願說其因緣
今此之大會 无量百千億 是諸菩薩等 皆欲知此事
是諸菩薩衆 本末之因緣 无量德世尊 唯願決衆疑
尒時釋迦牟尼佛分身諸佛從无量千万億
他方國土來者在於八方諸寶樹下師子座上
結跏趺坐其佛侍者各各見是菩薩大衆於三
千大千世界四方從地踊出住於虛空各白
其佛言世尊此諸无量无邊阿僧祇菩薩大
衆從何所來尒時諸佛各告侍者諸善男子
且待須臾有菩薩摩訶薩名曰弥勒釋迦
牟尼佛之所授記次後作佛已問斯事佛今
荅之汝等自當因是得聞尒時釋迦牟尼佛
告弥勒菩薩善哉善哉阿逸多乃能問佛如
是大事汝等當共一心被精進鎧發堅固意
如來今欲顯發宣示諸佛智慧諸佛自在神
通之力諸佛師子奮迅之力諸佛威猛大勢
之力尒時世尊欲重宣此義而說偈言
當精進一心 我欲說此事 勿得有疑悔 佛智叵思議
汝今出信力 住於忍善中 昔所未聞法 今皆當得聞
我今[illegible]

當精進一心　我欲說此事　勿得有疑悔　佛智叵思議
汝今出信力　住於忍善中　昔所未聞法　今皆當得聞
我今安慰汝　勿得懷疑懼　佛无不實語　智慧不可量
所得第一法　甚深叵分別　如是今當說　汝等一心聽
尒時世尊說此偈已告弥勒菩薩我今於此
大衆宣告汝等阿逸多是諸大菩薩摩訶薩
无量无數阿僧祇從地踊出汝等昔所未見
者我於是娑婆世界得阿耨多羅三藐三菩
提已教化示導是諸菩薩調伏其心令發道
意此諸菩薩皆於是娑婆世界之下此界虛
空中住於諸經典讀誦通利思惟分別正憶
念阿逸多是諸善男子等不樂在衆多有所
說常樂靜處勤行精進未曾休息亦不依止
人天而住常樂深智无有鄣㝵亦常樂於諸
佛之法一心精進求无上慧尒時世尊欲重
宣此義而說偈言
阿逸汝當知　是諸大菩薩　從无數劫來　脩習佛智慧
悉是我所化　令發大道心　此等是我子　依止是世界
常行頭陀事　志樂於靜處　捨大衆憒閙　不樂多所說
如是諸子等　學習我道法　晝夜常精進　為求佛道故
在娑婆世界　下方空中住
志念力堅固　常勤求智慧　說種種妙法　其心无所畏
我於伽耶城　菩提樹下坐　得成最正覺　轉无上法輪
尒乃教化之　令初發道心　今皆住不退　悉當得成佛
我今說實語　汝等一心信　我從久遠來　教化是等衆
尒時弥勒菩薩摩訶薩及无數諸菩薩等心
生疑惑恠未曾有而作是念云何世尊於少
時間教化如是无量无邊阿僧祇諸大菩薩

BD00598 號　妙法蓮華經卷五　（23–10）

尒時弥勒菩薩摩訶薩及无數諸菩薩等心
生疑惑恠未曾有而作是念云何世尊於少
時間教化如是无量无邊阿僧祇諸大菩薩
令住阿耨多羅三藐三菩提即白佛言世尊
如來為太子時出於釋宮去伽耶城不遠
坐於道場得成阿耨多羅三藐三菩提從是
以來始過四十餘年世尊云何於此少時大
作佛事以佛勢力以佛功德教化如是无量
大菩薩衆當成阿耨多羅三藐三菩提世尊
此大菩薩衆假使有人於千万億劫數不能
盡不得其邊斯等久遠以來於无量无邊諸
佛所殖諸善根成就菩薩道常脩梵行世尊
如此之事世所難信譬如有人色美髮黑年
二十五指百歲人言是我子其百歲人亦指
年少言是我父生育我等是事難信佛亦如
是得道已來其實未久而此大衆諸菩薩等
已於无量千万億劫為佛道故勤行精進善
入出住无量百千万億三昧得大神通久脩
梵行善能次第習諸善法巧於問荅人中之
寶一切世間甚為希有今日世尊方云得佛
道時初令發心教化示導令向阿耨多羅三
藐三菩提世尊得佛未久乃能作此大功德
事我等雖復信佛隨宜所說佛所出言未曾
虛妄佛所知者皆悉通達然諸新發意菩薩
於佛滅後若聞是語或不信受而起破法罪
業因緣唯然世尊願為解說除我等疑及未
來世諸善男子聞此事已亦不疑尒時弥勒
菩薩欲重宣此義而說偈言

BD00598 號　妙法蓮華經卷五　（23–11）

於佛滅後若聞是語或不信受而起破法罪
業因緣唯然世尊願為解說除我等疑及未
來世諸善男子聞此事已亦不疑尒時弥勒
菩薩欲重宣此義而說偈言
佛昔從釋種　出家近伽耶　坐於菩提樹　尒來尚未久
此諸佛子等　其數不可量　久已行佛道　住神通智力
善學菩薩道　不染世間法　如蓮華在水　從地而踊出
皆起恭敬心　住於世尊前　是事難思議　云何而可信
佛得道甚近　所成就甚多　願為除衆疑　如實分別說
譬如少壯人　年始二十五　示人百歲子　髮白而面皺
是等我所生　子亦說是父　父少而子老　舉世所不信
世尊亦如是　得道來甚近　是諸菩薩等　志固无怯弱
從无量劫來　而行菩薩道　巧於難問答　其心无所畏
忍辱心決定　端政有威德　十方佛所讚　善能分別說
不樂在人衆　常好在禪定　為求佛道故　於下空中住
我等從佛聞　於此事无疑　願佛為未來　演說令開解
若有於此經　生疑不信者　即當墮惡道　願今為解說
是无量菩薩　云何於少時　教化令發心　而住不退地

妙法蓮華經如來壽量品第十六

尒時佛告諸菩薩及一切大衆諸善男子汝
等當信解如來誠諦之語復告大衆汝等當
信解如來誠諦之語又復告諸大衆汝等當
信解如來誠諦之語是時菩薩大衆弥勒為
首合掌白佛言世尊唯願說之我等當信受
佛語如是三白已復言唯願說之我等當信
受佛語尒時世尊知諸菩薩三請不止而告
之言汝等諦聽如來秘密神通之力一切世間
天人及阿脩羅皆謂今釋迦牟尼佛出釋氏

BD00598號　妙法蓮華經卷五　（23–12）

受佛語尒時世尊知諸菩薩三請不止而告
之言汝等諦聽如來秘密神通之力一切世間
天人及阿脩羅皆謂今釋迦牟尼佛出釋氏
宮去伽耶城不遠坐於道場得阿耨多羅三
藐三菩提然善男子我實成佛已來无量无
邊百千万億那由他劫譬如五百千万億那
由他阿僧祇三千大千世界假使有人抹為
微塵過於東方五百千万億那由他阿僧祇
國乃下一塵如是東行盡是微塵諸善男
子於意云何是諸世界可得思惟挍計知其
數不弥勒菩薩等俱白佛言世尊是諸世界
无量无邊非筭數所知亦非心力所及一切
聲聞辟支佛以无漏智不能思惟知其限數
我等住阿惟越致地於是事中亦所不達世尊
如是諸世界无量无邊尒時佛告大菩薩衆
諸善男子今當分明宣語汝等是諸世界若
著微塵及不著者盡以為塵一塵一劫我成
佛已來復過於此百千万億那由他阿僧祇
劫自從是來我常在此娑婆世界說法教化
亦於餘處百千万億那由他阿僧祇國導利
衆生諸善男子於是中間我說然燈佛等又
復言其入於涅槃如是皆以方便分別諸善
男子若有衆生來至我所我以佛眼觀其信
等諸根利鈍隨所應度處處自說名字不
同年紀大小亦復現言當入涅槃又以種種
方便說微妙法能令衆生發歡喜心諸善男
子如來見諸衆生樂於小法德薄垢重者為
是之說我少出家得阿耨多羅三藐三菩提

BD00598號　妙法蓮華經卷五　（23–13）

子如来見諸衆生樂於小法德薄垢重者爲
是人說我少出家得阿耨多羅三藐三菩提
然我實成佛已来久遠若斯但以方便教化
衆生令入佛道作如是說諸善男子如来所
演經典皆爲度脫衆生或說己身或說他身
或示己身或示他身或示己事或示他事諸
所言說皆實不虛所以者何如来如實知見
三界之相无有生死若退若出亦无在世及滅
度者非實非虛非如非異不如三界見於三
界如斯之事如来明見无有錯謬以諸衆生
有種種性種種欲種種行種種憶想分別
故欲令生諸善根以若干因緣譬喻言辞
種種說法所作佛事未曾暫廢如是我成佛
已来甚大久遠壽命无量阿僧祇劫常住不
滅諸善男子我本行菩薩道所成壽命今猶
未盡復倍上數然今非實滅度而便唱言當
取滅度如来以是方便教化衆生所以者何
若佛久住於世薄德之人不種善根貧窮下
賤貪著五欲入於憶想妄見網中若見如来
常在不滅便起憍恣而懷猒怠不能生難遭
之想恭敬之心是故如来以方便說比丘當知
諸佛出世難可值遇所以者何諸薄德人過无
量百千万億劫或有見佛或不見者以此事
故我作是言諸比丘如来難可得見斯衆生
等聞如是語必當生於難遭之想心懷戀慕
渴仰於佛便種善根是故如来雖不實滅而
言滅度又善男子諸佛如来法皆如是爲度
衆生皆實不虛

言滅度又善男子諸佛如来法皆如是爲度
衆生皆實不虛譬如良醫智慧聰達明練方
藥善治衆病其人多諸子息若十二十乃至
百數以有事緣遠至餘國諸子於後飲他毒
藥藥發悶亂宛轉于地是時其父還来歸家
諸子飲毒或失本心或不失者遙見其父皆
大歡喜拜跪問訊善安隱歸我等愚癡誤服
毒藥願見救療更賜壽命父見子等苦惱如
是依諸經方求好藥草色香美味皆悉具足
擣簁和合與子令服而作是言此大良藥色
香美味皆悉具足汝等可服速除苦惱无復衆
患其諸子中不失心者見此良藥色香俱好
即便服之病盡除愈餘失心者見其父来雖
亦歡喜問訊求索治病然與其藥而不肯服
所以者何毒氣深入失本心故於此好色香藥
而謂不美父作是念此子可愍爲毒所中心
皆顛倒雖見我喜求索救療如是好藥而不
肯服我今當設方便令服此藥即作是言汝
等當知我今衰老死時已至是好良藥今留
在此汝可取服勿憂不差作是教已復至他
國遣使還告汝父已死是時諸子聞父背喪
心大憂惱而作是念若父在者慈愍我等能
見救護今者捨我遠喪他國自惟孤露无
復恃怙常懷悲感心遂醒悟乃知此藥色味
香美即取服之毒病皆愈其父聞子悉已得
差尋便来歸咸使見之諸善男子於意云何
頗有人能說此良醫虛妄罪不不也世尊佛

香美即取服之毒病皆愈其父聞子悉已得
差尋便來歸咸使見之諸善男子於意云何
頗有人能說此良醫虛妄罪不不也世尊佛
言我亦如是成佛已來无量无邊百千万億
那由他阿僧祇劫為衆生故以方便力言當
滅度亦无有能如法說我虛妄過者尒時世
尊欲重宣此義而說偈言
自我得佛來　所經諸劫數　无量百千万　億載阿僧祇
常說法教化　无數億衆生　令入於佛道　尒來无量劫
為度衆生故　方便現涅槃　而實不滅度　常住此說法
我常住於此　以諸神通力　令顛倒衆生　雖近而不見
衆見我滅度　廣供養舍利　咸皆懷戀慕　而生渴仰心
衆生既信伏　質直意柔濡　一心欲見佛　不自惜身命
時我及衆僧　俱出靈鷲山　我時語衆生　常在此不滅
以方便力故　現有滅不滅　餘國有衆生　恭敬信樂者
我復於彼中　為說无上法　汝等不聞此　但謂我滅度
我見諸衆生　沒在於苦惱　故不為現身　令其生渴仰
因其心戀慕　乃出為說法　神通力如是　於阿僧祇劫
常在靈鷲山　及餘諸住處　衆生見劫盡　大火所燒時
我此土安隱　天人常充滿　園林諸堂閣　種種寶莊嚴
寶樹多華菓　衆生所遊樂　諸天擊天鼓　常作衆伎樂
雨曼陁羅華　散佛及大衆　我淨土不毀　而衆見燒盡
憂怖諸苦惱　如是悉充滿　是諸罪衆生　以惡業因緣
過阿僧祇劫　不聞三寶名　諸有脩功德　柔和質直者
則皆見我身　在此而說法　或時為此衆　說佛壽无量
久乃見佛者　為說佛難值　我智力如是　慧光照无量
壽命无數劫　久脩業所得　汝等有智者　勿於此生疑
當斷令永盡　佛語實不虛　如醫善方便　為治狂子故

則皆見我身　在此而說法　或時為此衆　說佛壽无量
久乃見佛者　為說佛難值　我智力如是　慧光照无量
壽命无數劫　久脩業所得　汝等有智者　勿於此生疑
當斷令永盡　佛語實不虛　如醫善方便　為治狂子故
實在而言死　无能說虛妄　我亦為世父　救諸苦患者
為凡夫顛倒　實在而言滅　以常見我故　而生憍恣心
放逸著五欲　墮於惡道中　我常知衆生　行道不行道
隨應所可度　為說種種法　每自作是意　以何令衆生
得入无上道　速成就佛身
妙法蓮華經分別功德品第十七
尒時大會聞佛說壽命劫數長遠如是无量
无邊阿僧祇衆生得大饒益於時世尊告弥
勒菩薩摩訶薩阿逸多我說是如來壽命長
遠時六百八十万億那由他恒河沙衆生得无
生法忍復千倍菩薩摩訶薩得聞持陁羅尼
門復有一世界微塵數菩薩摩訶薩得樂說
无㝵辯才復有一世界微塵數菩薩摩訶薩
得百万億无量旋陁羅尼復有三千大千世
界微塵數菩薩摩訶薩能轉不退法輪復有
二千中國土微塵數菩薩摩訶薩能轉清淨
法輪復有小千國土微塵數菩薩摩訶薩八
生當得阿耨多羅三藐三菩提復有四四天
下微塵數菩薩摩訶薩四生當得阿耨多
羅三藐三菩提復有三四天下微塵數菩薩
摩訶薩三生當得阿耨多羅三藐三菩提復
有二四天下微塵數菩薩摩訶薩二生當得
阿耨多羅三藐三菩提復有一四天下微塵
數菩薩摩訶薩一生當得阿耨多羅三藐三

有二四天下微塵數菩薩摩訶薩二生當得
阿耨多羅三藐三菩提復有一四天下微塵
數菩薩摩訶薩一生當得阿耨多羅三藐三
菩提復有八世界微塵數衆生皆發阿耨多
羅三藐三菩提心佛說是諸菩薩摩訶薩得
大法利時於虛空中雨曼陁羅華摩訶曼陁
羅華以散无量百千万億寶樹下師子座上
諸佛并散七寶塔中師子座上釋迦牟尼佛
及久滅度多寶如來亦散一切諸大菩薩及
四部衆又雨細末栴檀沈水香等於虛空中
天鼓自鳴妙聲深遠又雨千種天衣垂諸瓔
珞真珠瓔珞摩尼珠瓔珞如意珠瓔珞遍於
九方衆寶香爐燒无價香自然周至供養大
會一一佛上有諸菩薩執持幡蓋次第而上
至于梵天是諸菩薩以妙音聲歌无量頌讚
嘆諸佛尒時弥勒菩薩從座而起偏袒右肩
合掌向佛而說偈言

佛說希有法　昔所未曾聞　世尊有大力　壽命不可量
无數諸佛子　聞世尊分別　說得法利者　歡喜充遍身
或住不退地　或得陁羅尼　或无导樂說　万億旋總持
或有大千界　微塵數菩薩　各各皆能轉　不退之法輪
復有中千界　微塵數菩薩　各各皆能轉　清淨之法輪
復有小千界　微塵數菩薩　餘各八生在　當得成佛道
復有四三二　如此四天下　微塵諸菩薩　隨數生成佛
或一四天下　微塵數菩薩　餘有一生在　當成一切智
如是等衆生　聞佛壽長遠　得无量无漏　清淨之果報
復有八世界　微塵數衆生　聞佛說壽命　皆發无上心
世尊說无量　不可思議法　多有所饒益　如虛空无邊

BD00598號　妙法蓮華經卷五　（23–18）

如是等衆生　聞佛壽長遠　得无量无漏　清淨之果報
復有八世界　微塵數衆生　聞佛說壽命　皆發无上心
世尊說无量　不可思議法　多有所饒益　如虛空无邊
雨天曼陁羅　摩訶曼陁羅　釋梵如恒沙　无數佛土來
雨栴檀沈水　繽紛而亂墜　如鳥飛空下　供散於諸佛
天鼓虛空中　自然出妙聲　天衣千万種　旋轉而來下
衆寶妙香爐　燒无價之香　自然悉周遍　供養諸世尊
其大菩薩衆　執七寶幡蓋　高妙万億種　次第至梵天
一一諸佛前　寶幢懸勝幡　亦以千万偈　歌詠諸如來
如是種種事　昔所未曾有　聞佛壽无量　一切皆歡喜
佛名聞十方　廣饒益衆生　一切具善根　以助无上心

尒時佛告弥勒菩薩摩訶薩阿逸多其有衆
生聞佛壽命長遠如是乃至能生一念信解
所得功德无有限量若有善男子善女人為
阿耨多羅三藐三菩提故於八十万億那由
他劫行五波羅蜜檀波羅蜜尸羅波羅蜜羼
提波羅蜜毗梨耶波羅蜜禪波羅蜜除般若
波羅蜜以是功德比前功德百分千分百千
万億分不及其一乃至筭數譬喻所不能知
若善男子善女人有如是功德於阿耨多羅三
藐三菩提退者无有是處尒時世尊欲重宣
此義而說偈言

若人求佛慧　於八十万億　那由他劫數　行五波羅蜜
於是諸劫中　布施供養佛　及緣覺弟子　并諸菩薩衆
珎異之飲食　上服與卧具　栴檀立精舍　以園林莊嚴
如是等布施　種種皆微妙　盡此諸劫數　以迴向佛道
若復持禁戒　清淨无缺漏　求於无上道　諸佛之所嘆
若復行忍辱　住於調柔地　設衆惡來加　其心不傾動

BD00598號　妙法蓮華經卷五　（23–19）

若復持禁戒　清淨无缺漏　求於无上道　諸佛之所歎
若復行忍辱　住於調柔地　設衆惡來加　其心不傾動
諸有得法者　懷於增上慢　為此所輕惱　如是亦能忍
若復勤精進　志念常堅固　於无量億劫　一心不懈息
又於无數劫　住於空閑處　若坐若經行　除睡常攝心
以是因緣故　能生諸禪定　八十億万劫　安住心不亂
持此一心福　願求无上道　我得一切智　盡諸禪定際
是人於百千　万億劫數中　行此諸功德　如上之所說
有善男女等　聞我說壽命　乃至一念信　其福過於彼
若人悉无有　一切諸疑悔　深心須臾信　其福為如此
其有諸菩薩　无量劫行道　聞我說壽命　是則能信受
如是諸人等　頂受此經典　願我於未來　長壽度衆生
如今日世尊　諸釋中之王　道場師子吼　說法无所畏
我等未來世　一切所尊敬　坐於道場時　說壽亦如是
若有深心者　清淨而質直　多聞能總持　隨義解佛語
如是之人等　於此无有疑
又阿逸多若有聞佛壽命長遠解其言趣是
人所得功德无有限量能起如來无上之慧
何況廣聞是經若教人聞若自持若教人持
若自書若教人書若以華香瓔珞幢幡繒蓋香
油蘇燈供養經卷是人功德无量无邊能生
一切種智阿逸多若善男子善女人聞我說
壽命長遠深心信解則為見佛常在耆闍崛
山共大菩薩諸聲聞衆圍遶說法又見此娑
婆世界其地瑠璃坦然平正閻浮檀金以界
八道寶樹行列諸臺樓觀皆悉寶成其菩薩
衆咸處其中若有能如是觀者當知是為深

BD00598號　妙法蓮華經卷五　（23–20）

婆世界其地瑠璃坦然平正閻浮檀金以界
八道寶樹行列諸臺樓觀皆悉寶成其菩薩
衆咸處其中若有能如是觀者當知是為深
信解相又復如來滅後若聞是經而不毀呰
起隨喜心當知已為深信解相何況讀誦受
持之者斯人則為頂戴如來阿逸多是善男
子善女人不須為我復起塔寺及作僧坊以
四事供養衆僧所以者何是善男子善女
人受持讀誦是經典者為已起塔造立僧坊
供養衆僧則為以佛舍利起七寶塔高廣漸
小至于梵天懸諸幡蓋及衆寶鈴華香瓔珞
末香塗香燒香衆鼓伎樂簫笛箜篌種種儛
戲以妙音聲歌唄讚誦則為於无量千万億
劫作是供養已阿逸多若我滅後聞是經典
有能受持若自書若教人書則為起立僧坊
以赤栴檀作諸殿堂三十有二高八多羅樹
高廣嚴好百千比丘於其中止園林浴池經
行禪窟衣服飲食床褥湯藥一切樂具充滿
其中如是僧坊堂閣若干百千万億其數无
量以此現前供養於我及比丘僧是故我說
如來滅後若有受持讀誦為他人說若自書
若教人書供養經卷不須復起塔寺及造僧
坊供養衆僧況復有人能持是經兼行布
施持戒忍辱精進一心智慧其德最勝无量
无邊譬如虛空東西南北四維上下无量无
邊是人功德亦復如是无量无邊疾至一切種
智若人讀誦受持是經為他人說若自書若教
人書復能起塔及造僧坊供養讚歎聲聞衆

BD00598號　妙法蓮華經卷五　（23–21）

[illegible]
智若人讀誦受持是經為他人說若自書若教
人書復能起塔及造僧坊供養讚歎聲聞衆
僧亦以百千万億讚歎之法讚歎菩薩功德
又為他人種種因緣隨義解說此法華經復
能清淨持戒與柔和者而共同止忍辱无瞋
志念堅固常貴坐禪得諸深定精進勇猛攝
諸善法利根智慧善荅問難阿逸多若我滅
後諸善男子善女人受持讀誦是經典者復
有如是諸善功德當知是人已趣道場近阿
耨多羅三藐三菩提坐道樹下阿逸多是善
男子若坐若立若行處是中便應起塔一切
天人皆應供養如佛之塔尒時世尊欲重宣
此義而說偈言
若我滅度後　能奉持此經　斯人福无量　如上之所說
是則為具足　一切諸供養　以舍利起塔　七寶而莊嚴
表剎甚高廣　漸小至梵天　寶鈴千万億　風動出妙音
又於无量劫　而供養此塔　華香諸瓔珞　天衣衆伎樂
燃香油蘇燈　周帀常照明　惡世法末時　能持是經者
則為已如上　具足諸供養　若能持此經　則如佛現在
以牛頭栴檀　起僧坊供養　堂有三十二　高八多羅樹
上饌妙衣服　牀卧皆具足　百千衆住處　園林諸浴池
經行及禪窟　種種皆嚴好　若有信解心　受持讀誦書
若復教人書　及供養經卷　散華香末香　以須曼瞻蔔
阿提目多伽　薰油常燃之　如是供養者　得无量功德
如虛空无邊　其福亦如是　況復持此經　兼布施持戒
忍辱樂禪定　不瞋不惡口　恭敬於塔廟　謙下諸比丘
遠離自高心　常思惟智慧　有問難不瞋　隨順為解說

BD00598號　妙法蓮華經卷五　（23–22）

經行及禪窟　種種皆嚴好　若有信解心　受持讀誦書
若復教人書　及供養經卷　散華香末香　以須曼瞻蔔
阿提目多伽　薰油常燃之　如是供養者　得无量功德
如虛空无邊　其福亦如是　況復持此經　兼布施持戒
忍辱樂禪定　不瞋不惡口　恭敬於塔廟　謙下諸比丘
遠離自高心　常思惟智慧　有問難不瞋　隨順為解說
若能行是行　功德不可量　若見此法師　成就如是德
應以天華散　天衣覆其身　頭面接足禮　生心如佛想
又應作是念　不久詣道樹　得无漏无為　廣利諸天人
其所住止處　經行若坐卧　乃至說一偈　是中應起塔
莊嚴令妙好　種種以供養　佛子住此地　則是佛受用
常在於其中　經行及坐卧

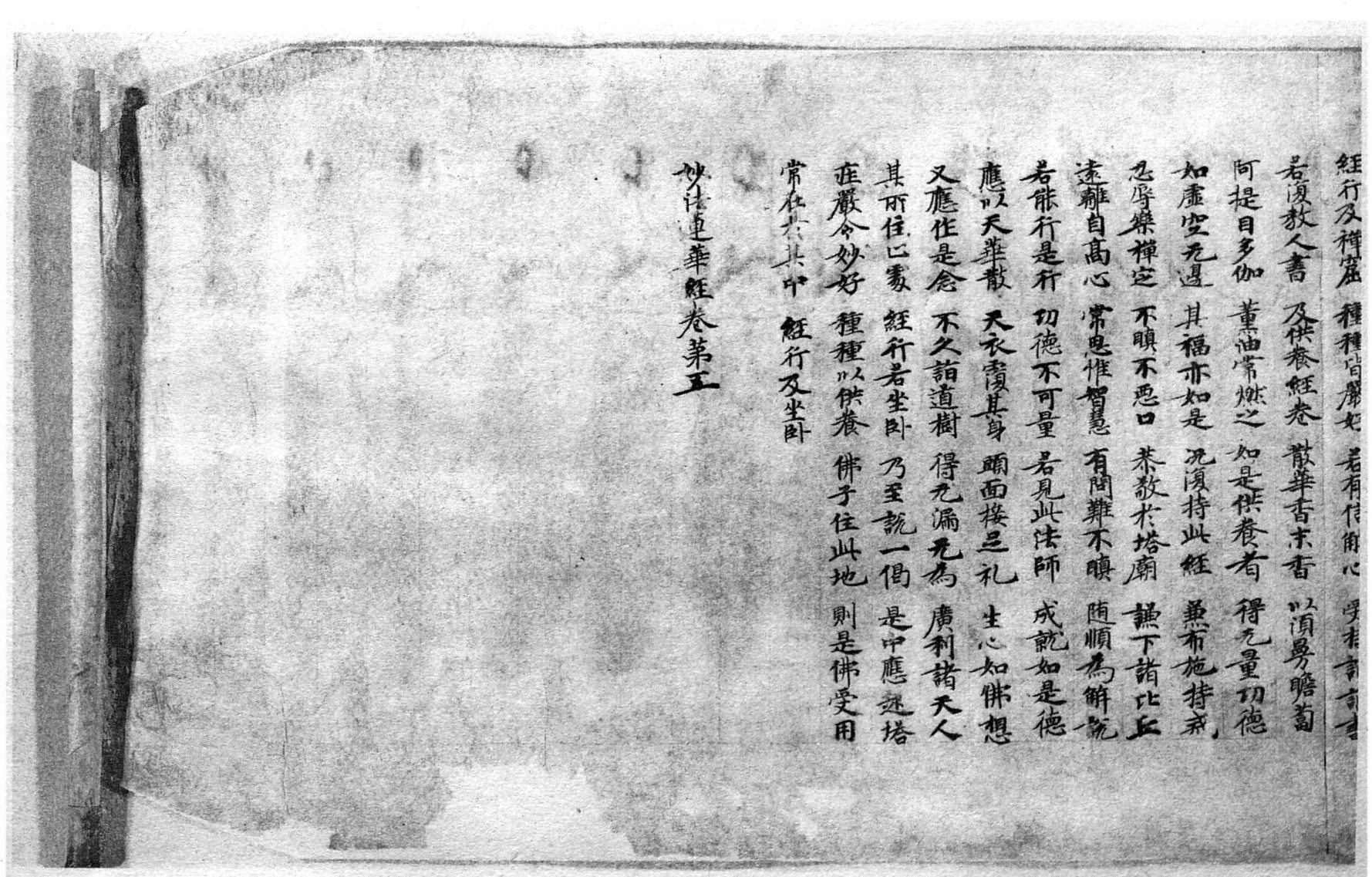

妙法蓮華經卷第五

BD00598號　妙法蓮華經卷五　（23–23）

西盡色已壹化僧業
若卧者時不自舉不教人舉放逸從山
用僧物四爲已受用五去時已下結不舉罪此五義如上僧房者屏處僧
卧具者謂繩床木床上褥草具坐具已下至卧褥四言若自敷若教人敷者
爲已受用故五言去時不自舉不教人舉放逸從者不舉之罪律云彼去時
應語舊住比丘言與我守舉若无人不畏失當移床床離壁高枝床脚
椅褥草卧具置裏以除事僧房恐壞敗取卧具等置衣上以竪床一面去若
不作如是出界犯頂欲去還悔吉羅若即日還不久聽一宿界外第三宿明相
未出若自至若房中若遣使至語知事人囑誰不者明相出便犯不犯者住
如上方便或水陸道斷命梵等緣者開　強敷卧具戒十六　制意者然物
有限事有彼此情同則我爲彼有喜愿隔則事須進否然知先得住處竟不
籌量輒便於中強敷卧具共相逼惱非出家之式故仏制　別緣有五先
得住受安心已定二知他先住三作惱彼意四強敷卧具五先因緣謂先疏
舊人及病与二難等緣六隨卧於提　已下正明戒本戒曰六群比丘惱十七群
比丘故仏制斯戒　若比丘知先比丘住處後來強於中間敷卧具止宿念言
彼若嫌窄者自當避我去作如是因緣非餘非威儀波逸提　此滿足戒本文
有四句一犯人二知他先得住處三後來下強敷得惱四作是下結非威儀罪
初二兩句可知三言強於中間者若頭邊若脚邊若兩脇邊
是敷卧具者若草敷葉敷下至地敷卧氈四言作如是因緣者謂作故惱
因緣言非餘者非二福等諸緣故言非威者事頭其過之言波逸提者是犯罪
如律所言知他先得住處後來強於中間敷卧具止宿隨轉側脇著床結犯
十若若爲惱他故開之然火滅火若唄呪願讀經說法遮他不與事作一隨一不
犯者律云若先不知若語已住先与开間覓不相妨惱若親舊教言但敷自
我語主若倒地若病轉側墮上若有命梵等難一切不犯　牽他出房戒第十七　制
意者然四方僧房衆人共有理无偏獨先往理安心已定後來之徒宜共受
用嗔心牽出自壞惱他淨覺之本損受不輕是以須制　別緣有六一四方僧舍
二先至安心已定三作惱亂彼意四嗔心牽出五先因緣爲舉等不犯於去
適出門便犯　已下正明戒本戒曰六群比丘共十七群道行至一小住處十七群先入
寺掃灑房舍令淨六群知彼得好住處逐牽出房比丘舉過仏便制戒　若
比丘嗔他不喜僧房中若自牽出教人牽出波逸提　此滿足戒本文有四句
一犯人二內心嗔恚三僧房不犯四若自已下事出結罪　前三句可知第四言自

適出門便犯。已下出制戒本。此戒因六群比丘共十七群道行至一小住處，十七群先入
寺掃灑房舍令淨，六群知彼得好住處，遂牽出，故房比丘嫌過，佛便制戒。若
比丘嗔他不喜，僧房中若自牽出，若教人牽出，波逸提。此篇之戒本文有四句：
一犯人，二爲心嗔恚，三僧房不犯，四若自已下牽出結罪。前三句可知。末四言自
牽出波逸提已來，是遠犯罪。故律云隨所牽多少，一一皆犯。若牽多人出一户，隨
提。若牽一人出多户，多提。若牽一人出一户，一提。若牽多人出多户，多提。五分若從屋牽
至前屋，牽至戶外，牽至庭中，牽至庭外，一一犯提。若持他物擲著戶外，閉他戶
外，並吉。祇云：牽他出時，若抱柱捉戶倚壁，一一提。若可以隨語，一一離一一提。若嗔
蛇鼠驅出，若無益物驅出，無罪。十誦若喜鼾眠，應去經行，不能經行
應起，併不應惱他。五分若除佛弟子，餘者不犯。若將不牽人來欲令
自出，不出者羅牽。下四眾名吉。律云不犯者，無嗔恨心，隨次出，共宿過限遣
未受具人出，破戒、見、威儀，爲他舉及擯，應擯，因此故有命梵難，驅出並業
犯。問：前房開驅不簡淨穢，此戒即簡淨不除驅者？答：前是他物，僧先備者
驅則無違，非僧住處，故不簡淨。此僧房淨，無共驅出，無犯。重屋上坐脫腳床
戒十八。制意者，凡事宜審，危險須慎。重屋薄覆，脫腳之林，放身坐卧，參差
墜墮，傷於下人，惱更不輕，是故聖制。制緣有四：一重屋，二薄覆，三腳林，四放身坐
卧。已下出制戒本。此戒因比丘重屋比丘起過制此戒。若比丘若房若重閣上脫腳
繩林木林，若坐若卧，波逸提。此篇之戒本文有四句：一犯人，二重屋，三腳脫床，四
坐卧結犯。初句可知。二言房者，謂僧私兩種房。重閣者，謂立頭不至上。三言脫
腳林者，律云脫腳者謂腳入陛。四言若坐若卧，律云隨脅著林，轉側一一言波
逸提者，是遠犯罪。故律云比丘於上坐卧者，隨轉側一一犯提。除脫腳林，外坐獨
坐林，或一板、浴林，一切吉羅。不犯者，律云若重屋板覆，若木作華覆，若板
林坐，若脫腳坐，安細要，並不犯。用虫水戒第十九。制意者，慈濟物命，道之
所要。知水有虫而故受用，損物命，違其慈道，苟存自營，所爲無理，事是
非輕，故所以制。制緣有四：一是虫水，二知有虫水，三不作漉法，四隨用犯。已下出
制戒本。此戒因闡陀比丘起過，遂屋虫水和泥，居士譏嫌，佛便制戒。若比丘知水
有虫，若自澆泥若澆草，若教人澆者，波逸提。此篇之戒本文有三句：一犯人，二犯業，
三犯罪。此者義如上釋。已下二句可知。故律云若不知水有虫，無罪；知即犯提。言
水者，漉囊所漉，肉眼所見。十云眼所見，漉囊所漉。若用此水，隨虫多少，一一犯提。
祇云用虫水，一息一提，隨息多少，一一得提。四分云若以草土擲虫水中，若虫酪漿清
酪漿，若清麦漿，若酢，有虫以澆泥，若以草土擲水中，一切皆隨教人多同五分，云隨用虫
一一直。律云以草土擲虫水中，隨河池中魚虫，一一提。大集云：有虫生身細猶微塵，十
分之一，乃至大者，百千萬由旬。祇云細故，應作三重漉，猶有者，捨去。故多云若

BD00599號　四分律戒本疏卷三　（3–2）

有虫若澆泥若澆草土若教人澆者波逸提　此當是戒本文有三句一犯人二空業
三犯罪此者義如上釋　已下二句可知故律云若不知水有虫无罪知即犯提言
水者漉囊所遮肉眼所見十云眼所見漉囊所遮若用此水隨虫多少一一犯提
祇云用虫水一息一提隨息多少一一得提　四分云若以草土擲虫水中若虫酪漿清
酪漿若清麦漿若酢有虫若澆泥若草土擲水中一切皆隨教人多同五分云隨用虫
一一提　律云以草土擲虫水中隨河池中魚虫一一提　大集云害虫生身細蟲微虫等
分之一乃至大者百千万由旬　祇云細故應作三重漉猶有者捨去故多云者
作住處先應看水用已漉罪　看器中向日細意諦看若故有虫者應二三
重作漉罪若故有虫及不應住四分雜法揵度中云无漉囊不得半由旬行
若无漉囊應用衣角漉水　律云不犯者知若不有虫若作无虫想若大小
以手動水令虫去若漉水用若教人漉用不犯　覆屋過三節戒第廿　制意
者凡物有限事成爲要貪不知量重重覆不已令屋崩倒損益功業譏過不輕是
以聖制　列緣有四一自爲己作屋二使覆三至三節未竟不離見聞處四第三節
竟即犯　已下明戒本此戒因闡陀比丘房重覆不止便崩壞居士譏言施者雖无
厭受者應知足以過制戒　若比丘作大房舍戶扉窗牖及餘莊飾具指授覆苫安
齊二三節若過者波逸提　此當是戒本文有四句一犯人作房法式三指授已下明
限四過限結罪　言比丘者義如上弁　二言作大房者多用財物及餘莊飾者刻
鏤彩畫　三言指授覆苫者覆有二種一者縱覆二者橫覆　言齊二三節者是開限
律云齊三節未竟指授无犯　四言若過波逸提者是過限之罪故律云若比丘指
授三節未竟自至不見聞處若不至不見聞處者即犯提罪若至離見聞處犯
吉　見云若過三節竟无遣者隨用草犯一一犯提　律云不犯者如上指授遣覆
第三節若水陸道斷賊難惡獸難水難若難故不遣第三節无犯　輙教受尼
戒第廿一　制意者有三一尼須教授意者尼是女弱闇於理方諮稟未聞若
不建行一教宜若夜往故須教授曲示行儀大僧丈夫形无障导處讓豪不
別教授二須簡意者教授事難須備德行故妄任衆量可闡有德慈心訓
誨開曉心令生解行終登道益故須差遣三結罪意者令不被僧差輙往
教授濫行風教乖於軌道三方失於風五非己化理法自尊損受不輕故得
提罪　次釋名尊任自由不蒙僧命稱之爲輙宣傳行德開曉未聞名爲教授

世
不
有故
住世尊我
力七等覺支
云何可言此是四
世尊是四念住等我
以故四念住等名義
若皆無所住亦非不住世尊
無所畏四無礙解大慈大悲大喜
佛不共法一切智道相智一切相智不得
見若集若散云何可言此是佛十力乃至此
是一切相智世尊是佛十力等名皆無所住
亦非不住何以故佛十力等名義既無所有
故佛十力等名皆無所住亦非不住
世尊我於如幻如夢如像如響如光如影如空
花如陽焰如尋香城如變化事五取蘊等不
得不見若集若散云何可言此是如幻等五
取蘊等世尊是如幻等五取蘊等名皆無所
住亦非不住何以故如幻等五取等名義
既無所有故如幻等五取蘊等名皆無所
住亦非不住世尊我於寂靜遠離無生無滅無
染無淨絕諸戲論真如法界法性實際平等
性離生性不得不見若集若散云何可言此

BD00600號　大般若波羅蜜多經卷三七　（3–1）

既無所有故如幻等五取蘊等名皆無所
住亦非不住世尊我於寂靜遠離無生無滅無
染無淨絕諸戲論真如法界法性實際平等
性離生性不得不見若集若散云何可言此
是寂靜乃至此是離生性世尊是寂靜等名
皆無所住亦非不住何以故寂靜等名義既
無所有故寂靜等名皆無所住亦非不住世
尊我於若常若無常若樂若苦若我若無我
若淨若不淨若空若不空若無相若有相若
無願若有願若寂靜若不寂靜若遠離若不
遠離若雜染若清淨若生若滅若有為若無
為若有漏若無漏若善若非善若有罪若無
罪若世間若出世間若屬生死若屬涅槃法
不得不見若集若散云何可言此是常乃至
此是屬涅槃法世尊是常等名皆無所住亦
非不住何以故常等名義既無所有故常等
名皆無所住亦非不住世尊我於若過去若
未來若現在若善若不善若無記若欲界
繫若色界繫若無色界繫若學若無學若非
學非無學若見所斷若修所斷若非所斷若
在內若在外若在兩間法不得不見若集若
散云何可言此是過去乃至此是在兩間
法世尊是過去等名皆無所住亦非不住
何以故過去等名義既無所有故過去等
名皆無所住亦非不住世尊我於十方殑伽
沙等諸佛世界一切如來應正等覺及諸
菩薩聲聞僧等不得不見若集若散云何可
言此是十方世界乃至此是聲聞僧等

BD00600號　大般若波羅蜜多經卷三七　（3–2）

散云何可言此是過去乃至此是在爲階
法世尊是過去等名皆無所住亦非不住
何以故過去等名義既無所有故過去等
名皆無所住亦非不住世尊我於十方殑伽
沙等諸佛世界一切如來應正等覺及諸
菩薩聲聞僧等不得不見若集若散云何可
言此是十方世界乃至此是聲聞僧等菩
是十方世界等名皆無所住亦非不住何以故
十方世界等名義既無所有故十方世界
等名皆無所住亦非不住世尊我於如上所
說諸法不得不見若集若散云何可言此是
菩薩摩訶薩此是般若波羅蜜多世尊我
於菩薩摩訶薩及於般若波羅蜜多既不
得不見云何令我以般若波羅蜜多相應之法
教試教授諸菩薩摩訶薩是故若以此法教
試教授諸菩薩摩訶薩必當有悔
世尊諸法因緣和合施設假名菩薩摩訶薩及
般若波羅蜜多此二假名於五蘊不可說於
十二處十八界六界四聖諦十二緣起不可
說於貪瞋癡一切纏結隨眠見趣不善根
等不可說於四靜慮四無量四無色定不可
說於五眼六神通不可說於我有情乃至知
者見者不可說於十隨念十想不可說於

BD00600號　大般若波羅蜜多經卷三七　（3–3）

著 錄 凡 例

本目錄採用條目式著錄法。諸條目意義如下：

1.1　著錄編號。用漢語拼音首字“BD”表示，意為“北京圖書館藏敦煌遺書”，簡稱“北敦號”。文獻寫在背面者，標註為“背”。一件遺書上抄有多個文獻者，用數字 1、2、3 等標示小號。一號中包括幾件遺書，且遺書形態各自獨立者，用字母 A、B、C 等區別。

1.2　著錄分類號。本條記目錄暫不分類，該項空缺。

1.3　著錄文獻的名稱、卷本、卷次。

1.4　著錄千字文編號。

1.5　著錄縮微膠卷號。

2.1　著錄遺書的總體數據。包括長度、寬度、紙數、正面抄寫總行數與每行字數、背面抄寫總行數與每行字數。如該遺書首尾有殘破，則對殘破部分單獨度量，用加號加在總長度上。凡屬這種情況，長度用括弧標註。

2.2　著錄每紙數據。包括每紙長度及抄寫行數或界欄數。

2.3　著錄遺書的外觀。包括：（1）裝幀形式。（2）首尾存況。（3）護首、軸、軸頭、天竿、縹帶，經名是書寫還是貼簽，有無經名號，扉頁、扉畫。（4）卷面殘破情況及其位置。（5）尾部情況。（6）有無附加物（蟲繭、油污、線繩及其他）。（7）有無褾補及其年代。（8）界欄。（9）修整。（10）其他需要交待的問題。

2.4　著錄一件遺書抄寫多個文獻的情況。

3.1　著錄文獻首部文字與對照本核對的結果。

3.2　著錄文獻尾部文字與對照本核對的結果。

3.3　著錄錄文。

3.4　著錄對文獻的說明。

4.1　著錄文獻首題。

4.2　著錄文獻尾題。

5　著錄本文獻與對照本的不同之處。

6.1　著錄本遺書首部可與另一遺書綴接的編號。

6.2　著錄本遺書尾部可與另一遺書綴接的編號。

7.1　著錄題記、題名、勘記等。

7.2　著錄印章。

7.3　著錄雜寫。

7.4　著錄護首及扉頁的內容。

8　著錄年代。

9.1　著錄字體。如有武周新字、合體字、避諱字等，予以說明。

9.2　著錄卷面二次加工的情況。包括句讀、點標、科分、間隔號、行間加行、行間加字、硃筆、墨塗、倒乙、刪除、兑廢等。

10　著錄敦煌遺書發現後，近現代人所加內容，裝裱、題記、印章等。

11　備註。著錄揭褾互見、圖版本出處及其他需要說明的問題。

上述諸條，有則著錄，無則空缺。

為避文繁，上述著錄中出現的各種參考、對照文獻，暫且不列版本說明。全目結束時，將統一編制本條記目錄出現的各種參考書目。

本條記目錄為農曆年份標註其公曆紀年時，未經行歲頭年末之換算，請讀者使用時注意自行換算。

條　記　目　錄

BD00503—BD00600

1.1　BD00503 號
1.3　妙法蓮華經卷七
1.4　荒 003
1.5　105：5877
2.1　（8＋783.1）×26 厘米；19 紙；484 行，行 17 字。
2.2　01：8＋32，25；　02：42.0，26；　03：42.5，26；
04：42.5，26；　05：42.5，26；　06：42.5，26；
07：42.6，26；　08：42.5，26；　09：42.8，26；
10：43.0，26；　11：42.7，26；　12：43.0，26；
13：42.7，26；　14：42.8，26；　15：42.5，26；
16：42.5，26；　17：43.0，26；　18：43.0，26；
19：26.0，17。
2.3　卷軸裝。首殘尾全。第 1 紙中間有撕裂，前 3 紙及第 16 紙有若干殘洞，第 1、2 紙接縫處下部開裂，第 6、7 紙接縫處上開裂，第 7、8 紙接縫處下邊開裂，上殘缺。卷後部有黴斑。有烏絲欄。已修整。
3.1　首 5 行中下殘→大正 262，9/55C12～17。
3.2　尾全→9/62B1。
4.2　妙法蓮華經卷第七（尾）。
8　9～10 世紀。歸義軍時期寫本。
9.1　楷書。
11　圖版：《敦煌寶藏》，95/538B～549A。

1.1　BD00504 號
1.3　妙法蓮華經（八卷本）卷六
1.4　荒 004
1.5　105：5634
2.1　（3.5＋195.6）×25.6 厘米；4 紙；110 行，行 17 字。
2.2　01：3.5＋43.5，26；　02：50.7，28；　03：50.7，28；
04：50.7，28。
2.3　卷軸裝。首殘尾脱。第 1 紙有殘洞及上方殘缺，各紙上下邊有等距離燒損。有烏絲欄。已修整。
3.1　首 2 行下殘→大正 262，9/46A18～21。
3.2　尾殘→9/47C28。
5　與《大正藏》本對照，分卷不同，相當於《大正藏》本卷五分別功德品第十七中部開始至卷六法師功德品第十九前部。屬於八卷本卷六。
8　7～8 世紀。唐寫本。
9.1　楷書。
11　圖版：《敦煌寶藏》，93/459B～462B。

1.1　BD00505 號
1.3　維摩詰所說經卷下
1.4　荒 005
1.5　070：1227
2.1　754×25.5 厘米；17 紙；442 行，行 17 字。
2.2　01：17.0，10；　02：47.0，28；　03：47.0，28；
04：47.0，28；　05：47.0，28；　06：47.0，28；
07：47.0，28；　08：47.0，28；　09：47.5，28；
10：47.0，28；　11：47.0，28；　12：47.5，28；
13：47.0，28；　14：47.5，28；　15：47.0，28；
16：47.0，28；　17：30.5，12。
2.3　卷軸裝。首斷尾全。麻紙。第 1 紙上下邊撕裂，中間横撕裂；第 2 紙下邊撕裂。卷首背有鳥糞；首端有蟲繭。卷尾有 3 處蟲繭及蟲蛀殘洞。有烏絲欄。
3.1　首殘→大正 475，14/552A22。
3.2　尾全→14/557B26。
4.2　維摩詰經卷下（尾）。
8　7～8 世紀。唐寫本。
9.1　楷書。
9.2　有行間校加字。
11　圖版：《敦煌寶藏》，66/143B～153A。

1.1　BD00506 號
1.3　金剛般若波羅蜜經
1.4　荒 006

1.5　094：3956
2.1　（3.5＋367.2）×25.6 厘米；8 紙；216 行，行 17 字。
2.2　01：3.5＋38，24；　02：49.3，28；　03：49.0，28；
04：49.0，28；　05：49.5，28；　06：49.5，28；
07：49.2，29；　08：33.7，23。
2.3　卷軸裝。首殘尾全。第 1 紙有 2 個大殘洞及 1 處殘損，第 2 紙有豎裂 2 處，卷自第 5、6 紙接縫處脫斷爲 2 截。有烏絲欄。已修整。
3.1　首 2 行上下殘→大正 235，8/749C25－27。
3.2　尾全→8/752C3。
4.2　金剛般若波羅蜜經（尾）。
8　7～8 世紀。唐寫本。
9.1　楷書。
11　圖版：《敦煌寶藏》，81/316B～321B。
從背面揭出古代裱補紙 2 塊，為素紙，今编為 BD16487 號。

1.1　BD00507 號
1.3　大般若波羅蜜多經卷三七
1.4　荒 007
1.5　084：2100
2.1　（70.5＋1.1）×29.1 厘米；2 紙；43 行，行 17 字。
2.2　01：47，28；　02：23.5＋1.1，15。
2.3　卷軸裝。首脫尾殘。紙張未入潢。有烏絲欄。
3.1　首殘→大正 220，5/206A23。
3.2　尾行下殘→5/206C8。
6.1　首→BD00499 號。
6.2　尾→BD00528 號。
8　8～9 世紀。吐蕃統治時期寫本。
9.1　楷書。
11　圖版：《敦煌寶藏》，71/654B～655A。

1.1　BD00508 號
1.3　金光明最勝王經卷八
1.4　荒 008
1.5　083：1863
2.1　658.4×25.8 厘米；14 紙；379 行，行 17 字。
2.2　01：41.5，25；　02：47.8，28；　03：47.7，28；
04：47.3，28；　05：48.0，28；　06：47.8，28；
07：47.5，28；　08：46.8，28；　09：47.6，28；
10：47.5，28；　11：47.3，28；　12：47.0，28；
13：47.6，28；　14：47.0，18。
2.3　卷軸裝。首殘尾全。有油污。有烏絲欄。已修整。
3.1　首殘→大正 665，16/438A22。
3.2　尾全→16/444A9。
4.2　金光明最勝王經卷第八（尾）。
5　尾附音義。
7.3　卷背有雜寫“來”等 2 字。
8　8～9 世紀。吐蕃統治時期寫本。
9.1　楷書。
9.2　有刮改。
11　圖版：《敦煌寶藏》，70/397B～406A。

1.1　BD00509 號 1
1.3　阿彌陀經
1.4　荒 009
1.5　014：0158
2.1　163.5×25.6 厘米；4 紙；97 行，行 17～19 字。
2.2　01：46.3，28；　02：46，28；　03：46.2，28；
04：25.0，13。
2.3　卷軸裝。首殘尾全。經黄紙。尾有原軸，兩端塗漆，軸頭已壞。1、2 紙粘接處下部開裂。前 2 紙有殘洞。後 3 紙上邊有等距殘損。有烏絲欄。已修整。
2.4　本遺書包括 2 個文獻：（一）《阿彌陀經》，87 行，今编為 BD00509 號 1；（二）《阿彌陀佛說咒》，10 行，今编為 BD00509 號 2。
3.1　首殘→大正 366，12/347A9。
3.2　尾全→12/348A28。
5　與《大正藏》本對照，尾缺“作禮而去”四字。
8　7～8 世紀。唐寫本。
9.1　楷書。
11　圖版：《敦煌寶藏》，57/19A～21A。

1.1　BD00509 號 2
1.3　阿彌陀佛說咒
1.4　荒 009
1.5　014：0158
2.4　本遺書由 2 個文獻組成，本號爲第 2 個，10 行，餘參見 BD00509 號 1 第 2 項、第 11 項。
3.1　首全→大正 369，12/352A23。
3.2　尾全→12/352B3。
4.1　阿彌陀佛說咒曰（首）。
5　與《大正藏》本對照，尾多一句念誦說明：“咒中諸口傍字，皆依本音轉舌言之。無口者，依字讀。”
8　7～8 世紀。唐寫本。
9.1　楷書。
11　圖版：《敦煌寶藏》，57/19A～21A。

1.1　BD00510 號
1.3　維摩詰所說經卷上
1.4　荒 010
1.5　070：1033
2.1　（76.5＋2.5）×26 厘米；3 紙；49 行，行 17 字。
2.2　01：10.0，05；　02：46.5，28；　03：20＋2.5，16。
2.3　卷軸裝。首尾均殘。有烏絲欄。

3.1　首殘→大正 475，14/543A9。
3.2　尾行中上殘→14/543C3～4。
8　8～9 世紀。吐蕃統治時期寫本。
9.1　楷書。
11　圖版：《敦煌寶藏》，64/424B～425B。

1.1　BD00511 號
1.3　妙法蓮華經卷七
1.4　荒 011
1.5　105：6084
2.1　444×26 厘米；10 紙；252 行，行 17 字。
2.2　01：48.0，28；　02：47.8，28；　03：48.0，28；
04：47.5，28；　05：48.0，28；　06：48.0，28；
07：48.0，28；　08：48.0，28；　09：47.7，28；
10：13.0，拖尾。
2.3　卷軸裝。首脫尾全。麻紙。首紙略殘，卷自第 4、5 紙接縫處斷爲 2 截，第 5、6 紙接縫處下開裂，第 1、2 紙及 6 至 8 紙的接縫處上開裂，拖尾有橫撕裂。有燕尾。有烏絲欄，顏色甚淺。
3.1　首殘→大正 262，9/59A3。
3.2　尾全→9/62A29。
8　7～8 世紀。唐寫本。
9.1　楷書。
11　圖版：《敦煌寶藏》，96/595A～601A。

1.1　BD00512 號
1.3　金光明經卷二
1.4　荒 012
1.5　081：1398
2.1　（2.8＋119.8＋2）×26.2 厘米；3 紙；72 行，行 17 字。
2.2　01：2.8＋28.8，18；　02：47.0，27；　03：44＋2，27。
2.3　卷軸裝。首尾均殘，有烏絲欄。
3.1　首行上殘→大正 663，16/345A7。
3.2　尾行上殘→16/345C21～22。
6.1　首→BD00807 號。
6.2　尾→BD00609 號。
8　7～8 世紀。唐寫本。
9.1　楷書。
11　圖版：《敦煌寶藏》，67/332B～334A。

1.1　BD00513 號
1.3　維摩詰所說經卷上
1.4　荒 013
1.5　070：1007
2.1　（6＋86.5＋3.5）×26 厘米；5 紙；58 行，行 16～21 字。
2.2　01：6＋13.5，10；　02：08.0，06；　03：08.0，05；
04：46.5，28；　05：10.5＋3.5，09。
2.3　卷軸裝。首尾均殘。第 1、3 紙上下邊有撕裂。有火灼殘洞。有烏絲欄。
3.1　首行下殘→大正 475，14/540B16～17。
3.2　尾 3 行上殘→14/541A16～19。
6.2　尾→BD00515 號。
8　8～9 世紀。吐蕃統治時期寫本。
9.1　楷書。
9.2　有行間校加字，有刮改。
11　圖版：《敦煌寶藏》，64/376A～377A。

1.1　BD00514 號
1.3　維摩詰所說經卷上
1.4　荒 014
1.5　070：1034
2.1　234.5×25 厘米；5 紙；115 行，行 17 字。
2.2　01：49.5，28；　02：49.0，28；　03：49.0，28；
04：49.0，28；　05：38.0，03。
2.3　卷軸裝。首殘尾全。第 1 紙上邊殘缺，下邊斷裂，中間橫斷裂。有水漬印，紙張變色，有油污。有烏絲欄。
3.1　首殘→大正 475，14/542C14。
3.2　尾全→14/544A19。
4.2　維摩詰經卷上（尾）。
8　9～10 世紀。歸義軍時期寫本。
9.1　楷書。
11　圖版：《敦煌寶藏》，64/426A～429A。

1.1　BD00515 號
1.3　維摩詰所說經卷上
1.4　荒 015
1.5　070：1008
2.1　（5＋140.5＋4）×26 厘米；4 紙；89 行，行 17 字。
2.2　01：5＋31，22；　02：46.5，28；　03：46.5，28；
04：16.5＋4，11。
2.3　卷軸裝。首尾均殘。有烏絲欄。
3.1　首 3 行中下殘→大正 475，14/541A16～19。
3.2　尾行上殘→14/542A24～25。
6.1　首→BD99513 號。
8　8～9 世紀。吐蕃統治時期寫本。
9.1　楷書。
11　圖版：《敦煌寶藏》，64/377B～379B。

1.1　BD00516 號
1.3　妙法蓮華經卷三
1.4　荒 016
1.5　105：5130
2.1　（2.5＋135.9＋2.1）×27.5 厘米；3 紙；78 行，行 17 字。
2.2　01：2.5＋39.5，23；　02：49.5，28；
03：46.9＋2.1，27。

2.3　卷軸裝。首尾均殘。通卷上方多有撕裂殘損，紙張變色。有烏絲欄。已修整。
3.1　首行上下殘→大正 262，9/22A28～29。
3.2　尾行上殘→9/23B19。
8　9～10 世紀。歸義軍時期寫本。
9.1　楷書。
11　圖版：《敦煌寶藏》，89/110A～111B。

1.1　BD00517 號
1.3　觀世音經
1.4　荒 017
1.5　105：6044
2.1　（4＋103）×25.5 厘米；4 紙；55 行，行 17 字。
2.2　01：4＋2，03；　02：42.0，24；　03：42.0，24；
04：17.0，04。
2.3　卷軸裝。首殘尾全。前 2 紙上邊下邊有殘損。脫落 1 小塊殘片，已粘在卷邊。下部有黴斑。有烏絲欄。
3.1　首 2 行中上殘→大正 262，9/57B13～14。
3.2　尾全→9/58B7。
8　7～8 世紀。唐寫本
9.1　楷書。
11　圖版：《敦煌寶藏》，96/378B～379B。

1.1　BD00518 號
1.3　大般涅槃經（南本）卷二九
1.4　荒 018
1.5　116：6563
2.1　（12＋115）×25 厘米；4 紙；76 行，行 17。
2.2　01：12＋14，15；　02：41.5，25；　03：40.0，24；
04：19.5，12。
2.3　卷軸裝。首尾均殘。首紙下部殘缺，2 紙上部撕裂，3 紙上下斷開，4 紙殘缺嚴重。有烏絲欄。已修整。
3.1　首 7 行下殘→大正 375，12/794B9。
3.2　尾 8 行上殘→12/795A25～B4。
8　7～8 世紀。唐寫本。
9.1　楷書。
11　圖版：《敦煌寶藏》，100/352A～353B。

1.1　BD00519 號
1.3　金光明最勝王經卷六
1.4　荒 019
1.5　083：1768
2.1　（2＋647.9）×27.5 厘米；16 紙；388 行，行 17 字。
2.2　01：2＋28.5，18；　02：45.0，27；　03：45.0，27；
04：45.0，28；　05：45.0，28；　06：45.0，28；
07：45.0，28；　08：49.9，28；　09：45.0，27；
10：44.9，28；　11：44.8，28；　12：45.0，28；
13：45.0，27；　14：44.8，27；　15：19.5，11；
16：10.5，拖尾。
2.3　卷軸裝。首殘尾全。背有污漬。有油污。有烏絲欄。
3.1　首行上殘→大正 665，16/427C26。
3.2　尾全→16/432C10。
4.2　金光明最勝王經卷第六（尾）。
8　8～9 世紀。吐蕃統治時期寫本。
9.1　楷書。
11　圖版：《敦煌寶藏》，70/1A～9A。

1.1　BD00520 號
1.3　大寶積經（兌廢稿）卷二六
1.4　荒 020
1.5　377：8482
2.1　48×26.2 厘米；1 紙；28 行，行 17 字；
2.3　卷軸裝。首尾均脫。有烏絲欄。
3.1　首殘→大正 310，11/144C27。
3.2　尾殘→11/145A26。
8　8～9 世紀。吐蕃統治時期寫本。
9.1　楷書。
9.2　有行間加行，有行間校加字，有塗改、刮改。此係兌廢稿。
11　圖版：《敦煌寶藏》，110/442A～B。

1.1　BD00521 號
1.3　大般若波羅蜜多經卷四〇二
1.4　荒 021
1.5　084：3068
2.1　（10.2＋725.7）×25.8 厘米；16 紙；431 行，行 17 字。
2.2　01：10.2＋37.3，28；　02：47.5，28；　03：47.7，28；
04：47.8，28；　05：47.7，28；　06：47.7，28；
07：47.7，28；　08：47.8，28；　09：47.7，28；
10：47.9，28；　11：47.7，28；　12：47.7，28；
13：47.8，28；　14：47.7，28；　15：47.7，28；
16：20.3，11。
2.3　卷軸裝。首殘尾全。首紙尾部上下有撕裂，背面有古代裱補；第 11、12 紙接縫處下開裂；14、15 紙接縫處上開裂。有烏絲欄。
3.1　首 6 行上下殘→大正 220，7/7B17～22。
3.2　尾全→7/12B13。
4.2　大般若波羅蜜多經卷第四百二（尾）。
8　8～9 世紀。吐蕃統治時期寫本。
9.1　楷書。
9.2　有武周新字“正”、“國”、“日”，使用不周遍。有刮改。
11　圖版：《敦煌寶藏》，76/285B～295A。

1.1　BD00522 號
1.3　妙法蓮華經卷三

1.4　荒 022
1.5　105：5165
2.1　411.4×25.7 厘米；8 紙；221 行，行 17 字。
2.2　01：51.6，28；　02：51.5，28；　03：51.6，28；
　04：51.4，28；　05：51.4，28；　06：51.4，28；
　07：51.4，28；　08：51.1，25。
2.3　卷軸裝。首脱尾全。麻紙。卷下部有黴斑、水漬印。尾紙末端有殘損。有烏絲欄。
3.1　首殘→大正 262，9/23C27。
3.2　尾全→9/27B9。
4.2　妙法蓮華經卷第三（尾）。
8　7～8 世紀。唐寫本。
9.1　楷書。
11　圖版：《敦煌寶藏》，89/284B～290A。

1.1　BD00523 號
1.3　維摩詰所說經卷中
1.4　荒 023
1.5　070：1181
2.1　51×25 厘米；1 紙；28 行，行 17 字；
2.3　卷軸裝。首尾均脱。經黄紙。卷端有横撕裂，上有殘缺 1 處。有烏絲欄。
3.1　首殘→大正 475，14/548B5。
3.2　尾殘→14/548C5。
8　7～8 世紀。唐寫本。
9.1　楷書。
11　圖版：《敦煌寶藏》，65/615A～615B。

1.1　BD00524 號
1.3　大佛頂如來密因修證了義諸菩薩萬行首楞嚴經卷六
1.4　荒 024
1.5　237：7410
2.1　（2.9+488.4）×26.1 厘米；11 紙；291 行，行 17 字。
2.2　01：2.9+26.4，18；　02：46.2，28；　03：46.5，28；
　04：46.4，28；　05：46.5，28；　06：46.3，28；
　07：46.0，28；　08：46.1，28；　09：45.9，28；
　10：46.0，28；　11：46.1，21。
2.3　卷軸裝。首殘尾全。首紙前端下有 1 處裂損。尾有蟲繭。有烏絲欄。
3.1　首 2 行殘→大正 945，19/128B21～22。
3.2　尾全→19/132C26。
4.2　大佛頂萬行首楞嚴經卷第六（尾）。
8　8～9 世紀。吐蕃統治時期寫本。
9.1　楷書。
9.2　有刮改。
11　圖版：《敦煌寶藏》，106/120B～126B。

1.1　BD00525 號
1.3　金光明最勝王經卷七
1.4　荒 025
1.5　083：1851
2.1　172.5×26 厘米；4 紙；97 行，行 17 字。
2.2　01：45.5，27；　02：45.4，28；　03：45.0，28；
　04：36.6，14。
2.3　卷軸裝。首脱尾全。有火灼殘洞。有燕尾。有烏絲欄。
3.1　首殘→大正 665，16/436B28。
3.2　尾全→16/437C13。
4.2　金光明經卷第七（尾）。
5　尾附音義。
6.1　首→BD00702 號。
8　8～9 世紀。吐蕃統治時期寫本。
9.1　楷書。
9.2　有行間校加字。有刮改。
11　圖版：《敦煌寶藏》，70/325A～327A。

1.1　BD00526 號
1.3　梵網經盧舍那佛說菩薩心地戒品第十卷上
1.4　荒 026
1.5　143：6703
2.1　（3.5+370.8+30.3）×26.5 厘米；11 紙；正面 250 行，行約 20 字。背面 8 行，殘片。
2.2　01：3.5+29，26；　02：48.8，29；　03：48.6，29；
　04：12.0，07；　05：34.7，21；　06：48.0，28；
　07：41.5，27；　08：41.6，28；　09：41.6，27；
　10：25+27.3，26；　11：03.0，02。
2.3　卷軸裝。首尾均殘。通卷破碎嚴重。背面有 4 塊古代裱補，3 塊裱補紙上有文字。有折疊欄。已修整。
2.4　本遺書包括 2 個文獻：（一）《梵網經盧舍那佛說菩薩心地戒品第十》卷上，250 行，抄寫在正面，今編為 BD00526 號。（二）待考殘片，3 片 8 行，抄寫在背面裱補紙上。今編為 BD00526 號背。
3.1　首 8 行下殘→大正 1484，24/1004A12～21。
3.2　尾 13 行下殘→24/1007C23～1008A15。
8　9～10 世紀。歸義軍時期寫本。
9.1　楷書。
9.2　有硃筆校加字、校改。有刪節號。
11　圖版：《敦煌寶藏》，101/240B～246A。

1.1　BD00526 號背
1.3　待考殘片
1.4　荒 026
1.5　143：6703
2.4　本遺書由 2 個文獻組成，本號為第 2 個，寫在粘貼在 BD00526 號背面的 3 塊裱補紙上，共 8 行。餘參見 BD00526 號之

第2項、第11項。

3.4 説明：

褫補紙共5塊，其中3塊有文字，應為同一文獻。錄文如下：

（一）：

□…□有五卑束九坐□…□╱

□…□若多有決錯名□…□

（二）（原殘片倒貼）：

□…□寫了，今（?）□…□╱

□…□或，手（?）惡心（?）□…□╱

□…□◇（知? 都?）□…□

（三）：

□…□後人看，今□…□╱

□…□得也是大其□…□╱

□…□師見者即□…□╱

（錄文完）

8 9～10世紀。歸義軍時期寫本。

9.1 楷書，較拙。

1.1 BD00527號

1.3 大乘密嚴經（地婆訶羅本）卷中

1.4 荒027

1.5 040：0378

2.1 （20+917.8）×25.3厘米；23紙；正面520行，行17字。背面8行，行字不等。

2.2 01：20+19.5，22；　02：41.5，23；　03：41.2，23；
04：41.5，23；　05：40.5，23；　06：40.3，23；
07：41.0，23；　08：41.0，23；　09：41.0，23；
10：41.3，23；　11：40.8，23；　12：40.7，23；
13：40.7，23；　14：40.5，23；　15：40.5，23；
16：40.8，23；　17：41.0，23；　18：41.0，23；
19：41.0，23；　20：41.0，23；　21：41.0，23；
22：41.0，23；　23：39.0，15。

2.3 卷軸裝。首殘尾全。卷前部殘碎嚴重，上下等距離殘缺；卷尾殘破，有撕裂。有烏絲欄。已修整。

3.1 首11行殘→大正681，16/730C20～731A2。

3.2 尾全→16/738C16。

4.2 大乘密嚴經卷中（尾）。

7.3 卷中多處雜寫、雜畫。卷背有雜寫“土”、“上土由山水人坐”等。

8 7～8世紀。唐寫本。

9.1 楷書。

9.2 有硃筆行間加字，有刮改。

11 圖版：《敦煌寶藏》，58/447B～460。

從該號背面揭下古代褫補紙5塊，今編爲BD16015號、BD16016號、BD16017號等3號。

1.1 BD00528號

1.3 大般若波羅蜜多經卷三七

1.4 荒028

1.5 084：2101

2.1 77.8×29.2厘米；3紙；44行，行17字。

2.2 01：22.0，13；　02：46.3，28；　03：9.5，03。

2.3 卷軸裝。首尾均斷。第2紙尾下殘缺。有烏絲欄。第3紙尾空3行未抄，經文不全，爲兌廢紙。

3.1 首殘→大正220，5/206C8。

3.2 尾缺→5/207A24。

6.1 首→BD00507號。

8 8～9世紀。吐蕃統治時期寫本。

9.1 楷書。

11 圖版：《敦煌寶藏》，71/655B～656A。

1.1 BD00529號

1.3 大乘稻芉經

1.4 荒029

1.5 058：0466

2.1 （4+267.1）×26.5厘米；5紙；161行，行22字。背面17行，行約14字。

2.2 01：4+8.8，07；　02：75.6，46；　03：75.5，46；
04：75.6，46；　05：31.6，16。

2.3 卷軸裝。首殘尾全。有烏絲欄。

2.4 本遺書包括2個文獻：（一）《佛說大乘稻芉經》，161行，抄寫在正面，今編為BD00529號。（二）《十王齋與逆修往生齋》，17行，抄寫在背面，今編為BD00529號背。

3.1 首3行下殘→大正712，16/824A6～9。

3.2 尾全→16/826A27。

4.2 佛說大乘稻芉經（尾）。

8 8～9世紀。吐蕃統治時期寫本。

9.1 楷書。

9.2 有硃筆斷句、加行，有硃墨筆行間校加字，有硃筆科分。有倒乙。

11 圖版：《敦煌寶藏》，59/273A～277A。

1.1 BD00529號背

1.3 十王齋與逆修往生齋（擬）

1.4 荒029

1.5 058：0466

2.1 本遺書由2個文獻組成，本號爲第2個，抄寫在背面，17行，餘參見BD00529號第2項、第11項。

3.3 錄文：

《閻羅王經》云：

凡是亡人家，福資亡人，\ 設齋撿福，有十王來。

初七齋，王名\ 秦廣。二七齋，王名宋帝。三七齋，王名\ 初江。四七齋，王名五官。五七齋，\ 王名閻羅。六七齋，王名

變成。七七齋，\ 王名太山。百日齋，王名平等。年周齋，\ 王名都市。三年周齋檢校，五\ 道轉輪王。

以是事故，亡人家資福設\ 齋，要須每齋安置，盤檢齋王座\ 處，以亡人作何功德，資益亡魂，察\ 其罪福，開恩放罪，甄別昇沉。託生\ 五道。

《普廣菩薩往生十方淨土經》云：\

凡人見存，逆修設齋，全獲福☐。\ 自身手營造役，後設齋追福，七\ 分之中，亡人獲其一分。仰慧他故\ 爾也。

（錄文完）

7.3 卷末有雜寫："佛語阿難曰"、"凡人飲"。

8 8~9世紀。吐蕃統治時期寫本。

9.1 楷書。有合體字"菩薩"。

9.2 有倒乙。

1.1 BD00530號

1.3 觀世音經

1.4 荒030

1.5 105：6032

2.1 （17.5+120）×26.5厘米；4紙；74行，行17字。

2.2 01：17.5+20，21； 02：48.0，27； 03：45.0，26； 04：07.0，拖尾。

2.3 卷軸裝。首殘尾全。拖尾紙質與前不同。首2紙中間有橫撕裂，第2紙上邊有2處殘缺，第3紙尾有竪撕裂。背有古代裱補。有烏絲欄，顏色甚淺。已修整。

3.1 首10行上下殘→大正262，9/57A20~29。

3.2 尾全→9/58B7。

8 9~10世紀。歸義軍時期寫本。

9.1 楷書。

11 圖版：《敦煌寶藏》，96/357A~358B。

1.1 BD00531號

1.3 大般若波羅蜜多經卷五

1.4 荒031

1.5 084：2016

2.1 97.3×27厘米；2紙；56行，行17字。

2.2 01：48.8，28； 02：48.5，28。

2.3 卷軸裝。首尾均脱。有烏絲欄。

3.1 首殘→大正220，5/24A26。

3.2 尾殘→5/24C23。

8 8~9世紀。吐蕃統治時期寫本。

9.1 楷書。

9.2 上邊有硃、墨勾畫；有硃、墨筆校改。

11 圖版：《敦煌寶藏》，71/364A~365A。

1.1 BD00532號

1.3 妙法蓮華經卷二

1.4 荒032

1.5 105：4718

2.1 （27.6+1080.7）×25.4厘米；22紙；608行，行17字。

2.2 01：27.6+21.8，26； 02：50.4，28； 03：50.3，28； 04：50.5，28； 05：50.5，28； 06：50.6，28； 07：50.4，28； 08：50.6，28； 09：50.4，28； 10：50.4，28； 11：50.4，28； 12：50.5，28； 13：50.4，28； 14：50.6，28； 15：50.5，28； 16：50.5，28； 17：50.4，28； 18：50.3，28； 19：50.4，28； 20：50.3，28； 21：50.3，28； 22：50.2，22。

2.3 卷軸裝。首尾均全。麻紙。卷首右下殘缺1塊。有水漬印，卷面有硬物刮破傷洞。有燕尾。有烏絲欄，甚細。

3.1 首14行下殘→大正262，9/10B24~C13。

3.2 尾全→9/19A12。

4.1 妙法蓮華經譬喻品第三☐…☐（首）。

4.2 妙法蓮華經卷第二（尾）。

8 7~8世紀。唐寫本。

9.1 楷書。

9.2 有刮改。

11 圖版：《敦煌寶藏》，85/514A~529A。

1.1 BD00533號

1.3 大般若波羅蜜多經（兑廢稿）卷五五一

1.4 荒033

1.5 084：3329

2.1 54.2×26厘米；2紙；正面32行，行17字。背面27行，行17字。

2.2 01：12.3，07； 02：41.9，25。

2.3 卷軸裝。首尾均殘。首紙上方有1處裂損；尾紙前端上有1處撕裂殘損，尾部有1殘洞。有水漬印。正反面文字接抄。有烏絲欄。已修整。

3.1 首殘→大正220，7/835C28。

3.2 尾殘→7/836B1。

7.3 卷背有兑廢後雜寫《大般若波羅蜜多經》卷五五一經文27行，經文與正面相接，相當於大正220，7/836B1~28。卷背尾部又有雜寫："自（？）自性皆空"五字。

8 8~9世紀。吐蕃統治時期寫本。

9.1 楷書。

11 圖版：《敦煌寶藏》，77/275B~276B。

1.1 BD00534號

1.3 大般若波羅蜜多經卷三六八

1.4 荒034

1.5 084：3012

2.1 （5.7+43.3+1.6）×25厘米；3紙；30行，行17字。

2.2 01：02.2，01； 02：3.5+43.3，28； 03：01.6，01。

2.3 卷軸裝。首尾均殘。上有縱向破裂，下有橫向破裂及縱向

撕裂，下邊殘破。有烏絲欄。已修整。
3.1 首3行下殘→大正220，6/896A14～17。
3.2 尾行上殘→6/896B13～14。
8 8～9世紀。吐蕃統治時期寫本。
9.1 楷書。
9.2 有校改。
11 圖版：《敦煌寶藏》，76/95A～B。

1.1 BD00535號
1.3 無常經
1.4 荒035
1.5 139：6669
2.1 (3.5+140.3)×25.3厘米；4紙；67行，行17字。
2.2 01：3.5+41，26； 02：34.5，20； 03：15.8，09；
04：49.0，12。
2.3 卷軸裝。首尾均全。本件原卷通卷破損嚴重，紙張變色。有烏絲欄。已修整。
3.1 首2行中下殘→大正801，17/745B7～10。
3.2 尾全→17/746B8。
4.1 佛說無常經，亦名三啓經（首）。
4.2 佛說無常經（尾）。
5 與《大正藏》本對照，本件卷尾有註釋2行，錄文如下：
"初後讚勸，乃是尊者馬鳴取經意而集造。中是正經，金口所說。事有三開，故名三啓。"
8 8～9世紀。吐蕃統治時期寫本。
9.1 楷書。
11 圖版：《敦煌寶藏》，101/117B～119A。

1.1 BD00536號
1.3 維摩詰所說經卷上
1.4 荒036
1.5 070：0921
2.1 (100.5+3)×26厘米；3紙；正面61行，行17～18字；背面4行，行17字。
2.2 01：52.0，31； 02：46.5，28； 03：2+3，02。
2.3 卷軸裝。首尾均殘。多水漬印。第二紙背有古代裱補。有烏絲欄。
2.4 本遺書包括2個文獻：（一）《維摩詰所說經》卷上，61行，抄寫在正面，今編為BD00536號。（二）《便物歷》，4行，抄寫在背面古代裱補紙上，今編為BD00536號背。
3.1 首殘→大正475，14/538A29。
3.2 尾行上殘→14/539A5～6。
6.1 首→BD00538號。
8 8～9世紀。吐蕃統治時期寫本。
9.1 楷書。
9.2 有校改。
11 圖版：《敦煌寶藏》，64/29A～30A。

1.1 BD00536號背
1.3 便物歷（擬）
1.4 荒036
1.5 070：0921
2.1 本遺書由2個文獻組成，本號爲第2個，4行，抄寫在第2紙背古代裱補紙上，餘參見BD00536號第2項、第11項。
3.3 錄文：
癸酉年四月□…□/糧遂（送?）於（?）押衙□…□/擄了將昇平坊□…□/□□只◇恐後□…□/
8 9～10世紀。歸義軍時期寫本。
9.1 楷書。

1.1 BD00537號
1.3 大佛頂如來密因修證了義諸菩薩萬行首楞嚴經卷一
1.4 荒037
1.5 237：7389
2.1 (3+283.7)×26.6厘米；7紙；156行，行17字。
2.2 01：3+8.2，01； 02：46.8，28； 03：47.1，28；
04：46.6，28； 05：46.8，28； 06：46.7，28；
07：41.5，15。
2.3 卷軸裝。首殘尾全。卷首有殘洞，第1、2紙接縫處開裂、殘損，第3紙上下有撕裂。有燕尾。有烏絲欄。已修整。
3.1 首行上下殘→大正945，19/108A21。
3.2 尾全→19/110A7。
4.2 大佛頂經卷第一（尾）
8 8～9世紀。吐蕃統治時期寫本。
9.1 楷書。
9.2 有刮改。
11 圖版：《敦煌寶藏》，106/24B～28A。
從本號脫落殘經一小塊，存2至3字，今編為BD16489號。

1.1 BD00538號
1.3 維摩詰所說經卷上
1.4 荒038
1.5 070：0922
2.1 (20+96+1.5)×26厘米；3紙；71紙，行18～20字。
2.2 01：20+13，20； 02：43.0，26； 03：40+1.5，25。
2.3 卷軸裝。首尾均殘。卷面有水漬印，紙張變色。卷端脫落1殘片，已綴接。第2紙上下邊有撕裂。有烏絲欄。已修整。
3.1 首12行上下殘→大正475，14/537B15～27。
3.2 尾行下殘→14/538A29。
6.2 尾→BD00536號。
8 8～9世紀。吐蕃統治時期寫本。
9.1 楷書。
11 圖版：《敦煌寶藏》，64/30B～32A。

1.1 BD00539號

1.3　妙法蓮華經卷一
1.4　荒 039
1.5　105：4660
2.1　433.5×25.3 厘米；10 紙；257 行，行 17 字。
2.2　01：42.3，26；　02：45.7，28；　03：45.8，28；
04：45.8，28；　05：45.7，28；　06：45.7，28；
07：45.8，28；　08：45.7，28；　09：46.0，28；
10：25.0，07。
2.3　卷軸裝。首殘尾全。經黄紙，有水漬印。卷尾有原軸，兩端塗黑漆。首紙上下各有 1 處殘損，内有數處殘洞；第 8、9 紙接縫處脱爲二截；9、10 紙下邊殘損；尾紙末端有横殘。有烏絲欄。
3.1　首殘→大正 262，9/5C4。
3.2　尾全→9/10B21。
4.2　妙法蓮華經卷第一（尾）。
8　7～8 世紀。唐寫本。
9.1　楷書。
11　圖版：《敦煌寶藏》，85/189A～194B。

1.1　BD00540 號
1.3　妙法蓮華經卷五
1.4　荒 040
1.5　105：5552
2.1　（1.7＋73.5＋14）×25.9 厘米；2 紙；52 行，行 17 字。
2.2　01：1.7＋46.2，28；　02：27.3＋14，24。
2.3　卷軸裝。首尾均殘。卷首上下殘破，卷尾殘破。有烏絲欄。
3.1　首行上殘→大正 262，9/38A22。
3.2　尾 8 行下殘→9/38C19～26。
8　9～10 世紀。歸義軍時期寫本。
9.1　楷書。
11　圖版：《敦煌寶藏》，93/11A～12A。

1.1　BD00541 號
1.3　大般若波羅蜜多經卷四五三
1.4　荒 041
1.5　084：3151
2.1　46.9×27.1 厘米；1 紙；28 行，行 17 字；
2.3　卷軸裝。首尾均脱。卷中部有 1 道豎裂，背面有古代裱補。有烏絲欄。
3.1　首殘→大正 220，7/285A2。
3.2　尾殘→7/285B1。
8　8～9 世紀。吐蕃統治時期寫本。
9.1　楷書。
11　圖版：《敦煌寶藏》，76/490B。

1.1　BD00542 號
1.3　維摩詰所說經卷中
1.4　荒 042
1.5　070：1119
2.1　92×26 厘米；3 紙；53 行，行 17 字。
2.2　01：16.0，09；　02：48.5，28；　03：27.5，16。
2.3　卷軸裝。首尾均殘。卷面多水漬印。有烏絲欄。
3.1　首殘→大正 475，14/544C17。
3.2　尾殘→14/545B16。
6.1　首→BD00442 號。
8　8～9 世紀。吐蕃統治時期寫本。
9.1　楷書。
11　圖版：《敦煌寶藏》，65/380A～381A。

1.1　BD00543 號
1.3　金剛般若波羅蜜經
1.4　荒 043
1.5　094：3551
2.1　（3.5＋192.2）×27 厘米；7 紙；100 行，行 17 字。
2.2　01：03.5，02；　02：31.5，16；　03：32.4，17；
04：32.0，16；　05：32.0，17；　06：32.3，16；
07：32.0，16。
2.3　卷軸裝。首殘尾脱。第 1 紙殘破嚴重。竪欄為折疊欄，上下邊欄由硬物刻划而成。已修整。
3.1　首 4 行上、下殘→大正 235，8/748C21－24。
3.2　尾殘→8/750A16。
8　9～10 世紀。歸義軍時期寫本。
9.1　楷書。
9.2　有行間校加字，有倒乙。
11　圖版：《敦煌寶藏》，78/490B～493A。

1.1　BD00544 號
1.3　大般涅槃經（北本）卷一
1.4　荒 044
1.5　115：6289
2.1　（1＋250）×25.6 厘米；6 紙；146 行，行 17 字。
2.2　01：01.0，01；　02：50.0，29；　03：50.0，29；
04：50.0，29；　05：50.0，29；　06：50.0，29。
2.3　卷軸裝。首殘尾脱。有烏絲欄。
3.1　首行上殘→大正 374，12/367B6。
3.2　尾殘→12/369A9。
6.1　首→BD00845 號。
6.2　尾→BD00686 號。
8　9～10 世紀。歸義軍時期寫本。
9.1　楷書。
11　圖版：《敦煌寶藏》，97/583A～586A。

1.1　BD00545 號
1.3　金光明最勝王經卷九

1.4　荒 045
1.5　083：1928
2.1　(3.5 +78.2 +5.5) ×25.5 厘米；3 紙；54 行，行 17 字。
2.2　01：3.5 +19.2，14；　　02：44.5，28；
03：14.5 +5.5，12。
2.3　卷軸裝。首尾均殘。上下邊殘破。有油污，紙張變脆。有鳥糞。有烏絲欄。
3.1　首 2 行下殘→大正 665，16/446C11 ~14。
3.2　尾 3 行下殘→16/447B18 ~20。
8　8 ~9 世紀。吐蕃統治時期寫本。
9.1　楷書。
11　圖版：《敦煌寶藏》，71/26A ~27A。

1.1　BD00546 號
1.3　大般若波羅蜜多經卷八八
1.4　荒 046
1.5　084：2244
2.1　159.2 ×25.5 厘米；4 紙；82 行，行 17 字。
2.2　01：22.2，護首；　02：44.0，26；　03：46.5，28；
04：46.5，28。
2.3　卷軸裝。首全尾脱。有護首，護首有横向撕裂；第 1、4 紙有横向撕裂；第 2 紙脱落有 2 塊殘片，已綴接。第 1 紙背面有古代裱補，裱紙部分開裂。有烏絲欄。
3.1　首全→大正 220，5/489A3。
3.2　尾殘→5/489C29。
4.1　大般若波羅蜜多經卷第八十八/初分學般若品第廿六之四，三藏法師玄奘奉詔譯/（首）。
7.4　護首有經名"大般若波羅蜜多經卷第八十八，九"，經名上有經名號。"九"為本文獻所屬袟次。
8　8 ~9 世紀。吐蕃統治時期寫本。
9.1　楷書。
11　圖版：《敦煌寶藏》，72/421A ~423A。

1.1　BD00547 號
1.3　妙法蓮華經卷七
1.4　荒 047
1.5　105：6114
2.1　(5.5 +307) ×25.5 厘米；8 紙；183 行，行 17 字。
2.2　01：5.5 +9，14；　02：47.5，28；　03：47.5，28；
04：46.5，28；　05：46.5，28；　06：46.5，28；
07：46.5，28；　08：17.0，01。
2.3　卷軸裝。首殘尾全。經黄紙，有油污，有黴斑。首紙有撕裂處，上、下邊略有殘破；第 6、7 紙接縫處下邊開裂。有拖尾，為後補。有燕尾。有烏絲欄。已修整。
3.1　首 3 行上殘→大正 262，9/60A5 ~6。
3.2　尾全→9/62B1。
4.2　妙法蓮華經卷第七（尾）。
8　7 ~8 世紀。唐寫本。
9.1　楷書。
9.2　有校加字。
11　圖版：《敦煌寶藏》，97/41B ~45B。

1.1　BD00548 號
1.3　四分律戒本疏卷三
1.4　荒 048
1.5　169：7048
2.1　(23 +40.5 +2) ×26.5 厘米；2 紙；48 行，行 29 字。
2.2　01：23 +22.5，33；　02：18 +2，15。
2.3　卷軸裝。首全尾殘。卷首下部殘缺嚴重，有烏絲欄。已修整。
3.1　首 13 行下殘→大正 2787，85/594C13 ~595A8。
3.2　尾 2 行上下殘→85/595C10 ~11。
4.1　四分戒本疏卷第三（首）。
6.2　尾→BD00464 號。
8　8 ~9 世紀。吐蕃統治時期寫本。
9.1　楷書。
9.2　有行間校加字。
11　圖版：《敦煌寶藏》，104/19A ~B。

1.1　BD00549 號
1.3　大般若波羅蜜多經卷三五六
1.4　荒 049
1.5　084：2970
2.1　114.5 ×25.8 厘米；3 紙；67 行，行 17 字。
2.2　01：42.5，25；　02：47.2，28；　03：24.8，14。
2.3　卷軸裝。首殘尾斷。第 1 紙上下有縱向撕裂，第 1、2 紙接縫處中部開裂，第 3 紙上有縱向撕裂。有烏絲欄。
3.1　首殘→大正 220，6/831B22。
3.2　尾殘→6/832B2。
6.1　首→BD00679 號。
6.2　尾→BD00675 號。
8　8 ~9 世紀。吐蕃統治時期寫本。
9.1　楷書。
11　圖版：《敦煌寶藏》，75/665B ~667A。

1.1　BD00550 號
1.3　維摩詰所説經卷上
1.4　荒 050
1.5　070：0905
2.1　(243 +4) ×24.5 厘米；6 紙；正面 141 行，行 17 字。背面 4 行，殘片。
2.2　01：47.0，27；　02：49.0，28；　03：49.0，28；
04：49.0，28；　05：49.0，28；　06：04.0，02。
2.3　卷軸裝。首尾均殘。通卷上下邊殘損。第 1 紙中間有横撕

裂，第3紙下部有豎撕裂，第2、3紙接縫處下部開裂。背有古代裱補。有烏絲欄。已修整。

2.4　本遺書包括2個文獻：（一）《維摩詰所說經》卷上，141行，抄寫在正面，今編為BD00550號；（二）《便粟歷》，4行，抄寫在背面裱補紙上，今編為BD00550號背。

3.1　首2行下殘→大正475，14/538A5～6。

3.2　尾2行上殘→14/539C6～8。

8　7～8世紀。唐寫本。

9.1　楷書。

11　圖版：《敦煌寶藏》，63/658A～661B。

1.1　BD00550號背

1.3　便粟歷（擬）

1.4　荒050

1.5　070：0905

2.4　本遺書由2個文獻組成，本號爲第2個，抄寫在第1紙卷背裱補紙上，4行，餘參見BD00550號第2項、第11項。

3.3　錄文：

陸碩，子張蒙□碩，高□□便兩碩/

張和君便石四斗，退渾便兩碩/

平白郎便三碩，張賢者便兩石/

田員住便一石四斗，田文信便粟一石二斛/

（錄文完）

參見《敦煌社會經濟文獻真蹟釋錄》第二輯，第261頁。

8　9～10世紀。歸義軍時期寫本。

9.1　楷書。

1.1　BD00551號

1.3　大般若波羅蜜多經卷三六三

1.4　荒051

1.5　084：3002

2.1　（2+446.8）×26.4厘米；10紙；251行，行17字。

2.2　01：2+45.8，28；　02：48.0，28；　03：48.0，28；
04：47.7，28；　05：47.8，28；　06：47.7，28；
07：48.0，28；　08：48.0，28；　09：47.0，27；
10：18.8，拖尾。

2.3　卷軸裝。首脫尾全。卷首略殘，第9、10紙接縫處下開裂並有橫向撕裂。有燕尾。有烏絲欄。

3.1　首行下殘→大正220，6/872A5～6。

3.2　尾全→6/874C25。

4.2　大般若波羅蜜多經卷第三百六十三（尾）。

6.1　首→BD00872號。

8　8～9世紀。吐蕃統治時期寫本。

9.1　楷書。

11　圖版：《敦煌寶藏》，76/76A～81B。

1.1　BD00552號

1.3　維摩詰所說經卷中

1.4　荒052

1.5　070：1175

2.1　（126+2）×26厘米；3紙；74行，行17字。

2.2　01：48.5，28；　02：48.5，28；　03：29+2，18。

2.3　卷軸裝。首脫尾殘。第2、3紙接縫處下部開裂。有烏絲欄。

3.1　首殘→大正475，14/548B9。

3.2　尾行下殘→14/549B1。

8　8～9世紀。吐蕃統治時期寫本。

9.1　楷書。

9.2　有刮改。

11　圖版：《敦煌寶藏》，65/605B～607A。

1.1　BD00553號

1.3　大般若波羅蜜多經卷三五六

1.4　荒053

1.5　084：2975

2.1　（1.1+98.8+3.5）×25.8厘米；3紙；56行，行17字。

2.2　01：1.1+20.4，13；　02：46.7，28；
03：31.7+3.5，15。

2.3　卷軸裝。首尾均殘。有烏絲欄。

3.1　首行上下殘→大正220，6/833C29。

3.2　尾2行上殘→6/834B24～26。

6.1　首→BD00703號。

6.2　尾→BD00614號。

8　8～9世紀。吐蕃統治時期寫本。

9.1　楷書。

11　圖版：《敦煌寶藏》，76/4B～5B。

1.1　BD00554號A

1.3　大般若波羅蜜多經（兑廢稿）卷一八八

1.4　荒054

1.5　084：2470

2.1　46.7×26.3厘米；1紙；24行，行17字；

2.3　卷軸裝。首脫尾全。有燕尾。有烏絲欄。

3.1　首殘→大正220，5/1013C25。

3.2　尾全→5/1014A21。

4.2　大般若波羅蜜多經卷第一百八十八（尾）。

7.2　尾題下端有4×5厘米的陽文篆書長方形硃印“報恩寺藏經印”，此卷為敦煌報恩寺所藏。

8　9～10世紀。歸義軍時期寫本。

9.1　楷書。

9.2　有黏貼校改紙。

11　圖版：《敦煌寶藏》，73/402B。

1.1　BD00554號B

1.3　大般若波羅蜜多經（兑廢稿）卷五二一
1.4　荒 054
1.5　084：3283
2.1　47.8×26.3 厘米；1 紙；28 行，行 17 字。
2.3　卷軸裝。首尾均脱。有烏絲欄。
3.1　首殘→大正 220，7/671A19。
3.2　尾殘→7/671B19。
8　8～9 世紀。吐蕃統治時期寫本。
9.1　楷書。
9.2　卷前部有行間加行。
11　圖版：《敦煌寶藏》，77/115A。

1.1　BD00554 號 C
1.3　大般若波羅蜜多經（兑廢稿）卷五八三
1.4　荒 054
1.5　084：3384
2.1　44.3×26.5 厘米；1 紙；27 行，行 17 字。
2.3　卷軸裝。首尾均脱。有烏絲欄。
3.1　首殘→大正 220，7/1015C8。
3.2　尾殘→7/1016A6。
8　8～9 世紀。吐蕃統治時期寫本。
9.1　楷書。
9.2　有行間加行。上邊有一“兑”字。
11　圖版：《敦煌寶藏》，77/458B。

1.1　BD00555 號
1.3　妙法蓮華經卷四
1.4　荒 055
1.5　105：5216
2.1　（11＋1230.2）×26.5 厘米；29 紙；663 行，行 17 字。
2.2　01：11＋34.5，24；　02：43.0，22；　03：44.0，22；
04：43.5，22；　05：43.5，22；　06：44.0，22；
07：43.7，22；　08：43.5，23；　09：43.8，23；
10：43.5，23；　11：43.8，23；　12：43.5，24；
13：43.8，23；　14：43.5，23；　15：43.5，23；
16：43.5，23；　17：43.5，23；　18：43.7，23；
19：44.0，23；　20：43.5，23；　21：43.0，23；
22：43.5，23；　23：43.0，23；　24：43.0，23；
25：43.5，23；　26：43.5，23；　27：43.5，23；
28：43.4，23；　29：20.5，23。
2.3　卷軸裝。首殘尾全。卷首有殘洞。有油污。有烏絲欄，欄綫較粗。已修整。
3.1　首 5 行上下殘→大正 262，9/27B27～C2。
3.2　尾全→9/37A2。
4.2　妙法蓮華經卷第四（尾）。
8　9～10 世紀。歸義軍時期寫本。
9.1　楷書。
9.2　有校改、刮改。
11　圖版：《敦煌寶藏》，89/540A～559A。

1.1　BD00556 號
1.3　維摩詰所説經卷上
1.4　荒 056
1.5　070：1035
2.1　（2＋78.5）×26 厘米；3 紙；42 行，行 17 字。
2.2　01：2＋20，13；　02：46.5，28；　03：12.0，01。
2.3　卷軸裝。首殘尾全。卷尾有蟲繭。有污漬。有烏絲欄。
3.1　首行下殘→大正 475，14/543C3～4。
3.2　尾全→14/544A19。
4.2　維摩詰經卷上（尾）
8　8～9 世紀。吐蕃統治時期寫本。
9.1　楷書。
9.2　有刮改。
11　圖版：《敦煌寶藏》，64/429B～430B。

1.1　BD00557 號 A
1.3　正法念處經卷五
1.4　荒 057
1.5　134：6650
2.1　48.5×27 厘米；1 紙；28 行，行 17 字。
2.3　卷軸裝。首尾均脱。下邊有等距離殘缺。有烏絲欄。
3.1　首殘→大正 721，17/23C16。
3.2　尾殘→17/24A20。
8　7～8 世紀。唐寫本。
9.1　楷書。
11　圖版：《敦煌寶藏》，101/79B～80A。

1.1　BD00557 號 B
1.3　正法念處經卷二五
1.4　荒 057
1.5　134：6653
2.1　48.5×27 厘米；1 紙；28 行，行 17 字。
2.3　卷軸裝。首尾均脱。有烏絲欄。
3.1　首殘→大正 721，17/143A16。
3.2　尾殘→17/143B16。
8　7～8 世紀。唐寫本。
9.1　楷書。
11　圖版：《敦煌寶藏》，101/82A～B。

1.1　BD00557 號 C
1.3　正法念處經卷四一
1.4　荒 057
1.5　134：6656
2.1　48.3×27 厘米；1 紙；26 行，行 17 字。

2.3 卷軸裝。首全尾脫。有烏絲欄。
3.1 首全→大正721，17/241A2。
3.2 尾殘→17/241B1。
4.1 正法念處經天品之廿夜摩天之六，卌一（首）。
8 7～8世紀。唐寫本。
9.1 楷書。
11 圖版：《敦煌寶藏》，101/85A～B。

1.1 BD00558號
1.3 無量壽宗要經
1.4 荒058
1.5 275：7698
2.1 213.5×31.5厘米；5紙；145行，行30餘字。
2.2 01：45.5，30； 02：43.0，30； 03：43.0，30；
04：43.0，30； 05：39.0，25。
2.3 卷軸裝。首尾均全。第1紙中間有橫撕裂。背有古代裱補。有烏絲欄。
3.1 首全→大正936，19/82A3。
3.2 尾全→19/84C29。
4.1 □□［大乘］無量壽經（首）；
4.2 佛說無量壽宗要經（尾）。
7.1 第1紙首下有題記“令狐晏兒寫”。此係同時所抄前一《無量壽宗要經》之題記，惜前一經已殘。
8 8～9世紀。吐蕃統治時期寫本。
9.1 楷書。
9.2 有校改。
11 圖版：《敦煌寶藏》，107/348B～351A。

1.1 BD00559號
1.3 妙法蓮華經卷二
1.4 荒059
1.5 105：4930
2.1 （2.7+95.9+3.7）×27.6厘米；3紙；59行，行16字（偈）。
2.2 01：2.7+41，25； 02：49.9，29； 03：5+3.7，05。
2.3 卷軸裝。首尾均殘。首紙下有撕裂殘損，第1、2紙內有部分文字被粘損，尾紙有殘洞殘損。有烏絲欄。已修整。
3.1 首行殘→大正262，9/14B9。
3.2 尾2行上殘→9/15A26～28。
8 9～10世紀。歸義軍時期寫本。
9.1 楷書。
9.2 有行間校加字。
11 圖版：《敦煌寶藏》，87/251B～253A。

1.1 BD00560號
1.3 佛名經（二十卷本）卷二〇
1.4 荒060
1.5 062：0600
2.1 （2+177+1）×25厘米；5紙；96行，行17字。
2.2 01：2+39.0，22； 02：41.0，22； 03：41.0，22；
04：41.0，22； 05：15+1，08。
2.3 卷軸裝。首脫尾殘。第1至5紙上下均撕裂，背有古代裱補。有烏絲欄。已修整。
3.4 說明：
本遺書首1行下殘，尾1行中下殘。本文獻未為歷代大藏經所收，至今亦未有錄文發表。BD03587號亦為二十卷本《佛名經》，且首尾完整，可參見。
8 7～8世紀。唐寫本。
9.1 楷書。
11 圖版：《敦煌寶藏》，60/358B～261A。

1.1 BD00561號
1.3 妙法蓮華經卷三
1.4 荒061
1.5 105：5031
2.1 458.3×25.6厘米；9紙；252行，行17字。
2.2 01：50.5，28； 02：50.7，28； 03：50.8，28；
04：50.6，28； 05：50.5，28； 06：51.2，28；
07：51.3，28； 08：51.4，28； 09：51.3，28。
2.3 卷軸裝。首尾均脫。經黄紙，有水漬印。有黴斑。第1、2紙接縫處下部開裂。上下邊殘破。有烏絲欄。
3.1 首→大正262，9/20A27。
3.2 尾殘→9/23C26。
8 7～8世紀。唐寫本。
9.1 楷書。
9.2 有刮改。
11 圖版：《敦煌寶藏》，88/307B～314A。

1.1 BD00562號
1.3 妙法蓮華經（八卷本）卷八
1.4 荒062
1.5 105：6091
2.1 403.5×26厘米；8紙；215行，行16～17字。
2.2 01：50.5，28； 02：50.5，28； 03：50.5，28；
04：50.5，28； 05：50.5，28； 06：50.5，28；
07：50.5，28； 08：50.0，19。
2.3 卷軸裝。首脫尾全。麻紙。有黴斑。第1紙上邊有撕裂；第2、3紙，4、5紙和6、7紙接縫處上部開裂。第3、4紙接縫處上下部開裂。尾紙有3排等距離蛀洞。有烏絲欄。
3.1 首殘→大正262，9/59B16。
3.2 尾全→9/62B1。
4.2 妙法蓮華卷第八（尾）。
8 7～8世紀。唐寫本。
9.1 楷書。

9.2 有行間校加字。
11 圖版:《敦煌寶藏》, 96/637A~642B。

1.1 BD00563 號
1.3 大般若波羅蜜多經卷三六
1.4 荒 063
1.5 084:2096
2.1 276.6×26.5 厘米; 7 紙; 164 行, 行 17 字。
2.2 01:45.6, 28; 02:45.5, 24; 03:45.8, 28; 04:45.6, 28; 05:45.0, 28; 06:45.6, 27; 07:03.5, 01。
2.3 卷軸裝。首脱尾全。第 2 紙末空 4 行未抄, 第 3 紙經文與第 2 紙重複。有烏絲欄。
3.1 首斷→大正 220, 5/202B4。
3.2 尾全→5/203C28。
4.2 大般若波羅蜜多經卷第卅六 (尾)。
8 7~8 世紀。唐寫本。
9.1 楷書。
9.2 第 2 紙上邊有 "兌" 字, 因兌廢, 後餘空 4 行未抄。
11 圖版:《敦煌寶藏》, 71/647A~650B。

1.1 BD00564 號
1.3 維摩詰所說經卷上
1.4 荒 064
1.5 070:0896
2.1 204×28 厘米; 5 紙; 113 行, 行字不等。
2.2 01:40.0, 22; 02:41.5, 22; 03:41.0, 23; 04:41.0, 23; 05:40.5, 23。
2.3 卷軸裝。首尾均脱。折疊欄。
3.1 首殘→大正 475, 14/538B7。
3.2 尾殘→14/540A22。
8 9~10 世紀。歸義軍時期寫本。
9.1 楷書。
9.2 有行間校加字。
11 圖版:《敦煌寶藏》, 63/606A~608B。

1.1 BD00565 號
1.3 金剛般若波羅蜜經
1.4 荒 065
1.5 094:3761
2.1 (10.5+352.1+7.5)×25.5 厘米; 6 紙; 231 行, 行 17 字。
2.2 01:10.5+4.5, 9; 02:72.3, 46; 03:73.3, 46; 04:72.0, 45; 05:73.0, 46; 06:57+7.5, 39。
2.3 卷軸裝。首尾均殘。第 1 紙有殘洞, 第 4~6 紙有橫裂, 卷尾殘碎。有烏絲欄。已修整。
3.1 首 6 行上殘→大正 235, 8/749A29~B4。
3.2 尾 3 行上殘→8/752A15-20。
8 7~8 世紀。唐寫本。
9.1 楷書。
11 圖版:《敦煌寶藏》, 80/216A~221A。

1.1 BD00566 號
1.3 四分律戒本疏卷三
1.4 荒 066
1.5 169:7058
2.1 (82+1)×26.8 厘米; 3 紙; 61 行, 行 29 字。
2.2 01:18.0, 13; 02:46.0, 34; 03:18+1, 14。
2.3 卷軸裝。首尾均殘。有烏絲欄。
3.1 首殘→大正 2787, 85/606A20。
3.2 尾 1 行中殘→85/607B17~18。
6.1 首→BD00469 號。
6.2 尾→BD00769 號。
8 8~9 世紀。吐蕃統治時期寫本。
9.1 楷書。
9.2 有校改, 有行間校加字, 有重文符號。
11 圖版:《敦煌寶藏》, 104/32A~33A。

1.1 BD00567 號
1.3 妙法蓮華經卷二
1.4 荒 067
1.5 105:4844
2.1 (8.3+257.5)×26.3 厘米; 6 紙; 157 行, 行 17 字。
2.2 01:8.3+15.6, 14; 02:48.1, 29; 03:48.4, 29; 04:48.4, 28; 05:48.4, 29; 06:48.6, 28。
2.3 卷軸裝。首殘尾脱。首紙殘損嚴重, 第 2 至 5 紙多有横裂及撕裂殘損。多水漬印。已修整。
3.1 首 1 行下殘→大正 262, 9/11B8。
3.2 尾殘→9/13B15。
8 9~10 世紀。歸義軍時期寫本。
9.1 楷書。
9.2 有行間校加字。
11 圖版:《敦煌寶藏》, 87/71B~75A。

1.1 BD00568 號
1.3 維摩詰所說經卷中
1.4 荒 068
1.5 070:1191
2.1 (2+102.5+1.5)×26 厘米; 3 紙; 61 行, 行 17 字。
2.2 01:2+19.5, 12; 02:48.5, 28; 03:34.5+1.5, 21。
2.3 卷軸裝。首尾均殘。第 2、3 紙接縫處上部開裂。有烏絲欄。
3.1 首行下殘→大正 475, 14/550A27~28。

3.2　尾行下殘→14/551A19。
8　8～9 世紀。吐蕃統治時期寫本。
9.1　楷書。
11　圖版：《敦煌寶藏》，65/628A～629A。

1.1　BD00569 號
1.3　四分律戒本疏卷三
1.4　荒 069
1.5　169：7054
2.1　（3＋81.5＋3）×26.7 厘米；3 紙；64 行，行 27 字。
2.2　01：3＋8.5，08；　02：46.0，34；　03：27＋3，22。
2.3　卷軸裝。首尾均殘。有烏絲欄。
3.1　首 2 行中下殘→大正 2787，85/600B24～28。
3.2　尾 2 行上中殘→85/601C14～17。
6.1　首→BD00573 號。
6.2　尾→BD00599 號。
8　8～9 世紀。吐蕃統治時期寫本。
9.1　楷書。
9.2　有重文符號。
11　圖版：《敦煌寶藏》，104/26A～27A。

1.1　BD00570 號
1.3　妙法蓮華經卷五
1.4　荒 070
1.5　105：5464
2.1　（17＋1027.8）×26.5 厘米；22 紙；596 行，行 17 字。
2.2　01：17＋31.3，28；　02：48.7，28；　03：48.5，28；
04：48.5，28；　05：47.2，27；　06：47.0，27；
07：47.3，27；　08：47.2，27；　09：47.2，27；
10：47.2，27；　11：47.2，27；　12：47.1，27；
13：47.2，27；　14：47.5，27；　15：47.2，27；
16：47.2，27；　17：47.1，27；　18：47.2，27；
19：47.3，27；　20：47.4，27；　21：47.3，27；
22：48.0，25。
2.3　卷軸裝。首脱尾全。卷首下部殘缺，第 1 紙有橫裂。有燕尾。有烏絲欄。
3.1　首 10 行下殘→大正 262，9/37B8～20。
3.2　尾全→9/46B14。
4.2　妙法蓮華經卷第五（尾）。
8　7～8 世紀。唐寫本。
9.1　楷書。
11　圖版：《敦煌寶藏》，92/203A～218B。

1.1　BD00571 號
1.3　維摩詰所說經卷中
1.4　荒 071
1.5　070：1066
2.1　838.5×26.5 厘米；18 紙；453 行，行 17 字。
2.2　01：50.0，27；　02：49.0，27；　03：49.0，27；
04：49.0，27；　05：49.0，27；　06：49.0，27；
07：49.0，27；　08：49.0，27；　09：49.0，27；
10：49.0，27；　11：49.0，27；　12：46.0，25；
13：45.5，25；　14：49.5，27；　15：49.5，27；
16：49.5，27；　17：49.5，25；　18：09.0，拖尾。
2.3　卷軸裝。首殘尾全。第 1 紙中間有撕裂，第 13、14 紙接縫處上部有開裂。有 1 殘片已與第 1 紙綴接。有水漬印。有燕尾。有烏絲欄。已修整。
3.1　首殘→大正 475，14/545C22。
3.2　尾全→14/551C27。
4.2　維摩詰經卷中（尾）
8　9～10 世紀。歸義軍時期寫本。
9.1　楷書。
9.2　有刮改。
11　圖版：《敦煌寶藏》，64/646B～657B。

1.1　BD00572 號
1.3　妙法蓮華經卷二
1.4　荒 072
1.5　105：4891
2.1　（1.5＋89.9）×27.7 厘米；2 紙；53 行，行 17 字。
2.2　01：1.5＋40.8，25；　02：49.1，28。
2.3　卷軸裝。首尾均殘。尾紙末端有橫殘。有烏絲欄。已修整。
3.1　首行上殘→大正 262，9/12C20。
3.2　尾行殘→9/13B18～19。
8　9～10 世紀。歸義軍時期寫本。
9.1　楷書。
9.2　有行間校加字，有校改。
11　圖版：《敦煌寶藏》，87/173B～174B。

1.1　BD00573 號
1.3　四分律戒本疏卷三
1.4　荒 073
1.5　169：7053
2.1　（1＋79＋4.5）×26.7 厘米；3 紙；63 行，行 27 字。
2.2　01：01.0，01；　02：46.0，34；　03：33＋4.5，28。
2.3　卷軸裝。首尾均殘。有火灼殘洞。有烏絲欄。
3.1　首 1 行中下殘→大正 2787，85/599B7～9。
3.2　尾 3 行上中殘→85/600B23～27。
6.1　首→BD00659 號。
6.2　尾→BD00569 號。
8　8～9 世紀。吐蕃統治時期寫本。
9.1　楷書。
9.2　有行間校加字。
11　圖版：《敦煌寶藏》，104/24B～25B。

1.1　BD00574 號
1.3　無垢淨光大陀羅尼經
1.4　荒 074
1.5　236：7379
2.1　（398.5 +2.2）×30.6 厘米；10 紙；232 行，行 17 字。
2.2　01：42.3，24；　02：42.6，25；　03：42.8，25；
　　04：42.8，25；　05：42.8，25；　06：42.9，25；
　　07：42.9，25；　08：42.8，25；　09：42.9，25；
　　10：13.7 +2.2，8。
2.3　卷軸裝。首全尾殘。首紙前部殘破，第 2 紙尾部上邊有 1 處殘損。有烏絲欄。已修整。
3.1　首全→大正 1024，19/717C5。
3.2　尾殘→19/720B9。
4.1　無垢淨光大陀羅尼經（首）。
8　9 ~10 世紀。歸義軍時期寫本。
9.1　楷書。
9.2　有倒乙。
11　圖版：《敦煌寶藏》，105/653B ~658B。

1.1　BD00575 號
1.3　四分律戒本疏卷三
1.4　荒 075
1.5　169：7060
2.1　（2.3 +88 +1）×27 厘米；3 紙；68 行，行 29 字。
2.2　01：2.3 +31，25；　02：46.0，34；　03：11 +1，09。
2.3　卷軸裝。首尾均殘。有火灼小洞。有烏絲欄。
3.1　首 2 行上中殘→大正 2787，85/608C11 ~12。
3.2　尾 1 行上下殘→85/610A17。
6.1　首→BD00769 號。
6.2　尾→BD00500 號。
8　8 ~9 世紀。吐蕃統治時期寫本。
9.1　楷書。
11　圖版：《敦煌寶藏》，104/35A ~36A。

1.1　BD00576 號
1.3　妙法蓮華經卷六
1.4　荒 076
1.5　105：5741
2.1　（3 +412.1 +19.5）×26.5 厘米；12 紙；265 行，行 17 字。
2.2　01：03.0，02；　02：34.0，24；　03：41.5，26；
　　04：41.7，25；　05：41.5，25；　06：41.8，25；
　　07：42.0，25；　08：41.8，25；　09：42.0，25；
　　10：42.0，25；　11：42.0，25；　12：1.8 +19.5，11。
2.3　卷軸裝。首尾均殘。卷首部上邊和卷面有等距離殘破，第 1 紙上邊殘缺，中部有殘洞。有烏絲欄。已修整。
3.1　首 6 行上下殘→大正 262，9/48B18 ~24。
3.2　尾 10 行下殘→9/52A26 ~ B10。
7.1　第 2 紙至第 7 紙每紙上邊有編號，為“五” ~ “十”。第 10、11、12 等三紙上邊則分別編有“十二”、“十三”、“十四”。
8　8 ~9 世紀。吐蕃統治時期寫本。
9.1　楷書。
9.2　有硃筆斷句，有行間加字。
11　圖版：《敦煌寶藏》，94/565A ~571A。

1.1　BD00577 號
1.3　無量壽宗要經
1.4　荒 077
1.5　275：7967
2.1　（13.5 +157）×31 厘米；4 紙；115 行，行 30 餘字。
2.2　01：13.5 +29.5，28；　02：42.5，29；　03：42.5，29；
　　04：42.5，29。
2.3　卷軸裝。首尾均全。卷首殘破嚴重，有油污；第 1 紙上下邊有撕裂殘缺；卷尾有殘洞，蟲繭。背有古代裱補。有烏絲欄。
3.1　首 8 行下殘→大正 936，19/82A3 ~18。
3.2　尾全→19/84C28。
4.1　大乘無量壽經（首）。
8　8 ~9 世紀。吐蕃統治時期寫本。
9.1　行楷。
9.2　有校改。
11　圖版：《敦煌寶藏》，108/394A ~396A。

1.1　BD00578 號
1.3　大乘百法明門論開宗義決
1.4　荒 078
1.5　209：7242
2.1　（3 +88.5）×32 厘米；2 紙；正面 50 行，行 30 餘字。背面 5 行，行約 34 字。
2.2　01：3 +43.5，25；　02：45.0，25。
2.3　卷軸裝。首尾均脫。有烏絲欄，上下邊雙欄。
2.4　本遺書包括 2 個文獻：（一）《大乘百法明門論開宗義決》，50 行，抄寫在正面，今編為 BD00578 號。（二）《外道百頭藍弗化身作夜叉緣》，5 行，抄寫在背面，今編為 BD00578 號背。
3.1　首行下殘→大正 2812，85/1072C23。
3.2　尾殘→85/1074A3。
8　8 ~9 世紀。吐蕃統治時期寫本。
9.1　楷書。
9.2　有硃筆斷句、科分、倒乙，有行間校加字。
11　圖版：《敦煌寶藏》，105/64B ~66A。

1.1　BD00578 號背
1.3　外道百頭藍弗化身作夜叉緣（擬）
1.4　荒 078
1.5　209：7242
2.1　本遺書由 2 個文獻組成，本號爲第 2 個，5 行，抄寫在背

面，餘參見 BD00578 號第 2 項、第 11 項。
3.4 說明：
本文獻敘述外道百頭藍弗因有神通，淩空飛到國王宮殿接受供養。但因觸宮女，失去神通，衹能步行返回。百頭藍弗便到樹下、河邊重修禪定，企圖恢復神通。但因鳥禽、魚鱉喧鬧干擾，未能成功。百頭藍弗因此發惡誓，並應誓化身為夜叉，專食一切衆生之肉。
“百頭藍弗”，又作“欝頭藍子”。多種佛經記載這一故事，内容大同小異。亦可參見《大唐西域記》卷九。
8 8～9 世紀。吐蕃統治時期寫本。
9.1 行書。

1.1 BD00579 號
1.3 妙法蓮華經卷五
1.4 荒 079
1.5 105：5430
2.1 145.8×26 厘米；5 紙；70 行，行 17 字。
2.2 01：21.0，護首； 02：09.0，05； 03：50.0，28；
04：50.0，28； 05：15.8，09。
2.3 卷軸裝。首全尾斷。經黄紙。有護首，護首有經名。有竹製天竿。第 3 紙有古代褙補。有烏絲欄。
3.1 首全→大正 262，9/35C27。
3.2 尾殘→9/37A1。
4.1 妙法蓮華經勸持品第十三（首）。
5 護首標註本文獻為卷五，則本文獻的分卷與《大正藏》本（七卷本）及敦煌遺書中保存的八卷本、十卷本均不同。護首疑非原配。詳情待考。
7.4 護首有經名“妙法蓮華經卷第五”，上有經名號。
8 7～8 世紀。唐寫本。
9.1 楷書。
11 圖版：《敦煌寶藏》，91/465B～467A。

1.1 BD00580 號
1.3 金剛般若波羅蜜經
1.4 荒 080
1.5 094：4177
2.1 266×26 厘米；6 紙；145 行，行 17 字。
2.2 01：50.0，28； 02：50.0，28； 03：50.0，28；
04：50.0，28； 05：50.0，28； 06：16.0，05。
2.3 卷軸裝。首脱尾全。經黄紙。1、2 紙接縫處下方開裂。有烏絲欄。
3.1 首殘→大正 235，8/750C19。
3.2 尾全→8/752C3。
4.2 金剛般若波羅蜜經（尾）。
8 7～8 世紀。唐寫本。
9.1 楷書。
11 圖版：《敦煌寶藏》，82/318B～321B。

1.1 BD00581 號
1.3 無量壽宗要經
1.4 荒 081
1.5 275：7968
2.1 （2＋173.5）×31.5 厘米；4 紙；117 行，行 30 餘字。
2.2 01：2＋35.5，23； 02：46.0，29； 03：46.0，33；
04：46.0，32。
2.3 卷軸裝。首殘尾全。卷尾有蟲繭。有烏絲欄。
3.1 首行中下殘→大正 936，19/82A11～13。
3.2 尾全→19/84C29。
4.2 佛說無量壽宗要經（尾）。
7.1 卷末尾題後有硃筆題名“唐再再”。
8 8～9 世紀。吐蕃統治時期寫本。
9.1 行楷。
11 圖版：《敦煌寶藏》，108/396B～398B。

1.1 BD00582 號
1.3 大佛頂如來密因修證了義諸菩薩萬行首楞嚴經卷五
1.4 荒 082
1.5 237：7404
2.1 （572.8＋13.5）×25.5 厘米；14 紙；334 行，行 17 字。
2.2 01：07.7，護首； 02：46.4，27； 03：47.1，28；
04：47.2，28； 05：47.2，28； 06：47.2，28；
07：47.1，28； 08：47.2，28； 09：47.3，28；
10：47.2，28； 11：46.7，28； 12：47.4，28；
13：47.1，27； 14：13.5，拖尾。
2.3 卷軸裝。首尾均全。有護首、拖尾，均已殘破。有水漬印。有烏絲欄。
3.1 首全→大正 945，19/124B9。
3.2 尾全→19/128B6。
4.1 大佛頂如來密因修證了義諸菩薩萬行首楞嚴經第五/一名中印度那蘭（爛）陀大道場/經，於灌頂部錄出別行/（首）。
8 7～8 世紀。唐寫本。
9.1 楷書。
9.2 有行間校加字，有校改、刮改。
11 圖版：《敦煌寶藏》，106/90A～98A。

1.1 BD00583 號
1.3 大般若波羅蜜多經卷七八
1.4 荒 083
1.5 084：2227
2.1 （9.8＋773.4）×27 厘米；17 紙；441 行，行 17 字。
2.2 01：9.8＋17，15； 02：48.4，28； 03：48.8，28；
04：48.8，28； 05：48.6，28； 06：48.9，28；
07：48.7，28； 08：48.8，28； 09：48.7，28；
10：48.8，28； 11：48.6，28； 12：48.7，28；
13：48.7，28； 14：48.7，28； 15：48.6，28；

16：48.6，28；　17：26.0，06。
2.3　卷軸裝。首殘尾全。尾有原軸，鑲亞腰型軸頭，上軸頭脫落，下軸頭塗漆，深咖啡色。第1紙有縱橫向撕裂。有燕尾。有烏絲欄。已修整。
3.1　首5行上下殘→大正220，5/436C19～23。
3.2　尾全→5/441C27。
4.2　大般若波羅蜜多經卷第七十八（尾）。
8　8～9世紀。吐蕃統治時期寫本。
9.1　楷書。
11　圖版：《敦煌寶藏》，72/334A～344A。

1.1　BD00584號
1.3　金剛般若波羅蜜經
1.4　荒084
1.5　094：4328
2.1　（3.3+138.8）×25.6厘米；3紙；82行，行17字。
2.2　01：3.3+44.3，28；　02：47.5，28；　03：47.0，26。
2.3　卷軸裝。首殘尾全。上部油污。尾有蟲繭。有烏絲欄。
3.1　首2行上殘→大正235，8/751B25～26。
3.2　尾全→8/752C3。
4.2　金剛般若波羅蜜經（尾）。
5　與《大正藏》本對照，本號缺《冥司偈》，缺文參見8/751C16～19。
8　9～10世紀。歸義軍時期寫本。
9.1　楷書。
11　圖版：《敦煌寶藏》，82/662A～663B。

1.1　BD00585號
1.3　維摩詰所說經卷上
1.4　荒085
1.5　070：1036
2.1　（4+119.5+2）×26厘米；3紙；69行，行16～19字。
2.2　01：4+26.5，18；　02：46.5，28；　03：46.5+2，23。
2.3　卷軸裝。首尾均殘。有烏絲欄。
3.1　首殘→大正475，14/542A26。
3.2　尾殘→14/543A9。
8　8～9世紀。吐蕃統治時期寫本。
9.1　楷書。
11　圖版：《敦煌寶藏》，64/431A～432B。

1.1　BD00586號
1.3　四分比丘尼戒本
1.4　荒086
1.5　157：6971
2.1　（13+350.5）×27.5厘米；10紙；230行，行21字。
2.2　01：05.0，03；　02：8+36，28；　03：44.0，28；
04：44.0，28；　05：44.5，28；　06：44.0，28；
07：44.0，28；　08：44.0，28；　09：44.0，28；
10：06.0，03。
2.3　卷軸裝。首尾均殘。首紙殘缺，第6紙上方撕裂。有現代裱補。有烏絲欄。
3.1　首8行中下殘→大正1431，22/1031A7～22。
3.2　尾殘→22/1034C21。
8　9～10世紀。歸義軍時期寫本。
9.1　楷書。
9.2　有刪除符號，有行間加行。
11　圖版：《敦煌寶藏》，103/185A～190A。

1.1　BD00587號
1.3　無量壽宗要經
1.4　荒087
1.5　275：7699
2.1　204.5×30.5厘米；5紙；139行，行30餘字。
2.2　01：41.0，28；　02：41.0，28；　03：41.0，28；
04：41.0，28；　05：40.5，27。
2.3　卷軸裝。首尾均全。第1紙上下邊殘缺，第3、4紙接縫處上部開裂。有烏絲欄。已修整。
3.1　首全→大正936，19/82A3。
3.2　尾全→19/84C29。
4.1　大乘無量壽經（首）。
4.2　佛說無量壽經（尾）。
7.1　第5紙末有題名"姚良"。
8　8～9世紀。吐蕃統治時期寫本。
9.1　楷書。
11　圖版：《敦煌寶藏》，107/351B～354A。

1.1　BD00588號1
1.3　無量壽宗要經
1.4　荒088
1.5　275：8146
2.1　（3+230.5）×31.5厘米；6紙；154行，行30餘字。
2.2　01：3+41.5，32；　02：43.5，32；　03：43.5，17；
04：43.0，31；　05：44.0，31；　06：15.0，11。
2.3　卷軸裝。首脫尾殘。第1紙上下邊撕裂殘缺，第4紙下邊有撕裂。有火灼殘洞。第5紙正面有古代裱補。有烏絲欄。已修整。
2.4　本遺書包括2號文獻：（一）《無量壽宗要經》，81行，今編為BD00588號1。（二）《無量壽宗要經》，73行，今編為BD00588號2。
3.1　首2行下殘→大正936，19/82C18～20。
3.2　尾全→19/84C29。
4.2　佛說無量壽宗要經（尾）。
7.1　第3紙末有題名"◇張"。
8　8～9世紀。吐蕃統治時期寫本。

9.1 行楷。
9.2 有倒乙。
11 圖版:《敦煌寶藏》,109/138A~140B。

1.1 BD00588 號 2
1.3 無量壽宗要經
1.4 荒 088
1.5 275:8146
2.1 本遺書由 2 個文獻組成,本號爲第 2 個,73 行,餘參見 BD00588 號 1 之第 2 項、第 11 項。
3.1 首全→大正 936,19/82A3。
3.2 尾殘→19/84A3。
4.1 大乘無量壽經(首)。
8 8~9 世紀。吐蕃統治時期寫本。
9.1 行楷。
9.2 有刮改。

1.1 BD00589 號
1.3 金剛般若波羅蜜經
1.4 荒 089
1.5 094:3689
2.1 (3+96.5)×28 厘米;2 紙;60 行,行 17 字。
2.2 01:3+47,30; 02:49.5,30。
2.3 卷軸裝。首尾均脱。第 1 紙首 7 行有斜向撕裂,第 2 紙有 3 個殘洞。有烏絲欄。已修整。
3.1 首 4 行中、下殘→大正 235,8/749A19~24。
3.2 尾殘→8/749C24。
8 9~10 世紀。歸義軍時期寫本。
9.1 楷書。
11 圖版:《敦煌寶藏》,79/535A~536A。

1.1 BD00590 號
1.3 四分律戒本疏卷三
1.4 荒 090
1.5 169:7050
2.1 (2.5+50.5+2)×27 厘米;2 紙;40 行,行 25 字。
2.2 01:2.5+19,16; 02:31.5+2,24。
2.3 卷軸裝。首尾均殘。有火灼殘洞。有烏絲欄。
3.1 首 2 行上中殘→大正 2787,85/596B21~22。
3.2 尾 1 行上中殘→85/597A28~B1。
6.1 首→BD00464 號。
6.2 尾→BD00727 號。
8 8~9 世紀。吐蕃統治時期寫本。
9.1 楷書。
9.2 有行間校加字。
11 圖版:《敦煌寶藏》,104/21A~B。

1.1 BD00591 號
1.3 妙法蓮華經卷一
1.4 荒 091
1.5 105:4673
2.1 (4.5+295.8)×25.4 厘米;8 紙;174 行,行 17 字。
2.2 01:02.5,01; 02:2+44.7,28; 03:47.0,28; 04:46.8,28; 05:46.7,28; 06:46.7,28; 07:46.6,28; 08:17.3,05。
2.3 卷軸裝。首殘尾全。經黄紙。卷尾有原軸,上軸頭丟失,下鑲蓮蓬形軸頭,塗紫漆。有水漬印。第 2 紙下有 1 橫裂,3、4 紙接縫處下方開裂,6 紙上方有 1 處撕裂,7 紙内有 1 處殘損。有烏絲欄。已修整。
3.1 首 2 行中下殘→大正 262,9/7A13~14。
3.2 尾全→9/10B21。
4.2 妙法蓮華經卷第一(尾)。
8 7~8 世紀。唐寫本。
9.1 楷書。
11 圖版:《敦煌寶藏》,85/241B~245B。

1.1 BD00592 號
1.3 大般若波羅蜜多經卷三二
1.4 荒 092
1.5 084:2085
2.1 (1.6+770.5)×25.4 厘米;17 紙;455 行,行 17 字。
2.2 01:1.6+17.2,11; 02:47.2,28; 03:47.2,28; 04:47.4,28; 05:47.4,28; 06:47.3,28; 07:47.2,28; 08:47.3,28; 09:47.2,28; 10:47.2,28; 11:47.2,28; 12:47.2,28; 13:47.3,28; 14:47.0,28; 15:47.2,28; 16:47.2,28; 17:44.8,24。
2.3 卷軸裝。首殘尾全。第 1 紙有橫向撕裂。第 1 紙背面有古代裱補。有烏絲欄。
3.1 首行中殘→大正 220,5/176B17~18。
3.2 尾全→5/181C8。
4.2 大般若波羅蜜多經卷第三十二(尾)。
8 8~9 世紀。吐蕃統治時期寫本。
9.1 楷書。
11 圖版:《敦煌寶藏》,71/600B~610B。

1.1 BD00593 號
1.3 金剛三昧經
1.4 荒 093
1.5 114:6282
2.1 (6.3+268.8)×29 厘米;7 紙;174 行,行 32~34 字。
2.2 01:06.3,04; 02:44.4,31; 03:45.0,32; 04:45.0,31; 05:45.1,31; 06:45.0,31; 07:44.3,14。

2.3　卷軸裝。首殘尾全。第 2 紙前方下有 1 殘洞。有烏絲欄。
3.1　首 4 行下殘→大正 273，9/370B1～8。
3.2　尾全→9/374B28。
4.2　佛說金剛三昧經一卷（尾）。
8　8～9 世紀。吐蕃統治時期寫本。
9.1　楷書。
9.2　有行間校加字。
11　圖版：《敦煌寶藏》，97/531A～534A。

1.1　BD00594 號
1.3　金剛般若波羅蜜經
1.4　荒 094
1.5　094：3704
2.1　（4.5＋39）×27.5 厘米；1 紙；26 行，行 17 字。
2.3　卷軸裝。首殘尾脫。有橫裂及豎裂。有烏絲欄。已修整。
3.1　首 3 行上、下殘→大正 235，8/749A21～24。
3.2　尾殘→8/749B20。
8　9～10 世紀。歸義軍時期寫本。
9.1　楷書。
11　圖版：《敦煌寶藏》，79/607A。

1.1　BD00595 號
1.3　妙法蓮華經卷二
1.4　荒 095
1.5　105：4843
2.1　（13.3＋85.7＋2.4）×27.5 厘米；3 紙；58 行，行 17 字。
2.2　01：13.3＋18.5，18；　02：50.0，29；
03：17.2＋2.4，11。
2.3　卷軸裝。首尾均殘。有上下邊欄。有水漬印。已修整。
3.1　首 7 行上殘→大正 262，9/11B5～12。
3.2　尾行殘→9/12A17。
8　8～9 世紀。吐蕃統治時期寫本。
9.1　楷書。
11　圖版：《敦煌寶藏》，87/70A～71A。

1.1　BD00596 號
1.3　妙法蓮華經卷二
1.4　荒 096
1.5　105：4966
2.1　（1.5＋82.8）×27.8 厘米；3 紙；49 行，行 17 字。
2.2　01：01.5，01；　02：49.8，29；　03：33.0，19。
2.3　卷軸裝。首尾均殘。卷面略殘。字跡有殘損。有烏絲欄。
3.1　首行下殘→大正 262，9/17B24～26。
3.2　尾殘→9/18A29。
8　8～9 世紀。吐蕃統治時期寫本。
9.1　楷書。
11　圖版：《敦煌寶藏》，87/305A～346A。

1.1　BD00597 號 1
1.3　咒魅經
1.4　荒 097
1.5　290：8269
2.1　（7.8＋176.6）×25.4 厘米；5 紙；95 行，行 17 字。
2.2　01：4.1，2；　02：3.7＋43.6，28；　03：47.2，28；
04：47.5，26；　05：38.3，11。
2.3　卷軸裝。首殘尾全。第 2 紙有等距殘洞，第 3、5 紙有殘洞，第 5 紙上邊下邊殘破，卷前部有等距離殘破。有烏絲欄。已修整。
2.4　本遺書包括 2 個文獻：（一）《咒魅經》，80 行，今編為 BD00597 號 1。（二）《讀誦楞伽經而說咒》，15 行，今編為 BD00597 號 2。
3.1　首 4 行下殘→大正 2882，85/1384A7～11。
3.2　尾全→85/1384B26。
4.2　佛說咒魅經一卷（尾）。
5　與《大正藏》本對照，行文有所不同。第 47 行到第 53 行、第 68 行到第 70 行兩段，《大正藏》本無。此外，本文獻兩個尾題之間的“病鬼咒名”、“藥王菩薩縛鬼咒”等兩段咒語以及其後的持誦功德，均為《大正藏》本所無。
8　7～8 世紀。唐寫本。
9.1　楷書。
11　圖版：《敦煌寶藏》，109/458A～460A。

1.1　BD00597 號 2
1.3　讀誦楞伽經而說咒（擬）
1.4　荒 097
1.5　290：8269
2.4　本遺書由 2 個文獻組成，本號為第 2 個，15 行。餘參見 BD00597 號 1 之第 2 項、第 11 項。
3.4　說明：
此段文獻乃從《入楞伽經》卷八“陀羅尼品第十七”中化出。可參見大正 671，16/564C～565A。其中咒語與 16/564C16～26 所載完全相同。
4.1　讀誦楞伽經而說咒曰（首）。
8　7～8 世紀。唐寫本。
9.1　楷書。

1.1　BD00598 號
1.3　妙法蓮華經卷五
1.4　荒 098
1.5　105：5473
2.1　（5.5＋927.1）×26.2 厘米；21 紙；551 行，行 17 字。
2.2　01：5.5＋6.8，7；　02：46.0，28；　03：46.2，28；
04：46.0，28；　05：46.2，28；　06：46.3，28；
07：46.3，28；　08：46.4，28；　09：46.3，28；
10：46.3，28；　11：46.3，28；　12：46.2，28；

13：46.2，28；　14：46.3，28；　15：46.2，28；
16：46.2，28；　17：46.2，28；　18：46.2，28；
19：46.3，28；　20：46.2，28；　21：42.0，12。
2.3　卷軸裝。首殘尾全。經黄紙，研光上蠟。尾有原軸，上軸頭脱落，下軸頭為蓮蓬形，棕色。第1、2、3紙有殘洞，第2、3紙接縫處中開裂，第21紙有殘洞，上下部殘損。有烏絲欄。已修整。
3.1　首4行中上殘→大正262，9/38A11～12。
3.2　尾全→9/46B14。
4.2　妙法蓮華經卷第五（尾）。
8　7～8世紀。唐寫本。
9.1　楷書。
11　圖版：《敦煌寶藏》，92/335A～349A。

1.1　BD00599號
1.3　四分律戒本疏卷三
1.4　荒099
1.5　169：7055
2.1　（2.5+107）×26.7厘米；3紙；81行，行27字。
2.2　01：2.5+16，14；　02：46.0，34；　03：45.0，33。
2.3　卷軸裝。首尾均殘。有烏絲欄。
3.1　首2行中下殘→大正2787，85/601C14～17。
3.2　尾殘→85/603B20。
6.1　首→BD00569號。
6.2　尾→BD00741號。
8　8～9世紀。吐蕃統治時期寫本。
9.1　楷書。
11　圖版：《敦煌寶藏》，104/27B～28B。

1.1　BD00600號
1.3　大般若波羅蜜多經卷三七
1.4　荒100
1.5　084：2097
2.1　（19+89.2）×28.6厘米；3紙；64行，行17字。
2.2　01：19+21.8，24；　02：46.6，28；　03：20.8，12。
2.3　卷軸裝。首尾均殘。上邊殘缺。紙未入潢。有烏絲欄。
3.1　首11行下殘→大正220，5/204B4～15。
3.2　尾行上殘→5/205A9。
6.2　尾→BD00610號。
8　8～9世紀。吐蕃統治時期寫本。
9.1　楷書。
11　圖版：《敦煌寶藏》，71/651A～652A。

新舊編號對照表

一、千字文號與北敦號、縮微膠卷號對照表

千字文號	北敦號	縮微膠卷號
荒 003	BD00503 號	105：5877
荒 004	BD00504 號	105：5634
荒 005	BD00505 號	070：1227
荒 006	BD00506 號	094：3956
荒 007	BD00507 號	084：2100
荒 008	BD00508 號	083：1863
荒 009	BD00509 號 1	014：0158
荒 009	BD00509 號 2	014：0158
荒 010	BD00510 號	070：1033
荒 011	BD00511 號	105：6084
荒 012	BD00512 號	081：1398
荒 013	BD00513 號	070：1007
荒 014	BD00514 號	070：1034
荒 015	BD00515 號	070：1008
荒 016	BD00516 號	105：5130
荒 017	BD00517 號	105：6044
荒 018	BD00518 號	116：6563
荒 019	BD00519 號	083：1768
荒 020	BD00520 號	377：8482
荒 021	BD00521 號	084：3068
荒 022	BD00522 號	105：5165
荒 023	BD00523 號	070：1181
荒 024	BD00524 號	237：7410
荒 025	BD00525 號	083：1851
荒 026	BD00526 號	143：6703
荒 026	BD00526 號背	143：6703
荒 027	BD00527 號	040：0378
荒 028	BD00528 號	084：2101
荒 029	BD00529 號	058：0466
荒 029	BD00529 號背	058：0466
荒 030	BD00530 號	105：6032
荒 031	BD00531 號	084：2016
荒 032	BD00532 號	105：4718
荒 033	BD00533 號	084：3329
荒 034	BD00534 號	084：3012
荒 035	BD00535 號	139：6669
荒 036	BD00536 號	070：0921
荒 036	BD00536 號背	070：0921
荒 037	BD00537 號	237：7389
荒 038	BD00538 號	070：0922
荒 039	BD00539 號	105：4660
荒 040	BD00540 號	105：5552
荒 041	BD00541 號	084：3151
荒 042	BD00542 號	070：1119
荒 043	BD00543 號	094：3551
荒 044	BD00544 號	115：6289
荒 045	BD00545 號	083：1928
荒 046	BD00546 號	084：2244
荒 047	BD00547 號	105：6114
荒 048	BD00548 號	169：7048
荒 049	BD00549 號	084：2970
荒 050	BD00550 號	070：0905
荒 050	BD00550 號背	070：0905
荒 051	BD00551 號	084：3002
荒 052	BD00552 號	070：1175
荒 053	BD00553 號	084：2975
荒 054	BD00554 號 A	084：2470
荒 054	BD00554 號 B	084：3283
荒 054	BD00554 號 C	084：3384
荒 055	BD00555 號	105：5216
荒 056	BD00556 號	070：1035
荒 057	BD00557 號 A	134：6650
荒 057	BD00557 號 B	134：6653
荒 057	BD00557 號 C	134：6656
荒 058	BD00558 號	275：7698
荒 059	BD00559 號	105：4930
荒 060	BD00560 號	062：0600
荒 061	BD00561 號	105：5031

荒 062	BD00562 號	105：6091
荒 063	BD00563 號	084：2096
荒 064	BD00564 號	070：0896
荒 065	BD00565 號	094：3761
荒 066	BD00566 號	169：7058
荒 067	BD00567 號	105：4844
荒 068	BD00568 號	070：1191
荒 069	BD00569 號	169：7054
荒 070	BD00570 號	105：5464
荒 071	BD00571 號	070：1066
荒 072	BD00572 號	105：4891
荒 073	BD00573 號	169：7053
荒 074	BD00574 號	236：7379
荒 075	BD00575 號	169：7060
荒 076	BD00576 號	105：5741
荒 077	BD00577 號	275：7967
荒 078	BD00578 號	209：7242
荒 078	BD00578 號背	209：7242
荒 079	BD00579 號	105：5430
荒 080	BD00580 號	094：4177
荒 081	BD00581 號	275：7968
荒 082	BD00582 號	237：7404
荒 083	BD00583 號	084：2227
荒 084	BD00584 號	094：4328
荒 085	BD00585 號	070：1036
荒 086	BD00586 號	157：6971
荒 087	BD00587 號	275：7699
荒 088	BD00588 號 1	275：8146
荒 088	BD00588 號 2	275：8146
荒 089	BD00589 號	094：3689
荒 090	BD00590 號	169：7050
荒 091	BD00591 號	105：4673
荒 092	BD00592 號	084：2085
荒 093	BD00593 號	114：6282
荒 094	BD00594 號	094：3704
荒 095	BD00595 號	105：4843
荒 096	BD00596 號	105：4966
荒 097	BD00597 號 1	290：8269
荒 097	BD00597 號 2	290：8269
荒 098	BD00598 號	105：5473
荒 099	BD00599 號	169：7055
荒 100	BD00600 號	084：2097

二、縮微膠卷號與北敦號、千字文號對照表

縮微膠卷號	北敦號	千字文號
014：0158	BD00509 號 1	荒 009
014：0158	BD00509 號 2	荒 009
040：0378	BD00527 號	荒 027
058：0466	BD00529 號	荒 029
058：0466	BD00529 號背	荒 029
062：0600	BD00560 號	荒 060
070：0896	BD00564 號	荒 064
070：0905	BD00550 號	荒 050
070：0905	BD00550 號背	荒 050
070：0921	BD00536 號	荒 036
070：0921	BD00536 號背	荒 036
070：0922	BD00538 號	荒 038
070：1007	BD00513 號	荒 013
070：1008	BD00515 號	荒 015
070：1033	BD00510 號	荒 010
070：1034	BD00514 號	荒 014
070：1035	BD00556 號	荒 056
070：1036	BD00585 號	荒 085
070：1066	BD00571 號	荒 071
070：1119	BD00542 號	荒 042
070：1175	BD00552 號	荒 052
070：1181	BD00523 號	荒 023
070：1191	BD00568 號	荒 068
070：1227	BD00505 號	荒 005
081：1398	BD00512 號	荒 012
083：1768	BD00519 號	荒 019
083：1851	BD00525 號	荒 025
083：1863	BD00508 號	荒 008
083：1928	BD00545 號	荒 045
084：2016	BD00531 號	荒 031
084：2085	BD00592 號	荒 092
084：2096	BD00563 號	荒 063
084：2097	BD00600 號	荒 100
084：2100	BD00507 號	荒 007
084：2101	BD00528 號	荒 028
084：2227	BD00583 號	荒 083
084：2244	BD00546 號	荒 046
084：2470	BD00554 號 A	荒 054
084：2970	BD00549 號	荒 049
084：2975	BD00553 號	荒 053

084：3002	BD00551 號	荒 051
084：3012	BD00534 號	荒 034
084：3068	BD00521 號	荒 021
084：3151	BD00541 號	荒 041
084：3283	BD00554 號 B	荒 054
084：3329	BD00533 號	荒 033
084：3384	BD00554 號 C	荒 054
094：3551	BD00543 號	荒 043
094：3689	BD00589 號	荒 089
094：3704	BD00594 號	荒 094
094：3761	BD00565 號	荒 065
094：3956	BD00506 號	荒 006
094：4177	BD00580 號	荒 080
094：4328	BD00584 號	荒 084
105：4660	BD00539 號	荒 039
105：4673	BD00591 號	荒 091
105：4718	BD00532 號	荒 032
105：4843	BD00595 號	荒 095
105：4844	BD00567 號	荒 067
105：4891	BD00572 號	荒 072
105：4930	BD00559 號	荒 059
105：4966	BD00596 號	荒 096
105：5031	BD00561 號	荒 061
105：5130	BD00516 號	荒 016
105：5165	BD00522 號	荒 022
105：5216	BD00555 號	荒 055
105：5430	BD00579 號	荒 079
105：5464	BD00570 號	荒 070
105：5473	BD00598 號	荒 098
105：5552	BD00540 號	荒 040
105：5634	BD00504 號	荒 004
105：5741	BD00576 號	荒 076
105：5877	BD00503 號	荒 003
105：6032	BD00530 號	荒 030
105：6044	BD00517 號	荒 017
105：6084	BD00511 號	荒 011
105：6091	BD00562 號	荒 062
105：6114	BD00547 號	荒 047
114：6282	BD00593 號	荒 093
115：6289	BD00544 號	荒 044
116：6563	BD00518 號	荒 018
134：6650	BD00557 號 A	荒 057
134：6653	BD00557 號 B	荒 057
134：6656	BD00557 號 C	荒 057
139：6669	BD00535 號	荒 035
143：6703	BD00526 號	荒 026
143：6703	BD00526 號背	荒 026
157：6971	BD00586 號	荒 086
169：7048	BD00548 號	荒 048
169：7050	BD00590 號	荒 090
169：7053	BD00573 號	荒 073
169：7054	BD00569 號	荒 069
169：7055	BD00599 號	荒 099
169：7058	BD00566 號	荒 066
169：7060	BD00575 號	荒 075
209：7242	BD00578 號	荒 078
209：7242	BD00578 號背	荒 078
236：7379	BD00574 號	荒 074
237：7389	BD00537 號	荒 037
237：7404	BD00582 號	荒 082
237：7410	BD00524 號	荒 024
275：7698	BD00558 號	荒 058
275：7699	BD00587 號	荒 087
275：7967	BD00577 號	荒 077
275：7968	BD00581 號	荒 081
275：8146	BD00588 號 1	荒 088
275：8146	BD00588 號 2	荒 088
290：8269	BD00597 號 1	荒 097
290：8269	BD00597 號 2	荒 097
377：8482	BD00520 號	荒 020